99p

3/2

DICTIONARY OF FRENCH
AND ENGLISH SLANG

DICTIONARY OF FRENCH AND ENGLISH SLANG

Edited by

M. J. LEITNER

and

J. R. LANEN

GEORGE G. HARRAP & CO. LTD.

London   Toronto   Wellington   Sydney

DEDICATION

To our wives, Betty Leitner (an incurable Francophile)
and Denise Lanen (an ardent Americanophile)
for their help and encouragement
M. J. L. and J. R. L.

EN HOMMAGE À

Betty Leitner, incurable francophile,
et Denise Lanen, ardente américanophile,
pour leurs aide et encouragements
M. J. L. et J. R. L.

CONTENTS

TABLE DES MATIÈRES

ACKNOWLEDGMENTS

We would like to express our thanks and appreciation to Annette Mandel, who patiently typed the manuscript for us, and to Ruth Murdock and Daisy Dewart for their editorial advice.

RECONNAISSANCES

Nous exprimons notre reconnaissance à Annette Mandel, qui a patiemment dactylographié notre manuscrit, et à Ruth Murdock et à Daisy Dewart pour leurs conseils d'éditeur.

FOREWORD

The author of a bilingual dictionary is faced with the problem of transposing from one language to another delicate shades of meaning, which, although quickly grasped by the native in his own tongue, may be incomprehensible to the foreigner in literal translation. Language is a living organism which changes constantly under the pressure of its environment, growing in its total mass, and at the same time shedding its outworn elements. The rapid, widespread diffusion of information in our modern era exerts a relatively common pressure on language in the Western countries, but, despite this, there are sufficient differences in national and local experience, both past and present, to dictate the development of figures of speech in one language for which no parallels exist in another. Standard bilingual dictionaries often fail to translate or interpret these figures of speech correctly, and often gloss over the vernacular of the countries concerned.

We have tried, in this dictionary, to translate from French into American, and vice versa, words, phrases, expressions and figures of speech which are part of the living spoken language rather than the classic, literary language of the two countries. We have devoted most of our attention to the colloquial language and to slang, but have also included some figures of speech which, although correct and even classic, may be difficult to interpret in standard translation. We have omitted definitions and translations which are part of the standard language and are to be found in standard dictionaries.

We emphasize the word "American," since there is a great difference between the popular language of England and the countries within its sphere of cultural influence and the language spoken by the people of the United States of America. A large percentage of the entries in the present dictionary are not available in other bilingual French-American (or French-English) dictionaries. A smaller percentage of the entries have not yet appeared even in the specialized all-French or all-American colloquial and slang dictionaries. Moreover, none of the existing bilingual dictionaries provide as many synonymous translations, nor do they attempt to translate at parallel levels of the languages as we have done. This fact alone should make this work valuable to language teachers and translators, advanced language students, journalists, and even to philologists. For excellent detailed studies of the origins of slang and colloquial English, we refer the interested reader to the works of Eric Partridge, and for French argot, to Sainéan and Chautard.

Our material has been gathered over the course of many years from numerous sources, including the press, radio, television, theatre, cinema, conversations and specialized dictionaries in each language, and we have admitted only those words and expressions which we personally have heard, read or used, without our having any illusions that we have included everything. We have tried to present language which is widely and generally used, and have avoided as far as possible vocabulary limited to special closed groups, whether social, professional or geographic. Many words and phrases may have originated within such closed groups, but have been introduced into the everyday language through television, radio, cinema and literature. Among other things, the popularity of detective stories in books, magazines, films and on television shows both in France and in the United States has served to spread slang through all levels of society.

Standard language is usually defined as the language employed by the educated and cultured persons of a country in writing and in formal conversation. It is the language taught in school. But the spoken language of everyday life is learned from infancy—in the home, in the streets and at times even from associates of dubious character. It includes figures of speech, manufactured words, phrases of obscure origin and also vulgarities and obscenities. In the spoken language we find nonsense words, grammatical errors, mispronunciations, and fad words and phrases which have a brief period of popularity and are then discarded. Despite its lack of academic recognition, the spoken language serves to convey meanings which are fully understood by the initiated listeners, the people. The living language, as it is considered in this book, includes words, phrases and expressions, other than standard, used in informal conversation and writing at various social and cultural levels. It includes what in America is considered "colloquial" and "slang," and in France *familier, populaire, langue verte* and *argot.* In the United States slang has become more and more acceptable, and much of it has even been accepted as standard language (a status confirmed, not by the consensus of serious students of the language but by wide usage) by such authorities as the editors of the third edition of the Merriam-Webster International Dictionary.* Bergen Evans, the well-known student of the American language, said, "so rapid, indeed, has the process of absorption become that there is a possibility that slang, as a clearly delimitable form of language in America, may be on the way out."†

It is interesting to note that a few of the newer American words, slang only in that they have not yet been firmly established as standard, are used in France also, deformed somewhat in pronunciation and sometimes in meaning. This has initiated a considerable discussion among French philologists, above all Etiemble,‡ who has expressed himself quite vitriolically against *franglais* in his book *Parlez-vous franglais?*

* *Webster's Third New International Dictionary,* G. and C. Merriam Company, Springfield, Mass., 1964.
† *New York Times Magazine,* March 22, 1964.
‡ Etiemble, *Parlez-vous franglais?* Editions Gallimard, Paris, 1964.

A word about vulgar and obscene terms. In spite of the original definition of "vulgar" in English and *vulgaire* in French as referring to "the people," the term in both languages conveys a meaning of coarseness, of lack of refinement, elegance and culture. In the American language, there is often a connotation of obscenity. More strictly, however, "obscene" in English, and *obscène* in French should be used to denote specific language or actions which are offensive in their nature. In the present work there will be found entries which might be considered vulgar (in the sense of obscene) by some, but which would be accepted without the faintest blush by others. A few entries in the sphere of sexual activity have been made, even though they might be considered obscene by many. Euphemisms, both in American and in French, are often used to soften the effects of such words and phrases, and a number of these expressions commonly used are included in the dictionary.

At this point we must turn to standard reference works for some definitions. "Colloquial" refers to language used in informal speech and writing, and does not in any way imply substandard usage. The French term *familier* is exactly comparable in meaning.

It is more difficult to define "slang" and *argot*. The latter is often considered the French equivalent of slang, but this is not true. Both in English and in French, slang and *argot* originally meant a secret language of thieves, beggars and vagabonds who formed, in essence, a "professional" group apart from other members of the populace. In this sense slang is frequently referred to as "cant" or "jargon"—words which define any specialized language peculiar to a closed group. This is analogous to the *argot de métier* in French. Thus, there exists "college slang" and *l'argot des écoliers,* "military slang" and *l'argot militaire,* "underworld slang" and *l'argot du "Milieu."* The modern *argot* of French maintains more of a stigma of underworld origin than does the slang of the United States, and also suggests origin and use in the lower social strata. There is, however, in France, a growing tendency for people of the higher social classes to use *argot* as a form of affectation and perhaps as an indication of their disregard for stuffy social convention. Parenthetically (and emphatically), it is dangerous for a foreigner to use the slang of another language unless he is thoroughly familiar with it, since an apparently innocent word may, either of itself or in context, be grossly incorrect or grossly vulgar.

In France, where the lines between social classes are more firmly drawn than they are in the United States, certain features, including pronunciation, and variations in sentence structure and vocabulary, serve to distinguish a *langue populaire,* the language of the people, from academic and classical French. An analogous manner of speaking exist in the United States which could be called the "vernacular," or the common everyday language of the people, but such words and expressions are rarely, if ever, specifically indicated as vernacular in American or English dictionaries, whereas the standard French dictionaries definitely classify such material as *populaire*. In the modern and most widely known and accepted sense, slang refers to "colloquial language that is outside of conventional or standard usage and consists of both coined words and those with new or extended meanings; slang develops from the attempt to find fresh and vigorous, colorful, pungent, or humorous expression, and generally either passes into disuse or comes to have a more formal status."* In this meaning slang is most closely paralleled in French by the *langue verte,* which is defined as "the ensemble of words and figures of speech commonly used in the streets, along the boulevards, in shops, clubs, markets and workshops, etc."† The language of the upper and middle classes in France until the present time has maintained a fairly high degree of classic purity; the *langue verte, langue populaire* and *argot* are regarded with disfavor by these classes but nevertheless are the living language of the people in informal circles, among students, shopkeepers, workers, etc.

Although colorful expressions and amusing deformations of pronunciation and meaning of words and figures of speech are prominent in the language of the "teenager" both in the United States and in France, few of these expressions have been admitted into the dictionary, since in fact they form a cant or jargon within an essentially closed group. Most of these words are short-lived; those which have diffused outside the group and are accepted by the general public then become part of the slang language and will have found their way into the present dictionary.

We beg our readers to use this dictionary as a reference and not as an introductory study to one or the other language.

Guide to the Use of the Dictionary

Certain mechanical features of this book must be described to permit the reader to use it to greatest advantage. Many of the entries are made in the form of complete expressions or phrases to indicate the proper sequence of words. The entries are made in the usual alphabetical order according to a key word, but if several important words are present in a phrase, it may be entered more than once. For example, in American, "to get the short end of the stick" may be entered under "short end" and again under "stick." We have attempted to list as many valid synonyms as we could discover under one key word, usually but not always under that which appears first in alphabetical order. In subsequent entries only one or two appropriate translations are given, followed by a colon (:), and, in light-face, upper-case letters, the reference word under which a fuller list of synonyms can be found. Verbs are given in their infinitive form, except rarely where a specific tense conveys a different meaning.

The classification (slang, argot, colloquial, etc.) is given after the entry, but the classification of the translation appears in front of it, arabic numerals being

---

* *Webster's New World Dictionary of the American Language,* College Edition, World Publishing Company, Cleveland and New York, 1962.
† *Petit Larousse,* Librairie Larousse, Paris, 1964. (Translated from the French.)

used for the American words and Roman numerals for French words, with the classification groups separated by semicolons. The symbol "a" after the numerical classification indicates that the word or phrase has relatively infrequent usage, either becoming archaic or more or less limited to special and "closed" groups.

Where a number of different expressions occur, using the same key word, the different meanings are separated from the previous ones by a period. Instead of repeating the key work in full for each expression, only the initial letter is often given unless this would appear clumsy in print, in which case the entire word is printed out. In the French-American section, plurals are usually printed under the main entry in the singular form, but are spelled out completely. In the American-French section, plurals often appear as separate entries. If the same word or phrase has different meanings, each separate meaning is preceded by its numerical classification symbol. Compound words may appear as separate entries or under the main word, depending on which presentation seems clearest or easiest to find.

Since the standard meaning of a word or expression may be different from the colloquial or slang meaning, to avoid misrepresentation, the first definition after each entry, printed in italic letters, is given in correct language, followed, in order, by the colloquial, slang and obscene or vulgar in American and, in French, the *familier, populaire, argot* and *obscène* meanings, in the same order, each indicated by the appropriate classification numerals, and separated from each other by semicolons. Where it has been impossible to find parallel colloquialisms or slang expressions, only standard translations have been made.

In an attempt to cover as many words as possible in a single entry, the following convention has been adopted: words between parentheses ( ) are words which can be added electively without altering the meaning of the expression; for example: "to be loaded (to the gills)." Words within brackets [ ] are alternative words which may be substituted in the phrase; for example: "to be in the clink [hoosegow, lockup]." In the French portion the "se" of reflexive verbs is placed in parentheses after the verb: e.g., "dégonfler (se)" and an occasional "the" in American or "le" in French is similarly placed if it must be used to form the proper expression or word: e.g., "fuzz (the)"; "Maison Bourreman (la)." The spelling of certain slang words in American, and even more in French argot is often phonetic, so that it is difficult to determine a "correct" spelling. In these circumstances we have entered the several variations which we know and which appear most appropriate.

Undoubtedly much material will have been overlooked by the authors, and new expressions will have arisen since the manuscript was completed, and, similarly, some words will have lost their popularity. For these defects we ask humbly to be excused, acknowledging the impossibility of being constantly up-to-date in a work of this nature.

M. J. LEITNER

East Stroudsburg, Pennsylvania, 1964

AVANT-PROPOS

L'auteur d'un dictionnaire bilingue s'expose aux difficultés de transposition. Les nuances subtiles d'une langue, automatiquement saisies par ceux que la pratiquent, peuvent être rendues incompréhensibles pour l'étranger par une traduction littérale. Les dictionnaires bilingues actuels passent souvent à côté du sens précis d'une tournure de phrase et trahissent ainsi les langages populaires des pays concernés.

Comme toute chose vivante, une langue est en état de mutation perpétuelle. Façonnée sous l'influence des époques et du milieu où elle évolue, elle impose par son dynamisme ses métamorphoses dans le même temps qu'elle s'épure de ses éléments périmés. Si, dans notre ère moderne, la diffusion rapide des informations sur de vastes territoires tend à uniformiser les pays de notre monde occidental, les différentes expériences locales ou nationales, passées et présentes, créent, par contre, les conditions d'une évolution typique des idiomes dans une langue, pour lesquels il n'existe rien de similaire dans une autre.

Nous avons tenté, dans ce dictionnaire, de traduire du français en américain, et vice versa, des mots, des phrases, des expressions et des locutions imagées qui sont du langage vivant, parlé, familier ou argotique, laissant délibérément de côté tout ce qui appartient au patrimoine classique et littéraire des deux pays. Nous avons, cependant, cité quelques expressions correctes, voire classiques, dont le sens sous-entendu qui en fait le saveur risquait de n'être pas perceptible dans une version littérale.

Le lecteur remarquera—et peut-être s'en étonnera-t-il?—que nous avons dit à propos de notre traduction, américain et non anglais. Qu'il ne nous accuse pas de chauvinisme. Il existe, en effet, une différence marquée entre la langue populaire d'Angleterre et des pays placés dans sa sphère d'influence culturelle et la langue parlée par le peuple des Etats-Unis.

Un grand nombre des mots consignés par nous ne figurent dans aucun autre dictionnaire bilingue français-américain ou français-anglais. Un pourcentage analogue des mots choisis n'a pas encore paru dans les dictionnaires d'argot et de langage familier exclusivement américain ou français. De plus, aucun des ouvrages existants ne donne autant de traductions synonymiques ni n'essaie de traduire les langages à des niveaux parallèles. De ce point de vue, ce volume devrait être un outil précieux pour les professeurs, les traducteurs, les chercheurs spécialisés en langue, les journalistes et—qui sait?—les philologues. Les lecteurs qui s'intéressent à l'étymologie du *slang* peuvent profiter des oeuvres d'Eric Partridge et, pour l'argot, des recherches de Sainéan et Chautard.

Nos matériaux ont été compilés pendant plusieurs années, puisés à de nombreuses sources, telles la presse, la radio, la télévision, le théâtre, le cinéma, les conversations et enfin les dictionnaires specialisés dans chaque langue. Pas une expression, pas un mot retenu par nous que nous n'avons personnellement entendu, lu ou utilisé, sans toutefois prétendre avoir tout inclus.

Notre ambition est de présenter un langage qui est largement et communément employé. Bien des formulations sont nées de groupes fermés, puis introduites dans le langage de tous les jours par la télévision, la radio et la littérature. La popularité, entre autres facteurs, des romans, magazines, pièces et films policiers, aussi bien en France qu'aux Etats-Unis, a eu pour effet d'introduire l'argot dans toutes les classes de la société. Nous avons, dans la mesure du possible, évité les vocabulaires limités à des couches particulières, soit sociales ou professionnelles, soit géographiques.

La langue classique est généralement définie comme étant celle qui est utilisée, dans l'écriture et les conversations conventionnelles, par le monde cultivé et éduqué d'un pays. C'est cette langue qu'on enseigne dans les écoles. Par contre, la langue vivante, le parler de tous les jours, est apprise dès l'enfance, à la maison, dans les rues et parfois même issue de fréquentations douteuses. Elle est faite de locutions imagées, de mots fabriqués, d'expressions d'origine imprécise et souvent aussi de vulgarités et obscénités. On y trouve des mots absurdes, des erreurs grammaticales, des fautes de prononciation et des snobismes passagèrement en vogue avant que de tomber dans l'oubli. En dépit de son antiacadémisme, elle sert à véhiculer des expressions pleinement comprises et assimilées par les auditeurs: le peuple.

La langue vivante, telle que nous la présentons dans cet ouvrage, est l'ensemble des mots, phrases, et locutions utilisés dans les conversations et l'écriture, sans formalisme, à différents niveaux culturels ou sociaux. Elle englobe ce qui est considéré en Amérique du Nord *colloquial* et *slang* et en France "familier," "populaire," "langue verte" et "argot." Aux Etats-Unis d'Amérique le *slang* est de plus en plus accepté, et, selon l'opinion de certains philologues, a droit à ses titres de noblesse, ainsi qu'en témoigne la troisième édition du "Merriam-Webster International Dictionary." * Bergen Evans, linguiste américain réputé, a dit à ce propos: "Le processus d'absorption est devenu si rapide en vérité qu'il n'est pas impossible que le *slang,* en tant que langage spécifique, clairement délimité, ne soit en voie de disparition." †

Il est intéressant de noter que quelques-uns des termes américains les plus récents, argotiques seulement parce qu'ils ne sont pas encore consacrés par l'usage, sont également usités en France, deformés quelque peu en prononciation et parfois dans leur sens véritable. Ceci a donné naissance à une controverse considérable

---

* *Webster's Third International Dictionary,* G. and C. Merriam Company, Springfield, Mass., 1964.

† *New York Times Magazine,* 22 mars 1964 (traduction).

parmi les philologues français, notamment Etiemble, qui a publié quelques pages vitriolées contre le "franglais" dans son livre *Parlez-vous franglais?**

Quelques mots à propos des termes vulgaires et obscènes. En dépit de la définition stricte communément admise de *vulgar* en anglais, et de "vulgaire" en français comme se rapportant au peuple, les deux qualifications impliquent, dans l'une et l'autre langue, une absence de raffinement, d'élégance ou de culture. Plus strictement cependant, "obscène" en français et *obscene* en anglais devraient être employé pour qualifier des paroles et des actes caractérisés par leur nature offensantes.

Dans les pages qui suivent, on rencontrera des mots et des locutions que certains pourront trouver vulgaires (dans le sens d'obscène) alors que d'autres, sans qu'ils en aient à en rougir, les accepteront. Certaines expressions du domaine de la sexualité ont été répertoriées, bien qu'elles puissent sembler obscène à beaucoup. Leur intérêt n'en est pas moins incontestable. Fort heureusement, en français aussi bien qu'en anglais, les euphémismes viennent atténuer la perniciosité de telles expressions.

Revenons à notre objet pour quelques définitions. *Colloquial* se rapporte à tout ce qui, en écrits ou en paroles, n'est pas académique, mais n'implique aucunement un usage "sous-classique." Le terme français "familier" lui est exactement comparable.

Il est moins aisé de définir avec rigueur le *slang* et "l'argot." Ce dernier est souvent présenté comme l'équivalent français du *slang*. Rien n'est moins juste. En anglais, comme en français, le *slang* et "l'argot" étaient, à l'origine, les langages secrets des voleurs et vagabonds, lesquels formaient par essence des groupes "professionels" distincts des autres couches du bas peuple. Dans cet esprit, "l'argot" et son frère le *slang* s'apparentent au *jargon* ou *cant*, langage particulier à un clan déterminé, "l'argot de métier" en français, par exemple. Ainsi existe-t-il "l'argot des écoliers"—*college slang*—"l'argot militaire"—*military slang*— "l'argot du Milieu"—*underworld slang*, etc. Toutefois, plus que le *slang* des Etats-Unis, l'argot en France a conservé son caractère originel, celui du "Milieu," et évoque plus ou moins une essence de basse classe. Il existe, cependant, dans ce pays, au sein de ce qu'il est convenu d'appeler la haute société, une tendance à utiliser l'argot, soit par affectation, soit par réaction contre des conventions rigoureuses.

En France, où les séparations entre les classes sociales sont plus marquées qu'aux Etats-Unis, certains traits, tels la prononciation, l'accent, la structure des phrases et le vocabulaire suffisent à distinguer "la langue populaire" (celle du peuple) du français classique. Il existe aux Etats-Unis une mode d'expression analogue que l'on pourrait appeler le "vernaculaire," c'est-à-dire la langue propre au peuple. Mais rarement les dictionnaires anglais ou américains précisent l'usage vernaculaire des mots alors que les ouvrages français n'y manquent jamais.

Dans son acceptation moderne et probablement la plus répandue, le *slang* ressortit au langage familier. Ni conventionnel, ni classique, il englobe aussi bien

---

* Etiemble, *Parlez-vous franglais?* Editions Gallimard, Paris, 1964.

xvii

les mots fabriqués que ceux dont le sens a évolué. "Il prend corps à partir de sa quête d'une formulation fraîche, vigoureuse, haute en couleurs, caustique ou humoristique. Si les images qu'il a engendrées ne tombent pas en désuétude, elles accèdent alors à un statut plus formel."* Ainsi, donc, le *slang* américain est-il plus étroitement comparable à la "langue verte": "ensemble des mots, métaphores et idiomes communément employés dans les rues, au long des boulevards, dans les boutiques et les usines, dans les banlieues ouvrières."†

Le langage des classes moyennes et supérieures françaises s'est maintenu, jusqu'à présent, à un degré relativement élevé de pureté classique. La langue verte et l'argot, regardés de haut par ces classes, font, malgré elles, partie intégrale du vocabulaire du peuple, des étudiants, des commerçants, des travailleurs, etc.

Bien que de nombreuses expressions riches en couleurs, des allitérations, déformations de sens et locutions idiomatiques soient savoureuses dans le vocabulaire des jeunes en France et aux Etats-Unis d'Amérique, nous les avons écartées de notre étude, car, en fait, elles procèdent d'un jargon au sein d'un monde fermé. Celles d'entre elles qui ont percé, et puis ont été admises par le public en général s'inscrivent dans le langage argotique ou populaire et trouvent leur place ici.

Nous prions nos lecteurs de regarder ce dictionnaire comme un ouvrage à consulter et non comme une introduction de base à l'étude de l'une ou l'autre langue.

Guide d'Emploi

Certaines dispositions de ce livre doivent être expliquées pour permettre au lecteur d'en tirer le meilleur profit. Beaucoup de mots figurent sous forme d'expressions ou de phrases complètes, de telle sorte qu'apparaisse clairement l'utilisation correcte de ces mots dans un corps de phrase. Les expressions sont classées dans l'ordre alphabétique usuel d'après le mot-clef; mais, si plusieurs mots importants sont incorporés dans une phrase, ils peuvent être répertoriés plusieurs fois. Par exemple, en américain, "to get the *short end* of the *stick*" peut être classé à *short end* et ensuite à *stick*. Egalement, en français on trouve "tirer une carotte à" pour la première fois répertorié à "carotte" et ensuite à "tirer." Nous avons essayé de grouper sous un même mot-clef autant de synonymes que nous avons pu en découvrir, généralement, mais pas toujours, à la suite du mot classé le premier dans l'ordre alphabétique. Pour les mots subséquents (et parfois précédents) il n'est donné qu'une ou deux traductions appropriées, suivies de deux points, et, en caractères maigres majuscules, la référence sous laquelle on peut trouver la liste complète des synonymes.

La classification (*slang, argot, colloquial,* etc.) est indiquée après chaque mot; celle de la traduction est placée devant cette dernière, en chiffres arabes pour l'américain et en chiffres romains pour le français, chaque groupe étant

---

* *Webster's New World Dictionary of the American Language,* College ed., World Publishing Company, Cleveland and New York, 1962 (traduction).
† *Petit Larousse,* Librairie Larousse, Paris, 1964.

separé du précédent par un point-virgule. Le symbole "a" après un numéro d'ordre indique que le mot considéré est d'un usage peu fréquent, voire même tombé en désuétude, ou limité à des groupes spécifiques ou fermés.

Quand plusieurs expressions utilisent le même mot-clef, les différentes expressions sont séparées des précédentes par un point. Pour éviter de répéter le mot-clef en entier dans chaque expression, seule la première lettre est donnée, sauf si cela risque de rendre le texte disgracieux. Dans ce cas, le mot est répété intégralement. Dans la partie française-américaine, les pluriels apparaissent généralement en tant que mots. Si un même mot ou phrase a des significations différentes, chaque signification est précédée de son numéro de classification. Les mots composés peuvent apparaître comme mots séparés ou sous le mot principal, suivant que la présentation nous a semblée plus claire ou que cette méthode facilite les recherches.

Puisque la signification correcte des mots et des expressions peut être différente suivant qu'ils sont populaires ou argotique, et pour éviter toute confusion, la première définition après chaque mot est donnée dans son sens littéral en lettres italiques, suivie dans l'ordre par *colloquial, slang, obscene* ou *vulgar* en américain, et, en français, par "familier," "populaire," "argot" et "obscène" dans le même ordre, chacune indiquée par le numéro d'ordre approprié, et séparée de la précédente par un point-virgule. Quand il n'a pas été possible de trouver des expressions populaires ou argotiques correspondantes, seules les traductions consacrées en ont été faites. Dans notre tentative de couvrir autant de mots que possible dans une seule citation, la convention suivante a été adoptée: les mots entre parenthèses ( ) peuvent être, au gré, ajoutés sans risque d'altération de sens. Par exemple: "en trimbaler une (sacrée) couche." Les mots entre crochets [ ] peuvent être substitués au mot ou groupe de mots les précédant sans modifier la signification de la phrase. Par exemple: "couper la chique [le sifflet] à q'un."

Les verbes sont à la forme infinitive. Dans la partie française, lorsqu'ils sont pronominaux, le "se" vient après, entre parenthèse. Exemple: "dégonfler (se)." Occasionnellement, *the* en américain ou "le, la, les" en français, est placé de la même manière s'il est d'un usage indispensable dans une formulation correcte. Exemple: *fuzz (the);* "Maison Bourreman (la)."

L'orthographe de certains mots argotiques en français, et de *slang* en américain est souvent phonétique. Il est parfois difficile de la déterminer avec exactitude. Dans de tels cas, nous avons classé toutes les variations orthographiques que nous savions être les plus adéquates et usitées.

Incontestablement, certains matériaux auront-ils échappé aux recherches des auteurs, et, depuis l'achèvement du manuscrit, quelques expressions seront-elles nées, tandis que d'autres auront perdu leur popularité. Pour ces lacunes, inhérentes à l'impossibilité d'être constamment actuel dans un ouvrage de cette nature, nous prions humblement nos lecteurs de nous excuser.

J. R. LANEN

Paris, France, 1964

PART I

AMERICAN-FRENCH

AMÉRICAIN-FRANÇAIS

SYMBOLS AND ABBREVIATIONS

	AMERICAN	FRENCH
(1)	colloquial	familier
(2)	slang	slang
(3)	obscene or vulgar	obscène ou vulgaire
(I)	colloquial	familier
(II)	vernacular	langue populaire
(III)	argot	argot
(IV)	obscene or vulgar	obscène ou vulgaire
(a)	limited usage	usage limité
abbrev.	abbreviation	abréviation
abrév.	abbreviation	abréviation
adj	adjective	adjectif
adv	adverb	adverbe
bouch.	butcher's slang	argot des bouchers
derog.	derogatory	péjoratif
esp.	especially	spécialement
euph.	euphemism	euphémisme
fig.	figurative	figuré
hum.	humorous	humoristique
imp.	imperative	impératif
interj.	exclamation	interjection
invar.	invariable	invariable
mil.	military	militaire
n	noun	substantif
nf	feminine noun	substantif féminin
nm	masculine noun	substantif masculin
péj.	derogatory	péjoratif
pl.	plural	pluriel
q'ch.	something	quelque chose
q'un	someone	quelqu'un
scol.	school slang	argot des écoliers
s.o.	someone	quelqu'un
s.t.	something	quelque chose
theat.	theatre	théâtre
USA	United States	Etats-Unis
v	verb	verbe
vi	intransitive verb	verbe intransitif
vp	reflexive verb	verbe pronominal
vt	transitive verb	verbe transitif
*	particularly appropriate translation	traduction particulièrement appropriée

ABC—to be as easy as ABC (1) *être très facile:* (I) être l'enfance de l'art [bête comme chou, comme du beurre, une bague au doigt]; (II) être du sucre [miel], être une [de la] rigolade, être du cousu-main, passer comme une lettre à la poste, être fait avec les mains dans les poches; (III) être du billard [nougat, tarte, fromage, mille-feuilles], être une promenade (de santé), être un walkover.

ace n (1) *personne qui excelle en q'ch.:* (I) as, épée, crack; (II) caïd; (III) cador. (1) *individu très loyal et honnête:* (I) épée; (II) blanc-bleu; (III) régulier, vrai de vrai.—adj (1) *très capable, de premier rang:* (I) champion. to have an a. in the hole [up one's sleeve] (2) *avoir des ressources cachées:* (1) avoir un atout dans la manche [en réserve]. to hold all the aces (2) *avoir toutes les chances de réussir* (1) avoir tous les atouts en main. to be aces with s.o. (2) *être bien estimé par q'un:* (II) être dans les papiers [la manche] de q'un.

ace-high—to be [stand] a.-h. (2) *être très estimé:* (I) être la coqueluche [le chou-chou].

ache—to a. for (1) *avoir envie de:* (I) brûler pour.

ack-ack n (2 mil.) *canon anti-aérien.*

across—to come a. (2) *admettre, confesser:* (I) cafarder, moucharder, vider son sac; (II) vendre la mèche; (III) accoucher, se mettre à table, manger [cracher] le morceau, en manger [becqueter, croquer], lâcher le paquet, l'ouvrir, s'affaler, se déballonner, se dégonfler, goualer, bourriquer, annoncer la couleur. (2) *payer (surtout à contre-coeur):* (I) cracher au bassin [bassinet]; (II) éclairer, les lâcher; (III) abouler, les aligner, les allonger, allumer, arroser, banquer, carmer, casquer, cigler, cloquer, décher, douiller, les envoyer, foncer, raquer, sigler, valser, envoyer la soudure. to come a. with s.t. (2) *donner, rendre.* to get [put] a. (1) *faire comprendre, faire accepter (une idée ou proposition).* to put s.t. across on s.o. (2) *faire croire q'ch. à q'un:* (I) faire avaler q'ch. à q'un.

act n (1) *hypocrisie, manière affectée:* (I) comédie, frime; (III) cinoche. to a. up (1) *se conduire mal.* (1) *être facétieux, faire le pitre:* (II) rigoler. to crab [queer] s.o.'s act (2) *contrecarrer q'un:* (I) mettre des bâtons dans les roues à q'un.; (II) casser la cabane à. to give the rush a. to (2) *faire la cour:* (II) faire des boniments, bonimenter; (III) faire du baratin [gringue, plat] baratiner. (2) *se débarrasser brusquement de q'un:* (I)

flanquer à la porte. to pull [put on] an a. (2) *feindre, jouer la comédie:* (II) frimer, faire du cinéma; (III) chiquer.

ad (abbr. of advertisement) n (1) *annonce, réclame.* to run an ad (1) *insérer une annonce dans un journal.*

Adam's ale n (1) *eau:* (I) clos du poussepéniche; (II) Château la Pompe.

ad lib n (1) *improvisation*—adj (1) *improvisé, spontané.*—adv (1) *spontanément.*—vt, vi (1) *improviser:* (I) parler d'abondance; (III) faire du texte (théât.)

ad man n (1) *agent de publicité.*

aflutter—to be all a. over (1) *être amoureux de:* (I) avoir le béguin pour; (II) avoir le pépin pour, en pincer pour.

African dominoes [golf] n (2a) *dés:* (III) les bobs.

after-hours spot n (2) *boîte de nuit.*

age—to act one's a. (1) *se conduire selon son âge.* act your a.! (2) *ne faites pas de stupidités!:* (II) joue avec les gamins de ton âge! in a dog's a. (2) *depuis longtemps:* (I) il y a belle lurette; (III) il y a un bail [une paye] in ages (1) DOG'S AGE.

agin adj (2a) *opposé, contre.*

aginner n (2a) *contradicteur systématique:* (2) M. Moi-je-suis-contre.

agony box n (2a) *la radio:* (II) la boîte-à-babil; (III) le bastringue.

ahead—to be a. (of the game) (1) *faire mieux que prévu:* (II) avoir du râbe [rabiot] (finance); (II) avoir de l'avance (travail). to come out a. (2) *faire des profits:* (I) faire une bonne affaire; (II) faire son beurre; (III) aff(l)urer.

air—to be floating [walking] on a. (1) *être très heureux:* (I) être aux anges, être au troisième [septième] ciel. to be up in the a. (i) *être en colère, très monté:* (I) être à cran, voir rouge; (II) être bleu [en pétard, en rogne], fumer; (III) être en quarante [suif]. (1) *s'inquiéter:* (I) se biler, se faire de la bile [du mauvais sang, des cheveux]; (II) se faire des crins [du tintouin], s'en faire; (III) se faire des tiffes [de la mousse, du suif, du mouron]. to get the a. (2) *être congédié, renvoyé:* (I) être flanqué [fiché, foutu] à la porte; (II) être envoyé au bain: BOUNCE. to give s.o. the a. (2) *renvoyer, congédier:* (I) balancer, dégommer: BOUNCE. to live on a. (2) *manquer de moyens de subsistance:* (I) vivre de l'a. du temps*, vivre d'amour et d'eau fraîche. to take the a. (2) *s'en aller, s'enfuir:* (I) prendre le large, décamper; (II) se donner de l'air*; (III) jouer rip: BEAT IT. (1) *faire une promenade:* (II) se balader, faire une balade.

aisles—to knock [lay] them in the a. (2a) *remporter un gros succès* (théât.): (I) brûler les planches; (III) casser [faire crouler] la baraque*, faire tomber les lustres.

alibi n (1) *excuse.* to alibi vi (1) *offrir des excuses.* Alibi Ike n (2) *q'un qui trouve toujours des excuses à ses fautes:* (II) M. Homais.

alky (abbr. of alcohol) n (2) *alcool.* alkycooker (2a) *distillateur de boissons alcooliques illicites.*

all—to be a. in (1) *être très fatigué:* (I) être claqué: (II) être éreinté; (III) avoir le coup de pompe: BEAT. to bet all-or-nothing (2) *parier quitte ou double:* (I) risquer le tout pour le tout, risquer le paquet. to go a. out (1) *faire q'ch. de tout coeur, faire un effort maximum:* (I) se démener; (II) s'en mettre, mettre le paquet; (III) se démancher, se décarcasser, mettre le pacsif [pacson]. to go a. out for s.o. (2) *être très épris de q'un:* (I) brûler d'amour pour q'un, avoir le béguin pour q'un; (II) avoir le pépin pour, en pincer pour (la pomme de) q'un.

alley—to be up s.o.'s alley (2) *être le fort de q'un:* (I) être dans les cordes de. (2) *être la chose dont on tire beaucoup de plaisir:* (I) être le dada de.

alley apple n (2a) *crottin.*

alley-cat—to a.-c. around (2) *courir les femmes:* (I) courir [courailler] le jupon [la prétentaine]; (II) cavaler les femmes [le jupon], courir la gueuse ; (III) bourriner.

all-fired adv (2) *extrêmement, tout à fait:* (I) bigrement; (II) vachement.

alone—to leave s.o. a. (1) *laisser q'un tranquille:* (I) oublier q'un.

along—to get a. (1) *se tirer d'affaire:* (I) faire son chemin, se débrouiller; (II) se défendre; (III) se démerder. to get a. with s.o. (1) *être d'accord avec q'un:* (II) marcher avec q'un.

also-ran n (1) *perdant:* (III) qui finit dans les choux.

altogether—in the a. (1) *nu, dévêtu:* (I) à la Saint-Jean, dans le plus simple appareil, nu comme un ver; (II) à poil; (III) à loilpé, à poiluche.

ambish (abbr. of ambition) n (2a) *ambition.* to have no a. (2a) *être sans ambition, paresseux:* (I) avoir les bras retournés; (II) les avoir retournés [à la retourne, à l'envers], avoir un poil dans la main, avoir la flemme,

se la couler douce; (III) avoir les pognes retournées, avoir la cosse [rame].

ambulance chaser n (2 derog.) *avocat opportuniste spécialisé dans la recherche d'accidents pour se faire une clientèle.*

amen corner—to sit in the a. c. (1a) *donner son approbation:* (I) être béni-oui-oui, dire amen.

ammo (abbr. of ammunition) n (2 mil.) *munitions:* (III) plomb, bastos.

ancient history—that's a. h. (1) *c'est une vieille histoire (se dit d'une observation ou remarque bien connue de l'auditeur;* (I) c'est vieux comme le monde; (II) c'est une rengaine: HAIRY.

amscray! imp. (2) *allez-vous-en!:* (I) filez!, fiche- [fous-] moi le camp; (II) à la gare, de l'air, du vent, du balai.

and how! (2, I) et comment!

angel n (2) *commanditaire* (surtout de théâtre). to a. vt (2) *commanditer.*

angel puss n (2) *figure d'ange.*

angle—to a. a story (1) *présenter une histoire selon ses propres intérêts.* to figure out an a. (2) *trouver des moyens pour se tirer d'affaire:* (II) se débrouiller; (III) se démerder, se débarboter, se dépatouiller. to know the angles (2) *connaître des ruses pour réussir:* (I) connaître les trucs [la musique]; (II) connaître la combine, savoir nager; (III) être du bâtiment. to work the angles (2) *employer tous moyens et ruses pour réussir:* (I) combiner, manigancer, tripoter; (II) employer le système D, fricoter.

ankle—to a. along (2a) *s'en aller:* (I) décamper, prendre le large: BEAT IT. to a. it (2a) *aller à pied:* (II) prendre le train onze: FOOT IT.

Annie Oakley n (2) *billet de faveur pour un spectacle:* (III) exo, bifton.

anointing n (2a) *volée de coups, châtiment:* (I) fricassée, brossée, pile, roulée, taraudée; (II) brûlée, bourrée, danse, dérouillée, flopée, flaupée, peignée, purge, raclée, rossée, rincée, tatouille, torgnole, dérouillade, tournée, trempe, trempée, tripotée; (III) avoine, décoction, dégelée, distribution, frictionée, pâtée, ratatouille, schlague, tabassée, tisane, trifouillée, triquée, tourlouzine, castagne, cortausse, java, tisane.

answer—to a. back (1) *répliquer.* the a. to a maiden's prayer (2) *exactement la chose, la solution, etc.... qu'on cherche.* to know all the answers (2) *être au courant de tout:* (1) être à la page [dans le bain]; (III) être dans le coup [au coup]. (2) *être roublard, savoir* *se tirer d'affaire:* (I) connaître les trucs [la musique]; (II) être mariol(e): BALL.

ant—to have ants in one's pants (2) *ne pas pouvoir rester en place:* (I) avoir la bougeotte.

ante n (1) *la mise au commencement d'une partie de poker.* (2) *écot, quote-part* (I) la cagnotte; (III) la banque. to a. up (2) *payer, donner de l'argent:* (III) les lâcher, abouler, les allonger, les aligner, carmer, casquer, cigler, douiller, éclairer, arroser, valser, se fendre de. to a. up one's share (2) *payer son écot.* to raise the a. (2) *augmenter le prix, les conditions, etc.:* (II) donner le coup de pouce; (III) allonger le tir.

anticipating—to be a. (I) *être enceinte:* (II) avoir un polichinelle [moufflet] sous le tablier [dans le tiroir], avoir attrapé un ballon; (III) avoir avalé le pépin, avoir sa butte, être tombé sur un clou rouillé; (3) être en cloque.

antique n (2) *individu âgé:* (I) vieille baderne, fossile, vieux jeton: (II) vieux birbe [bonze]; (III) vieux marcheur, croulant.

any-which-way adv (2) *en désordre, en dépit du bon sens:* (I) à la va-comme-je-te-pousse; (III) à la mord-moi-le-noeud.

A-one [A-number 1] adj (2) *de premier ordre, de premier rang:* (1) le bouquet, le dessus du panier; (II) soigné, du velours, impec; (III) de première bourre, aux oeufs, (t)soin-(t)soin, soua-soua. an A-one guy (2) *individu très honnête et capable:* (I) as, épée: ACE.

apart—to take s.o. a. (2) *critiquer, insulter:* (I) bêcher; (III) aquiger: COALS.

ape—to go a. over (2) *s'amouracher [s'éprendre, s'enticher, se toquer] de:* (II) être mordu pour, en pincer pour, avoir à la bonne.

apple knocker n (2a) *paysan, rustique:* (I) cul-terreux; (II) boueux, péquenot, pequenaud, cambrousard; (III) glaiseux, patate, croquant, bouseux, lourd, pécore, pétrousquin, ped[t]zouille, plouk.

apple-pie—in a.-p. order (1) *bien ordonnancé:* (I) réglé comme du papier à musique, [comme deux et deux font quatre]. to be easy as a. p. (2) *être très facile:* (2) être bête comme chou: ABC.

apple-polish vi (2a) *flatter bassement; flagorner:* (I) lécher les bottes à; (II) gratter q'un où il lui démange, faire de la [passer une] lèche à, lécher les pieds à; (III) passer la brosse à reluire, passer la pommade [vaseline] à; lécher le cul à.

apple-polisher n (2) *flagorneur:* (I) lèchebottes, bonimenteur; (II) baratineur, pommadeur; (IV) lèche-train [mottes, cul].

applesauce n (2) *boniment, sornettes, niaiserie:* (I) blague, eau bénite de cour; (II) fichaise, pommade, baratin; (III) charre, foutaise, du pour. applesauce! (II) mon oeil! c'est du vent; (III) foutaise! to dish out the a. (2) *parler sans sincérité ou spécieusement, flatter;* (I) bonimenter, faire du boniment; (II) faire du baratin, baratiner, bourrer le crâne [la caisse] à; (III) bourrer le mou à, passer de la pommade, vanner, faire des salades [vannes], baver, faire du flan [du plat, un palass]. (2) *bluffer, exagérer:* (I) aller fort, broder; (II) cravater, attiger, se donner des coups de pied, enfler des chevilles, charrier (dans les bégonias), envoyer le bouchon, faire de l'esbrouffe, esbroufer, faire de la musique, vendre du vent, se pousser du faux col, chiquer; (III) en installer, s'envoyer des fleurs, mettre la gomme, faire de la graisse, graisser, cherrer (dans le mastic), bêcher, vanner, faire des vannes, la salir, faire une tartine, prendre au colbac; (IV) chier dans le pot [la colle].

apsay n (2a) *personne stupide:* (I) crétin, bêta; (II) crâne de piaf: BLOCKHEAD.

arm—on the a. adv. (2) *à crédit, sans paiement immédiat:* (II) à la gagne; (III) à croum(e). to put the a. on s.o. (2) *demander de l'argent à q'un:* (I) taper, faire un tapage; (II) chiner; (III) filer [flanquer] un coup de botte [pompe, targette, soulier, pied, lattes] à. to pay an a. and a leg for (2) *payer très cher pour:* (II) payer les yeux de la tête pour; (III) essuyer le coup de fusil.

armchair—a. strategist (1) *personne sans connaissance directe d'une situation:* stratège du café du commerce, stratège en chambre. a. traveler (I, 1) voyageur en chambre.

around adv (1) *environ, plus ou moins.* to get a. s.o. (2) *convaincre q'un (en le flattant avec des paroles séduisantes, etc.)* (I) entortiller, embobeliner, embobiner; (II) mettre dans sa poche; (III) mettre dans la fouille [les vagues, les profondes]. to get a. to s.t. (1) *arriver à faire.* to hang a. (2) *rester dans un lieu (ou sans but définitif ou en attente):* (II) faire le poireau, poireauter. to have been a. (1) *avoir de l'expérience, connaître la vie:* (II) avoir roulé sa bosse, être du bâtiment [dans le coup].

artillery n (2a) *dés truqués:* (I) dés pipés.

arty adj (1) *qui a des prétentions artistiques:* cabot(in).

ashes—to have one's a. hauled (3) *avoir des rapports sexuels avec une femme:* (IV) tirer un coup: BANG.

ash heap—to throw s.t. on the a. h. (2a) *mettre au rebut:* (III) mettre [filer, jeter, flanquer, balancer] au rancart.

as is—to buy [accept] s.t. as is (2) *acheter [accepter] q'ch. tel quel.*

ask—to a. for it [trouble] (2) *se mettre dans la situation d'être victime de ses propres actes:* (II) l'avoir cherché; (III) y aller du cigare [gadin].

asleep—to be a. on the job [at the switch] (2) *manquer à ses devoirs:* (II) travailler à la petite semaine; (III) s'endormir sur le mastic.

ass n (1) *personne stupide, sot:* (I) cruche: BLOCKHEAD. (3) *cul, derrière:* (I) postérieur, croupion; (II) arrière-train; (III) derche, dossière, baba, Père Fouettard, pétoulet, popotin, la lune, les miches, tapanard, trafanar, pétrousquin, pétrus, prosinard, prose, vase, cavu, panier, faubourg (les deux derniers se disent d'une femme). (3) *anus:* (II) pétard; (IV) oeil de bronze, oigne, oignard, oignon, fias, fion, fionard, foiron, fignédé, motte, rond, rondelle, raie, troufignard, troufignon, pot, rondibé, anneau, bague, chouette, couloir à lentilles, turbine à chocolat. pain in the a. (3) *personne ennuyeuse:* (III) casseburettes: CREEP.—(3) *chose ennuyeuse, embêtante:* (II) barbe; (III) emmerdement. to be on one's a. (3) *être abruti de fatigue:* (I) être éreinté: BEAT. to be on s.o.'s a. (3) *exercer une surveillance constante sur q'un:* (I) être sur le dos de q'un, avoir q'un dans le collimateur; (III) être sur l'alpague [le train] de q'un. to be up to one's a. in (3) *être débordé de (dettes, travail, etc.);* (I) en avoir par-dessus la tête. to boot [kick] in the a. (3) *botter le cul:* (II) enlever le ballon; (III) botter [latter] le Père Fouettard [train, pétrousquin]. to chew s.o.'s a. out (3) *réprimander sévèrement:* (I) passer un savon à; (II) engueuler: BAWL OUT. to do a. backwards (3) *faire à rebours:* (I) brider l'âne par la queue. to drag one's a. (3) *faire q'ch. lentement et sans envie:* (I) renâcler à la besogne; (II) tirer au cul*: GOLDBRICK. to peddle a. (3) *se livrer à la prostitution:* (IV) aller aux asperges: HUSTLE. to fall on one's a. (3) *tomber sur le cul:* (II) casser du sucre: CROPPER. have lead in one's a. (3) *être paresseux, ne pas aimer travailler:* (I) avoir les bras retournés: AMBISH. to kiss s.o.'s a. (3) *flatter bassement:* (III) lécher le cul à*: APPLE-POLISH. a.-licker n (3) APPLE-POLISHER. a. over heels adv (3) *bouleversé:* (I) cul par-

dessus tête. to turn a. up (3) *bouleverser:* (I) chambarder; (II) chambouler.

attaboy! (2) *bravo!*

attagirl! (2) *bravo!*

attic—to be in the a. (2a) *pour une équipe sportive, être à la tête de la compétition:* (II) être en flèche [pointe].

Aussie n (2a) *Australien:* (II) kangourou.

autobiog. (abbr. of autobiography) n (2) *autobiographie.*

awakening n (2) *moment où on se rend compte d'être victime d'une fraude.*

away—to get a. with s.t. (2) *faire q'ch. de répréhensible sans être attrapé ou puni:* (I) l'échapper belle. to pack [put, stow] it a. (2) *manger avec avidité* (I) goinfrer; (II) bâfrer: BLOW OUT.

A.W.O.L. adj (1, mil.) *absent sans permission:* (III) absent sans perme.

axe—to get the a. (2) *être congédié;* (I) être balancé; (II) recevoir son paquet: BOUNCE. to give s.o. the a. (2) *congédier:* (II) flanquer à la porte: BOUNCE. to have an a. to grind (1) *servir ses intérêts personnels:* (I) travailler pour son propre saint, être à son compte; (II) être à ses croûtes. to put the a. to (2) *démolir:* (III) bousiller, mettre à la casse [en pièces détachées], démantibuler.

babblemouth n (la) *personne bavarde:* (I) moulin à paroles: BLABBERMOUTH.

babe n (2) *fille ou jeune femme:* (I) poupée; (II) pépée, nana, poulette, bergère, souris, poule, toupie; (III) môme, gonzesse, frangine, polka, lamdé, lamfé, julie, nénette, gisquette, greluche, grimbiche, mistonne, mousmée, pouliche, typesse. babe in the woods n (1) *jeune fille naïve.* hot babe n (2) *femme passionnelle:* (II) chaude lapine; (III) bourrin: HOT LAY.

baby doll n (2) *jolie fille:* (I) une vraie poupée, belle comme une poupée.

baby elephant n (2) *femme grasse:* (II) bombonne, bouboule, bibindum; (III) jument de brasseur.

baby-face n (2) *personne au visage d'enfant.*

baby snatcher n (2) *kidnappeur.*

bachelor girl n (1) *femme célibataire:* (II) une "laissée pour compte."

back—to b. down (1) *reculer, céder:* (I) plier le dos, filer doux, passer la main, mettre les pouces, lâcher pied*; (II) caner, se dégonfler, flancher, jeter l'éponge; (III) lâcher [passer] les dés [bobs, pédales], cagner, caler, passer la pogne, arrêter les frais, lâcher la partie, rengracier. b. off! (2) *laissez-*

moi en paix!: (III) fiche-moi la paix!; (III) fous-moi la paix!. to b. out (1) *se soustraire à une obligation ou à un engagement:* (II) tirer au flanc; (III) faire une renversée. to be on one's b. (I) *être malade et alité:* (I) être sur le flanc; (II) être mal fichu. to be on s.o.'s b. (2) *surveiller q'un constamment, l'importuner:* (I) être sur le dos de q'un; (II) être sur le râble de. to get off s.o.'s b. (2) *cesser d'importuner q'un:* (I) ficher la paix à; (III) foutre la paix à. to go b. on s.o. (1) *manquer à ses promesses ou obligations envers q'un:* (II) laisser q'un en plan [frime]; (III) laisser en rade. to have one's b. up (1) *être en colère:* (I) voir rouge; (II) être en pétard [rogne], être bleu, fumer. to have one's b. to the wall (1) *avoir le dos au mur:* (I) être aux abois, être au bord du goufre; (II) être au bout du rouleau.

back end n (2a) *derrière:* (II) croupion: ASS.

back number n (1) *personne vieille ou retrograde:* (I) fossile: ANTIQUE.

back-scratcher n (1) *flagorneur:* (I) lèchebottes: APPLE-POLISHER.

back seat n (1) *rang inférieur, position subalterne.* to take a b. s. (1) *prendre un rang inférieur ou ne pas participer à une activité, conversation, etc.:* (II) faire banquette.

back-seat driver n (1) *passager de voiture qui offre ses conseils gratuits au conducteur.*

backside n (1) *derrière:* ASS.

backslapper n (1) *personne familière.*

backtalk n (1) *réplique impertinente.*

backwards—to lean over b. for s.o. (2) *faire tout son possible pour appuyer q'un:* (I) se mettre en quatre pour q'un: ALL OUT. to lean over backward(s) to avoid s.t. (2) *employer tous moyens pour éviter q'ch.:* (I) se mettre en quatre pour q'un: ALL OUT. to know s.t. backward(s) (2) *connaître q'ch. à fond:* (I) être calé en [sur], être ferré [fort] en, connaître sur le bout des doigts; (III) être trapu [fortiche] en.

backwoods n (1) *campagne, région arriérée:* (II) brousse, bled, cambrousse, patelin, trou.

bacon—to bring home the b. (1) *gagner sa vie:* (I) faire bouillir la marmite; (II) gagner sa croûte [son bifteck]. (1) *remporter une victoire:* (I) décrocher la timbale.

bad—to be in b. with s.o. (1) *être en mauvais termes avec q'un:* (II) être en suif [pétard] avec q'un. to go to the b. (1) *tourner mal, aller à la ruine:* (I) se couler; (II) se débiner, se claquer; (III) partir en brioches [couilles], se décoller. to be as b. as they make them (1) *être très méchant:* (II) être méchant comme une teigne. to be in a b. way (2a) *être dans*

une situation difficile: (I) être dans le pétrin: HOT WATER.

bad actor n (2) *mauvais type, voyou, vaurien:* (I) galapiat, gale, sale bougre, mauvaise graine, insecte, couillon, mufle, pendard, rosse; (II) fripouille, fripouillard, charogne, gouape, sale coco, salaud, mange-punaises, rossard, varlot; (III) bordille, bourdille, charognard, copaille, fumier, locquedu, saligaud, saligot, salope, peau de vache, sale, vicelard; (IV) fias.

bad egg n (2) BAD ACTOR.

badge happy adj (2a) *se dit d'un agent de police excessivement zélé.*

bad job—to give s.t. up as a b. j. (2) *abandonner q'ch. comme étant un travail inutile ou infructueux:* (I) mettre les pouces; (II) jeter l'éponge; (III) lâcher les dés [bobs].

badman n (2) *mauvais type dans les romans de "cowboys" américains.*

bad medicine n (2a) *situation douteuse dont une personne sagace ne s'occuperait pas.*

bad news n (2) *facture, note:* (I) addition (restaurant); (II) douloureuse, coup de fusil.

bad paper (1) *chèque sans provision.* (II) chèque en bois.

bad shape—to be in b. s. (2) *être dans une mauvaise passe:* (II) être dans la panade: HOT WATER. (2) *être en mauvais état physique:* (I) être patraque, ne pas être dans son assiette, être sur le flanc; (II) être mal fichu; (III) être affûté [attigé, arrangé, mal vissé]. (2) *être dans un état de dépression:* (I) avoir le cafard; (II) avoir le bourdon, broyer du noir.

bad time—to give s.o. a b. t. (2) *réprimander sévèrement:* (II) enguirlander; (III) engueuler: BAWL OUT. (2) *être dur avec q'un, traiter q'un avec sévérité:* (I) être chien avec q'un, faire danser q'un, passer q'un au laminoir; (II) être vache avec q'un.

bag vt (2) *arrêter (police):* (I) pincer, emballer, cueillir; (II) sucrer, sauter, coffrer, lever, poisser, rafler, ramasser, bicher, empaqueter; (III) agrafer, agriffer, alpaguer, mettre la main sur l'alpague, cravater, gauler, épingler, poirer, piper, pingler, embarquer, fabriquer, grouper, harponner, paumer, piquer, quimper, arquepincer, argougner, ceinturer, chauffer, embourmaner, enchrister, engerber, entoiler, faire (aux pattes), servietter, mettre [poser] le grappin sur. (2) *obtenir, se procurer:* (I) mettre le grappin sur, agrafer; (II) choper; (III) agriffer, mettre les pinces [griffes] sur.—n (2 derog.) *femme laide:* (II) laideron, remède contre l'amour; (III) chameau, mochetée, tarderie, hotu. n (2) *femme de mauvaises moeurs:* (II) chameau, garce, gerce, charogne; (III) boudin, bourrin, gouïne, volaille, cateau, chevreuil, chèvre, colibri, roulure, requin, lièvre, saucisson, grue, mousmée, morue, moukère, paillasson, pétasse, pierreuse, pouffiasse. old b. n (2) *vieille femme laide:* (II) rombière, vieux tableau, vieille chèvre, bique; (III) mochetée, vieux trumeau, gnière, guimbarde. to be in the b. (2) *être assuré (victoire, réussite, etc.):* (I) être couru d'avance; (II) être du sucre [dans le sac*, du tout cuit, du pichpin, dans le musette, dans la poche]; (III) être du nougat [un canter, un walk-over], être dans la fouille. to be left holding the b. (1) *être tenu pour responsable de q'ch.:* (I) payer les pots cassés; (III) porter le chapeau [bada]. to clear out b. and baggage (1) *partir avec toutes ses affaires:* (I) prendre ses cliques et ses claques. to let the cat out of the b. (1) *dévoiler le secret:* (I) vendre la mèche, débiner le truc. b. of bones n (2) *personne très maigre:* (I) un paquet [sac] d'os*, un vrai squelette. b. of wind n (2) *vantard, hâbleur:* (I) blagueur, bluffeur, bourreur de crâne, fumiste; (II) musicien, baratineur, gueulard; (III) vanneur, cravateur, cracheur, chiqueur. bags of (2) *une grande quantité de:* (I) un tas [une flotte, une foultitude, une potée] de; (II) une pagaille [secouée, tripotée, trimbalée, bardée, tapée] de, des tinées de; (III) une charibotée [flopée, flaupée, paille, chiée] de.

baggage smasher n (2) *porteur de gare:* (III) bagage man(e).

bagged adj (2) *ivre:* (II) saoul: BLOTTO.

bagman n (2) *personne chargée de la caisse dans une loterie clandestine.*

bag snatcher n (2) *voleur de sacs à main.*

bail—to skip [jump] b. (2) *pour un prévenu, s'enfuir dès sa mise en liberté sous caution.*

bait—to take the b. (2) *se laisser séduire par l'apparence, se laisser duper:* (I) mordre à l'hameçon* [à l'appât], avaler, gober, monter à l'échelle, couper [donner] dedans [dans le pont], gober le morceau, marcher; (III) donner [tomber] dans le panneau, mordre dans le truc.

bait ad (2) *annonce publicitaire trompeuse:* (III) attrape-nigauds [couillons], (IV) piège à cons.

bald—to be b. as a billiard ball (2) *être chauve:* (I) être déplumé, avoir la tête comme un genou; (II) avoir la tête en boule de billard*, être chevelu comme un oeuf;

(III) avoir le melon déplumé, avoir le crâne en peau de fesses.

baldy n (2) *homme chauve:* (I) un déplumé; (II) une boule de billard.

ball—to b. up vt (2) *embrouiller, rendre confus:* (I) emberlificoter, embarbouiller; (III) déculotter. to be on the b. (2) *être capable, au courant, renseigné:* (I) être à la page [coule, hauteur], être dans le train, connaître les dessous des cartes; (II) connaître la musique [couleur], savoir nager, avoir de l'étoffe, être à la redresse, être dans le mouvement; (III) connaître le bâtiment, connaître le fourbi, avoir de la défense, y être, être marle [mariole, marlou], être dans le coup (2) *être alerte et toujours prêt à agir:* (I) être toujours là pour un coup. to carry the b. (2) *assumer la responsabilité, la charge:* (I) porter le fardeau; (II) tenir la queue de la poêle; (III) prendre en pognes. to get on the b. (2) *se mettre au travail:* (I) se mettre dans le bain [mouvement]. to get [start] the b. rolling (2) *commencer l'activité, le travail:* (I) mettre le train sur les rails*; (II) donner le premier coup de manivelle, entrer en danse. to have a b. (2) *s'amuser fortement:* (I) faire la vie, gobichonner, faire la noce [bombance]. to have s.t. on the b. (2) *être capable:* BE ON THE BALL. to have a lot on the b. (2) *être très capable:* BE ON THE BALL. to keep one's eye on the b. (2) *surveiller:* (I) avoir à l'oeil, jeter son oeil sur; (II) avoir dans le collimateur; (III) gaffer, braquer, mater. to play b. with (1) *coopérer avec:* (I) être de mèche [en cheville] avec.

ball-and-chain n (2) *épouse:* (II) bourgeoise, moitié, cinquante-pour-cent; (III) souris, baronne, régulière, rombière, moukère. (en anglais comme en français, ces mots sont usités en parlant de sa propre femme, et dans un sens plus ou moins humoristique).

ball-breaker n (3) BALL-BUSTER.

ball-buster n (3) *travail très difficile ou dur.* (I) travail de forçat; (II) dur boulot; (III) dur turbin. (3a) *patron autoritaire:* (I) pète-sec.

balled-up—to be (all) b. u. (2) *être (tout) confus:* être embarbouillé; (II) être dans le cirage (le brouillard). to get b. u. (2) *s'embrouiller:* (I) perdre la carte [le nord, la boussole], s'embarbouiller; (II) perdre les pédales; (III) perdre les manettes, se mélanger les crayons [pinceaux].

balls n (3) *testicules:* (II) parties; (IV) balloches, burettes, burnes, couilles, claouis, joyeuses, montgolfières, noix, pruneaux, rognons, rouleaux, roubignolles, roustons, roupes, roupettes, valseuses, pendeloques. to have s.o. by the b. (3) *avoir q'un à sa merci:* (I) tenir q'un à la gorge, mettre le couteau [pied] sous la gorge à q'un; (III) avoir q'un à sa pogne.

ballyhoo n (1) *réclame ou publicité exagérée:* (I) battage, tam-tam, boniment; (II) baratin; (III) salade. to b. vt, vi (1) *faire de la réclame:* (I) faire du battage [tam-tam], bonimenter; (II) baratiner, faire du baratin.

ballyhoo artist n (2) *crieur à l'entrée d'un cirque, théâtre, etc.:* (II) aboyeur, bonimenteur. (2) *agent de publicité qui fait sa propagande avec outrance:* (II) vendeur de vent; (III) posticheur.

balmy adj (2) *fou, détraqué:* (I) toqué, timbré: BATS.

baloney n (2) *non-sens, boniment:* (I) fichaise, blague; (II) foutaise: APPLESAUCE. to spread [dish out] the b. (2) *exagérer:* (I) aller fort; (II) charrier: APPLESAUCE. (2) *flatter:* (I) bonimenter: APPLESAUCE. no matter how you slice it, it's all b. (2) *c'est toujours la même chose:* (I) c'est bonnet blanc et blanc bonnet; (II) c'est le même coup; (III) c'est kif-kif (bourricot); c'est du kif [quès, caisse], c'est du même tabac [flambeau]. baloney! interj. (2) *ce n'est pas vrai!:* (II) et mon oeil!, c'est du flan. to be full of b. (2) *être menteur:* (I) être blagueur, raconter des fichaises; (II) raconter [dire] des foutaises. (2) *être dans l'erreur, se tromper d'avis:* (III) se gourer.

bamboozle vt (1) *duper, tromper:* (I) rouler; (II) empaumer, entortiller, feinter: CLIP. to bamboozle s.o. out of something (1) *soutirer q'ch. de q'un par fourberie:* (I) carotter; (III) empiler: CLIP.

banana oil n (2a) *boniment, non-sens:* (I) fariboles; (II) foutaise: APPLESAUCE.

band—that beats the b.! (2a) *c'est du tonnerre!:* (I) c'est formidable; (II) c'est formid, c'est foutral. (2) *c'est la fin de tout!:* (II) c'est la fin des haricots!

bandwagon—to get on the b. (1) *se mettre du côté des plus forts (surtout en politique):* (I) se mettre du côté du manche, se mettre dans le sens du vent.

bang—to b. into (1) *heurter, se cogner à:* (II) encadrer. to b. s.t. out (2) *faire q'ch. à la hâte et avec négligence:* (I) bâcler, rafistoler, rapetasser; (II) torcher. to get a b. out of s.t. (2) *tirer plaisir ou satisfaction de q'ch.:* (II) bicher. to give oneself a b. (2a) *se donner*

une dose de stupéfiants: (III) se charger, se camer. to go over with a b. (2) *faire réussite:* (III) faire un boum, boumer. to b. s.o. (3) *forniquer:* (III) coucher avec; (IV) baiser, artiller, aiguiller, bourrer, brosser, calecer, caser, égoiner, fourailler, fourrer, tomber, trancher, sabrer, ramoner, frotter, godiller, grimper, guiser, enjamber, piner, piquer, limer, miser, torpiller, pointer, tringler, troncher, filer un coup de sabre [guise, arbalète] à, verger.

bangtail n (2) *cheval de course:* (III) gail (le), bourrin, dada, canasson, vache, chêvre (en mauvaise part).

bang-up adj (2) *excellent, de premier ordre:* (II) formid, sensas, du tonnerre: A-NUMBER 1.

banjo eyes n (2a) *yeux ronds et grands:* (II) boules de loto.

bank—to bank on (1) *compter, tabler sur.*

bankroll n (2) *liasse de billets de banque:* (II) matelas—vt (2) *commanditer:* (II) arroser. to bet one's b. (2) *risquer tout:* (I) risquer le paquet; (III) risquer le pacsif [pacson]. to blow one's b. (2) *dépenser tout son argent:* (III) fusiller son fric [pèse, etc.]. to build up a b. (2) *s'enrichir:* (I) faire son beurre; (II) se bourrer. to have a (healthy) b. (2) *être riche:* (I) être cousu (d'or), avoir le bras lourd, avoir du foin dans les bottes [sabots], être dans les eaux grasses, avoir le gousset bien garni, rouler sur l'or, avoir les reins solides; (II) être (plein) aux as [au plâtre], être bourré (à bloc, à zéro), être paré [calé, gonflé, flambant], ramasser l'argent à la pelle, avoir le sac, avoir de quoi faire; (III) être au [avoir du] fric [pèse, grisbi, etc.], avoir une grosse galette [galtouse], être galetteux [rupin, rupinos]. to marry a b. (2) *épouser une personne riche:* (II) épouser un (gros) magot, épouser la grosse galette [le sac].

bantie n (2a) *personne de courte taille:* (I) nabot, avorton, Tom-pouce, courte-botte; (II) crapoussin, rase-mottes, rase-bitume, mignard, loin du ciel; (III) rikiki, riquiqui.— adj aztèque, haut comme trois pommes, bas du cul [des miches].

barbershop quartet (2) *(littéralement "quatuor de barbier"). Dans les années 1900-1910, choeur formé spontanément par les clients d'un salon de coiffure en attendant leur tour. La chanson folklorique doit beaucoup à ce type de quatuor, toujours très populaire aux U.S.A.*

barblister n (2a) *gros ventre:* (I) bedaine, bedon; (II) grosse panse, brioche; (II) buffet de propriétaire [de probloc].

bare-ass(ed) adj (3) *dévêtu:* (II) à poil: ALTOGETHER.

bare-handed—to be caught b.-h. (1) *être pris en flagrant délit:* (II) être pris sur le vif: GOODS.

barf—to b. (2) *vomir:* (II) dégobiller, débagouler; (III) renarder, lacher une fusée, piquer un [aller au] renard, aller au refile, dégueuler. b. bag: (2) *sac à vomir (utilisé par les lignes aériennes).*

barfly n (2) *ivrogne:* (II) saoulard, soûlard, soûlaud, pochard, poivrot, soiffard, biberon, picoleur, soiffeur, licheur, pionnard, soûlot.

barge—to b. along (2) *aller ou conduire à grande vitesse:* (I) brûler le pavé; (II) rouler à plein gaz: BARREL. to b. around (2a) *aller de-ci de-là sans but:* (I) rouler sa bosse: (II) tirer sa flemme; BUM AROUND. to b. in (1) *entrer brusquement.* to b. into (1) *heurter:* (I) accidenter; (II) encadrer. (III) se farcir. to b. out (2) *sortir brusquement:* (I) claquer la porte; (III) démurger, décaniller, décarrer.

bark vi (1) *tousser.* to b. one's shins (1) *s'écorcher le tibia.*

barker n (1) *crieur à la porte d'un magasin, cirque, etc.:* (I) aboyeur: BALLYHOO ARTIST.

barn n (1) *grande pièce sans décor:* (I) étable, baraque; (II) casbah. to go around Robin Hood's b. (1a) *ne pas aller droit au but:* (I) tourner autour du pot.

barnacle n (1) *importun:* (I) crampon; (II) pot-de-colle, poison, casse-pieds.

barnyard cousin n (2) *parent très éloigné:* cousin à la mode de Bretagne.

barrel vi (2) *aller à toute vitesse (en véhicule):* (I) aller à fond de train, courir à bride abattue, brûler le pavé, aller [donner] toute vapeur; (II) courir à toute bride; (III) bomber, foncer, gazer, rouler à pleins tubes [à tout berzingue, à plein gaz, à toute pompe], donner plein gaz, mettre les gaz [la gomme]. to b. around (2) *errer:* (I) rouler sa bosse, to be over a b. (2a) *être dans une mauvaise passe:* (I) être dans le pétrin: HOT WATER. to have s.o. over a b. (2) *avoir q'un à sa merci:* (I) avoir q'un dans sa poche; (III) avoir q'un à sa pogne. to make a b. (2) *gagner beaucoup d'argent, faire de grands profits:* (I) faire son beurre; (II) se bourrer. lock, stock and b. (2) *l'ensemble, le tout:* (II) tout le bataclan [fourbi, bazar]; (III) toute la baraque [boutique].

barrels—**barrels of** (1) *une grande quantité de:* (III) une chariotée de: BAGS OF. to give it both barrels (2) *faire son maximum:* (I) frapper le grand coup; (II) mettre le paquet.

to get it with both barrels (2) *être rudement puni ou réprimandé:* (I) recevoir le grand coup; (II) recevoir le paquet: BAWLING-OUT.

barrelhead—to pay cash on the b. (2) *payer comptant:* (1) payer rubi sur l'ongle; (III) payer cash.

bars—to be behind b. (2) *être en prison:* (III) être en taule [à l'ombre, au bloc, au violon, en cabane, au ballon, en villégiature, dans le trou], être dedans. to put behind bars: (2) *mettre en prison:* (III) emballer, empaqueter, mettre [jeter, flanquer, fourrer] à l'ombre [dans le ballon, à la boîte, dedans, au clou, au frais, en cabane], enchetiber, enchrister, balloner, bloquer, boucler, coffrer, enchetarder.

base—to be off b. (2) *se tromper:* (I) se mettre le doigt dans l'oeil, se blouser; (II) se fourrer le doigt dans l'oeil (jusqu'au coude); (II) se faire des berlues, se berlurer; (III) se gour(r)er, se foutre dedans, déconner, débloquer à pleins tubes. to be unable to get to first b. (2) *être incapable de faire les premiers pas pour atteindre un but:* (I) ne pas pouvoir gagner la première manche.

bash vt (1) *battre, frapper:* (1) botter, bourrer de coups, battre à plate couture, carder [tanner] le cuir à, étriller, frotter, battre comme plâtre, rosser; (II) amocher, assassiner, bigorner, démolir, encadrer, casser la gueule à, moucher, attiger, peigner, secouer les puces à, tarter, tisaner; (III) scionner, tamponner, aquiger, arranger, asticoter, astiquer, bosseler, chabler, cirer, dérouiller, ébonzer, emplafonner, emplâtrer, encalbêcher, escagasser, ranger, rangemaner, sataner, satonner, sonner, tabasser, tarauder, torcher, filer [balancer, flanquer] une beigne [raclée, pile, triquée, trempe, floppée, tourlouzine, ratatouille, pêche, pipe, avoine, valse, purge, tisane] à, rentrer dedans, rentrer dans le chou [portrait] à, tremper une soupe à, passer à tabac, avoiner, frotter l'échine à, charonner.

bashing n (1) *volée de coups:* (I) raclée, rossée; ANOINTING.

basket-case n (1a) *amputé des jambes et des bras:* (I) homme-tronc, cul-de-jatte.

bastard n (3) *personne vile, mauvais type:* (I) canaille; (II) fripouillard: BAD ACTOR.

baste vt (1) BASH.

basting vt (1) *punition, volée de coups:* (II) rossée: ANOINTING.

bat n (1) *coup:* (I) taloche; (II) châtaigne: CLIP. (2) *partie de plaisir (surtout de boire):* (I) noce, bamboche, bombance, foire; (II) nouba, bamboula, bringue, ribote, faridon, vadrouille; (III) ribouldingue, java, virée, bordée. (2a) *femme laide:* (III) rombière: BAG vt (1) *frapper, donner un coup:* BASH. to b. around (2) *voyager, errer:* (I)rouler sa bosse; (II) vadrouiller: BUM AROUND. to b. one thousand (2) *réussir parfaitement:* (1) gagner le premier round, taper [donner] dans le mille*. to b. s.t. around (2) *discuter (un sujet):* (I) décortiquer (un sujet). to be [go] on a b. (2) *faire ripaille, boire trop, faire une partie de plaisir:* (I) faire la noce [foire], nocer, se donner [payer] une bosse, tirer une bordée, bambocher; (II) faire la bombe [bamboula, bringue, nouba], faire ribote, partir en bombe [vadrouille], riboter, être en goguette; (III) ribouldinguer, partir en java [ribouldingue, riboule, renversée, virée], foirer, se dérober. to go to b. for s.o. (2) *aller à la défense ou à l'aide de q'un:* (I) épauler, donner le coup de pouce [un coup d'épaule]; (III) prendre les patins de. like a b. out of hell adv. (2) *à toute vitesse:* (II) comme un zèbre, à toute vapeur; (III) à pleins tubes, à plein gaz, à toute pompe, à tout berzingue. not b. an eye (1) *ne pas sourciller, ne pas trahir aucune émotion:* (I) ne pas piper; (II) faire le mort. right off the b. adv (2) *soudainement et sans hésiter:* (I) au pied levé; (II) au flan, tout de go; (III) illico (presto).

batch—to b. it (2) *vivre en célibataire.*

bats adj (2) *fou, détraqueé:* (I) timbré, cinglé, toqué; (II) frappé, louf, loufoque, louftingue, sonné, maboul, marteau, piqué, tapé; (II) siphonné, sinoque, fondu, follingue, focard, dingue, cintré, brac, braque, dingo, chabraque. to be b. (2) *être fou:* (I) être timbré, etc., avoir une araignée au [dans] le plafond, être cucu la praline, avoir la breloque, avoir le cerveau fêlé, en avoir un grain, avoir une fêlure; (II) être frappé; (III) être siphonné, etc., travailler du cigare [bigoudi, chapeau, chou, citron], onduler de la toiture, avoir le coco fêlé [timbré], avoir reçu un coup de bambou, avoir la sonnette, yoyoter de la mansarde, être à la masse [déplafonné], déboussolé (à zéro). to be b. over [about] s.o. (2) *être amouraché de q'un:* (I) brûler d'amour pour, avoir le béguin pour, être toqué [entiché] de, avoir une marotte pour, raffoler de; (II) en pincer pour, avoir le pépin pour, être mordu pour, être pincé pour, avoir dans la peau [les globules]; (III) en tenir pour, avoir à la bonne, avoir dans le raisiné, être chipé pour la pomme de. to go b. (2) *devenir fou;* (I) déménager, dérailler, perdre la boule [la carte, le nord, la boussole]; (II) partir du

ciboulot; (III) piquer le coup de bambou. to have b. in the belfry (2) *être fou:* BE BATS.

battle-axe n (2) *femme dominatrice, mégère:* (I) dragon, harpie, sorcière; (II) chipie, poison.

battler n (2) *individu courageux:* (III) battant.

batty (II) BATS.

bawl vi (1) *pleurer, pleurnicher:* (I) se fondre en eau; (II) miter, chialer; (III) chigner, chouigner, ouvrir le robinet [les écluses], gicler des mirettes; (IV) pisser de l'oeil. to b. s.o. out (2) *réprimander sévèrement, donner une semonce:* (I) passer un savon à, laver [lessiver, savonner] la tête à, passer un abattage à, donner sur les doigts, secouer les puces à, ramoner, savonner, saucer, redresser, mettre sur le tapis; (II) doucher, enguirlander, sonner les cloches à, incendier; (III) engueuler, passer un suif à.

bawled out—to get b. o. (2) BAWLING-OUT.

bawling-out n (2) *réprimande:* (I) abattage, attrapade, savon, savonnage; (II) engueulade, engueulement, secouée; (III) suif. to get a b.-o. (2) *être réprimandé:* (I) en prendre pour son grade, recevoir une saucée [abattage, attrapade, savonnage], être mis au tapis, être savonné, se faire savonner [ramoner, saucer, redresser]; (II) se faire engueuler [enguirlander, incendier], être engueulé [enguirlandé], recevoir une engueulade, se faire appeler Jules.

bay window n (2) *ventre protubérant:* (I) bedaine: BAR-BLISTER. to grow a b. w. (2) *devenir gros du ventre:* (I) bedonner; (II) prendre de la brioche.

beach—to be on the b. (1a) *être en chômage:* (II) être sur le pavé [sable]*; (III) être au chômedu. not the only pebble on the b. (1) *un de perdu, dix de retrouvés.*

beak n (2) *nez:* (II) piton, piment; (III) blaireau, pif, piffard, nase, blaze, boîte à morve, tarin, baigneur, pied de marmite, patate, priseur, quart de brie, trompette, truffe, reniflant. (2a) *juge d'instruction:* (III) le curieux.

beam—to be off the b. (2) *se tromper:* (I) se mettre le doigt dans l'oeil: OFF BASE. to be broad across the b. (2) *être large des hanches:* (II) être bien capitonné, avoir de la viande après l'os. to be on the b. (2) *être à la page.*

bean n (2) *tête:* (I) caboche, nénette; (II) blair, cabèche, caberlot, ciboulot, cassis, chou, cigare, citron, boule, tronche, tranche, trognon, bobèche, bobéchon, bille, bougie, bouille, bouillotte, boussole, burette, cafetière, carafe, carafon, coco, coloquinte, fiole, gourde, poire, tirelire, trogne, trombine, trompette, binette, bobine, bure, citrouille, caillou; (III) terrine, tomate, plafonnard, gadin, chignon, caisson, caillou, but, bourrichon, pomme, plafond, compotier, chapiteau, balle. (2) *cerveau:* (II) chou, ciboulot, boussole, tronche, tranche, cigare, citron, tirelire, timbre, mental. (2a) *un dollar:* (III) dolluche.—vt (2) *donner un coup à la tête:* (II) taper sur le caberlot. to be without a b. (2) *être démuni d'argent:* (I) être fauché; (II) être sans un sou: BROKE. beans n (2) *rien ou très peu:* (II) des clopinettes, des clarinettes, des clous, des nèfles; (III) que dalle, peau de balle, des colombins, des copeaux, des prunes, des radis, que fif, que pouic, que t'chi, la tringle. to be full of beans (2) *avoir de l'entrain, être plein d'énergie:* (I) avoir de l'allant, être d'attaque, avoir de l'esprit jusqu'au bout des doigts, avoir du sang dans les veines; (II) péter [cracher] le feu, avoir q'ch. dans le ventre. (2) *être menteur:* (I) être blagueur, blaguer; (II) être cravateur. to know one's beans (2) *être capable dans son métier, être au courant:* (II) être à la coule; (III) être du bâtiment: BALL. not to know about [from] beans (2) *n'y rien connaître:* (I) n'être pas à la coule; (II) n'être pas dans le mouvement; (III) n'y connaître [piger] que dalle [pouic]. to live on beans (2) *avoir peu de ressources pour vivre:* (I) vivre de l'air du temps, vivre d'amour et d'eau fraîche. to spill the beans (2) *exposer le secret:* (II) vendre la mèche, débiner le truc. (2) *confesser:* (IV) accoucher, se mettre à table: COME ACROSS. not worth (a hill of) beans (2) *ne rien valoir:* (II) ne pas valoir chipette: DAMN. to work for beans (2) *gagner très peu:* (I) travailler pour le roi de Prusse; (II) travailler pour des prunes [radis, etc.].

beanery n (2a) *restaurant de basse qualité:* (I) gargote.

beanhead n (2a) *idiot:* (I) crétin; (II) andouille: BLOCKHEAD.

beanie n (2a) *chapeau, casquette:* (I) couvre-chef; (II) papeau; (III) bâche, bada, bitard, capet, doul(os), galure, galurin, gribelle, grivelle, deffe, crêpe.

bean pod n (2a) BEANIE.

bean pole n (2) *personne mince et de grande taille:* (I) (grande) perche, grande bringue, fil de fer, échalas; (II) carcan, dépendeur d'andouilles, grande gigue; (III) asperge, sauterelle, désossé. (2a) *jambe mince:* (III) flûte, crayon, allumette. skinny as a b. p. (2) *très mince:* (II) épais comme une lame de rasoir [affiche], mince [maigre] comme un cent de clous, gros comme un haricot vert, sec comme un coup de trique.

bear—to be a b. for s.t. (2) *être porté sur q'ch.* (II) en pincer pour q'ch. to be hungry as a b. (2) *avoir une faim de loup:* (II) avoir l'estomac dans les talons. to be loaded for b. (2a) *être sur le point de donner libre cours à sa colère.* (I) être sous pression.

bearcat n (1) *batailleur courageux:* (II) battant.

bear hug n (2) *embrassade vigoureuse.*

bearing—to burn out a b. (2a) *s'emporter:* (I) s'emballer; (II) se mettre en rogne: BLOW UP.

beat vt (1) *gagner une victoire sur, surpasser, battre.* (1) *tromper, tricher:* (I) empaumer: CLIP. (1) *mystifier.* to b. all hollow (2) *vaincre définitivement:* (I) écraser; (II) mettre dans la poche. to b. down the price (1) *faire baisser le prix.* to b. it (2) *s'enfuir, s'en aller, s'échapper:* (I) décamper, prendre la clé des champs [la poudre d'escampette, le large, la tangente], lever l'ancre, plier bagage, mettre la clef sous la porte, filer son noeud, prendre ses jambes à son cou, jouer des jambes [pieds], faire son paquet; (II) faire la malle [la valise], en jouer un air, ficher le camp, les mettre, se barrer, se calter, se carapater, se cavaler, se débiner, (se) démurger, se donner de l'air, s'esbigner, la briser, se tailler, se trisser, se trotter, courir la poste, débarrasser le plancher, s'esbrousser, se tirer les pieds; (III) se tirer, décaniller, décarrer, jouer [se tirer] des compas [flûtes, gambettes, guibolles, pattes, quilles, ripatons, adjas], jouer rip [la fille de l'air], riper (ses galoches), les mettre en vitesse [en cinq secs], mettre les bâtons, [baguettes, bouts, cannes, voiles], se casser, se tricer, s'arracher, foncer dans le brouillard, décambuter, déhotter, plaquouser, gicler, se gicler, les jouer, mallouser, faire patatrop, piquer un départ. to b. out a song (2) *chanter avec enthousiasme:* (III) goualer, pousser la romance, en pousser une. to b. out s.t. (2) *faire hâtivement:* (I) bâcler. to b. up (2) *frapper, battre:* (II) tabasser; (III) passer à tabac: BASH. to b. s.o. to a frazzle [fare-thee-well] (2a) *battre rudement:* (I) battre à plate couture; (II) accommoder [assaisonner] aux petits oignons [au petit beurre]. to be b. (2) *être très fatigué, épuisé:* (I) être éreinté [avachi]; (II) être claqué [affûté, crevé, lessivé, rincé, vaseux, être sur les dents [genoux, rotules], avoir les jambes de laine; (III) être vanné [vidé, aquigé, pompé, vasouillard], en avoir plein les andosses [l'échine], avoir le coup de bambou [barre, buis, pompe], avoir les jambes [guibolles, cannes, bâtons] en vermicelle [flanelle], avoir son compte. to pound the b. (2) *(pour un agent de police) faire son tour de ronde:* (II) battre le pavé. b. it! (2) *allez-vous-en!;* (II) filez!, à la gare!, va te coucher!, that beats me (2) *je ne comprends pas ça:* (II) je ne pige pas. that beats it all! (2) *c'est le dernier coup!,* il ne manquait plus que cela!; (II) c'est la fin des haricots! that beats everything (2) *c'est le mieux!:* (I) c'est le bouquet, c'est le comble. beat one's gums [chops] (2) *parler:* (2) jacasser, dégoiser: BREEZE.

beaten—to be b. (1) *être vaincu, perdre:* (I) ramasser [remporter] une veste, avoir son compte; (II) ramasser une piquette; (III) avoir baccara.

beatnik n (2) *individu excentrique de la nouvelle génération:* (I) beatnik, zazou, la jeune vague.

beaut n (2) *jolie femme:* (I) poupée; (II) pépée, prix de Diane; (III) lot. (2) *chose agréable, satisfaisante, de qualité supérieure, etc.:* (I) le bouquet; (III) de première (bourre).

beauty sleep n (1) *petit sommeil, surtout pendant le jour:* (I) somme; (II) roupillon, dorme, roumi.

beaver n (2) *barbe:* (III) barbouze, boue, piège(-à-poux).

be-bop n (2) *style de jazz:* (II) bebop.

bed—to climb [turn, roll, tumble] out of b. *sortir du lit:* (III) se dépagnoter, se dépieuter, se déplumer, décaniller du page. b. of roses (1) *situation douce et agréable:* (I) c'est la vie de château, c'est le paradis. that's no b. of roses (1) *c'est une situation désagréable:* (I) ce n'est pas le paradis, ce n'est pas du miel; (II) ce n'est pas de la tarte [du gâteau], c'est la galère.

bedroom—to have b. eyes (2a) *être aguicheuse:* (I) être enjôleuse; (II) être allumeuse.

bee—to have a b. in one's bonnet (1) *avoir une idée fixe:* (I) avoir une marotte. to put the b. on s.o. (2) *solliciter, faire la quête:* (I) tirer la manche à q'un: ARM. (2) *extorquer, faire du chantage:* (I) tirer une plume de l'aile; (II) faire de la musique.

beef n (1) *muscle.* (2) *plainte, geignement:* (I) rouspétance; (II) rousse. (2) *plainte à la police:* (III) deuil, fargue.—vi (2) *protester, se plaindre, grogner:* (I) râler, ronchonner, rouspéter, geindre, bougonner, faire de la rouspétance; (II) rouscailler, rousser, aller au cri, aller à [faire de] la rebiffe, rebiffer, se rebiffer, renâcler, rognonner, maronner; (III) gueuler au charron, charronner, groumer, pétarder, la ramener, ramener sa fraise, faire de la renaude [rousse], renauder. to b. up (2) *renforcer.* to put in a b. (2) *porter plainte à la police:* (III) charronner, porter le deuil, faire du pet, porter le pet, porter le [aller au] pétard. to put on b. (2) *grossir, devenir gros:* (I) faire du lard; (II) prendre de la brioche. to square a beef (2) *se disculper, se justifier d'une accusation:* (II) se blanchir. to put up a b. (2) *protester:* TO BEEF. to take a bum b. (2) *être tenu responsable:* (III) porter le chapeau [bada, doul].

beefeater n (2a) *Anglais:* (III) rosbif, Angliche.

beefer n (2) *personne qui se plaint toujours:* (I) râleur, rouspéteur, ronchonneur, geignard; (II) renaudeur, rouscailleur; (III) bâton merdeux. (2) *délateur:* (I) mouchard; (II) cafard, mouche; (III) bordille, bourdille, donneur, croqueur, bourrique, bourricot, chacal, charognard, fargueur, chevreuil, grilleur.

beefy adj (1) *bien en chair:* (I) dodu, rondouillard; (II) gras comme un coucou, balaise, balèze; (III) baraqué, mailloche, malabar, mastard, gras du bide.

beeline—to make a b. for (1) *se diriger droit au but.*

beer—to cry in one's b. (2) *se plaindre:* (I) geindre: BEEF.

beer belly n (2) *gros ventre:* (I) bedaine: BARBLISTER.

beer joint n (2) *brasserie de basse classe.*

beet n (2) *nez rouge:* (III) aubergine, betterave, nez [pif] de poivrot, phare.

beezer n (2) *nez:* (II) blair; (III) pif: BEAK.

behind n (1) *les fesses:* (I) arrière-train: ASS.

bejesus—to knock the b. out of s.o. (2a) *frapper q'un violemment:* (I) battre comme plâtre; (II) casser la gueule à: BASH.

belch vi (2) *avouer, confesser:* (I) cafarder, moucharder, vider son sac, vendre (la mèche); (II) se mettre à table, (III) accoucher, en croquer [becqueter, manger], bourriquer, annoncer la couleur, cracher [casser, manger] le morceau, se déballonner, se dégonfler, goualer, lâcher le paquet, s'affaler, l'ouvrir, donner, se déboutonner, s'allonger, s'étaler, dégueuler, déballer ses outils.

belcher n (2) *délateur:* BEEFER.

bell—to be sound as a b. (1) *être en très bonne santé:* (I) avoir une santé de fer. (1) *être solide et en bon état:* (I) être solide comme l'airain* [comme un chêne], être dur comme un roc. to ring a b. (in one's mind) (2) *faire rappeler q'ch.*

bellhop n (2) *chasseur d'hôtel.*

bellyache n (1) *mal au ventre.*—vi (2) *se plaindre:* (I) rouspéter: BEEF.

bellyacher n (2) BEEFER.

bellybutton n (1) *nombril.*

belly dance n (2) *danse du ventre.*

belly dancer n (2) *danseuse qui fait la danse du ventre.*

belly flop n (2a) *chute à plat ventre:* (II) gadin, billet de parterre.

bellyful—to have a [one's] b. of s.t. (2) *en avoir assez:* (I) en avoir plein le dos [son sac], en avoir par-dessus la tête; (II) en avoir soupé [sa claque, marre], en avoir plein le râble [l'échine]; (III) en avoir classe [épais, flac, quine, son pied, ras], en avoir plein les bottes [andosses, endosses].

belly landing n (2) *atterrissage sur le ventre de l'avion:* (III aviat.) atterrissage sur le gésier.

belly-laugh n (2) *accès de rire:* (I) franche rigolade; (III) marrade. to have a b.-l. (2) *se tordre de rire:* (I) se flanquer une bosse de rire, se dilater la rate, rire à ventre déboutonné*; (II) se marrer, se bidonner, se gondoler; (III) se boyauter, se fendre la pipe, se poiler, se cintrer.

belly whopper n (2a) BELLY FLOP.

belt n (2) *coup:* (I) taloche; (III) baffe: CLIP.—vt (2) *battre, frapper:* (II) passer à tabac: BASH. to b. one down (2) *prendre un verre de vin, d'alcool, etc.:* (I) boire une goutte; (II) siffler un coup, se rincer le bec; (III) s'humecter [se rincer] les amygdales [le gosier, le cornet, la dalle], s'en envoyer [jeter] un derrière la cravate, en écluser un. to b. out a tune (2) *chanter:* (III) pousser une goualante. to tighten [pull in] one's b. (1) *se priver de q'ch., avoir faim:* (II) se mettre [serrer] la ceinture; (III) se mettre [serrer] l'anguille [la tringle], danser devant le buffet, avoir les crocs [la dent].

belting n (2) *volée de coups:* (I) rossée, pile: ANOINTING.

bench vt (1) *retirer q'un du jeu:* (II) mettre sur la touche, envoyer au vestiaire.

benchwarmer—to be a b. (2) *attendre l'occasion de jouer (dans les sports):* (I) faire corridor; (II) faire tapisserie.

bend—to b. over backwards for s.o. (2) *faire de son mieux pour q'un:* (I) se démener pour; (II) se décarcasser, se démantibuler, se dépatouiller; (III) se casser le tronc.

bender n (2) *débauche, partie de plaisir:* (I) bamboche: BAT. to be on a b. (2): BAT.

bends n (1) *maladie des caissons.*

bennies n (2) *benzédrine employée illicitement comme stimulant par les routiers:* (I) la topette.

Benny n (2) *pardessus:* (II) pelure; (III) alpague, lardosse, pardingue, pardosse, redingue.

bent—to be badly b. (2) *être à court d'argent:* (I) avoir la bourse plate: BROKE.

benzine buggy n (2a) *voiture:* (II) bagnole: CRATE.

berry n (2a) *dollar:* (III) dolluche. to be the berries (2a) *être de premier ordre:* (I) épatant, époustouflant; (II) formid, de première; (III) de première bourre.

bet—to place a b. (2 fig.) *faire l'acte charnel:* BANG.

better—to go s.o. one b. (2) *surpasser q'un, se montrer supérieur à q'un:* (I) faire la pige à q'un. so much the b. (1) *tant mieux.*

better half n (1) *épouse:* (III) la moitié*: BALL-AND-CHAIN.

B-girl n (2) *entraîneuse dans une boîte de nuit.*

bib—to wear [put on] one's best b. and tucker (1) *mettre ses meilleurs vêtements:* (I) être endimanché, être tiré à quatre épingles, être sur son 31.

bid n (1) *invitation à joindre un cercle privé.*

biff n (2a) *coup:* (II) beigne: CLIP.—vt (2a) *frapper, battre:* (III) tabasser: BASH.

big—to go over b. (2) *réussir, être bien reçu:* (I) tenir l'affiche (théâtre), taper [mettre] dans le mille; (III) boumer. (2) *satisfaire, plaire:* (I) botter, ganter, taper dans l'oeil; (II) chausser. to hit it b. (2) *devenir riche dans une affaire:* (I) trouver un bon filon. to have it b. for s.o. (3) *être follement amoureux de q'un:* (I) brûler d'amour pour; (III) en pincer pour; (IV) bander pour. to talk b. (1) *se vanter, exagérer:* (I) aller fort: APPLESAUCE.

big bean n (2) *personnage important, chef:* (I) une huile; (II) grosse légume, gros bonnet, ponte, caïd; (III) manitou, grossium, homme de poids.

Big Bertha n (2a) *femme qui a beaucoup d'embonpoint:* (I) dondon; (II) jument de brasseur, bouboule; (III) bombonne, gravosse, rondouillarde.

big blow n (2) *hâbleur, vantard:* (I) fanfaron: BAG OF WIND.

big bluff n (2) *hâbleur:* (I) fanfaron: BAG OF WIND.

big brass n (2) *personnages importants:* (II) les huiles, les galonnards (milit.): BIG BEAN.

big bug n (2) BIG BEAN.

big burg n (2a) *n'importe quelle ville importante mais surtout New York.*

big cheese n (2) BIG BEAN.

big deal n (2) *affaire importante:* (III) grosse affure. to have a b. d. on (2) *être au coeur d'une affaire d'importance:* (II) être sur un gros coup.

big Dick n (2) *le dix dans le jeu de dés (passe anglaise).*

big ditch n (2) *le canal de Panama.* (2) *l'océan:* (III) la grande tasse, la grande mare, la mare aux harengs.

big doings n (2) *événements importants.*

big drink n (2) BIG DITCH.

big egg n (2) BIG BEAN.

big fish n (2) BIG BEAN. to be a big f. in a little pond (2) *être un grand personnage dans une petite société:* (I) être amiral de la Marine Suisse; (II) être capitaine de bateau-lavoir.

big gun n (2) BIG BEAN.

big hand n (2) *forts applaudissements.* to get a b. h. (2) *être accueilli par un tonnerre d'applaudissements:* (III) casser la baraque, faire trembler les lustres.

big head—to have a b. h. (1) *être vaniteux:* (III) être vanneur [béchamel]. (2) *avoir mal à la tête après une débauche:* (II) avoir la gueule de bois.

Big House n (2) *prison centrale:* (III) centrouse.

big lug n (2) *homme gros et maladroit:* (II) lourdaud, potaud.

big lunk n (2) BIG LUG.

big Mogul n (2) BIG BEAN.

big mouth n (2) *hâbleur:* (II) gueulard: BAG OF WIND.

big muckamuck n (2) BIG BEAN.

big name n (2) *une personnalité:* (I) un grand nom; (I) huile, grosse légume, gros bonnet, grossium.

big noise n (2) *vantard:* (I) fanfaron: BAG OF WIND.

big ox n (2) *homme gros et fort:* (III) costaud; (III) balaise, balèze, malabar, fortiche.

big pond n (2) BIG DITCH.

big shot n (2) BIG BEAN. (ce mot est le plus usité des synonymes). to act like a b. s. (2) *faire l'important:* (I) en installer; (II) faire le gros dos.

big stiff n (2) BIG LUG.

big story n (2) *article très important dans un journal:* (III) une pièce de boeuf.

big stuff n (2) *q'ch. d'important:* (I) événement, affaire, activité, etc. de taille.

big talk n (2) *vantardise:* (I) gasconnade, fanfaronnade; (II) prise de col.

big time n (2) *place, situation ou rôle de premier plan:* (I) les boîtes à succès (théâtre), les hautes sphères (finance), les équipes vedettes (sport).—adj (2) *de premier rang, entre les champions:* (I) as, champion; (II) crack. to be in the b. t. (2) *être dans les hautes sphères (finance, politique):* (I) être le dessus du panier [la crème]. to crash the b. t. (2) *s'élever au premier plan.* to have a b. t. (2) *s'amuser beaucoup:* (III) se régaler, se rouler.

big top n (1) *chapiteau (cirque).*

big wheel n (2) BIG BEAN.

big wig n (2) BIG BEAN.

bike n (1) *bicyclette:* (I) vélo; (II) bécane, biclo.

bilge n (2a) *idioties:* (II) foutaise: APPLESAUCE. (2a) *mauvaise soupe:* (II) lavasse.

bill n (2) *nez:* (III) blair: BEAK. (2) *dollar:* (III) dolluche. to fill the b. (1) *être l'homme (la chose, l'idée) apte à la situation:* (I) faire l'affaire. to foot the b. (1) *accepter de régler la note:* (I) payer les violons; (III) payer [régler] la douloureuse, essuyer le coup de fusil. to jump the b. (2) *s'en aller sans payer:* (I) faire un trou à la lune; (II) planter un drapeau; (III) faire un pouf. to run up a b. (1) *s'endetter:* (III) s'encroumer. to sell s.o. a b. (of goods) (2) *convaincre par des paroles trompeuses:* (I) entortiller, enganter, jeter de la poudre aux yeux; (II) truander, arranger, englander. (2) *tromper, escroquer:* (1) blouser: CLIP.

bim n (2 derog.) *femme:* (II) limace: BAG.

bimbo n (2) BIM.

bind—to be in a b. (2) *être dans une mauvaise passe:* (I) être dans le pétrin: HOT WATER.

bindle n (2a) *paquet d'un clochard:* (II) baluchon. b. stiff n (2a,I) clochard; (III) trimard: BUM.

binge n (2,I) *bombe:* BAT. to go on a b. (2,I) *faire la noce:* BAT.

bird n (2) *individu:* (I) gars: CHAP. (2) *individu excentrique ou bizarre:* (I) type, un drôle d'oiseau*; (II) un drôle de coco [numéro, pistolet]; (III) un drôle de mironton [piaf]: FUNNY GUY. to give s.o. the b. (2) *huer, siffler, conspuer:* (I) jeter des tomates [pommes cuites] à q'un. it's for the birds (2) *se dit de q'ch. d'insignifiant, de méprisable, de mauvais en général:* être bon pour les chiens, ne pas valoir un coup de cidre, être du vent, être plein de vent. tell it to the b. (2a) *je ne le crois pas:* (I) c'est de la blague; (II) et ta soeur? q'est-ce que tu me chantes là?; (III) arrête ton char.

birdbrain n (2) *individu stupide:* (II) crâne de piaf*: BLOCKHEAD.

bird colonel n (2 mil.) *colonel de l'armée américaine ainsi appelé à cause de l'aigle qu'il porte, en insigne, sur les épaulettes.*

birdie—a little b. told me (1,I) mon petit doigt me l'a dit. to hear the birdies sing (2) *être ébloui après un choc ou coup:* (I) voir trente-six chandelles, entendre sonner les cloches*.

birthday clothes—to be in one's b. c. (2) *être nu:* (I) être à poil: ALTOGETHER.

bit—to champ at the b. (1) *être impatient:* (I) ronger son frein*. to take the b. in the teeth (1) *prendre le mors aux dents:* (III) aller au scroume.

bitch vi (3) *se plaindre:* (I) râler: BEEF.— n (3) *femme malveillante ou dissolue:* (I) chipie; (II) guêpe, grenouille, bique, garce, lièvre. to bitch up (3) *faire du mauvais travail, exécuter q'ch. négligemment:* (I) bousiller, amocher, massacrer, rater, ratiboiser, saboter, charcuter; (II) cochonner, louper, sabrer, saloper, savater, torcher, torchonner, esquinter, assassiner, fusiller, roustir; (III) éreinter, faire à la noix (de coco).

bitcher n (3) *qui proteste, grogne ou se plaint:* (II) rouspéteur: BEEFER.

bitch session n (2) *réunion spontanée au cours de laquelle sont exposés les griefs des participants.*

bitchy adj (3) *d'humeur maussade, irrité:* (I) avoir la bisque; (II) de mauvais crin: BROWNED-OFF.

bite n (1) *petit repas, goûter:* (1) casse-croûte; (II) casse-graine; (III) cale-dents. to b. on s.t. (1) *croire sottement:* (1) avaler q'ch.: BAIT. to b. off more than one can chew (1) *commencer plus qu'on peut achever:* (I) avoir les yeux plus grands que le ventre; (II) vouloir vider la mer avec une petite cuiller [une cuiller à café]; (III) péter plus haut

que son cul. to grab [have]a b. (2) *faire un repas léger:* (1) casser la croûte; (II) casser la graine. to put the b. on s.o. (2) *emprunter, ou essayer d'emprunter, de l'argent:* (I) taper: ARM. (2) *extorquer, faire chanter:* (I) tirer une plume de l'aile; (I) faire de la musique. what's biting him? (2) *pourquoi se fâche-t-il?;* (I) quelle mouche le pique?

bit parts n (2) *rôles secondaires (théâtre):* (I) les utilités.

bitsy-witsy n (2) *une très petite quantité:* (1) une larme, un soupçon, un brin; (III) un chouïa (de), un chouïe.

bitter-ender n (1) *qui ne veut pas céder:* (I) jusqu'auboutiste.

blabbermouth n (2a) *qui aime bavarder:* (I) moulin à paroles, jacasseur; (I) boîte-à-cancans, jaboteur; (III) jaspineur, jaspilleur, palasseur. (2) *qui a le penchant à parler indiscrètement.* to be a b. (2) *parler trop:* (I) avoir la langue trop longue [bien pendue], bien affilée]; (II) avoir une bonne tapette; (III) rouler.

blabfest n (2a) *causerie:* (I) bavette, causette; (II) bla-bla-bla; (III) jactage, jactance, jaspillage, jaspinage, palass.

black—to be in the b. (2) *tirer profits d'une entreprise:* (II) affurer, afflurer, avoir [faire] du rabe [rabiot].

black book—to be in s.o.'s black book (I) *être en défaveur auprès de q'un;* (I) être sur la liste noire*.

black eye—to give s.o. a b. e. (1) *pocher l'oeil à q'un:* (II) faire à q'un un bouquet de violettes; (III) coller un broc [broque] à q'un. (1) *médire de, dénigrer q'un:* (I) déblatérer sur; (II) débiner q'un; (III) déconner sur, débloquer sur.

blackleg n (1) *briseur de grève:* (II) jaune.

black Maria n (2) *voiture cellulaire:* (III) panier à salade.

black out vi (1) *s'évanouir:* (I) tourner de l'oeil, tomber dans les pommes; (II) être dans la vape [les vapes], tomber en diguedigue, être dans le potage [le colletar].

blah adj (2) *insipide, fade:* (I) plat, falot; (II) fadasse. to feel b. (2) *se sentir sans énergie;* (I) être flapi [à plat]; (II) être flagada. (2) *se sentir malade:* (I) ne pas être dans son assiette; (II) être mal fichu: BAD SHAPE.

blank—to draw a b. (1) *ne pas trouver ce qu'on cherche, ne pas réussir dans un essai:* (I) faire chou blanc; (II) se casser les dents [le nez], louper.

blankety-blank adj (2 euph.) *désagréable, fâcheux:* (I) damné, sacré.

blarney n (1) *cajolerie:* (II) boniment: APPLE-SAUCE. to have a touch of the B. Stone (1) *avoir une grande facilité d'élocution (surtout pour flatter):* (I) avoir du bagou, avoir la langue bien pendue; (II) avoir du baratin.

blast n (2) *dose de stupéfiant:* (III) prise (cocaïne), piquouse (morphine), la dose (en général). to get a b. out of s.t. (2) *tirer beaucoup de plaisir de q'ch.:* (II) bicher. to take a b. (2) *prendre la dose de drogue:* (III) se camer, se charger, se schnouffer, se poudrer, se piquouser. to b. off (1) *s'en aller précipitamment:* (I) décamper: BEAT IT. (2) *parler avec volubilité:* (I) parler d' abondance; (II) tenir le crachoir; to b. s.o. (2) *critiquer, dénigrer:* (I) déblatérer sur q'un: (III) dégoiser. BLACK EYE.

blasted adj (2) BLANKETY-BLANK.

blat vi (1) *parler indiscrètement, révéler le secret:* (I) vendre la mèche: BELCH. (1) *bavarder:* (I) papoter, tailler une bavette, jacasser; (II) jaboter; (III) jaspiller, jaspiner, palasser, rouler.

blazes—to be sore [mad] as blazes (2) *être très en colère:* (I) être à cran, voir rouge; (II) être en rogne [pétard], être furibard, rogner, pétarader, fumer, mousser, péter, être à renaud, roter; (III) l'avoir à la croume, l'avoir sec, être arnau, piquer une crise, être en suif, attraper le coup de sang. it's hot as blazes (2) *il fait très chaud.* to run [go] like blazes (2) *courir [aller] à toute vitesse:* (I) aller à fond de train: BARREL.

bleed—to b. s.o. (white) (1) *extorquer de l'argent de q'un:* (I) saigner q'un à blanc*; (II) mettre q'un à sec; (III) mettre q'un sur la paille [au foutre].

bleeding heart n (2) *se dit ironiquement de q'un qui montre un excès de sympathie pour les infortunés:* (I) qui à le coeur dans la main, défenseur de la veuve et de l'orphelin.

blessed event n (1) *naissance d'un enfant (humor.):* (I) heureux événement.

blimp n (2a) *femme avec beaucoup d'embonpoint:* (I) dondon: BIG BERTHA.

blind ad (1) *annonce anonyme dont la réponse doit être adressée au journal qui la publie.*

blind date (1) *rendez-vous avec q'un qu'on ne connaît pas:* (I) rendez-vous fantôme.

blind pig [**tiger**] (2a) *bar clandestin:* (III) claque-dents, clandé.

blink—to be on the b. (2) *être hors de ser-* vice, être en panne: (I) être patraque, battre la breloque; (III) être en rade. (2) *être malade, ne se sentir pas très bien:* (I) ne pas être dans son assiette: BAD SHAPE.

blinker n (2) *ecchymose à l'oeil:* (I) oeil poché; (II) oeil au beurre noir, coq, bouquet de violettes, coquard; (III) coquelicot. (2a) *oeil:* (III) quinquet: PEEPER. to hang a b. on s.o. (2) *frapper q'un sur l'oeil;* (III) accommoder [assaisonner] q'un au beurre noir. BLACK EYE.

blip n (2) *point lumineux sur un écran de radar, etc.*

blitz vt (1) *attaquer de manière écrasante ou accablante:* (II) balayer, ratiboiser; (III) mettre le paquet, rentrer dedans, emplafonner.

block n (2) *tête:* (II) chou; (III) cigare: BEAN. to knock s.o.'s b. off (2) *frapper, battre:* (II) rentrer dans le chou à q'un: BASH. chip off the old b. (1) *très ressemblant à son père:* (I) tout craché, le portrait de.

blockbuster n (2a) *bombe aérienne très puissante:* (I) marmite. (2) *agent immobilier qui, pour profiter de l'agitation stimulée par le racisme dans un quartier résidentiel, achète les propriétés des blancs à bon marché pour les revendre à un prix exagéré aux noirs qui cherchent à s'installer dans le quartier contre la volonté des habitants blancs.*

blockhead n (1) *personne stupide, niais:* (I) ballot, serin, crétin, saucisse, cruche, dindon, âne, bêta, bourrique, bûche, buse, cornichon, enflé, ganache, janot, nicodème, nigaud, nigaudinos, nigaudème, oie; (II) empaillé, emplâtré, poire, tourte, truffe, veau, cruchon, varlot, nunuche, andouille, âne bâté, couillon, bougre d'emplâtre, couenne, godichard, godiche, gourde, Jacques, jobastre, melon, moule, noeud, nouille, pied, pierrot, pocheté, tomate; (III) tête de noeud, tranche, tranche de céleri [gaille], baluche, baluchard, billot, branque, branquignol, carafon, cave, corniaud, crêpe, duconnard, duconneau, figure, fourneau, gland, gourdichon, lavedu, lourd, M. Duchenoque, niguedouille, noix, panouille, pante, crâne de piaf; (IV) con, conard, conne, graine de con.

bloke n (2a) *individu:* (I) gars; (III) mec: CHAP.

blonde—bleached [drugstore, peroxide] blonde (2) *blonde artificielle:* (I) blonde oxygénée*.

blood—to be out for b. (2) *chercher à se venger:* (III) aller à la rebiffe. (2) *être décidé à se battre pour vaincre:* (III) avoir la patate [la frite], être en rouloir. to sweat b. (2)

faire q'ch. avec beaucoup de peine: (I) suer sang et eau*; (III) pisser le sang, en chier comme un russe. to make s.o.'s b. boil (1) *mettre q'un en colère:* (I) faire bouillir q'un de colère; (II) mettre q'un en rogne, faire piquer une crise à q'un.

blood and guts n (2) *action dramatique (au figuré: pleine de sang)* (I) carnage, tuerie; (II) boucherie.

blood and thunder adj (2) *intensément dramatique (roman, film, etc.).* b. and t. novel (2) *roman plein d'activité intensément dramatique:* (I) roman de cape et d'épée; (II) roman dans lequel le corbillard suit les pages.

blood vessel—to burst a b. v. (2a fig.) *s'emporter de colère:* (2) sortir de ses gonds: BLOW UP.

bloody adv (2a) *très:* (I) bigrement; (II) vachement, foutralement.

bloomer n (2) *erreur, balourdise, maladresse:* (I) boulette, gaffe: BONER. to pull a b. (2) *faire une erreur:* (I) faire une gaffe [boulette]: BONER.

blooper n (2a) BLOOMER: to pull a b. (2) BLOOMER.

blot—to b. out vt (2) *assassiner, tuer:* (III) refroidir: BUMP OFF.

blotto—to be b. (2) *être ivre:* (I) être dans les vignes du Seigneur, être éméché [gris, pompette], avoir son grain; (II) être rincé [rond, saoul, soûl, allumé, beurré, bourré à zéro [comme un coing], gelé, givré, juponné, noir, paf, blindé, rond (comme une boule), bu, soûlard, soûlot, en ribote, dans le cirage, monté, noircicot, parti, avoir son pompon [son poteau, sa casque], avoir du vent dans les voiles, avoir bu un coup de trop; (III) avoir son sac [un coup de trop, son compte, sa cuite, sa culotte, une muffée, une mufflée, une beurrée, sa cocarde, sa pointe], être schlass [mûr, ourdé, pion, pionnard, chargé, teinté, sangui, brindezingue, raide, culbuté, fadé, farci, jupé, mâchuré, mouillé, poivre], en avoir une poivrade [une mufflée (sévère)], avoir le nez [le pif, le tarin, le blair, le blaireau] piqué [salé], en avoir un coup dans l'aile [le pif, le tarin, les carreaux, le blair, le porte-pipe], être plein comme un oeuf [un boudin, une bourrique, une huître, un Polonais, une salope, une vache].

blow—to b. vi (2) *s'enfuir:* (I) ficher le camp: BEAT IT. (2) *se vanter:* (I) en remettre; (II) se pousser du faux-col, vendre du vent, jeter de la poudre aux yeux; (III) rouler des mécaniques [biscottos]. (2) *jouer d'un instrument de musique.* to b. in (2) *arriver, rentrer:*

(I) arriver comme une flèche; (II) radiner, s'amener; (III) s'abouler, encarrer, enquiller, antiffer, entiffer, entifler, ralléger, ranquiller, renquiller, rappliquer. to b. off (at the mouth) (2) *parler beaucoup:* (I) parler avec abondance, tenir le crachoir; (II) dégoiser, rouler; (III) bavasser. to b. oneself to s.t. (2) *se régaler de q'ch.:* (I) se payer q'ch.; (II) s'envoyer, se taper, s'enfiler; (III) se cloquer, se coller, s'attriquer, s'attribuer, s'allonger. to b. s.t. (2) *ne pas réussir en q'ch.:* (I) rater; (II) louper. to b. up (2) *se mettre en colère:* (I) s'emballer, se fâcher tout rouge; (II) sortir de ses gonds, monter à l'échelle, se mettre en rogne [pétard, boule], fumer, être bleu, voir rouge, piquer une crise; (III) se mettre en quarante. (2) *ne pas réussir:* (I) échouer, faire long feu [chou blanc], remporter [ramasser] une veste [pelle], finir [tourner, s'en aller] en eau [os] de boudin; (II) foirer, finir en queue de poisson [rat], péter dans la main, claquer, faire (un) four (noir); (III) recevoir une tape, récolter une bide, crosser, partir en brioche, finir dans les choux; (IV) partir en couilles.

blowhard n (2) *vantard, hâbleur:* (I) fanfaron: BAG OF WIND.

blowoff n (2) BLOWHARD.

blowout n (2) *fête, ripaille:* (II) gueuleton, bombe: BAT. to have a b. (2) *faire ripaille:* (II) faire la bombe: BAT. (2) *manger trop et sans discrétion:* (I) manger à ventre déboutonné, godailler, ripailler, avaler comme un coucou; (II) bâfrer, se bourrer, se remplir le jabot; (III) bouffer, se taper la cloche, s'en mettre derrière la cravate, se croutonner, piffrer, se remplir le buffet, s'en flanquer une ventrée, s'empiffrer.

blowup n (1) *rixe, bagarre:* DONNYBROOK. (I) *crise de colère.* (I) *agrandissement d'une photo.*

blubber—to take on b. (2a) *prendre de l'embonpoint:* (I) faire du lard; (II) prendre de la brioche.

blubberhead n (2) *sot, niais:* (I) jobard: BLOCKHEAD.

blue—to be b. (1) *se sentir déprimé, avoir des idées noires:* (I) avoir le cafard, être cafardeux, broyer du noir, en avoir de grises; (II) être dans le cirage; (III) avoir le bourdon, être dans le potage [la vape, la vase], être en plein baccara.

blue blood n (1) *aristocrate:* (I) sang bleu; (II) gommeux, aristo; (III) aristoche.

blue chip n (1) *action, valeur, titre de bonne rente.*

bluecoat n (1) *agent de police:* (III) flic: BULL.

blue jeans n (1) *pantalon de toile bleue très à la mode chez les jeunes gens:* (II) bleus, jeans.

blue joke n (1) *histoire grivoise:* (I) histoire salée [poivrée, pimentée], gauloiserie; (II) histoire cochonne; (III) histoire de cul [fesses], histoire dégueulasse.

blue moon—once in a b. m. (1) *jamais, ou presque jamais:* (I) chaque fois qu'il lui tombe un oeil, quand les poules auront des dents; (II) tous les trente-six du mois, la semaine des quatre jeudis, à la Saint-Glinglin.

blue nose n (1a) *individu puritain:* (I) collet monté; (II) bégueule.

blues n (2) *chansons mélancoliques.* to cry [sing] the b. (2) *se plaindre:* (II) rouspéter; (III) renauder: BEEF. to have the b. (1) *avoir des idées noires:* BLUE.

blue sky—show up out of the b. s. (2) *arriver inattendu:* (I) arriver en trombe, arriver comme une bombe; (II) débouler.

blue streak—like a b. s. (1) *comme une flèche, à toute allure, à toute vitesse:* (I) au triple galop; (II) à toute pompe; (III) rapido, à tout berzingue, à toute barre, bécif. to talk like a b. s. (2) *parler rapidement et sans cesse:* (I) parler avec abondance; (II) parler comme une mitraillette; (III) bavasser.

blunderhead n (2a) *individu stupide:* (I) crétin: BLOCKHEAD.

blurb n (1) *annonce publicitaire tapageuse et trop laudative:* (2) battage, tam-tam.

b.m.—to have a b.m. (1) *déféquer:* (II) foirer: CRAP.

boardinghouse reach n (2a) *une longue portée de bras (par allusion aux plats servis dans une pension de famille et qu'on ne peut atteindre qu'en allongeant le bras).*

boat—to miss the b. (2) *manquer une opportunité:* (I) manquer [rater] le coche*; (II) rater [louper] le coup, être de la revue, passer à côté.

bobby socks n (1) *socquettes portées par les fillettes et jeunes filles américaines.*

bobby-soxer n (1a) *adolescente (portant les "bobby socks").*

body English n (2) *mouvements du corps destinés à influencer la trajectoire de la bille (billards, bowling, etc.)*

bohunk n (2 derog.) *émigré aux U.S.A. d'origine slave.* n (2a) *personne grossière,*

sans délicatesse: (I) jean-fesse; (II) jean-foutre, (III) péquenot.

boiled—to be b. (2) *être ivre:* (II) avoir sa cuite: BLOTTO. to get b. (2) *boire trop, s'enivrer:* (I) s'émécher; (II) se biturer, se cuiter, se pocharder, s'empoivrer, se poivrer, se soûler, se saouler, se taper la tête [gueule, cloche]; (III) s'arrondir, se rondir, se pionner, se pionnarder, se blinder, se charger, se droguer, se mâchurer, se sanguiner, se piquer [salir] le nez [le pif, le tarin, la truffe], prendre une cuite [une culotte, la casquette, une muff(l)ée, son panache, la caisse], ramasser une biture, se noircir (la cerise), se faire rétamer. b. shirt n (2) *chemise au plastron amidonné.* (2) *individu affecté, prétentieux, orgueilleux:* (I) collet monté, poseur, plastronneur; (II) bêcheur, prétentiard; (III) vanneur, béchamel, rouleur.

boilermaker n (2) *verre de whisky suivi d'un verre de bière.*

boiler room n (2) *bureau où l'on vend des actions frauduleuses par téléphone.*

boiling—to be b. (mad) (2) *être très en colère:* (II) être à cran: BLAZES. to have a low b. point (2) *se fâcher facilement:* (I) avoir la tête près du bonnet, monter [s'emporter] comme une soupe au lait.

bollix—to b. up (2) *abîmer, exécuter d'une mauvaise manière:* (I) amocher; (II) torcher: BITCH UP.

bollixed-up adj (2) *en désordre:* (I) en pagaille [pagaie]; (II) en bazar; (III) en bordel. (2) *mal exécuté:* (I) raté, amoché; (III) bousillé, cochonné, loupé, savaté, torché, fusillé, salopé; (III) fait à la noix, sabré. (2) *tout confus:* (I) embarbouillé: BALLED-UP.

bolo punch n (2a) *coup donné lentement et en force:* (II) coup téléphoné.

bolshie n (2) *Russe, Bolchevique:* (III) Ivan, Russcof, Popof, Russky, Bolcho.

bomb n (2) *voiture puissante:* (I) bolide; (II) locomotive; (III) grosse tire. (2) *homme très énergique:* (I) Hercule; (II) un fortiche, un malabar; (III) balèze [balaise].

bonanza n (1) *situation ou affaire lucrative:* (I) bon filon; (III) placarde.

bone—to b. (up) vi (2) *étudier avec diligence:* (I) potasser, piocher, bûcher. to cut to the b. (1) *réduire au maximum:* (I) ronger jusqu'à l'os. to have a b. to pick with s.o. (1) *avoir un compte à régler avec q'un:* (I) avoir une dent contre q'un, garder un chien de sa chienne à q'un. to pick a b. with s.o. (1) *chercher querelle à q'un:* (III) chercher du suif, aller au pétard, chercher noise à. **bones** n (2) *jeu de dés;* (III) bobs. to make no bones about s.t. (1) *s'exprimer sans réserve ou hésitation au sujet de q'ch.:* (I) ne pas y aller par quatre chemins [avec le dos de la cuiller]. to roll the bones (2) *jouer aux dés:* (III) pousser les bobs.

bone dry—to be b. d. *avoir grand soif:* (1) avoir la pépie: DRY. (I) *se dit d'une ville, état, etc., aux Etats-Unis où la vente des spiritueux est interdite.*

bonehead n (2) *niais, imbécile:* (II) cruche: BLOCKHEAD.

boner n (2) *bévue, méprise, maladresse:* (I) boulette, gaffe, bourde, impair; (II) vanne; (III) caracos, char, cagade, galoupe, connerie. to pull a b. (2) *commettre une erreur:* (I) faire une gaffe [boulette, impair], se mettre le doigt dans l'oeil, se casser le nez; (II) mettre les pieds dans le plat, en faire une belle, se ficher dedans, gaffer; (III) se gour(r)er, gafouiller, faire des brioches, faire des conneries, déconner (à pleins tubes).

bone-tired adj (2) *extrêmement fatigué:* (I) éreinté: BEAT.

boneyard n (2) *cimetière:* (III) le parc [jardin] des claqués [refroidis, cro(u)nis, allongés], le Boulevard des Allongés, chez les têtes en os.

boob n (2) *individu stupide:* (I) nicodème: BLOCKHEAD. (2) *victime d'une escroquerie, personne crédule:* (I) dindon, gaufre, gobe-mouches, gogo, job, jobard; (III) cave, pante, bouille, poire, jobastre, nave, pigeon, têtard, bonne pomme.

boobies n (3) *mamelles:* (I) tétons; (II) avant-scènes, nichons, nénés; (III) roberts, boîtes-à-lolo [lait], flotteurs, mappemondes, rondins, rotoplos, tétasses, pastèques.

booboo n (2) BONER.

boob tube n (2) *le téléviseur:* (I) la télé.

booby hatch n (2) *asile de fous:* (I) cabanon; (II) Ste. Anne, Charenton; (III) maison de dingues.

booby house (2) BOOBY HATCH.

boodle n (2) *butin:* (III) fade, vendange, bouquet, taf.

boodle buggy n (2) *voiture d'enfant:* (I) poussette.

boogie n (2 derog.) *nègre:* (III) bougnole: COON.

book—to go by the b. (1) *suivre les règles, agir d'après le texte.* to get the b. (2) *recevoir la peine maximum:* (II) écoper [tirer]

le maxi. to throw the b. at (2) *donner la peine maximum:* (II) filer [flanquer] le maxi. to make b. (2) *accepter des paris sur les courses:* (III) piéger. to be able to make b. on s.t. (2) *être tellement sûr qu'on peut parier:* (II) ficher son billet que, être du tout cuit [couru d'avance]. that's one for the b.! (2) *c'est assez extraordinaire pour être noté:* (II) c'est à encadrer. to read s.o. like a b. (I) *connaître à fond le caractère de q'un.:* (I) connaître q'un comme sa poche [comme si on l'avait fait].

bookie n (2) *bookmaker:* (III) piège, book.

book learning n (1) *formation livresque, sans expérience pratique.*

books n (2a) *cartes de jeu:* (III) bauches, brêmes, cartons, bif(fe)tons. to doctor the b. (1) *tricher sur les comptes:* (I) arranger les chiffres, fricoter [manigancer] les comptes; (II) tripoter les comptes [chiffres]. to pound [hit] the b. (2) *étudier avec assiduité:* (I) potasser: BONE UP.

boom—to lower the b. on s.o. (2) *traiter sévèrement, punir, faire obéir:* (I) serrer la vis à q'un, donner sur les doigts à, être chien avec; (III) être vache avec.

boom-and-bust n (1) *période de prospérité suivie d'une période de crise.*

boondocks n (2) *la campagne éloignée des centres urbains:* (II) le bled: BACKWOODS.

boondoggle vi (2) *faire des travaux publics sans importance aux frais du gouvernement* —n (2) *chantier créé par le gouvernement pour occuper ses chômeurs ou placer ses amis politiques.*

boondoggler n (2) *qui fait un "boondoggle":* (II) fromageux.

boost vt (1) *augmenter, élever.* (1) *vanter, faire de la réclame pour:* (I) faire du battage [tam-tam] pour, faire l'article; (II) pavoiser. to b. (up) the price: *hausser le prix:* (III) allonger le tir. to give s.o. a b. (1) *aider q'un:* (I) tendre la perche à, épauler.

booster n (1) *laudateur:* (I) peloteur.

booster shot n (1) *injection qui suit une première vaccination:* (I) piqûre de rappel, le rappel.

boot—to get the b. (2) *être renvoyé:* (II) être saqué: BOUNCE. to give the b. (2) *congédier, renvoyer:* (II) sacquer: BOUNCE. to b. adv (1) *en supplément:* (II) de rabe, de rabiot. to be [get] booted (2) GET THE BOOT. to put the boots to (2) *traiter avec sévérité:* (I) serrer la vis à. (3) *forniquer avec:* BANG. to shake in one's boots (2) *avoir peur:* (II) avoir la frousse; (III) avoir les miches qui font bravo: BE CHICKEN.

boot camp n (2) *camp d'entraînement des fusiliers marins.*

bootlick vt, vi (2) *flagorner:* (I) lécher les bottes à: APPLE POLISH.

bootstrap—to raise oneself by one's bootstraps (1) *avancer dans sa carrière sans l'appui d'autrui:* (I) grimper à la force des poignets.

booze n (1) *spiritueux, eau-de-vie:* (I) schnaps; (II) gnôle, gnaule, schnick, tord-boyau, casse-pattes; (III) casse-gueule, casse-olives, chipester, rogomme, rikiki, tafiat, ratafiat, raide.—vi (1) *boire excessivement:* (I) biberonner, lamper, lever le coude, siroter, boire comme une éponge [un trou]; (II) têter, sucer, soiffer, pomper, se gargariser, pinter, chopiner, boire à tire-larigot, caresser la bouteille, boire comme un Polonais [sonneur, Templier, tonneau], picoler; (III) picter, pictonner, lichailler, licher. to be boozed up (2) *être ivre:* (II) être soûl: BLOTTO. to get boozed up (2) *boire trop, s'enivrer:* (II) se piquer le nez: BOILED.

booze-hound n (2) *ivrogne:* (II) soûlard: BARFLY.

booze-joint n (2) *bar de bas étage:* (I) assommoir, bouge; (II) boui-boui, caboulot.

boozer n (1) BOOZE-HOUND.

bop vt (2) *donner un coup, frapper:* (I) donner une pile à: BASH.——n (2) *coup:* (II) beignet: CLIP. (2) *bagarre entre bandes de délinquants:* (III) rif, rififi.

borax n (2a) *article de mauvaise qualité (surtout dans les maisons d'ameublement):* (II) rossignol, (III) came: CRAP.

bored—to be b. stiff (2) *se consumer d'ennui* (I) sécher sur pied; (II) en avoir par-dessus la tête, en avoir marre; (III) s'emmerder; (IV) se faire tartir.

borsht belt [**circuit**] n (2) *station de villégiature dans les "Catskill Mountains," généralement fréquentée par des Juifs, où les divertissements et spectacles sont donnés par des vedettes renommées (entre autres, Danny Kaye).*

bosh n (2) *paroles stupides, sans sentiment:* (I) fariboles, blagues: APPLESAUCE.

boss n (1) *le patron, le directeur, le chef:* (II) le singe; (III) le dirlot, le caïd.—— vt (1) *diriger, être le patron.* to b. s.o. around (2) *démontrer son autorité sur q'un:* (I) mener q'un à la baguette; (II) mettre q'un au pas. to show who is b. (1) *démontrer son autorité:* (I) claquer le fouet. politi-cal b. (2) *chef d'un parti politique:* (I) manitou [caïd] du parti.

bossy adj (1) *dominant.*

botheration n (la) *ennui, contrariété:* (I) embêtement, scie; (II) barbe; (III) emmerdement.

bottle—to be on the b. (2) *être ivrogne:* (I) être pochard: BARFLY. to crack a b. (2) *déboucher une bouteille:* (II) faire sauter le bouchon [pucelage]. to hit [punish] the b. (2) *boire beaucoup:* (I) caresser la bouteille*: BOOZE.

bottle nose n (2) *nez gros et rouge de l'ivrogne:* (III) nez de poivrot, betterave, aubergine.

bottom n (1) *les fesses:* (I) le derrière: ASS. to bet one's b. dollar (2) *parier son dernier sou:* (I) parier sa chemise; (II) risquer le paquet. to boot [kick] in the b. (1) *donner un coup de pied:* (I) botter: ASS. to deal from the b. of the deck (2) *tricher au jeu:* (III) maquiller les brêmes [bauches] (2 fig.) *utiliser des manoeuvres douteuses pour gagner:* (I) manigancer, tripoter; (II) fricoter. to drag one's b. (2) *être épuisé (de fatigue):* (I) être esquinté: BEAT. (2) *faire son travail ou ses devoirs sans enthousiasme:* (I) renâcler à la besogne: GOLDBRICK. to fall on one's b. (1) *tomber sur les fesses, culbuter:* (II) casser du sucre: CROPPER. to scrape b. (2) *être au fond de ses ressources, être dans la misère:* (II) être dans la dèche: DOWN AND OUT. to scrape the b. of the barrel (2) *utiliser ses dernières ressources:* (I) gratter les fonds des tiroirs. to turn b. side up (2) *renverser, culbuter:* (I) chambarder; (II) chambouler.

bottoms up! (2) *videz vos verres!:* (II) cul sec! to drink bottoms up (2) *boire d'un trait:* (I) sabler; (II) faire cul sec; (III) étouffer, écluser d'un trait [d'un seul jet].

bounce vt (2) *congédier, renvoyer (d'un emploi):* (I) balancer, balayer, flanquer [ficher] à la porte, dégommer, débarquer envoyer paître, donner son paquet; (II) saquer, dinguer, vider, envoyer bouler [au bain, à la balançoire, aux pelotes], laisser glisser; (III) virer, lourder, scier, égoiner, laisser quimper, envoyer rebondir [péter]; (IV) envoyer chier [aux chiottes, aux gogues, pisser, tartir]. vi (2) *se dit d'un chèque de banque qui est refusé pour manque de provision.* to have (a lot of) b. (2) *avoir de l'entrain, être plein d'énergie:* (I) avoir de l'allant, être d'attaque: BALL. to b. in. vi (2) *entrer brusquement:* (I) entrer en trombe: BLOW IN. to b. s.o. on the chin (2) *donner un coup à la figure:* (II) rentrer dans le portrait à: BASH. to b. out. vi (2) *sortir brusquement:* (III) décarrer.—vt (2) *jeter dehors, s'en débarrasser:* (I) balancer, flanquer, ficher, débarquer; (II) faire fiche; (III) scier, larguer, lessiver, ballotter, balanstiquer, lourder, liquider, se défarguer [défausser] de, faire foutre. to b. along (2) *aller vite:* (III) bomber: BARREL. to get the b. (2) *être congédié:* (I) recevoir son paquet; (II) être saqué: BOUNCE. to give the b. (2) *congédier, jeter, se débarrasser:* BOUNCE.

bouncer n (2) *homme chargé d'expulser les clients indésirables d'un bar, cabaret, etc.:* (III) videur, matador.

bouncy adj (2a) *plein d'entrain, énergique.*

bounder n (1a) *homme impoli et grossier:* (I) paltoquet, homme mal embouché; (II) butor, pignouf, charretier.

bowels—to get one's b. in an uproar (2) *s'inquiéter, être agité:* (I) se faire de la bile; (II) se faire des crins: STEW. there's no use getting [no need to get] your b. in an uproar (2) *ce n'est pas la peine de s'en préoccuper:* (I) il n'y a pas de quoi fouetter un chat; (II) ce n'est pas la peine de se faire des cheveux. [de se biler].

bowl—to b. over (1) *stupéfier, étonner, bouleverser:* (1) abasourdir, épater, épastrouiller, sidérer, retourner; (II) asseoir; (III) en boucher un coin [une surface], asphyxier. to be bowled over (1) *rester stupéfié [étonné]:* (I) être [rester] abasourdi [épaté, sidéré, retourné, épastrouillé], en rester baba; (II) être [rester] comme deux ronds de flan, rester comme une tomate [tourte], avoir les jambes coupées; (III) être knockout.

bowwow n (1, child talk) *chien:* (I) toutou.

box n (3) *le sexe de la femme, le vagin:* (IV) baquet, barbu, boîte-à-ouvrage, chagatte, chat, chatte, connasse, crac, cramouille, craquette, crevasse, étau, fente, figue, greffier, millefeuilles, minet, moule, mouniche, trait de scie. to go home in a b. (2) *mourir:* (I) faire le grand voyage; (II) passer l'arme à gauche: BUCKET.

boxcars n (2) *dans le jeu de dés, le double-six.*

boxman n (2a) *voleur qui fait sauter les coffre-forts:* (III) perceur.

box office—b. o. appeal (2) *se dit d'un acteur ou d'une vedette qui attire les spectateurs.* b. o. name (2) *vedette dont le nom sert à attirer les spectateurs.* good b. o. (2) *spectacle destiné au succès.*

boy-crazy adj (2) *se dit d'une jeune fille dont les pensées vont toujours vers les garçons.* (II) cavaleuse.

boyfriend n (1) *amoureux:* (I) futur, soupirant, tourtereau; (II) copain, béguin.

boys—the boys (2) *bande de voyous:* (III) tierce, équipe, flèche.

boys in blue n (2a) *la police:* (II) les flics: (III) la Maison Poulardin: BULL.

bozo n (2) *homme:* (I) gars; (III) mec: CHAP.

bra n (1) *soutien-gorge:* (II) soutien-nénés.

brace—to b. up. vi (1) *reprendre ses forces:* (II) se retaper; (III) se rebecqueter.

bracelets n (1) *menottes:* (III) bracelets, cabriolets, cadennes, canelles, chapelets, pinces, pincettes, cadenettes, poulettes, fichets, cabris.

bracer n (2) *verre de whisky ou autre boisson alcoolisée pris comme stimulant:* (I) tonique; (II) coup de fouet.

brain n (2) *individu très intelligent:* (II) mandarin, grosse tête; (III) q'un qui en a dans le chou [le cigare, etc.]

brainchild n (1) *idée ou conception personnelle.*

brain fag n (2a) *fatigue du cerveau.*

brains—to beat [cudgel] one's b. (I) *faire un effort de pensée:* (II) se creuser le ciboulot [citron, cigare, les méninges], se défoncer le crâne. to pick s.o.'s b. (2) *profiter de l'expérience ou de l'érudition d'autrui.*

brainstorm n (1) *idée très originale ou nouvelle, idée de génie, idée lumineuse.*

brain teaser n (2) *devinette, q'ch. difficile à comprendre:* (I) casse-tête (chinois), colle.

brain trust n (2) *groupe d'experts ou d'intellectuels au sein d'un gouvernement, d'une société, etc., chargé de donner des conseils.*

brain twister n (2) BRAIN TEASER.

brainwash vt (1) *endoctriner ou faire changer des opinions par une propagande insistante et persistante:* (I) faire un lavage de cerveau; (II) faire un lessivage de crâne.

brain wave n (1) BRAINSTORM.

brainy adj (1) *intelligent, vif d'esprit:* (I) calé; (II) fortiche.

brake—to slam on the brakes. (2) *freiner vigoureusement:* (I) écraser les freins, freiner à mort.

brannigan n (2a) *rixe, bagarre:* (III) rif: DONNYBROOK.

brass n (2) *argent:* (III) artiche, aspine, auber(t), blé, braise, carbi, carbure, flous[z]e, fric, galette, galtous[z]e, grisbi, oseille, osier, pèze, picaillons, pognon, soudure, beurre, carme, douille, fraîche, graisse, japonais, monacos, péllos, pépettes, pésètes, mornifle, tintche, trèfle, vaisselle de poche [fouille].—n. (1) *effronterie:* (I) toupet; (II) culot. to have a lot of b. (1) *avoir de l'audace:* (1) avoir du toupet; (II) avoir du culot, être culotté, en avoir une santé [du poil au cul]; (III) ne pas manquer d'air, avoir du ventre. the brass n (2 mil) *les officiers de haut rang:* (III) les galonnards. to double in b. (2) *être une personne polyvalente (à l'origine, personne pouvant jouer plusieurs instruments dans un orchestre):* (I) toucher à tout; (II) tâter à tout. to be brassed off (2) *être de mauvaise humeur:* (1) s'être levé du pied gauche, avoir [prendre] la bisque; (II) être cafardeux, être de mauvais crin [poil], rogner, roter; (III) être à ressaut [en pétard].

brass hat n (2) *officier supérieur:* (III) galonnard.

brass ring—to get the b. r. (2a) *gagner le prix, réussir:* (I) décrocher la timbale*, gagner le gros lot.

brass tacks—to get down to b. t. (1) *se concentrer sur les questions essentielles.*

brassy adj (1) *audacieux:* (II) culotté, gonflé.

brawl n (2) *fête ou réunion bruyante.*

bread n (2) *argent:* (III) fric: BRASS. to live on b. and water (1) *vivre en pénurie:* (I) vivre d'amour et d'eau fraîche*, vivre de l'air du temps.

breadbasket n (2) *ventre:* (I) bedaine, bedon; (II) bide, baquet, panse, gésier, brioche, buffet, jabot, fanal, fusil; (III) boîte-à-fressures [ragoût], balourd, bocal, bureau, burlingue, coffret, cornet, estome, lanterne, paillasse, sac, tube, tiroir à poulet.

bread box n (2a) *ventre, estomac:* (II) buffet: BREADBASKET.

break n (2) *évasion de prison:* (III) la belle. to get a (lucky) b. (2) *avoir un coup de chance:* (I) avoir un coup de veine; (III) avoir un coup de fion [pot, bol]. to get a bad [tough] b. (2) *avoir de la malchance:* (I) avoir de la déveine, recevoir un atout; (III) manquer de fion [vase, pot], avoir la cerise. to give s.o. a b. (2) *être indulgent vis-à-vis de q'un;* (II) faire un avantage à, donner une fleur à. to make a b. (1) *faire une maladresse:* (I) faire une gaffe: BONER. (2) *s'enfuir, s'échapper:* (I) prendre le large: BEAT IT. to take a b. (2) *prendre un moment de répit:* (I) prendre un moment pour souffler; (II) dételer pour un peu. to b. up (husband and wife, sweethearts) (1) *se séparer:* (III) dételer, se désentifler, se dé-

maquer. to b. even (1) *faire ses frais:* (II) arriver carat-carat, retomber sur ses pattes. to make a clean b. (2) *tout avouer:* (III) se mettre à table: BELCH. without a b. adv (1) *sans cesse:* (I) d'arrache-pied, sans débrider; (III) sans débander. to get the breaks (2) *avoir de la chance, être fortuné:* (I) avoir de la veine, être en veine, l'avoir en or, l'avoir doré; (II) avoir le filon, être verni; (III) être verjot, avoir du pot [godet, flambeau, fion, pot, bol cul], avoir le vase, avoir de la jacquette. to break out (2) *s'échapper de prison:* (I) sauter [faire] le mur; (III) faire la belle.

breather n (1) *pause, moment de relâche pendant la travail:* (I) moment pour souffler.

breathing spell n (1) BREATHER.

breeches n (1) *pantalons:* (II) froc, fourreau; (III) bénard, flottant, grimpant, culbutant, falzard, fendard, bénouze, futal, valseur. to wear the b. (in the family) (2a) *pour la femme, dominer son mari:* (I) porter la culotte; (III) porter le grimpant [bénard].

breeze vi (2) *s'en aller, s'enfuir:* (I) ficher le camp: BEAT IT. to be a b. (2) *être facile à faire:* (I) être l'enfance de l'art; (II) être du nougat: ABC. to b. along (2) *aller à vive allure:* (I) aller à fond de train: BARREL. to b. in (2) *arriver, entrer brusquement:* (II) radiner: BLOW IN. to bat [shoot] the b. (2) *bavarder:* (I) tailler une bavette, faire une causette, jaboter, papoter; (II) dégoiser, jacasser; (III) palasser, bavasser, dévider, jaspiner, rouler. that's [it's] no b. (2) *ce n'est pas facile:* (III) ce n'est pas de la tarte [du nougat]. to win in a b. (2) *gagner facilement:* (II) gagner avec les doigts dans le nez, arriver dans un fauteuil.

brick n (1) *brave type:* (I) bon gars, as; (III) blanc-bleu, régulier. to drop a b. (2a) *faire une maladresse:* (I) gaffer: BONER. to hit the bricks (2a) *vagabonder:* (II) clocharder; (III) battre le pavé, trimarder.

bricktop n (2) *qui a les cheveux roux:* (I) rouquin, poil de carotte; (II) rouquemoute, rouquinos, poil de brique*; (III) rouquibiche.

brig n (1) *prison:* (II) violon, bloc; (III) ballon, bigne, cabane, gnouf, lazaro, placard, séchoir, taule, ratière, schtilibem, boîte, jettard, chetard, schtard, schtibe, chtibe, trou, chtarès.

bright lights n (2) *les rues illuminées des grandes villes, surtout à New-York.*

bright-eyed and bushy-tailed adj (2) *plein d'énergie, d'entrain:* (II) pétant le feu, à la redresse, d'attaque.

bring—to b. s.o. on (2) *se moquer de q'un, tourner en ridicule:* (III) se payer la tranche de: BUSINESS.

briny—**the briny** n (2a) *l'océan:* (II) la mare aux harengs; (III) la Grande Tasse.

britches n (2) BREECHES. **to be too big for one's b.** (2) *se croire plus important, ou plus puissant qu'on ne l'est:* (I) se pousser du col; (II) se croire sorti de la cuisse de Jupiter. **to wear the b.** (2) *dominer son mari:* (III) porter le grimpant: BREECHES.

broad n (2 derog.) *femme:* (III) gonzesse, frangine: BABE.

broads n (2a) *cartes de jeu:* (III) brêmes, bauches. **to chase the b.** (2) *courir les femmes:* (I) courailler, courir le jupon; (II) cavaler, courir la gueuse; (III) chasser, bourriner.

broadside—**to deliver a b.** (I) *parler d'une manière abusive, réprimander:* (III) engueuler: BAWL OUT.

Brodie—**to do a B.** (2) *ne pas réussir:* (I) échouer: BLOW UP. (2a) *se suicider en sautant d'une grande hauteur.*

broke—**to be (dead, flat, stone) b.** (2) *être sans d'argent:* (I) être sur la paille [à sec], avoir le gousset vide [la bourse plate]; (II) n'avoir pas un radi [rotin, fifrelin, le rond, nerf dans la fouille, pellos(s), pelot], être fauché [panné, rincé, argenté comme une cuiller de bois, sans une flèche, à la côte, fleur, coupée, mal loti, rincé, tondu (à zéro), raide comme la justice (comme un passe-lacets), coupé (à blanc)]; (III) ne pas avoir le plus petit pion [une gouge], être de la cloche [de la courtille, du faridon, vacant, raidard, rousti, vidé, cisaillé, chelem, blanchouillard, raidart, flingué], marcher à côté de ses lattes [sur les empeignes]. **to go b.** (2) *faire faillite, perdre son argent:* (I) se casser le cou; (II) boire un bouillon: CLEANERS. **to go for b.** (2) *risquer son tout:* (I) jouer son va-tout, parier sa chemise; (II) risquer [mettre] le paquet, risquer le tout pour le tout.

bromide n (2a) *banalité, platitude:* (II) rengaine.

broncobuster n (2) *cowboy qui dompte les chevaux sauvages.*

Bronx cheer—**to give the B. c.** (2) *siffler, huer:* (I) jeter des tomates [pommes cuites] à.

broomstick n (2a) *personne mince et de haute taille:* (I) grande perche: BEANPOLE.

broomsticks n (2a) *jambes minces:* (II) allumettes, spaghettis; (III) tiges, flûtes, quilles à mon serin.

brown—**to b. off** (2) *ennuyer:* (I) embêter: BUG. **to do s.o. up b.** (2a) *battre rudement:* (I) battre à plate couture: BASH. **to do s.t. up b.** (2) *éxécuter parfaitement;* (I) fignoler, lécher; (II) polarder. **to be browned off.** (2) *être ennuyé:* (I) avoir la bisque: BRASSED OFF.

brownnose vi, vt (2) *flatter servilement:* (I) lécher les bottes à: APPLE POLISH.

brown-noser vt (2) *qui flatte bassement:* (I) lèche-bottes: APPLE-POLISHER.

brunch n (1) *petit déjeuner et déjeuner combinés en un seul repas qui se prend souvent le dimanche après la grasse matinée.*

brush-off n (2) *débarras (d'une personne).* **to give s.o. the b.-o.** (2) *se débarrasser de q'un:* (II) laisser choir; (III) scier: DITCH.

bubbies n (3) BOOBIES.

bubble dancer n (2) *"strip-teaseuse" qui utilise des ballons dans son numéro.*

bubble water n (2) *champagne:* (III) champs', roteuse, rouille.

buck n (2) *dollar:* (III) dolluche.—vt (1) *résister, agir contre.* vi (1) *aller par saccades (voiture):* (II) rouler en accordéon. **to b. for s.t.** (2) *faire des efforts pour obtenir de l'avancement dans son emploi.* **to b. up** (1) *reprendre ses forces:* (I) se remonter, se ravigoter; (III) se rebecqueter. **to be down to one's last b.** (2) *être au fond de ses ressources:* (II) être sur ses empeignes: BROKE. **to make a b.** (2) *faire des profits:* (I) faire des foins, grapiller; (II) rabioter, faire sa pelote; (III) afflurer, affurer. **to make a fast b.** (2) *agir sans scrupules pour gagner de l'argent:* (I) tricher, tripoter; (II) fricoter. **to make a few bucks on the side** (2) *gagner de l'argent hors de son emploi régulier:* (I) mettre du beurre dans les épinards. **to pass the b.** (2) *chercher à mettre la responsabilité sur les épaules d'un autre.* **old b.** n (2) *vieil homme:* (II) vieux birbe: ANTIQUE.

bucket—**to kick the b.** (2) *mourir:* (I) plier bagage, filer son câble, avaler sa gaffe, perdre le goût du pain, cirer ses bottes, faire le grand voyage; (II) lâcher la rampe, passer l'arme à gauche, s'en aller les pieds devant, claquer, s'esbigner, faire le grand saut, filer son noeud, (III) s'habiller de quatre planches, avaler [claper] son bulletin [extrait] de naissance, avaler [poser] sa chique, casser sa pipe, la casser, corder, engraisser les asticots, l'avaler, déposer le bilan, dévisser son billard, éteindre son gaz [sa bougie], cadancher, calancher, cagner, caner, souffler sa chandelle, clamecer, clamser, clapoter, clapser, se faire un costume de bois [sapin], faire couic, cramser, crounir, cronir, la déchirer, déssouder, la laisser glisser, prendre la mesure d'un paletot de sapin, défiler la parade, lâcher la perle. **to rain buckets** (2) *pleuvoir fortement:* (I) pleuvoir à seaux* [des hallebardes]; (II) pleuvoir comme vache qui pisse; (III) flotter, lancer, lancequiner [lansquiner] (à pleins tubes).

Buckeye n (2) *habitant de l'état de Ohio.*

buck fever n (1) *excitation des chasseurs novices au moment de tirer pour la première fois.*

buckle—to b. down (to business) (1) *s'appliquer à son travail;* (II) se coller au boulot, s'y atteler. to b. under (1) *se rendre, lâcher pied:* (I) flancher; (III) caner: BACK DOWN.

buck private n (2) *simple soldat:* (II) simple bibi; (III) troufion, griveton, deuxième pompe.

bucks n (2a) *argent:* (III) pèze, pognon: BRASS. to be in the b. (2) *être riche:* (II) être plein aux as: BANKROLL. to go over like a million b. (2) *réussir avec éclat:* (I) mettre [taper] dans le mille; (II) décrocher la timbale, gagner le gros lot, faire un boum, boumer.

buddy n (1) *ami, compagnon:* (I) copain; (II) vieille branche; (III) pote, poteau, aminche, camerluche, homme de barre. to b. up with s.o. (2) *se lier d'amitié avec q'un:* (I) s'accointrer avec, devenir copain de. (2) *s'unir avec q'un pour s'entraider ou pour partager q'ch.:* (I) se mettre en cheville [de mèche] avec. to b. up to s.o. (2) *feindre l'amitié par intérêt.*

buddy-buddy—to be b.-b. (2) *être amis intimes:* (I) être comme les deux doigts de la main, se taper le ventre; (III) être amis comme cochons, être cul et chemise avec.

buff n (1) *amateur enthousiaste:* (I) toqué; (II) mordu, fana. to be in the b. (1a) *être dévêtu:* (I) être à poil: BIRTHDAY CLOTHES.

buffalo vt (2) *intimider, convaincre, tromper ou duper par des bluffs, bluffer:* (I) enganter, entortiller, jeter de la poudre aux yeux: (III) empaumer, engueuser, blouser, entourlouper.

bug n (2) *amateur enthousiaste:* (II) mordu: BUFF. (1) *microbe ou bactérie.* (2) *microphone:* (II) micro. (2) *défaut dans une machine:* (I) accroc, chiendent; (III) pépin; (III) eau dans le gaz. (2) le "joker" dans le jeu de poker. to be a b. about s.t. (2) *être épris de q'ch.:* (I) avoir une marotte pour, avoir le dada de; (II) être mordu de: être un fana de. to b. s.o. (2) *ennuyer, importuner:* (I) tarabuster, turlupiner, barber, barbifier, casser les pieds à, chiffoner, scier le dos à, taper sur les nerfs à, casser [rompre] la

tête à; (II) tarauder, canuler, tanner, assommer, asticoter, bassiner, cavaler, courir sur le haricot à, cramponner, embêter, empoisonner, pester, tenir la jambe à, faire suer, raser, courir [taper] sur le système à; (III) courir sur la tringle à, paner le jonc à, nifler, jambonner, enquiquiner, envaper, emmoutarder, emmouscailler, emmieller, emmerder; (IV) casser [baver sur] les couilles [burnes, rouleaux] à. to b. a place (2) *installer un microphone en secret pour espionner.* to have a b. up one's rear (end) (2) *avoir une obsession, s'enticher de:* (I) avoir une marotte. to have the b. (2) *être malade (normalement de la maladie du moment comme la grippe, le rhume, etc.):* (I) être sur le flanc, être patraque. to put a b. in s.o.'s ear (2) *introduire subtilement une idée dans l'esprit de q'un.*

bug doctor n (2) *psychiatre.*

bug-eyed adj (2) *aux yeux protubérants:* (I) aux yeux à fleur de tête; (II) avec des boules de loto [des yeux de crapeau].

bugger—to b. s.t. up (2) *abîmer, ruiner:* (I) amocher: BITCH UP.

bugging adj (2) *ennuyant, fatigant:* (I) rasant, barbant, bassinant, embêtant, collant; (II) cramponnant, sciant, tannant; (III) emmerdant. stop b. me! (2) *laissez-moi en paix!:* (I) fiche-moi la paix; (II) fous-moi la paix; (III) écrase! what's b. him? (2, I) quelle mouche le pique?

buggy adj (2) *fou, détraqué:* (I) timbré; (II) louf: BATS. to go b. (2) *devenir fou:* (I) dérailler: BATS.

bughouse n (2) *asile de fous:* BOOBY HATCH. —adj (2a) *fou:* (I) cinglé: BATS.

bug juice n (2a) *alcool de mauvaise qualité:* (II) gnôle: BOOZE.

bugle n (2) *nose:* (III) pif: BEAK.

bugs adj (2) *fou:* (I) timbré: BATS. to be b. about [over] (2) *être fou d'amour de:* (I) être toqué de: BATS. to go b. (2) *devenir fou:* (I) perdre la boule: BATS. to get the b. out of s.t. (2) *ajuster un mécanisme (surtout un prototype).*

buildup n (2) *propagande publicitaire:* (I) battage, tam-tam; (III) baratin, pommade. (2) *préparation d'une escroquerie;* (III) baratin, musique, bidon.

bulge—to have the b. on s.o. (2) *gagner l'avantage sur q'un:* (I) avoir barre sur q'un, tenir la corde.

bull n (2) *agent de police:* (I) sbire; (II) argousin; (III) flic, condé, perdreau, poulardin, poule, poulet, maton, matuche, flicard, poulaga, rousse, roussin, vache, cognard, cogne, collégien, draupère, limier, mec de la rousse, pandore, poisse, sergot. n (2) *mensonge, propos sans valeur, une exagération:* (II) foutaise: APPLESAUCE. to dish out [throw] the b. (2) *exagérer, mentir:* (I) aller fort: BALONEY. he's a lot [full] of b. (2) *il est menteur [blufjeur]:* (I) c'est un fumiste [blagueur, bonimenteur]; (II) c'est un baratineur [chiqueur]; (III) il est de la cravate. to shoot the b. (2) *bavarder:* (I) papoter: BREEZE.

bulldoze vt (1) *intimider, tyranniser.*

bullet—to sweat bulllets (2) *s'inquiéter:* (I) se biler: STEW. to sweat bullets over s.t. (2) *faire tous ses efforts pour accomplir q'ch.:* (I) se mettre en quatre; (II) se démener: ALL OUT.

bull fiddle n (2) *contrebasse.*

bullpen n (2) *pièce ou cellule où les suspects sont placés avant l'interrogatoire:* (III) cage-à-poules.

bulls n (2) *la police (en général):* (III) les bourgeois, les lardus, la flicaille, les guignols, les perdreaux, la P.J. (Police Judiciaire), la rousse, la renifle, la maison poulaga [poulman, poulardin, poulet, cogne dur, j't'arquepince, bourreman, pébroc, parapluie], la bourrique.

bull session n (1) *causerie sans formalité entre amis:* (I) bavette, causette.

bullshit n (3) APPLESAUCE.

bull shooter n (2) *menteur, hâbleur, vanteur:* (I) blagueur; (III) vanneur: BAG OF WIND.

bull thrower n (2) BULL SHOOTER.

bum n (1) *vagabond, mendiant sans domicile fixe:* (I) clochard, traîne-misère; (III) trimard(eur), pilonneur, déchard, traînelattes [patins]. (2) *personne vile et méprisable:* (I) un sale type; (II) une fripouille: BAD ACTOR.—adj (2) *de mauvaise qualité:* (I) fichu; (II) débectant, débecquetant, toc, bidon, moche; (III) blèche, cracra, crado, craspel, débringué, dégueuasse, dégueulbif, à la manque, mocheton, salingue, tocasse, tocasson, naze(broque) to b. around (1) *errer sans but, ne rien faire:* (I) fainéanter, traînasser, lambiner, ne rien faire de ses dix doigts, battre le pavé, courir la prétentaine, tourner [se rouler] les pouces, ne pas se fouler la rate, ne pas en ficher un clou [coup]; (II) flânocher, tirer sa flemme*, flemmer, flemmarder, vadrouiller, faire flanelle, ne pas en ficher [foutre] une secouée [secousse]; (II) se coincer la bulle, ne rien se casser, ne pas en ficher [foutre] une datte

[une rame], draguer, les avoir palmées [à l'envers, retournées] feignasser; (III) glander, traîner ses grolles [lattes, godasses], ne pas se fouler le poignet [les pouces], se les rouler, ne pas se casser la nénette, ne pas en écosser une. to b. a ride (2) *faire de l'autostop.* to be on the b. (1) *être en panne, être hors de service:* (I) être patraque; (II) être en rade [carafe, rideau]; (III) être à la casse [au tas]. (2) *être malade, avoir un malaise:* (I) être patraque: BAD SHAPE. (1) *mener une vie de vagabond et de mendiant:* (I) être de la cloche, être clochard, battre le pavé; (III) être clodo [déchard, purotin], faire le trimard, trimarder, pilonner, battre l'antiffe. to b. s.t. from s.o. (2) *se procurer q'ch. aux dépens d'autrui, écornifler:* (II) faire un tapage à q'un.: ARM. to get the bum's rush (2) *être expulsé (avec force, littéralement ou figurativement):* (I) être flanqué à la porte: BOUNCE. to give s.o. the bum's rush (2) *expulser q'un:* (I) balancer q'un; (III) faire la course à l'échalotte [à l'oignon] (expulsion physique par force): BOUNCE.

bum beef n (2) *fausse accusation:* (IIIa) fausse fargue.

bumbershoot n (2a) *parapluie:* (I) chamberlain; (II) pépin; (III) pébroc, pébroque, paralance, riflard.

bumhole n (3a) *anus:* ASSHOLE.

bump—to b. into s.o. (2) *rencontrer par hasard, tomber sur.* to b. s.o. off (2) *tuer, assassiner:* (I) effacer; (III) faire [avoir] la peau de, repasser, liquider, apaiser, sécher, cro(u)nir, descendre, aplatir, refroidir, bous-[z]iller, déssouder, zigouiller, estourbir, coucher dans le muguet, faire son affaire à, buter, envoyer [mettre] en l'air, crever, rectifier, allumer, faire passer le goût du pain à, mener en belle, envoyer le potage à, ratatiner.

bump-and-grinder n (2a) *strip-teaseuse qui fait des gestes suggestifs en se déshabillant.*

bumper adj (1a) *exceptionnel, plus grand ou plus abondant que d'ordinaire:* (I) formidable. bumper crop (1) *récolte extraordinaire.*

bum rap n (2) BUM BEEF.

bum steer n (2) *faux renseignement:* (II) faux tuyau, tuyau crevé; (III) faux tubard [rencart], rencart bidon.

bun—to get a b. on (2) *s'enivrer:* (II) se soûler: BOILED. to have a b. on (2) *être ivre:* (II) être soûl: BLOTTO.

bunch n (1) *bande, groupe:* (II) équipe; (III) tierce, flèche.

bunco—bunco game (1) *escroquerie, filouterie:* (II) combine louche, carotte, carottage; (III) arnaque, repassage, vanne, attrape-couillons [pèze, pognon], bunco man (artist) (1) *escroc:* (I) filou, carotte; (II) faisan, estampeur; (III) faisandier, arnaqueur, arrangeur, empileur, faiseur, turbineur, rangemane, rangeur, roustisseur.

buncombe n (1) *paroles captieuses:* (I) fariboles: APPLESAUCE.

bundle n (2) *beaucoup d'argent:* (2) matelas, to bet one's b. (2) *parier son tout:* (I) parier son dernier sou [sa chemise], jouer son va-tout, risquer [mettre] le paquet*. to drop [lose] a b. (2) *avoir des pertes pécuniaires importantes:* (I) boire un bouillon, se casser le cou, prendre [ramasser] une culotte; (II) être rincé [frit, fumé]; (III) être fusillé [flambé, lessivé, paumé, tondu]. make a b. (2) *amasser des profits, gagner beaucoup d'argent:* (I) faire sa pelote [son beurre, des foins]; (III) faire la barbe, barbichonner, en écosser. b. of fluff n (2a) *jeune fille;* (II) poule: BABE.

bung—to b. up (2) *endommager, abîmer:* (II) amocher: BITCH UP.

bunghole n (3) *anus:* ASSHOLE.

bunk n (2) BUNCOMBE. (2) bunk n (1) *lit:* (III) page, pageot, pajot, pagnot, pieu, plume, paddock, plumard, pucier. to b. down (1) *se coucher:* (I) aller au dodo; (III) se bâcher, se crêcher, se pager, se pagnoter, se paddocker, se plumer, se plumarder, se pieuter, se zoner, se sacquer, aller à la dorme, se mettre [filer] au page [dans les draps, dans les toiles, au pieu], aller au schloff. to b. with s.o. (2) *se coucher avec q'un.* to b. out (2) *dormir en plein air:* (I) coucher sur le dur [sous les étoiles, à la belle étoile]; (II) coucher sur la dure [le pavé].

bunk fatigue n (2 mil.) *sommeil:* (I) somme; (II) roupillon, ronflette.

bunko—b. artist n (2) BUNCO. b. game n (2) BUNCO GAME.

burg n (1) *ville, village:* (II) patelin, (III) bled.

burger n (2) *sandwich de viande hachée et frite:* (III) hamburger.

burgle vi, vt (1) *cambrioler:* (III) mettre en l'air: HEIST.

burn—vi (2) *être exécuté par électrocution.* to b. s.o. (2a) *contaminer par une maladie vénérienne:* (III) plomber, assaisonner, attiger. to b. up (2) *se mettre en colère:* (II) se mettre en boule: BLOW UP. to b. up the road (2) *conduire très vite:* (I) brûler la route*:

BARREL. to do a quick b. (2) BURN UP. to do a slow b. (2) *se fâcher:* (II) *se mettre en boule:* BLOW UP. to have money to b. (2) *avoir beaucoup d'argent:* (I) avoir de l'argent à gogo; (II) avoir de quoi faire: BANKROLL. to get burned (2) *perdre son argent au jeu ou dans une affaire:* (I) boire un bouillon: BUNDLE. (2a) *être affligé d'une maladie vénérienne:* (III) être plombé [assaisonné, attigé]. to be burned up (2) *être en colère:* (I) être à cran: BLAZES.

burp n (2) *éructation:* (II) rot.—vi (2) *éructer:* (II) roter.

burp gun n (2a) *mitraillette:* (III) sulfateuse, seringue, titine, moulinette, arroseuse, poêle-à-frire, lance-parfum.

burp water n (2a) *champagne:* (III) champs, roteuse, rouille.

bus n (1) *automobile:* (II) bagnole: CRATE.

bushed—to be b. (1) *être très fatigué:* (II) être claqué: BEAT.

bushes—to beat the b. (2) *chercher partout (principalement dans une recherche de main-d'oeuvre):* (I) passer au peigne fin, racler les fonds de tiroirs.

bush leaguer n (2) *joueur dans une équipe sportive de second plan, et par extension, une personne qui occupe une situation inférieure:* (I) bouche-trou.

bush leagues—to play in the b. l. (2) *jouer dans une équipe sportive de second plan, et par extension, occuper une situation inférieure.*

bush pilot n (2) *pilote dans les régions sauvages, surtout dans les forêts du Canada.*

bush telegraph n (2a) *tam-tam utilisé pour la transmission de messages dans la jungle.*

bush town n (2) *village de campagne:* (II) patelin, trou; (III) bled.

business—to drum up b. (1) *chercher à attirer des clients:* (I) faire du battage [tam-tam]. to give s.o. the b. (2) *taquiner, inventer une plaisanterie pour tromper q'un:* (I) monter un bateau à q'un, mettre en boîte, chiner, dindonner; (II) se payer la figure de, chambrer, mener en belle, mener [monter] en barque [caisse]; (III) avoir, acheter, charrier, passer au charriage, emboîter, jardiner, gourer, se payer la gueule [fiole, poire, tranche, tronche] de (2) *tromper, frauder, tricher:* (I) empaumer; (III) empiler: CLIP. to know one's b. (2) *connaître son métier:* (I) être à la coule [page, hauteur], avoir de la main, savoir sur le bout du doigt; (II) être calé en, être du bâtiment. to make a big b. out of s.t. (2) *en faire toute une affaire:*

(I) en faire une affaire d'état; (II) en faire (tout) un plat. to mean b. (2) *faire preuve de sérieux:* (II) ne pas rigoler. to mind [tend to] one's own b. (2) *ne pas s'occuper des affaires d'autrui:* (I) cultiver son propre jardin; (II) s'occuper de ses oignons.

bust n (2) *insuccès:* (I) fiasco, veste, coup d'épée dans l'eau; (II) four, bouchon; (III) bide. (2) *une partie de plaisir:* (I) noce, bamboche: BAT. (2) *coup de poing:* (II) beigne; (III) baffe: CLIP. to b. s.t. up (2) *casser q'ch.:* (I) démantibuler; (II) déglinguer. to b. up (2) *se séparer (homme et femme):* (III) se démaquer, se désentifler, se dételer. to b. in (2) *dresser (un cheval).* (2) *instruire (un nouvel employé):* (I) décrotter, mettre à la coule [page, hauteur]. to b. s.o. (2) *rétrograder q'un:* (III) casser. to b. s.o. in the nose [snoot, kisser] (2) *donner un coup de poing dans le nez [dans la figure]:* (II) rentrer dans le blair [pif, tarin, la gueule]: BASH. to go b. (2) *faire faillite:* (I) boire un bouillon [la tasse]: BUNDLE. to go on a b. (2a) *s'adonner à la débauche:* (I) bambocher: BAT. to b. in (2) *entrer brusquement:* (II) radiner: BLOW IN. to b. into a run (2) *commencer à courir:* (III) jouer rip, mettre les adjas: BEAT IT. to b. s.t. wide open (2) *démolir un complot en le décelant.* to get busted (2) *être rétrogradé:* (III) être cassé. (2) *se faire arrêter par la police:* (III) se faire poirer: CLIPPED. to be busted (2) *être sans argent:* (2) être sans un sou: BROKE.

buster n (2a) *q'ch. de formidable ou d'extraordinaire:* (II) formid', bolide, sensas'.

busty adj (2) *femme ayant la poitrine proéminente:* (II) qui a du monde au balcon.

butch n (2) *sobriquet familier pour un petit garçon robuste.*

butcher n (2 derog.) *chirurgien sans valeur:* (II) charcutier, boucher*. (2 derog.) *mauvais ouvrier:* (I) bâcleur, saboteur; (II) bousilleur, savateur, sagouin; (III) gougnaf (ier), margoulin.

butch haircut n (2) *coiffure en brosse.*

butt n (2) *cigarette:* (II) tige de 8, toute cousue; (III) baluche, cibiche, galuche, sèche, pipe: (I) *bout d'une cigarette:* (II) mégot; (III) orphelin, clope, sequin. n (2) *les fesses:* (I) l'arrière-train: ASS. to b. in (2) *se mêler à une affaire sans y être invité:* (I) y mettre son grain de sel, mettre les pieds dans le plat, fourrer le nez dedans; (II) entrer dans la danse, fouiner, ramener sa fraise. to drag one's b. (2) *être fatigué:* (I) être patraque: BEAT. (2) *essayer d'échapper à ses devoirs ou à son travail:* (II) tirer au cul*:

GOLDBRICK. to fall on one's b. (2) *tomber sur les fesses:* (III) casser du sucre: CROPPER.

butter—to b. s.o. up (1) *flatter:* (I) passer de la pommade à, passer la main dans le dos, bonimenter; (II) pommader, peloter, baratiner, passer la brosse à, reluire à.

butter-and-egg man (2a) *individu qui est devenu riche dans le "beurre-oeuf-fromages":* (II) B.O.F.

butterball n (1) *personne grosse:* (I) dondon; (II) patapouf, rondouillard; (III) gravos, bombonne, gras-du-bide.

butterfingers n (1) *personne qui casse tout par maladresse:* (I) brise-fer, brise-tout, mains-de-beurre*.

butterflies—to have b. (in the stomach) (2) *avoir le trac:* (III) avoir le taf [la traquette].

butterfly kiss n (2a) *attouchement affectueux fait avec les paupières sur la joue du partenaire.*

buttinski n (2) *personne qui s'entremet dans les affaires d'autrui sans invitation:* (I) touche-à-tout.

button n (2) *la pointe du menton.* to do s.t. on the b. (2) *faire q'ch. au moment nommé, juste à temps:* (I) faire à pic; (II) recta; (III) moins une. to hit s.t. on the b. (2) *dire q'ch. correctement ou à propos:* (II) taper dans le mille. cute as a b. (2) *très mignonne:* (I) belle comme un coeur [un ange, une rose]. to have a few buttons missing (2) *être un peu fou:* (I) être timbré: BATS.

buy—good b. n (1) *objet qui vaut bien son prix:* (I) une bonne affaire; (III) bonne affure. bad b. n (1) *achat d'un objet ne valant pas son prix:* (I) une mauvaise affaire; (III) mauvaise affure. to b. s.t. (2) *croire ce qu'on dit:* (I) avaler q'ch., gober. to b. into (1) *se joindre à une entreprise ou une action moyennant paiement de sa part de l'investissement.* to b. s.o. off (2) *soudoyer q'un, suborner:* (I) acheter q'un, graisser la patte à; (III) affûter. to b. s.t. for a song (2) *acheter q'ch. très bon marché:* (I) acheter q'ch. pour une bouchée de pain; (II) acheter q'ch. pour des clarinettes [prunes, une poignée de haricots].

buzz n (1) *coup de téléphone:* (I) coup de fil; (II) coup de tube [cornichon, grelot]. to b. s.o. (2) *téléphoner;* (I) donner un coup de fil; (III) donner un coup de tube [cornichon, grelot]. to give s.o. a b.: TO BUZZ. to b. along (2) *marcher ou conduire rapidement:* (II) bomber: BARREL. to b. off (2) *s'en aller:* (II) ficher le camp: BEAT IT.

buzzard—old b. n (2) *vieil homme:* (II) vieux birbe: ANTIQUE.

buzzing n (2a) *interrogatoire sévère par la police:* (III) cuisine, blutinage, baratin.

B.V.D.'s n (2) *caleçon:* (III) calsif, calecif, caldard, calfouette.

C (abbrev. of cocaine) n (2a) *la cocaïne:* (III) neige, blanche, fée blanche, blanc, came, coco, naphtaline, napthe, poudrette, reniflette.

cabbage n (2) *argent:* (III) pèze: BRASS. n (2a) *tête:* (II) cabèche, chou*: BEAN. n (2a) *tabac de mauvaise qualité:* (III) gros cul, trèfle. n (2a) *cigare:* (II) crapulos; (III) barreau de chaise.

cabbage head n (2a) *sot, niais:* (I) nigaud; (II) gourde: BLOCKHEAD.

cabbie n (1) *chauffeur de taxi:* (III) loche.

cabin fever n (2) *ennui qui se produit après une longue période de claustration.*

caboodle n (2) *l'ensemble:* (I) tout le tremblement; (II) le bataclan, le Saint-Frusquin; (II) toute la boutique, le toutime, tout le bazar [le fourbi, le bordel, la clique], le blot.

cadge vi (1) *écornifler:* (I) taper; (II) faire un tapage: ARM. to c. s.t. from s.o. (I) *emprunter q'ch. de q'un.* (I) taper q'un pour; (II) faire un tapage de; (III) torpiller q'un pour.

cager n (1) *joueur de basketball.*

cag(e)y adj (1) *malin, rusé:* (1) fûté; (III) marle, mariole, marlou. to play c. (2) *ne pas révéler ses intentions.*

cahoots—to be in c. with (2) *être le complice de:* (I) être de mèche avec, être en cheville avec; (III) être l'équipier [l'homme de barre] de. to go c. (2a) *partager le butin deux parties égales:* (III) aller au fade [pied, blot, taf], marcher [aller] fifti-fifti [afanaf].

Cain—to raise C. (2) *faire du vacarme, créer du désordre, du tumulte:* (I) faire du chahut [brouhaha, boucan], casser les vitres; (III) faire du pet [foin, barouf, pétard, zinzin, ramdame].

cake—that takes the c. (2) *c'est ce qu'il y a de mieux:* (I) c'est le bouquet; (II) ça gagne le gros lot. (2) *c'est le désastre:* (I) c'est un coup dur; (II) c'est la fin des haricots; (III) c'est un coup en vache [de chien]. (3) to grab a piece of c.: *faire l'acte charnel:* (IV) ARBALÈTE.

calaboose n (2) *prison:* (III) bloc, ballon: BRIG.

calamity howler n (2a) *pessimiste:* (I) oiseau de mauvais augure; (II) paniquard, rabat-joie.

Calamity Jane n (2a) *femme pessimiste:* (I) broyeuse de noir.

calendar art n (2) *peinture banale et médiocre:* (I) d'un style pompier; (II) pompiérisme, croûte.

calf n (1a) *jeune personne gauche:* (II) cornichon, gourde, nigaud.

calf love n (1) *amour juvénile:* (I) amourette.

call—to be on c. (I) *être de service:* (I) être de garde. to c. s.o. down (2) *réprimander:* (I) mettre sur le tapis; (II) engueuler: BAWL OUT. to c. s.t. off: (1) *annuler.*

call girl n (2) *prostituée retenue par téléphone.*

call house n (2) *maison de prostitution, lupanar:* (II) maison de passe, gros numéro; (III) clac, clandé, claque, bobinard, bocard, bocsif, bocson, boxon, cabane, taule, volière, bordel, tringlodrome, la maison-n'a-qu'un-oeil.

calling-down n (2) *réprimande, semonce:* (I) abattage: BAWLING-OUT. to get a c.-d. (2) *être réprimandé:* (II) être mis sur le tapis; (II) être engueulé: BAWL OUT.

can n (2) *prison:* (III) ballon: BRIG. n (2) *les fesses:* (I) le derrière: ASS. n (2) *cabinet d'aisance:* (III) gogues: JOHN. to can s.o. (2) *renvoyer, congédier:* (I) flanquer à la porte: BOUNCE. to can s.t. (2a) *enregistrer sur disques ou sur bandes magnétiques.* can it! (2) *tais-toi!:* (III) boucle-la!, écrase!, ferme-la, ta gueule! to be in the can (2) *être en prison:* (III) être à l'ombre: BARS. to boot [kick] in the c. (2) *donner un coup de pied:* (I) botter; (III) enlever le ballon: ASS. to fall on one's c. (2) *tomber sur les fesses:* (I) prendre un billet de parterre: CROPPER. to put in the c. (2) *mettre en prison:* (III) fourrer dedans [au bloc, en taule, à l'ombre, au trou]: BARS.

canal boats n (2a) *chaussures (surtout larges):* (II) bateaux*, ribouis: CLODHOPPERS.

canary n (2) *chanteuse:* (III) goualeuse. n (2a) *qui avoue à la police:* (III) donneur: BEEFER.

cancer stick n (2) *cigarette:* (III) cibiche: BUTT.

canned adj (2) *ivre:* (II) soûl: BLOTTO. adj (2) *renvoyé, congédié:* (II) saqué: BOUNCE. adj (2) *enregistré (disques, etc.).*

canned heat n (2) *alcool à brûler solidifié bu par les clochards pour se soûler.*

canned music n (2) *musique enregistrée sur disque, ou sur bandes magnétiques:* (II) musique en conserve*.

canned willie n (2a) *viande en conserve:* (II) singe.

cannon n (2) *revolver, pistolet:* (III) article, artillerie, brélica, calibre, feu, flingue, flingot, outil, pétard, pétoire, P.38, remède, rigolo, riboustin, rigoustin, seringue, soufflant, silencieux, tic-tac, bagaf. n (2) *voyou armé:* (III) porte-flingue.

cannon ball vi (2) *conduire à toute vitesse:* (III) rouler à pleins tubes: BARREL.

canoe—to paddle one's own c. (2) *se passer de l'aide d'autrui:* (I) mener sa barque soi-même*, voler de ses propres ailes.

canter—to win in a c. (2) *gagner la course facilement:* (II) arriver [passer le poteau] dans un fauteuil [les doigts dans le nez].

Canuck n (2) *Canadien-Français.*

canvas—to kiss the c. (2) *tomber sur le tapis (boxeur ou lutteur):* (II) mordre le tapis*, aller au tapis, mordre la poussière.

cap—to set one's c. for s.o. (1) *jeter son dévolu sur qu'un (se dit d'une femme qui veut accaparer un mari).*

caper n (2) *escapade, farce:* (III) blague. n (2) *coup criminel:* (III) affaire: HEIST.

capish v.i., vt (2a) *comprendre:* (III) piger: CATCH ON.

carbon copy n (1) *reproduction exacte (chose ou personne), sosie:* (I) frère siamois; (II) double, doublard.

carcass n (2 hum.) (II) carcasse*; (III) viande. drag [bring] your c. over here (2) *venez ici:* (III) amène ta viande, radinez. plant your c. (2) *asseyez-vous:* (III) place ta viande, pose tes miches, tape-toi le bol.

card n (1) *personne excentrique:* (I) type, un (drôle de) numéro; (II) drôle d'oiseau [de pistolet]: BIRD. to play one's ace [hole, trump] c. *utiliser des ressources cachées:* (I) jouer sa meilleure carte [son atout]. to burn [bury] a c. (2) *remettre une carte dans le jeu:* (II) brûler une carte*. to hold the trump c. (1) *avoir les moyens pour dominer la situation:* (I) avoir tous les atouts en main. to be [written] in the cards (2a) *être écrit dans les cartes.* to throw up the cards (2) *abandonner le jeu:* (I) lâcher la partie: BACK DOWN. to rig [stack] the cards (2) *arranger les cartes de telle façon qu'elles tombent selon le désir du donneur:* (III) maquiller les brèmes.

carhop n (2) *serveuse affectée au service des automobilistes dans les "drive-in," restaurants où on mange sans quitter sa voiture.*

carny n (2) *forain:* (II) voyageur; (III) gonze de banque.

carpet—to sweep the dirt under the c. (2) *cacher la vérité.*

carrot top n (2) *aux cheveux rouges:* (I) poil de carotte*, rouquin; (II) rouquemoute, poil de brique; (III) rouquinos, rouquibiche: BRICKTOP.

carry on vi (1) *se comporter sottement:* (I) faire le ballot [pitre]; (III) jouer au con. (1) *exagérer sa peine, sa douleur.*

cartwheel n (2) *dollar américain en argent.*

Casanova n (2) *libertin* (II) chaud lapin; (III) cavaleur, juponneur, homme chaud des reins, homme porté sur l'article [la bagatelle, le truc], homme chaud de la pince; (IV) bandeur, tendeur, enjambeur, godilleur.

case n (2) *individu original, excentrique:* (I) drôle de type: BIRD: to c. vt (2) *étudier en avance la disposition d'une maison, etc., qu'on va cambrioler:* (III) se rencarder sur. to break [crack] a c. (2) *découvrir les faits dans une enquête judiciaire.* to have a c. against s.o. (2) *avoir de la rancune contre qu'un:* avoir [tenir] une dent contre qu'un; (II) avoir qu'un dans le nez, être en renaud contre qu'un. to have a c. on s.o. (2) *être amoureux de qu'un:* (I) avoir le béguin pour qu'un: BATS. to get down to cases (2) *se concentrer sur les faits:* (I) trancher [couper] dans le vif.

case ace n (2) *le dernier as dans un jeu de cartes.*

case buck n (2) *le dernier dollar:* (III) le dernier dolluche.

case note n (2) *dollar:* (III) dolluche.

cash—to c. in (one's chips) (2) *mourir:* (III) passer l'arme à gauche: BUCKET. to be short of c. (1) *être à court d'argent:* (I) être fauché: BROKE. to pay c. on the line [barrelhead] (2) *payer comptant:* (I) payer rubis sur l'ongle; (III) payer cash.

Caspar Milquetoast (2) *personne extrêmement timide et peureuse (d'après le protagoniste d'un dessin animé américain).*

casting couch n (2) *lit symbolique dans lequel une jeune vedette se donne à qu'un pour obtenir un contrat.*

cast-iron stomach n (2) *estomac capable de tout digérer:* (I) estomac d'autruche; (II) estomac d'acier; (III) gueule pavée.

cat n (2) *tracteur à chenilles.* n (2a) *musicien de jazz.* that's another breed of c. (2) *c'est tout-à-fait autre chose:* (I) c'est une autre paire de manches, c'est une autre histoire. to c. around (2) *courir les femmes:* (I) courir le jupon: CHASE BROADS. to lead a c. and dog life (1) *faire mauvais ménage:* (I) vivre comme chien et chat*. to play c. and mouse with s.o. (2) *traiter qu'un d'une manière hypocrite.* to rain [pour] cats and dogs (2)

pleuvoir à verse: (I) pleuvoir à seaux: BUCK-
ETS. **cats and dogs** n (2a) *actions financières
sans beaucoup de valeur.*

catbird n (2) *personne originale:* (I) drôle
de type: BIRD.

catch n (1) *q'ch. de caché dans un contrat,
une proposition etc:* (I) piège, hic; (II) os.
to c. it (1) *être réprimandé, puni, recevoir
des reproches:* (I) écoper, être mis sur le
tapis: BAWLED OUT. **to c. on** (1) *comprendre:*
(I) entendre le français; (III) piger, entraver,
gamberger. (1) *réussir, être bien accepté,* (I)
prendre. **there's a c. somewhere** (2) *tout
n'est pas clair:* (I) il y a anguille sous roche,
il y a un piège.

catch question n (2) *question à laquelle il
est difficile de répondre; attrape:* (I) colle,
hic, question-piège, fumisterie, blague, bateau,
casse-tête (chinois).

catfit—**to have [throw] a c.** (2) *s'emporter:*
(I) s'emballer: BLOW UP.

cathouse n (2) *maison de prostitution:* (III)
claque: CALL HOUSE.

catty corner adj (2) *en diagonale.*

caught—**to be c.** (2) *être enceinte (contre sa
volonté):* (III) être en cloque: ANTICIPATING.
to get c. up (1) *arriver au but de son travail
ou de ses devoirs:* (I) franchir la ligne.

caution n (2) *personne singulière ou extraordinaire:* (II) un drôle d'oiseau, un drôle de
pistolet: BIRD.

cave n (2a) *cellule solitaire en prison:* (III)
mitard, chtard, jetard. **to c. in** (1) *reculer,
se rendre, se soumettre:* (II) caner: BACK
DOWN. (1) *tomber de fatigue, être épuisé:*
(I) s'avachir; (III) avoir le coup de barre
[pompe, bambou]: BEAT.

cave man—**c. m. stuff** n (2a) *manières rudes
(de troglodyte).*

ceiling—**to hit the c.** (2) *être emporté:* (II)
sortir de ses gonds: BLOW UP.

celeb (abbrev. of celebrity) n (2) *célébrité.*

cellar—**to finish in the c.** (2a) *pour une
équipe sportive, finir la dernière d'un tournoi:*
(II) finir dans les choux; (III) être à la
ramasse, faire le feu [la lanterne] rouge.

century note n (2) *cent dollars.*

certain party n (2) *personne pas nommée
ou dont on ne veut pas révéler le nom:* (I)
mon petit doigt, "on."

chain smoker n (2) *fumeur acharné qui
fume une cigarette après l'autre;* (II) bom-
bardeur.

chair—**to get the c.** (2) *être condamné à
l'électrocution.* **to risk the c.** (2a) *risquer la*
condamnation capitale: (III) y aller du
cigare [gadin].

chair warmer n (2) *fonctionnaire qui n'a
pas beaucoup de travail, bureaucrate:* (I)
rond-de-cuir, gratte-papier.

chalk—**to walk a c. line** (1) *agir d'une manière très correcte, ne pas déroger à ses
devoirs.*

champ (abbrev. of champion) n (2) *champion:* (I) as: ACE.

chance—**to blow a c.** (2) *manquer une opportunité:* (I) rater une occasion, manquer le
coche; (II) louper le coche; (II) louper une
occase. **to have a fighting c.** (2) *n'avoir que
des possibilités limitées de réussir.* **not to
have a Chinaman's c.** (2) *n'avoir aucune
chance de réussir:* (I) ne pas avoir l'ombre
d'une chance. **to take chances** (1) *prendre
des risques:* (II) risquer le paquet; (III) y
aller du cigare [gadin].

chancy adj (1) *aléatoire:* (I) chanceux;
(III) glandilleux.

channel—**to go through channels** (2) *suivre
la voie hiérarchique pour arriver à son but.*

chap n (1) *individu, homme, personne (en
général):* (I) gars*, paroissien, type; (II)
bougre, pierrot; (III) gonze, mec, zig(ue),
frangin, client, frelot, gniard, gnière, gniasse,
gnas, lascar, mironton, moineau, mère, zèbre,
zigomar, zigoteau.

character n (1) *individu original:* (I) drôle
de type: BIRD.

charge n (2a) *dose de drogue:* (III) prise,
dose. **to c. all that the traffic will bear** (2)
*mettre aux prix maxima susceptibles d'être
agréés par les acheteurs.* **to bring s.o. up on
charges:** (1) *monter un procès contre q'un:*
(III) mettre q'un dans le bain. **to press
charges against s.o.** (1) *porter plainte contre
q'un:* (III) porter le pet [deuil, pétard, res-
sent], charonner. **to get a c. out of s.t.** (2)
tirer plaisir ou satisfaction de q'ch.: (II)
bicher. **to be charged** (2a) *être sous l'influence d'une drogue:* (II) marcher à la topette;
(III) être chargé [camé, envapé, (s)chnouffé]
to get charged (2a) *prendre une dose de
drogue:* (III) se camer, se charger, se
(s)chnouffer.

charley horse n (1) *crampe musculaire des
jambes ou des bras.* **to get a c. h.** (1) *souffrir d'une crampe musculaire:* (I) se claquer
un muscle.

Charlie—**Mr. C.** (2) *un blanc dans l'argot
des Noirs américains.*

chase—**to c. around** (2) *courir les femmes:*
(III) chasser: BROADS. **to c. around with s.o.**

(2) *fréquenter q'un (avec une nuance péjorative)*. (I) s'acoquiner avec; (II) être cul et chemise avec. go c. yourself! (2) *allez-vous-en!:* (I) filez!; (II) à la gare!, va te coucher!; (III) va te faire foutre!, va te faire pendre ailleurs!, va te faire cuire un oeuf!

chaser n (1) *verre d'eau pure ou d'eau minérale qu'on prend après un whisky:* (II) rince-cochon; (III) rince-gueule.

chassis n (2) *le corps humain:* (I) académie. to have a swell c. (2) *pour une femme, avoir de belles formes:* (I) avoir un beau châssis* [une belle académie]; (II) avoir de la conversation, avoir de ça, là où il faut. (III) être bien ballotée [roulée, balancée, barraquée].

chatter—can the c.! (2) *taisez-vous!:* (II) ferme ta gueule [boîte]; (III) boucle-la!, écrase!, mets-la à la crémone [en veilleuse]!, ferme ton clapet!, mets y un bouchon [un cadenas].

chatterbox n (2a) *mitraillette:* arroseuse: BURP GUN.

chaw vt (1) *mâcher:* (I) mâchonner; (II) ruminer.

cheap—to come off c. (2) *être quitte à bon compte.* to feel c. (2) *se sentir honteux d'avoir fait une gaffe:* (III) piquer son phare.

cheap Charley n (2a) *camelot.*

cheapskate n (2) *avare:* (I) grippe-sou; (II) radin, chien, pingre, pignouf, rat; (III) arquinche, mégotteur, mange-merde, pierre de taille. to be a c. (2) *être parcimonieux ou avare:* (I) être serré; (II) être près de ses sous, être chien; (III) être constipé du crapaud [morlingue, lasagne], être dur à la desserre [à la détente, à les lâcher], être duraille [durillon], les lâcher avec un lance-pierre [au compte-gouttes, avec un élastique], avoir des oursins dans le morlingue [crapaud], les attacher avec des saucisses.

cheat—to c. on (2) *tromper (sa femme ou son mari):* (I) faire porter des cornes à, faire cocu; (II) donner un coup de canif dans le contrat, cocufier; (III) doubler, faire un char [des queues, des paillons] à.

cheaters n (2) *lunettes:* (II) bicyclettes; (III) pare-brise, carreaux. n (2a) *dés truqués:* (II) dés pipés; (III) artillerie, cavalerie, matuches, siamoises.

check—to c. out (2a) *mourir:* (III) crounir: BUCKET. (1) *pointer au départ.* check! (2) *d'accord!.* (II) d'ac!; (III) banco!

check artist n (2a) *personne qui contrefait des chèques bancaires.*

check-kiter n (2) CHECK ARTIST.

checkup n (1) *visite médicale de contrôle.* n (1) *révision (d'un mécanisme).*

cheek n (1) *effronterie:* (I) toupet; (II) culot, (III) souffle, to have (a lot of) c. (1) *avoir de l'audace:* (I) avoir du toupet: BRASS.

cheeky adj (1) *effronté, audacieux:* (II) culotté; (III) soufflé: BRASSY.

cheese—to c. it (2a) *s'enfuir:* (III) mettre les adjas: BEAT IT.

cheesecake n (2) *photo publicitaire d'une jolie femme ayant les jambes croisées et les genoux ou les cuisses découverts.*

cheesed-off—to be c. o. (2a) *être dégoûté, ennuyé:* (II) en avoir marre: BRASSED-OFF, BELLYFUL.

cheesy adj (2) *de mauvaise qualité* (I) mal fichu; (II) à la manque, toc: CRAPPY.

cherry n (3) *virginité;* (II) fleur; (III) berlingue, berlingot, pucelage. to be [have one's] c. (3) *être vierge:* (II) avoir encore son pucelage, l'avoir encore, être puceau (homme), être pucelle (femme); (III) avoir son berlingot [berlingue]. (2a) *au jeu et au sport, n'avoir pas encore remporté la première victoire ou fait la première marque:* (II) être encore puceau; (III) avoir son pucelage. to lose one's c. (3) *perdre sa virginité:* (I) sauter le pas, avoir vu le loup; (II) être dépucelée, perdre sa fleur; (III) perdre son berlingue [berlingot]. to take [break] the c. (3) *déflorer:* (II) avoir le pucelage de; (III) passer le sabot, prendre le berlingue [la fleur, le berlingot]; (IV) casser le pot.

chest—to get s.t. off one's c. (1) *déballer ce qu'on a sur le coeur:* (II) vider son sac. to play it close to the c. (2) *ne pas révéler ses intentions, être sournois:* (I) jouer serré, être chafouin; (II) être faux jeton.

chest hardware n (2) *décorations militaires, médailles:* (II) bananes, batterie de cuisine; (III) crachats, méduches, glaviots.

chestnut n (1) *une vieille histoire:* (I) rengaine.

chesty adj (2) *fier, orgueilleux;* (I) plastronneur; (II) vanneur. to be c. (2) *être orgueilleux:* (II) se gober, être vanneur [bêcheur, béchamel].

chew—to c. s.t. over (2) *réfléchir à q'ch.:* (II) ramener q'ch. to c. s.o. out (2) *réprimander, semoncer:* (I) savonner: BAWL OUT. to get chewed out (2) *recevoir une verte semonce:* (II) se faire engueuler: BAWLED OUT.

chichi adj (2a) *affecté:* (I) chichiteux, collet monté, plastronneur. adj (2) *très à la mode:* (I) le dernier cri; (II) dans le vent.

chick n (2) *jeune fille:* (II) pépée: BABE.

chicken adj (2 mil.) *excessivement disposé à la discipline.* to be c. (2) *manquer de courage:* (I) avoir du sang de navet, être péteux: (II) être foireux [trouillard, chiasseux, froussard], ne rien avoir dans le bide [le buffet]; (III) être pétochard [dégonflard]. to c. out (2) *reculer, se soustraire à une obligation (par peur):* (II) se dégonfler; (III) caner: BACK DOWN. to turn c. (2) CHICKEN OUT. to get up with the chickens (2) *se lever de très bonne heure:* (I) se lever avec les poules* [au chant du coq]; (II) se lever à la fraîche.

chicken colonel n (2 mil.) BIRD COLONEL.

chicken feed n (2) *petite monnaie:* (II) des poussières, vaisselle, ferraille; (III) mitraille. to work for c. f. (2) *travailler pour très peu d'argent* (I) travailler pour le roi de Prusse; (III) travailler pour des prunes [clous, colombins, copeaux, nèfles, clarinettes, haricots, clopinettes].

chicken-hearted adj CHICKEN.

chickie! (2a) *attention!;* (III) fais gaffe!. to lay c. (2a) *faire le guet:* (III) gaffer, faire gaffe [le pet, le sert, le serre, Saint-Jean].

chill—to put the c. on someone (2) *témoigner de la froideur à q'un:* (I) battre froid à q'un, être en froid avec, faire grise mine à, tourner le dos à; (II) recevoir q'un comme un chien dans un jeu de quilles; (III) faire la frime [gueule] à. to have the chills (1) *avoir des frissons:* (III) être frigo [frisco]. (2) *trembler de peur:* (II) avoir la tremblote, avoir les miches qui font bravo.

chiller-diller n (2) *film (ou pièce) très effrayant.*

chimbley n (2 hum.) *tuyau de cheminée.*

chimney—to smoke like a c. (2) *fumer du tabac à l'excès:* (II) fumer comme un pompier; (II) gazer, bombarder (comme un sapeur).

chin vi (2) *bavarder:* (II) papoter: BREEZE. to lead with the [stick out one's] c. (2) *faire ou dire q'ch. comportant le risque d'être puni ou vaincu, prendre des risques:* (I) jouer avec le feu, sauter le fossé [pas]; (II) risquer le coup*; (III) se mouiller, aller à la mouillette, y aller du cigare [gadin]. to take it on the c. (2) *accepter un châtiment sans broncher.* encaisser des coups durs. to wag one's c. (2a) *bavarder:* (I) jaboter: BREEZE.

chinfest n (2a) *causerie:* (I) causette: BLABFEST.

Chink n (2 derog.) *Chinois:* (III) Chinetoque.

chin music n (2a) CHINFEST.

chintzy adj (2) *qualifiant un style d'ameublement démodé et quelconque.* (1) rococo.

chin whiskers n (2) *barbe:* (III) barbouze, bouc, piège(-à-poux).

chip—to c. in (I) *apporter son appoint, payer son écot:* (I) donner son obole; (III) les allonger: ANTE UP. to have a c. on one's shoulder (1) *être prêt à se disputer ou lutter avec les autres:* (III) chercher des crosses [des patins, du pétard]. when the chips are down (2) *quand il faut prendre des mesures précises:* (I) quand les dés sont jetés. to be in the chips (2) *être riche:* (I) être plein aux as: BANKROLL. to cash in one's chips (2) *mourir:* (III) casser sa pipe: BUCKET.

chipper adj (1) *vif, plein d'esprit, en bon état physique:* (I) en bonne forme; (II) pétant le feu.

chippy n (2) *femme de moeurs faciles:* (I) grue: (II) boudin: BAG. n (2) *prostituée;* (III) radeuse: HOOKER.

chirp vi, vt (2a) *chanter:* (II) en pousser une, pousser la romance; (III) goualer, pousser une goualante. vi (2a) *avouer, confesser:* (III) manger le morceau: BELCH.

chirper n (2a) *chanteuse:* (III) goualeuse.

chisel vi vt (1) *obtenir par ruse, ou en fraude:* (I) carotter, resquiller. (2) *emprunter (sans intention de rembourser):* (I) taper: ARM. (3) *marchander.* to c. s.t. from s.o. (1) *obtenir q'ch. de q'un par tromperie:* (I) tirer une carotte à q'un, carotter [resquiller] q'ch. de q'un to c. on s.o. (2) *vivre aux dépens de q'un:* (I) être [vivre] aux crochets de q'un.

chiseler n (1) *personne qui acquiert des choses par tromperie ou fourberie:* (1) carotteur, resquilleur. n (2) *personne accoutumée à faire des emprunts avec l'intention de ne pas les rembourser:* (I) tapeur; (II) chineur; (III) torpilleur.

choke—to c. up (1) *être incapable de parler à cause d'une émotion profonde;* (II) avoir le sifflet coupé par le trac; (III) ne pas pouvoir en bailler une.

choo-choo n (1) *mot enfantin pour locomotive:* (I) teuf-teuf.

chopper n (2) *hélicoptère:* (III) ventilateur, battoir-à-oeufs, marguerite, moulin. n (2) *mitraillette:* (III) moulinette: BURP GUN.

choppers n (2) *les dents:* (I) quenottes; (III) le clavier, les touches de piano, les tabourets, les dominos, les ratiches, les chocottes, les crocs, les piloches, les pavés.

chops—to beat one's c. (2) *parler, bavarder:* (I) jaboter: BREEZE.

chop suey joint n (2) *restaurant chinois.*

chow n (2) *nourriture:* (I) mangeaille, victuaille; (II) boustifaille, becquetance, briffe, croûte, cuistance, popote, croustance, graine, pâtée, rata; (III) tambouille, bouffe, croustille, boustiffe, croque, dîne, frichti, fricot, fripe, graille, jaffe, tortore. *to attack the c.* (2a) *manger:* (I) aller à la popote, casser la croûte; (II) briffer, bouffer, becqueter, claper, boustifailler, boulotter; (III) tortorer, mastéguer, morfiler, morganer, croquer, croûter, casser la graine, se remplir le bocal [bide, buffet], croustiller, cléber, jaffer, chiquer, se les caler, se caler [garnir] les joues [le fusil, le fanal], se taper la cloche [tête, tronche], lipper, se dérouiller les crochets, décrasser, jouer la polka des mandibules, grailler, aller à la graille, faire polker ses mandibules.

chowderhead n (2a) *personne stupide:* (III) andouille: BLOCKHEAD.

chow hall n (2 mil.) *salle à manger militaire, mess:* (I) popote.

chowhound n (2) *glouton:* (I) avale-tout; (II) bâfreur; (III) morfale, marfalou, sauteau-rab, crevard.

chow line n (2 mil.) *la file d'attente des soldats pour le repas.* *to hit the c. l.* (2 mil.) *se joindre à la file d'attente pour le repas:* (I) aller à la popote; (II) aller à la soupe; (III) aller à la graille [bouffe, briffe], aller au rata.

chow time n (2 mil.) *l'heure du repas;* (II) la soupe (III) la graille, le rata, la bouffe.

chuck n (2a) CHOW. *to c. s.t. out [away]* (1) *se débarrasser de q'ch.:* (I) balancer, flanquer; (III) larguer, scier, se défarguer [défausser] de, ballotter, balanstiquer, liquider. *to c. s.o. out* (1) *congédier, se débarrasser de q'un:* (I) flanquer q'un à la porte: BOUNCE.

chucker-out n (2a) *individu chargé d'expulser les indésirables:* BOUNCER.

chucklehead n (1) *sot, individu stupide:* (II) bougre d'idiot: BLOCKHEAD.

chuck wagon n (2) *cuisine roulante utilisée par une équipe ou expédition en pleine campagne:* (III mil.) la roulante.

chug-a-lug—to drink c.-a-l. (2) *boire d'un seul coup:* (III) faire cul sec: BOTTOMS UP.

chum n (1) *ami intime:* (I) copain: BUDDY.

chummy adj (1) *amical:* (I) bon copain.

chump n (1) *niais:* (III) nouille: BLOCKHEAD. n (2) *dupe, victime d'une escroquerie:* (I) dindon; (III) pante: BOOB. *to act like a c.* (2) *agir bêtement:* (II) faire le Jacques; (III) merdoyer; (IV) jouer au con, déconner. to

be off one's c. (2a) *être fou:* (III) avoir une araignée dans le plafond: BATS.

chunk n (1) *un gros morceau, une portion:* (III) loubé, morcif, porcif. *to bite off a big c.* (2) *tenter de faire q'ch. au-dessus de ses moyens.*

chunky adj (1) *personne robuste, mais de courte taille.*

ciggy n (2a) *cigarette:* (III) cibiche: BUTT.

cinch n (2) *to be a c.* (2) *être très facile à faire:* (II) être une rigolade: ABC. (2) *être une réussite assurée:* (III) être du tout cuit: BAG. *to be no c.* (2) *être difficile à faire ou à résoudre:* (II) être calé [trapu]; (III) être duraille [duraillon]; (III) *to c. s.t.* (2) *assurer la réussite de q'ch.*

cinch bet (2) *pari gagné d'avance, chose très facile:* (II) couru d'avance: BAG.

circular file n (2) *corbeille à papier (ainsi nommée ironiquement pour indiquer qu'elle sert de casier ou fichier pour les documents et dossiers dont on veut se débarrasser.)*

circulation—to be out of c. (2) *être hors de fonction à cause d'une maladie:* (I) être sur le flanc [patraque]: BAD SHAPE. (2) *être en retraite:* (I) aller planter ses choux; (III) être mis au vert [au bout du rouleau]; (III) être à la casse. (2) *être à l'écart:* (I) être écarté du circuit.

circus n (1) *activité très bruyante, amusante, etc.:* (II) rigolade; (III) marrade, java, cirque*, nouba, bamboula. n (1) *personne très amusante.* *to be more fun than a three-ring c.* (2a) *être très drôle et amusant:* (I) être plus drôle qu'un cirque à trois pistes*; (I) être pouffant; (III) être rigolo [rigolard, gondolant]; (III) être marrant [boyautant, roulant, poilant, tordant, bidonnant, cintrant, crevant, mourant].

citified adj (1a) *qui a adopté les manières et les mœurs des citadins:* (II) décrassé, décrotté.

City Hall—to fight C. H. (2) *entrer dans une lutte futile (car le simple citoyen ne peut prévaloir sur la mairie):* (I) se battre contre des moulins. *You may as well fight C. H.* (2) *c'est inutile de protester:* (III) c'est comme pisser dans un violon.

city slicker n (2) *homme malin et rusé de la ville par opposition au rustre naïf.*

civvies n (2) *vêtements civils:* (I) habits de pékin [péquin].

claim—to stake a c. (2) *faire valoir ses droits.*

clam (n) *dollar:* (III) dolluche. *to c. up* (2) *se taire:* (I) avoir la bouche cousue, avoir un boeuf sur la langue; (II) la fermer [boucler], fermer sa boîte [gueule]; (III) ne pas en casser [bailler] une, la mettre à la crémone, ne pas piper, mouffer, poser sa chique, fermer son clapet, écraser, la mettre en veilleuse, y mettre un cadenas.

clamp—to c. down on, to put the clamps on (1) *contraindre par des menaces:* (I) visser, brider; (II) serrer la vis [les pouces] à, (III) mettre la matraque.

clap n (3) *blennorragie:* (IV) chaude-pisse [lance], coulante. to give s.o. the c. (IV) *infecter q'un avec la blennorragie:* (III) assaisonner: BURN.

clapper n (2a) *langue:* (I) tapette; (III) bavarde, baveuse, lavette, menteuse, mouillette, platine, torche.

class—to have c. (2) *être excellent, distingué, chic:* (I) taper dans l'oeil; (II) être bath; (III) être badour: CLASSY. to cut c. (1) *ne pas assister à un cours:* (I) faire l'école buissonnière; (II) sécher (un cours).

classy adj (2) *chic, beau, distingué, excellent:* (II) bath (aux pommes [oeufs]), boeuf, super, impec, sensas, bolide, foutral, aux pommes, du tonnerre, au poil, nanan; (III) badour, bavour, baveau, choucard, chouettard, chouette, girofle, girond, jojo, juteux, ridaire, riflo, urf, schbeb, tsoin-tsoin, chouctose, bonnard, laubé. classy chassis (2): CHASSIS.

clean—to be c. (as a whistle) (2) *avoir un casier judiciaire vierge:* (III) être blanc. (2) *ne pas être armé:* (III) ne pas être chargé [enfouraillé]. (2) *être sans argent:* (II) être à blanc: BROKE. (2) *ne pas s'adonner à l'abus des drogues.* to c. s.o. out (1) *déposséder de son argent:* (I) faucher, plumer, ratiboiser, ratisser; (II) mettre à sac, nettoyer*, lessiver, rincer; (III) tondre, raidir. to c. up (2) *gagner beaucoup d'argent ou faire beaucoup de profits:* (II) taper dans le mille, faire sa pelote, faire [prendre] un paquet, faire son beurre; (III) en écosser, faire la barbe*, barbichonner. to c. s.t. up (1) *achever ou terminer un travail:* (I) mettre la dernière main à. to come c. (2) *confesser, avouer:* (III) accoucher: BELCH. to keep one's nose c. (2) *rester à l'écart d'affaires ou activités douteuses:* (I) garder les mains propres*; (II) ne pas se mouiller; (III) rester blanc. to stay c. (2) KEEP ONE'S NOSE CLEAN. to clean up on s.o. (2) *battre avec violence:* (III) tabasser: BASH. to give a c. bill (2) *disculper:* (I) blanchir, passer l'éponge sur. to make a c. breast of it (2) *tout confesser:* (III) se déballer, vider son sac: BELCH. to make a c.

sweep (2) *tout gagner:* CLEAN UP. (1) to make a c. sweep of s.t. (1) *donner un grand coup de balai à.*

cleaned out—to be c. o. (2) *perdre tout son argent (au jeu ou dans une affaire):* (I) boire un bouillon: BUNDLE.

cleaners—to be taken to the c. (2) CLEANED OUT.

cleanup—to make a c. (2) CLEAN.

clear—to c. out (1) *s'en aller, s'esquiver:* (I) prendre la tangente: BEAT IT. to c. out bag and baggage (2) *s'en aller en prenant tous ses biens:* (I) prendre ses cliques et ses claques. to be in the c. (1) *ne pas être impliqué ou inculpé:* (II) être blanc (comme neige), to get in the c. (1) *se tirer d'une situation difficile:* (I) se tirer d'affaire; (II) sortir de l'auberge, se débrouiller; (III) se démerder, se démouscailler, se tirer d'épaisseur. to put in the c. (1) *être disculpé:* (III) être blanchi. to be c. sailing (2) *être assuré de réussite, être sans obstacle:* (III) être du tout cuit: BAG. to be c. as mud (2) *être difficile à comprendre:* (II) être clair comme du jus de boudin [chique]*.

cleavage n (2) *partie de la poitrine que laisse entrevoir une robe très décolletée.*

click n (2) *succès commercial ou artistique:* (II) boum. to c. vi (2) *être un succès (théât.):* (II) tenir l'affiche. (2) *être un succès (commercial):* (I) taper dans le mille; (II) décrocher la timbale, gagner le gros lot, faire un boum(e); (III) boumer. (2) *être sympathique au premier abord, se lier d'amitié.* (I) taper dans l'oeil; (II) faire une touche.

cliff dweller n (2) *locataire d'un appartement dans un immeuble.*

clinch n (2) *étreinte amoureuse.*

clincher n (1) *argument définitif;* (I) le dernier mot, argument-massue.

clink n (1) *prison:* (III) piaule, ballon: BRIG. to be in the c. (1) *être en prison:* (III) être au ballon: BARS. to put [toss, throw] in the c. (1) *mettre en prison:* (III) mettre dedans: BARS.

clinker n (2a) *automobile en mauvaise condition:* (II) vieux tacot, vieille bagnole; (III) gravas, veau. (2) *fausse note (musique):* (II) canard. (2) *insuccès (théât):* (III) four: BUST.

clip n (1) *gifle, coup de poing:* (I) taloche, calotte, ramponneau; (II) beigne, baffe, bâfre, chataîgne, torgn(i)ole, va-te-laver, tarte; (III) taquet, baston, bourrepif, chtar, emplâtre, gn(i)on, jeton, jus de bâton, lasagne, mandale, marron, mornifle, mûre, pain, patate, praline, prune, schtou, tal-mousse, coup de tampon—vt (1) *donner un coup de poing:* (I) donner [filer] une taloche [calotte, ramponneau]; (II) filer [flanquer] une beigne [baffe, etc.]; (III) filer [flanquer] un taquet [baston, etc.]. vt (2) *faire payer trop cher;* (I) écorcher, étriller, échauder, estamper; (II) empiler, posséder, refaire, avoir. vt (2) *duper, escroquer:* (II) carotter, écorcher, refaire, estamper; (II) arnaquer, faire de l'arnaque à, posséder, doubler, en-filer, tirer une carotte à, mettre en boîte, jobarder, estamper, monter le job [coup] à, empiler, empaumer; (III) arranger, range-maner, roustir, avoir, entourer, engourdir, endormir, escanner, pigeonner, entuber, fabriquer, mener en double, caver, engailler, engayer, faisander, farcir. vt (2) *voler, déro-ber:* (I) chaparder, acheter à la foire d'em-poigne, accrocher, faire main basse sur, acheter à minuit, acheter au bazar du pas de gymnastique, filouter, mettre les doigts dessus, ratiboiser; (II) enfiler, empaumer, rouper, bichotter, chauffer, chiper, payer une peur et une envie de courir, choper; (III) barbotter, calotter, chouraver, enquiller, em-plâtrer, étouffer, fabriquer, faire, griffer, piquer, épingler, soulever, lever, faucher, ratisser, rincer, sucrer, poisser, poirer, rous-tir, torpiller, empiler, escanner, emplafon-ner, engourdir, entuber, repasser, envelopper, étourdir, grappiner, paumer, tirer, arranger, rangemaner, s'endormir sur. to c. along (1) *aller à vive allure:* (I) courir à toute bride: BARREL ALONG. to go at a fast c. (1) BARREL ALONG.

clip artist n (1) *escroc:* (I) carotteur: BUNCO-MAN.

clip game n (2) *escroquerie:* (I) filouterie: BUNCO GAME.

clip joint n (2) *magasin, bar, restaurant, tripot, etc., où habituellement on fait payer trop cher:* (II) piège-à-sous; (III) La maison j'tarnaque [arrangemane].

clipped—to be [get] c. (2) *se faire duper, tromper, escroquer:* (II) être carotté [empilé, etc.]; être chocolat [fabriqué, etc.]; (IV) être baisé, l'avoir dans l'os [l'oeuf, la bague, le dos, le Père Fouettard, la bagouse]. (2) *être obligé de payer trop cher:* (1) être écorché [empilé, etc.]; (II) être eu [refait, etc.]. (2) *être arrêté (par la police):* (III) tomber, cascader, être bon [têtard], être cravaté [emballé, enchristé, enchtibé, ser-vietté, alpagué, sucré, agrafé, épinglé, entoilé, enveloppé, gaulé, sauté, piqué, pointé, poiré, serré, emporté, ramassé, raflé, engerbé, mar-ron, bourru, bondi, fait, groupé, arquepincé,

ceinturé, coffré, cueilli, embarqué, pincé, harponné, pinglé, quimpé, fabriqué]; (IV) être baisé.

clipping n (2) *escroquerie:* (II) carottage; (III) arnaque, entourloupe, défense, turbin. to get a c. (2) *être dupé, escroqué:* CLIPPED.

cloak-and-dagger adj (2) *d'espionnage (roman, pièce de théâtre, etc.):* (I) de cape et d'épée*.

clobber vt (2) *frapper rudement, battre:* (I) rosser; (II) tanner le cuir à: BASH. (2) *vain-cre définitivement:* (I) écraser; (II) mettre dans sa poche.

clobbering n (2) *volée de coups:* (I) rossée; (II) raclée: ANOINTING.

clock n (2) *figure, visage:* (II) poire: KISSER. n (2) *compteur de taxi.* (III) rongeur, jack. around the c. adv (1) *pendant vingt-quatre heures sur vingt-quatre.* to beat the c. (2) *finir, arriver avant le temps accordé.* to punch the c. (1) *pointer.*

clocker n (2) *chronométreur sportif.*

clock watcher n (2) *travailleur qui regarde souvent sa montre, désireux que la journée se termine, n'ayant pas d'intérêt à son travail.*

clodhoppers n (2) *chaussures:* (II) bateaux, lattes, pompes, ribouis; (III) écrase-merde, godasses, godilles, godillots, tatanes, targettes.

close call—to have a c. c. (1) *l'échapper belle;* (III) il était moins une.

closefisted adj (1) *avare, parcimonieux:* (II) radin; CHEAPSKATE.

close-lipped adj (1) *taciturne:* (I) bouche cousue, muet comme une carpe; (II) cade-nassé.

closemouthed adj (1) CLOSE-LIPPED.

close shave (1) CLOSE CALL.

clotheshorse n (2) *personne qui s'intéresse seulement à l'élégance de ses vêtements.*

clouds—to be (up) in the c. [on cloud nine] (1) *être distrait:* (I) être dans les nuages* [la lune]. (1) *éprouver une grande joie:* (I) être au septième ciel, être aux anges. to have one's head in the c. (1) *être distrait.*

clout n (1) *gifle, coup:* (I) taloche: CLIP.— vt (1) *donner un coup:* (I) filer une calotte à: CLIP.

clouting n (2) *volée de coups:* (I) rossée; (II) brûlée: ANOINTING.

clover—to be in c. (1) *être dans une situa-tion confortable:* (I) être comme un coq en pâte; EASY STREET.

cluck n (2) *sot, niais, nigaud:* (I) gourde; BLOCKHEAD.

clue—to c. s.o. in (2) *renseigner, mettre au courant:* (I) mettre à la page; (II) embrayer sur, éclairer la lanterne à; (III) mettre à la coule [au parfum, au coup], rancarder, rencarder, rembiner, parfumer, affranchir.

clunk n (2) CLUCK.—vt (2) *frapper:* BASH.

clunkhead n (2) CLUCK.

C-note n (2) *cent dollars.*

coals—to rake [haul, take] s.o. over the c. (1) *réprimander, semoncer:* (I) mettre q'un sur le gril*: BAWL OUT. (1) *critiquer:* (I) bêcher, chiner, éreinter, déchirer à belles dents, jeter la pierre à; (II) débiner, agoniser, (III) assassiner, aquiger, carboniser, dégourrer, dégrainer, excracher, jardiner. (2) *escroquer:* (I) carotter: CLIP.

coast—to c. along (1) *agir sans forcer le pas, sans hâte:* (II) se la couler douce, aller en roue libre, ne pas se fouler; (III) ne pas se bousculer, y aller mollo [en loucedé]. to c. on one's reputation (2) *profiter de sa réputation:* (I) profiter de sa cote; (III) jouer sur son origine.

coasting adj (2a) *drogué:* (III) camé: CHARGED.

cock n (3) *le membre viril:* (II) le petit frère, l'instrument, la jambe de milieu, la troisième jambe, popaul, paupaul, zizi, le truc; (IV) arbalète, asperge, baïonnette, baisette, balayette, gourdin, guignol, guise, guiseau, mandrin, marsouin, noeud, paf, panais, panet, paulard, pine, poireau, polard, quéquette, queue, sabre, vié, vit, zob, fifre à grelots, gaule, bite, chinois, clarinette baveuse, cigare à moustaches, cyclope, mohican, Charles-le-Chauve.

cockamamie adj (2) *absurde, stupide:* COCK-EYED.

cocked hat—to knock into a c. h. (2) *démolir, détruire:* (I) démantibuler; (II) déglinguer; (II) bousiller, démonter, détraquer: RIBBONS.

cockeyed adj (2) *absurde, ridicule:* (III) à la manque [noix, godille]; (IV) con. (2) *de travers:* (II) de guingois; (III) de traviole. (2) *ivre:* (II) soûl: BLOTTO.

cocksman n (3) *homme porté sur les femmes:* (II) chaud lapin: CASANOVA.

cocksucker n (3) *mot obscène indiquant un homme de mauvaise réputation:* (IV) fumier, emmanché, empaffé, empapaouté, empaqueté, emprosé, enfoiré, encaldossé, enculé, enviandé.

cocky adj (1) *sûr de soi, arrogant:* (II) culotté.

cocoa n (2) *tête:* (III) COCO*: BEAN.

co-ed n (1) *élève d'une école mixte.*

coffin n (2a) *cachot disciplinaire dans une prison:* (III) cambron, jetard, mitard, cave.

coffin nail n (2) *cigarette:* (III) cibiche: BUTT.

coin—c. of the realm n (1a) *argent:* (II) artiche: BRASS. to c. money (1) *gagner beaucoup d'argent:* (II) faire sa pelote [son beurre]; (III) faire de l'oseille [du fric, du pognon, etc.]: BANKROLL.

coke n (1) *Coca-Cola:* (III) coca. (2) *cocaïne:* (III) coco*: C.

coked-up adj (2) *drogué:* (III) camé: CHARGED.

coke-head n (2a) *toxicomane (surtout à la cocaïne):* (III) camé, drogué, chnouffé.

cokie n (2) COKE-HEAD.

cold—to be out c. (2) *être évanoui:* (II) être dans les pommes; (III) être dans les vapes [le colletar]. to be (left out) in the c. (2) *être mis à l'écart:* (III) être plaqué, faire ballon [rideau]. to knock s.o. out c. (2) *mettre hors de combat:* (I) faire mordre la poussière à; (II) envoyer au tapis, sonner, étendre raide; (III) coucher dans le muguet [les marguerites]. to know s.t. cold (2) *connaître q'ch. parfaitement:* (I) connaître à fond [sur les bouts des doigts], être calé [ferré] en. to leave s.o. cold (2) *ne faire aucune impression:* (I) laisser froid* [de marbre, de glace]; (II) ne pas taper dans l'oeil. (2) *quitter brusquement:* (I) planter là; (II) laisser choir; (III) laisser quimper, laisser en rade [frime, plan, rideau, carafe]. to leave s.o. out in the c. (2) *mettre q'un à l'écart:* (II) faire jongler q'un; (III) passer q'un au rideau. to quit c. (2) *quitter subitement, sans préavis (un emploi, une activité, etc.):* (II) laisser quimper. (2) *rompre, cesser définitivement:* (I) mettre le hola; (III) lâcher les dés [la partie]. to pass out c. (2) *s'évanouir:* (I) tomber dans les pommes; (III) tomber dans les vapes: BLACK OUT.

cold cash n (2) *argent comptant.*

cold deck n (2) *cartes marquées d'avance pour tricher, cartes biseautées:* (II) brêmes maquillées.

cold feet—to have c. f. (2) *manquer de courage, avoir peur:* (II) être froussard: CHICKEN. to get c. f. (2) *devenir craintif, reculer:* (I) lâcher pied: BACK OUT.

cold fish n (2) *personne peu émotive, individu froid:* (II) pisse-froid.

cold hand—*main de cartes sans valeur:* (III) bûche.

cold potato n (2) COLD FISH.

cold potatoes n (2a) *vieille histoire:* (I) rengaine: HAIRY.

cold shoulder—to give s.o. the c. s. (1) *tourner le dos à q'un:* (I) battre froid à q'un: CHILL.

cold storage—to put in c. s. (2) *mettre de côté, à l'écart (souvent pour un temps illimité):* (II) mettre à gauche; (III) mettre [filer] au rencart. (2) *mettre en prison:* (III) mettre à l'ombre: BARS.

cold turkey—to do s.t. c. t. (2) *faire q'ch. sans préavis, sans préparation:* (I) faire au pied levé. to quit c. t. (2) *d'un seul trait, quitter une mauvaise habitude (tabac, drogues, boisson, etc.)* to talk c. t. (2) *parler franchement et sérieusement:* (II) jouer cartes sur table.

collar vt (I) *attraper, arrêter:* (I) agrafer: BAG. to put the c. on (2) COLLAR. to be hot under the c. (2) *être en colère:* (II) être en rogne: BLAZE. to get collared (I) *être attrapé:* (III) être alpagué: CLIPPED.

college—to bust out of c. (2) *être renvoyé de l'université:* (III) être sacqué [viré].

collegiate—to go c. (2a) *adopter les manières d'un étudiant.*

color line—to draw the c. l. (1) *ne pas vouloir se mêler aux gens de race noire:* (I) dresser les barrières raciales*.

colyumist n (2) *journaliste:* (I) folliculaire: (II) journaleux, grouillot; (IV) chieur d'-encre, pisse-copie, buveur d'encre.

comb—to c. s.o. over (2) *battre rudement:* (III) filer une peignée*: BASH. to go over s.t. with a fine-tooth comb (2) *scruter q'ch. minutieusement:* (I) chercher des puces à, passer au peigne fin*.

combine n (1) *consortium.*

combo n (2) *orchestre de jazz.*

come vi (3) *éprouver l'orgasme sexuel:* (IV) briller, jouïr, reluire, lâcher la came, décharger, dégorger, prendre son pied [fade, panard], balancer la purée [sauce, fumée], rayonner, y aller de son voyage, juter, jeter le jus, avoir les doigts des pieds en éventail, filer [lâcher] son venin. to c. across (2) *avouer, donner la réponse exigée:* (I) vendre la mèche: BELCH. to c. across with (money) (2) *donner de l'argent:* (III) abouler: ANTE UP. to c. across with (a thing) (2) *donner:* (III) abouler, allonger, filer. to c. down (2) *pleuvoir:* (III) tomber de la vase, vaser, lancer, lancequiner, lansquiner, flotter. to c. down with (a sickness) (2) *tomber malade de, être atteint de.* c. again! (2) *comment?.*

c. hell or high water (2) *advienne que pourra.* come-hither look (2) *regard aguichant:* (I) yeux doux. c. on! (1) *dépêchez-vous:* (III) grouille-toi: LEG. c. and get it! (1) *à table!;* (III) à la jaffe!. to c. through (2) COME ACROSS. to c. in for s.t. (1) *recevoir q'ch. pour sa part:* (III) afflurer, les palper, aller au taf [panard, fade]. come off it! (2, III) arrête ton char!, ta gueule!, barca'.

comeback—to make [stage] a c. (1) *se remettre sur pied:* (I) se retaper, se remplumer, se requinquer, se refaire; (II) se recaler; (III) se rebecqueter (la cerise). to make a (snappy) c. (1) *faire une réplique pertinente, intelligente et vive:* (I) faire une réplique pleine de sel, renvoyer la balle; (III) envoyer [balancer] un vanne.

comedy—to cut the c. (2) *cesser d'agir stupidement:* (I) mettre fin à la comédie*, cesser de blaguer; (III) arrête le char [cinéma].

come-on n (2) *déclaration, geste, annonce, etc., pour attirer des acheteurs:* (I) appât, battage, boniment, attrape-nigaud; (II) baratin; (III) attrape-couillon. n (2) *homme qui tente d'attraper des clients:* (III) pisteur, chevilleur, baron, jockey, inter. n (2) *geste ou regard aguichant;* (I) coup d'oeil; (II) appel. to act as c.-o. (2) *être le complice qui attire les clients:* (III) baronner, faire l'avocat [le baron]. to get the c.-o. (2) *être l'objet d'une oeillade aguichante:* (II) recevoir un appel [une touche]. to give the c.-o. (2) *flirter:* (I) faire de l'oeil; (III) faire du gringue [rambin], gringuer.

comer n (2) *individu capable et sûr de réussir, jeune espoir:* (II) montant.

comeuppance—to get one's c. (1) *recevoir une punition ou châtiment bien mérité:* (I) recevoir un coup de caveçon. (1) *être rabattu de ses prétentions:* (II) être dégonflé; (I) être déboulonné.

comics n (1) *bandes de dessins humoristiques publiées dans un journal, souvent par série.*

coming—the c. thing (1) *destiné à être le dernier cri:* (I) le succès dans l'air.

Commie n (2) *Communiste;* (II) Coco, Naco.

company n (1) *invités.* to have c. (I) avoir du monde chez soi. to keep c. (1) *fréquenter, tenir compagnie à, faire la cour à:* (III) frayer, fricoter.

con (abbr. of convict) n (2) *prisonnier:* (III) taulard, droit-co, fagot, pristo. to con vt (2) *escroquer (surtout après avoir gagné la confiance du dupé):* (I) carotter; (II) empaumer: CLIP. (2) *convaincre par fourberie:*

(I) entortiller, blouser, jeter de la poudre aux yeux; (II) truander; (III) englander. to be conned (2) *être dupé:* (II) être fait [chocolat]: CLIPPED. to let oneself be conned (2) *se laisser duper:* (I) mordre à l'appât; (II) couper dedans: BAIT.

conchy n (2) *objecteur de conscience à la guerre et au service militaire (en temps de guerre aux Etats-Unis, ils doivent faire un service auxiliaire, sinon ils sont condamnés à la prison).*

con game n (2) BUNCO GAME.

conk n (2a) *tête:* (II) chou: BEAN.—vt (2) *donner un coup (surtout sur la tête):* (I) donner une calotte; (III) matraquer: CLIP. to c. out (2) *caler, tomber en panne (machine);* (III) tomber en rade [carafe, rideau]. (2) *s'évanouir:* (I) tomber dans les pommes: BLACK OUT. (2) *s'endormir:* (III) s'enroupiller.

con man n (2) BUNCO ARTIST.

connect vi (2) *réussir, atteindre le résultat voulu:* (III) faire un boum: CLICK.

connection n (2) *fournisseur de stupéfiants.*

conniption n (1) *accès de colère, exaspération.* to have a c. fit [conniptions] (1) *être exaspéré, en colère:* (I) être à cran: BOILING.

constitutional n (1) *promenade (ou autre activité physique) faite pour la santé:* (II) balade, bol d'air.

contraption n (1) *objet, outil sans nom précis:* (I) truc; (II) machin, fourbi, bidule.

cook vi (2) *être exécuté par électrocution.* to c. up s.t. (1) *manigancer:* (I) mijoter, combiner; (II) goupiller, arranger. to be the chief c. and bottle washer (2) *être chargé de tous les menus devoirs et petits travaux.*

cooked—to be c. (2) *avoir son compte:* (I) être fichu; (II) être cuit* [flambé]; (III) être foutu [rousti], avoir baccara [baraque].

cooking—to know what's c. (2) *être au courant:* (I) être à la page; (II) connaître la combine: BALL.

cookies—to toss one's c. (2) *vomir:* (II) dégobiller, débagouler; (III) renarder, lâcher une fusée, piquer un [aller au] renard, aller au refile, dégueuler.

cool adj (2) *détendu, relâché, peu émotif (mot employé par les beatniks pour indiquer leur indifférence, par opposition à l'intensité de pensée et d'action des personnes hors de leur entourage):* (III) cool. (2) *décrit un type de jazz moderne.* (2) *beau, bien, joli, satisfaisant:* (II) bath, au poil: CLASSY. to be c. as a cucumber (1) *être très calme:* (I) avoir la tête froide; (II) être calme et inodore;

(IV) être un pissefroid. to c. down [off] (1) *s'apaiser, se calmer:* (III) la mettre en veilleuse. to c. it (2) *ralentir, se relâcher, se calmer.* to c. one's heels (1) *être obligé d'attendre longtemps:* (I) droguer, tirer la langue, croquer le marmot, sécher sur pied; (II) faire le pied de grue, faire le poireau, poireauter. to cool s.o. (2a) *tuer:* (I) effacer; (II) repasser: BUMP OFF. to play it c. (2) *agir sans émotion, sans prendre de risques, sans révéler ses intentions:* (II) faire ses coups en raton; (III) être peinard, ne pas y aller du cigare [citron, gadin].

cool cat n (2) *amateur du jazz "cool."* n (2) *jeune fille beatnik;* (III) yé-yé (argot 1964).

cool customer n (2) *individu très calme qui ne se laisse pas entraîner par ses sentiments.*

cooler n (2) *prison:* (III) bloc: BRIG. (2) *chambre froide, dans une morgue:* (II) boîte aux refroidis. to be in the c. (2) *être en prison:* (III) être au bloc: BARS. to put [slap, toss, throw] in the c. (2) *mettre en prison:* (III) fourrer dedans: BARS.

coon n (2 dérog.) *nègre:* (I) négrillon; (II) bamboula, blanchette, moricaud; (III) bougnoule, gobi, noyama.

coon's age (1) *longtemps:* (III) bail. it's been a c. a. (1) *il y a longtemps que:* (I) il y a belle lurette que; (III) il y a un bail [une paye].

coop—to blow [fly] the c. (2) *s'échapper, s'enfuir:* (III) se trisser: BEAT IT.

co-op n (1) *société coopérative:* (II) coop, coopé.

cootie n (2) *pou:* (III) gau, got, mie de pain mécanique, morbac, morfic, morpion, négresse, toto, papillon d'amour.

coozie n (3) *l'acte charnel:* LAY. (3) *vagin:* BOX.

cop n (2) *agent de police:* (II) flic, poulet: BULL. vt (2) *voler, dérober:* (I) chaparder, chiper: CLIP.

copilots n (2) *benzédrine utilisée illicitement comme stimulant par les "routiers" et certains adolescents:* (III) la topette.

corker n (2) *mensonge effronté, histoire incroyable:* (I) craque, conte à dormir debout, menterie, bourrage de crâne; (II) bateau, canard, bobard; (III) bourrage de mou, charre, arnaque, cravate, baratin, prise-de-col. n (2) *individu de caractère remarquable:* (I) numéro, figure; (II) pistolet, type formidable [impayable]; (III) caïd, épée, lame.

corking—adj (2a) *excellent:* (III) impec: A-NUMBER ONE.

corn n (2) *chose démodée (mot employé sur-tout par les jeunes gens pour indiquer q'ch. de banal, de trop sentimental, de faux, etc.):* (I) vieux jeu [vieillot, vieille France], rococo; (III) vioque, viocard; (IV) truc de vieux con.

corned willie n (2a mil.) *viande en boîte:* (III) singe.

cornfed adj (2) *bien en chair, replet:* (I) dodu: BEEFY.

cornhole n (3) *anus:* ASSHOLE.

corns—to step on s.o.'s c. (2) *offenser q'un:* (I) marcher sur les pieds de q'un*, courir sur le haricot de q'un; (III) courir [cavaler] sur le système de q'un.

corny adj (2) *démodé;* (I) vieux jeu: CORN.

corporation n (1) *ventre protubérant:* (I) grosse bedaine: BEER BELLY.

corral vt (2a) *prendre possession de:* (I) mettre les mains [doigts] dessus, faire main basse sur; (III) grappiner, harponner, emplâtrer.

costume jewelry n (1) *bijoux faux:* (I) bijoux en toc; (II) bouchons de carafe; (III) joncaille, bidon.

cotton—to c. to s.o. (1) *être attiré par q'un:* (I) tomber sous le charme de q'un: (II) avoir q'un à la bonne [chouette]; (III) blairer q'un to spit c. (2a) *avoir grande soif:* (II) cracher blanc*; avoir soif de serpent, avoir la pépie; (III) avoir la dalle sèche.

cotton-picking adj (2) *locution imprécise, très usitée de nos jours aux U.S.A., dans un sens péjoratif, dont l'origine est une allusion aux nègres qui cueillent le coton.* keep your c.-p. hands off!. *enlevez vos mains!:* (I) enlève tes sales mains; (III) tire tes pattes (pleines de doigts).

cotton pony n (3) *tampon pour l'hygiène féminine:* (III) serviette hygiénique; (III) balançoire à minette.

couch—to be on the c. (2) *être en traitement psychanalytique.*

couch case n (2) *fou:* (II) loufoque: CRACK-POT.

cough—to c. up (2) *donner (de l'argent):* (III) casquer, abouler: ANTE UP.

count—to be down [out] for the c. (2) *être mis hors de combat, être vaincu:* (II) avoir son compte: COOKED. c. me in (2) *incluez-moi dans vos projets:* (I) je marche; (II) mettez-moi dans le coup; (III) je suis partant. c. me out (2) *ne comptez pas sur moi:* (I) je ne marche pas; (II) ce n'est pas de mes oignons; (III) je ne suis pas partant.

counterjumper n (1a) *employé d'un magasin de nouveautés:* (II) calicot.

cover n (2) *action qui cache la véritable activité (généralement criminelle):* (III) couverture, couvrant, berlue, berlanche, parapluie. to c. up for s.o. (1) *prendre la responsabilité d'un acte quelconque à la place de q'un:* (I) couvrir q'un; (III) prendre les patins, prendre tout sur le paletot, porter le chapeau [bada, doulos].

cover girl n (1) *jolie femme dont les photos sont publiées sur les couvertures de revues:* (I) cover-girl.

cover-up job n (2) COVER.

cowboy (driver) n (2) *automobiliste maladroit et imprudent:* (I) chauffard; (II) chauffeur du dimanche; (III) chauffeur de mes deux.

cow college n (2 derog.) *collège (ou université) situé dans une petite ville des plaines américaines:* (III) boîte-à-terreux.

cowflop n (2) *excrément de vache, bouse:* (IV) épinards.

cow juice n (2) *lait:* (I) lolo; (III) mendès.

cowpuncher n (1) COWBOY.

cowtown n (2) *village de campagne:* (II) patelin; (II) trou; (III) bled.

cozy—to play it c. (2) COOL.

crab vi (I) *se plaindre, protester:* (I) rouspéter: BEEF. to c. the act [deal] (2) *contrecarrer une proposition;* (I) mettre des bâtons dans les roues.

crabber n (1) *personne qui se plaint toujours:* (I) rouspéteur: BEEFER.

crack n (1) *expert, champion:* (I) crack*: ACE. (1) *essai, tentative.* (1) *gifle, coup sec:* (1) taloche; (II) beigne: CLIP. (3) *le vagin:* (IV) barbu, crac: BOX. to c. a book (2) *ouvrir un livre pour se mettre à étudier.* to c. down on s.o. (2) *devenir plus stricte avec q'un:* (II) serrer les pouces [la vis] à q'un; (III) mettre à la matraque. to c. a smile (2) *faire risette.* to c. a crib [safe] (2) *faire sauter un coffre-fort:* (III) casser [mettre dedans] un coffiot. to c. a joint (2) *cambrioler, faire un vol à l'effraction:* (III) mettre en l'air [en dedans], monter en l'air, faire un casse [cassement, fric-frac], fracasser, fric-fracquer. to c. (up) (1) *devenir fou:* (II) perdre la boule: BATS. (1) *avoir un accident (d'auto ou d'avion):* (I) faire un carambolage [emboutissage]; (III) avoir un crash. to c. s.t. up (1) *endommager par un accident (voiture, etc.):* (I) accidenter; (III) emplâtrer. to wise c. (2) *faire une réplique impertinente.* nasty [dirty] c. (2) *insulte.* to take a c. at s.o.

(2) *lancer un coup de poing à:* (I) filer une taloche à; (II) flanquer une beigne à: CLIP. to take a c. at s.t. (2) *tenter de faire q'ch.:* (II) se faire la main; (III) tâter du [piquer au] truc. at one c. (2) *d'un seul coup:* (I) d'un seul jet. to get first c. at s.t. (2) *faire le premier essai de q'ch.*

crackajack n (2) *expert:* (I) as: ACE.

cracked—to be c. (in the head) (1) *être fou:* fêlé*: BATS. to be c. up to be (2) *être réputé pour:* (I) avoir une bonne cote comme. it's not all it's c. up to be (2) *ce n'est pas tout ce qu'on en a dit.*

cracker-barrel—c.-b. philosopher (2, I) philosophe en chambre [du Café du Commerce, aux petits pieds]; (III) philosophe à la mords-moi-le-noeud.

crackerbrain n (2a) *individu stupide:* (I) bûche: BLOCKHEAD.

crackerjack n (2) CRACKAJACK.

cracking—to get c. (2) *se mettre en action:* (I) mettre la main à la pâte; (II) se mettre au boulot, entrer dans la danse.

crackpot n (1) *un peu fou:* (I) fada, braque; (II) louf, loufoque, toqué, cinglé, timbré; (III) dingo, dingue, follingue, louftingue, felé, à la masse, déphosphaté, déplafonné.

cracksman n (2) *cambrioleur:* (III) casseur, fracasseur, lourdeur, caroubleur, frappeur, monte-en-l'air.

cradle—to rob the c. (1) *rechercher l'amour de personnes plus jeunes que soi:* (II) les prendre au berceau*; (III) se balader avec des dragées.

cradle snatcher n (2) *homme porté sur les femmes beaucoup plus jeunes que lui:* (II) vieux marcheur.

cram vi (1) *étudier sans relâche:* (I) potasser, piocher, bûcher, bachoter.

crank n (1) *personne qui se plaint constamment, pleurnicheur, grincheux:* (I) rouspéteur: BEEFER. n (1) *individu excentrique, original:* (I) drôle de type: BIRD.

crap n (3) *matière fécale:* (III) crotte; (IV) merde, colombin. n (3) *articles de piètre qualité:* (I) camelote, pacotille, du toc: (II) gnognote, rossignol; (III) du pour, tocasse, came, à la godille, eau de bidet, peau de zébie [saucisson]. n (3) *mensonges, boniments:* (III) foutaise: APPLESAUCE. vi (3) *déféquer:* (IV) foirer, caquer, chier, débloquer, débonder, débourrer, décocter, flasquer, tartir, poser une pêche [une prune, un kilo, un rondin], couler un bronze.

crapehanger n (2) *pessimiste, rabat-joie:*

(I) chevalier à la triste figure, porteur du diable en terre; (II) figure [tête] d'enterrement*, (III) frime de croquemort.

crapper n (3) *cabinet d'aisance:* (III) goguenot: JOHN.

crappy adj (3) *de piètre qualité:* (III) tocasse: CRAP. (3) *sale, dégoutant, laid:* (II) moche, miteux, pouilleux; (III) blèche, cracra, crado, craspec, débectant, débringué, dégueulasse, dégueulbif, mocheton, salingue, tocasson.

crash adj (1) *urgent (se dit d'une action qui doit être accomplie immédiatement):* (I) il y a le feu.—vi (1) *assister sans invitation (à une soirée, un gala, etc.):* (II) piquer les assiettes. to c. the gate (2) *se faufiler quelque part (cinéma, théâtre, etc.) sans payer le droit d'entrée:* (II) entrer à l'oeil. to c. (out of) jail (2) *s'échapper de prison:* (III) s'esballonner, faire la belle.

crate n (2) *automobile:* (I) tacot; (II) clou, bagnole; (III) tire, berlingue, berlingot, bouzine, chignole, chiotte, guimbarde, tinette.

crawling—to be c. with s.t. (2) *avoir des grandes quantités de q'ch.:* (II) avoir une tripotée [trimbalée] de q'ch.: BAGS OF.

crazy—to be c. about s.t. or s.o.: (1) *être épris de q'ch. ou de q'un:* (I) être toqué de: BATS ABOUT. go like c. (2) *aller à toute vitesse:* (II) aller à tout berzingue: BARREL. to do s.t. like c. (1) *faire q'ch. avec beaucoup d'entrain:* (II) bosser comme un lion, boulonner, taper dans la butte; (III) rentrer dans le mastic, faire comme un dingue [cinglé, etc.]

cream n (2) *bénéfice, profit:* (III) affure: GRAVY.—vt (2) *tuer:* (III) coucher dans le muguet: BUMP OFF. (2) *abattre avec violence:* (II) filer une raclée à: BASH. to take off the c. (2) *se procurer les profits d'une entreprise:* (II) rabioter, se sucrer. c. of the crop (1) *le meilleur:* (I) le dessus du panier, la fleur des pois, la crème, la fine fleur.

creampuff n (2) *chose facile à faire:* (II) rigolade: ABC. n (2) *homme sans entrain, sans force, sans courage, mollasson:* (I) femmelette; (III) crevé: PANTY WAIST. n (2a) *voiture d'occasion de bonne qualité.*

creek—to be up the c. (2) *être dans une mauvaise passe:* (I) être dans le pétrin: HOT WATER. to be up shit c. (3) UP THE CREEK. to leave s.o. up the c. (2) *laisser q'un dans une mauvaise situation:* (II) laisser q'un en carafe [dans la panade]; (III) laisser en frime [rade].

creep n (2) *personne ennuyeuse ou indésirable:* (I) scie, cassepieds, crampon; (II) canule, gluant, raseur, rasoir; (III) colique, bassin, casse-bonbons [burettes]; (IV) casse-couilles. to have the creeps (1) *éprouver de la répugnance, avoir des frissons d'effroi:* (I) avoir la chair de poule [la tremblote]; (II) avoir la trouille [pétasse, pétoche, bloblote]; (III) avoir les flubes [grelots, flubbards, foies, copeaux, chocottes, grolles, jetons], avoir la chiasse [le tracsir], avoir les miches à zéro [qui font bravo].

creepy adj (1) *effroyable, épouvantable:* (I) qui donne la chair de poule [la tremblote]; (II) qui fiche la trouille [la pétasse, la frousse]; (III) qui fout les flubes [les foies].

crib n (2a) *coffre-fort:* (III) coffiot. (2) *logis, chambre:* (II) turne: KIP. (2) *maison de prostitution:* (III) claque: CALL HOUSE. (1) *texte écrit en langue étrangère avec traduction (employé par les étudiants pour tricher aux examens).*—vi (1) *tricher à un examen, plagier, faire passer l'oeuvre d'un autre comme étant la sienne propre.* to crack a c. (2) *cambrioler:* (III) fric-fraquer: CRACK.

crib-cracker n (2a) *cambrioleur qui fracture des coffre-forts.*

crib sheet n (2) *notes clandestines que des étudiants utilisent pour tricher à un examen:* (I) aide-mémoire.

crimp—to put a c. in one's pocketbook (2) *dépenser beaucoup d'argent:* (III) gaspiller son fric, balancer à la grouille, en écosser, éponger son crapaud*, décher. to (put a) c. (in) s.o.'s plans [style] (2) *empêcher q'un de réaliser ses projets:* (I) mettre des bâtons dans les roues à q'un, couper à q'un l'herbe sous les pieds: (III) casser la cabane [baraque] de q'un.

croak vt (2) *tuer, assassiner:* (III) liquider, zigouiller: BUMP OFF.—vi (2) *mourir:* (III) casser sa pipe: BUCKET.

croaker n (2 derog.) *médecin:* (I) morticole; (II) toubib; (III) rebecteur.

crock n (2) *personne maladive, décrépite:* (I) gringalet, mauviette, freluquet: (III) avorton, aztèque. n (2a) *ivrogne:* (III) poivrot: BARFLY. c. of nonsense (2) *bêtises, sornettes:* (I) grain de folie; (II) fouterie, foutaise, ânerie, bourde; (III) connerie, cagade. c. of shit [bull] (3) *mensonges, boniments:* APPLESAUCE.

crocked adj (2) *ivre:* (II) soûl: BLOTTO. to get c. (2) *se soûler:* BOILED.

crockery n (2) *les dents:* (III) le clavier: CHOPPERS.

crook n (1) *escroc:* (III) arnaqueur: BUNCO MAN. (1) *voleur:* (I) chapardeur, faucheur;

(II) empileur, enfileur; (II) barboteur, braqueur, doubleur, escanneur, faiseur, poisse, pègre, roustisseur. n (1) *homme faux, en qui on ne peut avoir confiance:* (II) doubleur; (III) loquedu, bordille.

crooked buck n (2) *argent gagné illicitement:* (III) grinche, gratte, fade.

crooked deal n (2) *affaire malhonnête:* (I) affaire louche, filouterie; (II) tripotage, fricotage.

crooner n (1) *chanteur de charme:* (II) marchand de guimauve.

cropper—to come a c. (1) *tomber, cascader:* (I) prendre [ramasser] une bûche, chuter; (II) ramasser [prendre] un bouchon [une gamelle, un billet de parterre]; (III) quimper, se casser la margoulette, partir à dame, ramasser [prendre] un gadin [une pelle, une valdingue, un traînard]. (1) *échouer, faire un fiasco:* (I) faire un four; (II) faire un bide: BLOWUP.

cross—to c. s.o. up (2) *abuser de la confiance de q'un, tromper:* (I) monter un bateau à q'un, empaumer; (III) doubler: CLIP. (2) *faire perdre le fil des pensées à q'un:* (I) embarbouiller, faire perdre la carte [boussole] à q'un; (II) faire perdre les pédales [manettes] à q'un. (2) *mettre des obstacles pour empêcher q'un de réussir:* (I) mettre des bâtons dans les roues: CRIMP.

crosspatch n (1) *grincheux:* (I) rouspéteur; (II) ronchonneur: BEEFER.

crow—to eat c. (1) *avouer une erreur, être humilié:* (I) avaler des couleuvres.

crowd—to buck the c. (2) *marcher contre la foule:* (I) aller à contre-courant. to c. s.o. (1) *presser q'un pour qu'il paye ses dettes:* (I) relancer un débiteur; (II) faire cracher (au bassinet); (III) aller à la relance [au refile, au rembour]. to c. s.o. out (1) *remplacer q'un, forcer q'un à donner sa démission:* (I) forcer la main à q'un; (III) dégommer q'un.

crown vt (2) *frapper sur la tête, cogner·* (II) casser la gueule à: BASH.

crud n (2) *maladie indéfinissable:* (II) chichite, pécole.

crumb n (2a) *homme sans valeur morale:* (II) salaud; (III) saligot, saligaud, salopard, salingue.

crumb bun n (2) CRUMB.

crummy adj (2) *de mauvaise qualité, sale:* (II) pouilleux, miteux: CRAPPY.

crush n (1) *caprice, amour passager:* (I) toquade, béguin; (II) pépin. to have a c. on s.o. (1) *être épris de q'un:* (I) avoir le béguin pour q'un: BATS. n (1) *affluence, foule:* (I) foultitude; (III) trèfle, trêpe.

crust n (2) *effronterie:* (II) culot: BRASS. to have a (lot of) c. (2) *être audacieux:* (II) être culotté: BRASS.

crutch—as funny as a c. (2) *pas drôle du tout:* (II) aussi fin que du gros sel, Il est marrant, ton cheval.

cry—**crying jag** n (2) *chagrin immodéré provoqué par l'ivresse.*

crying towel (2) *serviette symbolique qu'on offre à q'un qui pleurniche toujours.* pass the c. t. (2, II) passe-moi ton mouchoir, que j'essuie mes larmes.

crystal ball—to look into the c. b. (1) *essayer de deviner l'avenir:* (I) regarder dans la boule de cristal*, lire dans le marc de café.

cubes n (2) *dés:* (III) bobs.

cuckoo adj (2) *fou:* (II) cinglé: BATS.

cuff—to buy s.t. on the c. (2) *acheter q'ch. à crédit:* (I) acheter q'ch. à la gagne; (III) acheter à croume. to put s.t. on the c. (2) *acheter q'ch. à crédit:* (II) être accroché [encroumé], avoir une ardoise. off the c. adv (2) *à l'improviste et sans garantie de vérité:* (I) au pied levé.

cuffs n (1) *menottes:* (III) bracelets: BRACE-LETS.

cuke n (2) *concombre.*

cunt n (3) *vulve, vagin:* (IV) baquet: BOX.

cure—to take the c. (2) *tenter de guérir de l'alcoolisme.*

curly n (2) *homme chauve (ironique):* (I) déplumé, boule de billard: BALD.

curse—to have the c. (2) *avoir les menstrues:* (I) avoir ses règles; (II) être à cheval sur un torchon, être confiture; (III) avoir les anglais [ses ours, ses affaires, ses trucs, les doches, les argagnasses].

curtains n (2) *la mort:* (I) la Grande Faucheuse.

curvaceous adj (1) *de belles formes (se dit d'une femme):* (II) bien balancée [bâtie, roulée, ballottée, carrossée].

cushy—c. job (2a) *poste agréable, facile:* (I) filon, assiette au beurre; (II) fromage; (III) placarde.

cuss n (1) *blasphème.* n (1) *individu:* (I) gars: CHAP.—vi (1) *blasphémer.* to c. s.o. out (1) *réprimander, semoncer q'un:* (II) enguirlander q'un: BAWL OUT. mean c. n (2) *mauvais type, individu de mauvaise caractère:* (I) sale bougre; (II) sale coco: BAD ACTOR.

cussed adj (1) *damné, sacré.* to get c. out.

(1) *être réprimandé:* (I) en prendre pour son grade: BAWLED-OUT.

cussing-out n (2) *semonce, réprimande:* (I) abattage: BAWLING-OUT.

cussword n (1) *blasphème, juron.*

cut n (2) *partie des profits, du butin:* (I) gratte; (III) fade, décarpillage, taf(fe). n (2) *remise pour un achat, placement, etc., pour une tierce personne:* (I) gratte; (III) fleur, bouquet. n (1) *absence injustifiée à l'école:* (I) séchage. n (1) *affront:* (I) camouflet; (III) vanne. to c. class (1) *ne pas assister à un cours:* (I) sécher la classe, faire l'école buissonnière. to c. out (2) *s'en aller, s'enfuir:* (II) se cavaler: BEAT IT. to c. in on s.o. (1) *interrompre (une conversation):* (III) ramener sa fraise [science]. to c. into s.o. (2) *couper les profits d'un concurrent en détournant une partie de sa clientèle:* (I) couper l'herbe sous les pieds d'un rival; (III) tirer la bourre à. to c. it out (1) *cesser de faire q'ch.:* (II) laisser tomber; (III) faire thème. c. it out! (2) *suffit!, assez!:* (II) polop!; (III) baste!, barca!, rideau!, vos gueules!, y en a marre [classe, quine]. to c. it fine (2) *calculer, mesurer avec exactitude.* to c. s.o. off without a penny (1) *déshériter q'un:* (I) ne pas laisser un sou à q'un*; (III) ne pas laisser un radis [rond, fifrelin]. to c. up (2) *faire des farces:* (I) faire le pitre [le clown, l'imbécile, le zouave]; (II) amuser la galerie; (III) déconner; (IV) jouer au con. c. the comedy! (2) *suffit!:* CUT IT OUT! to c. no ice (2) *ne faire aucune impression, être sans importance:* (II) ne rien casser, être de la bricole [gnognote]. to c. s.o. dead (2) *faire semblant de ne pas reconnaître q'un:* (I) tourner le dos à q'un. to cut s.o. in (2) *donner à q'un une partie des profits, du butin, etc.*

cute adj (1a) *rusé, malin:* (I) futé, roublard, marle, marlou. adj (1) *mignon.* c. as a bug's ear (2) *très mignon:* (I) joli comme un coeur, beau comme un dieu, belle comme une déesse; (II) bath, chouette, girond; (III) choucard, laubé. to play a c. trick on s.o. (2) *jouer un mauvais tour à q'un:* (II) faire une entourloupette à.

cutie (pie) n (2) *jeune fille très mignonne:* (I) poupée.

cutthroat adj (1) *acharné, impitoyable, sans merci:* (I) cabochard, buté; (II) étrangleur*, saignant. c. game (2) *partie de cartes dans laquelle les joueurs n'ont pas de pitié l'un pour l'autre:* (II) partie d'enfer; (III) partie à décrocher les lustres [avec les couteaux sous la table]. c. competition (2) *compétition*

commerciale sans pitié: (I) compétition
serrée.

cutup n (2) *farceur, joyeux drille, bouffon:*
(I) gai luron, loustic, polichinelle; (II) rigolo, pistolet; (III) marrant.

cylinder—to hit on all cylinders (2) *aller à
toute vitesse:* (I) aller à fond de train: BARREL.
(2) *fonctionner parfaitement:* (II) tourner
rond; (III) gazer, gazouiller.

czar n (2) *chef de bande:* (III) caïd.

D.A. (abbr. of district attorney) n (2) *avocat
d'Etat (ou procureur):* (III) crosseur (avocat), bêcheur.

daddy n (1) *père:* (I) papa; (II) le paternel,
pater; (III) dabe, dabuche, daron, vieux,
croulant.

daffy adj (1) *fou:* (I) toqué, timbré: BATS.
to go d. (1) *devenir fou:* (III) partir du
ciboulot: BATS. to be d. about (2) *être épris
de:* (I) avoir le béguin pour: BATS.

dago n (2 derog.) *Italien:* (III) rital,
macaroni.

dago red n (2) *vin rouge ordinaire:* (II)
tutu; (III) aramon, pinard, pive, rouquemoute, rouquin, pichtegorme, gros rouge
[bleu], sens unique, gros-qui-tache, picrate.

Dagwood sandwich n (2) *sandwich préparé
avec un mélange copieux de viandes, fro-
mages, etc. (d'après le protagoniste d'une
bande illustrée).*

daily dozen n (1) *gymnastique quotidienne.*

daily grind n (2) *répétition monotone de la
vie quotidienne:* (I) engrenage, train-train,
tran-tran.

daisy n (2) *chose extraordinaire, excellente,
superbe:* (I) chose super [impec, épatante,
époustouflante]; (III) q'ch. de sensas [du
tonnerre, terrible, au poil, bolide, foutral].
to be as fresh as a d. (1) *se sentir bien reposé
et plein d'entrain:* (I) être frais comme une
rose [l'oeil, un gardon]. to push up the
daisies (2) *être enterré:* (II) manger les
pissenlits par les racines*; (III) être couché
dans le muguet, être donné à bouffer aux vers.

dam—that's water over the d. (1) *c'est une
chose du passé qu'on ne peut pas changer:*
(I) c'est de l'eau sous le pont*.

damages n (1) *la note:* (I) l'addition; (III)
la douloureuse, le coup de fusil, les dégats*.

dame n (2) *femme ou jeune fille:* (III) gonzesse: BABE.

damn adj (2) *juron familier:* (II) damné,
sacré. damn! (2 excl.) *flûte!:* (III) nom de
Dieu. not to care [give] a d. (1) *rester
indifférent, ne pas s'inquiéter:* (I) ne pas se

biler, ne pas se faire de bile: (III) ne pas
se faire de mousse. not give a d. about (1)
se moquer de, ne pas s'intéresser de: (I) se
ficher [balancer] de, se ficher [moquer] de
(comme de l'an quarante); (II) s'en ficher
comme de sa première chemise, se battre
l'oeil de; (III) se foutre [taper] de, s'en
tamponner le coquillard; (IV) s'en branler.
to be not worth a d. (2) *avoir peu de valeur:*
(II) ne pas valoir chipette [un coup de cidre,
un pet de lapin], ne rien casser; (III) ne pas
valoir pipette [tripette, un clou, un coup de
sirop], être bon à lape, valoir peau-de-balle.

damned—to do one's damnedest (2) *faire
de son mieux, se donner beaucoup de peine:*
(I) se décarcasser: ALL OUT.

damper—to put the d. on s.o. (1) *faire
taire q'un:* (I) clouer le bec à; (II) couper
le sifflet à; (III) la faire boucler, faire
mettre à la crémone, faire fermer la boîte
[gueule] à, couper la chique à. (2) *empêcher,
faire cesser, interdire une activité.*

dander—to get one's d. up (1) *se mettre en
colère:* (I) s'emballer: BLOW UP.

dandy n (2) *chose excellente, très agréable:*
(I) chose super: DAISY. (2) *homme élégant*—
adj (2) *très agréable, excellent, très satisfaisant:* (II) bath; (III) boeuf: CLASSY.

Danish n (2) *pâtisserie de type danois, très
réputée aux U.S.A.*

darb n (2) *chose excellente, remarquable:*
DAISY.

darkie n (2 derog.) *Noir:* (III) bougnoule:
COON.

darn (1) DAMN.

darndest (1) DAMNEDEST.

darn sight—not by a d. s.! (2) *pas du tout!:*
(I) fichtre non!

date n (1) *personne avec qui on a un rendezvous (s'emploie surtout pour les jeunes
gens):* (II) flirt; (III) rencart. (1) *rendez-
vous:* (III) rencart, rembour, rancard. to d.
s.o. (1) *donner rendezvous à q'un (généralement entre jeune homme et jeune fille):* (III)
filer un rencart. to break a d. (2) *manquer à
un rendezvous sans préavis:* (II) poser un
lapin.

day—to call it a d. (2) *décider de cesser le
travail de la journée:* (I) débrayer pour la
journée. to pass the time of d. (1) *bavarder:*
(I) tailler une bavette: BREEZE.

daylight—to let d. through s.o. (2a) *tuer
q'un à coups de feu:* (III) flinger, flingoter,
truffer, seringuer, farcir, plomber. to be able
to see d. (1) *apercevoir la fin d'un long
travail, d'une situation difficile, etc.:* (I)

commencer à en voir le bout. to scare the daylights out of s.o. (2) *faire peur, effrayer q'un:* (II) donner [ficher] les foies [la tremblote, la foire, la frousse, les grelots, le taf, la chiasse, le trac, la trouille, les colombins] à; (II) ficher [foutre] les chaleurs [la venette, les chocottes, les copeaux, les flubes, les flubards, les grolles, le tracsir, la pétoche, la traquette, la pétouille, les fuchsias, les jetons, la pétasse, la traquouse, les blancs, la cliche, les fusains] à. to belt [beat, lick, wallop] the d. out of s.o. (2) *battre q'un violemment**:* (I) battre à plate couture: BASH.

dead—to be d. to the world (2) *être en plein sommeil:* (II) dormir comme une bûche. to catch [have] s.o. d. to rights (2) *surprendre q'un en flagrant délit:* (I) prendre q'un la main dans le sac; (III) prendre [épingler, agrafer, alpaguer, etc.] sur le tas: BAG. to be d. from the neck up (2) *être stupide, sot, abruti:* (II) être bouché (à l'émeri); (III) être lourdingue: DOPEY. to be d. beat (2) *être fatigué à l'excès:* (I) être éreinté; (II) être sur les rotules: BEAT. to be d. set against s.t. (2) *être farouchement opposé à q'ch.* to be d. set on s.t. (2) *être fermement resolu sur q'ch.:* (II) s'être mis dans le crâne que. to come to a d. stop (2) *s'arrêter net:* (I) s'arrêter pile. to be a d. ringer for s.o. (2) *avoir une grande ressemblance avec q'un:* (I) être le portrait de, être q'un tout craché.

deadbeat n (2) *qui ne repaie pas ses dettes.*

dead cinch n (2) CINCH, BET.

dead duck—to be a d. d. (2) *être perdu, ruiné:* (I) être fichu [cuit]: COOKED.

dead-end kids n (2) *jeunes délinquants des quartiers pauvres (allusion au titre d'une pièce présentée il y a une trentaine d'années à New York et dont l'action se déroulait dans les "Rues sans issue"):* (II) blousons noirs [dorés].

dead game—to be d. g. (2) *avoir beaucoup de courage:* (III) en avoir dans le buffet: GAME.

dead giveaway n (2) *acte, mot ou geste qui dévoile un secret:* (III) duce, serbillon.

deadhead n (2) *sot, niais:* (I) cruche: BLOCKHEAD. (2) *individu sans esprit, ennuyeux:* (I) scie: CREEP. (2a) *individu muni d'un billet de faveur.*

dead loss n (2) *perte sèche.*

deadpan adj (1) *visage impassible:* (I) visage de marbre. to give s.o. the d. treatment (2)

recevoir q'un avec un visage sans expression: (I) recevoir q'un avec un visage de marbre.

dead soldier n (2) *bouteille vide:* (III) cadavre*.

deal—to close a d. (1) *terminer les négociations préliminaires.* to clinch a d. (2) *s'assurer une vente, une affaire, etc.:* (I) accrocher [décrocher] une affaire, etc. to make a d. (1) *conclure une affaire:* (I) faire affaire. (1) *conclure une affaire en acceptant toutes les conditions imposées.* to make a good d. (1) *faire une bonne affaire;* (II) faire un beau chopin; (III) afflurer, affurer, faire une bonne affure. to make a big d. over s.t. (2) *faire toute une histoire de q'ch. sans importance:* (I) en faire une affaire d'état; (II) en faire (tout) un plat. to crab s.o.'s d. (2) *empêcher q'un de réaliser ses projets:* (I) couper l'herbe sous les pieds à, mettre des bâtons dans les roues à; (III) casser la cabane [baraque] à. to rig a d. (2) *monter une affaire malhonnête:* (I) faire un coup monté. phony [rigged] d. (2) *affaire malhonnête:* (I) coup monté; (II) arnaque. to get the short end of the d. (2) *recevoir une partie exiguë des profits:* (I) être Gros-Jean comme devant. (II) remasser les miettes [des clarinettes]; (III) aller peigner ses biques.

Dear John letter n (2) *lettre qu'une jeune fille envoie à son amoureux pour lui annoncer la rupture (généralement pendant le service militaire).*

death—to look like d. warmed over (2) *avoir l'apparence d'un malade grave:* (I) avoir l'air d'un mort debout*.

debt—to pay the last d. (2a) *mourir:* (II) avaler sa chique: BUCKET.

debug vt (2) *déceler et remédier aux imperfections d'un mécanisme (généralement sur un prototype):* (I) mettre au point.

debunk vt (2) *exposer la vérité, détruire le prestige de q'un:* (I) déboulonner; (II) descendre en vrille, dégonfler; (III) casser la cabane [baraque] à.

decent—to be d. (1) *porter le minimum de vêtements requis pour ne pas faire scandale.*

deck n (2a) *dose de drogue:* (III) prise-boulette. to be on d. (2) *être prêt, entrer en action:* (II) être gonflé à bloc. to hit the d. (2) *se préparer entrer en action.* (2) *sortir du lit:* (III) se dépieuter, se dépagnoter, se dépager, se déplumer. to play with a stacked d. (2) *jouer avec des cartes biseautées, et, par extension, avoir l'avantage sur q'un.*

decked out—to be all d. o. (2) *être en grande tenue, être habillé avec élégance:* (I) être tiré à quatre épingles, être endimanché, être sur son trente-et-un. to get d. o. (2) *mettre ses meilleurs vêtements:* (I) se bichonner, se mettre sur son trente-et-un.

deef adj (2) déformation de "deaf") *sourd:* (I) dur de l'oreille; constipé des feuilles: DOORKNOB.

deep end—to go off the d. e. (2) *perdre la tête:* (III) partir du ciboulot: BATS.

deep freeze—to put in the d. f. (2) *mettre q'ch. à l'écart avec l'intention de l'oublier:* (I) jeter dans la corbeille à papiers, mettre aux oubliettes; (III) mettre au rencart.

delicate—to be in a d. condition (1) *être enceinte:* (I) être dans une situation intéressante: ANTICIPATING.

dent—to make a d. in (2) *atteinder les premiers résultats dans un travail long et laborieux.*

depth—to do s.t. in d. (1) *faire q'ch. en profondeur, à fond:* (II) pinocher.

dern (1) DAMN.

deuce n (2) *deux dollars.* to raise the d. (1) *faire un vacarme:* (I) faire un chahut: CAIN. to get the d. (2) *être réprimandé:* (I) recevoir un abattage; (II) être enguirlandé: BAWLING-OUT. to give s.o. the d. (2) *donner une semonce à, réprimander:* (I) lessiver la tête à; (II) enguirlander: BAWL OUT.

device—to leave s.o. to his devices (2) *livrer q'un à lui-même:* (II) laisser q'un se dépatouiller [se débrouiller]; (III) laisser q'un se démerder.

devil—to d. (the life out of) s.o. (I) *importuner, tourmenter q'un:* (I) marcher sur les pieds de, assommer, empoisonner, tanner, faire suer, fatiguer; (III) casser les pieds à, courir sur le haricot de, courir [taper, cavaler] sur le système à, bassiner, canuler, cramponner, raser, barber; (III) enquiquiner, les briser à, emmerder; (IV) casser les couilles à. to play the d. with s.o. (2) *maltraiter, malmener:* (I) être chien avec; (II) être vache avec. to raise the d. (2) DEUCE. to send s.o. to the d. (1) *renvoyer q'un:* (II) envoyer bouler; (III) envoyer péter; (IV) envoyer chier [aux chiottes, aux gogues, pisser, tartir]. to get the d. (2) *être réprimandé:* DEUCE. to beat the d. out of s.o. (2) *frapper rudement:* (I) battre à plate couture; (II) tanner le cuir à: BASH.

devilishly adj (1) *extrêmement:* (I) bigrement; (II) vachement.

dice—to throw in the d. (2) *se déclarer vaincu, reculer:* (III) lâcher les dés: BACK DOWN.

dick n (2) *agent de police (en civil):* (III) bourre: BULL. n (3) *le membre viril:* COCK.

dickens—to give s.o. the d. (1) *réprimander q'un:* (I) mettre q'un sur le tapis: BAWL OUT. to get the d. (2) *recevoir une semonce, être réprimandé:* (II) être engueulé: BAWLED OUT. to raise the d. (2) *faire beaucoup de bruit:* (I) faire du boucan: CAIN.

diddle—to d. around (2) *gâcher son temps avec des futilités:* (I) flanocher: BUM AROUND. to d. s.o. (2 euph.) coïter: BANG. to d. s.o. out of s.t. (2) *soutirer q'ch. de q'un par fouberie:* (I) tirer une carotte à q'un, carotter q'un: CLIP.

diddler n (2) *baguenaudeur, bricoleur.*

dido n (1) *frasque:* (I) fredaine.

diff (abbr. for difference)—it makes no d. to me (2) *cela m'est égal:* (II) ce ne sont pas mes oignons. what's the d.? (2) *qu'est-ce que ça fait?*

dig n (1) *remarque blessante:* (I) camouflet; (III) vanne. to d. in (1) *s'appliquer à son travail:* (I) s'accrocher (au boulot), fignoler; (II) pinocher. (2) *commencer à manger:* (II) attaquer. to dig s.t. (2) *comprendre:* (II) piger, entraver. (2) *avoir une opinion favorable de, estimer:* (II) avoir à la bonne.

diggings n (2) *demeure:* (III) taule, baraque, cabane, casbah, crêche: KIP.

dike n (2) *lesbienne:* (III) gouine, gougnote, gousse, vrille.

dilly n (2) DAISY.

dime—to be worth a d. a dozen (1) *valoir très peu, ou rien:* (II) ne pas valoir chipette: DAMN.

dime-a-dance palace n (2) *bal musette:* (II) bastringue; (III) guinche.

dimwit n (2) *idiot:* (I) buse: BLOCKHEAD.

dimwitted adj (2) *stupide, sot:* (I) bouché: DOPEY.

dinch n (2) *bout d'une cigarette:* (II) mégot; (III) clop(e), orphelin, sequin.

dinge n (2 derog.) *nègre:* (III) bougnoule: COON.

dingus n (2) *nom désignant un objet dont le vrai nom est inconnu ou oublié:* (II) truc, machin, chose, fourbi.

dip n (2) *voleur à la tire:* (III) fourche, fourchette, machinette, tire, tireur. n (2a) *casquette, chapeau:* (III) doulos: BEANIE.

dippy n (2) *un peu fou:* (I) toqué: BATS.

dipso (abbr. of dipsomaniac) n (2) *ivrogne:* (III) poivrot: BARFLY.

dirt n (1) *obscénités, pornographie:* (I)

saleté; (II) saloperie; (III) trou-du-cuterie. (2) *scandale, fausse nouvelle:* (I) canard, can-can, potins, ragots; (III) schproume. to do s.o. d. (2) *jouer un mauvais tour à q'un:* (I) faire un sale coup à q'un; (II) faire une crasse [saloperie] à q'un; (III) turbiner, rouler. to treat s.o. like d. (1) *traiter q'un plus bas que terre.* to throw d. at s.o. (2) *médire de q'un:* (I) déblatérer [clabauder] contre; (II) baver sur, débiner, casser du sucre à, éreinter; (III) déconner [dégoiser] sur, excracher. to dish out [spread] the d. (2) *bavarder avec malveillance:* (I) cancaner, ragoter, faire des cancans [ragots], potiner; (III) faire du schproume. to sweep the d. under the rug (1) *cacher la vérité, masquer les faits:* (I) jeter un voile sur.

dirt-cheap adv (1) *très bon marché:* (I) pour rien, à vil prix; (II) pour des haricots [une poignée de haricots]; (III) pour des clarinettes [des nèfles].

dirt farmer n (1) *fermier exploitant (par opposition à "gentleman farmer").*

dirty bum n (2) *clochard:* (III) clodo: BUM. (2 fig) *individu de mauvais caractère, vaurien:* (I) sale bougre*; (II) fripouille: BAD ACTOR.

dirty crack n (2) *insulte:* (I) camouflet, sortie, coup de patte; (III) vanne.

dirty deal n (2) *acte méchant:* (II) vacherie, crasse, saloperie; (III) coup fourré. to play [pull] a d. d. on (2) *jouer un mauvais tour à:* DIRT.

dirty dig n (2) DIRTY CRACK.

dirty gyp n (2) *escroquerie:* (II) carottage; (III) arnaque, empilage.

dirty look n (2) *regard de mépris.*

dirty mouth—to have a d. m. (2) *parler grossièrement:* (I) parler comme un charretier; (III) avoir des gros mots plein la gueule.

dirty pool—to play d. p. (2) *agir en traître, malhonnêtement:* (III) faire un coup en vache.

dirty stinker n (2) *personne méprisable:* (I) sale bougre; (II) fripouillard; (III) bordille: BAD ACTOR.

dirty stunt n (2) *mauvais tour:* (I) tour de cochon: (II) saloperie, crasse; (III) turbin.

dirty trick—to play [pull] a d. t. on s.o. (2) *jouer un mauvais tour à q'un:* DIRT.

disappearing act—to do a d.a. (2) *s'esquiver, s'enfuir:* (III) foncer dans le brouillard: BEAT IT.

dish n (2) *jolie jeune fille:* (II) un beau brin de fille, une poupée: BABE. to d. it out to s.o.

(2) *réprimander q'un:* (II) enguirlander q'un: BAWL OUT. to d. it out (2) *donner:* (II) se fendre de; (III) les allonger: ANTE UP.

dishrag—to feel like a d. (2) *se sentir épuisé de fatigue:* (I) être éreinté: BEAT.

dishwater n (2) *mauvaise soupe ou café:* (I) eau de vaisselle*; (III) lavasse.

ditch vt (2) *abandonner, se débarrasser de:* (I) laisser tomber, plaquer; (III) laisser choir [courir, glisser, quimper, en plan, en frime, en rade], scier. the big ditch (2) *l'océan:* (II) la mare aux harengs, la grande mare; (III) la grande tasse.

dive n (1) *café, bar, cabaret, etc., de basse classe:* (I) bouge; (II) caboulot, boui-boui, bastringue. (2) *chambre ou maison mal tenue:* (I) baraque, cabane; (II) cambuse, bordel, bazar, galetas. to take a d. (2) *se laisser battre à dessein (sport):* (III) se coucher. (2a) *simuler un accident sur la route pour toucher l'assurance:* (III) piquer [tailler] un macadam, piquer un ticson.

divvy n (2) *partage, portion:* (III) fade: CUT. to d. up (2) *partager, distribuer, (le butin, les profits, etc.):* (I) partager le melon [gateau]; (III) décarpiller, aller au fade [taf], faire la motte. to take one's d. (2) *prendre sa part:* (III) prendre son fade.

dizzy adj (1) *sot:* (I) bouché: DOPEY. d. dame (2) *femme stupide:* (I) bêta, bêtasse, pécore, bécasse, dinde, tourte; (IV) connasse.

do—to do s.o. (1) *escroquer, duper q'un:* (II) refaire q'un*: CLIP. to do s.o. in (2) *tuer q'un:* (III) liquider q'un: BUMP OFF. to do s.o. out of s.t. (2) *soutirer q'ch. de q'un par fourberie:* (II) carotter: CLIP.

DOA (dead on arrival) (2) *mort avant d'arriver à l'hôpital.*

doc (abbr. of doctor) n (2) *docteur:* (I) morticole; (II) toubib; (III) rebecteur.

dockwalloper n (2) *homme qui travaille dans un port, débordeur.*

doctor—vt (1) *truquer, falsifier:* (I) maquiller; (II) fricoter; (III) tripoter. to d. up (1) *raccommoder, remettre en état:* (I) rafistoler, rabibocher. to be just what the d. ordered (2) *être très convenable, satisfaisant:* (II) botter: BIG.

doctors n (2a) *dés truqués:* (II) dés pipés: CHEATERS.

dodo n (2) *vieil homme:* (I) gaga: ANTIQUE. to be dead as a d. (2) *être mort:* (II) manger les pissenlits par les racines, (III) être cané [refroidi, bousillé, etc.], être couché dans le muguet.

dog n (2) *sale type:* (II) sale bougre: BAD ACTOR. to d. s.o.'s footsteps (1) *emboîter le pas à q'un:* (I) marcher sur les talons de q'un; (III) filer, filocher. to d. it (2) *négliger son travail:* (1) renâcler à la besogne: GOLD-BRICK. to put on the d. (2) *prendre des airs:* (I) plastronner, faire des chichis [du chichi, le beau, de l'esbrouffe], esbroufer, se donner des airs; (II) poser devant [pour] la galerie, faire l'affiche [du fla-fla, du chiqué, des giries, la belle, de l'épate], en étaler, se pousser du col; (III) péter dans la soie, frimer, vanner, pavoiser, faire des magnes, to work like a d. (1) *travailler durement:* (II) travailler comme un forcené [un noir, un nègre], se casser les reins: GRIND. to lead a dog's life (1) *vivre une vie de chien.* in a dog's age (2) *depuis longtemps:* (I) il y a belle lurette; (II) il y a (un) bail; (III) il y a une paye.

dogface n (2) *fantassin:* (II) biffin, pousse-cailloux.

dogged adj (1) *tenace, têtu, opiniâtre:* (I) buté, cabochard.

doghouse—to be in the d. (2) *être en disgrâce (avec son patron, sa femme, etc.):* (I) être en quarantaine.

do-gooder n (2) *âme charitable (au sens ironique):* (I) défenseur de la veuve et de l'orphelin, redresseur de torts.

dogs n (2) *les pieds:* (I) petons; (II) pinceaux, pattes; (III) argasses, arpions, artous, griffes, raquettes, patins, patoches, panards, pâturons, pince, pingouins, pingots, ribouis, trottines. to go to the d. (1) *aller à la ruine:* (I) se couler; (II) se débiner, se claquer; (III) partir en brioches [couilles]. to call off the d. (2) *cesser les hostilités;* (II) mettre les pouces.

dog tag n (2 mil.) *plaque d'identité militaire des soldats américains.*

dog tired adj (1) *très fatigué:* (II) claqué: BEAT.

do-it-yourself vt (2) *faire soi-même de petits travaux manuels:* (I) bricoler, faire de la bricole.

do-it-yourselfer n (2) *qui aime bricoler:* (I) bricoleur.

doll n (2) *jolie femme:* (I) poupée: BEAUT. to d. up (2) *orner;* (I) requinquer, bichonner. to d. oneself up, to get dolled up (2) *se vêtir avec élégance:* (I) être tiré à quatre épingles: DECKED OUT.

dollar—to bet one's bottom d. (2) *parier son dernier sou:* (I) jouer son va-tout: BUNDLE.

dome n (2) *tête:* (I) caboche; (II) boule: BEAN.

done—to be d. in (1) *être très fatigué:* (I) être claqué: BEAT. to be d. for (2) *être ruiné:* (I) être cuit: COOKED. to be all d. up (2) *être habillé élégamment:* (I) être endimanché: DECKED OUT. to be d. out of s.t. (2) *être privé de q'ch. par tromperie:* (III) être refait: CLIPPED.

donnybrook n (2) *rixe, bagarre:* (II) bigorne, châtaigne, coup de tampon [torchon, Trafalgar, chien]; (III) baroud, corrida, rif, rififi, torchée, badaboum.

doodad n (1,II) machin, truc, chose, fourbi.

doodlebuggy n (2) *voiture d'enfant, landau:* (I) poussette.

doohickey n (1,II) machin, truc, chose, fourbi.

doojigger n (1) DOOHICKEY.

dooley n (1) *étudiant de l'académie d'aviation de l'armée américaine.*

doorknob—deaf as a d. (2) *très sourd:* (I) dur d'oreilles, sourd comme un pot; (III) dur [constipé] des feuilles, ayant les portugaises ensablées, sourdingue, ayant des boules de gomme dans les zozos [portugaises], ayant du miel dans les cliquettes.

doozy n (2) *q'ch. d'extraordinaire:* (II) q'ch. du tonnerre: DAISY.

dope n (2) *sot, idiot:* (I) crétin, cruche: BLOCKHEAD. (2) *stupéfiants, drogues:* (III) stupes, came, topette, chnouf; (2) *renseignement confidentiel:* (I) tuyau; (III) tubard, rancard, rencard. to act like a d. (2) *faire des choses stupides:* (I) nigauder; (II) faire le Jacques; (III) déconner, jouer au con, merdoyer, faire des conneries. to d. oneself up (2) *se droguer:* (III) se camer, se doper, prendre une petite, se chnouffer. to d. up (2) *mettre sous l'influence des stupéfiants:* (III) camer, chnouffer. to give s.o. the (latest) d. (2) *mettre q'un au courant:* (I) mettre à la page; (III) tuyauter, affranchir: CLUE IN. to get the d. (2) *chercher à se renseigner:* (I) se tuyauter, se mettre à la page; (II) prendre la température; (III) se tubarder, se mettre à la coule. to know the latest d. (2) *être au courant:* (I) être à la page: BALL. to d. s.t. out (2) *découvrir la solution:* (II) trouver le joint.

dope fiend n (2) *toxicomane:* (I) drogué; (III) camé, chnouffé.

dope racket n (2) *trafic de drogues.*

dope sheet n (2) *journal hippique:* (III) le papier.

dopester n (2) *qui vend des renseignements sur les chevaux de course:* (II) tuyauteur; (III) tubardeur, tipster.

dopey adj (2) *sot, stupide, abruti:* (I) bêta, bouché, fada, déphosphaté, déplafonné, à la masse, bêtasse, ganache; (II) tourte, bouché à l'émeri, gourde, truffe, tarte, empoté; (III) lourdingue; (IV) con, conne, connasse.

do-re-mi n (2) *argent:* (III) braise: BRASS.

dorm (abbr. of dormitory) n (1) *dortoir.*

dose—to catch a d. (3) *attraper une maladie vénérienne:* (III) être plombé [assaisonné, attigé]. to d. s.o. up (3) *contaminer q'un avec une maladie vénérienne:* (II) plomber, attiger, assaisonner. to be dosed up (3) *souffrir d'une maladie vénérienne:* (III) être plombé; (III) être nase [nasebroque], avoir le panari chinois.

dot—on the d. (1) *juste à l'heure nommée:* (I) à pic; (II) pile.

dotty adj (1) *un peu fou:* (I) timbré: BATS.

double cross n (2) *tromperie, mauvais tour:* (II) entourloupette; (III) doublage*, turbin, repassage.

double-cross vt (2) *tromper, manquer à une promesse:* (III) doubler*, repasser, mener en double, faire un turbin à, arnaquer.

double-crosser n (2) *trompeur:* (I) faux-frère; (II) faux-jeton, renard; (III) bordille, arnaqueur.

double-decker n (1) *sandwich fait de trois tranches de pain avec une garniture (souvent complexe) intercalée.*

double-dome n (2) *intellectuel:* (II) ponte, mandarin, grosse tête, blouse blanche.

double-o—to give the d. (2a) *regarder, observer:* (I) reluquer, matouser; (II) viser, zieuter, loucher sur; (III) gaffer, mater.

double or nothing (2) *quitte ou double.*

double sawbuck n (2a) *billet de 20 dollars.*

dough n (2) *argent:* (III) pèze, pognon: BRASS. to be [roll] in the d. (2) *être riche:* (II) être aux as; (III) être au fric: BANKROLL. to dish out [hand over] the d. (2) *payer, donner de l'argent:* (II) casquer: ANTE UP. to marry into the d. (2) *se marier à une femme riche:* (II) épouser la grosse galette [un gros magot]. to rake in the d. (2) *gagner beaucoup d'argent:* (II) faire sa pelote; (III) afflurer, ramasser le fric. to piss one's d. away (3) *dépenser son argent inconsidérément:* (III) fusiller [balancer, claquer] son pèze [fric, pognon, etc.]. to throw one's d. around (2) *dépenser son argent avec ostentation.*

doughboy n (1a) *fantassin:* (II) biffin, pousse-cailloux: DOGFACE.

doughfoot n (2) *fantassin:* DOUGHBOY.

down—to be d. on s.o. (1) *en vouloir à q'un:* (I) avoir [conserver, tenir] une dent contre q'un; (II) être en renaud contre q'un; (III) avoir q'un dans le nez [pif, tarin, etc.]. to be d. for the count (2) *être knock-out (à la boxe).* (2) *être ruiné:* (I) être cuit: COOKED. to be d. on one's luck (2) *avoir de la malchance:* (I) avoir la guigne; (II) avoir la déveine; (III) avoir la poisse: JINXED. to be [feel] d. in the mouth (2) *se sentir déprimé:* (I) avoir le cafard: BLUES. to be d. and out (1) *être dans la misère:* (I) être sur le pavé, traîner la savate; (II) être dans la dèche [débine, mélasse, pommade, purée, panade, panne]; (III) être dans la mouise [mouscaille, merde], être de la zone, traîner les lattes [patins, savates], crever la faim.

down-and-outer n (2) *miséreux:* (II) crève-la-faim; (III) purotin, traîne-lattes: BUM.

drag n (2) *influence:* (I) piston. (2) *individu ennuyeux:* (I) crampon; (III) bassin: CREEP. (2) *une bouffée de cigarette.* to have d. (2) *avoir de l'influence:* (I) avoir le bras long, avoir du piston. to take a d. on a cigarette (2) *prendre une bouffée:* (III) en griller une. to use d. (2) *profiter de son influence politique:* (I) faire les couloirs, pistonner. to d. one's feet (2) *travailler à contre-coeur;* (I) renâcler à la besogne: GOLDBRICK. to be dragged out (2) *être fatigué:* (II) être vanné: BEAT.

dragon—to chase the d. (2a) *avoir la toxicomanie:* (III) marcher au thé [à la topette].

drag race n (2) *course de vieilles voitures (dont les moteurs sont gonflés) organisée à l'intention des jeunes fanatiques de l'automobile.*

drain—to go down the d. (2) *tourner court (un projet):* (I) tomber à l'eau; (II) être dans le lac, finir [tourner] en eau de boudin; (IV) partir en couilles. (2) *être gaspillé (argent):* (I) fondre comme neige au soleil; (II) être argent foutu par la fenêtre. to d. s.o. dry (1) *ôter à q'un tout son avoir (peu à peu, avec ou sans tromperie):* (I) saigner q'un à blanc, ficher q'un sur la paille, tondre la laine sur le dos à q'un: CLEAN OUT.

draw—to be quick on the d. (1) *être rapide à dégaîner son arme:* (II) avoir la détente facile, être rapide à la détente*. (2) *être doué d'une intelligence vive:* (I) avoir une grosse tête; (II) avoir la comprenette facile; (III) en avoir dans le chou [cigare, citron, etc.]. to be slow on the d. (1) *être lent à* *dégaîner son arme:* (I) avoir la détente diffi- cile. (2) *avoir l'intelligence lourde:* (I) n'- avoir pas inventé la poudre, être lourd [bouché, cruche], avoir le cerveau sous- développé; (II) avoir la comprenette difficile, être lourdeau [ballot, balluche, baluchon]; (III) être lourdingue.

dream—to d. s.t. up (1) *inventer q'ch. d'ins- piration, concevoir q'ch. sous l'effet de l'imagination.*

dreamboat n (2) *jolie jeune fille:* (II) prix de Diane: BEAUT.

dressing-down n (1) *verte réprimande:* (II) engueulade: BAWLING-OUT.

dressy adj (1) *chic, élégant.*

dribs—in d. and drabs adv (2) *peu à peu:* (I) au compte-gouttes.

drift—to catch the d. of s.t. (2) *comprendre (sans avoir tous les détails):* (III) piger, en- traver.

drill vt (2) *fusiller, tirer sur:* (III) flinguer: PLUG.

drink n (2) *l'océan, la mer:* (III) la grande tasse, la mare aux harengs. (2) *l'eau:* (III) la flotte, le bouillon, la baille, le Kirsch. to toss [fling] into the d. (2) *jeter à l'eau:* (III) balancer [flanquer, filer] à la baille. to fall into the d. (2) *tomber dans l'eau:* (III) tom- ber dans le jus [bouillon, la flotte, à la baille]. to drive s.o. to d. (1) *pousser q'un à la boisson.*

drip n (2) *personne ennuyeuse, désagréable, inepte:* (I) crampon; (II) rasoir: CREEP.

driver—to be in the driver's seat (2) *avoir la direction de, avoir le pouvoir:* (I) tenir la queue de la poêle, tenir les rênes.

drizzle puss n (2) *personne désagréable, acariâtre:* (II) châmeau; (IV) bâton mer- deux, vieux con, peau de vache, emmerdeur.

droop n (2) DRIP.

droopy drawers n (2) *enfant qui perd tou- jours son slip ou sa culotte.*

drop n (2) *bureau, bar, etc., où l'on dépose les encaissements d'une loterie clandestine.* at the d. of a hat adv (2) *tout de suite, sans hésitation:* (II) tout de go, aussi sec, illico (presto), de rif, d'autor, d'entrée. to d. a card [letter] to s.o. (1) *écrire à q'un:* (I) envoyer un mot à q'un; (III) babillarder. to d. (a given quantity of money) (1) *perdre (une certaine quantité d'argent, surtout au jeu):* (III) paumer, se faire fusiller de. to d. off (to sleep) (1) *s'endormir:* (I) tomber dans les bras de Morphée; (II) s'écrouler; (III) s'enroupiller. to d. s.o. off (1) *déposer*

un passager d'une voiture: (I) descendre q'un; (III) larguer q'un. to d. s.t. like a hot potato (2) *se débarrasser de q'ch. brusque- ment:* (I) laisser tomber [choir]; (III) pla- quer. to get the d. on s.o. (2) *sortir son arme avant l'adversaire (et de ce fait être en posi- tion avantageuse)* (2) *gagner l'avantage sur q'un:* (I) prendre le pas sur q'un, gagner q'un de vitesse.

drug out—to be d. o. (2) DRAGGED OUT.

drugstore cowboy n (2a) *jeune homme qui fréquente les "drugstores" pour se divertir.*

drum—to beat the drums for s.o. (1) *faire de la publicité pour q'un:* (I) faire du battage [tam-tam] pour q'un.

drummer n (1a) *commis voyageur:* (III) roulant.

dry—to be d. as a bone (2) *avoir grand soif:* (II) avoir la pépie, avoir une soif de serpent; (III) avoir la dalle en pente. to d. up (2) *se taire:* (II) la boucler: CLAM UP. d. up! (2) *tais-toi!:* (II) ferme-la! boucle-la! la barbe! va te coucher! écrase!; (III) ferme ta gueule! not d. behind the ears (2) *jeune et sans ex- périence:* (I) être morveux, se moucher sur la manche, avoir le lait qui sort du nez*.

dry run n (2 mil.) *exercices d'entraînement avec munitions "à blanc."* (2) *répétition.*

ducat n (2a) *billet d'entrée:* (II) bifton, biffeton, tickson.

duck n (2) *urinal destiné aux malades mas- culins:* (I) pistolet. to d. in (2) *entrer brusque- ment:* (II) radiner: BLOW IN. to d. out (2) *sortir (en hâte):* (I) ficher le camp; (III) décarrer, démurger, décaniller, se faire la cerise. to try to d. s.o. (or s.t.) (1) *essayer d'éviter.*

duck egg n (2) *zéro:* (I) zéro pointé.

duck fit—to have [throw] a d. f. (2) *se met- tre en colère:* (I) s'emballer, voir rouge: BLOW UP.

duck soup n (2) *q'ch. de très facile:* (I) bête comme chou; (II) cousu-main: ABC.

ducky adj (2) *excellent, très satisfaisant:* (II) bath, boeuf: A-NUMBER ONE.

dud n (2) *obus non éclaté.* (2) *insuccès:* (I) four: BUST. (2) *individu incapable, in- compétent:* (I) raté; (III) loquedu.

duds n (2) *vêtements:* (II) fringues, pelure; (III) sapes, frusques, linge, nippes, loques, fripes. to put on one's d. (2) *s'habiller:* (II) se fringuer; (III) se frusquer, se loquer, se linger, se nipper, se saper, se friper.

duffer n (2) *individu maladroit, incom- pétent, stupide:* (II) cruche, gourde: BLOCK-

HEAD. old d. n (2) *vieillard:* (II) vieux bonze, vieille baderne: ANTIQUE.

dukes n (2) *mains, poings:* (I) pattes; (II) battoirs, cuillers, cuillères; (III) louches, grappins, grattantes, griffes, palettes, paluches, papognes, patoches, pognes, pinces.

dumb adj (1) *stupide, sot:* (I) bouché; (II) déplafonné: DOPEY. to play d. (1) *feindre de ne rien comprendre:* (I) faire l'idiot ['l'imbécile]; (IV) jouer au con. to put on the d. act (2) PLAY DUMB.

dumbbell n (2) *personne stupide:* (II) gourde: BLOCKHEAD.

dumb blonde n (2) DUMB DORA.

dumb bunny n (2) DUMBBELL.

dumb cluck n (2) DUMBBELL.

dumb Dora n (2) *femme stupide:* (I) bêtasse, bêta, pécore, bécasse, dinde, tourte; (IV) connasse.

dumbhead n (2) DUMBBELL.

dumb jerk n (2) DUMBBELL.

dummox n (2) DUMBBELL.

dummy n (2) DUMBBELL. to d. up (2) *se taire:* (II) la boucler: CLAM UP.

dump n (2) *maison, chambre, etc., sale et mal tenue:* (I) baraque: DIVE. to d. s.o. (2) *se débarrasser de, abandonner q'un:* (I) laisser tomber, plaquer: DITCH.

dun n (2a) *voyou armé engagé comme assassin.*

dunk—to take a quick d. (2) *prendre un bain rapide:* (I) faire (une) trempette.

dust—to make s.o. eat one's d. (2) *dépasser (en véhicule ou au fig.):* (II) faire la pige à q'un; (III) se farcir q'un (auto). to d. s.o. off (2a) *se débarrasser de q'un:* (I) plaquer: DITCH. (2) to d. s.t. off (2) *faire q'ch. rapidement:* (I) bâcler, torcher.

dusting n (2a) *volée de coups:* (I) trempe: ANOINTING.

Dutch—to be in D. (2) *être dans une situation difficile, dans une mauvaise passe:* (I) être dans un coup fumant [le pétrin]: HOT WATER. to go D. (treat) (1) *partager les frais, payer son écot.* that beats the D. (2) *c'est ce qu'il y a de mieux:* (I) c'est le bouquet, c'est la fin des haricots. to do the D. act (2) *se suicider:* (III) se buter, se crounir, se faire sauter le crâne. to speak like a D. uncle (1) *parler franchement et sérieusement:* (I) dire ses quatre vérités (à q'un); (II) vider son sac. to take D. leave (2) *partir sans faire ses adieux:* (I) filer à l'anglaise. D. courage (1) *courage trouvé dans l'alcool.*

dyke n (3) *lesbienne:* DIKE.

eager beaver n (2) *personne zélée qui aime travailler:* (II) un dur au boulot, fayot.

eagle-beak adj (2) *au nez long et pointu:* (I) bec d'aigle; (II) qui a un nez à piquer les gaufrettes.

ear—to bend s.o.'s e. (2) *parler avec abondance à q'un:* (I) casser les oreilles à q'un. to chew [talk] s.o.'s e. off (2) BEND S.O.'S EAR. to go in one e. and out the other (1) *entrer par une oreille et sortir par l'autre.* to give [lend] an e. (1) *écouter:* (I) prêter l'oreille; (III) esgourder, clocher. to play it by e. (2) *agir selon le déroulement des circonstances, sans préméditation.* to pound the e. (2) *dormir:* (I) faire dodo; (II) roupiller, roupilloner; (III) pioncer, ronfler, zoner, en écraser, faire schloff [un coup de traversin], piquer [faire] un roupillon [une ronflette]. in a pig's e.! (2) *rien à faire!, pas du tout!;* (II) mon oeil!: EYE. to be easy on the ears (2) *être agréable à écouter (musique, une voix, etc.):* (I) être du velours [du miel]. to be all ears (1) *écouter avec intensité:* (I) être tout oreilles*. to clip [pin] s.o.'s ears back (2) *donner une verte réprimande:* (II) enguirlander: BAWL OUT. to be wet [not dry] behind the ears (2) *être jeune et sans expérience:* (I) se moucher sur la manche, avoir le lait qui sort du nez. to stand them on their ears (2) *remporter un gros succès (théât.):* (II) faire crouler la baraque: AISLES. (2) *faire un gros succès (en général):* (II) faire un boum.

earful—to catch an e. (1) *surprendre toute une conversation.* (1) *être vertement réprimandé:* (I) en prendre pour son grade: BAWLED OUT. to give s.o. an e. (1) *dire à q'un tout ce qu'on a sur le coeur:* (I) vider son sac à q'un (1) *réprimander q'un:* (II) engueuler q'un: BAWL OUT.

early bird n (1) *qui se lève ou arrive de bonne heure:* (I) oiseau du matin*.

easy—to be e. on the eyes (2) *être joli, agréable à regarder:* (I) chouette; (III) badour: CLASSY. to be e. to take (2) *être agréable, facile à accepter:* (I) to get [be let] off e. (2) *recevoir une punition minimum:* (I) s'en tirer à bon compte; (II) l'échapper belle. to be e. as falling off a log (2) *être très facile:* (I) être l'enfance de l'art: ABC. to take it e. (1) *travailler mollement, ne pas dépenser beaucoup d'énergie:* (I) ne pas se faire des ampoules aux mains: BUM AROUND. (1) *ne pas se laisser emporter par la colère:* (I) ne pas s'emballer. e. does it! (2) *doucement!;* (II) mollo.

easy buck n (2) *argent facilement gagné:* (III) fleur, bouquet.

easy dollar n (1) EASY BUCK.

easy lay—to be an e. l. (3) *être une femme de moeurs faciles:* (II) avoir la cuisse hospitalière: BAG.

easy make n (2) EASY LAY.

easy mark n (1) *individu crédule, facile à duper:* (I) jobard; (III) cave: BOOB.

easy money n (1) EASY BUCK.

easy pickings n (2) EASY BUCK.

easy street—to be on e. s. (1) *être dans une bonne situation, à l'aise:* (I) être dans les eaux grasses, avoir le filon, être [vivre] comme un coq en pâte, mettre la poule au pot, avoir le dos au feu et le ventre à table, avoir les poches bien garnies, filer des jours d'or et de soie; (II) être dans un fauteuil doré; (III) se la couler douce, se la faire belle.

eating—what's e. him? (2) *pourquoi se fâche-t-il?:* (1) quelle mouche le pique?

eatery n (2) *restaurant sans mérite:* (II) gargote.

eats n (1) *repas, nourriture:* (III) briffe: CHOW.

ecdysiast n (2a) mot inventé par H. L. Mencken, (philologue américain): *effeuilleuse, "strip-teaseuse."*

edge—to have an [the] e. on s.o. (1) *avoir un avantage sur q'un:* (I) avoir barre sur q'un; (II) tenir la corde à.

eel—as slippery as an e. (2) *se dit d'une personne dont il faut se méfier:* (I) vieux renard, (sacré) roublard, méchant comme la peste.

effort—to get an E for e. (2) *avoir ses efforts reconnus même si on n'a pas réussi.*

egg n (2) *individu, homme:* (III) mec: CHAP. to lay an e. (2) *avoir un insuccès (se dit surtout d'un spectacle, oeuvre littéraire, etc.):* (I) faire four: BLOW UP.

eggbeater n (2a) *hélicoptère:* (III) battoir à oeufs*, ventilateur, marguerite, moulin.

egghead n (2) *intellectuel:* (II) ponte, mandarin. grosse tête; (III) blouse blanche (argot des usines).

eight ball—to be behind the e. b. (2) *être dans une mauvaise passe:* (I) être dans le pétrin: HOT WATER. to get out from behind the e. b. (2) *sortir de l'embarras:* (II) se débrouiller: CLEAR.

eighter from Decatur n (2) *le "huit" dans le jeu de dés.*

elbow—to bend the e. (2) *boire excessivement:* (I) lever le coude*: BOOZE.

elbow grease n (1) *effort physique considérable:* (I) huile de coude* [bras, poignet].

emcee n (2) *maître de cérémonie (adaption phonétique de l'abréviation M.C. pour "Master of Ceremonies").*

emote vi (1) *montrer ses émotions avec ostentation:* (II) faire du cinéma [théâtre].

empty—to be e. (1) *avoir faim:* (I) avoir l'estomac dans les talons; (II) avoir la dent [la fringale]; (III) avoir les crochets [les crocs], la péter, la sauter, danser devant le buffet.

end—to be on the receiving e. (2) *être celui qui doit accepter ou recevoir q'ch. de désagréable, être soumis à la volonté d'autrui.* to get the short e. (of the deal, of the stick) (2) *tirer d'une affaire moins de profit que ses partenaires, tirer le pire partie de q'ch.:* (I) être Gros-Jean comme devant; (II) aller peigner ses biques; (III) se faire arranger; (IV) être baisé. no e. of (1) *beaucoup de:* (II) une potée de: BAGS OF. to the bitter e. (1) *jusqu'au bout, jusqu'à la fin:* (II) jusqu'à la gauche.

epizootic n (2a) *maladie sans nom défini:* (III) pécole, chichite.

erase vt (2) *tuer, assassiner:* (III) effacer*: BUMP OFF.

even—to break e. (2) *sortir d'une affaire sans perte ni gain:* (I) rentrer dans son argent, joindre les deux bouts; (II) retomber sur ses pattes. to get e. with s.o. (1) *se venger de q'un:* (II) rendre à q'un un chien de sa chienne.

even steven—to be e. s. (2) *être quitte.* to go e. s. (2) *partager également les profits, les frais, etc.:* (III) aller [marcher] fifti-fifti [afanaf].

every so often adv (2) *de temps en temps.*

everything—e. from soup to nuts (2) *toute la gamme:* (I) de A à Z; (II) tout le bataclan, tout le toutime: CABOODLE.

every which way adv (2) *sans ordre:* (I) en pagaille [pagaïe, pagaye].

excess baggage n (2) *poids superflu (se dit de personnes grosses et grasses).*

ex-con (abbr. of ex-convict) (2) *ancien prisonnier:* (III) largué, relargué.

expecting—to be expecting (1) *être enceinte:* (III) avoir avalé le pépin: ANTICIPATING.

experience—to chalk it up to e. (1) *porter un échec ou une perte au profit de l'expérience.*

extracurricular activity n (2) *relations extra-conjugales (euphémisme humoristique):* (II) coup de canif dans le contrat.

exurbia n (1) *régions plus éloignées que les banlieues où les riches Américains se retirent pour échapper à la vie bruyante des villes.*

eye—to give s.o. the e. (2) *donner à q'un un regard aguichant:* (I) faire de l'oeil à q'un; (III) faire un appel. (2) *faire un signe (de reconnaissance, d'avertissement, etc.) en clignant l'oeil:* (I) faire de l'oeil. to get the e. (2) *recevoir un regard aguichant:* (III) recevoir un appel. to e. up and down (1) *observer, regarder attentivement:* (I) reluquer; (III) mater: DOUBLE-O. to keep an e. on (1) *surveiller:* (I) avoir à l'oeil; (II) viser, avoir dans le collimateur. to keep one's weather e. open (1a) *être sur le qui-vive.* to look at with a jaundiced e. (2) *regarder (q'un ou q'ch.) avec méfiance:* (II) loucher sur. in a pig's e.! (2) *pas du tout!, rien à faire!:* (II) mon oeil; (III) y a pas mèche, va te faire foutre; (IV) mon zob. in the bat of an e. (1) *en un clin d'oeil:* (I) au pied levé; (III) aussi sec, recta. without batting an e. (1) *sans sourciller, sans broncher:* (II) sans bouger d'une oreille*. a sight for sore eyes (2) *chose très agréable à voir (surtout un ami qu'on n'a pas vu depuis longtemps):* (I) un régal pour les yeux*. to make eyes at s.o. (2) *donner à q'un un regard aguichant:* (I) faire de l'oeil à; (III) faire un appel à. to have eyes for s.o. (2) *être épris de q'un.:* (I) avoir le béguin pour; (III) avoir à la bonne: BATS. to keep one's eyes peeled (2) *être sur ses gardes:* (I) se tenir [garder] à carreau; (III) faire gaffe.

eyebrow—misplaced e. (2a) *moustache:* (II) charmeuses, bacchantes; (III) balai à chiottes.

eye-filling adj (2a) *élégant, beau, joli:* (I) chouette; (II) bath: CLASSY.

eyeful n (2) *jolie femme:* (I) poupée; (II) prix de Diane. to get an e. (1) *tout voir, voir q'ch. de très amusant, intéressant, etc.:* (I) se rincer l'oeil; (II) s'en mettre pleins les yeux; (III) s'en mettre plein les mirettes [quinquets, châsses].

eye opener n (2) *boisson alcoolisée qu'on prend le matin en se levant:* (II) rince-cochon, goutte pour tuer le ver.

eye-popper n (2) EYEFUL.

eyeteeth—to cut one's eyeteeth on (2) *faire ses premières expériences sur:* (I) se faire la main sur; (II) essuyer les plâtres.

eyewash n (2) *flatterie:* (II) baratin: APPLE-SAUCE. (2) *non-sens:* (II) foutaise: APPLE-SAUCE.

Eytie n (2a) *Italien:* (III) rital, macaroni.

face—to make a (sour) f. (2) *faire la moue:* (II) faire la [une] gueule. to feed one's f. (2) *manger:* (II) bouffer, becqueter: CHOW. to button up one's f. (2) *se taire:* (I) avoir la bouche cousue*; (II) fermer sa boîte: CLAM UP. to lose f. (1) *perdre la face:* (III) avoir l'air con [d'un con]. slap in the f. (2 fig.) *affront:* (I) camouflet.

fade to do a f. (2) *s'enfuir, disparaître:* (I) prendre le large: BEAT IT. to f. out of the picture (2) *s'effacer, disparaître:* (II) se déguiser en courant d'air; (III) jouer rip. to do a f. on s.o. (2) *s'échapper, abandonner q'un:* (I) filer à l'anglaise; (III) laisser choir [en rade, en frime, en rideau], larguer.

fag n (2) *cigarette:* (III) sèche: BUTT. n (3) *homosexuel, pédéraste:* (III) tapette, tante, Mme Arthur, tantouse, tantinette, P.D., pédé, pédéro, soeur, fagot, girond, pédoque, lope, lopaille, lopette; (IV) papaout, enculé, emmanché, empaffé, empapaouté, empaqueté, emprosé, fiotte.

faggot n (2) *pédéraste:* FAG.

fair—f. and square (2) *honnêtement, franchement:* (I) entre hommes; (II) à la loyale. fair to middling (1) *ni bon, ni mauvais:* (II) couci-couça.

fair-haired boy n (1) *le favori (surtout q'un qui est dans les bonnes grâces du patron):* (I) le chouchou, la coqueluche.

fairy n (2) *homosexuel:* FAG.

fairyland n (2) *la monde des pédérastes:* (III) la pédale, la jaquette; (IV) les chevaliers du prépuce-cul.

fake adj (1) *faux, artificiel:* (III) toc.—n *imposteur:* (II) rossignol; (III) bidon: CRAP. to f. it (2) *improviser (théâtre, musique):* (III) faire du texte [de la toile], jouer en si bémol, galvanisé [gratiné] (pour la musique).

faker n (1) *personne malhonnête:* (II) faisan, arnaqueur arrangeur, estampeur; (III) faisandier, faiseur, turbineur, truand.

fall—to fake a f. (2) *simuler un accident:* (III) piquer le [un] macadam [tickson]. to f. flat (1) *échouer:* (I) faire four; (II) finir en eau de boudin: BLOW UP. to f. for (2) *s'amouracher de, être épris de:* (I) s'enticher de: APE. (2) *tomber dans un piège:* (I) mordre, gober: BAIT. to take a f. (2) *se faire arrêter:* (III) se faire tomber*: CLIPPED. (2) *en sport, se faire battre à dessein:* (II) se coucher, se faire acheter. to be headed for a f. (2) *courir à sa perte, marcher vers la déconfiture:* (II) aller au casse-gueule.

fall guy n (2) *victime d'une escroquerie, d'une tromperie:* (I) le dindon de la farce;

(III) pigeon: BOOB. to be the f. g. (2) *être la victime:* (III) être pigeonné [marron]; (IV) être baisé: CLIPPED. (2) *être condamné pour les crimes d'autrui:* (III) porter le chapeau: BADA.

falsies n (1) *seins artificiels (de caoutchouc, etc.).* (II) faux nénés; (III) Roberts de chez Michelin.

family jewels n (3) *testicules:* (II) bijoux de famille*; (IV) burnes: BALLS.

family way—to be in a f. w. (1) *être enceinte:* (I) être dans une situation intéressante: ANTICIPATING.

fan n (1) *fanatique de cinéma, radio, etc., admirateur (d'une vedette, etc.):* (II) fan, fana. to fan vt (2a) *fouiller un prisonnier ou un suspect:* (III) faire la barbote, barboter.

fancy—to tickle one's f. (1) *interesser, donner envie:* (I) mettre l'eau à la bouche.

fancy Dan n (2a) *homme élégant, dandy.*

fancy lady [woman] n (2 euph.) *prostituée:* (II) grue; (III) tapineuse: HOOKER.

fancy pants n (2a) FANCY DAN.

fanny n (2) *fesses:* (I) arrière-train: ASS. to fall on one's f. (2) *tomber (sur les fesses):* (I) prendre un billet de parterre: CROPPER. to wiggle one's f. (2) *se dépêcher:* (II) se magner (le derrière*), se grouiller: GAS.

fare-thee-well—to beat s.o. to a f.-t.-w. (2) *battre q'un complètement:* (I) battre q'un à plate couture: BASH.

far-out adj (2) *bizarre, excentrique:* (II) louf*, loufoque, farfelu, branquignole, branque.

fart n (3) *pet:* (IV) cloque, perle, perlouze, louise, pastoche—vi (3) *péter:* (IV) en écraser une, lâcher une perle [perlouze, louise, pastoche], déchirer son froc [falzard, flosse, grimpant, bénard].

fart-sack n (3 mil.) *sac à coucher:* (III) sac à viande [bidoche]. (3) *lit:* (III) page: BUNK.

fast—to make a f. buck (2) *gagner de l'argent par des moyens douteux:* (I) fricoter, tripoter; (I) trafiquer. to be in f. company (2) *fréquenter le grand monde, les gens riches.* (I) fréquenter les huiles; (III) se frotter au gratin, frayer (avec) le beau linge. f. count n (2) *décision arbitraire (d'après les matchs de boxe où l'arbitre peut déclarer un compétiteur "knock-out" en comptant plus vite.* f. one n (2) *tromperie, action douteuse:* (II) saloperie; (III) doublage, coup en vache, turbin, to pull a f. one on (2) *tromper:* (I) se payer la tête [figure], faire une saloperie à, empaumer, arranger; (II) se payer la fiole [tranche] de, doubler, refraire.

fat adj (2) *indiquant, par ironie, le manque de.* f. chance (2) *pas de possibilité.* f. choice (2) *manque de choix.*

fathead n (1) *personne stupide:* (I) cruche: BLOCKHEAD.

fatso n (2) *personne grasse:* (I) dondon; (II) patatouf, bouboule, plein de soupe, rondouillard; (III) gravos.

fatty n (1) FATSO.

fay n (2a) *personne de race blanche (argot des nègres.):* (II) visage pâle.

faze vt (1) *gêner, énerver, troubler:* (I) casser les oreilles [pieds], fatiguer; (II) cavaler (sur le système), courir sur l'haricot.

featherbrain n (1) *sot, individu stupide:* (I) tête de linotte: BLOCKHEAD.

feather merchant n (2) *personne qui, en temps de guerre, se soustrait à ses devoirs envers son pays.*

feathers n (2) *lit:* (II) plumard*: BUNK. to hit the f. (2) *se coucher:* (III) se plumarder: BUNK DOWN.

federal case—to make a f. c. out of (2) *en faire toute une histoire:* (I) en faire une affaire d'Etat*, en faire un drame; (II) en faire tout un plat [toute une tartine]; (III) en faire un pallas [une salade].

feds n (2) *agents du F.B.I. (Federal Bureau of Investigation).*

fed up—to be f. u. (to the hilt) (2) *en avoir assez:* (II) en avoir marre: BELLYFUL.

feed n (2) *repas:* (I) la soupe (militaire), la bouffe: CHOW. to be off one's f. (2) *se sentir malade:* (I) être patraque: BAD SHAPE.

feedbag—to put [tie] on the f. (2a) *manger:* (II) aller à la soupe: CHOW.

feel—to f. up to s.t. (2) *se sentir capable de faire q'ch.:* (I) être à la hauteur. to f. up (2) *caresser q'un subrepticement:* (I) tripoter; (II) peloter; (III) mettre la main au panier [pot]. to feel s.o. out (1) *sonder discrètement les sentiments de q'un:* (I) tâter q'un. to cop [grab] a f. (2) FEEL UP.

feelings—to have hard f. against s.o. (2) *en vouloir à q'un:* (I) avoir [garder, conserver, tenir] une dent contre q'un; (III) être en renaud [suif] contre q'un.

fee-splitting n (1) *ristourne qu'un médecin fait à un confrère qui lui a recommandé un client (méthode sévèrement jugée par le corps médical):* (I) dessous de table.

feet—to be out on one's f. (2) *être épuisé:* (II) être sur les rotules*: BEAT. to be six f. under (2) *être enterré:* (II) manger les pissenlits par les racines: DAISIES. (II) to get back on one's f. (2) *se remettre sur pied (physiquement ou financièrement):* (I) retaper; (II) se rebecqueter: COMEBACK. to go out f. first (2) *mourir:* (II) s'en aller les pieds devant*: BUCKET. to have two left f. (2) *être maladroit:* (I) être pataud [godiche, empaillé]; (II) être adroit de ses mains [pattes] comme un cochon de sa queue, être gourde [empoté]. to jump in f. first (1) *s'engager sans hésitation:* (I) prendre à bras-le-corps, se jeter dans la mêlée, descendre dans l'arène; (II) foncer tête baissée; (III) foncer dans le brouillard. to keep one's f. on the ground (1) *rester calme, lucide:* (I) avoir les deux pieds sur terre*, n'avoir pas la tête dans les nuages, avoir la tête sur les épaules; (II) ne pas perdre les pédales [le nord, la carte]. to take a load off one's f. (2) *s'asseoir:* (II) poser ses fesses: (III) se taper le train, se coincer la meule [les meules].

fence n (1) *receleur:* (III) fourgue, franquiste. to f. vt (1) *receler:* (III) fourguer. the part that goes over the f. last. n (2) *le bas du dos de la poule:* (II) l'as de pique, le bonnet d'archevêque. to go over the f. (2) *s'échapper de prison:* (II) faire le mur*: HILL.

fess—to f. up (2a) *confesser, avouer:* (III) se mettre à table: BELCH.

fetching adj (1) *chic, charmant, beau:* (II) bath: CLASSY.

fiddle—to f. around (2) DIDDLE AROUND. (II) tirer sa flemme: BUM AROUND. to f. (around) with (2) *faire q'ch. négligemment:* (I) bricoler. (2) *trafiquer pour ses propres intérêts:* (II) fricoter: DOCTOR.

field—to play the f. (2) *flirter avec plusieurs personnes sans fixer son choix:* (I) butiner, courir la prétentaine. to buzz the f. (2) *pour un avion, voler à très basse altitude au-dessus de l'aéroport:* (I) voler en rase-mottes; (III) passer au ras des marguerites, raser le tapis. to sweep the f. (1) *gagner tous les prix dans une compétition sportive:* (1) écraser les autres: (III) faire la barbe. to trail the f. (2) *être à l'arrière des autres concurrents:* (I) être écrasé; (III) être dans les choux, faire le feu (la lanterne) rouge.

fiend n (1) *fervent, passionné (s'emploie comme suffixe: ex. "cigarette-fiend"):* (I) emballé par [mordu par, intoxiqué par] (II) fana de; (III) bouclé par.

Fifth Amendment—to take the F. A. (1) *en droit, aux Etats-Unis, invoquer la disposition constitutionnelle, selon laquelle un prévenu* ne peut être contraint à témoigner contre lui-même.

fifty-fifty adv adj (1) *moitié-moitié:* (III) afanaf, afeunaf, fifti-fifti.

fig—in full f. (1) *habillé avec élégance:* (III) bien sapé [loqué, fripé].

fight—to pick a f. (2) *chercher querelle:* (III) chercher des rognes [crosses, patins, du suif]. (2) *en sport, se faire battre à dessein:* (III) se coucher. knock-down-and-drag-out f. (2) *rixe, bagarre:* DONNYBROOK.

file 13 n (2) CIRCULAR FILE.

fill—to fill s.o. in (on the details) (1) *donner tous les détails:* (I) mettre q'un à la page; (II) mettre q'un dans le mouvement; (III) affranchir q'un, mettre q'un au coup [parfum], éclairer sur la couleur.

filly n (1) *jeune fille (surtout vivace):* (II) pépée: BABE.

filthy—to be f. rich [f. with dough] (2) *être très riche:* (II) être bourré: BANKROLL.

fin n (2) *main:* (III) cuiller: DUKE. (2) *bras:* (III) aile, aileron, bradillon, anse. (2) *cinq dollars.*

finagle vi (1) *faire des manoeuvres douteuses pour obtenir q'ch.:* (I) tripoter, truquer; (II) fricoter, employer le système D.

finagler n (1) *qui fait des opérations malhonnêtes:* (I) truqueur, débrouillard, tripoteur; (II) combinard*, fricoteur, roublard, fameux lapin; (III) démerdard.

final—to get the f. call (la) *mourir:* (I) répondre au dernier appel*: BUCKET. to take the f. step (2) *se marier:* (II) se mettre la corde au cou, sauter le pas [le fossé]; (III) se caser, se maquer, s'antifler de sec.

finger vt (2) *dénoncer (à la police):* (I) cafarder, moucharder; (II) enfoncer; (III) balancer, ballotter, bourdiller, bourriquer, moutonner, donner, griller, brûler, retapisser. to put the f. on (2) FINGER.—n (2) *indicateur, délateur:* (I) mouchard; (III) balanceur, donneur, indic, bourdille, bourrique, mouche, mouton, chacal, charognard, chevreuil. to have sticky fingers (2) *avoir un penchant pour voler tout ce qui est à portée de la main.* (I) ne laisser rien perdre. to keep one's fingers crossed (2 fig.) *faire signe contre la malchance, un contretemps, une accident, etc.*

finger man n (2) *indicateur, accusateur:* (I) mouchard: FINGER. (2) *voleur à la tire:* (III) fourche, fourchette, pioche, roulottier, tire, tireur.

fingertips—to have at one's f. (1) *connaître parfaitement*: (I) savoir sur le bout des doigts*; (II) être calé en.

finish—to f. off (1) *tuer*: (III) liquider: BUMP OFF.

fink n (2) *indicateur, délateur* (I) mouchard; (III) indic: FINGER. (2) *briseur de grève*: (I) jaune; (II) renard.—vi (2) *avouer, confesser*: (III) se déballer: BELCH. to f. on s.o. (2) *dénoncer q'un*: (II) balancer: FINGER.

fire vt (1) *renvoyer (un employé)*: (III) sacquer: BOUNCE. to be a ball of f. (a fireball) (2) *avoir beaucoup d'énergie, d'entrain*: (I) être d'attaque, avoir de l'allant: BALL. to f. away: (1) *commencer à parler (surtout à poser des questions)*: (I) ouvrir le feu*.

fire—where's the f.? (2) *qu'y-a-t-il de pressé?* (II) où est le feu?

fireball n (2) BALL OF FIRE.

firebug n (1) *incendiaire*.

fire-eater n (2) *pompier*: (II) pompelard.

firewater n (1) *boisson alcoolisée, whisky*: (II) gniole: BOOZE.

first-rate adj (1) *de premier ordre*: (I) le bouquet: A-NUMBER ONE.

first-rater n (2) *personne de premier rang*: (I) as: ACE.

fish n (1) *crédule, naïf*: (I) gobe-mouches: BOOB. n (2) *dollar*: (III) dolluche. to drink like a f. (1) *boire beaucoup*: (III) picoler: BOOZE. to feed the fishes (2) *se noyer*: (II) prendre [avaler] une tasse; (III) boire le bouillon. f. or cut bait! imp. (2) *agissez, ou retirez-vous*. like f.! (2) *pas du tout! rien à faire!*: (III) mon oeil! poor f. (2) *pauvre type, misérable*: (III) paumé, traîne-lattes [patins].

fish-bait—to be f.-b. *se noyer*: FISH.

fisherman—to lie like a f. (2) *mentir*: (II) bourrer le crâne [la caisse, le mou], chiquer, mentir comme un arracheur de dents, charrier; (III) cravater, prendre au col [au colbac, à la cravate].

fish story n (1) *mensonge, exagération*: (I) histoire de pêcheur*; (II) histoire de la cravate, canard, craque: APPLESAUCE.

fish tank n (2) *salle ou cachot où on place les suspects ou les prisonniers avant l'interrogatoire*: (III) cages-à-poules.

fishy n (1) *équivoque, suspect*: (I) louche. there's s.t. f. (2) *il y a q'ch. d'équivoque, de louche*: (I) il y a anguille sous roche; (II) il y a du mic-mac.

fishy-eyed adj (2) *d'un regard froid*: (II) avec des yeux de merlan frit*, avec des yeux de crapaud mort d'amour.

fist—hand over f. adv (1) *facilement et dans de grandes quantités*: (I) à la pelle.

fit—to have [throw] a f. (1) *se laisser emporter par la colère*: (I) s'emballer; (II) piquer une crise: BLOW UP.

five—to take f. (2) *interrompre le travail pour quelques minutes de repos*: (I) faire la pause [pose]; (III) dételer, dégrainer, dégréner.

five-and-dime n (1) *magasin de détail à bas prix*: (I) monoprix, prisunic.

five-percenter n (2) *individu qui spécule sur ses relations avec le gouvernement (allusion à la commission du 5% sur les contrats réalisés par ce moyen)*.

fiver n (2) *billet de cinq dollars*.

five-spot n (2) FIVER.

fix n (1) *situation difficile*: (I) pétrin. (2a) *une dose illicite de drogue*: (III) prise, piquouse. to be in a (bad) f. (1) *être dans une mauvaise passe*: (I) être dans le pétrin; (III) être dans la cerise: HOT WATER. to f. s.o. (1) *soudoyer*: (I) acheter, graisser la patte à; (III) affûter. (1) *se venger de q'un*. to put the f. on s.o. (1) *soudoyer, suborner*: FIX s.o. to f. s.o. up with s.o. (2) *fixer rendez-vous entre deux personnes*: (III) brancher q'un sur q'un. to f. s.t. up (1) *réparer q'ch.*: (I) rapetasser. (1) *mettre en règle*.

fixer n (1) *q'un qui emploie ses relations pour corrompre* (I) graisseur de pattes.

fixings n (1) *garniture (d'un repas)*.

Fixit—Mr. F. (2) *homme capable de faire toutes sortes de réparations*: (I) bricoleur.

fizzle n (1) *insuccès, échec*: (I) fiasco: BUST. —vi (1) *échouer*: (I) finir [s'en aller] en eau de boudin: BLOW UP.

fizz-water n (2) *eau gazeuse, eau de seltz*; (II) eau à ressort.

flabbergast vt (1) *étonner, stupéfier*: (I) abasourdir, épater: to be flabbergasted (3) *être étonné*: (I) rester baba: BOWL OVER.

flag n (2) *nom*: (III) blaze: HANDLE. to fly the f. (2a) *avoir ses règles*: CURSE.

flag-waver n (1) *super-patriote*.

flame n (2) *personne qui est l'objet d'une passion amoureuse*: (I) béguin.

flapdoodle n (1) *sottise, bêtise*: (II) foutaise: APPLESAUCE.

flash vt (1) *porter avec ostentation*: (I) arborer, étaler. (1) *mettre en vue pour un instant*. in a f. adv (2) *vivement, rapidement*:

(III) recta, fissa, illico. (2) *immédiatement, soudainement:* (I) au pied levé; (II) aussi sec, au flan, tout de go; (III) illico.

flash jewelry n (2) *bijoux faux:* (I) (bijoux) du [en] toc, pacotille

flat—to be f. (broke, as a pancake) (2) *être démuni d'argent:* (III) être raide: BROKE. to leave s.o. f. (2) *abandonner q'un:* (II) laisser tomber: DITCH.

flatfoot n (2) *agent de police:* (III) poulet: BULL.

flat-footed—to catch flat-footed (1) *prendre en flagrant délit:* (II) piquer, prendre [faire marron] sur le tas, prendre [piquer] la main dans le sac [sur le vif].

flat tire n (2) *personne ennuyeuse:* (I) raseur: CREEP.

flattop n (2) *porte-avions.*

fleabag n (2) *hôtel de basse catégorie:* (I) Hôtel des Trois Canards. (2a) *lit:* (II) plumard: BUNK.

flesh peddler n (2a) *prostituée:* (III) putain: HOOKER.

flickers n (2a) *cinéma:* (I) ciné; (III) cinoche, rider, ridaire.

flier n (2) *investissement, pari, etc., très risqués.* to take a f. (2) *prendre des risques:* (I) risquer le paquet; (III) se mouiller, aller les chercher, aller à la mouillette.

flimflam n (1) *tromperie, escroquerie:* (III) arnaque: BUNCO GAME.—vt (1)*escroquer:* (I) refaire: CLIP. *tromper, duper:* (I) dindonner; (III) avoir: CLIP.

flimflammer n (2) *escroc:* (III) arnaqueur: BUNCO-MAN.

fling n (1) *essai, tentative.* (2) *débauche, partie de plaisir:* (I) noce, foire; (II) bamboche: BAT. to have a f. (2) *faire une partie de plaisir:* (I) faire la fête: BAT. to take a f. at (I) *faire l'essai de, tenter de.*

flip adj (1) *impudent:* (II) culotté.—vi (2) *devenir fou:* (I) perdre la boule: BATS. vi (2) *se mettre en colère:* (III) se mettre en rogne: BLOW UP. to f. one's lid (2) *devenir fou:* BATS. to f. over s.o. (or s.t.) (2) *s'amouracher de q'un (ou de q'ch.):* (II) être mordu pour, avoir à la bonne, en pincer pour.

flip-flop n (2) *chute, culbute:* (II) gadin, billet de parterre; (III) valdingue. (2) *changement subit d'opinion:* (I) retournement de veste.

flipper n (2) *la main:* (III) la pogne: DUKE. (2) *le bras:* (III) aileron: FIN.

flip-side n (2) *face d'un disque opposée à celle où sont gravés les succès commerciaux.*

flit vi (2) *se sauver, s'en aller:* (III) faire la malle, riper: BEAT IT.

flivver n (2) *vieille voiture à bas prix:* (II) tacot: BUGGY. n (2a) *échec, insuccès:* (I) four: BUST. to f. out (2a) *ne pas réussir:* (I) échouer: BLOW UP.

floater n (2) *corps de noyé flottant dans l'eau.* (1) *individu sans résidence fixe.*

floating game n (2) *jeu clandestin:* (III) clandé.

flooey—to go f. (2) *échouer:* (I) finir en eau de boudin: BLOW UP.

floor vt (1) *étonner, stupéfier:* (II) épater: BOWL OVER. to hold the f. (1) *entretenir la conversation:* (III) tenir le crachoir [la jactance]. to mop the f. with s.o. (2) *frapper q'un avec violence:* (I) battre q'un à plate couture: BEAT UP. to walk the f. (1) *se dit d'un père qui attend avec impatience la naissance de son enfant:* (I) tourner en rond.

floozy n (2) *femme de moeurs faciles:* (II) boudin: BAG.

flop n (1) *insuccès:* (II) four: BUST.—vi (1) *ne pas réussir (en général):* (II) faire un four: BLOW UP. (1) *faire faillite:* (I) boire un bouillon: BROKE. to f. down (1) *se laisser tomber (à terre, sur un lit, etc.):* (I) s'étaler, s'allonger; (II) faire un patapouf. to take a f. (1) *tomber:* (I) ramasser un billet de parterre: CROPPER. (2a) *au sport, se laisser battre à dessein:* (II) se coucher, se laisser acheter.

flophouse n (2) *hotel de bas étage où les clochards trouvent asile pour quelques sous:* (II) asile de l'A.S. (Armée du Salut).

flopperoo n (2) FLOP.

flu n (1) *la grippe.*

flub n (2) *bévue, maladresse:* (I) boulette: BONER.—vi (2) *faire une bévue:* (II) gaffer: BONER. (2) *ne pas réussir:* (I) échouer: BLOW UP. to f. a chance (2) *manquer une occasion:* (I) rater, manquer le coche; (III) louper l'occase.

flue—to go up the f. (2) *échouer:* (II) foirer: BLOW UP.

fluff—bundle of f. n (2a) *jeune fille:* (III) gonzesse: BABE.

fluke n (1) *coup de chance inattendu (bon ou mauvais):* (I) coup de veine; (II) coup de bol [fion, pot].—by a f. adv (2) *par un coup de chance:* (I) par un coup de veine; (III) par un coup de bol [fion, pot].

flunk vi (1) *échouer (à un examen):* (I) rater, être collé, se casser le nez, échouer, être recalé, ramasser une veste; (II) louper. to f. out (1) *être renvoyé d'une école à cause de mauvaises notes:* (III) être viré [sa(c)qué].

flute n (3) *homosexuel, pédéraste:* FAG.

fly n (2a) *individu perspicace, rusé, malin:* (II) roublard: (III) marle, mariole, marlou: BALL. to f. into (at) s.o.: (2) *attaquer q'un physiquement:* (II) rentrer dans le portrait [la figure, le chou, le lard, la paillasse, la gueule] à q'un. (2) *attaquer q'un verbalement:* (II) engueuler: BAWL OUT. on the f. adv (2) *au vol.*

fly-boy n (2 mil.) *aviateur:* (II) volant; (III) gazier.

flying—to be f. high (2) *être très heureux:* (I) être au septième ciel. (2a) *être sous l'influence d'un stupéfiant:* (III) chargé, camé, envapé.

fog—to be in a f. (1) *être confus:* (I) être dans le brouillard: BALLED UP.

Foggy Bottom n (2) *Washington, D.C., capitale des U.S.A. (ainsi nommée à cause du "brouillard" qui, selon le peuple, préside aux cogitations des législateurs).*

foghorn n (2) *nez:* (III) blaireau: BEAK.

fold (up) vi (2) *échouer:* (II) faire un four: BLOW UP. (2) *céder devant un danger:* (II) caner: BACK DOWN.

folding money (2) *billets de banque:* (III) talbins, fafs, faffes, fafiots, biffetons, biftons.

folks—the old f. n (1) *les parents:* (III) les dab(e)s, les vieux, les croulants.

folksy adj (1) *sans prétentions.*

fool—to be nobody's f. (1) *être malin, rusé:* (I) être un vieux renard; (III) être mariole: BALL. to f. around (1) *perdre son temps en futilités:* (II) tirer sa flemme: BUM AROUND. to f. away one's money (1) *gaspiller son argent:* (III) fusiller son pèze [fric, etc.]. to f. away one's time (1) *perdre son temps:* FOOL AROUND.

foot—to f. the bill [the costs, the damages] (1) *payer les frais, régler la note:* (III) casquer, douiller, raquer, éclairer, essuyer le coup de fusil. to f. it (1) *aller à pied:* (I) aller à pattes; (II) prendre le train onze [la voiture de Saint Crépin], se trimbaler; (II) arquer, trimarder, ripattoner, aller [marcher] à griffes [pinces], affûter des pinceaux [bâtons]. to have one f. in the grave (2) *être très malade, être sur le point de mourir:* (I) avoir un pied dans la tombe* [fosse]; (II) sentir le sapin. to put one's best f. forward (1) *faire un grand effort:* (I) donner un coup de collier. (1) *exhiber son meilleur côté.* to put one's f. down (1) *se tenir résolu-*

ment à une décision: (II) se cramponner mordicus. to put one's f. in it [in one's mouth] (1) *faire une bévue:* (I) mettre les pieds dans le plat*: BONER.

footsie—to play f. (2) *frôler les pieds de q'un sous la table pour flirter:* (II) faire du pied [genou].

footslogger n (2) *soldat de l'infanterie, fantassin:* (II) pousse-cailloux*, biffin.

footsteps—to dog s.o.'s f. (1) *marcher sur les talons de q'un, emboîter le pas à q'un:* (III) filocher, filer le train de.

fork—to f. out [over] (1) *payer, donner (de l'argent):* (III) les aligner: ANTE UP. to f. over (1) *donner:* (III) allonger: COME ACROSS WITH. to f. it down (2a) *manger avec avidité:* (II) bâfrer: BLOW OUT.

form—to be off one's f. (1) *n'être pas en forme (pour son travail, en sport, etc.):* (III) ne pas avoir la frite [patate].

formal n (1) *bal, gala où la tenue de soirée est de rigueur.* to go f. (1) *se rendre à un bal, etc. en tenue de soirée.*

forty winks n (1) *petit sommeil:* (II) somme, petit roupillon; (III) ronflette. to grab f. w. (2) *faire un petit somme:* (II) piquer un roupillon: EAR.

fossil n (2) *individu vieux jeu, aux idées démodées:* (I) fossile*: ANTIQUE.

foul—to f. up vt (1) *embouiller, gâcher:* (I) bousiller: BITCH UP.

foul ball n (2) *homme inepte, méprisable:* (I) sale bougre; (III) bordille: BAD ACTOR.

fouled-up—to be f.-u. (1) *être confus, être dans le brouillard:* BALLED-UP. (1) *être ambrouillé, en désordre, mal fait:* (I) être amoché: BITCH UP.

four-eyes n (2a) *qui porte des lunettes:* (II) quat'(re) z'yeux*, binoclard.

fourflusher n (2) *bluffeur, poseur:* (III) chiqueur: BAG OF WIND.

four-letter word n (2) *euphémisme pour "merde":* (I) les cinq lettres*, le mot de Cambronne.

four-star adj (2) *supérieur, extra, spécial:* (II) à quatre étoiles*.

four walls—to talk to the f. w. (2) *parler inutilement, sans auditoire:* (I) parler au mur*, prêcher dans le desert.

fox—to be dumb as a f. (2) *être très rusé:* (I) être un vieux renard*; (II) être roublard; (III) être marle [mariole, marlou].

frail n (2) *femme ou jeune fille:* (III) frangine: BABE.

frame n (2) *fausses preuves destinées à faire*

condamner q'un: (II) coup monté; (III) musique, chanson.—vt (2) *donner de faux témoignages:* (II) monter un coup; (III) vendre, donner, faire porter le bada [doulos, chapeau].

frame-up n (2) FRAME.

frat (abbr. of fraternity) n (1) *cercle privé de collégiens.*

frau n (2) *épouse:* (III) légitime: BALL-AND-CHAIN.

frazzle–to be beat [worn] to a f. (1) *être très fatigué:* (II) être affûté: BEAT. to beat [lick] to a f. (2) *battre rudement:* (III) filer une avoine à: BEAT UP.

free-loader n (2) *personne qui habituellement mange et boit aux dépens d'autrui:* (I) tapeur; (III) torpille, torpilleur.

free show n (2) *vision fugitive des charmes secrets d'une femme:* (III) jeton (de mat'). to get a f. s. (2) *voir exposés les charmes d'une femme;* (II) se rincer l'oeil; (III) prendre un jeton de mat'.

freewheeling adj (2) *sans restrictions, sans contrainte:* (I) en roue libre*.

freeze vt (1) *bloquer (prix, salaires, etc.):* (I) geler. to f. onto s.t. (1) *s'attacher à:* (I) se cramponner à; (II) s'agrafer à; (III) s'agripper à. to f. s.o. out (1) *frapper q'un d'interdit, boycotter, empêcher d'agir (sport):* (I) mettre en quarantaine, faire le barrage [mur] (sport). to put the f. on s.o. (2) FREEZE OUT. (2) *recevoir q'un avec froideur:* (I) tourner le dos à, battre froid à, recevoir q'un comme un chien dans un jeu de quilles.

freight—to pay the f. (2) *payer les frais:* (II) casquer: BILL. to pull [haul] one's f. out (2) *s'en aller, s'enfuir:* (III) mettre les adjas: BEAT IT.

French fries n (1) *pommes de terre frites:* (II) frites*.

French kiss n (2) *baiser lingual:* (III) langue fourrée, langouse, patin, brique, saucisse, galoche.

French leave—to take F. l. (1) *partir sans cérémonie et sans faire ses adieux:* (I) brûler la politesse, filer à l'anglaise.

frequency—to be on the same f. as s.o. (2) *être en communion de pensée avec q'un:* (II) être sur la même longueur d'onde*.

fresh adj (2) *impudent, audacieux, effronté:* (I) culotté, gonflé. to be f. out of s.t. (2) *avoir été récemment démuni de q'ch. (stock, argent, etc.), être à court de.*

freshie n (deriv. freshman) (2) *étudiant de première année:* (III) bizut.

fridgie n (2) *femme sans émotion sexuelle:* (I) femme de marbre; (II) glacière, glaçon.

fried adj (2) *ivre:* (I) soûl, paf: BLOTTO.

frig vt (3) *coïter:* (IV) baiser: BANG. (3) *duper, tromper, escroquer:* (II) carotter: CLIP. to f. around (3) *flâner:* (II) flanocher: BUM AROUND.

frigging n (3) CLIPPING.

frisk vt (2) *fouiller un prisonnier ou un suspect:* (I) farfouiller; (III) barboter, faire la barbotte. (2) *voler:* (II) chiper: CLIP.

frisking n (2) *fouille d'un prisonnier:* (III) la barbotte.

Fritz n (2) *Allemand:* (I) tête carrée; (II) Boche; (III) alboche, frizou, frisé, fritz, fridolin, chleu, doryphore, mange-tout. to be on the f. (2) *être hors de service, être en panne:* (I) être patraque; (III) être en carafe [rideau, rade, frime, carreau].

Frog n (2) *Français:* (III) fransquillon.

front n (2) *activité (ou individu) qui sert à cacher des activités illicites:* (III) couverture*: COVER UP. (1) *manières affectées:* (I) chichis: DOG. to put up a good f. (1) *malgré les difficultés ou les chagrins, faire bonne mine:* (I) faire bonne contenance. to put on a (big) f. (1) *prendre des grands airs:* (I) faire de l'esbrouffe: DOG. to put on a false f. (1) *feindre:* (II) frimer: ACT. to f. for s.o. (2) *prendre la responsabilité à la place de q'un:* (I) couvrir q'un: COVER.

front man n (2) *prête-nom:* (I) homme de paille. (2) *homme qui tente d'attraper des clients:* (III) pisteur, chevilleur: COME-ON. (2) *homme qui, dans des négotiations, dans le commerce, est en contact avec les clients.*

front runner n (1) *le meilleur, le premier dans un concours:* (I) tête d'affiche [de liste].

frosh n (2) FRESHIE.

frost n (2) *échec, insuccès:* (II) four: BUST.

froufrou n (1) *élégance exagérée ou affectée:* (I) chichis, épate: DOG.

fruit n (3) *pédéraste:* FAG.

fruitcake n (2a) *pédéraste:* FAG. (2a) *un fou:* (I) braque, fada; (III) dingo: CRACKPOT.

fruit salad n (2) *décorations militaires:* (III) bananes, batterie de cuisine, méduches, crachats, glaviots.

fry vi (2) *être électrocuté,* (II) être épuré.

fried—to be f. (2) *être ivre:* (II) être paf: BLOTTO. to get f. (2) *s'enivrer:* (II) prendre une cuite: BOILED.

fuck vt (3) *coïter:* BANG. to f. off (3) *manquer à ses devoirs ou à son travail:* (III) tirer au cul: GOLDBRICK.

fucked—to be f. (3) *être dupé:* CLIPPED. to get f. (3): ASHES.

fuddy-dud(dy) n (2) *individu aux idées démodées:* (II) vieux birbe: ANTIQUE.

fudge—to f. out (2a) *reculer:* (II) caner: BACK DOWN.

full blast adj (2) *à toute vitesse:* (I) à l'arraché: BLAST.

full up—to be f. up (1) *être au grand complet:* (II) être bourré [à craquer, à faire sauter les murs].

fun—to have a barrel of f. (2) *s'amuser beaucoup:* (II) se bidonner [marrer, boyauter]: BELLY-LAUGH. to be more f. than a barrel of monkeys (2) *être très drôle, très amusant:* (II) être marrant [bidonnant, boyautant]: BELLY-LAUGH. to poke f. at s.o. (2) *se moquer de q'un, s'amuser au dépens de q'un:* (I) mettre q'un en boîte: BUSINESS. like f.! (2) LIKE FISH.

funeral—it's your f. (2) *c'est votre affaire.*

funfest n (2) *spectacle, pièce très comique:* (I) fou-rire.

funk—to be in a (blue) funk (1) *avoir peur:* (I) avoir le trac: CHICKEN.

funnies n (2) *bandes dessinées, dessins animés;* (I) les illustrées.

funny—to be too f. for words (2) *être ridicule, très amusant:* (II) être marrant [bidonnant, boyautant]: BELLYLAUGH. f. business n (2) *action douteuse:* (I) q'ch. de louche; (II) tripotage, fricotage; (III) turbin. f. guy (2) *individu drôle, excentrique:* (II) drôle d'oiseau: BIRD. f. money n (2) *monnaie contre-faite:* (III) du pour, du toc.

furriner (déformation de foreigner) n (2) *étranger:* (I) métèque, rastaquouère.

fuse—to blow a f. (2) *s'emporter:* (II) sortir de ses gonds: BLOW UP.

fuss—vi (1) *s'inquiéter pour des riens:* (I) se faire de la bile; (II) se biler, tatillonner: STEW. (III) to raise [kick up, make] a. f. (2) *faire des histoires:* (I) en faire tout un plat; (II) renauder: BEEF. without a f. adv. (2) *sans cérémonie:* (I) à la bonne franquette, sans chi-chi; (II) sans chiqué, sans tralala.

fuss-budget n (1) *qui se préoccupe des moindres détails:* (I) tatillon(neur), chichiteux.

fuss-cat n (2) FUSS-BUDGET.

fussed—to be all f. up (2) *être très agité:* (I) être dans tous ses états; (II) être survolté.

fuss-pot n (2) FUSS-BUDGET.

futz—to f. around (2) *passer le temps sans rien faire:* (II) flémmarder: BUM AROUND.

fuzz n (2) *agent de police:* (II) flic: BULL.

G n (2) *mille dollars.*

gab n (2) *bavardage:* (II) bla-bla; (III) jactage. vi (1) *bavarder:* (I) jaboter; (III) jaspiner: CHIN. to hand out a line of g. (2) *faire des boniments:* (II) baratiner: APPLE-SAUCE. to have the gift of g. (1) *avoir une grande facilité d'élocution:* (II) avoir du bagou, avoir la langue bien pendue, être un moulin à paroles; (II) avoir une bonne tapette, avoir du baratin.

gabber n (1) *bavard:* (I) jacasseur: BLABBERMOUTH.

gabby adj (1) *bavard.*

gadabout n (1) *personne qui aime aller partout, qui ne peut rester en place:* (I) personne qui a toujours le pied levé; (II) vadrouilleur[euse], coureur[euse].

gadgeteer n (2) *personne qui raffole de toutes choses mécaniques, utiles ou non.*

gaff—to stand the g. (2) *avoir du courage, supporter des coups durs:* (II) encaisser des coups*; (III) en avoir dans le bide: GAME.

gag n (2) *plaisanterie, histoire, anecdote drôle:* (I) blague; (II) rigolade, mise-en-boîte [barque]; (III) charibotage—vi (2) *plaisanter:* (I) blaguer; (II) rigoler. to pull a g. on s.o. (2) *tromper q'un par plaisanterie:* (II) mettre en boîte: BUSINESS.

gaga adj (2) *fou:* (I) déraillé, timbré: BATS.

gagster n (2) *qui aime faire des farces:* (I) blagueur; (II) rigolard, rigoleur.

gal n (2) *jeune fille:* (III) gonzesse: BABE.

gall n (1) *audace, effronterie:* (II) culot: BRASS.

gallery—to play to the g. (1) *poser, forcer son jeu, viser à l'effet pour le public:* (I) amuser [jouer pour] la galerie*; (II) cabotiner; (III) amuser le tapis, se faire tapisser.

galloping dominoes n (2a) *les dés:* (III) les bobs.

gallows bird n (1) *mauvais sujet qui mérite la potence:* (I) gibier de potence*.

galluses n (1) *bretelles:* (II) suspensoirs.

galoot—to be a clumsy g. (2) *être gauche, maladroit:* (I) être pataud [gochiche]; (II) être empoté, gourde; (III) être lourdingue.

game—to be g. (1) *être courageux:* (I) être prêt à tout; (III) en avoir dans le bide [le ventre, le moulin], avoir de l'estomac, n'avoir pas froid aux yeux; (IV) avoir du poil [des couilles] au cul, n'avoir pas froid aux châsses.

game-legged adj (2) *boiteux:* (I) bancal; (II) banban, bancroche; (III) tortillard, arbre à cames.

gams n (2) *jambes (surtout d'une femme):* (I) pattes; (II) gambettes, flûtes; (III) fumerons, guibolles, cannes, gambilles, béquilles, compas, gigots, gigues, batons, brancards, échasses, pincettes, quenelles, flubards, quilles.

gander—to take [have] a g. at (2) *regarder:* (II) bigler, zyeuter: EYE. take a g.! (2) *regardez!;* (III) mordez!, matez!, biglez!, gaffez!

gang—to g. up on s.o. (2) *attaquer q'un en bande, se liguer contre q'un.* to g. around with (2) *s'associer avec, fréquenter:* (I) s'acoquiner avec, s'aboucher avec; (II) frayer avec.

gangbuster n (2) *policier spécialisé dans le démembrement des bandes organisées.*

gangland n (2) *la pègre, le monde des voyous:* (III) le milieu, la tierce.

garbage n (2) *mauvaise nourriture:* (III) ragougnasse, rata.

gas n (1) *essence:* (III) jus, sauce, coc.—vi (2) *bavarder:* (II) jaboter; (III) jacter: BREEZE. to g. up (1) *se fournir d'essence.* to g. things up (2) *exciter, stimuler:* (I) émoustiller. to run out of g. (2 fig.) *devenir fatigué:* (I) être à bout de souffle; (I) être sur les genoux: BEAT. to step on the g. (2) *accélérer:* (I) appuyer sur le champignon*,donner plein gaz; (III) mettre la sauce [le jus, le coco]. (2 fig) *se dépêcher:* (I) allonger le pas; (II) se dégrouiller, se grouiller, faire vinaigre; (III) bagoter, se manier [remuer] le cul [le train, le derrière, les fesses, le popotin, la rondelle], faire fissa, se déhotter, en mettre [filer] un rayon, mettre [allonger] la sauce [le coco]. (2) *that's a gas* (2) *c'est à rire:* (I) ça me fait crever de rire.

gasbag n (2) *babillard, bavard:* (I) jacasseur: BLABBERMOUTH.

gash-hound n (3) *coureur de femmes:* (II) chaud lapin; (IV) bandeur: CASANOVA.

gasket—to blow a g. (2) *s'emporter* (II) se mettre en rogne: BLOW UP.

gasper n (2a) *cigarette:* (III) sèche: BUTT.

gas pipe—to take the g. p. (2) *se suicider:* (III) se buter, s'asphyxier, se faire sauter le crâne.

gassed adj (2) *ivre:* (II) allumé, beurré: BLOTTO.

gassy adj (1) GABBY.

gat n (2) *pistolet, révolver:* (III) calibre: CANNON.

gate—to crash the g. (2) *entrer dans une salle de spectacle sans payer:* (II) resquiller; (III) entrer à l'oeil. to get the g. (2) *être renvoyé (d'un emploi):* (I) recevoir son paquet; (II) être vidé: BOUNCE. to give s.o. the g. (2) *se débarrasser de q'un:* (I) plaquer q'un: DITCH. (2) *congédier q'un:* (I) flanquer q'un à la porte: (II) sacquer: BOUNCE. to take the g. (2) *s'enfuir, s'esquiver:* (II) prendre la clé des champs*: BEAT IT.

gate-crasher n (2) *personne qui assiste à un spectacle sans payer le droit d'entrée:* (I) passe-volant, resquilleur.

gatepost—between you, me and the g. (2) *entre nous, en particulier:* (II) entre quat'(re) z'yeux.

gator n (2) *alligator, crocodile.*

gay adj (2) *homosexuel:* (III) de la pédale [jaquette], tante, tantouse: FAIRY.

Gay Nineties n (2) *La Belle Epoque (les dernières années du XIXᵉ siècle aux U.S.A.)*

Gay Paree n (2) *Paris:* (III) Paname, Pantruche.

Gay (Great) White Way n (2) *Broadway (avenue principale de la ville de New-York), le quartier des théâtres.*

gear—to be in high g. (2 fig) *être surexcité, avoir de l'énergie à l'excès:* (I) être survolté; (III) péter le feu. to be in low g. (2 fig.) *manquer d'énergie, être déprimé:* (I) ne pas être en forme; (II) être affuté [foutu]. to be out of g. (2 fig.) *se sentir en mauvais état physique:* (I) être patraque: BAD SHAPE. to be geared up for s.t. (1) *être fin, prêt à.*

gee—to g. with s.o. (2) *être d'accord avec q'un, être en harmonie avec (idées, sentiments, etc.):* (II) être sur la même longueur d'ondes. n (2) *homme, individu:* (III) mec: CHAP.

gee-gees n (2a) *chevaux de course:* (II) dadas; (III) gails, canassons, bourrins, carcans, biques. to play the g. (2) *jouer les chevaux:* (III) jouer aux courtines, flamber, aller à l'église.

gee whiz! (2) *mince alors!:* (I) flûte; (II) bigre!

geezer n (2) *homme, individu:* (II) gars: CHAP. old g. n (2) *vieil homme:* (II) vieux birbe: ANTIQUE.

geflooey—to go g. (2) *ne pas réussir:* (I) échouer; (II) tourner en eau de boudin: BLOW UP.

geflop (2a) *geflooey.*

gelt n (2) *argent:* (III) pépète, pèze: BRASS.

George—to let G. do it (2) *laisser à un autre le soin d'accomplir une tâche ou une corvée.*

get-up n (1) *vêtements:* (III) fripes, loques, nippes: DUDS.

ghost town n (1) *ville ou village abandonné:* (I) ville morte.

G.I. n (1) *soldat américain:* (II) griveton, grifton, griffeton; (III) grivier, deuxième pompe, bidasse, biffin (infanterie).

G.I.'s n (2) *diarrhée:* (II) courante, foirade.

get—to g. along [by] (1) *faire son chemin:* (I) se défendre, se débrouiller. to g. across [through] to s.o. (1) *se faire comprendre:* (III) se faire piger [entraver]. (2) *réussir à soudoyer q'un:* (II) mettre q'un dans sa poche. to g. at s.o. (1) *réussir à soudoyer.* to g. s.t. across to s.o. (1) *faire comprendre q'ch. à q'un:* (III) faire piger [entraver] q'un. to g. around to (doing) s.t. (1) *trouver enfin le temps de faire q'ch.* to g. at s.t. (1) *se mettre à faire q'ch.:* (I) attaquer. to g. away with s.t. (2) *réussir une mauvaise action sans être découvert ni puni:* (I) s'en tirer à bon compte, l'échapper belle. to g. back at s.o. (2) *se venger de q'un:* (I) rendre à q'un un chien de sa chienne. to g. it (2) *comprendre:* (III) piger, entraver. (2) *être puni, réprimandé:* (I) se faire savonner la tête: BAWLED OUT. (2) *être tué:* (III) être bousillé [zigouillé]: BUMP. to g. going [rolling] (2) *commencer, se mettre à travailler:* (I) mettre la main à la pâte; (II) se mettre au boulot, piquer au truc, entre dans la danse. to g. together (1) *réussir à se mettre d'accord (d'idée, de pensée, etc.)* to g. after s.o. *poursuivre, pourchasser:* (I) courir sur les talons de; (III) filocher, filer le train de. to g. no place fast (2) *ne pas faire de progrès.* to g. it coming and going (2) *au fig., être frappé de tous côtés.* g. off my ear [back]! (2) *laissez-moi en paix!:* (I) fiche-moi la paix; (II) fous-moi la paix! g. off it! (2) *cessez de m'importuner!* (III) arrête ton char! g. lost! (2) *allez-vous en:* (II) à la gare!; (III) va te faire foutre. to g. with it (2) *se mettre à son travail:* BALL.

giggle water n (2) *champagne:* (III) roteuse, champ', rouille.

gills—to be stewed to the g. (2) *être complètement ivre:* (II) être bourré à zéro. BLOTTO.

gimmick n (2) *objet sans nom précis:* (I) truc, machin, chose, bidule, fourbi. (2) *truquage, piège pour tromper (dans une proposition):* (I) anguille sous roche; (II) combine,

os; (III) turbin. to know the g. (2) *connaître le piège:* (II) connaître le truc [la combine].

gimmies—to have the g. (2) *avoir la tendance de demander toujours de l'argent ou autres choses de valeur.*

gimpy n (2) *boiteux;* (II) banban, tortillard: GAME-LEGGED.

ginch n (2) *jeune femme:* (III) gonzesse: BABE.

ginger n (1) *vigueur, entrain:* (I) abattage, allant. to have (a lot of) g. (1) *avoir de l'entrain:* (I) avoir de l'allant: BALL.

gink n (2) *individu, homme:* (III) gonze: CHAP.

gin mill n (2) *bar de basse classe:* (I) assommoir; (II) claque-dents, bouge, boui-boui.

ginzo n (2 derog.) *Italien:* (III) rital, macaroni.

girl-crazy—to be g.-c. (2) *rechercher toujours la compagnie des femmes:* (I) courir les femmes; (II) juponner, courir la gueuse, cavaler.

girl friend n (1) *amoureuse:* (I) future.

girlie show n (2) *spectacle léger.*

give—to g. it to s.o. (1) *punir, réprimander q'un:* (I) donner sur les doigts [passer un savon] à q'un: BAWL OUT. to g. s.t. away (1) *dévoiler le secret:* (II) débiner le truc, vendre la mèche. to g. oneself away (1) *dévoiler ses intentions involontairement.* to g. it everything one's got (2) *faire de son mieux, faire un effort maximum:* (I) se démener; (II) se décarcasser, donner tout ce qu'on a dans le ventre, mettre la tête dans les guidons.

giveaway n (1) *chose, action ou geste qui dévoile un secret:* (III) duce, serbillon. (1) *article à bon marché, solde:* (I) article sacrifié à vil prix.

gives—to know what g. (2) *être au courant:* (I) être à la page; (II) être à la coule: BALL.

gizmo n (1) GIMMICK.

gizzard n (1) *estomac:* (I) gésier*: BREADBASKET.

glad eye—to give s.o. the g.e. (2) *regarder avec amour, tendrement:* (I) faire les yeux doux à; (II) faire de l'oeil (en coulisse) à; (III) faire des appels à.

glad hand—to give s.o. the g. (2) *accueillir avec joie:* (I) recevoir à bras ouverts.

glad rags n (2a) *vêtements élégants:* (III) fripes, costard du dimanche: DUDS.

glamour girl n (1) *jeune femme très fascinante:* (I) ensorceleuse; (II) prix de Diane.

glass—g. jaw n (2) *mâchoire fragile (d'un boxeur):* (I) mâchoire de verre*. to look at things through rose-colored glasses (I) *voir la vie en rose**.

glims n (2) *les yeux:* (II) calots; (III) billes, châsses, carreaux, mirettes, quinquets, coquillards, lampions, lucarnes, lanternes. (2) *lampe:* (III) cal(e)bombe, calbiche, loupiotte. to douse the g. (2) *éteindre la lumière:* (III) souffler la calbombe [loupiotte].

glom vt (2a) *arrêter (police):* (III) alpaguer: BAG. (2) *voler:* (II) chiper: COP.

gloomy Gus n (2a) *pessimiste:* (II) défaitiste, paniquard.

glory—to go to g. (2a) *mourir:* (III) casser sa pipe: BUCKET.

glow—to have a g. on (2) *être un peu ivre:* (I) être pompette: BLOTTO.

G-man n (2) *agent du F.B.I.*

going—to have rough g. (2) *avoir des difficultés dans l'achèvement d'un travail, avoir des difficultés dans sa vie:* (II) en baver; (III) en roter; (IV) en chier comme un russe. to have easy g. (2) *être dans de bonnes circonstances:* (I) l'avoir en or: EASY STREET.

go-ahead n (1) *signal ou permission de commencer:* (I) feu vert.

goal—to knock for a g. (2) *battre:* (I) rosser; (III) tabasser: BASH. (2) *étonner:* (I) abasourdir: BOWL OVER.

goat n (2) *victime, dupe:* (I) le dindon de la farce: BOOB. old g. n (2 dérog.) *vieil homme:* (II) vieux birbe: ANTIQUE. to get s.o.'s g. (2) *ennuyer q'un:* (II) barber: BUG.

gob n (2) *matelot:* (I) pompon rouge, loup de mer; (III) mataf, matave. (1) *q'ch. de visqueux.* a g. of spit (2) *crachat:* (III) huître, glaviot, mollard. gobs of (2) *une grande quantité de:* (III) une potée de: BAGS OF.

gobbledygook n (2) *langage hermétique usité par les politiciens, les diplomates, etc.:* (I) charabia, baragouin.

go-by—to give s.o. the g. (2) *tourner le dos à q'un:* (I) faire grise mine à, battre froid à; (III) faire la frime [la gueule] à q'un.

go-getter n (2) *homme agressif et ambitieux:* (I) arriviste, opportuniste; (II) bûcheur.

going-over n (2) *volée de coups:* (II) dégelée: ANOINTING. (2) *réprimande, semonce:* (III) engueulade: BAWLING OUT. (2) *fouille d'un prisonnier:* (III) barbotte.

goldbrick vi (2) *renâcler à la besogne:* (I) se défiler; (II) tirer au flanc; (III) tirer au cul [renard], traîner les patins, s'endormir sur le mastic. to sell s.o. a g. b. (1) *duper q'un:* (III) empiler q'un: CLIP.

goldbricker n (2) *paresseux, qui manque à ses devoirs:* (II) tire(ur)-au-cul [flanc, renard], embusqué.

Gold Coast n (1) *quartier d'une ville habité par les riches.*

gold digger n (2) *femme qui se sert de ses charmes pour soutirer de ses admirateurs des cadeaux somptueux:* (II) gigolette, sangsue.

goldfish bowl n (2) *endroit quelconque exposé à la vue publique.*

gold mine n (1) *situation lucrative:* (I) filon; (II) fromage; (III) placarde. to hit [strike] a g. m. (1) *trouver une situation lucrative:* (I) trouver un bon filon; (II) trouver un fromage: (III) dégauchir une (bonne) placarde.

golf widow n (2) *femme délaissée par un mari amateur de golf.*

gone—to be g. on (1) *être épris de:* (I) être toqué de: BATS.

goneff n (2) *voleur:* (III) braqueur, chapardeur, faucheur, piqueur.

goner (1) GOOSE.

gong—to kick the g. around (2) *avoir la toxicomanie:* (III) marcher à la topette [au thé].

goo n (2) *matière visqueuse ou gommeuse.*

good—to stand g. for (2) *être garant de.*

good deal n (1) *bonne affaire:* (III) bonne affure. good deal! (2) *bravo!*

good egg n (2) *individu sympathique:* (II) bon gars, as; (II) bon type; (III) vrai, bon zigue [mec, gonze].

good joe n (2) GOOD EGG.

good old days n (1) *le bon vieux temps.**

goods—the g. (2) *q'ch. d'authentique:* (III) de l'officiel. to have the g. (2) *avoir du courage:* (III) avoir de l'estomac: GAME. to have the g. on s.o. (2) *avoir la preuve de la culpabilité de q'un.* to sell s.o. a bill of g. (2) *convaincre avec des paroles trompeuses:* (I) jeter de la poudre aux yeux; (II) entortiller, truander; (III) englander. to catch with the g. (1) *prendre en flagrant délit:* (III) prendre sur le tas: FLAT-FOOTED.

good skate n (2) GOOD EGG.

good-time Charley n (2) *viveur:* (I) noceur, foireur; (II) bambocheur.

good-time girl n (2) *jeune femme qui aime se divertir:* (I) jouisseuse.

gooey adj (2) *visqueux, collant.*

goof n (2) *sot, niais:* (I) empoté, gourde: BLOCKHEAD. n (2) erreur, maladresse: (I) gaffe: BONER. to act like a g. (2) *faire des bêtises:* (II) faire le Jacques: DOPE. to g. off (2) *négliger son travail:* (II) tirer au cul: GOLDBRICK. (2) *passer son temps à ne rien faire:* (II) tirer sa flemme: BUM AROUND. to g. (up) vi (2) *faire des fautes, des maladresses:* (I) gaffer: BONER.—vt. (2) *mal exécuter:* (I) rater; (II) louper: BITCH UP.

goofball n (2) *sot, imbécile:* (I) bûche: BLOCKHEAD. (2) BENNIES.

goofy adj (2) *sot, stupide:* (I) buche; (II) empoté: DOPEY. to be g. about [over] s.o.: (2) *être épris de q'un:* (I) avoir le béguin pour q'un: BATS. to be g. about [over] s.t. (2) *être enthousiasmé pour q'ch.:* (I) avoir une marotte pour; (II) être mordu de, (III) être fana de.

goo-goo eyes n (2a) *yeux protubérants:* (II) yeux de crapaud; (III) boules de loto.

gook n (2) GOO. (2 derog.) *Coréen.*

goon n (2) *anti-gréviste:* (II) jaune, renard, (2) *personne abrutie, stupide:* (II) ballot: BLOCKHEAD.

goon squad n (2) *bande d'anti-grévistes:* (II) équipe de jaunes. (2) *équipe spéciale de police destinée à réprimer les manifestations. (2) une bande de voyous surtout employée pour protéger ou pour punir un rival;* (III) prêts à tout, tierce, gorilles.

goose—to g. s.o. (2) *pincer les fesses à q'un par plaisanterie:* (III) mettre la main au panier de q'un, pincer le croupion (les miches) de q'un. (2 fig.) *stimuler q'un à augmenter ses efforts:* (I) piquer q'un, aiguilloner q'un. to cook s.o.'s g. (1) *prendre sa revanche sur q'un, ruiner q'un (en l'empêchant d'exercer ses affaires):* (I) régler le compte à q'un; (II) couler [sabrer] q'un; (III) lessiver q'un. to be a gone g. (2) *être ruiné, avoir son compte:* (I) être fichu; (II) être flambé: COOKED.

goose egg n (2) *zéro (note d'école, marque en sport):* (I) zéro tout rond; (II) zéro pointé.

gorilla n (2) *gangster, voyou:* (III) dur, malfrappe, malfrat: GUNSEL.

gosh-awful adj (2) *très, excessivement:* (II) vachement, bigrement, bougrement.

gosh darn! (2) *interjection exprimant le dépit:* (II) flûte! bigre!, zut!; (III) merde alors!

Gothamite n (2a) *habitant de la ville de New York.*

Gotrocks—Mr. G. (2a) *homme riche:* (II) rupin, cousu d'or,; (III) rupinos, douillard.

gouge vt (1) *duper, frauder:* (I) carotter; (II) posséder: CLIP. (1) *faire payer trop cher:* (I) écorcher, échauder; (II) empiler, empaumer; (III) arnaquer, filer le coup de barre [fusil, masse].

grad (abbr. of graduate) n (1) *diplômé.*

gramps n (2) *mot enfantin pour grand-père:* (I) pépère.

grand n (2) *mille dollars.*

grandma n (1) *grand-mère:* (I) mémère.

grandpa n (1) *grand-père:* (I) pépère.

grand Poo-Bah n (2a) *mot humoristique pour un homme important:* (III) grand manitou: BIG BEAN.

grandstand vi (1) *agir pour se faire remarquer:* (I) amuser [jouer pour] la galerie: GALLERY. g. play n (1) *action affectée pour se faire remarquer:* (I) épate, affiche; (II) esbroufe, chiqué.

grandstander n (2) *qui s'agite pour se faire remarquer:* (I) acrobate, m'as-tu-vu, matuvu, poseur; (III) béchamel, bêcheur, vanneur.

granny n (1) *grand-mère:* (I) mémère. (1) *vieille femme:* (III) vioque, croulante, ruine.

grappler n (2a) *main:* (III) louche: DUKES. (2) *lutteur:* (III) tombeur.

grappling hooks n (2a) *mains:* (III) louches: DUKES.

grass n (2a) *marijuana:* (II) thé (des familles), fée verte. to let the g. grow under one's feet (1) *perdre son temps:* (I) rester les deux pieds dans le même sabot, traînailler; (II) s'endormir sur le mastic, rater les occasions, rater le coche.

grasshopper—to be knee-high to a g. (2) *être de courte taille:* (II) être haut comme trois pommes (à genoux), raser le bitume, être loin du ciel.

graveyard shift n (2) *équipe d'ouvriers travaillant la nuit:* (I) équipe de nuit.

graveyard stew n (2) *repas très léger pris par les vieillards.*

gravy n (2) *profit, bénéfice (surtout facilement gagné):* (II) rabe, rabiot, gâteau; (III) affure, afflure, velours, gras, bénéf. to make some g. (2) *faire des profits:* (II) rabioter; (III) aff(1)urer. to wade in g. (2) *être dans une bonne situation financière:* (I) avoir le filon; (III) se la couler douce: EASY STREET. g. train n (2) *source de profits, emploi facile et rentable;* (I) bon filon, vache à lait, assiette au beurre; (III) (bonne) placarde. to ride the g. t. (2) *avoir un bon emploi, une bonne source de profits:* (I) l'avoir cousu en or: EASY STREET.

gray area n (1) *partie d'une proposition qui semble obscure, qui n'est pas tout à fait franche:* (I) hic; (II) os.

gray matter n (1) *cerveau:* (I) matière grise*; (II) boussole, ciboulot; (III) chou, cigare, mental, citron. to exercise the g. m. (2) *réfléchir, penser:* (II) faire travailler sa matière grise*; (III) gamberger, se creuser les méninges.

grease vt (1) *soudoyer:* (II) graisser la patte à.

greaseball n (2 derog.) *étranger originaire d'un pays latin.*

grease monkey n (2) *mécanicien, garagiste:* (II) mécano.

greaser n (2 derog.) *Méxicain.*

greasy spoon n (2) *restaurant de basse classe:* (I) gargote.

great—to be g. at s.t. (1) *être très capable:* (I) être calé [fort] en q'ch.

great indoor sport n (2) *expression humoristique pour l'amour charnel:* (II) le sport en chambre*, la bagatelle; (III) le café des pauvres.

great unwashed n (2a) *la foule, le peuple:* (I) troupeau; (II) trèfle, trêpe.

green—the (long) g. n (2a) *billets de banque:* (II) faf(fe)s, faf(f)iots, talbins. to flash the g. (2a) *montrer son argent (avec ostentation).*

greenhorn n (1 derog.) *émigré récent.*

green light n (2) *autorisation à commencer une action, une affaire, etc.:* (I) feu vert*.

grid champ n (2) *champion de football.*

gridder n (2) *footballeur.*

grid fan n (2) *amateur de football.*

grid pro n (2) *footballeur de carrière.*

grill—to put on the g. (1) *interroger par tous les moyens pour obtenir un aveu:* (I) cuisiner*, serrer les pouces; (III) passer au laminoir [à la casserole, à tabac]. (1) *donner une verte semence:* (I) savonner: BAWL OUT.

grilled n (2) *ivre:* (II) soûl: BLOTTO.

grind n (1) *étudiant très zélé:* (I) bûcheur, piocheur; (II) dur au boulot; (III) bosseur, turbineur.—vi (1) *travailler (ou étudier) beaucoup:* (I) bûcher, piocher, suer, se casser la tête; (II) bosser, buriner, boulonner, masser, se casser les reins, trimer, en donner une secousse, travailler comme un forcené, trimer, gratter; (III) turbiner, marner, usiner, taper dans la butte. to go back to the old g. (2) *reprendre le travail:* (I) reprendre le collier; (II) se remettre au boulot; (III) rebiffer [repiquer] au truc, se remettre dans

le bain, retourner au tapin [dans les brancards]. the same old g. (2) *la routine du travail:* (I) le train-train quotidien; (III) le turbin de tous les jours.

grinder—to put through the g. (2) *battre rudement:* (III) passer à tabac: BEAT UP. *soumettre à de dures épreuves:* (I) faire suer sang et eau; (II) passer au laminoir*, serrer la vis à, en faire baver. grinders n (2) *les dents:* (III) les crocs: CHOPPERS.

grindstone—to keep one's nose to the g. (1) *s'appliquer à son travail:* (I) bûcher: GRIND.

gripe n (2) *plainte, protestation:* (II) rouspétance: BEEF—vi (2) *se plaindre, protester:* (I) rouspéter: BEEF—vt (2) *ennuyer, tourmenter:* (I) barber, raser: BUG.

gripe box n (2a) *urne dans laquelle les ouvriers d'une entreprise sont invités à déposer leurs doléances.*

griper n (2) *qui se plaint toujours:* (I) geignard, rouspéteur: BEEFER.

gripe session n (2) *séance où on peut exposer ses doléances.*

griping adj (2) *ennuyeux:* (I) barbant; (II) embêtant: BUGGING.

groceries n (2) *nourriture:* (I) victuailles; (III) briffe: CHOW. to bring home the g. (2) *gagner sa vie:* (II) gagner sa croûte: BACON. to pack [stow] away the g. (2a) *manger (avidement):* (II) bouffer, bâfrer: CHOW.

groggy adj (1) *fatigué, à demi-endormi:* (I) éreinté, claqué: BEAT. (1) *chancelant (de fatigue, après un coup, etc.):* (I) flapi, groggy; (II) vanné, sur les rotules; (III) à la ramasse. (2) *un peu ivre:* (II) paf, soûl: BLOTTO.

groove—to be in the g. (2) *marcher bien, travailler parfaitement:* (I) lécher, tourner rond, faire des étincelles; (II) gazer; (III) gazouiller.

groovy n (2a) *beau, chic:* (II) bath: CLASSY.

gross—to g. (a stated amount): (I) *produire, gagner en recette brute.*

grouch n (1) *individu grincheux:* (I) rouspéteur: BEEFER.—vi (1) *faire mauvaise mine, bouder:* (II) faire la tête; (III) faire la frime [gueule], faire une gueule de six pieds de long.

groucher n (1) GRIPER.

ground—to run s.o. into the g. (2) *ternir la réputation de q'un, médire de q'un:* (I) éreinter [ragoter] q'un, déblatérer contre [cancaner sur] q'un; (II) débiner [baver sur, casser du sucre à] q'un. to suit down to the g. (2) *plaire, convenir parfaitement:* (II) botter. to be in on the g. floor (I) *être* *à la base d'une entreprise et en être un des principaux bénéficiaires.*

grouse vi (2) *protester, se plaindre:* (I) bougonner: BEEF.

grouser n (2a) *individu qui se plaint en toutes occasions:* (I) ronchonneur: BEEFER.

grub n (2) *nourriture:* (II) becquetance: CHOW. to rustle up some g. (2) *préparer q'ch. à manger:* (II) faire la popote; (III) graillonner, faire la tambouille.

grubstake n (1) *prêt consenti à un ami pour lui permettre de subsister (originaire de l'époque des chercheurs d'or en Amérique.)*

grunch vi (2) GRIPE.

grunt-and-groaner n (2) *lutteur:* (III) tombeur.

G-string n (1) *cache-sexe porté par les "strip-teaseuses":* (III) cache fri-fri.

guesstimate n (2) *estimation approximative:* (I) estimation à vue de nez; (II) au pifomètre; (III) au pif.

guff n (2) *ânerie, non-sens:* (I) blague; (II) fouterie, foutaise; (III) connerie.

Guinea n (2 derog.) *Italien:* (III) rital, macaroni.

gum—to g. up (2) *abîmer:* (I) amocher, bousiller: BITCH UP. to beat one's gums (2) *parler abondamment:* (I) bavarder, jaboter: BREEZE.

gumption—to have g. (1) *être courageux:* (I) en avoir dans le bide: GAME.

gumshoe n (2) *agent de police habillé en civil:* (I) limier; (II) en bourgeois, hambourgeois; (III) bourre(man).

gun—to be under the g. (2) *avoir l'obligation de se prononcer ou d'agir avant de connaître les intentions des autres.* to fire the opening g. (2) *donner l'ordre de commencer:* (I) donner le feu vert. to flash a g. (1) *sortir une arme:* (III) défourailler. to g. it [give it the g.] (2) *accélérer:* (I) appuyer sur le champignon, mettre la gomme: GAS. to g. for s.o. (2) *pourchasser q'un pour se venger de lui, ou pour le punir:* (III) aller à la rebiffe. to g. s.o. down (2) *fusiller q'un:* (III) flinguer, farcir, flingoter, seringuer, truffer. to jump the g. (2) *démarrer prématurément, avant le signal:* (I) brûler le signal. to go great guns (2) *prospérer, faire une réussite:* (III) boumer, faire un boum. (2) *être en pleine activité:* (I) battre son plein; (III) boumer, être en plein boum, gazer, gazouiller.

gunk n (2) *objet ayant une consistance visqueuse:* (I) poix, colle de pâte (nourriture).

gunky adj (2) GOOEY.

gun moll n (2) *femme associée à un criminel:* (III) ponette.

gunsel n (2) *criminel, gangster:* (II) fripouillard, peau-rouge; (III) frappe, malfrappe, malfrat, dur, poisse, grinche, arcan.

gunslinger n (2) *voyou armé:* (III) porteflingue*.

gun toter n (2a) GUNSLINGER.

gush vi (1) *parler avec affectation et volubilité:* (II) faire de la musique. (1) *exprimer ses sentiments à l'excès.*

gusher—to hit a g. (2a) *trouver les moyens pour s'enrichir, réussir:* (I) trouver le filon: GOLD MINE.

gut n (2) *abdomen, estomac:* (II) bide: BREADBASKET. to bust a g. (laughing) (2) *se tordre de rire:* (I) rire à ventre déboutonné*: BELLYLAUGH. to fill one's g. (2) *manger avec avidité:* (I) faire un gueuleton; (II) s'en mettre une ventrée, bâfrer. to grow a g. (2) *devenir gros du ventre:* (I) bedonner; (III) prendre de la brioche. to have (a lot of) guts (2) *être courageux:* (I) avoir du cran; (III) ne pas avoir froid aux yeux: GAME. (2) *être audacieux:* (II) avoir du culot: BRASS. to hate s.o.'s guts (2) *ne pas pouvoir supporter q'un:* (I) avoir q'un dans le nez*; (II) ne pas pouvoir blairer q'un: SMELL. to lose one's guts (2) *perdre courage:* (I) plier le dos, caner: BACK DOWN. to put one's guts into s.t. (2) *travailler de toutes ses forces:* (I) se démener; (II) se décarcasser; (III) jouer avec ses tripes (argot du théâtre), se démantibuler.

gutless—to be g. (2) *avoir peur, manquer de courage:* (II) être trouillard: CHICKEN.

gutter—to be in the g. (2) *être dans la misère (surtout à cause de l'alcoolisme):* (I) être dans le ruisseau; (II) être dans la débine: DOWN AND OUT. (2) *être l'équipe classée dernière:* (I) être le feu [la lanterne] rouge; (II) être à la traîne; (III) être à la ramasse. to wind up in the g. (2) *tomber bien bas:* (I) tomber dans le ruisseau, choir.

guttersnipe n (1) *gamin des rues:* (II) titi, poulbot, gavroche.

guy n (2) *homme en général:* (I) type; (III) mec: CHAP. funny g. n (2) *homme drôle, excentrique:* (I) un drôle de type, un numéro: CARD. right [regular, level] g. (2) *honnête homme:* (I) blanc-bleu, régulier*; (III) un type [mec, gonze] réglo. nice g. (2) *chic type:* (I) brave gars, bon mec.

guzzle vi (1) *boire avec excès:* (II) pinter, picoler: BOOZE.

guzzler n (2) *qui boit trop:* (II) soûlard, poivrot: BARFLY.

gyp n (2) *escroc, filou:* (II) carotteur; (III) empileur: BUNCO MAN. (2) *tromperie, escroquerie:* (II) carottage; (III) arnaque. to gyp s.o. (2) *soutirer de l'argent de q'un par fourberie, escroquer q'un:* (I) tirer une carotte à q'un; (III) empiler: CLIP. (2) *faire payer trop cher:* (I) écorcher: CLIP. to be gypped (2) *être victime d'une escroquerie:* (II) être pigeonné: CLIPPED. to let oneself be gypped (2) *se laisser escroquer:* (I) se laisser manger la laine sur le dos: CLIPPED.

gyp artist n (2) GYP.

gyp joint n (2) *établissement (magasin, restaurant, cabaret, etc.) où les prix sont exorbitants:* (II) maison où on pratique le coup de fusil, la maison j't'arnaque; (III) la maison arrangemane, maison tire-pognon [-pèze].

gypster n (2) GYP.

gyrene n (2) *soldat de l'Infanterie de Marine:* (II) marsouin.

H n (2) *héroïne (comme stupéfiant):* (III) (fée) blanche, blanc, chnouf, héro, Lilipioncette.

habit—to kick the h. (2) *se désintoxiquer (alcool, drogues, tabac, etc.):* (III) se décamer (drogues).

hack n (2) *gardien de prison:* (III) maton, matuche, gaffe.

hackle—to raise one's hackles (1 fig.) *se mettre en colère:* (II) voir rouge, sortir de ses gonds: BLOW UP.

had—to be h. (2) *être victime d'une fraude:* (I) être empaumé: CLIPPED. (2) *être victime d'une plaisanterie:* (I) se faire mettre en boîte: BUSINESS. to have h. it (2) *en avoir assez:* (II) en avoir marre: BELLYFUL. to have h. (more than) enough (2): HAVE HAD IT.

ha-ha—to give s.o. the merry ha-ha (2) *se moquer de q'un:* (II) se ficher de q'un; (III) se foutre de: DAMN.

hail Columbia—to give s.o. h. C. (2) *réprimander, corriger:* (II) enguirlander: BAWL OUT. to get h. C. (2) *être réprimandé* (II) se faire savonner: BAWLED OUT. to raise h. C. (2) *faire du vacarme:* (I) faire du boucan: CAIN.

hair—to get in s.o.'s h. (2) *ennuyer q'un:* (I) barber q'un; (II) assommer: BUG. to let one's h. down (2) *agir ou parler sans affectation, sans formalité:* (I) ne pas faire des chichis; (II) ne pas faire de chiqué: DOG (au négatif). to have h. on it (2) *se dit d'une vieille histoire:* (II) c'est une rengaine: HAIRY. h. of the dog n (2) *un petit verre de whisky pris à jeun après une débauche:* (I) un coup pour tuer le ver.

hair-raiser n (1) *histoire, roman, spectacle, etc., terrifiant:* (I) histoire à faire dresser les cheveux sur la tête* [à donner la chair de poule, à suspens].

hair-raising adj (1) *effroyable, monstrueux, terrifiant.*

hairy adj (2) *vieux (se dit d'une histoire):* (I) vieux comme Hérode, une rengaine, une scie; (II) vieux comme mes robes, une resucée.

half-assed adj (3) *(travail) mal fait, mal exécuté:* (I) raté; (II) bousillé: BOLLIXED-UP. (3) *(personne ou travailleur en général) sans valeur, malhabile, inexpérimenté:* (II) margoulin, gougnafier, sabreur, sabot. to do a h.-a. job (3) *mal exécuter un travail:* (I) amocher; (II) torcher: BITCH UP.

half-baked adj (2) *inexpérimenté:* (I) blanc-bec, un bleu.

half (a) buck n (2) *cinquante cents (U.S.A.).*

half-pint n (2) *personne de courte taille:* (I) courte-boîte: BANTIE.

half seas—to be h. s. over (2a) *être ivre:* (II) être gelé: BLOTTO.

half shot—to be h. s. (2) *être à demi-ivre:* (II) être paf: BLOTTO.

half there—to be only h. t. (2) *être stupide, un peu fou:* (II) être timbré: BATS.

halvies—to go h. (2) *partager équitablement:* (III) marcher afanaf [fifti-fifti].

ham n (2) *mauvais acteur, (acteur très affecté):* (I) cabotin, cabot. (2) *radio-téléphoniste amateur.* (2) *personne affectée:* (I) plastronneur; (III) béchamel: GRANDSTANDER. to h. (it up) (2) *tenter de se faire remarquer par ostentation:* (I) plastronner, jouer pour la galerie: GRANDSTAND.

ham-and-egger n (2a) *mauvais acteur:* HAM.

hamburger—to make h. out of s.o. (2) *battre q'un rudement:* (1) battre q'un comme plâtre; (III) passer à tabac: BASH.

hammerhead n (2a) *sot, niais:* (I) cornichon; (II) ballot: BLOCKHEAD.

hand—to do s.t. with one h. tied (behind one's back) (2) *faire q'ch. facilement:* (II) faire q'ch. les doigts dans le nez; (II) faire q'ch. les doigts dans le pif. to give [lend] s.o. a (helping) h. (1) *aider, seconder q'un:* (I) épauler q'un; (III) filer [un coup de] louche à q'un. to give s.o. a big h. (2) *acclamer q'un, applaudir avec enthousiasme:* (I) applaudir à tout rompre; (II) faire trembler les lustres [casser la baraque]. to give the glad h. (2) *accueillir avec chaleur:* (I) donner une bonne poignée de main à, recevoir à bras ouvert. to hold a strong h. (1) *avoir tout pour réussir:* (I) avoir tous les atouts en main. to play a lone h. (2) *travailler, agir en solitaire:* (I) faire cavalier seul, faire bande à part, travailler en franc-tireur. to tip one's h. (2) *divulguer ses intentions:* (I) dévoiler ses batteries, étaler son jeu*; (II) abattre ses cartes. to work h. in glove with (1) *travailler ou coopérer avec:* (I) être de mèche avec; (II) être en cheville avec; (III) se flécher avec, s'équiper avec. to throw in one's h. *abandonner le jeu (au fig.):* (I) lâcher la partie* [les dés]. to make money h. over fist (1) *gagner beaucoup d'argent:* (I) ramasser de l'argent à la pelle*: BUNDLE. one h. scratches the other (1) *s'entraider:* (I) renvoyer l'ascenseur. to sit on one's hands (2) *ne pas travailler:* (I) se tourner les pouces; (II) les avoir à la retourne: BUM AROUND. (2) *ne pas applaudir à un spectacle.* to have two left hands (2) *être maladroit:* (I) être adroit de ses mains comme un cochon de sa queue, être un brise-tout [brise-fer]. to win hands down (2) *remporter une victoire facilement:* (III) arriver dans un fauteuil, gagner (avec) les doigts dans le nez. to have one's h. out (1) *solliciter, mendier:* (II) mendigoter: ARM.

handful n (1) *chose ou personne difficile à maîtriser.*

handle n (1) *nom, titre:* (III) blase, blaze, centre. to fly off the h. (1) *se laisser emporter par la colère:* BLOW UP. to fly off the h. easily (1) *se mettre en colère à la moindre provocation:* (I) avoir la tête près du bonnet, monter [s'emporter] comme une soupe au lait. to have a queer h. (2) *avoir un nom bizarre:* (II) avoir un nom à coucher dehors.

handlebar moustache n (1) *moustaches longues et tombantes:* (I) moustaches à la gauloise; (III) bacchantes [charmeuses] en guidon de vélo*, bacchantes de phoque.

hand-me-downs n (2) *vêtements usagés:* (I) nipes, pelures; (III) fripes, frusques, loques, sapes.

handy Andy n (2) *homme capable de faire toutes sortes de travaux manuels:* (I) bricoleur, touche-à-tout.

hang—to get [have] the h. of s.t. (1) *avoir le savoir faire:* (I) avoir le truc. to h. around (1) *rester, attendre pour une période de temps indéfinie et sans motif précis:* (I) flâner; (II) poireauter. to h. around with (2) *fréquenter (personne):* (I) s'acoquiner à.

to h. one on (2) *s'enivrer:* (III) se piquer le pif: BOILED. to h. one on s.o. (2) *donner un coup de poing, frapper:* (II) filer une beigne à: CLIP. to h. out at (2) *habiter, fréquenter (endroit):* (I) percher. to h. s.t. on s.o. (2) *rendre q'un responsable d'un délit:* (I) mettre sur le dos de q'un; (III) mettre sur le paletot de, faire porter le chapeau [bada, doulos]. not to care a [give a] h. (2) *se moquer de:* (I) se ficher de: DAMN.

hangout n (2) *domicile, lieu qu'on fréquente:* (II) coin; (III) bercail: KIP.

hangover n (1) *malaise qu'on éprouve le matin après une débauche:* (II) gueule de bois, G.D.B.

hankie n (2) *mouchoir:* (II) tire-gomme [jus, moelle]; (III) blave.

hanky-panky n (1) *action suspecte ou équivoque, fourberie:* (I) tour de passe-passe, anguille sous roche, piège; (III) turbin, coup fourré.

happenstance n (1) *événement fortuit.*

happy (2) *souvent employé comme suffixe pour indiquer un grand enthousiasme pour q'ch. ex: "money-happy," "trigger-happy."*

happy dust n (2a) *stupéfiants:* (III) came, blanche, neige, fée blanche, schnouf, reniflette, bigornette.

hard—to be h. at it (2) *être en plein travail:* (II) bosser; (III) turbiner: GRIND. to be h. up (2) *être à court d'argent:* (II) être fauché, être sans un sou: BROKE. (2) *être dans la misère:* (II) être dans la dèche; (III) être dans la débine: DOWN AND OUT. to be h. hit (2) *être fortement éprouvé:* (II) accuser [encaisser] des coups durs [le coup]: HIT. it is h. sledding (2) *c'est pénible ou difficile à réaliser (un travail):* (II) c'est un travail de forçat [galérien]. to do s.t. the h. way (2) *faire q'ch. avec les moyens empiriques:* (I) travailler avec des moyens de bord: (II) travailler avec sa bite et son couteau. to have a h. time (of it) *traverser une mauvaise période, être dans une mauvaise passe:* (I) être dans le pétrin: HOT WATER. to have no h. feelings against (2) *ne pas en vouloir à q'un:* (II) passer l'éponge. to play h. to get (2) *pour une jeune fille, faire semblant d'être difficile à conquérir:* (I) faire la difficile, jouer les intouchables. to take it h. (2) *réagir vivement à une dure épreuve:* (II) accuser le coup.

hard-boiled (1) *qui n'a peur de rien, sans sentiments:* (II) dur; (III) duraille, durillon, dur-à-cuire. h.-b. egg n (2) *homme de mauvais caractère:* (II) dur: BAD ACTOR.

hard core n (2) *les intransigeants sur les principes d'un parti politique:* (I) les durs (d'un parti).

hard grind n (2) *travail difficile:* (II) dur boulot; (III) dur turbin.

hard knocks n (2) *les vicissitudes de la vie:* (I) les coups durs*.

hard liquor n (2) *boisson alcoolique, spiritueux:* (III) gnole: BOOZE.

hard-on—to have a h. (3) *être en érection:* (IV) bander, bandocher, l'avoir en l'air, l'avoir dur*, avoir la canne [tringle, trique, gaule], avoir du gourdin [le manche], redresser, être triqué, goder, godailler, bander comme un cerf, marquer midi, avoir le tracassin.

hard-pressed—to be h. (1) *être dans une situation désespérée:* (I) être aux abois, ne savoir de quel bois faire flèche, avoir le dos au mur, être sur la corde raide; (II) être à cul.

hard sell n (2) *battage publicitaire:* (I) tam-tam: BALLYHOO.

hard time—to give s.o. a h.t. (2) *être dur avec q'un:* (I) être chien avec q'un: BAD TIME.

hard times n (2) *période de crise financière, récession.*

hard up—to be h. u. (1) *être démuni d'argent:* (I) être fauché; (II) être raide: BROKE. (3) *avoir de forts désirs sexuels.* to be h. u. for s.t. (1) *avoir grand besoin de q'ch.*

hardware n (2) *armes, munitions:* (III) outils: CANNON.

harness—to get back into h. (1) *se remettre au travail:* (III) retourner dans les brancards*: GRIND.

harness bull n (2) *policier (surtout en uniforme):* (III) garnos, collégien, habillé: BULL.

harnessed—to get h. (2) *se marier:* (I) sauter le fossé: FINAL STEP.

harness meet n (2) *trot attelé (course hippique):* (III) le trotting, la course aux petites charrettes.

harp n (2a derog.) *Irlandais.*

has-been n (1) *individu agé:* (I) vieux jeton: ANTIQUE. (1) *chose tombée en désuétude, personne qui a perdu sa popularité.*

hash—to h. up (1) *mal faire q'ch.:* (I) bâcler; (II) faire à la noix: BITCH UP. to make (a) h. out of s.t. (1) H. UP. (2) *démolir:* (I) mettre en capilotade; (II) mettre en pièces détachées, (III) bousiller. to settle s.o.'s h. (1) *vaincre q'un définitivement:* (I)

écraser; (II) mettre dans la poche. to sling h. (2) *travailler comme garçon dans un restaurant.* to h. s.t. over (2) *discuter q'ch. à fond:* (III) ramener q'ch.

hashery n (2) *restaurant de basse catégorie:* (I) gargote.

hash house n (2) HASHERY.

hash marks n (2 mil.) *galons de sous-officier:* (II) sardines.

hash slinger n (2) *garçon de restaurant:* (III) loufiat.

hassle n (2) *bagarre, rixe:* (II) bigorne: DONNYBROOK. to get into a h. (2) *entrer en lutte, en querelle, se battre:* (I) se bagarrer, se bûcher; (II) se bigorner, se peigner; (III) se tirer la bourre, se crêper le chignon, se coltiner, se crocheter, se frotter, se torcher, se manger le pif [blair, tarin, etc.], se coller, se chataîgner, se donner [flanquer, donner] un coup de torchon.

hat—I'll eat my h. if (2) *se dit quand on fait un pari avec la certitude de la gagner:* (II) je me ferai moine [curé] si, je veux qu'on le coupe si. to keep s.t. under one's h. (2) *tenir secret, ne pas divulguer:* (I) tenir sous cape*, cacher sous le manteau; (II) se mettre un cadenas. to make s.o. eat his h. (2) *obliger q'un d'admettre qu'il a tort.* to pass the h. (2) *faire la quête:* (III) faire la manche. to pick out of the h. (2) *prendre au hasard:* (I) prendre au petit bonheur, piquer [taper] dans le tas. to talk through one's h. (2) *parler à tort et à travers:* (I) radoter; (II) déblatérer, débloquer; (III) déconner (à pleins tubes). to tip one's h. to s.o. (2) *reconnaître la valeur de q'un:* (I) tirer son chapeau à q'un*; (II) tirer son bada à q'un. to wear no man's h. (2) *être un candidat indépendant:* (I) être sans étiquette.

hatchet—to bury the h. (1) *se réconcilier, faire la paix:* (II) se rabibocher; (III) se rambiner, se repapilloter, rambiner le coup [l'affaire].

hatful n (2) *beaucoup de:* (II) une potée de: BAGS OF.

haul—to h. ass out (3) *s'en aller, s'esquiver:* (I) prendre le large; (III) s'esbigner: BEAT IT. to h. s.o. in (2) *arrêter, appréhender:* (II) agrafer; (III) épingler: BAG. to h. off at s.o. (1) *frapper q'un:* (II) voler dans les plumes, [tomber sur le poil] à q'un; (III) rentrer dans le portrait [cadre] à, tomber sur le paletot [râble] à, flanquer [filer, donner, balancer] un coup de torchon. to h. off and punch [sock] s.o. (2) HAUL OFF AT. to make a h. (2) *faire beaucoup de profits:* (I) faire ses foins [sa pelote]: BUCK (2) *gagner au jeu:* (I) ratiboiser; (II) ratisser; (III) faire la barbe, barbichonner. (2) *emporter un butin important.*

have—to h. it in for s.o. (1) *en vouloir à q'un:* (I) avoir une dent contre q'un; (II) être en renaud contre q'un. to h. it all over s.o. (2) *surpasser q'un, être beaucoup plus capable que.* to let s.o. h. it (2) *réprimander, faire savoir ce qu'on pense:* (II) engueuler: BAWL OUT. (2) *battre, frapper:* (II) tabasser: BASH. to h. it bad for s.o. (2) *être épris de q'un:* (II) avoir le pépin pour q'un: BATS. to h. nothing on s.o. (2) *ne pas avoir de preuves de la culpabilité de q'un:* (III) ne pas pouvoir faire marron.

have-nots (the) n (2) *les déshérités.*

haves (the) n (2) *les bien pourvus (en général).*

hay n (2) *lit:* (III) page: BUNK. to hit [crawl into] the h. (2) *se coucher:* (III) se pieuter: BUNK DOWN. a roll in the h. (3) *copulation:* (IV) une partie de jambes en l'air [de traversin]. that's not h. (2) *ce n'est pas peu de chose:* (I) ce n'est pas de la petite bière; (II) ce n'est pas de la paille*; (III) ce n'est pas de la gnognote.

hayburner n (2) *cheval médiocre:* (I) rosse; (II) carcan; (III) bourrin, canasson, carne, bique, tocard, vache, veau, chèvre.

haymaker n (2) *coup violent qui assomme:* (I) coup à assommer un boeuf.

hayseed n (2) *paysan:* (II) pedzouille, plouk: APPLE KNOCKER.

haywire adj (2) *confus, embrouillé (situation, objet):* (I) filandreux, fumeux; (II) vaseux. (2) *confus (individu):* (I) embarbouillé; (II) vaseux. to be [go] h. (2) *perdre le fil de ses pensées:* (I) s'embarbouiller; (III) perdre les pédales: BALLED UP. (2) *devenir fou:* (II) partir du ciboulot: BATS.

head n (2 naval) *cabinet d'aisance:* (II) goguenots: JOHN. to have a big h. (2) *souffrir des effets d'une ivresse:* (II) avoir la gueule de bois [G.D.B.]. to have a swelled h. (2) *avoir trop bonne opinion de soi-même:* (II) se gober; (III) être vanneur [bêcheur, béchamel]. to be out of one's [queer in the] h. (2) *être fou:* (I) être toqué; (II) être parti du ciboulot: BATS. to go off [out of] one's h. (2) *devenir fou:* (I) déménager; (II) perdre la boule: BATS. to use one's h. (1) *agir avec intelligence.* to bring to a h. (1) *mener à terme (projet):* (I) faire mûrir, mitonner. to have rocks [a hole] in the h. (2) *manquer d'intelligence:* (II) avoir une case de vide; (III) être con: BLOCKHEAD. to have one's h. in the clouds (1) *être rêveur:* (I) être dans

les nuages*; (III) être dans les vapes. to hit it [the nail] right on the h. *trouver la réponse, l'attitude, la solution juste:* (I) taper dans le mille, viser [taper, frapper] juste; (II) trouver le joint. to keep a level h. (1) *garder son sang-froid:* (I) ne pas se démonter, ne pas perdre la tête [le nord, la voile, les pédales]. to put a h. on a glass of beer (1) *ajouter un peu de bière dans un verre pour faire monter la mousse.* to take it in one's h. to (1) *prendre la décision de:* (I) se mettre en tête de*. to tell s.o. where to h. off (2) *dire à q'un ce qu'on pense de lui:* (I) dire à q'un ses quatre vérités; (II) lâcher le paquet [morceau] à q'un, dire ce qu'on a sur la patate; (III) vider son sac à. to make heads roll (2) *congédier ou démettre les responsables pour pallier un insuccès:* (I) donner un coup de balai, faire tomber les têtes*, faire le vide, faire place nette; (II) sabrer. to put their heads together (2) *mettre ses efforts en commun, conjuguer ses efforts:* (I) s'épauler.

headache n (1 fig.) *ennui, souci:* (I) embêtement; (III) emmerdement.

head cheese n (2) *chef, gérant:* (III) caïd, (grand) manitou, dirlot, singe.

header—to take a h. (1) *tomber par terre:* (I) ramasser une bûche: CROPPER.

headlines—to hit the h. (2) *être cité en gros titres dans les journaux:* (II) avoir les honneurs de la une, faire la une.

headshrinker n (2) *psychanaliste.*

health—to get a clean bill of h. (2 fig.) *être jugé non coupable:* (II) être blanchi.

healthy adj (1) *grand, considérable;* (I) pas mal de.

heap n (2) *voiture (surtout vieille):* (I) tacot; (II) berlingot: CRATE. to be on top of the h. (2) *être au premier rang dans un groupe, une société, etc.:* (I) tenir le haut du pavé. to be at the bottom of the h. (2) *être au bas de l'échelle:* (I) être le dernier des derniers; (II) être un traîne-misère. heaps of—*une grande quantité de:* (II) une floppée de: BAGS OF.

hearing—to be hard of h. (1) *être sourd:* (III) être dur de la feuille*: DOORKNOB.

heartbalm (2) *euphémisme qui désigne l'indemnité, souvent très importante, accordée par un jugement de divorce aux U.S.A.*

heartbreaker n (2) *homme séduisant:* (I) Don Juan, Casanova; (II) bourreau des coeurs; (III) tombeur. (1) *catastrophe, tragédie.*

hearts—to play h. and flowers (2) *jouer de*

la musique très sentimentale: (I) jouer de la musique à l'eau de rose.

heartthrob n (2a) *objet d'un amour passionné:* (I) béguin.

heat—to turn on the h. (2) *demander un surcroît de travail:* (I) faire suer le burnous; (III) faire taper dans la bute. (2) *mettre à l'amende.* (2) *donner le maximum de soi-même:* (I) suer sang et eau; (II) mouiller sa chemise, en baver; (III) en roter, en chier. (2) *commencer à tirer (armes):* (III) balancer [envoyer] la fumée [purée, sauce]. (2) *aller à la recherche d'un criminel (police).* the h. is on (2) *la police a commencé une recherche active:* (II) il y a du pet.

heater n (2) *revolver:* (III) calibre: CANNON.

heave-ho—to give s.o. the h. (2) *renvoyer q'un de son emploi:* (II) sacquer: BOUNCE. (2) *mettre q'un à la porte avec force:* (I) flanquer [balancer] q'un à la porte. to get the h. (2) *être congédié:* (I) recevoir son paquet: BOUNCE.

heaves—to have the h. (2) *avoir des nausées;* (I) avoir mal au coeur.

heavy—to be in the h. (2a) *avoir beaucoup d'argent:* (III) avoir la fouille pleine: BANK-ROLL.

heavy date n (2) *rendez-vous sentimental important.*

heavy dough [sugar] n (2) *beaucoup d'argent.*

heavy necking n (2) *caresses plus ou moins intimes:* (III) pelotage; (III) tripotage.

hebe n (2 dérog.) *juif:* (III) cormoran, nez gras, youpe, youpin, youvance.

heck—h. of a (euph. pour *hell*) (2) *locution emphatique désignant q'ch. de très bon, de très mauvais ou de très inusité, ou q'un de très agréable ou détestable, le cas échéant.*

hedgehop v (2) *voler (avion) près de la terre:* (III) voler au ras des marguerites, faire du rase-mottes.

heebie-jeebies—to have the h. (2) *être très nerveux:* (I) avoir les nerfs en pelote.

heel n (2) *personne méprisable, canaille:* (I) sale bougre; (II) fripouille: BAD ACTOR. to cool one's heels (1) *attendre longtemps:* (I) droguer; (II) poireauter: COOL. to drag one's heels (2) *travailler lentement et avec indifférence:* (III) tirer au cul*: GOLDBRICK. to have round heels (2) *être une femme de moeurs faciles:* (III) avoir la cuisse hospitalière.

heeled—to be h. (2) *porter une arme cachée:* (III) être chargé [fargué, enfouraillé]. to be well h. (2) *être bien pourvu d'argent:* (II)

être aux as: BANKROLL. to get h. (2) *s'armer avec un revolver:* (III) se charger, se farguer, se fourailler.

hefty adj (1) *robuste, fort:* (II) costaud: BEEFY.

heinie n (2a dérog.) *Allemand:* (II) boche: FRITZ.

heist n (2) *vol, cambriolage:* (III) coup*, affaire, casse, fric-frac, mise-en-l'air, cassage, cassement, fauche, turbin. to pull [make] a h. (2) *faire un cambriolage:* (III) faire un coup [une affaire, un turbin, du fric-frac], mettre dedans [en l'air], casser, frapper, caroubler, fric-fracquer, fracasser, braquer, cravater, faire un braquage [cravate] à, monter en l'air [en dedans], faire un casse (ment), faire un fric-frac.

heister n (2a) *voleur à main armée:* (III) braqueur.

hell—to bawl h. out of (2) *donner une verte semonce:* (II) lessiver la tête à: BAWL OUT. to beat [knock] the h. out of (2) *battre, frapper rudement:* assassiner; (III) asticoter: BASH. to catch [get] h. (2) *être réprimandé:* (II) recevoir une engueulade: BAWLED OUT. to feel like h. (2) *se sentir mal:* (I) être patraque: BAD SHAPE. to give s.o. h. (2) BAWL OUT. to say to h. with (2) *se moquer de:* (III) se foutre de: DAMN. not worth a hoot in hell (2) *ne rien valoir:* (II) ne pas valoir un pet de lapin: DAMN. to go [run] like a shot out of hell (2) *aller à toute vitesse:* (I) aller à toute pompe: BARGE ALONG. to raise h. (2) *faire du vacarme:* (I) faire un chahut: CAIN. (2) *protester fortement:* (I) rouspéter: BEEF. to raise h. about s.t. (2) *faire toute une histoire à cause de q'ch.:* (II) en faire tout un plat: FUSS. until [when] h. freezes over (2) *jamais:* (I) la semaine des quatre jeudis. to be sure as h. (2) *être assuré:* (III) être dans la fouille: BAG. all over h. and gone adv. (2) *partout, dans toutes directions:* (I) par monts et par vaux, de fond en comble; (II) dans tous les azimuths. for the h. of it (2) *sans raison précise:* (I) comme ça, pour la gloire. to play h. with s.o. (2) *malmener, maltraiter q'un:* (I) rendre la vie dure à q'un, en faire voir de toutes les couleurs à q'un; (II) en faire baver [roter] (des ronds de chapeau). to go like h. (2) *aller, conduire à toute vitesse:* (III) bomber, donner à plein gaz: BARREL.

hellbender n (2) *débauché:* (I) bambocheur, bambochard, noceur, foireur.

heller n (2) HELLBENDER.

hellhole n (2) *endroit réputé dangereux, quartier mal famé:* (II) coupe-gorge.

hellion n (1) *personne de mauvaise réputation:* (I) sale bougre; (II) fripouille: BAD ACTOR. (1) *enfant méchant:* (I) un petit diable [voyou, canaille], une petite chipie (se dit d'une fille).

hell-raiser n (2) HELLBENDER.

he-man n (2) *homme fort et viril:* (I) lascar; (II) costaud; (III) malabar, fortiche, balaise, balèze.

hen n (2 dérog.) *femme:* (II) poule*: BABE. old h. (2) *vieille femme:* (II) bique: BAG. to be mad as a wet h. (2) *être emporté par la colère:* (II) être en rogne: BLAZES.

hen fruit n (2) *oeuf ("fruit de la poule").*

hen party n (1) *réunion de femmes:* (II) volière, réunion de rombières.

hen scratches n (2) *mauvaise écriture:* (I) gribouillage, pattes de mouche.

hep—to be h. (2a) *être au courant:* (I) être à la page: BALL. to put s.o. h. (2a) *mettre q'un au courant:* (I) mettre à la page; (III) affranchir: CLUE IN.

hep cat n (2a) *personne dans le vent. Cette expression, usité parmi les beatniks de 1950, est maintenant en désuétude, ayant été remplacé par "hip":* HIP.

hepped up—to be all h. u. (2) *être en colère:* (I) fumer, être à cran: BLAZES. (2) *être très enthousiasmé:* (I) être emballé; (II) bicher.

herd—to ride h. on s.o. (1) *pousser q'un durement:* (I) mener q'un à la baguette: HIGH PRESSURE.

herder n (2a) *gardien de prison:* (III) maton, gaffe, matuche.

hero sandwich n (2) *sandwich mis en vogue par les Italo-Américains aux U.S.A., consistant en deux grosses tranches de pain et en divers ingrédients (jambon, tomate, saucisson, fromage, etc.).*

het up adj (2) *en colère, très monté:* (I) à cran; (II) en rogne: BLAZES.

hex n (1) *chose qui semble attirer la malchance:* (I) porte-guigne; (II) porte-poisse.

hick n (1) *rustique, paysan:* (II) péquenot: APPLE KNOCKER.

hick college n (2) *école de province.*

hickey n (2) *marque sur la peau fait par un baiser ardent:* (I) suçon. (2) *petit bouton sur la peau:* (III) berlingot.

hick town n (2) *village, petite ville de campagne:* (II) patelin, trou; (III) bled.

hickville n (2) HICK TOWN.

hide n (1) *peau:* (I) cuir*; (II) couenne. to save one's h. (3) *sauver sa peau:* (III) sauver

ses côtelettes [os]. to tan s.o.'s h. (2) *frapper, battre q'un:* (II) tanner le cuir à q'un*: BASH.

hide-out n (1) *cachette (d'un voyou en fuite):* (III) carre, planque, placarde, planquouse.

hiding n (1a) *volée de coups:* (II) fricassée, trempe: ANOINTING.

high—to be h. (as a kite) (2) *être ivre:* (II) avoir le nez salé: BLOTTO. to get h. (2) *s'enivrer:* (III) se piquer le nez: BOILED. to be flying h. (2) *être emporté par l'enthousiasme.* (2) *être ivre:* (II) être allumé: BLOTTO. to eat h. on the hog (2) *vivre bien:* (I) vivre sur un grand pied. to be left h. and dry (I) *être abandonné:* (II) être plaqué, rester là; (III) rester en rade [sur le carreau, en frime]. to reach an all-time h. (1) *franchir la limite connue (de prix, de valeurs, etc.):* (I) battre tous les records. h. and mighty adj (1) *vaniteux, poseur:* (I) collet monté, plastronneur; (III) béchamel, bêcheur, bégueule.

highball vi (2) *conduire, aller à toute vitesse:* (III) bomber: BARREL.

high brass n (2) *personnages importants:* (I) huiles: (II) grosses légumes, gros bonnets, pontes; (III) grands manitoux, grossiums.

highbrow n (2) *intellectuel:* (I) mandarin; (II) ponte, grosse tête.

higher-ups n (1) *personnages importants:* (I) huiles: BIG BEAN.

high-hat—to h.-h. s.o. (2) *faire un affront à q'un en affichant un air de supériorité:* (I) regarder q'un de haut, toiser, donner un camouflet à.—adj (1) *poseur, vaniteux:* (I) plastronneur; (III) béchamel: HIGH.

high horse—to be on one's h. h. (1) *afficher un air de supériorité:* (I) toiser. to take s.o. off his h. h. (2) *ramener q'un à sa vraie valeur:* (I) remettre q'un à sa place, descendre q'un de son piédestal*.

highjack vt (1) HIJACK.

highjacker n (1) HIJACKER.

highlifer n (2) *viveur:* (I) noceur, foireur, bambocheur, bambochard: (II) bringueur, bombeur.

high-muck-a-muck n (2) *personnage important:* (II) ponte: BIG BEAN.

high-pressure vt (1) *tenter d'imposer sa volonté à q'un:* (I) mener à la baguette; (II) mener [mettre] à la matraque; (III) mettre à la schlague.

high roller n (2) *qui risque beaucoup au jeu:* (III) gros ponte, gros flambeur. (2) *qui dépense beaucoup d'argent en amusements (au cabaret, etc.).*

high sign—to give the h. s. (1) *avertir:* (II) pousser le cri; (III) envoyer le sert [serre, serbillon, duce].

high spots—to hit the h. s. (2) *faire la tournée des boîtes de nuit, faire une partie de plaisir:* (I) faire la tournée des grands ducs, faire la noce [foire], bambocher; (II) faire la bombe; (III) dérouler, se la faire crapuleuse. (1) *faire à la hâte et sans précaution:* (I) bâcler, rapetasser. to cover the h. s. (1) *toucher les points saillants d'un sujet.*

high-stepper n (2) HIGHLIFER.

hightail (it) vi (2) *courir, aller ou conduire à toute vitesse:* (III) brûler le pavé, donner plein gaz: BARGE ALONG. (2) *s'en aller, s'enfuir:* (III) se trisser: BEAT IT.

high time n (2) *fête, débauche:* (I) ripaille, bombance, bamboche, noce, foire; (II) nouba, bamboula.

high-toned adj (1) *chic, élégant, à la mode:* (II) bath: CLASSY.

highway robbery n (2 fig.) *note exorbitante:* (1) compte d'apothicaire; (III) coup de fusil [barre, masse].

high yellow [yaller] n (2) *métis, mulâtre:* (I) café-au-lait.

hijack vt (1) *arrêter et assaillir un camion en route pour en voler les marchandises:* (III) mettre [monter] en l'air, braquer, cravater.

hijacker n (1) *voleur avec agression:* (III) braqueur.

hike (up) vt (1) *hausser, monter (prix), remonter (vêtements).* to h. up the price (1) *hausser le prix:* (I) rallonger [raugmenter] le prix; (II) allonger le tir.

hill—to go over the h. (2) *s'échapper (de prison, de l'armée):* (I) sauter [faire] le mur; (III) faire la belle, s'esballonner (prison).

hillbilly n. adj (1) *montagnard.*

hills—old as the h. (2) *vieux:* HAIRY.

hind end n (2) *les fesses:* (I) derrière: ASS.

hindside n (2) HIND ENDS.

hind tit—to suck h. t. (3) *être au bas de l'échelle:* (I) être le dernier des derniers; (II) être un traine-misère.

hip adj (2) *au courant, avisé:* (I) à la page; (II) déssalé; (II) à la coule; (III) affranchi. to put h. (2) *renseigner, informer:* (I) mettre à la page; (II) déssaler: CLUE IN. to be h. (2) *être au courant:* (II) être à la coule: BALL.

hip chick n (2) *jeune fille qui adopte le style de l'époque (1960-):* (I) jeune fille de la "nouvelle vague"; (II) jeune fille dans le vent, yé-yé (1964).

hipped—to be h. on (1) *être entiché de:* (I) être coiffé de: BATS.

hippo (abbr. of hippopotamus) n (1 fig.) *femme corpulente:* (II) bouboule: BABY ELEPHANT.

hipster n (2) BEATNIK.

hip talk n (2) *jargon des jeunes gens, des artistes, des Noirs, etc., de la "nouvelle vague" (1960—.)*

hit n (1) *réussite, succès (théât., etc.):* (II) boum;—vt (2) *cambrioler:* (III) mettre en l'air: HEIST. (2) *tuer:* (III) liquider; zigouiller: BUMP OFF. to be [make] a (smash) h. (2) *faire une réussite (théât.):* (I) tenir l'affiche; (II) faire un boum. to be hard h. (1) *être secoué:* (I) en recevoir un bon coup, accuser [encaisser] des coups durs. to hit s.o. for s.t. (2) *solliciter, demander q'ch. à q'un.*

hitch n (1) *obstacle, difficulté inattendue:* (I) accroc, hic, anicroche; (II) pépin, tuile, os, bec (2) *période d'emprisonnement:* (III) gerbe(ment), sape(ment), balancement. (2) *période de service militaire.* to get [pull down] a —— year h. (2) *recevoir . . . années de condamnation:* (III) gerber [saper] de . . . piges [longes]. to sign up for a second h. (army) *rengager:* (II) rempiler; (III) faire fayot, renquiller. to run into a h. (1) *rencontrer un obstacle:* (II) tomber sur [avoir] un os [pépin, bec, manche, coup dur].

hitched adj (2) *marié:* (III) marida. to get h. (2) *se marier:* (III) se maquer: FINAL STEP. to be h. up with (2) *être complice de:* (I) être de mèche [en cheville] avec.

hizzoner (déformation de His Honor) n (2a) *juge d'instruction:* (III) chat fourré, curieux. (2) *maire.*

hoagie n (2) HERO SANDWICH.

hobo n (1) *vagabond, clochard, gueux:* (III) clodo: BUM. h. jungle n (2) *lieu de refuge des vagabonds:* (III) la zone.

hock—vt (2) *déposer au Mont-de-Piété:* (II) mettre au clou [chez ma tante]; (III) empégaler. to be in h. for—dollars (2) *être endetté pour la somme de—dollars:* (III) être encroumé pour—dollars. to have s.t. in h. (2) *avoir déposé q'ch. au Mont-de-Piété pour obtenir de l'argent:* (II) avoir mis q'ch. au clou [chez ma tante]; (III) avoir empégalé q'ch.

hockshop n (2) *Mont-de-Piété:* (2) clou, ma tante; (III) pégale.

hoe-down n (1) *danse rustique:* (II) danse de pedzouille. (2) *bagarre, rixe:* (II) baroud: DONNYBROOK.

hog n (1) *qui garde tout pour soi-même par avarice ou gloutonnerie:* (II) porc; (III) arquinche.—vt (2) *retenir tout, ou la majeure partie, pour soi-même.* to go the whole h. (2) *agir au maximum:* (I) y aller à fond; (III) mettre le paquet. to go h. wild (1) *se laisser aller sans frein:* (I) s'emballer, être hors de soi.

hog-tie vt (1) *empêcher d'agir, ligoter:* (I) mettre des bâtons dans les roues à, couper l'herbe sous les pieds à.

hogwash n (1) *âneries, non-sens:* (I) fariboles; (III) conneries: APPLESAUCE. n (2) *mauvais café:* (II) jus de chaussettes, lavasse. (2) *mauvaise soupe:* (III) lavasse: DISH-WATER.

hoi polloi (the) n (1) *le peuple:* (II) le populo; (III) le trèfle, le trêpe.

hold—to h. down a job (1) *tenir un emploi, une situation.* to h. s.t. against s.o. (1) *en vouloir à q'un:* (I) avoir une dent contre q'un, garder un chien de sa chienne à q'un. to h. out on s.o. (2) *ne pas rendre, ou donner, se qu'on doit.*

hold out—to h. o. (2) *résister, tenir ferme:* (I) se cramponner, ne pas lâcher pied; (II) ne pas caner [caler]. (2) *retenir une partie d'un butin, des profits:* (III) faire de la glisse.

holdout n (1) *dans le monde sportif, un athlète qui ne veut pas s'engager au salaire offert.*

holdover n (1) *personnel retenu après terminaison de son engagement; vedette retenue d'un spectacle à l'autre.*

hold up vt (1) *dérober à main armée:* (III) braquer, mettre [monter] en l'air. (1) *demander un prix exagéré:* (I) écorcher, échauder; (II) donner le coup de fusil [barre]; (III) filer le coup de masse [massue].

hold-up n (1) *vol à main armée:* (III) braquage, mise en l'air. (1) *prix exorbitant:* (II) coup de fusil [barre]; (III) coup de masse [massue].

hole n (2) *cachot disciplinaire en prison:* (III) trou, mitard, jettard, chtar. (2) *cabaret, bar de bas étage:* (II) caboulot: DIVE. to be in a h. (1) *être dans une situation difficile:* (I) être dans le pétrin: HOT WATER. to be in the h. (2) *être endetté:* (II) être accroché; (III) être encroûmé. to burn a h. in one's stomach (food, drink, etc.) (2) *manger ou boire q'ch. de très fort:* (II) emporter la gueule. to go in the h. (2) *s'endetter:* (III) s'encroumer. to h. up (1) *se cacher:* (I) se nicher; (III) se planquer [carrer, placarder, planquouser]. to h. away (2) *cacher (pour dissimuler ou pour économiser):* (II) mettre à gauche; (III)

carrer, mettre à la carre [en petite], placarder, planquer, planquouser. to leave s.o. in a h. (2) *laisser q'un dans une mauvaise passe:* (I) laisser q'un dans le pétrin; (III) laisser q'un en rade [frime]. to put holes through s.o. (2) *fusiller q'un.* (III) flinguer: PLUG.

hole-card n (2) *moyen d'action gardé en réserve:* (I) carte secrète.*

holier-than-thou n (2) *personne hypocrite qui donne l'apparence de dévotion:* (I) Sainte-Nitouche.

holler vi (1) *pousser de grands cris:* (I) beugler, braire, piauler, crier-à-tue-tête; (II) donner un coup de gueule; (III) gueuler (au charron), pousser des gueulements, péter.

holy cow! interj (2) *fichtre!*

Holy Joe n (2a derog.) *prêtre, pasteur:* (III) sac à charbon, coin-coin, corbeau, jaseur, radis noir, rase, ratiche, ratichon, sanglier, cureton.

holy terror n (2) *personne méchante, coquin:* (II) peau rouge; (III) dur, duraille. (1) *enfant malicieux (par plaisanterie):* (I) petit voyou.

home—to go h. feet first (2) *mourir:* (III) s'en aller les pieds devant*: BUCKET.

home base n (1) *fondement d'une action.*

homebody n (1) HOME GIRL.

home girl n (2) *femme qui préfère s'occuper de son ménage:* (I) femme popote, pantouflarde.

homely mug n (2) *individu laid:* (II) tête-à-claques [gifles], roupie, tarte; (III) tartignole, tartouillard.

homework—to do one's h. (2 fig.) *remplir ses obligations conjugales (rapports sexuels).*

homewrecker n (2) *homme (ou femme) qui usurpe les affections d'une personne mariée:* (I) briseur (ou briseuse) de ménage.

homey adj (1) *casanier:* (I) pantouflard, popote.

homo (abbr. of homosexual) n (2) *homosexuel:* (III) pédé: FAG.

honey n (1) *chéri (e):* (I) mon petit chou; (II) ma bobonne, ma zozotte, ma cocotte, mon trognon. a h. of a (1) *une merveille de:* (I) un rêve de; (II) du tonnerre, sensas, formid; (III) foutral: DAISY.

honeybunch n (2) HONEY.

honey wagon n (2) *charrette pour emporter les matières fécales utilisées dans l'Orient:* (IV) bouzine à merde.

honk vi (1) *klaxonner.*

honky-tonk n (2) *cabaret de basse catégorie:* (II) bastringue: DIVE.

hooch n (2) *spiritueux de mauvaise qualité ou distillé illicitement:* (II) gnôle: BOOZE.

hood n (2) *gangster, voyou:* (III) malfrat: GUNSEL.

hoodoo n (2) *maléfice, porteur de malheur:* (I) porte-guigne; (II) porte-poisse.—vt (2) *porter malchance:* (I) porter la guigne [le guignon] à; (II) porter la poisse à; (III) porter la scoumoune à. to be a h. (2) *être porteur de malchance.*

hoodooed—to be h. (2) *avoir de la malchance, ne pas pouvoir gagner:* (I) avoir la main malheureuse: JINXED.

hooey n (2) *ânerie, absurdité:* (I) blague; (II) baratin: APPLESAUCE.

hoof n (2) *pied:* (I) peton; (III) panard: DOGS. to h. it (1) *aller à pied:* (II) aller à pattes: FOOT IT.

hoofer n (2) *danseur professionnel.*

hook—to h. s.t. (1) *voler q'ch.:* (I) chaparder q'ch.; (II) chiper: COP. to h. s.o. (1) *duper q'un:* (I) carotter q'un; (III) empiler: CLIP. (2) *arrêter:* (III) agrafer*: BAG. (2) *pousser q'un à la toxicomanie (action pernicieuse des trafiquants):* (III) camer, chnouffer. on one's own h. (1) *sans appui ou conseil d'autrui:* (I) à son propre compte. to get the h. (2) *pour un acteur, être retiré au milieu de la présentation:* (I) être crocheté. to get off the h. (2) *se tirer d'une situation ou obligation pénible:* (I) se tirer d'affaire; (II) se débrouiller; (III) se démerder. to h. a ride (2) *faire de l'autostop.* to swallow s.t. h., line and sinker (2) *tout croire naïvement:* (I) tout gober: BAIT. to lay [put] the hooks on s.o. (2) *attraper, arrêter q'un (police):* (III) mettre le grappin sur*. to lay the hooks on s.t. (2) *voler q'ch.:* (I) faire main basse sur, grappiner: COP. to throw the hooks at s.o. (2) *frapper:* (I) rosser: BASH. to put the hooks to (3) *coïter avec:* BANG.

hooked—to be [get] h. (1) *être victime d'une escroquerie:* (I) être échaudé; (III) être marron: CLIPPED. (2) *s'adonner aux stupéfiants:* (III) être camé [chnouffé]. to be h. up with (1) *être le complice de:* (I) être de mèche [cheville] avec.

hooker n (2) *petit verre de whiskey:* (I) coup de whiskey; (III) glass. (2) *prostituée:* (I) grue; (I) putain, pute; (III) tapineuse, turfeuse, radeuse, bisenesseuse, pépée, vache, truqueuse, chèvre. (2) *piège dans une proposition, affaire, etc.:* (I) hic, anguille sous roche; (II) os.

hooky—to play h. (1) *s'absenter de l'école:* (I) faire l'école buissonnière.

hooper-dooper n (2) *q'ch. d'extraordinaire:* (I) q'ch. d'épatant [époustouflant]: DAISY.

hoopla n (1) *tapage, vacarme:* (1) chahut, boucan: HULLABALOO. (2) *publicité exagérée:* (I) battage, tam-tam, boniment; (II) baratin.

hoosegow n (2) *prison:* (III) cabane, trou: BRIG.

hoot—not to be worth a h. [in hell] (2) *ne rien valoir:* (II) ne pas valoir chipette: DAMN. not to care [give] a h. (in hell) (2) *se moquer, ne pas s'intéresser:* (II) se balancer de: DAMN.

hootch n (2) HOOCH.

hootenanny n (1) *concert de chansons folkloriques.*

hop n (1) *bal:* (III) guinche. (1) *court trajet.* to h. off (1) *décoller (avion).* (2) *s'en aller, partir:* (II) se cavaler, se la casser: BEAT IT. to be on the h. (2) *être toujours en mouvement, toujours affairé:* (I) être survolté, avoir la bougeotte. to h. to it (2) *se mettre au travail avec promptitude:* (I) y aller en flèche; (II) mettre le grand braquet, (III) rentrer dans le mastic. to h. up (2) *stimuler, aiguillonner:* (I) doper: JUICE. a h., skip and a jump (2) *pas très loin:* (I) à vue de nez; (II) au pif(f)omètre, à vue de pif.

hophead n (2) *toxicomane:* (III) camé, chnouffé.

hopped-up adj (2) *en colère:* (II) en rogne: BLAZES. (2) *surexcité:* (I) survolté. (2) *surchargé (moteur, voiture).* (2) *drogué:* (III) camé, chnouffé, chargé.

hopping—to be h. (2) *être en pleine activité:* (I) battre son plein; (III) être en plein boum, boumer.

hops n (2) *stupéfiants (surtout l'opium):* (III) le noir, la fée brune. to be full of h. (2a) *se tromper:* (III) avoir la berlue, se gourrer, se mettre le doigt dans l'oeil.

horn n (2) *nez:* (III) blair: BEAK. (2) *instrument (argot des musiciens de jazz).* to blow one's own h. (1) *se vanter:* (I) aller fort, broder; (II) vanter la marchandise; (III) en installer: APPLESAUCE. to come out of the short [little] end of the h. (2) *ne recevoir qu'une très petite portion des profits:* (I) se faire écorcher [estamper, étriller]; (II) ramasser une pelle [culotte]; (III) se faire empiler. to h. in (2) *se mêler sans être invité:* (I) fourrer le nez dedans: BUTT IN. to lean on the h. (2) *klaxonner avec persistance:* (I) jouer du klaxon. to lock horns with s.o. (2) *se mettre en lutte avec q'un (au sens* *réel ou figuré):* (I) s'aligner avec q'un; (II) s'accrocher avec q'un: HASSLE.

hornet—to stir up a hornet's nest (1) *rompre l'harmonie, perturber:* (I) jeter un pavé dans la mare; (II) foutre la pagaille.

hornswoggle vt (2a) *duper, frauder:* (III) monter le coup à: CLIP.

horny—to be h. (3) *avoir des désirs sexuels:* (III) avoir le feu au pantalon [jupon], être chaud de la pince [pointe]; (IV) être bandant.

horse n (2a) *héroïne (stupéfiant):* (III) fée blanche, héro, chnouffe. to h. around (2) *faire le plaisant:* (I) batifoler, faire le pitre [clown]; (II) faire le zouave. to back the wrong h. (1) *s'associer avec les perdants:* (I) miser sur le mauvais cheval. to change horses in the middle of the stream (1) *changer de méthode au cours d'une action:* (I) changer de cheval de bataille, changer son fusil d'épaule. to hold one's horses (2) *se refréner:* (I) ronger son frein, piaffer d'impatience. hold your horses! (2) *refrène-toi!:* (I) ronge ton frein!, du calme! to play the horses (2) *jouer aux courses hippiques:* (II) encourager l'amélioration de la race chevaline; (III) flamber. right from the horse's mouth (2) *de la source même:* (I) de première main; (III) en première louche.

horse-and-buggy days (2) *l'époque avant l'invention de l'automobile:* (I) l'époque de la marine à voile et de la lampe à l'huile, le temps des diligences.

horse-cop (2) *agent de police à cheval.*

horse doctor n (2 derog.) *médecin sans habileté:* (I) médecin marron.

horseface n (2) *figure lourde et laide:* (III) tranche de gail(le)*.

horsefeathers! interj. (2, II) mon oeil!

horselaugh—to give s.o. the h. (2) *se moquer bruyamment de q'un:* (I) rire dans le nez à qu'un.

horse opera n (2) *Western.*

horse's ass n (3) *idiot, niais:* (I) cornichon; (IV) con: BLOCKHEAD.

horse sense n (2) *sens commun, bon sens:* (I) jugeote.

hose vt (3) *frauder, duper:* (III) monter le coup à; (IV) baiser: CLIP. (3) *avoir des rapports sexuels avec:* BANG.

hosing—to get a h. (3) *être défait définitivement:* (II) être battu à plate couture; (II) ramasser une veste, recevoir une raclée [déculottée]. (3) *être victime d'une fraude:* (II) être carotté: CLIPPED.

hot—to be h. (2) *être très récent, le dernier cri:* (I) chaud*. (2) *être très capable, instruit:* (I) calé, ferré (2) *être fortuné (au jeu):* (III) avoir du boudin [bol, pot]. (2) *être recherché par la police:* (III) les avoir dans les reins [le dos], être en cavale, craindre. (2) *être agité sexuellement:* (II) être chaud de la pince*; (IV) bander. (2) *se dit d'un objet volé:* (III) ça craint le soleil [jour]. to get h. (2) *reprendre un travail avec acharnement:* (II) mettre la tête dans le guidon. to make it h. for s.o. (1) *faire des difficultés à q'un:* (II) être vache avec q'un: HARD TIME. it's getting hot (2) *la situation devient dangereuse:* (II) ça barde; (IV) ça chie. to be h. (2) *être dans un état nerveux:* (I) avoir les nerfs en pelote. (2) *être amoureux:* HORNY. to do [go at] s.t. h. and heavy (2) *se mettre à faire q'ch. à la limite de ses forces:* (I) faire q'ch. à l'arrache; (II) y aller à toute pompe.

hot air n (2) *niaiserie, boniment:* (1) blague; (II) fichaise: APPLESAUCE. (2) *verbiage:* (II) bla-bla-bla; (III) jactage, vent. to be full [a lot] of h.a. (2) *parler sans sincérité:* (I) blaguer: BALONEY.

hot cakes—to sell like h. c. (1) *se vendre facilement:* (I) se vendre comme des petits pains*.

hot crate n (2) *voiture puissante:* (I) bolide.

hot dog n (1) *saucisse de Francfort (style américain).*

hotfoot—to give s.o. the h. (2) *blague typiquement américaine qui consiste à introduire une allumette entre la semelle et l'empeigne de la chaussure et à y mettre le feu.* to hot foot it (1) *aller vite, courir:* (I) cavaler; (II) se grouiller: GAS.

hot goods n (2) *objets volés et recherchés par la police:* (III) choses qui craignent le soleil [jour].

hot hand—to hold a h. h. (2) *avoir en main des cartes maîtresses (au jeu):* (III) avoir du [un sacré] boudin, avoir de la tarte [du frottin, du flambe]. (2 fig.) *avoir toutes les chances de réussir:* (III) s'embarquer avec des biscuits, ne pas s'embarquer sans biscuits.

hot ice n (2) *bijoux volés:* (III) jonc (aille) chouravé, jonc qui craint le soleil [jour].

hot idea n (2) *idée nouvelle, ingénieuse:* (II) idée du tonnerre, idée sensas.

hot lay n (3) *femme sensuelle:* (II) chaude lapine; (IV) bandeuse, tendeuse, bourrin, boudin, mangeuse de santé.

hot mama n (2) HOT LAY.

hot money n (2) *billets de banque volés et recherchés par la police:* (III) pèze chouravé.

hot number n (2) *article très demandé par la clientèle.* (3) HOT LAY.

hot nuts—to have h. n. (3) HORNY.

hot pants—to have h. p. (3) *être amoureux:* (III) avoir le feu au pantalon [jupon]*; (III) être chaud de la pince: HORNY. to give s.o. h. p. (3) *exciter q'un sensuellement:* (II) allumer; (IV) faire bander [goder].

hot potato n (3) *femme sensuelle:* (II) chaude lapine: HOT LAY.

hot rod n (2) *voiture puissante (reconstituée à partir d'une vieille):* (I) bolide.

hot rock n (2) *personnage, expert:* HOT SHOT. n (2) *diamant volé:* (III) diam' [jonc] qui ne voit pas le jour, diam' chouravé.

hots—to have the h. (3) HORNY.

hot seat n (2) *chaise électrique.*

hot shot n (2) *personnage:* (I) gros bonnet: BIG BEAN. (2) *expert:* (I) as: ACE.

hot spot n (2) *cabaret, boîte de nuit pleine d'activité:* (II) bastringue. to be in a h. s. (I) *être dans une mauvaise passe:* (I) être dans le pétrin: (III) être dans la mouscaille: HOT WATER.

hot squat n (2a) HOT SEAT.

hot streak—to have a h. s. (2) *avoir de la bonne chance persistante (au jeu):* (III) avoir du boudin, faire la barbe, barbichonner.

hot stuff n (2) *objet volé:* HOT GOODS. to be h. s. (2) *être très capable:* (I) être calé, être un as [crack, une épée].

hotsy-totsy adj (2a) *excellent, satisfaisant:* (II) au poil, boeuf: CLASSY.

hot tamale n (2a) HOT LAY.

hot time—to have a h. t. (2) *s'amuser fortement:* (I) faire la vie, gobichonner; (II) se marrer, se gondoler.

hot tip n (2) *renseignement censé être sûr:* (I) tuyau de première main, tuyau increvable; (III) tubard [tube] de première.

hot water—to be in h. w. (1) *être dans une mauvaise passe:* (I) être dans le pétrin [dans de beaux draps], ne pas être à la noce; (II) être dans la pommade [le sirop, le lac, le pastis]; (III) être dans la bouillabaisse [bouscaille, confiture, marmelade, moutarde, mouscaille, vape, cerise, le colletar]. être cuit [rôti]; (IV) être dans la merde (jusqu'au cou). to get into h. w. (1) *se mettre dans une situation difficile:* (I) tomber dans le pétrin; (II) se fourrer dans un coup fumant, tomber dans la pommade; (III) tomber dans la marmelade [bouscaille, etc.].

house—to bring down the h. (1) *recevoir un tonnerre d'applaudissements:* (II) casser la baraque, faire trembler les lustres. on the house (1) *gratis:* (I) à l'oeil, aux frais de la princesse. to go like a h. on fire (2) *aller à toute vitesse:* (II) aller à toute pompe: BLUE STREAK. to paper the h. (2 theat.) *distribuer des billets de faveur pour remplir une salle.*

housebound—to be h. (1) *être obligé de rester à la maison:* (I) garder la chambre.

housebroken adj (1 fig.) *se dit d'un enfant qui ne souille pas ses couches.*

house dick n (2) *détective privé dans le service particulier d'un hôtel.*

how come? (2) *pourquoi?:* (III) bicause?

how-do-you-do—a nice [pretty, fine] h. (1) *par ironie, une mauvaise passe.*

howl n (2) *rigolade, farce:* (I) q'ch. de bidonnant [crevant, gondolant, rigolard, gonflant]; (II) q'ch. tordant [roulant, mourant, rigolo, à se tordre]; (III) q'ch. astap' [marrant, poilant, fendant]. to put up a h. (2) *protester vivement:* (I) bougonner, se rebiffer: BEEF.

howler n (1) *erreur grossière:* (I) boulette: BONER.

h.q. (abbr. of headquarters) n (2) *quartier général, q.g.* (2) *la Préfecture de Police:* (III) la Grande Taule.

hubby n (1) *mari.*

huckster n (1) *agent de publicité.*

huddle—to go into a h. (2) *tenir une conférence pour discuter d'une proposition:* (I) faire un topo, tenir une palabre.

hullabaloo n (1) *vacarme:* (I) boucan, brouhaha, pétard, potin, chahut, chambard; (II) bastringue, barouf(le), casse-oreilles, foin, raffût; (III) bousin, chabanais, ramdame, zinzin. to raise a h. (1) *faire un vacarme, du bruit:* (I) faire un chahut: CAIN.

human dynamo n (1) *homme dynamique:* (I) volcan, dynamo; (II) pète-le-feu.

humdinger n (2) *chose extraordinaire:* (I) chose du tonnerre: DAISY.

humming—to be h. (1) *être en pleine activité:* (I) battre son plein; (III) être en plein boum, boumer.

hump vt (3a) *avoir des relations sexuelles avec:* BANG. to get a h. on (2) *se dépêcher:* (III) se magner: GAS. to get over the h. (2) *surmonter un obstacle:* (I) boire un obstacle.

hunch n (1) *pressentiment, intuition.* to play a h. (2) *agir par intuition:* (II) agir au pif.

hung—to be h. on s.o. (2) *être épris de q'un:* (I) avoir le béguin pour: BATS. to be h. up

(2) *rencontrer un obstacle qui empêche l'achèvement d'un travail:* (I) tomber sur un accroc; (II) tomber sur un os [bec (de gaz)]; (III) tomber sur un manche. (2) *être empêché d'aller à un rendez-vous.* to be h. over (2) *souffrir après une débauche:* (II) avoir la gueule de bois.

hunger—to be (strictly) from h. (2) *se dit d'un acteur, d'un chanteur, ou d'une action sans valeur et sans intérêt:* (I) être miteux [pouilleux]; (III) être tocasse.

hunk n (1) *gros morceau, portion (de pain, de viande, etc.):* (III) morcif, porcif, loubé. to get h. (2a) *avoir sa vengeance:* (III) avoir sa rebiffe. to grab [bite] off the biggest h. (2) *prendre pour soi la majeure part:* (I) tirer à soi la couverture, prendre la part du lion.

hunky n (2 derog.) *immigrant de l'Europe Centrale.*

hunky-dory—things are h.-d. (2a) *tout va bien:* (II) ça biche, ça gaze, ça roule.

hunt-and-peck system n (1) *pour une dactylo, manière de taper en cherchant chaque caractère.*

hurdles—to put s.o. over the h. (2) *maltraiter q'un:* (II) être vache avec q'un: HIGH PRESSURE. to take s.o. over the h. (2) *vaincre définitivement (sports); gagner tout l'argent (au jeu):* (I) écraser; (II) lessiver, nettoyer, plumer, rincer; (III) faire la barbe.

hush-hush adj (1) *très secret:* (I) sous cape.

hustle vi (1) *se dépêcher:* (II) se grouiller: GAS. (2) *se livrer à la prostitution:* (III) aller aux asperges, faire la grue [le trottoir, le macadam, la retape, le biseness, le truc, le quart, le raccroc, le rade, le ruban, le turf, le tapin, le tas], se défendre, s'expliquer, tapiner, chasser le mâle.—vt (2) *voler, dérober:* (I) chaparder; (II) chiper: COP. to get a h. on (2) *se dépêcher.* to h. s.o. (2) *duper, escroquer:* (II) avoir, faire: CLIP.

hustler n (2) *homme travailleur:* (I) arriviste; (II) bûcheur. (2) *prostituée:* (II) pute: HOOKER.

ice n (2) *diamants:* (III) diam, jonc(aille), pierres. vt (2) *tuer:* (III) bousiller: BUMP OFF. on i. (2) *assuré d'avance:* (II) du tout cuit: BAG. to break the i. (1) *faire le premier pas, amorcer une conversation, faire les premières avances:* (I) rompre [faire fondre] la glace*. (2) *avoir le premier client de la journée:* (III) dérouiller. to cut no i. (1) *ne faire aucune impression:* (II) ne rien casser, ne pas casser les briques, être de la gnognote [bricole]. to put s.t. on i. (2)

mettre q'ch. à l'écart (avec l'intention de l'oublier): (I) mettre q'ch. en cachette: (II) planquer: HOLE AWAY. to put [write] it on i. (2) *locution indiquant qu'une dette ne sera jamais honorée parce qu'écrite sur de la glace:* (I) l'écrire sur du sable*. to skate on thin i. (1) *prendre des risques, agir dans des circonstances dangereuses:* (I) marcher sur un fil; (II) marcher sur la corde raide; (III) aller à la mouillette, se mouiller, aller les chercher, y aller du cigare [citron, gadin].

iceberg n (2) *personne insensible, sans chaleur:* (I) banquise, marbre; (II) bout de bois, glacière*, glaçon; (III) frigo.

icebox n (2) *région ou habitation froide:* (I) glacière. (2) *cellule individuelle (cachot disciplinaire) en prison:* (III) mitard, trou, jettard, schtard.

icicle n (2) ICEBERG.

icky adj (2a) *d'une sentimentalité excessive.* (2a) *visqueux, collant, répugnant au contact:* (III) poisseux; (III) dégueulasse, dégueulbif.

i.d. card (abbr. of identity card) n (2) *carte d'identité:* (III) faf(f)es, faf(f)iots, brême.

idea man n (1) *membre d'une organisation chargé de proposer des idées nouvelles.*

iffy adj (2a) *incertain, pas assuré de réussite:* (II) pas du tout cuit; (III) pas du sucre [nougat].

image—to be the spitting [spit and] i. of s.o. (2) *être très ressemblant à q'un:* (I) être q'un tout craché*, être le portrait de.

in—to be in . . . dollars (1) *avoir . . . dollars de profits:* (II) avoir . . . dolluches de rabe [rabiot]. to be in for it (2) *être en danger d'être puni ou réprimandé.* to be in on s.t. (1) *être participant de q'ch. ou d'une action:* (II) être dans le bain [le coup, du bâtiment]. to have an in (1) *avoir de l'influence:* (I) avoir du piston. to have it in for s.o. (1) *garder rancune contre q'un:* (I) avoir [tenir, conserver] une dent contre q'un; (I) avoir q'un dans le nez; (III) être en renaud contre q'un. to be all in (2) *être épuisé de fatigue:* (I) être éreinté; (III) avoir le coup de barre: BEAT.

Indian giver n (1) *personne qui reprend ses cadeaux ou qui revient sur ses offres.*

Indians—all chiefs, no I. (2) *chacun est le chef, personne l'ouvrier.*

indigo mood n (2a) *idées noires:* (I) cafard; (II) bourdon.

info (abbr. of information) n (2) *renseignement:* (III) rencard, tubard, tube.

inkslinger n (2a) *employé de bureau:* (I) gratte-papier, rond-de-cuir.

in-law n (1) *beau-parent:* (II) beau-dabe, belle-dabe.

inner man—to appease the i.m. (la) *manger:* (II) bouffer; (III) se remplir le buffet: CHOW.

inside—to be on the i. (1) *être participant d'une affaire:* (I) être du bâtiment; (III) être dans le coup [bain].

inside dope n (2) *renseignements confidentiels provenant directement des participants:* (I) tuyau: DOPE. to give the i. d. (2) *donner des renseignements confidentiels:* (III) refiler un tubard, tubarder.

inside job n (2) *affaire douteuse achevée par ou avec l'appui d'un employé:* (II) coup fourré [monté].

inside man n (1) *employé qui s'occupe des affaires internes d'une entreprise.* (2) *employé qui aide à perpétrer un coup (cambriolage, fraude, etc.) au détriment de son entreprise.*

insides n (1) *viscères:* (II) tripes: (III) tripailles, boyaux.

intercom n (2) *système électronique de communications entre bureaux, chambres, etc.*

interference—to run i. for s.o. (2) *aider q'un dans une affaire en bloquant ses adversaires (locution fig. dérivée du football).*

intestinal fortitude n (1 euph.) *courage:* GUTS.

Irish—to get one's I. up (1) *se mettre en colère:* (II) piquer une crise: BLOW UP.

iron n (2a) *arme, révolver:* (III) calibre: CANNON. to carry i. (2a) *être armé:* (III) être enfouraillé [chargé, fargué].

iron horse n (1a) *locomotive:* (I) loco.

iron man n (2) *homme fort:* (II) costaud; (III) fortiche, malabar, balaise, balèze.

ironworker n (2a) *cambrioleur de coffres-forts:* (III) débrideur [casseur] de coffiots.

ivories n (2) *dés:* (II) bobs. a set of i. (2) *les dents:* (II) clavier: CHOPPERS. to bang [tickle] the i. (2) *jouer du piano:* (I) taquiner l'ivoire*.

ivory dome n (2a) *intellectuel:* (I) grosse tête; (II) ponte, mandarin.

Ivy League n (1) *un groupe d'universités américaines bien connues et acceptées comme les meilleures; parmi elles: Princeton, Harvard, Yale.* adj (1) *pertinent au I.L.*

ixnay! (2) *non!*

jack n (2) *argent:* (III) fric, pognon: BRASS. to j. s.o. up (1) *encourager, aiguillonner q'un.* to j. up the price (1) *hausser le prix:* (III) allonger le tire.

jackpot—to hit the j. (2) *gagner toute la mise, faire une grande réussite:* (I) gagner le gros lot*; (II) taper dans le mille, décrocher la timbale; (III) faire la barbe, barbichonner.

jag n (2) *débauche, ivresse;* (I) bamboche; (III) ribouldingue: BAT. to have a j. on (2) *être ivre:* (II) être paf: BLOTTO.

jailbait n (2) *jeune fille mineure dont la fréquentation risque d'entraîner la prison:* (III) faux-poids.

jailbird n (1) *détenu, prisonnier.*

jail break n (2) *évasion de prison:* (III) la belle.

jake n (2) *valet (cartes):* (III) balayeur, larbin, gigolo, valdingue. to be j. (2a) *marcher bien, être satisfaisant:* (I) tourner rond; (II) bicher; (III) gazer. everything is [things are] j. (2) *ça marche bien, ça va:* (II) ça biche; (III) ça gaze, ça roule [roulotte].

jal(l)opy n (2) *voiture démodée et en mauvaise condition:* (I) tacot: CRATE.

jam—to be in a j. (1) *être dans une situation difficile:* (III) être dans la marmelade*: HOT WATER.

jam-packed n (2) *au grand complet:* (I) bourré (à craquer, à faire sauter les murs).

jam session n (2) *concert de jazz où chaque joueur improvise:* (I) jam session.

jane n (2) *femme:* (II) pépée, nana: BABE.

java n (2) *café (breuvage):* (III) caoua(h), jus, petit noir.

jaw vi (2) *parler, bavarder:* (III) jaspiner: BREEZE. to j. s.o. out (2) *réprimander q'un:* (II) engueuler q'un: BAWL OUT.

jawbreaker n (2) *bonbon dur.* (2) *mot très difficile à prononcer:* (I) mot à coucher dehors.

jaybird n (2) *rustique, paysan:* (II) pedzouille: APPLE KNOCKER. to be naked as a j. (2) *être tout nu:* (2) être nu comme un ver*: ALTOGETHER.

jayboy n (2) *valet (cartes):* JAKE.

jaywalk vi (1) *traverser les rues sans faire attention aux feux de circulation ni aux passages cloutés.*

jaywalker n (1) *piéton qui traverse la rue, insouciant du feu rouge et des passages cloutés:* (II) trompe-la-mort.

jazz n (2) *paroles captieuses:* (II) baratin: APPLESAUCE.—vt (3) *coïter:* BANG. to j. up (2) *animer, stimuler:* (I) aiguillonner, donner un coup de fouet à. (2) *orner:* (I) bichonner, requinquer.

jazzed-up adj (2) *habillé avec élégance:* (I) tiré à quatre épingles, endimanché. (2) *animé:* (I) survolté. (2) *drogué:* (III) camé, chnouffé, chargé, bourré.

jazzy adj (2) *d'une couleur criarde:* (I) tape-à-l'oeil. (2) *démodé, vieux jeu (dans le langage des beatniks).*

J-boy n (2) *valet (cartes):* JAKE.

jeepers! interj. (2) *mon Dieu!*

jell vi (2) *se cristalliser (en parlant de projets qui aboutissent).*

jellyfish n (1) *individu sans volonté:* (I) mollasson; (II) crevé.

jerk n (2) *individu peu intelligent, ennuyeux et désagréable:* (II) couillon; (IV) con. stupid j. (2) *sot, niais:* (I) espèce d'abruti, bougre d'idiot; (IV) con: BLOCKHEAD.

jerkwater town n (1) *petite ville sans importance:* (I) patelin, trou; (III) bled.

Jerry n (2) *Allemand:* (III) frizou: FRITZ.

jibe vi (1) *être en communion (d'idées):* (I) être au même diapason; (II) être sur la même longueur d'ondes, être branché sur.

jiffy—in a j. (1) *en peu de temps, tout de suite:* (III) en moins de deux: BAT.

jig n (2 derog.) *Noir:* (III) bougnoule: COON. the j. is up (2) *c'est fini, il n'y a pas d'espoir de réussir:* (I) c'est fichu; (II) c'est foutu, le coup est foutu, c'est dans le lac.

jigaboo n (2) JIG.

jigger n (2) *verge:* COCK.

jiggerman n (2) *qui fait le guet:* (III) gaffeur.

jiggers—to lay j. (2) *faire le guet:* (III) faire la gaffe, gaffer, mater.

jigtime—to do s.t. in j. (2a) *faire q'ch. expéditivement:* (II) expédier [faire] q'ch. en moins de deux; (III) faire ficelle pour q'ch.

jim crow adj (1) *tout ce qui a trait à la ségrégation raciale aux U.S.A.*

jinx n (2) *porteur de malchance:* (I) porteur de guigne; (III) porteur de poisse. to be a j. (2) *porter de malheur:* (I) porter la guigne; (III) porter la poisse.

jinxed—to be j. (2) *être poursuivi par la malchance:* (I) avoir la guigne, être guignard, avoir la main malheureuse; (III) avoir la poisse [le cerise], être poissard, manquer de bol [pot, bagouse].

jitney n (1) *petit autobus:* (I) microbus.

jitters—to have the j. (2) *être nerveux, trembler de nervosité:* (I) avoir les nerfs en pelote; (II) avoir la tremblote. (2) *avoir peur, trembler de peur:* (II) avoir les foies [la tremblote, la foire, la frousse, les grelots,

le taf, la chiasse, le trac, la trouille, les colombins], taffer, foirer [faire, chier] dans son froc [fourreau], traquer, faire dans sa culotte; (III) avoir les chaleurs [la venette, les chocottes, les copeaux, les flubes, les flubards, les grolles, le tracsir, la pétoche, la pétouille, les fuchsias, les jetons, la pétasse, la traquette, la traquouse, les blancs, la cliche, les fusains], avoir les miches à zéro, [qui font bravo], serrer les fesses [miches], les serrer, lâcher tout dans son froc, avoir chaud aux fesses, chiasser, fluber.

jittery n (2) *nerveux, tremblant:* JITTERS.

jive n (2) *genre de jazz.*

jive talk n (2) *jargon des amateurs de jazz.*

job n (1) *affaire criminelle:* (III) coup: HEIST. to be on the j. (2) *être très attentif dans son travail:* (II) être à la coule. to soldier [fall down, lie down] on the j. (2) *abandonner son travail, manquer à ses devoirs:* (II) s'endormir sur le mastic: GOLDBRICK. to hold down a j. (2) *avoir un emploi.* to pull [do] a j. (2) *faire un cambriolage:* (III) faire un fric-frac: HEIST. to stick to one's j. (1) *s'appliquer à son travail:* (I) se cramponner [coller] au boulot; (II) boulonner. put-up j. (2) *affaire arrangée d'avance pour tromper:* (I) coup monté; (III) coup fourré.

joe n (2a) *café (breuvage):* (III) caoua(h), petit noir, jus. a good j. (2) *un brave type:* (I) un bon gars; (III) un bon mec [zigue], un vrai-de-vrai.

Joe Blow n (2) *hâbleur, fanfaron:* (I) bluffeur; (II) musicien: BAG OF WIND.

Joe College n (2a derog.) *étudiant qui exagère les manières, habillements, etc., de la mode universitaire.*

Joe Doakes n (2) *citoyen moyen mythique:* (I) M. Dupont-Durand.

john n (2) *cabinet d'aisance:* (I) le petit coin; (II) ouatère, vécé, gogues, goguenot, goguenaud, goguenards, numéro cent; (III) Saint-Siège, azor, cabinces; (IV) chiottes, tartisses, tartissoires. (2a) *client d'une prostituée:* (III) cave.

john book n (2a) *cahier dans lequel une prostituée inscrit les adresses des clients.*

John Hancock n (1) *signature:* (I) griffe.

John Law n (2a) *agent de police:* (III) poulardin: BULL.

Johnny-come-lately n (2) *nouvel arrivé sur la scène.*

Johnny-on-the-spot (to be a) (1) *arriver au moment propice, au moment nommé:* (I) tomber comme mars en carême; (II) arriver à pic, tomber pile.

John Q. Public n (2) JOE DOAKES.

Johnny Reb n (2a) *soldat de l'armée du sud pendant la guerre civile américaine.*

joint n (2) *cabaret, café, etc., de basse catégorie:* (I) bouge; (II) caboulot: DIVE. (2) *habitation (surtout mal tenue):* (II) cambuse: (III) piaule: KIP. (2) *cigarette faite d'un mélange de tabac et de drogues (surtout le marijuana).* (2) to case a j. *surveiller une maison, banque, etc., en préparation d'un cambriolage:* (III) se rencarder pour le coup. to close up [down] a j. (2) *fermer un bar, etc., à cause de ses activités illicites:* (III) lourder une taule. to knock over a j. (2) *dévaliser une maison, un bureau, etc.:* (III) mettre en l'air: HEIST. the j. is hopping. (2) *la maison est au comble d'activité:* (I) la maison bat son plein; (II) la maison est en plein boum.

jokesmith n (2) *auteur de blagues pour la radio et la télévision.*

jolt n (2a) *condamnation:* (III) sape(ment), gerbe(ment).

Joneses—to keep up with the J. (2) *s'efforcer de se maintenir à un niveau social égal à celui des voisins.*

josh vi, vt (2) *railler avec bonne humeur, plaisanter:* (I) blaguer, monter un bateau à; (II) rigoler: BUSINESS.

josher n (2) *qui aime à plaisanter:* (I) blagueur, plaisantin.

joy house n (2a) *maison de prostitution:* (III) claque: CALL HOUSE.

joy-popper n (2a) *qui prend des stupéfiants à volonté sans y être habitué.*

joy ride n (1) *promenade en voiture pour récréation:* (I) balade; (II) virée.

joy rider n (2a) JOY-POPPER.

joystick n (3) *le membre viril:* COCK.

jug n (2) *prison:* (III) cabane, trou: BRIG.— vt (2) *mettre en prison:* (III) emballer, mettre au trou: BEHIND BARS. to put [throw, toss] in the j. (2) *mettre en prison.*

jughead n (2) *personne stupide:* (I) cruche*: BLOCKHEAD.

juice n (2) *courant électrique, carburant:* (II) jus, sauce, coco. to give it the j. (2) *accélérer:* (I) appuyer sur le champignon. to j. up (2) *stimuler, augmenter (l'activité):* (I) survolter, aiguillonner, émoustiller.

juiced adj (2) *ivre:* (II) saoul, allumé: BLOTTO.

juiced-up adj (2) JUICED. (2) *portant une tension électrique, ou un carburant plus puissant que d'ordinaire;* (I) survolté, surchargé.

juice head n (2) *ivrogne:* (II) poivrot, soûlard: BARFLY.

jukebox n (1) *phonographe automatique à jetons:* (II) bastringue.

juke joint n (2) *cabaret où la musique est pourvue par un juke-box:* (II) bastringue.

jumbo n (1) *très grand:* (I) mastodonte*; (III) maousse.

jump—to be on the j. (1) *être très affairé:* (II) être en plein boum; (III) ne pas débander. to be one j. ahead of: *avoir une longueur d'avance sur (au fig.), avoir l'avantage sur:* (I) avoir le pas sur, avoir barre sur, tenir la corde à; (II) gratter, doubler; (III) griller. to j. all over s.o. (2) *réprimander, donner une verte semonce à:* (I) savonner; (III) engueuler: BAWL OUT. to j. s.o. (2) *attaquer, entrer en lutte avec qu'un:* (II) voler dans les plumes à q'un: HASSLE. (3) *coïter:* BANG. to be jumping (2) *pour un magasin, restaurant, etc., être en pleine activité:* (I) être en remue-ménage; (II) être en plein boum.

jumps—to have the j. (2) *ne pas pouvoir rester tranquille ou immobile:* (I) avoir la bougeotte; (II) avoir avalé une anguille, avoir été vacciné avec un arbre à cames; (III) avoir des vers dans le derrière [derche, pot, etc.]. to put s.o. over the j. (2) *maltraiter q'un, mettre q'un à de dures épreuves:* (I) mener à la baguette; (II) être vache avec: HIGH PRESSURE.

jungle n (2) *endroit de mauvaises moeurs:* (I) jungle. n (2a) *lieu de refuge des vagabonds et chiffonniers:* (II) la zone.

junk n (1) *marchandise de qualité inférieure:* (I) camelote; (II) came: CRAP. (2) *stupéfiants (en général):* (III) came, stupes, chnouffe: HAPPY DUST (2) *bijoux (comme butin):* (II) jonc*, joncaille.—vt (1) *détruire, ou se débarrasser de q'ch. qui ne sert plus, mettre au rebut:* (I) mettre [jeter, filer, flanquer] au rencart; (II) mettre en pièces détachées; (III) mettre à la casse. to be on the j. (2) *s'adonner à l'abus des stupéfiants:* (III) se camer, se (s)chnouffer, heap of j. n (2 fig.) *vieille voiture:* (I) tacot: CRATE.

junkie (junky) n (2) COKIE.

junk pusher n (2) *trafiquant de stupéfiants.*

juvenile delinquent n (1) *adolescent délinquant:* (I) j.v. (jeune voyou), blouson noir (pauvre), blouson doré (riche).

kale n (2) *argent:* (III) fric, artiche: BRASS.

kaput adj (1) *perdu, ruiné, vaincu:* (I) fichu: (II) foutu, cuit, flambé; (III) rousti, tondu, flingué.

kayo n (2) *knock-out.*—vt (2) *mettre knock-out.*

kayo punch n (2) *coup qui met knock-out:* (I) coup de massue.

k-boy n (2) *roi (cartes):* (III) papa.

keel—to k. over (1) *s'évanouir:* (I) tourner de l'oeil; (II) tomber dans les pommes: BLACK OUT.

keen adj (2) *excellent, beau, agréable:* (II) chouette, bath: CLASSY. to be k. about [on, over] s.o. (2) *être amoureux de q'un:* (II) avoir le pépin pour: BATS.

keep—to earn one's k. (2) *gagner sa vie:* (I) faire bouillir la marmite; (II) gagner son bifteck [sa croûte]. to k. in with s.o. (1) *se maintenir dans les bonnes grâces de q'un:* (I) rester dans les papiers [la manche] de q'un. to k. up (with the latest) (1) *se tenir au courant:* (I) se tenir à la page [coule, hauteur]; (II) se tenir dans le vent [mouvement].

keeps—to play for k. (1) *participer à un jeu d'argent sérieusement:* (I) jouer pour de bon, ne pas jouer pour rire; (II) ne pas jouer pour des haricots [du beurre]; (III) ne pas jouer pour la frime. (2) *faire q'ch. sérieusement, s'engager à fond:* (I) ne pas prendre à la légère; (II) mettre le paquet.

kegler n (1) *joueur de bowling.*

keister n (2a) *poche:* (II) fouille; (III) glaude: KICK. (2a) *valise ou portemanteau:* (III) valdingue, valoche. (2a) *coffre-fort:* (II) coff(r)iot. (2a) *les fesses:* (I) l'arrière-train; (III) derche: ASS.

kelly n (2a) *chapeau:* (III) bada: BEANIE. (2) *chapeau melon.*

kept woman n (1) *maîtresse entretenue:* (II) gigolette.

kerflooie—to go k. (2) *ne pas réussir:* (I) échouer; (II) foirer: BLOW UP.

kerplunk—to go k. (2) *tomber, chuter:* (II) ramasser une pelle: CROPPER.

keyboard artist n (2) *pianiste.*

kibitz vi (1) *regarder des gens qui jouent aux cartes et les ennuyer par des conseils non sollicités.* (1) *donner des conseils, un avis etc., sans y être invité:* (I) mettre son grain de sel; (II) ramener sa fraise [science].

kibitzer n (1) *personne qui regarde des joueurs de cartes et qui donne des conseils intempestifs sur la conduite de jeu:* (II) chandelle; (III) poulaille.

kibosh—to put the k. on s.t. (2) *mettre fin à q'ch.:* (I) mettre le holà à.

kick n (2) *plainte, réclamation:* (I) rouspétance; (II) rousse. BEEF. (2) *plaisir intense:* (I) franche rigolade; (II) marrade. (2) *plainte à la police:* (III) deuil, pet. (2) *poche:* (II) fouille; (III) ballade, favouille, fouillette, fouillouse, farfouillette, valde, petite, vague, profonde, glaude.—vi (2) *se plaindre, protester:* (I) rouspéter; (II) rouscailler: BEEF. to get a k. out of (1) *tirer plaisir de:* (I) bicher à cause de; (III) prendre son fade [pied] de. to have a k. about (2) *avoir des reproches à faire au sujet de:* (I) rouspéter à propos de; (II) faire de la rouspétance, rouscailler; (III) renauder, aller au renaud [au cri, au scroume]. to k. around (2) *voyager sans but définitif:* (I) rouler sa bosse: BUM AROUND. to k. back (2) *accorder une commission plus ou moins douteuse et parfois illicite:* (I) donner un pot-de-vin [un dessous-de-table]; (III) filer [faire] un bouquet [une fleur, un gant] à. to k. in (2) *donner, payer:* (III) abouler: ANTE UP. to k. in one's ante (2) *payer son écot.* to k. in (a place) (2) *voler avec effraction:* (III) mettre en l'air: HEIST. to k. off [the bucket] (2) *mourir:* (I) perdre le goût du pain (II) lâcher la rampe: BUCKET. to k. s.o. around (2) *maltraiter, malmener q'un:* (II) mettre [mener] à la matraque [gomme], être vache avec. to k. s.o. downstairs (2) *déclasser q'un, mettre à un rang inférieur:* (2) *rétrograder (mil.):* (III) casser. to k. s.o. out (1) *congédier, renvoyer q'un:* (I) flanquer à la porte: BOUNCE. to k. s.t. around (2) *palabrer, discuter sur q'ch.:* (I) tenir une table ronde, peser le pour et le contre. to k. through (2): KICK IN. to k. up (2) *empirer, récidiver, (maladie):* (I) reprendre de plus belle. to put up a k. (2) *protester:* (I) rouspéter; (II) rouscailler: BEEF. (2) *porter plainte (à la police):* (III) porter le deuil [pet], aller au renaud: BEEF. to k. the habit (2) *se désintoxiquer (tabac, drogues, etc.).* to get a k. in the ass (3) *recevoir un choc (moral), être déçu.*

kickback n (2) *ristourne, commission (surtout illicite):* (I) gratte, dessous-de-table, tour de bâton; (III) bouquet, fleur, gant. to give s.o. a k. (2) *donner une commission à q'un:* (I) donner de la gratte à q'un: (III) donner une fleur [un gant, un bouquet] à q'un.

kicker n (2) *piège dans une proposition:* (I) hic: JOKER.

kicking—to be alive and k. (2) *être en bonne santé:* (I) se porter comme un charme, être en pleine forme.

kicks—to do s.t. for k. (2) *faire q'ch. sans raison précise:* (I) faire q'ch. pour la gloire, faire comme ça.

kid n (1) *jeune enfant:* (I) gosse, mioche; (II) loupiot, moujingue, môme, moutard, lardon; (III) chiard, salé, momignard, morpion, moufflet, moucheron, merdeux, têtard, niston—vt (2) *railler, plaisanter, se moquer de, chiner:* (I) monter un bateau à: BUSINESS. —vi (2) *plaisanter, badiner, persifler:* (I) blaguer; (II) rigoler. to k. around (2) *agir d'une manière enfantine:* (I) batifoler, faire le pitre. to k. oneself (2) *se faire des illusions:* (I) se faire des berlues; (III) se berlurer. all kidding aside (2,I) *blague à part!* are you kidding? (2,I) *vous blaguez!* to treat [handle] s.o. with kid gloves (2) *traiter q'un avec beaucoup de soin, avec délicatesse:* (I) dorloter, chouchouter, bichotter, mitonner. (2) *traiter q'un avec ménagement, ménager q'un:* (I) être aux petits soins avec q'un.

kidder n (2) *qui aime à plaisanter, plaisant, farceur:* (I) blagueur, loustic, acrobate.

kidney—to tap a k. (3) *uriner, pisser:* LEAK.

kid stuff n (2) *gamineries, enfantillages, bêtises.*

kif n (2a) *marijuana:* (III) fée verte, thé (de famille).

kike n (2 derog.) *Juif:* (III) cormorant, youpe, youpin, nez gras.

kill—to k. a bottle (2) *finir une bouteille:* (II) sécher une bouteille. to k. time (2) *passer son temps à ne rien faire:* (II) tirer sa flemme: BUM AROUND.

killing—to make a k. (1) *faire de gros profits:* (III) affurer, faire la barbe, barbichonner.

kilter—to be out of k. (1) *marcher irrégulièrement (moteur):* (I) battre la breloque.

kimono—to put on a wooden k. (2a) *mourir:* (III) passer l'arme à gauche, prendre la mesure d'un paletot de sapin*: BUCKET.

kingfish n (1) *dirigeant, chef:* (III) (grand) manitou, caïd, singe.

kingpin n (1) *agent ou instrument principal dans une affaire:* (I) cheville ouvrière*.

king-size adj (1) *très grand, extra grand:* (I) mastodonte; (III) maousse.

kip n (2) *logement, chambre:* (II) turne, carrée, cambuse; (III) piaule, taule, planque, kasbah, guitoune, gourbi, crèche, case, casbah, bahut, strasse, cagna, bercail.

kiss—to kiss s.t. goodbye (2) *dire adieu à q'ch. (au fig.):* (I) porter le deuil de q'ch., faire une croix dessus, mettre un trait dessus. to k. s.o. off (2) *congédier q'un brusquement:* (I) balayer q'un: BOUNCE.

kisser n (2) *visage:* (I) frime, frimousse; (II) binette, balle, bille, bobine, bougie, bouillote, burette, fiole, gueule, poire, portrait, trompette, trombine, blair, museau, tirelire, pomme; (III) trompette, respirante, marron, frite, cerise, trognon, tronche, hure, fraise. (2) *bouche:* (II) bec, trompette, goulot, dalle, gueule, margoulette, museau, tirelire, terrine; (III) boîte, boîte-à-fressures, accroche-pipe, égout, porte-pipe, baronnet, gargue.

kissers n (2) *lèvres:* (I) babines; (III) babouines, badigoinces.

kissing cousins: BARNYARD COUSINS.

kissing kin n (2) *proches parents.*

kit—the whole k. and caboodle (1) *le tout, l'ensemble:* (III) le toutime: CABOODLE.

kittens—to have k. (2) *s'emporter, être exaspéré:* (I) s'emballer; (II) être à cran: BOILING MAD.

kitty n (1) *enjeu (cartes):* (I) cagnotte; (III) banque. (1) *tiroir-caisse.* (1) *cagnotte.* to feed [sweeten] the k. (2) *poser sa mise.* to rob [tap] the k. (2) *s'approprier l'argent d'un tiroir-caisse, ou d'un fond commun:* (I) manger la grenouille. the k. is light (2) *q'un n'a pas mis son enjeu (cartes):* (III) le tapis brûle.

klink n (2) CLINK.

kneesies—to play k. (2) *frôler le genou sous la table (en flirt):* (II) faire du genou [pied].

knee-slapper n (2a) *rieur démonstratif (qui se tape sur les cuisses en riant).*

knife—to go under the k. (1) *subir une intervention chirurgicale:* (I) monter [passer] sur le billard. to k. s.o. (1) *trahir q'un:* (III) doubler, mener en double, faire un turbin à.

knight of the road n (2 hum.) *vagabond:* (I) clochard; (III) clodo: BUM.

knitting—to stick to one's own k. (2) *ne pas se mêler des affaires d'autrui:* (I) cultiver son jardin; (II) s'occuper de ses oignons.

knock n (1) *critique, dénigrement:* (I) éreintement; (II) débine.—vt (1) *critiquer, dénigrer:* (I) éreinter, esquinter; (II) débiner: COALS. to k. around (1) *voyager sans destination précise:* (I) rouler sa bosse; (II) traîner ses grolles; (III) trimarder. to k. off (1) *cesser le travail:* (II) dételer. to k. off — dollars (2) *faire un rabais de — dollars:* (II) faire l'avantage de — dollars. to k. oneself out (working) (2) *s'épuiser au travail:* (I) se démener; (II) se la fouler; (IV) se démancher [dévisser, décarcasser] (le trou du cul). to k. oneself out for s.o. (2) *se donner beaucoup de peine pour q'un:* (II) se démantibuler [décarcasser] pour q'un. to knock s.o. off (2) *tuer, assassiner:* (III) refroidir, liquider: BUMP OFF. to k. off a bottle (2) *boire toute une bouteille:* (III) sécher une bouteille. to k. over (2) *cambrioler:* (III) mettre en l'air: HEIST. to k. s.o. up (2) *mettre enceinte:* (II) engrosser; (III) mettre [foutre] en cloque. k. it off! (2) *cessez!:* (III) écrase! to knock s.t. out (1) *faire, construire q'ch. à la hâte:* (I) bâcler; (II) torcher.

knockdown n (2) *présentation (d'une personne à une autre).*

knocked out—to be k. o. (2) *être épuisé de fatigue:* (I) être éreinté; (II) claqué: BEAT.

knocked up—to be k. u. (3) *être enceinte:* (II) avoir avalé le pépin: ANTICIPATING.

knockers n (3) *seins:* (I) tétons: BOOBIES.

knockout n (2) *femme d'une beauté exceptionnelle:* (I) une merveille; (II) un prix de Diane; (III) un lot. (2) *objet de rare beauté, de qualité exceptionnelle, etc.*

knockout drops n (2) *soporifique.*

knot—to be all tied up in a k. (1) *être surexcité:* (I) avoir les nerfs en pelote*. to tie the k. (2) *se marier:* (III) se caser: FINAL STEP.

know—to be in the k. (1) *avoir des renseignements confidentiels:* (II) être à la page; (II) être à la coule [au parfum, dans le coup]. to k. what's what (2) *être au courant:* (I) être à la hauteur: BALL. to put in the k. (2) *renseigner, mettre au courant:* (I) mettre à la page; (III) affranchir: CLUE IN.

know-how n (1) *habileté.*

know-it-all (1,I) M. Je-sais-tout.

knucklehead n (2) *sot:* (I) jobard: BLOCKHEAD.

kook n (2) *individu excentrique, d'idées bizarres:* (I) braque, fada; (II) louf, loufoque, farfelu, maboul; (III) dingue, branquignole, drôle de pistolet [mironton, paroissien]. (2) *fou:* (I) cinglé, timbré, brac, braque; (II) louf, loufoque, maboul, louftingue; (III) dingue, dingo, sinoque, siphonné, chabraque, focard, follingue. (2) *personne ennuyeuse:* (I) scie; (II) raseur: CREEP.

kookie adj (2) *fou, écervelé:* (I) cinglé; (II) loufoque: BATS.

kosher n (2) *tout en règle, honnête:* (I) comme il faut; (III) réglo.

Kraut n (2) *Allemand:* (II) frizou: FRITZ.

lab (abbr. of laboratory) n (1) *laboratoire:* (I) labo.

lace—to l. into s.o. (1) *critiquer q'un sévèrement:* (I) éreinter; (II) débiner: COALS. (1) *attaquer:* (I) tomber sur le dos de q'un; (II) s'accrocher avec: HASSLE.

ladder—to be at the bottom of the l. (1 fig.) *être au bas de l'échelle:* (I) être le dernier des derniers. to reach the top of the l. (1 fig.) *arriver au sommet de sa carrière, atteindre la position la plus élevée:* (I) gagner son bâton de maréchal, atteindre le sommet de l'échelle*; (III) devenir la caïd. to work oneself up the l. (1 fig.) *gravir les échelons de la hiérarchie:* (I) faire son chemin.

lady chaser n (2) *coureur de femmes:* (III) cavaleur: CASANOVA.

laggy—to feel l. (2) LOGY.

lah-de-dah adj (2) *affecté, maniéré:* (I) chichiteux.

laid—to be l. off (1) *être congédié;* (I) recevoir son compte; (II) être sacqué: BOUNCE. to be l. up (1) *être alité, malade:* (I) être sur le flanc; (II) être patraque. (1) *être hors de service (machine), en panne;* (III) être en rade [carafe].

lake—go jump in the l.! (2) *allez-vous en!:* (III) à la gare!, va te faire foutre!

lalapalooza n (2) *q'ch. d'extraordinaire, d'excellent:* (I) q'ch. du tonnerre: DAISY.

lam—to l. out [take it on the l.] (2) *s'enfuir:* (II) mettre les bâtons, se cavaler: BEAT IT. to be on the l. (2) *être en fuite:* (II) être en cavale; (III) craindre.

lambaste vt (2a) *frapper, battre rudement:* (II) donner une raclée à: BASH.

lambasting n (2) *volée de coups:* (II) tripotée: ANOINTING.

lame-brain n (2) *sot, imbécile:* (II) crâne de piaf, bûche: BLOCKHEAD.

lamming n (2a) *volée de coups:* (I) pile: ANOINTING.

lamp vt (2) *regarder, observer, voir:* (III) zyeuter: DOUBLE-O.

lamppost—between you, me and the l. (2) *entre nous, en confidence:* (II) entre quat'(re) z'yeux.

lamps n (2) *les yeux:* (II) quinquets: GLIMS.

land—to l. s.t. (1) *se procurer q'ch.:* (I) dénicher, pécher; (II) dégotter; (III) dégauchir. to l. up somewhere (1) *arriver quelque part:* (II) débarquer à*; (III) abouler à, radiner.

land office—to do a l. o. business (1) *faire des affaires florissantes:* (I) battre les records d'affluence; (II) faire un boum.

language—to speak s.o.'s l. (2) *être en communion d'esprit avec q'un:* (I) parler la même langue que q'un*; (II) être sur la même longueur d'onde.

lap—to l. it up (2) *boire à excès:* (II) picoler: BOOZE. to lay s.t. in s.o.'s l. (1) *décharger sa responsabilité sur q'un, laisser q'un assumer la responsabilité d'une action:* (I) coller q'ch. sur le dos de q'un, faire endosser à q'un la responsabilité: (II) coller sur l'alpague [le râble]; (III) faire porter le chapeau [bada, doulos].

larrup vt (la) *frapper, battre, cogner:* (I) botter; (III) asticoter: BASH.

larruping n (2a) *volée de coups:* (II) trempée: ANOINTING.

last—to be on one's l. legs (1) *être prêt à mourir:* (I) avoir un pied dans la fosse*; (II) sentir le sapin, avoir du plomb dans l'aile. (2) *être presque épuisé de fatigue:* (II) avoir sa claque: BEAT.

last mile n (2a) *le passage que le condamné doit traverser en route à la chaise électrique.*

last word n (1) *le dernier cri.*

latch—to l. on to (2) *obtenir, mettre les mains sur:* (I) agrafer*, accrocher, raccrocher; (III) griffer, mettre [poser] le grappin sur.

latest—to know [be up on] the l. (1) *être au courant:* (I) être à la page: BALL.

lather—to work oneself into a l. (2) *s'inquiéter:* (I) se faire de la bile: STEW. to be in a l. (2) *être très nerveux:* (I) avoir les nerfs en pelote: JUMPS. (2) *être en colère:* (II) être à cran: BOILING MAD.

laugh—to l. one's head off (2) *rire à gorge déployée:* (I) rire à ventre déboutonné; (II) se boyauter: BELLY-LAUGH.

laugh-getter n (2) *plaisanterie qui fait rire:* (I) blague; (II) rigolade, marrade.

laughing jag n (2) *fou rire provoqué par l'ivresse:* (II) une folle marrade.

laugh riot n (2) *comédie très amusante:* (II) franche marrade.

launching pad—to get off the l. p. (2 fig.) *entrer en activité, démarrer (allusion à une fusée qui quitte sa rampe de lancement):* (I) se mettre en branle. not to get off the l. p. (2 fig.) *n'être jamais mis en pratique:* (I) avorter dans l'oeuf; (II) foirer; (IV) chier dans les doigts.

lay n (3) *l'acte charnel:* (II) partie de jambes en l'air; (IV) coup de sabre [guise, arbalète]. —vt (3) *coïter:* BANG. to be an easy l. (3) *être une femme de moeurs faciles:* (III) avoir la cuisse hospitalière, être une tombeuse: BAG. to get the l. of the land (1) *chercher à connaître l'état des choses et des esprits:* (I) tâter le terrain, prendre la température; (III) s'affranchir sur, se rencarder

sur [de]. to grab a quick l. (3) *faire l'amour hâtivement:* (I) faire l'amour comme les oiseaux; (II) faire l'amour entre deux portes [à la sauvette]; (III) tirer un coup comme un lapin. to l. for s.o. (1) *guetter q'un:* (I) attendre q'un au tournant [virage]. to l. into s.o. (2) *attaquer q'un, frapper q'un:* (I) bourrer de coups; (II) casser la gueule à; (III) tabasser: BASH. (2) *réprimander sévèrement:* (II) enguirlander; (III) engueuler: BAWL OUT. to l. it on thick (1) *exagérer:* (I) aller fort; (III) en installer: APPLESAUCE. to l. low (2) *se cacher (de la police, de ses ennemis):* (I) se déguiser en homme invisible; (III) se carrer, se planquer, se placarder, se planquouser. to l. off s.t. (1) *cesser de faire q'ch., renoncer à q'ch.:* (I) lâcher q'ch.; (II) laisser tomber [choir]. to l. off s.o. (1) *cesser d'importuner, de critiquer q'un:* (I) ficher la paix à; (III) écraser, foutre la paix à. to l. one on s.o. (2) *frapper, donner un coup de poing à q'un:* (I) filer une taloche à; (II) flanquer une baffe à: CLIP. to l. oneself out (2) *se donner beaucoup de peine (pour faire q'ch.):* (I) se démener; (III) se décarcasser, se démantibuler. to l. s.o. low [out] (2) *réprimander:* (I) savonner; (II) enguirlander: BAWL OUT. (2) *battre rudement:* (II) donner une raclée; (III) tabasser: BASH. l. off! (2) *laisse-moi en paix!:* (I) fiche-moi la paix!; (II) arrête ton char!; (III) fous-moi la paix!, écrase!.

layout—to be sick of the whole l. (2) *en avoir assez:* (I) en avoir plein le dos; (II) en avoir marre: BELLYFUL.

lazy—to be born l. (2) *être paresseux de nature:* (II) les avoirs à la retourne: AMBISH.

lazybones n (1) *paresseux:* (I) rossard, cagnard; (II) flemmard, faignant; (III) feignasse, ramier, cossard. to be a l. (1) *être paresseux:* (I) avoir les bras retournés: AMBISH.

lead—to get the l. out of one's ass. (3) *se mettre en mouvement, se dépêcher:* (III) se magner le popotin: GAS. to have l. in one's ass (3) *ne pas vouloir travailler, être paresseux:* (III) avoir la cosse: AMBISH. to pump full of [fill with] l. (2) *blesser avec une arme:* (III) flinguer: PLUG. to throw l. (2) *tirer:* (III) balancer [envoyer] la sauce [fumée, purée], canarder.

lead—to have a l. on s.t. (1) *avoir des renseignements sur q'ch. qu'on cherche:* (I) avoir un tuyau; (III) avoir un tubard [un rencard, des tubes]. to have a l. on s.o. (1) *gagner l'avantage sur q'un:* (I) avoir barre sur q'un, tenir la corde à, avoir le pas sur.

lead-pipe cinch n (2) *q'ch. d'assuré de réussite:* (II) q'ch. de tout cuit: BAG.

lead poisoning—to have l. p. (2 fig.) *avoir reçu une ou plusieurs balles:* (II) avoir du plomb dans le ventre; (III) être farci de plomb, avoir du plomb dans le buffet [bide].

league—not to play in the same l. with (2) *ne pas avoir la même classe que:* (I) ne pas arriver à la cheville de.

leak—to take a l. (3) *uriner:* (IV) lansquiner, lisbroquer, lancequiner, jeter de la lance, lâcher l'écluse, changer son poisson d'eau, faire pleurer le colosse.

leap—to take the big l. (2) *se marier:* (II) se maquer: HITCHED.

leary—to be l. of (1) *se douter de, se méfier de:* (II) avoir des gourances de, se gourrer de.

leather n (2a) *voleur à la tire:* (III) fourche: DIP. to ditch the l. (2a) *se débarrasser d'un portefeuille qu'on a volé à la tire:* (III) balancer le morlingue. to snatch l. (2a) *voler un portefeuille à la tire:* (II) piquer un morlingue.

leatherman n (2a) LEATHER.

leatherneck n (2) *soldat de l'infanterie de marine:* (III) marsouin.

leather pusher n (2) *boxeur.*

leery (1) LEARY.

left field—to be out in l.f. (2) *se tromper, être en erreur:* (I) se mettre le doigt dans l'oeil; (II) se fourrer le doigt dans l'oeil (jusqu'au coude); (III) se gour(r)er. (2) *être fou:* (II) être maboul: BATS.

left-handed monkey wrench n (2) *objet imaginaire qui sert pour mystifier les non-initiés:* (II) la clé du champ de tir [manoeuvres], la lime à épaissir, le torchon à essuyer les coups de feu.

leftovers n (1) *restes d'un repas:* (III) arlequins.

lefty n (2) *gaucher:* (II) patte-gauche.

leg—to give s.o. a l. up (1) *donner un coup de main à q'un:* (I) épauler, donner la perche à; (III) donner un coup de louche. to have a l. up on s.o. (1) *avoir de l'avantage sur q'un:* (I) avoir barre [le pas] sur q'un, tenir la corde à q'un. to l. it (1) *aller à pied:* (I) aller à pattes: FOOT IT. to l. it out (2) *s'en aller, s'enfuir:* (I) prendre le large; (II) se cavaler; (III) jouer rip: BEAT IT. to pull s.o.'s l. (2) *taquiner q'un:* (I) mettre en boîte; (II) se payer la figure de: BUSINESS. to shake a l. (2) *se dépêcher:* (II) se grouiller; (III) se magner (le popotin): GAS. not to have a l. to stand on (1) *être à court d'arguments valables pour se justifier ou*

pour se disculper. to be on one's last legs (2) *être sur le point de mourir:* (I) avoir un pied dans la fosse*; (II) avoir du plomb dans l'aile, sentir le sapin. to stretch one's legs (1) *faire quelques pas après une longue période d'immobilisation:* (I) se dégourdir; (II) se dérouiller les jambes.

legal beagle n (2) *avocat:* (III) bavard, baveux, débarbot.

leg art n (2) *mot qui désigne les photos de "pin up."*

legit (abbr. of legitimate) n (2) *vrai, honnête, pas faux, légal:* (III) de l'authentique, de l'officiel.

legman n (2) *reporter, envoyé spécial.* (2) *la personne active dans une association (par opposition à celui qui reste au bureau):* (II) celui qui se tape le boulot.

leg show n (2) *spectacle léger:* (II) spectacle où il y a de la fesse.

legwork n (2) *les menues corvées nécessaires au lancement d'une affaire, ou à l'exécution d'un travail.*

lemon n (2) *voiture de mauvaise qualité, défectueuse:* (II) gravas; (III) veau. (2) *article défectueux d'une marque généralement satisfaisante:* (II) loup.

lenshound n (2) *photographe:* (I) chasseur d'images.

Lesbie n (2) *Lesbienne:* DYKE.

let—to l. it get one down (2) *se laisser décourager, démoraliser (par un événement, une mauvaise nouvelle, etc.):* (I) se laisser abattre. to l. fly at s.o. (2) *donner un coup à q'un, frapper:* (I) donner une taloche à; (II) filer une beigne à: CLIP. to l. on that (2) *laisser savoir que:* (I) laisser transpirer que; (III) mettre au parfum que. not to l. on (2) *garder pour soi une information, un fait, une confidence, etc.:* (I) garder la bouche cousue; (III) ne pas en bailler une, la mettre en veilleuse. to l. s.o. in on (1) *admettre q'un dans une activité, faire part à q'un dans le secret, d'une affaire ou d'une entreprise:* (I) mettre q'un dans le coup. to l. up on s.o. (1) *donner du répit à q'un après une période de contrainte (excès de travail, punition, etc.):* (I) ficher la paix à; (II) foutre la paix à.

lettuce n (2) *argent:* (III) galtouse: BRASS (2) *billets de banque:* (III) talbins, faffes fafiots.

letup n (1) *pause ou ralentissement d'activité.*

level—to be on the l. (1) *être honnête, juste, droit:* (II) être franco; (III) être régulier [régul, réglo]. to do one's l. best

(1) *faire de son mieux:* (I) en mettre un grand coup; (II) donner tout ce qu'on a dans le ventre [bide, buffet]; (III) mettre le paquet [pacsif, pacson]. to l. with s.o. (2) *parler franchement, être honnête avec q'un:* (II) parler sans chiqué.

lick n (1) *gifle, coup:* (I) ramponneau; (II) baffe: CLIP.—*vaincre définitivement, surpasser:* (I) écraser; (II) griller, enfoncer. to get [take] a l. at s.t. (1) *mettre la main à q'ch.:* (III) mettre la paluche à. to l. into shape (1) *achever un travail:* (I) mettre la dernière main à. to l. the tar [daylights, stuffing] out of (2) *battre rudement:* (II) filer une avoine à, tabasser: BASH. to l. the pants off of (2) *remporter une victoire sur:* (I) écraser; (II) griller, enfoncer. to give s.t. a l. and a promise (2) *faire q'ch. rapidement et imparfaitement:* (I) bâcler, rafistoler; (II) torcher, torchonner; (III) saloper. to get a l. at s.t. (1) *avoir la chance de faire ou de tenter q'ch.*

licked—to get l. (1) LICKING.

lickety-split adv (2) *à toute vitesse:* (III) à pleins tubes: BLUE STREAK.

licking n (1) *volée de coups:* (I) pile, rossée; (II) raclée: ANOINTING. to take a l. (1) *être vaincu:* (I) ramasser [remporter] une veste; (II) être grillé [écrasé].

lid n (2) *chapeau, casquette:* (III) bâche, bada: BEANIE. to blow [flip] one's l. (2) *se laisser emporter par la colère:* (II) sortir de ses gonds: BLOW UP. to put [clamp] the l. on s.o. (1) *forcer q'un à se taire:* (I) clouer le bec à q'un; (II) couper le sifflet à: DAMPER. to put the l. on s.t. (1) *interdire une activité:* (I) mettre le holà à. to blow off the l. (2) *exposer tous les faits, la vérité.*

life n (2) *condamnation à perpétuité:* (III) perpète, rélegué. to have the time of one's l. (2) *s'amuser beaucoup:* (I) se dilater la rate; (II) se marrer, se bidonner, s'en payer une tranche [bosse]; (III) se boyauter. to live the l. of Riley (2) *mener une vie luxueuse:* (I) avoir le dos au feu, le ventre à table: EASY STREET. to lead a charmed l. (1) *avoir toujours de la chance (surtout d'échapper aux dangers):* (I) être béni des dieux, être verni; (II) avoir une veine de cocu [cornard]. to take one's l. in one's hands (1) *risquer sa vie:* (III) y aller du cigare [chou, gadin], aller à la mouillette. not on your l.! (1) *jamais!, pas du tout!:* (III) des nèfles! des clous!

lifer n (2) *condamné à perpétuité:* (III) relégué, condamné à perpète.

lifesaver n (1 fig.) *chose ou personne qui tombe à propos dans une situation difficile,* embarrassante, etc.: (I) sauveur*, planche de salut.

lift vt (2) *voler:* (I) chaparder; (II) chauffer: COP.

light—to l. into s.o. (2) *attaquer q'un;* (II) s'aligner avec q'un; (III) se coller avec: HASSLE. (2) *donner une verte semonce à q'un:* (I) laver la tête à q'un; (III) engueuler q'un: BAWL OUT. to l. out (2) *s'enfuir, s'en aller:* (II) s'esbigner; (III) mettre les voiles: BEAT IT. to see the l. (1) *comprendre:* (III) piger, entraver. to l. up (1) *commencer à fumer (tabac).* to be l.—dollars (2) *être à court de—dollars.* to go [pass] out (like a l.) (2) *s'évanouir:* (II) tomber dans les pommes: BLACK OUT. lights out n (2) *la mort* (II) la Grande Faucheuse.

lightning—like greased l. (2) *à toute allure:* (III) à toute pompe: BLUE STREAK.

lightweight n (1) *personne de peu d'importance, sans envergure, niais:* BLOCKHEAD.

likker n (2) *alcool:* (II) gnole: BOOZE.

likkered up adj (2) *ivre:* (II) soûl: BLOTTO.

limb—to be out on a l. (1) *être dans une situation précaire, compromettante:* (I) être sur la corde raide; (II) être dans un sale coup: HOT WATER.

limey n (2) *Anglais:* (III) angliche, rosbif.

limit—to be the l. (2) *être le comble, (dans le bon ou le mauvais sens):* (I) être la fin des haricots; (II) être astap, être très drôle: (I) être marrant, tordant: HOWL. to go the l. (2) *agir de toutes ses forces:* (I) rentrer dedans; (II) mettre le paquet [le grand braquet], mettre la tête dans le guidon. (2) *pour une femme, consentir à l'acte sexuel:* (I) lever la jambe. the sky is the l. (2) *tout va! (au jeu et en général).*

limpy adj (2) *boîteux:* (II) banban; (III) GIMPY.

line n (2) *danseuses d'un spectacle de strip-tease.* to buck the l. (2) *essayer de prendre une place devant une file d'attente:* (I) resquiller. to drop s.o. a l. (1) *écrire une lettre à q'un:* (III) babillarder, écrire une bafouille [bafouillette, babillarde]. to come to the end of the l. (2) *mourir:* (III) avaler son bulletin de naissance: BUCKET. to dish [hand] out a l. (2) *exagérer:* (I) aller fort: APPLESAUCE. (2) *flatter (en faisant la cour):* (I) conter fleurette; (III) faire du rambin [gringue, rentre dedans]. to keep s.o. in l. (2) *empêcher q'un de se conduire mal:* (I) mener q'un à la baguette. to come into l. (1) *se mettre d'accord, convenir.* to get a l. on s.o. (2) *se renseigner sur q'un:* (III) se rencarder [tubarder, parfumer] sur. to put

[lay] it on the l. (2) *donner, payer (de l'argent):* (II) casquer; (III) abouler: ANTE UP. (2) *payer comptant:* (I) payer rubis sur l'ongle; (II) payer cash. (2) *étaler les faits.* to push [whip] s.o. into l. (2) *forcer qu'un à suivre les ordres:* (III) mettre qu'un au pas. to toe the l. (1) *suivre les ordres, agir sagement:* (I) marcher au pas; (II) se tenir à carreau. to put it on the dotted l. (2) *signer:* (I) poser sa griffe. to cross the l. (2) *pour un Noir américain, se donner pour un blanc.*

lingo n (1) *jargon:* (III) jars. to shoot [sling] the l. (2) *parler l'argot:* (III) argoter, dévider le jars, jaspiller bigorne.

lip n (2) *impertinence, insolence.* to button one's l. (2) *se taire:* (III) écraser, la boucler: CLAM UP. to keep a stiff upper l. (1) *faire preuve de courage:* (I) relever la tête, serrer les dents; (II) tenir le coup.

lippy adj (2) *bavard:* (III) baveux, jaspineur. to be l. (2) *être bavard:* (I) avoir la langue bien pendue: BLABBERMOUTH.

liquidate vt (1) *tuer:* (III) liquider*: BUMP OFF.

liquid courage n (2 fig.) *alcool:* (II) tord-boyaux: BOOZE.

liquor—to l. up (2) *s'enivrer:* (III) se piquer le tarin: BOILED.

liquored up—to be l. (2) *être dans un état d'ivresse:* (II) être paf: BLOTTO.

listen—to give a l. (2) *écouter, prêter l'-oreille:* (III) esgourder.

lit—to be l. (to the gills) (2) *être ivre:* (II) être allumé*: BLOTTO. to be (all) l. up (like a Christmas tree) (2) *être excité, enthousiasmé:* (I) être emballé, voir la vie en rose; (II) se montrer chaud. (2) *être ivre:* BLOTTO. to get l. (2) *s'enivrer:* (III) s'arrondir: BOILED.

little—to make l. ones out of big ones (2a) *être emprisonné (locution originaire des bagnes où les condamnés cassaient de grosses pierres en plus petites):* (III) casser des cailloux à Cayenne*, être enchristé: BEHIND BARS. l. newcomer n (1) *nouveau-né.* l. punk n (2 derog.) *jeune enfant:* (I) mioche; (II) lardon: KID. l. stinker n (2 derog.) LITTLE PUNK. l. woman n (1) *épouse:* (III) baronne: BALL-AND-CHAIN. l. Joe (from Kokomo) (2) quatre, dans le jeu de dés.

live—to l. it up (1) *faire la vie:* (II) gobichonner: BALL.

live bunch n (2) *groupe de bons vivants:* (I) joyeux drilles; (II) fine équipe; (III) flèche.

live wire—to be a l. w. (2) *être plein d'entrain:* (II) péter le feu: BALL.

lizzie n (2a) *vieille voiture:* (II) tacot: CRATE. (2) *homosexuel:* (III) tante, tantouse: FAG.

load—to have a l. on (2) *être ivre:* (III) être chargé*: BLOTTO. to put [tie] on a l. (2) *devenir ivre:* (II) se piquer le nez: BOILED. to get a l. of (2) *regarder, observer:* (III) bigler: DOUBLE-O. get a l. of! (2) *regardez:* (III) mordez! to shoot one's l. (2) *faire les derniers efforts:* (I) donner le dernier coup de collier. (3) *atteindre l'orgasme:* (IV) reluire: COME. a lazy man's l. (2) *les mains chargées à plein pour éviter un deuxième trajet.*

loaded—to be l. (2) *avoir beaucoup d'argent:* (II) être bourré (à bloc): BANKROLL. (2) *être armé:* (III) être chargé: HEELED. (2) *être sous l'influence d'un stupéfiant:* (III) être chargé* [schnouffé, camé]. to get l. (2) *s'enivrer:* (II) se piquer le nez: BOILED. (2) *s'armer:* (III) se charger*: HEELED. l. dice n (1) *dés truqués:* (III) bobs pipés, artillerie, cavalerie. l. question n (1) *question posée de telle sorte qu'on ne peut éviter une réponse directe.*

loan shark n (1) *usurier:* (I) gobeseck; (II) tire-sous, grippe-sous, vautour.

local yokel n (2 derog.) *paysan:* (II) culterreux: APPLE KNOCKER.

loco adj (2) *fou:* (I) timbré; (III) dingue: BATS.

log—to sleep like a l. (1) *dormir profondément:* (I) dormir comme un sabot, dormir à poings fermés; (II) dormir comme une souche; (II) en écraser.

logy—to feel l. (1) *se sentir sans énergie:* (I) être flap(p)i; (II) être flagada.

loner n (2) *qu'un qui aime travailler seul:* (I) cavalier solitaire, qui fait bande à part, franc-tireur.

lonesome—all by one's l. (2) *tout seul, par soi-même.*

long green n (2a) *billets de banque:* (III) talbins, fafs, fafiots.

longhair adj (1) *intellectuel, raffiné (tel de la musique classique par opposition à la musique de jazz).*

long-handled underwear n (2) *sous-vêtements d'hiver:* (II) caleçons à manches longues*.

long johns n (1) LONG-HANDLED UNDERWEAR.

long shot—to play a l.s. (1) *accepter les risques d'une action qui a peu de chances de succès:* (I) jouer son va-tout; (III) risquer le paquet. (2) *jouer sur un cheval de mauvaise cote:* (II) miser sur un cheval mort. not by a l.s.! (1) *pas du tout!*

looie n (2 mil.) *lieutenant:* (II) 'tenant, lieut'.

look—to take a hard l. at (2) *scruter, examiner à fond avant de prendre une décision:* (I) examiner sur toutes les coutures, toiser de la tête aux pieds; (III) braquer. to grab a l. at (2) *observer, donner un coup d'oeil:* (III) mater: DOUBLE-O. to give s.o. a nasty l. *regarder q'un méchamment:* (I) toiser, regarder q'un de haut.

looker n (2) *jolie femme:* (II) poupée; (III) prix de Diane, pépée, lot.

looloo n (2) *q'ch. d'excellent, d'extraordinaire:* (III) q'ch. de sensas': DAISY.

loon n (2) *fou:* (I) cinglé, timbré, braque: (II) louf(oque); (III) dingue, dingo: CRACKPOT. to be crazy as a l. (2) *être fou:* (I) avoir une araignée au plafond: BATS.

loon lounge n (2) *asile des fous:* BOOBY HATCH.

loony adj (2) *fou:* (I) timbré: BATS.

loony-bin n (2) *asile d'aliénés:* (III) asile de dingues: BOOBY HATCH.

loop—to knock s.o. for a l. (2) *étonner, stupéfier:* (I) abasourdir; (II) asseoir, aplatir: BOWL OVER. (I) *battre rudement:* (I) battre à plate couture: BASH.

looped adj (2) *ivre:* (III) givré, soûl: BLOTTO. to get l. (2) *s'enivrer:* (II) se piquer le nez: BOILED.

loose—to be on the l. (2) *se dit d'un homme loin de sa femme et qui cherche une aventure:* (I) être en goguette; (II) courir la gueuse. to cut l. (1) *s'amuser d'une manière effrénée:* (I) faire le pitre [clown].

loose ends—to be at l. e. (1) *n'avoir rien à faire:* (I) se tourner les pouces; (III) n'avoir rien à foutre.

loosen—to l. up (1) *se détendre (après une période de tension nerveuse).*

loot n (2) *argent:* (III) carbure: BRASS.

loser—to be a sore l. (2) *être mauvais joueur.*

lot—a l. of, lots of (1) *beaucoup de:* (II) une charibotée de: BAGS OF.

loud adj (1) *choquant (vêtements, couleurs, etc.), voyant (couleurs):* (I) tape-à-l'oeil, criant, abracadabrant; (II) criard, gueulard. to think out l. (1) *penser à haute voix.* for crying out l.! (2) *pour l'amour du ciel!:* (I) nom d'une pipe!

louse n (2) *personne méprisable:* (I) sale bougre; (II) salaud; (III) fumier: BAD ACTOR. to l. around (2) *perdre son temps:* (II) tirer

sa flemme, traînasser: BUM AROUND. to l. up (2) *faire du mauvais travail, exécuter q'ch. négligemment:* (I) bousiller; (II) cochonner: BITCH UP.

loused-up adj (2) *mal exécuté:* (I) amoché: BOLLIXED-UP.

lousy adj (2) *de mauvaise qualité:* (I) fichu; (II) bidon: CRAPPY. (2) *malpropre:* (II) miteux, pouilleux; (III) craspec, cradingue. to be l. with s.t. (2) *avoir beaucoup de q'ch.:* (II) avoir une potée de q'ch.: BAGS OF. l. trick [stunt] (2) *action méchante:* (I) saleté; (II) saloperie; (III) turbin, vacherie.

love—to l. up (2) *caresser en palpant:* (II) peloter.

lovebird n (1) *amoureux démonstratif.*

love child n (1 euph.) *enfant illégitime:* (I) enfant de l'amour*.

love nest n (2) *pied-à-terre q'un homme maintient pour sa maîtresse:* (I) nid d'amour*.

lover boy n (2) *homme porté sur le beau sexe:* (III) chaud lapin: CASANOVA.

lovey-dovey—to be l.-d. (1a) *être très affectueux, câlin:* (I) être lèche-pommes.

lowbrow n (2) *personne médiocre, vulgaire:* (I) Jean-fesse; (III) pue-la-sueur.

low-down n (2) *renseignements confidentiels:* (I) tuyau; (III) rencart, tubards, tubes —adj (1) *méprisable.* to give the l. (2) *renseigner:* (III) tubarder: CLUE IN. to get the l. (2) *se renseigner:* (I) se mettre à la page; (II) prendre la température; (III) se tuyauter [tubarder, rencarder].

lowlife n (2a) *vaurien, voyou:* (II) fripouille: BAD ACTOR.

lubricated n (2) *ivre:* (II) paf, givré: BLOTTO.

lucky dog n (2) *homme fortuné:* (I) chanceux; (II) chançard, veinard.

lucky guy n (2) LUCKY DOG.

lucky stiff n (2) LUCKY DOG.

lug n (2) *personne stupide:* (I) cornichon, jobard: BLOCKHEAD. (2) *homme en général:* (I) gars: CHAP. to put the l. on s.o. (2a) *essayer d'emprunter de l'argent à q'un:* (III) bottiner q'un: ARM.

lughead n (2) *individu sot, stupide:* (I) cruche: BLOCKHEAD.

lugs n (2) *les mains:* (II) la cuiller: DUKES.

lulu n (2) LOOLOO.

lummox n (1) *sot, niais:* (I) saucisse, âne: BLOCKHEAD.

lunchhooks n (2) *les mains:* (III) agrafes: DUKES.

lunger n (2) *malade de tuberculose pul-*

monaire: (III) tubard, ayant les éponges mitées.

lunkhead n (2) LUGHEAD.

lush n (2) *ivrogne:* (I) sac à vin; (II) poivrot: BARFLY.

lush roller n (2) *qui vole aux ivrognes:* (III) voleur au poivrier [pionnard].

ma n (1) *mère, maman:* (III) dabe, daronne, croulante, mater, vieille, dabuche.

mad—to be boiling [fighting] m. (2) *être emporté par la colère:* (I) être à cran; (II) être en rogne: BLAZES. to be m. as blazes [as a wet hen] (2) BLAZES. like m. (2) LIKE HELL.

made—to have it m. (in the shade) (2) *avoir une bonne situation:* (I) avoir le filon (d'or) (III) se la couler douce: EASY STREET.

mad money n (2a) *somme d'argent q'une jeune fille emporte avec elle lors d'une sortie avec un garçon, pour payer son voyage de retour en cas de brouille.*

magoo n (2) *personnage:* (I) une huile: BIG SHOT. the real m. n (2) *q'ch. d'authentique:* (III) de l'officiel, de l'authentique.

maiden n (2) *cheval de course qui n'a jamais gagné:* (III) chèvre, vache.

maiden lady n (1 euph.) *femme célibataire:* (I) vieille fille*; (II) laissée pour compte.

main cheese n (2) *patron, chef, directeur:* (III) caïd, manitou, singe, direlot.

main dish n (1) *pièce de résistance.*

main drag n (2) *la rue ou l'avenue principale d'une ville, la grande rue.*

main event n (2) *la partie principale d'une réunion sportive:* (II) le gros morceau, le clou (de la réunion).

main line n (1) *ligne directe, grande ligne (chemin de fer). Par extension, le quartier chic de la banlieue de Philadelphie.*

mainline vt (2) *se faire soi-même une piqûre intraveineuse de stupéfiant:* (I) se piquer; (III) se piquouser.

mainliner n (1) *habitant de la "main line" de Philadelphie.* (2) *drogué qui administre des piqûres intraveineuses.*

main stem n (2) MAIN DRAG.

make—to be on the m. (2) *tâcher de faire fortune dans les affaires (même en employant des moyens douteux).* (2) *être en quête de bonne fortune (en amour):* (III) draguer, cavaler, juponner. to get [have] a m. on (2) *rechercher l'identité d'un suspect d'après son signalement au fichier central de la Police Judiciaire:* (III) aller au sommier. to m. it (1) *réussir, s'en sortir, s'en tirer, achever:*

(I) se débrouiller; (III) se démerder. to m. like (2) *imiter, faire comme:* (I) singer, posticher. to m. it with s.o. (2) *réussir à se mettre dans les bonnes grâces de q'un.* (2) *réussir à gagner les faveurs d'une femme:* (III) avoir un ticket avec. how are you making out? (2) *comment allez-vous?, comment faites-vous?, comment subsistez-vous?, comment progressez-vous?:* (II) ça marche?, ça gaze?, ça roule?; (III) ça biche?, ça bichote?

makings—to have the m. (1a) *avoir de quoi faire ses cigarettes soi-même (tabac et papier).* (1) *avoir les ressources (spirituelles ou non) pour faire q'ch.* not to have the m. (1) *manquer de quoi faire ses cigarettes:* (II) n'avoir que la gueule pour fumer. (1) *manquer de ressources pour faire q'ch. pour réussir.*

malarky n (2a) *boniment, sornettes:* (I) blague; (II) fichaise: APPLESAUCE.

malloo—to skip the m. (2a) *s'esquiver, s'enfuir:* (I) décamper; (II) faire la malle: BEAT IT.

mama's boy (2) *homme faible, sans énergie, sans courage:* (I) femmelette: PANTYWAIST.

man Friday n (1) *le bras droit de q'un.*

man-sized adj (2) *gros, grand, large:* (I) mastodonte; (III) maousse.

map n (2) *figure, visage:* (I) frime; (II) gueule; (II) cerise: KISSER. to put on the m. (1) *populariser, vulgariser.*

marble—to lose one's marbles (2) *devenir fou:* (I) déménager; (II) partir du ciboulot: BATS.

marble orchard n (2a) *cimetière:* (III) parc des refroidis: BONEYARD.

mark n (2) *dupe, victime d'une escroquerie:* (I) dindon; (III) cave: BOOB. to hit the m. (1 fig.) *réussir:* (II) taper dans le mille*, décrocher la timbale. to feel up to the m. (1) *se sentir bien physiquement:* (I) être dans son assiette, être en pleine forme.

masher n (2a) *homme qui accoste les femmes et leur fait des propositions équivoques:* (II) racoleur, dragueur.

mash note n (2a) *lettre d'amour:* (I) billet doux.

matchsticks n (2) *jambes minces:* flûtes, allumettes: BEAN POLES.

math (abbr. of mathematics) n (1) *mathématiques.*

mauler n (2) *lutteur (catch):* (III) tombeur.

maverick n (1) *homme politique indépendant:* (I) franc-tireur.

mazuma n (2) *argent:* (III) fric, pèze: BRASS.

McCoy—the (real) McCoy n (1) *q'ch. d'authentique:* (III) de l'authentique, de l'officiel.

meal—to pack [stow] away a m. (2) *manger:* (I) aller à la popote; (II) briffer: CHOW.

meal ticket n (2) *moyens d'existence (emploi, métier, etc.):* (I) gagne-pain; (II) casse-croûte.

measly adj (1) *petit, piètre:* (II) mignard.

meat—to be s.o.'s m. (2) *être le fort de q'un:* (I) être dans les cordes de. (2) *être la chose dont on tire beaucoup de plaisir:* (I) être le dada de.

meatball n (2) *personne ennuyeuse:* (I) scie; (II) rasoir: CREEP.

meathead n (2) MEATBALL.

meat-hound n (2) *glouton:* (III) morfale, morfalou, bâfreur, avale-tout: CHOW-HOUND.

meat wagon n (2) *ambulance (surtout celle qui transporte les morts à la morgue.)*

mechanic n (2a) *tricheur (aux cartes):* (III) cartonnier, maquilleur.

medic n (2) *médecin:* (II) toubib; (III) rebecqueteur.

mellow adj (1) *un peu ivre:* (I) enivré, pompette; (II) paf: BLOTTO.

melon—to cut the m. (2) *partager un bénéfice, le butin:* (I) partager le gateau*; (III) aller au fade [décarpillage], faire la motte.

melt—to be melted (2a) *être divorcé, divorcer:* (III) se désentifler, se démaquer.

memo (abbr. of memorandum) n (1) *aide-mémoire:* (I) pense-bête, pense-mignonne.

merge vi (2 fig.) *se marier:* (III) se maquer: FINAL STEP.

merry-go-round—to be on a m.-g.-r. (2) *être pris dans un engrenage (au fig.)*

meshugga adj (2a) *fou:* (I) cinglé; (III) dingo: BATS.

mess n (1) *salle à manger commune (militaire, etc.):* (I) popote. (1) *désordre, confusion:* (I) pagaille, pagaye; (II) mastic, cirque, bazar, bordel, fourbi. a m. of (1) *beaucoup de:* (II) une pagaille de*: BAGS OF. to be in a m. (1) *être dans une situation difficile, dans une mauvaise passe:* (I) être dans le pétrin; (III) être dans le bain: HOT WATER. to m. around with (2) *caresser:* (II) peloter, pelotailler; (III) tripoter. to m. up [make a m. of] (1) *gâcher q'ch.:* (I) amocher; (II) bousiller: BITCH UP.

message—to get the m. (2) *comprendre:*

(I) entendre le français; (III) piger, entraver.

mickey n (2a) *pomme de terre:* (I) patate.

Mickey Finn n (2) *soporifique versé dans la boisson d'un client pour le dévaliser:* (II) le bouillon d'onze heures.

middie n (1) *étudiant de l'académie de la marine américaine.*

middle—to play both ends against the m. (1) *se conduire entre deux partis de façon à ne blesser ni l'un ni l'autre et en retirer du profit:* (I) nager (entre deux eaux), ménager la chèvre et le chou.

middle-aisle vt (2) *se marier:* (II) sauter le pas: FINAL STEP.

middle-of-the-roader n (1) *modéré, centriste*.*

midterm n (1) *examen du millieu de l'année scolaire.*

miff—to be miffed (1) *être offensé:* (I) piquer son fard.

might-have-been n (2) *personne qui promettait beaucoup dans sa carrière et qui n'a pas réussi:* (I) raté.

mike n (2) *microphone:* (I) micro.

mike-fright n (2) *panique éprouvée au moment de parler devant le microphone:* (I) trac.

milk run n (1) *le premier train du matin (camion qui charge les bidons de lait à chaque station). (1 mil.) mission ou tâche comportant peu de risques:* (I) mission de routine.

milk wagon n (2) *voiture policière pour le transport des prévenus:* (III) panier à salade.

mill—to put through the m. (1) *faire subir de dures épreuves (examens, manoeuvres, etc.):* (I) en faire voir de toutes les couleurs, passer au laminoir*; (II) en faire baver à, en faire voir des dures à; (III) en faire roter à. run of the m. adj (1) *de grande série (objets), de confection (vêtements), quelconque, ordinaire (choses, personnes).*

milquetoast n (2) *personne très timide et peureuse (personnage des bandes dessinées américaines).*

Milwaukee tumor n (2a) *ventre protubérant:* (I) bedon; (II) brioche: BEER BELLY.

mind—to give s.o. a piece of one's m. (2) *donner une semonce à, faire des reproches à q'un librement:* (I) dire les quatre vérités à, savonner (la tête) à: BAWL OUT. to have a m. like a bear [steel] trap (2) *avoir l'esprit très vif, comprendre facilement les idées compliquées.* to have a m. like an elephant (2) *avoir une bonne mémoire:* (I) avoir une mémoire d'éléphant*. to have a m. like a sieve (2) *avoir la mémoire courte:* (I) avoir une tête de linotte [moineau], avoir une cervelle d'oiseau, avoir une tête sans cervelle. to take a load off one's m. (1) *se libérer d'une pensée ou d'une charge, soulager sa conscience.*

mines—to go back to the salt m. (2) *se remettre au travail:* (II) repiquer au boulot: GRIND.

minus—m. quantity (1) *personne sans valeur, médiocre, incapable:* (I) moins que rien*, minus, (triple) zéro; (III), bon à lape [nib], casserole.

minute—to be up to the m. (1) *être au courant:* (I) être à la page*; (II) être dans le vent: BALL.

mirthquake n (2a) *film, pièce, etc., très amusant:* (II) film (etc.) bidonnant [marrant, boyautant, à se tordre de rire, à se fendre la pipe].

Missouri—to be from M. (1) *être incrédule:* (I) être comme Thomas.

missus n (2) *épouse:* (II) bourgeoise: BALL-AND-CHAIN.

Mister Big n (2) *chef, directeur:* (III) singe: MAIN CHEESE.

mitt n (2) *main, poing:* (III) cuiller: DUKES. to tip one's m. (2) *révéler le secret (par inadvertance):* (II) vendre la mèche, débiner le truc. to put one's mitts on (2) *voler, dérober;* (I) chiper; (III) agrafer: CLIP. (2) *saisir, arrêter;* (III) agrafer, épingler: BAG.

mix—to m. (it) up with s.o. (2) *se battre:* (I) se bagarrer; (II) se bigorner: HASSLE.

mob n (2) *bande de criminels:* (I) équipe; (III) tierce, flèche. m. action n (2) *émeute:* (I) coup de chien.

mob moll n (2) *femme qui tient compagnie à un gangster:* (III) ponette.

mobster n (2) *gangster:* (III) frappe, malfrat: GUNSEL.

mocha n (2) *café (breuvage):* (III) caoua(h), jus, petit noir.

mocky [ie] n (2 derog.) *Juif:* (III) youpin: HEBE.

molasses—to be slow as m. [in January] (2) *être très lent dans ses actions:* (I) être lambin [traînard], être une limace [limaçon, chenille]; (II) être gnangnan; (III) être un dort-en-chiant.

moll n (2a) *femme:* (II) poule; (III) gonzesse: BABE.

mollycoddle n (1) *homme faible, sans entrain:* (I) mollasson: PANTYWAIST.

Monday-morning quarterback (2) *(littéralement, "arbitre du lundi matin") se dit d'une personne qui, ne pratiquant aucun sport, critique la tactique des joueurs en lisant le journal;* (II) sportif en pantoufle [chambre].

money—to be in the m. (2) *être riche:* (II) être paré, avoir le sac: BANKROLL. to be short of m. (1) *être à court d'argent:* (I) avoir la bourse plate: BROKE. to blow one's m. (2) *dépenser son argent avec imprudence:* (III) fusiller son fric [pèze, pognon, etc.]. to coin m. (1 fig.) *gagner beaucoup d'argent:* (II) ramasser de l'argent à la pelle. to have a barrel [mint, sockful, bags] of m. (2) *avoir beaucoup d'argent. être très riche:* (II) avoir la grosse galette: BANKROLL. to lay out m. (1) *avancer de l'argent.* to put one's m. on (1) *parier sur.* to run in the m. (2) *être parmi les gagnants (courses hippiques, concours, etc.)* to sink m. in (2) *investir de l'argent dans.* to spend m. like it was going out of style (2) *dépenser de l'argent avec largesse:* BLOW ONE'S MONEY. m. guys (the) n (2) *les riches:* (III) les rupins [rupinos].

moneybags n (1) *personne très riche:* (III) rupin, rupinos.

moniker n (2) *nom:* (III) blaze, blase, centre.

monkey—to m. around (1) *perdre son temps:* (I) lambiner; (II) tirer sa flemme: BUM AROUND. to m. around with (1) *manigancer:* (I) tripoter, tripatouiller; (II) fricoter, maquiller. to get off the m. (2a) *se désintoxiquer d'une drogue.* to have a m. on one's back (2a) *être toxicomane:* (III) être camé [schnouffé]. to make a m. out of s.o. (2) *faire paraître q'un ridicule.*

monkey business n (2) *truquage:* (I) tripotage; (II) fricotage.

monkey clothes [suit] n (2a) *habit de gala.*

monkey jacket n (2a) *smoking.*

monkeyshine—to cut monkeyshines (2) *faire le plaisant:* (I) batifoler, faire le pitre; (II) faire le zouave.

monkey wrench—to throw a m. w. into (2) *introduire des obstacles pour empêcher une activité:* (I) mettre des bâtons dans les roues.

monthlies (1) *menstrues:* (III) anglaises, ours, argagnasses, affaires, trucs, doches.

mooch vi, vt (2) *mendier:* (I) taper; (II) mendigoter; (III) faire la manche, pilonner, torpiller, marcher à la torpille.

moocher n (2) *mendiant:* (II) mendigot; (III) mendiche, torpilleur, pilonneur. (2) *personne qui emprunte souvent de l'argent, etc.:* (I) tapeur; (III) torpille, torpilleur.

moo-juice n (2a) *lait:* (III) mendès, lolo.

moola(h) n (2) *argent* (III) fric, pognon: BRASS.

moon—once in a blue m. (2) *rarement ou jamais:* (II) tous les 36 du mois, quand les poules auront des dents. to shoot for the m. (2) *entreprendre q'ch. de pratiquement irréalisable:* (I) vouloir prendre la lune avec les dents, courir après son ombre.

moonlight vi (1) *pour un fonctionnaire, avoir un emploi en dehors de son service.*

moonshine n (2) *alcool illicitement distillé.*

mop—to m. up (on) s.o. (2) *frapper, battre q'un:* (II) tabasser; (III) passer à la casserole: BASH. to m. the floor with s.o.: MOP UP (ON).

mosey vi (2) *marcher lentement:* (I) traînasser; (III) tirer [traîner] ses patins [lattes, pattes]. (2) *s'en aller:* (I) prendre le large: BEAT IT.

mossback n (1) *individu agé et vieux-jeu:* (I) fossile.

mothball—to take s.t. out of mothballs (2) *sortir une idée, un projet, etc., de l'oubli:* (I) déterrer q'ch., sortir q'ch. de derrière les fagots.

motor—to cut the m. (1) *couper le contact d'un moteur.* to gun the m. (1) *accélérer le moteur:* (I) appuyer sur le champignon. to race one's m. (2 fig.) *dépenser de l'énergie en pure perte:* (I) brasser du vent.

motor cop n (2) *agent de police motorisé:* (II) motard; (III) perdreau; (III) Patrice et Mario.

mouse n (2) *oeil poché:* (II) oeil au beurre noir, coq, coquard; (III) coquelicot.

mouth—to have a big m. (2) *avoir l'habitude de parler indiscrètement.* (2) *être bavard:* (I) avoir la langue trop longue [bien pendue, bien affilée]; (II) avoir une bonne tapette; (III) avoir une grande gueule. (2) *avoir l'habitude de parler avec impudence, avec audacité:* (II) avoir du culot: BRASS. to put one's foot in one's m. (2) *commettre une erreur:* (I) faire une gaffe: BONER. to run [shoot, blow] off at the m. (2) *parler beaucoup:* (II) rouler: BLOW OFF. to be down in the m. (2) *avoir des idées noires:* (I) avoir le cafard: BLUE. to shut one's m. (1) *se taire:* (III) la boucler: CLAM UP.

mouthpiece n (2) *avocat:* (III) bavard, baveux, débarbe, débarbot, débarboteur.

move—to get a m. on (2) *se dépêcher:* (III) se magner, activer: GAS.

moviegoer n (1) *cinéphile assidu:* (III) fana du cinoche.

movies n (1) *cinéma:* (III) cinoche, ridaire.

moxie n (2) *vigueur, entrain:* (I) abattage, allant. (2) *courage:* (I) ventre; (III) bide: GAME.

much—it's too m. (2) *c'est trop, c'est le comble:* (I) c'est le bouquet.

muck n (1 fig.) *bavardage médisant:* (I) cancan, potin. to m. up (2) *mal exécuter q'ch.:* (II) amocher; (II) bousiller: BITCH UP.

mud n (2) *café (breuvage):* (III) jus, caoua(h), petit noir. (2) *mauvais café:* (II) jus de chaussettes [chique, chapeau], lavasse. it's as clear as m. *c'est difficile à comprendre:* (I) c'est de l'algèbre [du haut allemand, une bouteille d'encre].

mudhooks n (2a) *pieds:* (III) panards: DOGS.

mug n (2) *visage, figure:* (I) frime; (II) binette: KISSER. (2) *mauvais type:* (II) fripouille: BAD ACTOR.—vt. (2) *attaquer de derrière et étrangler:* (III) serrer le kiki. (2) *photographier (un prisonnier) à l'Identité Judiciaire:* (III) faire passer au pied.—vi (2) *éxagérer les jeux de physionomie (surtout pour un acteur):* (I) faire le singe, singer.

mug-book n (2) *répertoire photographique des criminels à l'Identité Judiciaire.*

mugger n (2) *acteur grimacier:* (I) singe. (2) *agresseur qui surprend ses victimes par derrière en les étranglant avec le bras.*

muggles n (2) *marijuana, kif:* (II) thé, fée verte.

mug shot n (2) *photo de face et de profil d'un criminel.*

mule—to have the kick of a m. (2) *être très fort en alcool:* (III) être raide, être du casse-pattes [tord-boyau]. to have the head of a m. (1) *être très entêté:* (I) avoir la tête carrée.

mull—to mull over s.t. (1) *réfléchir à q'ch.:* (I) ruminer; (II) gamberger à.

mulligan stew n (2a) *ragout grossier (préparé par les clochards dans leur refuge):* (I) ratatouille; (II) rata.

mum—to keep m. (1) *ne pas parler, ne pas révéler le secret:* (I) se mordre la langue, passer au bleu: CLAM UP.

murder—to get away with m. (1 fig.) *échapper à une punition ou à une réprimande:* (I) s'en tirer à bon compte, passer au travers. to m. the French language (1) *mal parler le français:* (I) parler français comme une vache espagnole. to yell bloody m. (2) *protester (à haute voix):* (I) rouspéter; (II) gueuler (au charron): BEEF.

muscle—to m. in (1) *s'introduire par force (physiquement ou au figuré):* (I) jouer des coudes, forcer la porte. to m. in on s.o. (1) *s'imposer à q'un:* (I) forcer la porte à q'un.

to show [flash] one's m. (2) *essayer d'impressionner en mettant ses muscles en valeur:* (I) rouler les épaules, jouer les gros bras; (III) rouler les biscottos [mécaniques].

musclehead n (2) *homme stupide:* (I) cruche; (II) truffe: BLOCKHEAD.

muscle man n (2) *homme fort:* (II) costaud: IRON MAN.

mush n (2) *visage:* (II) portrait: KISSER.

mushhead n (2) MUSCLEHEAD.

mushmouth n (2) *qui parle d'une manière difficile à comprendre, en avalant les mots:* (I) bafouilleur.

mushy adj (1) *sentimental à l'excès:* (I) à l'eau de rose.

music—to face the m. (1) *supporter les conséquences fâcheuses de ses actes:* (I) avaler la pilule, payer les pots cassés. to make sweet m. together (1a) *tenir, entre amoureux, des propos tendres et langoureux:* (I) roucouler.

muss—to m. up (1) MESS UP.

mutt n (2) *chien (surtout bâtard):* (III) cabot, cador, clebs, cléb(ard), kléb(ard).

muttonhead n (2) *stupide, niais:* (I) gourde: BLOCKHEAD.

muzzle n (1) *visage:* (II) gueule: KISSER.

nab vt (2) *arrêter (police):* (I) pincer; (II) agrafer; (III) alpaguer: BAG.

nag n (1) *cheval médiocre:* (I) rosse; (II) bique: HAYBURNER. to play the nags (2) *parier sur les courses hippiques:* (III) jouer aux courtines, aller à l'église.

nail—to hit s.t. on the n. (2) *dire q'ch. tout à fait à propos:* (I) taper dans le mille. to be able to eat nails (2) *pouvoir tout digérer:* (II) avoir un estomac d'autruche [d'acier, de fer]; (II) avoir l'estomac blindé.

name band n (1) *orchestre de jazz réputé, de premier plan (connu uniquement par le nom de son chef).*

nance n (2) *homosexuel:* (III) tante: FAG. (2) *homme faible:* (I) femmelette: PANTY-WAIST.

nanny—to get [gripe] s.o.'s n. (2) *ennuyer q'un:* (I) embêter q'un; (II) emmerder: BUG.

natch! (2) *naturellement!:* (III) naturliche!

natural n (2) *le sept ou le onze à la première poussée des dés (passe anglaise). (2) personne ayant des dons naturels pour sa carrière.*

nature boy n (2) *ami de la nature*.*

neat—to be n. as a pin (1) *être soigneux de sa personne, vêtements, etc. (1) être très soigné (travail, chambre, etc.):* (III) être nickel.

nebbish n (2a) *personne timide, sans esprit.*

neck vi (1) *échanger des caresses amoureuses* (I) bécoter; (II) peloter; (III) tripoter. to be after s.o.'s n. (2) *chercher q'un pour lui régler son compte:* (III) aller à la rebiffe. to be up to one's n. in (1) *être submergé [débordé] par q'ch.:* (I) être criblé de (dettes), en avoir par dessus la tête (travail, ennui); (III) être dans le sirop [la merde] jusqu'au cou (ennui). to be on [breathe down] s.o.'s n. (2) *exercer une surveillance constante sur q'un:* (I) être sur le dos de q'un; (II) être aux trousses de; (III) être sur le râble [les endosses, l'échine] de. to get off s.o.'s n. (2) *laisser q'un en paix:* (II) ficher [foutre] la paix à q'un. to get it in the n. (2) *être mal repayé (au fig.), recevoir un châtiment injustifié.* to stick one's n. out (2) *prendre des risques:* (I) sauter le fossé; (III) y aller du cigare [gadin, citron], se mouiller, aller à la mouillette.

needle n (1) *piqûre:* (III) piquouse.—vt (1) *corser (une boisson) en y ajoutant de l'alcool.* (1) *railler, critiquer:* (I) chiner: BUSINESS. to be on the n. (2) *être habitué aux drogues par injection:* (III) être de la piqûre.

needle candy n (2a) *héroïne (stupéfiant):* (III) (fée) blanche, schnouffe, blanc, neige, héro.

neighborhood—in the n. of (1) *environ, plus ou moins, dans les (en parlant d'une quantité de).*

nerve—to have a lot of n. (2) *avoir de l'audace:* (I) avoir du toupet [du culot]: BRASS. to get on s.o.'s nerves (1) *ennuyer:* (I) taper sur les nerfs*; (II) assommer: BUG.

nervy adj (2) *audacieux:* (II) culotté, gonflé. to be n. (2) *être courageux;* (III) en avoir dans le bide: GAME.

nest—to feather one's n. (1 fig.) *s'enrichir:* (I) faire son beurre; (III) se bourrer.

net champ n (2) *champion de tennis.*

never mind—it makes me no n. m. (2a) *cela m'est égal:* (III) c'est du kif.

newshound n (2) *reporter, journaliste.*

next—to get n. to s.o. (1) *se mettre bien avec q'un:* (I) se mettre dans les papiers de q'un, s'acoquiner à q'un.

n.g. (abbr. of no good) (2) *pas bon, bon à rien:* (III) bon à nib [lap].

nick—to n. s.o. for (2) *soutirer q'ch. de q'un:* (I) carotter; (II) empiler: CLIP. (2) *faire payer trop cher:* (I) étriller: CLIP.

nickel—not to be worth a plugged [wooden] n. (2) *ne rien valoir:* (I) ne pas valoir les quatre fers d'un chien; (II) ne pas valoir chipette: DAMN. don't take any wooden nickels (1) *ne vous laissez pas duper.*

nifty adj (2) *beau, élégant:* (II) badour: CLASSY.

nigger n (2 derog.) *nègre:* (III) bougnoule: COON.

nigger heaven n (2a) *galerie élevée d'un théâtre:* (I) poulailler, paradis; (II) poulaille.

nightcap n (1) *dernier verre d'alcool que l'on prend juste avant de se coucher.*

nighthawk n (1) *noctambule:* (I) oiseau de nuit*, personne du soir.

nightie n (1) *chemise de nuit:* (III) limace.

night owl n (1) NIGHT HAWK.

nightspot n (1) *boîte de nuit.*

nina n (2a) *le neuf dans le jeu de dés (passe anglaise).*

nincompoop n (1) *sot, niais:* (I) pante; (III) gourdichon: BLOCKHEAD.

ninnies n (2) *mamelles:* (I) tétons; (III) roberts: BOOBIES.

nippers n (2) *menottes:* (III) pincettes: BRACELETS.

nitro n (2a) *dynamite, nitroglycérine (employée pour faire sauter les coffres-forts).*

nitwit n (2) *personne stupide:* (I) crétin; (II) andouille: BLOCKHEAD.

nix n (2) *non.*

no-account n (2) *vaurien:* (I) un zéro; (II) fripouillard: BAD ACTOR.

nob n (2a) *aristocrate:* (II) gommeux; (III) aristo, aristèche.

nod—to give s.o. the n. (2) *hocher la tête en signe d'approbation ou de reconnaissance.* (2) *faire signe de commencer une action:* (I) donner le feu vert.

noggin n (1) *tête:* (I) caboche; (II) ciboulot; (III) cigare: BEAN.

noncom n (2 mil.) *sous-officier:* (III) sous-of.

noodle n (2) *tête:* (I) caboche; (III) citron: BEAN.

nookie n (3) *coït:* LAY.

nose—to have a n. for news (2) *pressentir les événements importants (se dit d'un journaliste):* (I) avoir le nez creux; (III) avoir du nez [pif, blair]. to have one's n. out of joint (2) *être offensé:* (I) piquer son fard. to hit it on the n. (1) *trouver la réponse juste, la solution:* (I) taper dans le mille, trouver le joint. to keep one's n. clean (2) *rester à l'écart des affaires douteuses:* (II) rester pénard; (III) se ranger des voitures, se tenir à carreaux, ne pas se mouiller, ne pas aller à la mouillette. to look down one's n. at s.o. (2) *regarder q'un avec dédain.* (I)

toiser. to pay through the n. (2) *payer très cher:* (II) payer les yeux de la tête, essuyer le coup de fusil [barre]. to poke [shove] one's n. in s.o. else's business (2) *se mêler des affaires d'autrui:* (I) fourrer le nez dedans; (II) ramener sa fraise: BUTT IN. to thumb one's n. at s.o. (2) *se moquer avec impertinence de q'un, narguer:* (I) faire le pied de nez* [la nique] à q'un. on the n. (2) *au moment nommé:* (I) à pic, au poil; recta; (III) moins une. (2) *pari à gagner (course hippique.)* to count noses (2) *faire le compte d'un groupe:* (I) compter les têtes de pipes.

nosebag—to put [tie] on the n. (2a) *manger:* (II) briffer, bouffer: CHOW.

nose candy n (2a) *cocaïne:* (III) C, neige, fée blanche, chnouf(fe).

noseful—to have a n. (2) *être ivre:* (III) en avoir un coup dans le nez*: BLOTTO.

nos(e)y adj (1) *fureteur:* (III) fouineur, fouinard; (III) fouille-merde.

no-show n (2) *personne qui n'utilise pas une place retenue (théâtre, avion, etc.).*

nothing—n. doing! (2) *rien à faire!* (II) il n'y a pas mèche! macache! mon oeil!; (III) je ne marche pas! tu peux te brosser! (IV) tiens, mes deux!. in n. flat adv. (2) *très rapidement:* (III) illico [presto], en moins de deux. to know from n. (2) *ne rien savoir;* (III) ne piger [entraver] nib [que dalle].

notice—to get rave notices (2) *être l'objet de commentaires élogieux de la part des critiques (roman, pièce, etc.):* (I) être couvert de fleurs; avoir la presse unanime; (III) tenir la une.

number n (2) *chanson:* (III) goualante. (2) *personne en général;* (I) type*, gars: CHAP. my [yours, his, etc.] n. is up (2) *attendre le châtiment:* (I) mon [son, votre, etc.] compte est bon. to have s.o.'s n. (2) *deviner les vraies intentions, connaître la véritable personnalité de q'un:* (I) voir clair dans le jeu de q'un, connaître le numéro de q'un*; (II) voir q'un venir avec ses gros sabots. to have the wrong n. (2) *se tromper:* (III) se gourrer: BASE. to do s.t. by the numbers (2) *faire q'ch. en se conformant strictement aux règles.* to play the numbers (2) *acheter des billets de participation aux loteries clandestines dont les résultats sont tirés de certains tableaux statistiques publiés dans les journaux.* to talk in telephone numbers (2) *exagérer, en parlant d'argent.*

number one n (2) *soi-même:* (III) mézigue, ma pomme. to look out for n. o. (2) *protéger ses propres intérêts:* (III) se défendre, défendre ses blindes. n. o. spot n (2) *l'attraction principale d'un spectacle:* (III) le clou.

number-one boy n (2) *le favori:* (I) la coqueluche, le chouchou.

numbskull n (2) *idiot, sot:* (I) buse; (II) job: BLOCKHEAD.

nut n (2) *fou:* (I) fada; (II) loufoque: CRACKPOT. (2) *tête:* (I) caboche: BEAN. to be a hard [tough] n. to crack (2) *être difficile à comprendre, à deviner:* (I) être un casse-tête (chinois), être une colle. (2) *être une personne difficile à convaincre:* (I) avoir la tête carrée. to be a n. on s.t. (2) *être un amateur fanatique de q'ch.:* (I) avoir un dada pour q'ch.; (II) avoir une marotte pour: BATS. to be off one's n. (2) *être fou:* (I) avoir le cerveau fêlé; (III) avoir le coco fêlé: BATS. to crack [make] the n. (2a) *gagner la somme investie dans une affaire:* (I) retomber sur ses pattes; (II) arriver carat-carat. to talk like a n. (2) *déraisonner:* (I) dérailler; (II) débloquer; (III) dire des conneries, déconner (à pleins tubes).

nuthouse n (2) *asile de fous:* (I) cabanon; (II) Sainte-Anne, Charenton; (III) asile des dingues.

nuts n (3) *testicules:* (IV) balloches: BALLS. to be n. about [over] (2) *être entiché de:* (I) être coiffé de; (II) avoir le pépin pour: BATS. to go n. (2) *devenir fou:* (III) partir du ciboulot: BATS. n. to you! (3) *zut!, flûte!;* (III) merde!; (IV) tiens, mes deux!*

nutty—to be n. (as a fruitcake) (2) *être fou:* (II) être cinglé; (III) être dingo: BATS.

nympho (abbr. of nymphomaniac) n (2) *nymphomane:* (III) chaude lapine, bandeuse, bourrin, mangeuse de santé.

oak leaves n (2) *insignes de major et de lieutenant colonel de l'armée américaine:* (I) feuilles de chêne.

oatburner n (2) *cheval (surtout médiocre):* (III) bique: HAYBURNER.

oats—to feel one's o. (2) *être plein d'entrain:* (I) avoir de l'allant; (II) péter le feu: BALL.

obit (abbr. of obituary) n (2) *annonce nécrologique.*

oddball n (2) *individu excentrique:* (I) drôle d'oiseau; (III) drôle de mironton: BIRD.

odds—to buck the o. (2) *parier sur une mauvaise cote et, par extension, prendre des risques:* (III) jouer le toquard, se mouiller. to play the o. (2) *jouer à coup presque sûr.*

ofay n (2) *un blanc (dans l'argot des Noirs).*

off-color—to be o.-c. (2) *se sentir en mauvais état physique:* (I) ne pas être dans son assiette, être mal fichu: BAD SHAPE. (I) être grossier, scabreux (mot, histoire, etc.):* (I) être salé [pimenté, poivré]; (II) cochon, porno.

office wife n (2) *(humor.) secrétaire particulière.*

oil—to strike o. (1 fig.) *réussir (gagner beaucoup d'argent, trouver une bonne situation, etc.):* (I) trouver un bon filon.

oiled—to be (well) o. (2) *être ivre:* (II) être paf; (III) en avoir un coup: BLOTTO.

okay! (1) *d'accord!, tout va bien!, o.k.!:* (III) d'ac!, banco! to o. s.t. (1) *approuver.*

okey-doke (2) OKAY.

Okie n (2) *originaire de l'Oklahoma qui est obligé, par suite de la sécheresse, de parcourir les états voisins à la recherche d'un emploi.*

old—o. biddy [bag, hen, bat, witch, rip, crow] (2) *vieille femme (surtout laide):* (II) vieille rombière, vieille bique; (III) mochetée, tarderie. o. buck [goat, codger, coot, fart, -timer] (2) *vieil homme:* (I) vieux type [jeton], fossile, vieille baderne; (II) vieux bonze [birbe, mironton]; (III) vieille noix, vioc(que), viocard. o. man (2) *salutation entre amis:* (II) vieille branche [cloche]. the o. man n (2) *le père:* (I) pépère; (III) le vieux, le dab(e), le daron, le paternel, le croulant. (2) *le patron, le chef:* (III) le singe, le direlot. the o. lady n (2) *la mère:* (III) la dabe, la daronne, la vieille, la croulante. the o. folks n (1) *les parents (père et mère):* (II) les vieux; (III) les dabes, les croulants, les viocques. o. salt n (1) *vieux matelot:* (I) loup de mer; (III) mataf, matave. o. hat adj (1) *démodé:* (I) vieux jeu*. o. hometown n (2) *ville de naissance:* (II) patelin. o. Sol n (2) *le soleil:* (III) le frère, le bourguignon.

oldster n (1) *vieille personne, vieillard:* (III) viocque: OLD.

on—to be on to s.o. (1) *être au courant des prétentions abusives de q'un:* (II) ne pas couper [mordre] dans le truc de q'un, ne pas tomber dans le panneau de. to be on to s.t. (1) *être sur la piste d'une bonne affaire:* (I) flairer une bonne affaire. to have s.t. on s.o. (1) *connaître les détails défavorables de la vie ou des actions de q'un:* (I) en savoir long [avoir q'ch. sur] le compte de q'un.

once-over—to give the o.-o. (2) *regarder, scruter:* (II) viser; (III) mater: DOUBLE-O.

one—to go s.o. o. better (1) *riposter en mieux.* (1) *surpasser q'un:* (II) enfoncer q'un; (III) mettre q'un dans le vent, dégommer. to be o. up on s.o. (2) *avoir l'avantage sur q'un:* (I) avoir barre [le pas] sur q'un.

one-armed bandit n (2) *appareil à jeton:* (III) tire-pognon [pèze].

one-horse town n (2) *petite ville ou village:* (III) trou, patelin, bled.

one-lunger n (2) *malade de tuberculose pulmonaire:* (III) tubard.

one-man show n (1) *récital.*

one-night stand n (2) *soirée unique (théâtre, etc.).*

one-track—to have a o.-t. mind (1) *s'intéresser à une seule chose.*

onions—to know one's o. (2) *être capable dans son métier:* (I) être à la hauteur; (II) être du bâtiment: BALL.

oodles (1) *grande quantité:* (II) une charibotée de: BAGS.

oomph—to have o. (2a) *pour une jolie femme, avoir un charme communicatif:* (I) avoir du sex appeal; (II) avoir du chien; (III) avoir de la conversation. (2) *avoir beaucoup d'entrain:* (I) avoir de l'allant; (II) péter le feu: BALL. to have no o. (2) *se sentir fatigué, sans entrain:* (I) être flapi: BEAT.

open—to o. up (1) *parler franchement:* (1) vider son sac; (III) l'ouvrir. (2) *confesser, avouer:* (III) se mettre à table, manger le morceau: BELCH. to o. it up (2) *accélérer (un moteur):* (I) appuyer sur le champignon; (III) mettre les gaz [la gomme]. to o. up on s.o. (1) *réprimander q'un:* (I) vider son sac sur, dire les quatre vérités à: BAWL OUT.

open mike n (2) *tribune libre (à la radio).*

operator—big time o. n (2) *brasseur de grosses affaires (parfois douteuses).*

orbit—to be in o. (2 fig.) *marcher parfaitement (action, activité, etc.):* (I) aller comme sur des roulettes, tourner rond; (III) gazer, gazouiller. (2) *travailler facilement après avoir surmonté des difficultés.* (2) *être ivre:* (II) être allumé; (III) être rond: BLOTTO.

ornery adj (2) *d'humeur maussade.*

ossified adj (2) *ivre:* (II) saoul; (III) raide: BLOTTO.

out—to find an o. (2) *trouver le moyen de se tirer d'affaire:* (I) se débrouiller, s'échapper par la tangente, sortir de l'auberge; (III) se démerder, se démouscailler, se tirer d'épaisseur. to get o. from under (2) FIND AN OUT. to look for an o. (2) *chercher des excuses.* to be o. on one's feet (2) *être épuisé de fatigue;* (II) être sur les rotules: BEAT. to be o. (like a light) (2) *être évanoui:* (II) être dans les pommes; (III) être dans la vape [les vapes]. to go o. like a light (2) *s'évanouir:* (II) tomber dans les pommes: BLACK

OUT. to go all o. (2) *faire un effort maximum:* (II) mettre le paquet: ALL. to make o. (2) *réussir.* to make o. with (2) *réussir à gagner les faveurs de.* to be on the outs with s.o. (1) *être en mauvais termes avec q'un:* (II) être en pétard avec; (III) être en suif avec.

outfox vt (2) *tromper q'un en le surpassant par fourberie:* (II) posséder; (III) blouser, doubler, turbiner.

outhouse—to be built like a brick o. (2) *avoir une belle forme (femme):* (III) être bien roulée: CHASSIS.

out-of-towner n (1) *personne qui vient d'une autre ville.*

outside—to be on the o. looking in (2) *ne pas faire partie d'un groupe, d'une société, d'une action, etc.*

oven—to have one in the o. (2) *être enceinte:* (III) être tombée sur un clou rouillé: ANTICIPATING.

over—to be half seas o. (2a) *être ivre:* (II) être saoul: BLOTTO.

overboard—to go o. (2) *s'emporter, dépasser les limites du raisonnable.* to go o. for (2) *s'emporter, s'éprendre de passion pour:* (I) se toquer de, s'enticher de, s'amouracher de: ALL OUT.

owl train n (2) *le dernier train de la journée:* (III) le balai.

own—to o. up (1) *avouer, confesser:* (III) accoucher: BELCH. to go on one's o. (1) *se mettre à son compte:* (I) faire band à part, faire cavalier seul. to roll one's o. (2) *rouler ses cigarettes:* (III) s'en rouler une, rouler ses pipes [sèches, cibiches].

oyster n (2) *crachat:* (II) glaviot; (III) huître*, mollard.

pack—to p. them in (1) *faire le plein des personnes (cinéma, métro, etc.):* (II) les serrer comme des harengs [sardines]. to p. [stow] it away (2) *manger avidement:* (I) ripailler; (II) bâfrer: BLOWOUT.

package deal n (2) *lot d'objets vendu à prix spécial:* (III) le blot, le tas.

packing—to send s.o. p. (1) *congédier sans formalité:* (I) flanquer à la porte; (II) sacquer: BOUNCE.

pad n (2) *appartement, chambre (argot des beatniks):* (III) bahut: KIP.

padded bill n (1) *facture, note exagérée:* (I) compte d'apothicaire; (III) coup de barre [masse, massue].

paddle—to be up the creek without a p. (2) *être dans une mauvaise passe:* (I) être dans le pétrin; (II) être dans la mouscaille: HOT WATER.

paddy wagon n (2) *voiture policière pour le transport des prisonniers:* (III) panier à salade.

page-oner n (2) *article important sur la première page d'un journal:* (III) leader, pièce de boeuf.

pain—to feel no p. (2) *être gai sous l'effet de l'alcool:* (I) être émèché; (II) être paf: BLOTTO. to be a p. in the neck [ass] (2) *être ennuyeux:* (I) assommer; (II) barber: BUG.

pal n (1) *ami:* (I) copain; (III) pote: BUDDY. to p. up with (1) *se lier en amitié avec.* to p. around with (1) *fréquenter en amitié:* (III) s'équiper avec. to p. up to s.o. (2) *chercher l'amitié de q'un:* (I) chercher à se mettre dans les papiers de q'un.

palm—to grease the p. (1) *soudoyer:* (I) graisser la patte*. to have an itchy [itching] p. (2) *aimer l'argent:* (II) les avoir crochues.

palooka n (2) *cheval de course médiocre:* (III) bique: HAYBURNER. (2) *athlète sans qualité:* (I) paltoquet.

palsy-walsy—to be p.-w. with (2 derog.) *être amis intimes:* (I) se taper le ventre; (III) être amis comme cochons, être cul et chemise.

pan n (2) *la figure:* (I) frime; (II) binette; (III) cerise: KISSER. to p. s.o. (1) *critiquer q'un:* (I) éreinter; (III) carboniser: COALS. to p. out (1) *réussir, avoir un bon résultat:* (I) taper dans le mille; (II) faire un boum, décrocher la timbale.

panhandle vi (2) *mendier:* (III) mendigoter, marcher à la torpille, faire la manche [mengave], pilonner.

panhandler n (2) *mendiant:* (III) mendigot, mendiche, pilonneur, torpilleur.

panic n (2) *personne, pièce, film, etc., extrêmement amusant:* (II) q'ch. de roulant [poilant, écroulant, tordant, bidonnant, boyautant].—vt (2) *déclencher l'enthousiasme délirant des spectateurs:* (III) faire casser la baraque, faire trembler des lustres. to push the p. button [whistle] [blow the p. whistle] (2 fig.) *semer la panique sans raison valable (au fig.):* (III) semer la masturbation.

pansy n (2) *homme efféminé, homosexuel:* (III) tantouse: FAG.

pansyland n (2) *la monde des pédérastes:* (III) la pédale, la jaquette.

panther juice n (2a) *alcool fort et mauvais:* (III) gnôle, raide: BUG JUICE.

pants—to be caught with one's p. down (2) *être pris en flagrant délit:* (I) être pris la main au sac; (III) être pris [épinglé, baisé,

etc.] sur le tas. (2) *être pris à l'improviste.* to fly by the seat of the p. (2) *voler au jugé:* (II) voler au piff(omètre). to get a kick in the p. (2) *recevoir un choc moral inattendu:* (I) encaisser un coup dur, recevoir un coup de pied dans le cul*, recevoir une douche froide; (III) morfler un coup dur. to get the lead out of one's p. (2) *se dépêcher:* (II) se grouiller: GAS. to have ants in one's p. (2) *ne pas pouvoir se tenir en place:* (I) avoir la bougeotte. to have hot p. (2) *avoir envie de faire l'amour:* (II) avoir le feu au pantalon*: HORNY. to lick the p. off s.o. (2) *vaincre définitivement:* (II) écraser. (2) *battre avec violence:* (I) battre à plate couture: BASH. to run the p. off s.o. (2) *épuiser q'un de fatigue:* (II) claquer, crever, lessiver, mettre sur les genoux [rotules], mettre à plat, pomper, éreinter, vider les tripes à. to wear the p. (in the family) (1) *pour une femme, donner les ordres dans le ménage:* (I) porter la culotte; (III) porter le grimpant.

paper man [worker] n (2a) *faux-monnayeur:* (III) faux-mornifleur.

paper profits n (1) *bénéfices douteux, ou incertains, ou irréalisables:* (I) bénéfices sur le papier.

pard n (2a) *ami:* (II) pote: BUDDY.

parlor pink n (2) *révolutionnaire de salon:* (I) pâle rouge*.

party n (1) *individu:* (I) gars: CHAP. a certain party (1) *q'un.* (1) *réception.* p.-crasher n (2) *qui assiste à une réception sans être invité:* (II) pique-assiettes. to crash a p. (2) *assister à une réception sans invitation:* (II) faire le pique-assiettes. to throw [toss] a p. (2) *donner une réception:* (II) donner un gueuleton.

party boy n (1) *viveur:* (I) fêtard, noceur; (II) bambocheur, foireur; (III) bringueur.

party pooper n (2) *qui gêne la gaîté:* (I) empêcheur de danser en rond: SPOILSPORT.

pass—to p. out (2) *s'évanouir:* (I) tourner de l'oeil; (II) tomber dans les pommes: BLACK OUT. to p. s.t. up (2) *laisser passer [se passer de] l'opportunité de, décliner:* (II) sauter (repas, leçon, une journée de travail, etc.). to be in a pretty p. (2) *être dans une mauvaise passe:* (I) être dans le pétrin: HOT WATER. to make a p. at (2) *tenter de séduire une femme:* (II) chercher à se placer.

passel n (2a) *paquet:* (III) pacson, pacsif, baluchon.

paste n (2) *coup, gifle:* (I) taloche; (II) beigne: CLIP.—vt (2) *frapper, battre, donner un coup de poing:* (II) tabasser, carder, filer une beigne: CLIP.

pasteboards n (2) *cartes à jouer:* (III) brêmes, bauches.

pasteboard session n (2) *partie de cartes:* (III) partie de brêmes.

pasture—to be put to p. (2 fig.) *être mis à la retraite:* (I) être mis au vert*, être limogé (mil.)

pat—to give s.o. a p. on the back (1) *flatter q'un* (II) passer la brosse à reluire. to know s.t. p. (1) *connaître q'ch. à fond:* (I) connaître q'ch. sur le bout des doigts, en connaître un bout sur, être fort [calé] en, être férré sur, être trapu en; (III) être fortiche [costaud] en. to stand p. (1) *s'en tenir à sa décision:* (I) en rester là, en rester mordicus.

path—off the beaten p. (1) *hors des grandes affluences:* (I) loin de la foule.

patsy n (2) *dupe, victime:* (I) dindon; (III) cave: BOOB.

pavement—to be on the p. (2a) *pour une prostituée, accoster les clients sur le trottoir:* (III) faire le trottoir*: HUSTLE. to beat [pound] the p. (2) *pour un agent de police, faire sa tournée.* to burn up the p. (2) *conduire à toute vitesse:* (I) brûler le pavé*; (III) bomber: BARREL.

paw n (1) *main:* (III) paluche: DUKES.—vt (1) *caresser en palpant:* (I) tripoter; (II) peloter.

pay dirt—to strike p. d. (1 fig.) *trouver q'ch. de lucratif:* (I) trouver un bon filon*.

payoff n (1) *distribution du butin:* (III) fade, décarpillage. (1) *règlement de comptes.*

payoff man n (2) *personne qui répartit les bénéfices réalisés dans une affaire plus ou moins licite.*

payola n (2) *ristourne, commission illicite:* (I) gratte; (III) bouquet, fleur, gant.

p.d.q.—to do something p.d.q. (pretty damn quick) (2) *faire q'ch. à la hâte:* (III) faire q'ch. à toute pompe [illico, presto, en moins de deux].

peach n (2) *q'ch. de beau, de très satisfaisant:* (I) q'ch. de super: DAISY.—vi (1) *rapporter à la police:* (I) moucharder: FINGER. to p. on s.o. (2) *dénoncer q'un (à la police):* (I) moucharder: FINGER.

peachy adj (2) *beau, agréable, élégant:* (III) bath: CLASSY.

peanut n (2) *individu court de taille:* (I) courtebotte; (III) rikiki: BANTIE.

peanut gallery n (2) *le balcon le plus élevé d'un théâtre:* (II) paradis, poulailler; (III) poulaille, paradouze, poulo.

peanuts n (2) *presque rien:* (II) des clous; (III) des prunes: BEANS. to live on p. (2) *avoir peu d'argent pour vivre:* (I) vivre d'amour et d'eau fraîche, vivre de l'air du temps. to pay p. (2) *acheter pour un rien:* (II) payer des clopinettes [clous, etc.]. to work for p. (2) *gagner très peu:* (I) travailler pour la gloire; (II) travailler pour des clopinettes [clous]; (III) travailler pour la peau [des tringles, des prunes, des haricots, des nèfles].

pearl diver n (2) *laveur de vaisselle dans un restaurant:* (I) plongeur*.

peashooter n (2) *pistolet de petit calibre:* (III) rigolo.

pea soup n (2) *brouillard:* (III) purée du pois*.

peck n (1) *petit baiser:* (I) bécot, bise, bec, bisou. to p. at s.o. (1) *trouver à redire sur q'un, critiquer:* (I) chiner: COALS. to p. at s.t. (1) *manger comme un oiseau:* (I) chipoter*, grignoter. a p. of (1) *grande quantité de:* (I) une potée de: BAGS OF.

pecker n (3) *le membre viril:* COCK.

pedaler n (1) PEDAL PUSHER.

pedal pusher n (1) *cycliste:* (II) cyclard.

pedigree n (2) *casier, dossier judiciaire d'un criminel:* (III) pédigrée.

pee vi (2 euph.) *uriner:* (III) lansquiner: LEAK.

peed off—to be p. off (2) *être de mauvaise humeur:* (I) avoir la bisque: BRASSED OFF.

peel vi (2) *se déshabiller:* (III) se mettre à poil, se défringuer, se défrusquer, se déloquer, se dénipper, se désaper, se désharnacher. to p. out (2) *s'enfuir, s'en aller:* (I) prendre le large: BEAT IT.

peeled—to be p. (2) *être nu:* (II) être à poil: BIRTHDAY CLOTHES. to get p. (2) *se mettre à nu:* (I) PEEL. to keep one's eyes p. (1) *scruter, se tenir sur le qui-vive:* (II) veiller au grain; (III) faire gaffe [gy], mater, matouser.

peeler n (2) *strip-teaseuse.*

peep—without a p. (1) *sans mot dire, sans protester:* (I) sans desserrer les dents; (III) sans piper*, sans en bailler une.

peepers n (2) *les yeux:* (II) calots; (III) châsses: GLIMS.

peewee n (1) *personne très petite:* (II) aztèque: BANTIE.

peg vt (1) *jeter, lancer:* (I) balancer, flanquer: CHUCK. (2) *reconnaître les qualités (bonnes ou mauvaises) de q'un:* (III) connobler, reconnobler, redresser, rebichoter, tapisser, retapisser. to bring [take] s.o. down a p. (1) *retrancher q'un de son autorité, de sa hauteur:* (I) rogner les ailes à q'un. to be pegged out (2a) *être très fatigué:* (I) être éreinté; (II) être sur les rotules: BEAT.

pegged—to have s.o. p.: PEG.

peg leg n (1) *jambe de bois:* (I) pilon. (1) *qui porte une jambe de bois:* (I) pilonneur.

pegs n (1) *jambes:* (II) flûtes; (III) cannes: GAMS.

pen n (2) *prison centrale:* (III) bloc, taule: BRIG.

pencil pusher n (2a) *clerc, employé de bureau:* (I) gratte-papier*, scribe, scribouillard, rond-de-cuir.

penman n (2) *falsificateur de chèques ou de signatures:* (II) truqueur [maquilleur] de chèques.

penny—a pretty p. (1) *beaucoup d'argent.* to pinch pennies (1) *faire des économies insignifiantes:* (I) faire des économies de bouts de chandelle, mégotter. (1) *dépenser de l'argent à contre-coeur:* (III) les lâcher avec un lance-pierres [avec un compte-gouttes], être dur à la détente.

penny-pincher n (2) *avare:* (I) rapiat; (II) radin: CHEAPSKATE.

people—to know the right p. (1) *avoir de l'influence:* (I) avoir du piston, avoir le bras long.

pep—to be full of [have] p. (2) *avoir de l'entrain:* (II) péter le feu: BALL. to lose one's p. (2) *perdre ses forces, son entrain:* (I) s'avachir. to p. s.o. up (2) *remonter le moral à, encourager q'un:* (I) ragaillardir, ravigoter, émoustiller q'un; (II) requinquer; (III) rebecter. to p. s.t. up (2) *animer, donner de l'animation à:* (I) émoustiller, donner un coup de fouet à.

pepper-upper n (2) *stimulant, généralement à base d'alcool:* (I) coup de fouet; (III) topette, dynamite.

pep pill n (2) *stimulant:* (III) topette.

peppy adj (2) *plein de vitalité, d'énergie:* (I) plein d'abattage (d'allant, de feu); (II) pétant le feu.

pep talk n (2) *discussion, conférence destinée à stimuler le personnel d'une entreprise, les joueurs d'une équipe sportive, etc.*

percentage n (1) *avantage, profit, bénéfice:* (I) bouquet; (II) gratte, fleur; (II) bénéf, grinche, affure, afflure.

perk—to p. along (1) *marcher, fonctionner bien et vite:* (II) bicher, boulotter, carburer; (III) gazer, gazouiller.

peroxide—p. blonde n (2) *blonde oxygénée*.*

persnickety adj (1a) *qui se préoccupe des moindres détails:* (I) tatillonneur; chichiteux.

persuader n (2) *pistolet, revolver:* (III) article, calibre: CANNON. (3) *le membre viril:* COCK.

pesky adj (1) *ennuyeux:* (I) barbant: BUGGING.

pestiferous adj (1a) PESKY.

pet vi (1) *caresser (entre amoureux).*

pete n (2a) *coffre-fort:* (III) coffiot, jacquot.

pete-man n (2a) *casseur de coffres-forts:* (III) casseur de coffiots.

peter n (3) *le membre viril:* COCK. to p. off [out] (1) *se diminuer, s'affaiblir:* (I) s'avachir. (1) *échouer, aller à néant:* (II) finir en eau de boudin*: BLOW UP.

petered out—to be p. out (2) *être fatigué, épuisé:* (II) être claqué; (III) être vanné: BEAT.

petticoat n (2) *femme, jeune fille:* (III) gonzesse: BABE.

phenomenon n (1) *personne extraordinaire:* (I) phénomène.

phiz n (2a) *visage, figure:* (I) frime; (II) museau: KISSER.

phone n (1) *téléphone:* (III) tube, télémuche, bigophone, cornichon.

phoney adj (2) PHONY.

phonies n (2a) *dés truqués:* (III) dés pipés, artillerie: CAVALERIE.

phony n, adj (2) *faux, contrefait, artificiel:* (II) marron; (III) bidon: CRAP. (2) *bluffeur:* (III) chiqueur: BAG OF WIND. to p. up (2) *falsifier, truquer:* (I) maquiller; (II) fricoter.

phony fall—to take a p. f. (2) *simuler un accident pour toucher l'assurance:* (III) piquer un macadam [tickson].

phony rap n (2) *accusation injustifiée:* (III) fausse fargue.

phony tip n (2) *faux tuyau:* (III) faux tubard [rencart].

phooey! (2) *flûte!*

phut—to go p. (2a) *aller à néant, échouer:* (I) s'en aller en eau de boudin: BLOW UP.

pickle—to be in a p. (1) *être dans une mauvaise passe:* (I) être dans de beaux draps: HOT WATER.

pickled—to be p. (2) *être ivre:* (II) être saoul: BLOTTO.

pickle puss n (2) *personne acariâtre:* (I) tête d'enterrement; (II) chameau.

pick-me-up n (1) *boisson prise comme stimulant:* PEPPER-UPPER.

pick up vt (2) *arrêter (police):* (I) pincer; (II) lever*: BAG.

pickup n (1) *stimulant (surtout boisson):* PEPPER-UPPER. (1) *reprise, augmentation d'activité.* to be slow on the p. (2) *avoir l'intelligence lourde:* (I) n'avoir pas inventé la poudre; (II) avoir 'la comprenette difficile*:* DRAW. to be quick on the p. (2) *être intelligent:* (II) avoir la comprenette facile; (III) en avoir dans le chou [cigare, citron, etc.]. to make a p. (2) *ramasser un client (se dit d'une prostituée):* (III) faire un levage [une touche].

picky—to be p. (1) *être méticuleux à l'excès:* (I) chercher la' petite bête, couper les cheveux en quatre.

picnic n (2) *activité, travail agréable, facile à achever:* (I) rigolade: ABC.

picture—to pass out of the p. (2) *s'évanouir:* (II) tomber dans les pommes: BLACK OUT. to step out of the p. (2) *s'effacer, se retirer (d'une entreprise, activité, etc.).* to be not in the (same) p. with s.o. (2) *être très inférieur à:* (I) ne pas arriver [monter] à la cheville de. to get the p. (2) *comprendre:* (I) entendre le français; (III) piger, entraver.

piddle—to p. around (1) *perdre son temps avec des riens:* (II) flemmarder: BUM AROUND.

pie—to be as easy as (apple) p. (2) *être très facile:* (I) être bête comme chou; (II) être du sucre: ABC. to get a slice of the p. (2) *recevoir une partie des profits, des bénéfices;* (I) prendre sa partie du gateau; (III) aller au fade, prendre la motte. to have one's finger in the p. (2) *participer à une affaire:* (II) être dans le coup [la course, le mouvement], être du bâtiment.

piece n (2) *article.* p. of ass [tail, nookie, cake] (3) *coït:* LAY. to tear off a p. (3) *coïter:* BANG. to give s.o. a p. of one's mind (1) *dire à q'un ce qu'on doit dire:* (I) dire les quatre vérités, vider son sac.

pie-eyed adj (2) *ivre:* (I) éméché; (II) paf: BLOTTO.

pier-six brawl n (2a) *bagarre, rixe:* (I) grabuge; (III) rififi, rébecca: DONNYBROOK.

piffle adj (1) *non-sens:* (I) fichaise; (II) foutaise: APPLESAUCE.

pifflicated adj (2a) *ivre:* (I) gris; (II) beurré: BLOTTO.

pigboat n (2) *sous-marin.*

pigeon n (2) *dupe, victime d'une escroquerie:* (I) gobe-mouches; (III) pigeon*:* BOOB.

piggy bank n (1) *tirelire.*

pigskin n (1) *football.*

pigskin classic n (2) *jeu de football entre deux équipes importantes.*

piker n (2) *avare:* (II) radin: CHEAPSKATE.

pile n (2) *grande quantité d'argent:* (I) pelote; (II) matelas. a p. of (1) *beaucoup de:* (I) un tas de: BAGS OF. at the bottom of the p. (1) *au bas de l'échelle (au fig.):* (I) le dernier des derniers. at the top of the p. (1) *au sommet (d'une hiérarchie):* (I) tenant le haut du pavé. to p. it on thick (2) *exagérer:* (I) aller fort; (III) en installer: APPLESAUCE. to p. up (2) *avoir un accident (voiture, avion):* (I) faire un carambolage [emboutissage]; (III) avoir un crash. to make one's p. (2) *devenir riche:* (I) faire son beurre [sa pelote]; (II) se bourrer [remplir]: BANKROLL. to p. into s.o. (2) *attaquer q'un:* (II) rentrer dans le portrait à q'un: HAUL OFF.

pill n (2) *balle de revolver:* (III) bastos, dragée, praline, prune, pruneau, valdas. (2) *individu ennuyeux, hargneux:* (II) bassin: CREEP. (2) *cigarette:* (III) sèche: BUTT.

pill-cooker n (2a) *habitué à l'opium.*

pillow—to pound the p. (2) *dormir:* (II) roupillonner: EAR.

pill peddler n (2a) *médecin:* (II) toubib; (II) rébecteur.

pill roller n (2a) *pharmacien:* (II) potard, pharmaco.

pin—to p. s.t. on s.o. (1) *rendre q'un responsable d'un délit:* (I) mettre q'ch. sur le dos de q'un; (III) mettre sur le paletot de, faire porter le bada [chapeau].

pinch vt (2) *dérober, voler:* (I) chaparder; (III) chouraver, fabriquer: CLIP. (2) *arrêter (police):* (I) agrafer; (III) épingler: BAG. to make a p. (2) *arrêter.* to be pinched (for money) (1) *être à court d'argent:* (III) être de la courtille, être sans un sou: BROKE. to get pinched (2) *se faire arrêter:* (III) se faire faire marron: BAG.

pinchers n (2) *menottes:* (III) pincettes*:* BRACELETS.

pincushion—to feel like a p. (2) *avoir reçu beaucoup de piqûres:* (II) avoir les fesses [cuisses, etc.] comme une passoire, [bouffées aux mites].

pine—p. overcoat n (2a) *cercueil:* (III) paletot de sapin*,* boîte à dominos.

pink—to see p. elephants (2) *avoir le délirium tremens.*

pinko n (2) *ayant des tendances communistes:* (I) rouge pâle, gauchissant.

pink slip—to get the p. s. (2) *être renvoyé, congédié:* (II) être sacqué: BOUNCE.

pins n (2) *jambes:* (III) cannes: GAMS. to knock [pull] the p. from under s.o. (2) *mettre q'un dans une situation fâcheuse:* (I) mettre q'un dans de beaux draps [dans le pétrin] (2) *étonner q'un:* (I) abasourdir, assommer: BOWL OVER.

pint-size(d) adj (2) *de courte taille, petit:* (I) avorton; (III) haut comme trois pommes: BANTIE.

pinup girl n (2) *jeune fille très jolie (surtout bien bâtie):* (I) pin-up, prix de Diane.

pip n (2) *personne ou chose faisant objet d'admiration:* (I) bouquet; (III) de première bourre. the p. n (2) *maladie sans nom précis:* (II) chichite, pécole.

pipe n (2) *q'ch. de facile à obtenir, à achever:* (I) bête comme chou; (III) nougat: ABC. to p. down (2) *se taire:* (III) écraser, la boucler: CLAM UP.

pipe course n (2) *cours très facile:* (I) cours tout mâché.

pipe dream n (1) *espoir vain, projet illusoire:* (I) vision; (III) berlue.

pipeline—to have a p. (2 fig.) *être bien placé pour obtenir des renseignements plus ou moins secrets:* (II) avoir une filière*.

piperoo n (2) PIP.

pipestems n (1) *jambes minces:* (III) flûtes, allumettes, cannes, asperges, quilles à mon serin.

pippin n (2a) PIP.

piss n (3) *urine:* (III) lance:—vi (3) *uriner:* (I) pissoter; (III) lansquiner, changer son poisson d'eau, lâcher les écluses. to p. away one's money (3) *dépenser son argent à outrance:* (III) fusiller [claquer] son argent [pèze, fric, etc.]. to be full of p. and vinegar (3) *avoir de l'entrain:* (I) avoir de l'esprit jusqu'aux bouts des doigts; (III) péter le feu: BALL. p. poor (3) *très pauvre:* (III) dans la dèche: DOWN-AND-OUT. (2) *de mauvaise qualité:* (I) moche: CRAPPY.

piss cutter n (3) *homme singulier, bizarre:* (I) drôle de type [pistolet], numéro; (II) drôle de piaf; (III) drôle de mironton [coco].

pissed off—to be p. off (3) *être en colère, être fâché:* (II) être en rogne: BLAZES. (3) *être ennuyé:* (I) avoir le cafard: BRASSED OFF.

pisser n (3) *homme amusant, bizarre:* (I) numéro: PISS CUTTER.

pisshouse n (3) *urinoir:* (I) pissotière.

pisspot n (3) *pot de chambre:* (III) Jules.

pistol n (2a) *homme excentrique, bigarre:* (I) drôle de pistolet* [type]; (II) drôle de piaf; (III) drôle de mironton [coco].

pitch n (1) *endroit où un camelot place sa table:* (III) placarde. (2) *boniment:* (II) baratin: APPLESAUCE. to p. in (1) *se mettre au travail (avec entrain):* (I) mettre la main à la pâte, mettre l'épaule à la roue, mettre la tête dans le guidon; (III) taper dans la butte, rentrer dans le mastic. to p. into s.o. (1) *attaquer q'un:* (I) tomber sur le dos de: HAUL OFF. to make a p. (2) *bonimenter:* (II) baratiner: APPLESAUCE. to p. it strong (2) *exagérer:* (II) attiger; (III) charrier dans les bégonias: APPLESAUCE. to be in there pitching (2) *participer activement dans une action.*

pitchforks—to rain p. (2) *pleuvoir fortement:* (I) pleuvoir à seaux: BUCKETS.

pitchman n (2) *camelot:* (III) came.

pixilated n (2a) *ivre:* (II) allumé, teinté: BLOTTO.

place—to put s.o. in his p. (1) *retrancher q'un de son autorité:* (I) rogner les ailes à q'un, (III) donner un coup de caveçon à; dégonfler, rabattre q'un à son caquet. to go places (2) *réussir dans sa carrière:* (I) grimper l'échelle; (II) faire un boum.

plank—to p. down [out] (1) *payer:* (III) casquer, abouler: ANTE UP.

plant n (1) *cachette:* (III) planque, planquouse, placarde, carre. (2) *agent de police caché, en surveillance;* (III) planque, planquouse. (2) *personne chargée de séduire les clients pour les duper:* (III) pisteur, baron, jockey, chevilleur. (2) *chose placée comme piège:* (I) appât; (III) attrape-couillons [nigauds]. to put out a p. (2) *désigner des policiers à une surveillance discrète:* (III) mettre en planque, faire une planquouse.

planted—to be planted (2) *être enterré:* (I) manger les pissenlits par les racines; (II) être couché dans le muguet, être chez les têtes en os.

plaster—to p. s.o. (2) *battre, frapper q'un:* (I) battre à plate couture; (III) assaisonner: BASH. to p. s.t. on s.o. (1) *donner, attacher q'ch. à q'un:* (I) coller q'ch. à q'un.

plastered adj (2) *ivre:* (II) bourré à zéro, noir: BLOTTO. to get p. (2) *s'enivrer:* (I) se biturer, se pocharder: BOILED.

plater n (1) *cheval de course médiocre:* (III) gail, tocard: HAYBURNER.

platter n (2) *disque (de phonographe).* to get s.t. on a silver p. (1) *obtenir q'ch. sans effort:* (I) être servi sur un plateau d'argent*.

play—to make a grandstand p. (2) *agir pour se faire remarquer:* (I) amuser [poser pour, jouer pour] la galerie. to make a p. for (2) *tenter de séduire, faire la cour:* (III) gringuer, faire du gringue [rambin, rentre-dedans, palass]. (1) *tenter d'obtenir q'ch. en exhibant ses qualités.* to p. along with (1) *s'accorder avec:* (I) être de mèche [en cheville] avec. to p. up (1) *mettre en valeur (par la publicité):* (I) faire du battage [tam-tam]. to p. up to (1) *flatter q'un (servilement ou non):* (I) cajoler, lécher; (II) faire du plat à*; passer de la pommade; (III) passer la brosse à reluire. to p. for matches [peanuts] (2) *jouer pour des mises insignifiantes:* (II) jouer pour des haricots; (III) jouer pour la frime. to call the plays (2) *diriger une activité en définissant les règles et en indiquant à chacun le rôle qu'il doit jouer.*

playboy n (2) *viveur:* (I) noceur, foireur; (II) bambocheur, rondeur; (III) bringueur.

play out—to be played out (I) *être épuisé de fatigue:* (I) être éreinté; (II) être vanné: BEAT.

playgirl n (2) *femme qui mène une vie dissipée:* (III) allumeuse, bandeuse.

plea—to cop a p. (2) *s'avouer coupable d'un délit mineur pour masquer une infraction plus grave, et de ce fait, espérer en une peine moins sévère.*

plow—to p. into s.o. (2) *attaquer, se mettre à battre q'un:* (III) tomber sur le paletot de: HAUL OFF.

plowed adj (2) *ivre:* (III) beurré, givré: BLOTTO.

pluck vt (2) *escroquer, dérober:* (II) empiler: (III) arnaquer: CLIP.

plug n (2) *cheval médiocre:* (III) canasson: HAYBURNER. (2) *réclame, propagande:* (I) battage; (III) postiche: BALLYHOO.—vi (1) *travailler sans relâche:* (1) bûcher, piocher: GRIND. to p. (away) at s.t. (1) *s'appliquer à un travail avec assiduité:* (I) bûcher, piocher q'ch. to p. s.o. (2) *fusiller q'un:* (III) flinguer, farcir, flingoter, truffer, seringuer. to p. (for) s.t. *faire de la propagande pour:* (I) faire du battage [tam-tam] pour; (II) faire du baratin pour. to pull the p. on (2) *faire échouer une entreprise (comme on vide une baignoire en enlevant le bouchon):* (II) tirer la chasse-d'eau sur*; (III) couler.

plugger (1) *qui travaille beaucoup et avec assiduité:* (I) bûcheur; (II) boulot, bosseur: GRIND. (2) *agent de publicité.*

plug hat n (2) *chapeau haut de forme:* (II) tube, tuyau de poêle.

plug ugly n (2) *voyou, vaurien:* (I) canaille; (II) fripouillard: BAD ACTOR.

plum n (2) *source de profits (surtout obtenus avec le pouvoir politique):* (I) assiette au beurre, vache à lait; (II) fromage.

plunge vi (1) *jouer gros jeu, faire des investissements importants:* (III) se mouiller, aller à la mouillette.

plunger n (1) *joueur de grosse mise:* (III) ponte.

plunk—to p. down (1) PLANK DOWN.

plute (abbr. of plutocrat) n (2) *personne riche:* (II) rupin; (III) rupinos, douillard.

po'boy sandwich n (2) DAGWOOD.

pod n (2) *marijuana:* (III) fée verte, thé. to smoke p. (2) *fumer la marijuana:* (III) marcher au thé.

Podunk n (2) *village imaginaire dans un endroit lointain:* (II) Trifouillis-les-Oies, Tripatouillis-les-Oies.

pointer n (1) *renseignement, suggestion:* (I) tuyau; (III) tubard, tube, rencart, rancard.

poison-pen letter n (1) *lettre malicieuse anonyme.*

poke n (2) *coup de poing:* (I) taloche; (II) beigne; (III) gnion: CLIP. (2) *poche:* (II) fouille: KICK. (2a) *porte-monnaie:* (III) crapaud, lazingue, lasagne, morlingue, porte-fafiots [lasàgne, mornifle, biffeton].—vt (2) *donner un coup de poing à:* (II) filer une beigne à: CLIP.

poker face n (2) *se dit de q'un dont le visage ne trahit pas les sentiments:* (I) visage de marbre.

poker widow n (2) *femme que le mari, joueur acharné, laisse souvent seule à la maison.*

pokey n (2) *prison:* (III) bloc, taule: BRIG.

pole—I wouldn't touch it with a ten-foot p. (2) *ça me dégoûte:* (I) ce n'est pas à prendre même avec des pincettes.

policy n (2) *sorte de loterie illicite aux U.S.A.*

policy slip n (2) *fiche sur laquelle est inscrit le numéro d'une loterie clandestine.*

polish—to p. s.t. off (1) *terminer, achever:* (I) mettre la dernière main à, lécher. to p. off a bottle (1) *finir une bouteille:* (II) sécher une bouteille. to p. s.o. off (1) *vaincre définitivement, anéantir:* (I) écraser; (II) tailler en pièces. (2) *tuer:* (II) bousiller; (III) zigouiller: BUMP OFF. to p. up on s.t. (1) *se familiariser de nouveau avec un sujet:* (I) piocher, potasser. to p. up on s.o. (2) *battre, frapper rudement:* (I) bourrer de coups; (III) passer à tabac: BASH.

pony n (1) CRIB. to p. up (2) *donner (de l'argent):* (III) casquer, douiller: ANTE UP. to play the ponies (2) *parier sur les courses hippiques:* (III) jouer aux courtines*, flamber, aller à l'église.

pooch n (2) *chien:* (III) clébard: MUTT.

pooh-pooh vi, vt (1) *faire fi de, se moquer de, dénigrer, dédaigner:* (I) se taper le menton (à propos de); (II) dauber sur, débiner; (III) chambrer, charrier.

pool—to play dirty p. (2) *agir sans franchise, sans suivre les règles:* (I) biaiser, agir en dessous; (III) doubler, caver, quiller.

poop n (2) *renseignement:* (I) tuyau; (III) tubes, tubard, rencard, rancart. to know the (latest) p. (2) *être au courant:* (I) être à la coule; (II) être dans le vent: BALL. to p. out (2) *tomber de fatigue:* (I) s'avachir; (III) recevoir le coup de barre: BEAT.

pooped (out) adj (2) *fatigué, épuisé:* (I) esquinté; (II) claqué, vanné: BEAT.

poop sheet n (2) *fiche où sont consignées les indications concernant un travail, une activité, etc.*

pop n (2) *père:* (III) le vieux, le dabe, le daron, le croulant, le viocque. to p. off (2) *mourir:* (III) s'en aller les pieds devant: BUCKET. (3) *éprouver l'orgasme sexuel:* (III) jouir, reluire: COME.

pope—pope's nose n (2) *le bas du dos de la poule:* (III) l'as de pique, le bonnet d'archevêque.

poppycock n (1) *idioties, non-sens:* (II) foutaise: APPLESAUCE.

pop tune n (2) *chanson populaire:* (III) goualante.

pork barrel n (2) *subventions ou investissements consentis par le gouvernement pour flatter les électeurs et en tirer un bénéfice électoral.*

position—to jockey for p. (2) *dans une course, tâcher de prendre la position la plus favorable pour vaincre, et, au fig., tâcher de se mettre dans les meilleures conditions de réussite:* (I) manoeuvrer pour se caser, jouer des coudes.

post (abbr. of post-mortem) n (2) *autopsie.*

post—to be deaf as a p. (2) *être très sourd:* (I) être sourd comme un pot*: DOORKNOB. to be left at the p. (2) *être surpassé par les concurrents:* (I) être laissé au poteau*; (II) faire le feu [la lanterne] rouge.

post favorite n (2) *cheval favori avant le départ de la course:* (III) favo*, le cheval du papier.

postmortem—to hold postmortems (2 fig.) *discuter après le fait:* (I) voir le pourquoi du comment.

pot n (1) *enjeu:* (I) cagnotte; (III) banque. (2) *marijuana:* (III) fée verte, thé. to take [win] the p. (1) *gagner l'enjeu:* (I) rati-

boiser, ratisser. to split the p. (2) *diviser l'enjeu.* to sweeten [add to] the p. (2) *faire sa mise.* a p. of (1) *beaucoup de:* (I) une potée de: BAGS OF.

potatoes—it's no small p. (2) *ce n'est pas peu de chose:* (I) ce n'est pas de la petite bière*; (III) ce n'est pas de la paille. change from p. (2) *pour rompre la monotonie.*

potbelly n (1) *abdomen protubérant:* (II) brioche: BAY WINDOW.

potluck—to take p. (1) *prendre un repas sans cérémonie, manger ce qu'on trouve:* (I) manger à la fortune du pot*.

potted adj (2) *ivre:* (I) éméché; (II) rond: BLOTTO. to get p. (2) *s'enivrer:* (II) s'empoivrer; (III) se piquer le pif: BOILED.

potwalloper n (2a) *laveur de vaisselle dans un restaurant:* (I) plongeur.

pot wrestler n (2a) POTWALLOPER.

pound—to p. the books (2) *s'appliquer à ses études:* (I) piocher, potasser, bûcher.

powder—to take a (run-out) p. (2) *s'enfuir, s'échapper:* (I) prendre la poudre d'escampette*: BEAT IT.

powerhouse n (2) *individu fort et énergique:* (II) costaud, (III) malabar, fortiche, balaise, balèze.

powwow n (1) *conférence:* (I) table ronde.

prat n (2) *les fesses:* (I) arrière-train: ASS.

pratfall n (2) *chute sur les fesses.* to take a p. (2) *tomber sur les fesses:* (III) casser le pot [le disque, du sucre].

prayer—not to have a p. (2) *ne pas avoir le moindre possibilité de:* (II) n'avoir rien à foutre.

precious adj (1) *adorable, très mignon, gentil* (I) chou, chouette.

prep school n (1) *école préparatoire.*

prerecorded n (1) *enregistré (sur disque ou bande magnétique).*

pressman n (2) *journaliste:* (III) pisse-copie.

pressure vt (1) *contraindre q'un à agir:* (I) serrer la vis à, pressurer*.

pretty—to be sitting p. (2) *être dans de bonnes circonstances:* (III) se la couler douce: EASY STREET.

prexy n (2) *président, directeur (surtout d'une université):* (III) dirlot.

prick n (3) *le membre viril:* COCK. (3) *personne méprisable:* (I) un sale bougre: BAD ACTOR.

printed—to get p. (2) *se faire prenare les empreintes digitales:* (III) passer au piano.

private eye n (2) *détective privé:* (I) limier, bourre.

prize package n (2) *femme très belle:* (I) poupée; (II) pépée, prix de Diane; (III) lot. no p. p. (2) *laid, pas joli:* (II) moche, blèche, tarte; (III) tartignole, tartouillard, tartouse.

pro (abbr. of professional) n (1) *expert.* to go p. (2) *pour un amateur (sportif) devenir professionnel.*

probie n (2) *apprenti:* (I) blanc-bec; (II) arpète.

production—to make a p. over [out of] (2) *faire toute une histoire de q'ch. de négligeable:* (I) en faire une affaire d'état; (II) en faire (tout) un plat: FUSS.

prof (abbr. of professor) n (1) *professeur:* (III) prof.

prom n (1) *bal estudiantin.*

promote vt (2) *voler, dérober:* (I) chiper; (III) faire: CLIP.

pronto adj (2) *tout de suite:* (III) illico, presto, tout de go: BAT.

prop (abbr. of propeller) n (2) *hélice (d'avion ou de bateau):* (III) bout de bois (avion).

prop man n (1) *accéssoriste (théât.).*

proposition n (1) *affaire, entreprise (en général):* (III) affure, afflure. (1) *proposition indécente:* (III) botte.—vt (1) *faire des propositions indécentes (à une femme):* (III) proposer la botte.

props (abbr. of properties) n (1) *accessoires de théâtre:* (III) bouts de bois.

protection racket n (1) *système illicite consistant à exiger de l'argent des commerçants sous prétexte de les protéger.*

proud—to do oneself p. (1) *faire un bon travail dont on peut s'enorgueillir:* (II) faire du bon boulot.

prowl car n (1) *voiture policière qui fait la tournée des rues:* (II) voiture pie; (III) raclette.

p's and q's—to mind one's p's and q's (2) *ne pas se mêler des affaires d'autrui:* (I) cultiver son jardin; (III) s'occuper de ses oignons. to know one's p's and q's (2) *être capable (dans son métier):* (I) être à la hauteur; (II) être dans le coup: BALL. (2) *savoir se tirer d'affaire:* (I) être débrouillard; (II) savoir se défendre; (III) être démerdard.

psyched—to be p. (2a) *être psychanalysé.*

psycho adj (1) *fou:* (I) cinglé; (II) louf; (III) follingue: BATS.

publicity gag [stunt] n (2) *truc publicitaire.*

publicity hound n (2) *personne qui cherche toutes les occasions pour faire parler d'elle, dans la presse, etc.:* (I) m'as-tu-vu.

pucker up vi (2) *contracter les lèvres pour recevoir un baiser sur la bouche.*

puddinghead n (2a) *sot, niais:* (I) âne; (II) tourte: BLOCKHEAD.

puddle jumper n (2) *petite voiture:* (I) bagnole: CRATE.

puff—to grab a p. (2) *tirer quelques bouffées d'une cigarette:* (II) tirer une goulée.

pug (abbr. of pugilist) n (2) *pugiliste, boxeur.*

puke vi (1) *vomir:* (II) dégobiller: COOKIES.

pull n (2) *influence:* (I) le bras long, piston. to have p. (2) *avoir de l'influence:* (I) avoir du piston, avoir le bras long. to use p. (2) *profiter de ses influences politiques:* (I) pistonner, faire les couloirs. to p. in (2) *arrêter (police):* (III) épingler, pincer: BAG. to p. for s.o. (2) *employer son influence pour aider q'un:* (I) épauler, pistonner. to p. out (2) *s'en aller, partir:* (I) prendre le large; (III) jouer rip: BEAT IT. to p. in (1) *arriver, rentrer:* (II) radiner; (III) abouler: BLOW IN. to p. down (2) *gagner (salaire):* (II) toucher; (II) palper. to p. over (1) *diriger une voiture vers le côté de la route.* to p. s.t. off (2) *faire, achever un coup plus ou moins douteux:* (I) faire un coup monté; (II) faire un doublage. to p. through (2) *guérir d'une maladie grave:* (I) se remettre sur pied; (III) se rebecter.

pulpit pounder n (2 derog.) *prêtre:* (III) corbeau: HOLY JOE.

pulse—to keep a finger on the p. (1) *se tenir au courant d'une situation:* (I) garder un oeil sur*.

pump n (2) *coeur:* (III) le battant, le palpitant, le grand ressort.

pumpkinhead n (2a) *idiot, niais:* (II) gourdichon*: BLOCKHEAD.

punch n (1) *vigueur, énergie, entrain:* (I) allant, abbattage. to p. in (2) *pointer à l'arrivée.* to p. out (2) *pointer à la sortie.* to p. the clock (2) *pointer.* to pack a (mean) p. (2) *être fort et capable de porter un coup de poing puissant:* (I) avoir une droite terrible [fulgurante], avoir une droite à assommer un boeuf; (II) *se dit d'une boisson alcoolique très forte:* (II) être raide [tord-boyautant]. to pull one's punches (2) *en boxe, retenir ou adoucir ses coups et, au fig., réprimander, critiquer d'une manière volontairement atténuée:* (I) y mettre le bémol. to swap [trade] punches (2) *se battre, échanger des coups:*

(I) se bagarrer; (II) se crêper le chignon: HASSLE. to pull no punches (2) *frapper de toutes ses forces:* (II) cogner comme un sourd. (2) *critiquer, réprimander sans retenue:* (I) ne pas mettre de gants; (II) mettre le paquet. to roll with the punches (2) *reculer sous un coup pour en amoindrir les effets:* (I) accompagner les coups*.

punch drunk—to be p. d. (2) *être étourdi par des coups:* (I) être groggy; (II) être dans le cirage; (III) être dans les vapes [la vape, le colletar]. (2) *être chancelant de fatigue:* (III) être sur les rotules: BEAT.

punch line n (2) *phrase-clé qui fait la finesse d'une histoire, d'une anecdote, etc.:* (I) astuce.

punchy adj (2) PUNCH DRUNK.

punctureproof alibi n (2) *alibi irréfutable.*

punk n (2 derog.) *jeune personne (sans expérience):* (I) blanc-bec, morveux; (II) gouspin, goussepain. n (2) *jeune voyou sans envergure:* (III) bizet, demi-sel, gouspin, goussepain, barbiquet. n (2) *tabac de mauvaise qualité:* (III) percale.—adj (2) *de mauvaise qualité:* (II) blèche; (II) tocard: CRAPPY.

pup—since Hector was a p. (2a) *depuis longtemps:* (I) il y a belle lurette; (II) il y a un bail depuis; (III) il y a une paye.

pups n (2) *les pieds:* (III) arpions: DOGS.

purps n (2a) PUPS.

push n (1) *énergie, vigueur:* (I) allant, abattage. (1) *influence:* (I) piston, le bras long. to have no p. (2) *être sans ambition, sans énergie:* (II) avoir la flemme, les avoir à la retourne: AMBISH. to p. in (2) *cambrioler:* (III) mettre dedans*, fracasser: HEIST. to p. s.t. (1) *faire de la publicité pour:* PLUG. to p. s.o. around (2) *malmener, maltraiter q'un:* (II) être vache avec q'un: BAD TIME. to p. off (1) *partir, s'en aller:* (I) décamper; (II) se casser: BEAT IT.

pusher n (2) *fournisseur de drogues.*

pushover n (2) *facile à faire, de réussite certaine:* (II) q'ch. de tout cuit; (III) du nougat: ABC. (2) *femme facile à conquérir:* (III) paumée, tombeuse: BAG. to be no p. (2) *être difficile:* (III) ne pas être de la tarte [du nougat, du gateau].

puss n (2) *figure, visage:* (I) frimousse; (II) portrait: KISSER.

pussy n (3) *vulve:* BOX.

pussy chaser n (3) *homme porté sur le beau sexe:* (II) cavaleur: GASH HOUND.

pussyfoot vi (2) *ne pas se compromettre:*

(1) répondre en normand, tourner autour du pot; (II) ne pas se mouiller.

pussyfooter n (2) *qui ne veux pas se compromettre:* (I) qui fait une réponse de normand.

put—to p. s.o. away (2) *emprisonner:* (III) mettre à l'ombre, enchetiber: BEHIND BARS. (2) *tuer:* (II) bousiller: BUMP OFF. to p. s.t. over [across] on s.o. (1) *tromper, faire croire, q'ch. par fourberie:* (I) faire avaler q'ch., feinter: CLIP. to be nicely p. together (1) *avoir de belles formes (femme):* (II) être bien roulée [balancée, ballotée]. to stay p. (1) *rester sur place:* (I) rester planté. to p. s.o. on (2) *se moquer de:* (II) se payer la figure de; (III) avoir: BUSINESS. to p. out (2) *pour une femme, se livrer sans hésitation à des relations sexuelles:* (II) avoir la cuisse hospitalière; (III) être tombeuse [paumée]. to p. s.t. across (2) *faire comprendre q'ch.:* (I) éclairer sa lanterne; (III) faire piger [entraver]. to p. it on (2) *exagérer:* (I) aller fort; (III) en installer, vanner: BALONEY.

putt-putt n (2) *motocyclette:* (II) pétrolette; (III) pétoire, péteuse.

quail n (2) *jeune fille, femme:* (II) pépée; (III) gonzesse: BABE.

queen n (2) *homosexuel:* (III) pédé, tante: FAG.

queer n (2) *homosexuel:* (III) tante: FAG. (2) *monnaie contrefaite:* (III) fausse-mornifle.—adj (I) *équivoque, suspect:* (I) louche. (1) *bizarre, excentrique:* (II) louf, loufoque. (2) *faux contrefait:* (I) marron, du toc: (III) tocasse, bidon.—vt (2) *faire échouer (un projet) en révélant le secret ou les détails, en enlevant les moyens d'agir, etc.):* (I) mettre des bâtons dans les roues. to q. oneself with s.o. (2) *perdre l'estime de q'un.* to push [shove] the q. (2) *passer de la fausse monnaie:* (III) passer de la fausse-mornifle.

queer duck n (2) *individu excentrique:* (I) drôle de type; (II) drôle de mironton: BIRD.

queer fish n (2) QUEER DUCK.

question—to beg the q. (1) *éviter une réponse directe:* (I) répondre en normand, tourner autour du pot. sixty-four dollar q. (2) *question à laquelle il est difficile à répondre, problème difficile à résoudre:* (I) casse-tête (chinois). to pop a q. (2) *poser une question.* to pop the q. (2) *proposer le mariage (à une femme).* to field a q. (2) *faire une réponse évasive:* (I) répondre en normand.

question mark n (1 fig.) *personne de laquelle on ne peut pas déviner les intentions, situation dont l'avenir reste inconnu.*

quick burn n (2) *colère subite:* (I) explosion. to do a q. b. (2) *avoir une colère subite:* (I) avoir la moutarde qui monte au nez, piquer une crise [colère], exploser; (II) sortir de ses gonds: BLOW UP.

quickie n (2) *chose ou action de courte durée ou faite à la hâte:* (I) vite fait.

quick order—to do s.t. in q. o. (1) *faire q'ch. à la hâte:* (III) faire à tout(e) berzingue, faire illico (presto).

quiet—on the q. adv (2) *en secret, sans se faire apercevoir:* (I) sous cape, sans tambour ni trompette, en sourdine: (II) en douce; (III) en lousdoc, en raton, en lousdé [loucedé].

quit vi (1) *quitter (emploi), se retirer de (participation dans une activité).* q. kidding! (2) *cessez vos blagues!:* (III) arrête ton char!

quits—to call it q. (1) *cesser un travail:* (I) dételer, débrayer. (1) *céder, renoncer:* (I) passer la main; (II) lâcher les dés: BACK DOWN.

quitter n (1) *qui, par manque de courage, se retire du jeu, d'une activité, etc.; poltron:* (III) caneur: CHICKEN.

quiz n (1) *examen.*

quote n (1) *citation (en référence).* (1) *guillemets (pour indiquer qu'il s'agit d'une citation).*

q.t.—on the q.t. (2) QUIET, ON THE.

rabbit—to pull a r. out of the hat (2) *trouver une solution inattendue à un problème difficile.*

rabbit food n (2) *nourriture de peu de valeur composée essentiellement de légumes.*

race—to be off to the races (2) *aller au champ de courses:* (III) aller à l'église [aux courtines]. (2 fig.) *entrer avec entrain dans une activité agréable.* to dope [figure] the races (2) *étudier la cote des chevaux avant de parier sur les courses:* (III) faire le papier.

racing bug n (2) *parieur fanatique (aux courses hippiques):* (III) mordu, flambeur.

racket n (2) *filouterie, escroquerie:* (II) combine louche; (III) arnaque: BUNCO GAME. (2) *affaire, emploi, métier en général:* (III) biseness. to be in a r. [the rackets] (2) *participer dans des affaires louches (loterie et jeux clandestins, trafic de drogues, etc.).* to know the r. (2) *connaître le métier:* (I) être à la hauteur [à la coule]; (II) être du bâtiment [dans le coup, dans le vent]. (2) *ne pas se laisser tromper par les apparences:* (II) connaître le truc [la combine]. to have an easy r. (2) *être bien placé (dans une situation agréable et rentable):* (I) avoir le filon,

l'avoir cousu d'or; (II) être dans un fauteuil doré; (III) avoir une placarde. to quit the r. [rackets] (2) *renoncer à des affaires douteuses:* (III) se ranger des voitures, ne pas se mouiller, se tenir à carreaux, rester pénard. to work a r. (2) *faire des escroqueries, des opérations douteuses:* (III) faire de l'arnaque: CLIP.

racketeer n (2) *escroc:* BUNCO-MAN. (2) *racketteur.*

racket king n (2) *chef d'un "racket":* (III) caïd, manitou.

racket star n (2) *vedette de tennis.*

raft—a r. of [rafts of] (1) *une grande quantité de:* (I) une flopée de: BAGS OF.

rag n (2a) *journal:* (I) canard; (III) menteur, babillard, baveux. (1) *vêtement:* (III) fripes, loques: DUDS. (3) *serviette hygiénique:* (III) balançoire à minette. to wear the r. (3) *avoir les menstrues:* (I) avoir ses règles: CURSE. to chew the r. (2) *bavarder:* (III) jaspiner: BREEZE. to r. s.o. (1) *taquiner, harceler:* (I) chiner; (III) charrier: BUSINESS.

ragged—to run s.o. r. (2) *briser q'un de fatigue:* (I) éreinter, esquinter; (II) crever.

rail—to be skinny as a r. (2) *être très mince:* (I) être maigre comme une lame de rasoir: BEANPOLE.

railbird n (2) *fanatique des courses hippiques qui se penche sur les barrières:* (III) pelousard.

railroad—to r. s.o. (2) *envoyer q'un en prison à l'aide de faux témoignages.* to r. s.t. through (1) *faire voter rapidement sans laisser aux votants le temps de réfléchir:* (II) faire voter à l'esbrouffe.

rain—to be left out in the r. (2) *ne pas être invité à faire partie d'une activité:* (III) rester en frime [plan, rade]. to r. cats and dogs (1) *pleuvoir fortement:* (I) pleuvoir à seaux: BUCKETS.

raincheck n (1) *billet valable pour une seconde réunion sportive, la première étant annulée à cause de la pluie.* to take a r. (1 fig.) *décliner une invitation avec la promesse de l'accepter une autre fois.*

rake—to r. it in (2) *gagner beaucoup d'argent:* (I) se bourrer; (II) le ramasser à la pelle*; (III) les palper: BANKROLL.

rakeoff n (2) *commission, ristourne (illicite ou non):* (I) gratte, tour de bâton; (III) bouquet, fleur.

rambunctious adj (1) *(personne ou animal), turbulent, bruyant, difficile à manier:* (I) pirate, dur; (II) arsouille, duraille.

rank—to pull one's r. (2 mil.) *abuser de son rang ou grade, pour gagner des avantages sur un autre.*

rap n (2) *condamnation, punition:* (III) gerbement, sapement, balancement. (2) *accusation portée par la police:* (III) deuil, pet. not to care a r. (2) *se moquer de:* (I) se ficher de; (II) se balancer de: DAMN. to r. s.o. (2) *critiquer:* (II) débiner; (III) carboniser: COALS. to beat the r. (2) *être affranchi d'une accusation:* (III) être blanc [blanchouillard]. to hang [pin] a r. on s.o. (2) *faire assumer à q'un la responsabilité pour un délit:* (III) faire porter le chapeau [bada, doul]. to take the r. (2) *se faire accuser (pour protéger une tiers personne):* (I) prendre tout sur le dos; (III) porter les patins*, prendre tout sur le paletot. to take a bum [phony] r. (2) *être condamné pour un crime dont on n'est pas coupable.* to get a bad [tough] r. (2) *recevoir une peine sévère:* (II) morfler.

rat vi (2) *avouer, confesser:* (III) accoucher: BELCH. to r. on s.o. (2) *dénoncer (à la police):* (I) cafarder, donner: FINGER.

rat race n (2) *le tourbillon de la vie moderne:* (II) la lutte pour le bifteck.

read—to read s.o. (2) *comprendre q'un:* (II) piger; (III) entraver. to read s.o. (like a book) (1) *reconnaître le vrai caractère de q'un:* (I) connaître q'un comme sa poche; (II) piger; (III) entraver.

ready—the r. n (1a) *argent:* (III) pognon, artiche: BRASS.

real McCoy (the) n (2) *la chose vraie, véritable:* (III) de l'authentique, de l'officiel.

ream—to r. s.o. out (2) *réprimander sévèrement:* (I) mettre sur le gril; (III) engueuler: BAWL OUT.

rear (end) n (2) *cul:* (I) le derrière*: ASS. to drag one's r. (end) (2) *travailler, marcher lentement et sans enthousiasme:* (II) tirer au cul [flanc]; (III) traîner les patins. (2) *être très fatigué, traîner la jambe:* (II) être sur les rotules: BEAT.

recap n (1) *pneu rechapé.* (1) *résumé:* (I) digest, raccourci. to recap (abbr. of recapitulate) (1) *faire un résumé.*

receiver n (2) *receleur:* (III) fourgue, franquiste.

record—to hang up a r. (2) *établir un record (en sport ou au fig.), battre tous les records:* (II) décrocher la timbale. to smash all r. (2) *battre tous les records*.* to have a r. (2) *avoir un casier judiciaire chargé:* (III) être noir, avoir un pédigree. to look at the r. (1) *tenir compte des actes et non des paroles.* to change the [put on a new] r. (2 fig.) *changer*

le sujet d'une conversation: (III) changer de disque* [rouleau].

red—to be as r. as a beet (1) *être très rouge (de colère, de honte, etc.):* (II) être rougeaud, être rouge comme une tomate. to paint the town r. (2) *faire une partie de plaisir:* (I) faire la noce; (III) se la faire crapuleuse: BAT. to see r. (1) *avoir un violent accès de colère:* (I) voir rouge*; (II) piquer une crise: BLOW UP. to turn r. (1) *rougir (par timidité, embarras, etc.):* (I) piquer un soleil [son fard], rougir comme une tomate.

red carpet—to give s.o. the r. c. treatment (2) *recevoir q'un avec beaucoup de cérémonie:* (I) mettre les petits plats dans les grands.

red cent—not have a red cent (2) *être sans argent:* (I) être fauché; (II) ne pas avoir le rond*: BROKE. to be not worth a r. c. (1) *ne rien valoir:* (II) ne pas valoir chipette: DAMN.

redeye n (2a) *alcool fort et de mauvaise qualité:* (II) raide, gnôle: BUG JUICE.

redhead n (1) *aux cheveux roux:* (I) rouquin, poil de carotte; (II) poil de brique; (III) rouquemoute.

red-hot n (2) *saucisse chaude de Francfort.* —adj (1) *ardent, passionné:* (I) chaud; (III) bandant, tendant. (1) *récent et sensationnel (événement):* (I) tout chaud [brûlant]. (1) *tout neuf:* (I) le dernier cri, flambant neuf.

red ink n (2a) *vin rouge ordinaire:* (III) brutal, pinard: DAGO RED.

red mule n (2a) RED EYE.

reefer n (2) *cigarette à la marijuana:* (III) fée verte, thé. to bang a r. (2) *fumer la marijuana:* (III) marcher au thé.

regular adj (1) *correct, régulier, agréable (se dit d'une personne):* (III) régló, régul. regular guy [fellow] (2) *individu correct, comme il faut, honnête:* (I) as; (III) blanc-bleu, mec [type, gars] régló, vrai de vrai.

relations—to have r. (1 euph.) *faire l'acte charnel:* BANG.

renege vi (1) *manquer à une obligation ou promesse.*

rent—to jump the r. (2) *déménager sans payer le loyer:* (1) déménager à la cloche de bois*; (III) planter un drapeau.

rep (abbr. of reputation) n (2) *réputation:* (I) cote.

requisition—to get s.t. by moonlight r. (2a) *voler q'ch.:* (II) acheter q'ch. à la foire d'empoigne, acheter à minuit*: CLIP.

retread n (1) *pneu rechapé.* (2) *rappelé au service militaire:* (III) naphtaline, naphtalinard.

retrospectoscope n (2a) *mot humoristique désignant la facilité de "prévoir le passe."*

rev—to r. up (2) *accélérer un moteur et, au fig., une activité:* (I) mettre les gaz, appuyer sur le champignon; (II) mettre le grand braquet; (III) mettre (toute) la gomme.

rhubarb n (2) *rixe, bagarre (surtout à la suite d'une discussion sur un jeu sportif):* (II) badaboum: DONNYBROOK.

rib vt (2) *taquiner, railler avec bonne humeur:* (II) mettre en boîte, charrier: BUSINESS.

ribber n (2) *taquin:* (I) blagueur; (II) bêcheur; (III) charrieur, chambreur, chineur, metteur en boîte [caisse].

ribbing n (2) *taquinerie, moquerie:* (I) canular; (III) mise-en-boîte [caisse], bêchage, charibotage.

ribbon—to cut to ribbons (1 fig.) *démolir, anéantir (un adversaire):* (I) tailler en pièces, écraser; (II) mettre en miettes, couper en tranches*; (III) bousiller, réduire en bouillie, mettre en pièces détachées, filer une piquette, donner une déculottée.

rib-tickling adj (2) *amusant:* (II) rigolo, rigolard, marrant, boyautant, tordant.

rich—too r. for one's blood (2) *trop coûteux:* (III) pas du mouron pour son serin, coup de barre [fusil, bambou]. r. bitch n (2 derog.) *femme riche:* (III) rupine, rupinos.

ride—to bum [hitch, thumb] a r. (2) *faire de l'auto-stop:* (II) faire du stop. to hook a r. (2) *voyager en train sans titre de transport:* (III) brûler le dur. to go along for the r. (2) *participer à une entreprise sans en espérer aucun avantage ou profit.* to r. s.o. (2) *tourmenter, harceler q'un:* (I) être sur le dos de. to r. high (2) *être dans un état d'exaltation:* (I) être survolté. (2) *être stimulé par une drogue:* (III) être chargé, marcher à la topette. to take a one-way r. (2) *mourir:* (II) avaler sa chique: BUCKET. to take s.o. for a (sleigh) r. (2) *tuer:* (III) liquider: BUMP OFF. (2) *taquiner, plaisanter:* (II) se payer la figure de; (III) mettre en caisse: BUSINESS. (2) *tromper, duper:* (I) feinter, embobiner; (III) empiler: CLIP. to take s.o. for a (one-way) r. (2) *tuer:* (III) zigouiller, refroidir: BUMP OFF.

ridge runner n (2) *sobriquet pour un habitant des régions montagneuses du sud-est des Etats-Unis.*

rig n (1) *vêtements:* (III) fripes, loques: DUDS. to r. up [out] (2) *vêtir, habiller:* (II) fringuer; (III) saper: DUDS.

rigged deal n (1) *coup monté:* (II) coup fourré.

right—r. guy n (2) REGULAR GUY. to have s.o. (dead) to rights (1) *avoir la preuve de la culpabilité de q'un.* to have s.t. to rights (1) *assimiler, connaître q'ch. à fond:* (I) savoir q'ch. sur le bout des doigts, connaître [savoir] q'ch. de A jusqu'à Z. to get [put] things to rights (1) *mettre q'ch. en ordre.*

rile—to r. s.o. up (1) *irriter q'un:* (II) faire sortir de ses gonds, faire piquer une crise: BLOW UP. to get riled up (1) *se mettre en colère:* (I) voir rouge; (II) se mettre en rogne: BLOW UP.

Riley—to live the life of R. (2) *être dans de bonnes circonstances:* (III) se la couler douce [grasse]: EASY STREET.

ring—to throw one's hat in the r. (1) *se porter candidat à une élection:* (I) descendre dans l'arène, relever le gant. to give s.o. a r. (1) *donner un coup de téléphone à q'un:* (I) donner un coup de fil; (III) donner un coup de tube. to run rings around s.o. (2) *être beaucoup plus habile ou capable que q'un.* (III) mettre q'un dans le vent.

ring champ n (2) *champion de boxe:* (I) roi du ring.

ringer n (2) *substitution frauduleuse, remplaçant frauduleux (sports).* to be a (dead) r. for s.o. (2) *être la reproduction exacte de q'un:* (I) être le portrait de, être q'un (tout) craché.

rip n (1) *vieille femme méchante:* (II) rombière; (III) vieux trumeau: BITCH. (1) *débauché:* (I) noceur, foireur; (II) bambocheur. to r. along (1) *aller, conduire à toute vitesse:* (II) bomber, gazer: BARREL. to r. into s.o. (1) *attaquer (physiquement):* (II) tomber sur le dos de; (III) rentrer dans le portrait à: HAUL OFF. to r. out (1) *s'en aller à la hâte:* (I) décamper; (III) faire la paire: BEAT IT.

rip-roaring adj (2) *très bruyant, vif, actif, fringant:* (I) endiablé, piaffant; (II) beuglant, pétardant.

ripsnorter n (2) *personne remarquable, extraordinaire:* BIRD.

rise—to get a r. out of s.o. (2) *faire prendre à q'un une plaisanterie au sérieux:* (I) faire monter à l'échelle, faire mordre à l'appât [dans le truc]. to r. and shine (2) *se réveiller, sortir du lit:* (III) se dépieuter, se dépagnoter, sortir des draps, se déplumer.

ritz—to put on the r. (2a) *se donner des airs:* (I) plastronner; (II) faire l'affiche: DOG.

ritzy adj (2) *élégant, luxueux.*

river—to send up the r. (2) *mettre en prison:* (III) mettre à l'ombre, enchrister: BARS.

road—to get the show on the r. (2) *commen-*

cer une action, une oeuvre, etc., s'attaquer à un travail: (I) mettre le train sur les rails*, appuyer sur le bouton. to hit the r. (2) partir, s'en aller, déguerpir: (I) décamper; (II) prendre le large: BEAT IT. (2) commencer un voyage: (I) démarrer. to take one for the r. (1) boire un verre avant de partir: (II) prendre [boire, siffler] un verre avant la bagarre. to burn up the r. (2) conduire à toute vitesse: (II) brûler le pavé, bomber: BARREL.

road apple n (2a) crottin de cheval. (2a) pierre sur la route (qu'on peut lancer à un adversaire).

road hog n (1) chauffeur qui se tient au milieu de la route, de sorte que les autres voitures ne peuvent le dépasser: (I) chauffeur du dimanche, chauffard; (III) écraseur.

roaring adj (1) très bruyant, en pleine activité: (II) boumant, en plein boum.

Roaring Twenties n (2) période 1920–1930, époque du régime sec, du jazz et d'une certaine prospérité aux U.S.A.: (I) années folles.

roast vt (1) critiquer: (I) bêcher; (III) carboniser*: COALS.

roasting—to give s.o. a r. (2): ROAST. to get a r. (2) être critiqué: (I) être chiné: COALS.

rock n (2) diamant (ou autre pierre précieuse): (II) diam(e); (III) pierre, joncaille. to r. s.o. (2) faire payer à q'un un prix fort: (I) écorcher, étriller; (II) donner le coup de pouce à; (III) assaisonner: CLIP. on the rocks (2) avec de la glace, sur des glaçons (boisson). to be on the r. (1) être ruiné (financièrement): (II) être rincé [lessivé]: BUNDLE. (2) être dans la misère: (II) être dans la débine; (III) être dans la dèche: DOWN AND OUT. to go on the r. (1) faire faillite: (I) boire un bouillon: BUNDLE.

rocker—to be off one's r. (2) être fou: (I) avoir un grain; (II) être follingue: BATS. to go off one's r. (2) devenir fou: (I) perdre la boule; III) partir du ciboulot: BATS.

rockpile n (2a) travail très dur: (I) boulot très dur, bagne, galère; (II) turbin dur. to be sent to the r. (2a) être condamné aux travaux forcés: (III) être condamné aux durs [trav's].

rocky adj (1) vacillant, chancelant (à la suite d'un coup, ivresse ou fatigue): (I) flageolant; (II) groggy.

rod n (2) pistolet, revolver: (III) rigolo, calibre: CANNON. (3) verge: COCK. to pack a r. (2) porter une arme: (III) être fargué [chargé, enfouraillé].

Roger (2,II) banco!, d'ac(c).

roll n (2) liasse de billets de banque: (III) matelas, mateluche. to r. in s.t. (1) avoir une grande quantité de: (I) être bourré de q'ch., avoir une flotte de: BAGS. to roll in (2) arriver, entrer: (II) radiner; (III) s'abouler: BLOW IN. to roll s.o. (2) dévaliser: (III) serrer, fabriquer, mettre en l'air, dégringoler, faucher, rincer, nettoyer, étouffer. to r. a drunk (2) dévaliser q'un en état d'ivresse: (III) faire un vol au poivrot [poivrier]. to get rolling (1) commencer à fonctionner, démarrer.

Roman hands—to have R. h. (2) avoir l'habitude de caresser les femmes subrepticement: (II) avoir les mains baladeuses.

romp n (2a) chose facile à achever: (II) nougat: ABC. to win in a r. (2) gagner facilement: (III) arriver dans un fauteuil, gagner avec les doigts dans le nez.

roof—to fall off the r. (2) avoir les menstrues: (I) avoir ses affaires: CURSE. to hit the r. (2) se laisser aller à la colère: (II) sortir de ses gonds: BLOW UP. to raise the r. (2) faire beaucoup de bruit, vacarme: (I) faire du boucan, chahuter: CAIN. (2) protester vivement: (I) rouspéter; (II) rousser: BEEF.

rook vt (1) duper, escroquer: (I) échauder; (II) empaumer: CLIP. to get a rooking (2) être victime d'une escroquerie, être dupé, payer trop cher: (I) être écorché; (II) être fait: CLIPPED. to give s.o. a rooking (2) duper q'un, faire payer trop cher: (I) carotter: CLIP.

rookie n (2) apprenti: (I) blanc-bec, bleu (soldat); (III) arpète.

roost n (1) lit: (III) pieu, page: BUNK. (1) domicile: (2) piaule: KIP. to hit the r. (1a) se coucher: (III) se plumer: BUNK DOWN. to rule the r. (1) dominer le ménage: (II) porter la culotte [le grimpant].

root—to r. for (2) être partisan de, encourager avec applaudissements.

rooter n (2) applaudisseur enthousiaste de: (II) fan.

rope—to be at the end of one's r. (1) être au bout de ses ressources: (I) être aux abois, avoir le dos contre le mur, ne savoir de quel bois faire flèche; (II) être à cul. to give s.o. r. (1) laisser à q'un pleine liberté d'action: (I) laisser voler de ses propres ailes, lâcher la bride à*; (II) lâcher la jambe à; (III) lâcher la guibolle à. to get the r. (2) être condamné à mort: (III) être épuré. to r. s.o. in (2) convaincre avec fourberie, duper: (I) feinter; (III) faire, acheter, couillonner: CLIP. to be on [up against] the ropes (2) être sur le point de perdre, être dans une situation *désespérée:* (I) être aux abois: HARD-PRESSED. to know the ropes (1) *être renseigné (dans une affaire, métier, etc.):* (I) être dans le train; (III) être du bâtiment: BALL. (1) *savoir se tirer d'affaire:* (II) connaître la combine, être débrouillard: BALL.

roscoe n (2) *revolver:* (III) calibre: CANNON.

rosin—to kiss the r. (2) *tomber sur le tapis, (boxeur, lutteur):* (III) mordre le tapis*, mordre la poussière.

rot n (2) *ânerie, bêtise, non-sens:* (II) foutaise: APPLESAUCE.

rotgut n (2) *mauvais alcool:* (III) gnôle: BUG JUICE.

rotten adj (2) *sale (dans tous ses sens):* (I) moche, pourri; (III) dégueulasse: CRAPPY. (2) *de mauvaise qualité:* (II) de la saloperie; (III) de l'ordure: CRAPPY. r. egg n (2) *individu de mauvais caractère:* (II) fripouille; (III) con: BAD ACTOR. there's something r. in Denmark (1) *il y a du louche:* (I) il y a du mic-mac, il y a anguille sous roche.

rough adj (1) *difficile, désagréable.* to give s.o. a r. time (2) *traiter q'un avec sévérité:* (I) être chien avec; (II) être vache avec: BAD TIME. to rough s.o. up (2) *maltraiter, frapper:* (II) passer à tabac: BASH.

rough customer n (2) *personne difficile à manier, à plier aux usages, à faire marcher:* (I) voyou, apache, coriace; (III) dur à cuire. (2) *vaurien:* (I) canaille; (II) fripouille: BAD ACTOR.

roughhouse n (2) *tumulte, vacarme:* (I) tapage, chambard, boucan; (II) potin: HULLABALOO.—v.t. (2) *brutaliser, malmener, maltraiter:* (I) tarabuster, étriller; (II) faire la fête à, tabasser, passer à tabac; (III) filer une tourlouzine [ratatouille].

roughneck n (2) *personne grossière, gauche, mal élevée:* (I) Jean-fesse; (III) pue-la-sueur. (2) *vaurien, personne méchante:* (II) fripouille: BAD ACTOR.

round—to r. up (1) *ramasser, rassembler (choses, personnes, criminels, etc.):* (I) grouper; (II) cueillir; (III) harponner.

rounder n (1) *débauché:* (I) noceur, bambocheur, bambochard, foireur: (III) bringueur.

round heels n (2) *femme de moeurs faciles:* (III) boudin, paumée: BAG. (2) *boxeur facilement vaincu.*

rounds—to make the r. (2) *faire la tournée (des bars, cabarets, boîtes-de-nuit, etc.):* (I) faire la noce, faire la tournée des grands ducs; (II) se la faire crapuleuse: BAT.

roundup—to go to [head for] the last r. (2a) *mourir:* (II) lâcher la rampe: BUCKET.

roust—to r. s.o. out (1) *expulser q'un:* (I) balancer, ficher [flanquer] à la porte, envoyer promener; (II) envoyer au pelote: BOUNCE. to r. up (1) *trouver, aller chercher.*

route—to go the r. (1) *aller jusqu'au bout de la partie (sports).* (2) *se donner (se dit d'une femme):* (III) tomber, lever la jambe.

row n (1) *altercation, dispute tumultueuse:* (I) boucan; (II) barouf: HULLABALOO. to kick up a r. (2) *protester avec véhémence:* (II) renauder: BEEF. to make a r. (1) *faire beaucoup de bruit:* (I) faire du chahut: CAIN. to have a long r. to hoe (1) *avoir un long travail à faire:* (II) avoir de quoi s'amuser; (III) avoir q'ch. à s'envoyer. to have a tough r. to hoe (1) *être obligé à travailler durement pour réussir:* (I) devoir suer sang et eau; (II) avoir à mouiller sa chemise.

rub—to r. s.o. out (2) *tuer:* (III) effacer*, zigouiller: BUMP OFF.

rubber n (2) *préservatif:* (II) capote anglaise, imperméable à Popaul.

rubber check n (2) *chèque sans provision:* (II) chèque en bois.

rubberneck n (2) *touriste, badaud.*—vi (1) badauder.

rubber-stamp n (1 fig.) *personne qui est toujours d'accord sans poser de questions:* (I) beni-oui-oui.—vt (1) *signer un document sans le lire et sans poser de question:* (I) signer les yeux fermés.

rube n (2) *rustique, paysan:* (II) pedzouille: APPLE KNOCKER.

Rube Goldberg n (2) *se dit d'un mécanisme très compliqué (dont Rube Goldberg a fait un des thèmes favoris de ses dessins):* (I) usine à gaz.

rube town n (2) *village, petite ville de province:* (I) patelin; (II) trou; (III) bled.

ruckus n (1) *bagarre, rixe:* (III) rififi: DONNYBROOK. (2) *vacarme, tapage:* (I) boucan; (II) casse-oreilles: HULLABALOO.

rug—to cut a r. (2a) *danser:* (III) gigoter, guincher, tricoter des pincettes [bâtons, gambettes], en suer une. to pull the r. out from under s.o. (2) *ôter à q'un toute possibilité de réussir:* (I) couper l'herbe sous les pieds à*, mettre des bâtons dans les roues à; (III) casser la cabane à.

rumble n (2) *rixe, bagarre (entre bandes de jeunes voyous souvent avec préavis):* (II) coup de torchon: DONNYBROOK.

rumdum(b) adj (2) *étourdi à cause d'ivresse.*

rumhound n (2) *ivrogne:* (I) sac à vin; (II) poivrot: BARFLY.

rummy n (2) RUMHOUND.

rumpot n (2) RUMHOUND.

rumpus n (1) *vacarme, bruit:* (I) brouhaha, remue-ménage: HULLABALOO. to raise a r. (1) *faire du bruit, du vacarme:* (I) faire du boucan; (III) faire du foin [zinzin]: CAIN.

run—to r. in (2) *arrêter (police):* (III) pincer, épingler: BAG. to r. out on s.o. (2) *abandonner q'un:* (I) plaquer; (II) laisser choir: DITCH.

runaround—to give s.o. the r. (2) *esquiver les questions de q'un, donner à q'un des réponses équivoques:* (I) tourner autour du pot, répondre en normand.

run-down n (1) *résumé:* (I) topo.

run-in n (1) *dispute, querelle:* DONNYBROOK.

running—to be in the r. (2) *avoir des chances de réussir ou de gagner:* (I) rester dans la course*; (II) être dans le vent.

runs (the) n (2) *diarrhée:* (II) courante, foirade.

run-through n (1) *étude rapide et super-ficielle d'un sujet, répétition rapide:* (II) étude à la petite semaine.

Russian fingers (2): ROMAN HANDS.

Russky n (2) *Russe:* (III) Russky, Ruskoff, Cosaque, Popof, Ivan.

rustle vi (1) *faire hâte, se dépêcher:* (III) se manier: GAS. to r. up s.t. (1) *aller trouver, quérir:* (II) aller dégauchir.

sack n (2) *lit:* (III) pieu, page: BUNK. (2) *renvoi, expulsion:* (II) sacquage. to be in the s. (2) *dormir:* (II) roupiller; (III) pion-cer: EAR. to hit [get into] the s. (2) *se coucher:* (III) se pager: BUNK DOWN. to put in s. time (2) *dormir:* (II) roupiller: EAR. to stay in the s. (2) *rester au lit:* (I) faire la grasse matinée. to get the s. (2) *être con-gédié:* (II) être sacqué: BOUNCE. to give s.o. the s. (2) *renvoyer, congédier:* (I) balancer, flanquer à la porte: BOUNCE. to s. up (2) *se coucher:* (III) se pager: BUNK DOWN. sacks of (2) *beaucoup de:* (II) une charibotée de: BAGS OF.

saddle tramp n (2) *cowboy sans emploi permanent et, de ce fait, plus ou moins vagabond.*

sad sack n (2) *personne ennuyeuse:* (I) crampon: CREEP. (2) *homme maladroit, sans habileté:* (II) Jean-fesse.

safe—to crack a s. (2) *débrider un coffre-fort:* (III) faire sauter un coffiot. to play s. (2) *ne pas prendre de risques:* (I) savoir où on met ses pieds; (II) ne pas se mouiller; (III) ne pas aller à la mouillette, ne pas y

aller du cigare [gadin, citron], jouer sur le velours.

safety n (2) RUBBER.

sail—to s. into s.o. (1) *attaquer, assaillir:* (I) tomber sur le dos à: HASSLE. to s. into s.t. (1) *entamer un travail avec élan:* (II) attaquer le boulot: PITCH IN. to s. through s.t. (1) *faire q'ch. rapidement et aisément:* (II) bâcler q'ch. en moins de deux, torcher. to take the wind out of s.o.'s sails (1) *obliger q'un à rabattre de ses prétentions:* (I) dégonfler q'un, moucher; (II) rabattre q'un à son caquet: PLACE.

saleslady n (1) *vendeuse.*

salt n (1) *matelot:* (III) mataf, loup de mer. to s. away (1) *cacher, mettre à l'abri (sur-tout de l'argent):* (II) mettre à gauche; (III) planquer, planquouser, carrer.

salt mines n (2 fig.) *emploi, travail dur et déplaisant:* (I) bagne, galère; (II) turbin [boulot] dur.

Salvation Army—to resign from the S. A. (2) *renoncer à donner aux oeuvres de charité.*

san (abbr. of sanatorium) n (2) *sanatorium:* (I) sana.

sand n (2) *courage:* (II) bide: GUTS. to have a lot of s. (2) *être courageux:* (II) en avoir dans le bide: GAME.

sandbag—to s. s.o. (2) *pressurer q'un;* (I) presser q'un comme un citron; (III) pomper q'un jusqu'à la moelle: HIGH-PRESSURE.

sap n (2) *sot, niais:* (II) gourde, cruche: BLOCKHEAD. (2) *matraque:* (III) gomme à effacer le sourire, goumi, mandoline. to make a s. out of s.o. (2) *tourner q'un en ridicule:* (I) goguenarder, gouailler, (II) mettre en boîte: BUSINESS.

sap n (2) *sot, niais:* (I) cruche; (II) jobard: BLOCKHEAD.

saperoo n (2) SAP.

saphead n (2) SAP.

sappy adj (2) *stupide, sot:* (I) bouché; (II) truffé: DOPEY.

sarge n (2) *sergent, adjudant:* (III) serpat', adjupète, juteux.

sashay—to s. in (1) *entrer:* (III) radiner: BLOW IN.

sass n (1) *effronterie, audace:* (I) toupet; (II) culot.—vt (1) *parler, répondre avec effronterie.*

sassy adj (1) *impudent, audacieux:* (II) culotté, gonflé.

satchelmouth n (2) *individu à la bouche très large:* (II) bouche en tirelire*.

sauce—to be on the s. (2) *être ivrogne:* aimer lever le coude, être porté sur la bouteille, être un sac-à-vin: BARFLY. to be off the s. (2) *ne plus boire d'alcool: (pour un ex-ivrogne):* (I) être au régime sec.

saucer-eyed adj (2) *aux yeux ronds et grands:* (II) aux boules de loto.

savvy vt (2) *comprendre:* (III) piger, entraver, to have s. (2a) *avoir du savoir-faire:* (II) connaître la musique.

sawbones n (2) *chirurgien:* (II) charcutier.

sawbuck n (2) *billet de dix dollars.*

sawed-off runt n (2 derog.) *homme de courte taille:* (II) rikiki: BANTIE.

say—to have one's s. (1) *avoir l'opportunité de s'exprimer:* (I) placer son petit mot, discuter le bout de gras; (III) pouvoir ramener sa fraise [science].

scab n (2) *briseur de grève:* (II) jaune, renard.

scab shop n (2) *usine qui emploie des anti-syndicalistes:* (II) boîte-à-jaunes.

scads n pl (1) *une grande quantité:* (I) une potée de: BAGS OF.

scale—to tip the s. at (2) *peser.*

scalp vi (1) *acheter des billets de théâtre pour les revendre à un prix élevé.*

scalper n (1) *q'un qui "scalp."*

scandal sheet n (2) *journal:* (I) canard.

scarce—to make oneself s. (2) *s'enfuir, s'en aller, s'échapper:* (II) se casser, prendre le large: BEAT IT.

scare—to s. up s.t. (1) *chercher et trouver q'ch.:* (I) mettre la main sur; (II) dénicher; (III) dégoter, dégauchir. to throw a s. into (2) *effrayer q'un, faire peur à:* (II) ficher [foutre] la frousse [trouille] à; (III) foutre les grolles [le tracsir, les flubes, les grelots, le taf, les chocottes, les chaleurs, les copeaux] à.

scared—to run s. (2) *pour un homme politique, pensant que ses chances sont faibles, donner le maximum de soi-même pour assurer sa victoire dans une bataille électorale.*

scaredy-cat n (2) *poltron, peureux:* (II) froussard: CHICKEN.

scary adj (1) *épouvantable, effroyable.*

schlemiel n (2a) *sot, niais, gaffeur:* (I) pataud, godiche, Jean-fesse: BLOCKHEAD.

schmaltz n (2a) *chanson, film, histoire, etc., très sentimental(e):* (I) à l'eau de rose.

schmeck n (2a) *héroïne (stupéfiant):* (III) chnouffe, blanche, blanc, fée blanche, came, héro, neige.

schmier n (2a) *ristourne, commission:* (I) dessous-de-table: KICKBACK.

schmoe n (2a) *nigaud, niais:* (I) âne, bêta: BLOCKHEAD. (2a) *personne ennuyeuse:* (II) raseur: CREEP.

schmoose vi (2a) *parler, bavarder:* (II) tailler une bavette: BREEZE.

schnook n (2a) SCHMOE.

schnozzle n (2) *nez:* (II) pif; (III) tarin: BEAK.

schnozzola n (2) SCHNOZZLE.

school—to skip s. (1) *faire l'école buissonnière.*

schoolmarm (1a) *institutrice:* (III) pécole, pionne.

scoop n (2) *renseignements, information:* (I) tuyau; (III) rencart: DOPE. (2) *nouvelle sensationnelle publiée et dont un journal s'est emparé avant les autres.* (2) *réussite financière, gros profits:* (I) un filon (d'or); (III) bonne affure [afflure]. to give s.o. the s. (2) *mettre q'un au courant:* (I) mettre à la page; (II) mettre dans le vent: CLUE IN. to get the s. (2) *s'informer, se renseigner:* (II) se mettre à la coule: DOPE. to make a s. (2) *publier une nouvelle à sensation avant les autres journaux.* (2) *faire une réussite considérable dans les affaires:* (III) affurer, afflurer: BUCK.

scoot vi (1) *s'en aller, s'enfuir:* (I) décamper; (II) faire la malle: BEAT IT. to s. along (1) *conduire, aller vite:* (II) donner plein gaz, bomber: BARREL.

scorcher n (1) *journée torride.* (1) *personne épatante.* (2) *réplique ou accusation sévère, mordante:* (I) repartie cinglante: (I) réplique à l'emporte-pièce; (II) savon; (III) postiche. (2) *au baseball, balle lancée avec beaucoup de force;* (III) sac, patate, paquet, cacahuète.

score vi (1) *réussir (en général):* (I) se tailler un succés, marquer des points, taper dans le mille*; (II) décrocher la timbale. (2) *avoir un client (en général):* (I) faire un client. (2) *pour une prostituée, avoir un client:* (III) faire une touche [levage]. to even [settle] the s. (1) *rendre à q'un la pareille:* (I) rendre à q'un un chien de sa chienne. to know the s. (2) *être au courant:* (I) être à la page: BALL. to make a s. (1) SCORE.

scorn—to point the finger of s. at (1) *se moquer publiquement de:* (I) montrer du doigt.

Scotch adj (2) *avare, parcimonieux:* (I) serré; (II) radin: CHEAPSKATE.

scram vi (2) *s'enfuir;* (II) ficher le camp; (III) se cavaler: BEAT IT. scram! (2 imp.) *allez-vous en!:* (II) filez!, à la gare!

scrambled eggs n (2 mil.) *ornements des casquettes d'officier:* (I) feuilles de chêne.

scrap n (2) *bagarre, querelle:* (II) bigorne; (III) rififi: DONNYBROOK. to get into a s. (2) *se battre, entrer en lutte:* (I) se bagarrer; (II) se crêper le chignon: HASSLE.

scrape—to get into a s. (1) *se mettre dans une situation difficile ou embarrassante:* (I) se mettre dans de beaux draps; (II) se mettre dans le sirop: HOT WATER.

scratch n (2) *argent:* (III) pognon, fric: BRASS. to be [come] up to s. (1) *répondre à toutes les exigences, avoir toutes les qualités requises.*

scratch team n (1) *équipe sportive improvisée;* (I) équipe au pied levé [de fortune].

scream n (1) *chose ou personne amusante, comique:* (II) bidonnant [marrant]: CIRCUS.

screamer n (2) *chose ou personne très drôle:* SCREAM. (2) *gros titres à sensation dans un journal:* (I) manchette.

screw n (2a) *gardien de prison:* (III) gaffe, maton, matuche. (3) *femme comme objet de l'acte sexuel.* (3) *l'acte charnel:* (IV) partie de jambes en l'air: LAY.—vi, vt (3) *coïter:* BANG. to s. s.o. (3) *duper, tromper:* (I) empiler; (III) baiser*: CLIP. to s. up (2) *gâcher q'ch.:* (I) bousiller, rater: BITCH UP. to have a s. loose (2) *être un peu fou:* (I) avoir une araignée au plafond; (II) être loufoque: BATS. to put the screws to s.o. (2) *forcer, pressurer:* (I) serrer les pouces à q'un: HIGH-PRESSURE. (2) *extorquer:* (I) mettre à l'amende, tirer une plume de l'aile à; (II) faire de la musique à, faire chanter. (3) *soumettre q'un à l'acte sexuel:* BANG. to be (all) screwed up (2) *être dans l'erreur, se tromper:* (i) se mettre le doigt dans l'oeil; (III) se gourer: BASE (OFF). (2) *avoir les idées confuses:* (I) être embarbouillé; (II) être dans le cirage [brouillard]. (2) *être mal éxécuté, mal fait (chose, travail):* être amoché; (II) être loupé; (III) être cochonné: BOLLIXED-UP. to get screwed (3) *avoir des rapports sexuels:* BANG. to get a (royal) screwing (3) *être dupé, trompé:* (I) être empilé; (II) être fait; (IV) être baisé*: CLIPPED. to give s.o. a screwing (3) *duper, escroquer:* (I) écorcher, carotter: CLIP.

screwball n (2) *individu excentrique:* (I) drôle de numéro; (II) drôle de piaf: BIRD. (2) *fou:* (II) loufoque, cinglé: BATS.

screwy adj (2) *fou;* (I) braque; (III) louftingue: BATS. (2) *équivoque, suspect:* (I) louche.

scrounge vi (2) *prendre sans permission, dérober:* (I) chaparder: CLIP.

scrumptious adj (2) *très agréable, splendide, de premier ordre:* (I) le bouquet; (III) soin-soin: A-ONE.

scuba n (2) *scaphandre autonome.*

scummy adj (2) *de mauvaise qualité, malpropre, de mauvais caractère:* (II) moche, blèche: CRAPPY.

scut boy n (2) *personne qui fait tous les travaux désagréables pour q'un:* (II) larbin.

scuttlebutt n (2) *bruit qui court:* (I) cancans; (II) potin, courant d'air, canard.

sea—to be all at s. (2) *être désorienté:* (I) avoir perdu le nord* [les pédales, la boussole]. to be half seas over (2a) *être ivre:* (II) être soûl: BLOTTO.

seams—to bulge at the s. (2) *être gros (au point de presque déchirer ses vêtements):* (I) faire péter les coutures. (2 fig.) *être bondé de monde:* (I) être bourré à craquer*. to burst [come apart] at the seams (2 fig.) *s'écrouler (objet, enterprise, affaire, etc.):* (III) tomber en pièces détachées, finir en eau de boudin; (IV) partir en couilles: BLOW UP.

seat—to be in the driver's s. (2) *tenir les commandes:* (I) être au volant*.

second-guess vi, vt (1) *connaissant ce qui est arrivé, dire ce qu'on aurait dû faire ("deviner le passé").*

seconds n (2) *une deuxième portion (d'un mets):* (II) rab, rabiot.

second-story man n (2) *cambrioleur:* (II) monte-en-l'air; (III) casseur, déboucleur, marcheur, fracasseur, fric-fraqueur, frappeur, lourdeur.

second-stringer n (2) *remplaçant de deuxième ordre (équipe sportive, etc.)*

secret—to leak a s. (1) *révéler un sécret (par accident ou à dessein)* (I) vendre la mèche, débiner le truc.

sell—to s. oneself (1) *se faire valoir, se faire accepter.* to s. s.o. on s.t. (1) *convaincre q'un de la valeur de q'ch.* to s. out (1) *se faire acheter, vendre son honneur:* (I) se vendre*. (1) *avouer, confesser (avec la promesse de recevoir une peine moins sévère ou d'être libéré):* (I) cafarder; (III) accoucher: BELCH. to s. s.o. out [s. out on s.o.] (2) *dénoncer (surtout à la police):* (I) moucharder sur; (III) balancer: FINGER.

sellout n (1) *vente de liquidation.* (1) *séance, film, etc., à guichet fermé.*

semipro n (2) *semi-professionnel.*

send—to send (2) *remplir de joie, mettre dans un état d'exaltation* (I) empoigner au ventre; (II) prendre aux tripes. to s. s.o. up (2) *emprisonner;* (II) emballer; (III) enchetiber: BEHIND BARS.

sendoff n (1) *manifestation ou fête d'adieu.*

senior citizen n (1 euph.) *mot qui désigne les vieillards aux U.S.A. pour indiquer qu'ils font toujours partie de la société.*

serious—to be s. (1) *pour des amoureux, se fréquenter sérieusement en vue de mariage;* (I) se fréquenter pour la bonne cause*.

set—to be all s. (1) *être fin prêt.* to be s. for life (2) *être bien établi:* (I) être installé, être casé: EASY STREET.

set-to n (1) *bagarre, lutte:* (III) badaboum: DONNYBROOK. to have a s.-t. with (1) *lutter avec, se battre:* (II) se torcher: HASSLE.

setup n (2) *q'ch. de facile à faire, à gagner, etc.:* (I) couru d'avance; (II) nougat: BAG.

seventh heaven—to be in s. h. (1) *être dans un état d'exaltation:* (I) être au septième ciel*, être aux anges.

seventh-inning stretch n (2) *entr'acte ou interlude entre la sixième et la septième phase d'un jeu de baseball, et, par extension, toute pause au cours d'une activité.* to take a s.-i. s. (2) *faire une pause:* (II) se dérouiller les jambes.

seven-year itch n (2) *gale:* (II) gratte*; (III) frotte.

sew—to s. s.t. up (1) *s'emparer de, prendre pour soi, monopoliser:* (II) mettre dans sa poche.

sexpot n (2) *femme avec beaucoup de sex appeal.*

sexy adj (2) *sensuel:* (II) "sexy," chaud.

shack—to s. up with s.o. (2) *vivre ensemble hors mariage:* (II) se coller [mettre] avec, s'antifler, se marier de la main gauche [derrière l'église, à la colle, à la Mairie du 21].

shack fever n (2) CABIN FEVER.

shackup job n (2) *nuit passée avec une femme quelconque.*

shadow—to s. [put a s. on] s.o. (1) *suivre (pour surveiller):* (I) filer; (III) filocher, faire la filoche à, prendre en filoche.

shady adj (1) *douteux:* (II) louche.

shady deal n (2) *affaire douteuse:* (II) tripotage, fricotage, entourloupette; (III) coup fourré.

shaft—to get the s. (3) *être escroqué, dupé:* (I) être carotté; (III) être chocolat: CLIPPED. to give s.o. the s. (3) *duper, escroquer:* (I) carotter; (II) empiler: CLIP.

shafts n (2) *jambes:* (III) bâtons: GAMS.

shaggy-dog story n (2) *anecdote, histoire dont le dénouement est inattendu et ridicule:* (I) histoire farfelue.

shake—to s. s.o. [give the s.] (2) *se débarrasser d'une personne ennuyeuse:* (I) laisser tomber [choir]; (III) laisser en rade [frime], plaquer, plaquouser, to give s.o. a fair s. (2) *traiter q'un honnêtement;* (III) être régulier [réglo] envers q'un. to s. it up (2) *se dépêcher:* (III) faire fissa: GAS. to s. a leg (2) SHAKE IT UP. to s. s.o. down (2) *rançonner q'un:* (II) mettre à l'amende. in half a s. (2) *en peu de temps:* (III) en moins de deux, illico (presto), fissa, to s. down (a prisoner) (2) *fouiller un prisonnier avant de l'incarcérer:* (III) faire [passer à] la barbotte.

shakedown n (2) *chantage:* (III) musique, cri. (1) *premier essai d'un nouveau mécanisme (bateau, avion, etc.)*

shakes n (2) *frissons, tremblement:* (II) tremblote. to have the s. (2) *trembler:* (II) avoir la tremblote. (2) *avoir les mains tremblantes:* (II) sucrer les fraises. in two s. (of a lamb's tail) (2) *tout de suite, en peu de temps:* (III) en moins de deux*, fissa, illico, presto. to be no great s. (2) *être sans importance, sans valeur:* (I) ne rien casser, ne pas casser les briques, être de la gnognotte [bricole].

shamus n (2) *agent de police:* (II) flic, (III) poule: BULL. (2) *détective:* (II) limier, bourre.

shanghai vt (2) *forcer q'un à faire q'ch. contre sa volonté, soit par force, soit par ruse.*

shanks n (2) SHAFTS.

shanks' mare—to travel by s. m. (1) *aller à pied:* (III) ripatonner: FOOT IT.

shape—to lick s.t. into s. (2) *perfectionner q'ch.:* (I) lécher; (II) pinocher. to s. up (1) *se développer d'une manière satisfaisante:* (I) aller comme sur des roulettes, tourner rond; (II) gazer. to be in bad [sad] s. (2) *être en mauvais état physique:* (I) ne pas être en forme; (II) être mal fichu: BAD SHAPE. to be in good s. (1) *être en bon état, en bonne condition:* (I) être en pleine forme.

shapes n (2a) *dés truqués:* (II) dés pipés; (III) artillerie: CHEATERS.

shark n (2) *expert:* (I) as, champion: ACE.

sharp adj (2) *élégant, bien habilé:* (II) bath: CLASSY.

sharpie n (2) *individu rusé, malin:* (I) débrouillard, ficelle; (II) combinard, roublard; (III) fouinard, démerdard.

shave—to have a close s. (2) *échapper de justesse à q'ch.:* (II) l'échapper belle: CLOSE CALL.

shavetail n (2 mil.) *sous-lieutenant:* (III) sous-lieut.

shebang—the whole s. (2) *le tout:* (II) tout le tremblement: CABOODLE.

sheeny n (2 derog.) *juif:* (III) Youpin: HEBE.

sheepskin n (1) *diplôme:* (I) peau d'âne*.

shekels—to have the s. (2) *être riche:* (I) être bourré; (III) être au fric: BANKROLL.

shell—to s. out (1) *payer, donner de l'argent:* (III) les aligner, casquer: ANTE UP.

shellac vt (2) *battre, frapper durement:* (II) tabasser; (III) filer une avoine à: BASH. *vaincre définitivement:* (II) griller, écraser: RIBBON.

shellacked—to be s. (2) *être vaincu définitivement:* (I) ramasser [remporter] une veste; (II) être écrasé [grillé]. (2) *être ivre:* (I) être éméché; (II) être paf: BLOTTO.

shellacking n (2) *volée de coups:* (II) raclée; (III) ratatouille: ANOINTING.

shell game n (2) *escroquerie:* (I) carottage; (III) arnaque: BUNCO GAME.

shill n (2) *complice d'un camelot chargé d'attirer les clients:* (III) pisteur, chevilleur, baron, jockey.

shindig n (1) *bal, réception:* (II) pince-fesses.

shindy n (1) SHINDIG. (1) *bagarre:* (III) coup de torchon: DONNYBROOK. (1) *vacarme:* (I) boucan, chahut, chambard: HULLABALOO.

shine n (2 derog.) *Noir:* (III) bougnoule: COON. to s. up to s.o. (2) *chercher l'amitié de q'un en le flattant (servilement ou non):* (II) faire du plat à: PLAY UP. to take a s. to s.o. (2) *s'éprendre de q'un, se toquer de:* (II) prendre [avoir] à la bonne.

shiner n (2) *ecchymose à l'oeil:* (II) coquard: BLINKER. to hang a s. on s.o. (2) *frapper q'un dans l'oeil:* (II) accommoder q'un au beurre noir, pocher l'oeil à q'un: BLACK EYE.

shingle n (1) *plaque professionnelle (médecin, avocat, etc.).* to hang up one's s. (1) *poser sa plaque professionnelle (indiquant son entrée en activité).*

shinny (up) vi (1) *grimper.*

ship—to s. s.o. off (1) *renvoyer, se débarrasser de q'un:* (I) mettre [balancer] q'un à la porte; (II) envoyer q'un aux pelotes [au bain].

shirt—to bet one's s. (2) *risquer le tout:* (II) parier sa chemise, risquer le paquet; (III) se mouiller, aller à la mouillette, y aller du cigare. to keep one's s. on (2) *rester calme:* (I) ne pas s'emballer. to lose one's s. (2) *perdre tout son argent (au jeu, dans les affaires, etc.):* (I) se casser le cou; (II) être lessivé: CLEANER.

shit n (3) *matières fécales:* (III) merde. (3) *chose sans valeur:* (II) du toc: CRAP. to be s. out of luck (3) *manquer de chance:* (II) avoir la déveine [poisse, guigne], être guignard [foissard]: (III) avoir la cerise, manquer de bol [de pot, de bagouse]. to be up s. creek (without a paddle) (3) *être dans une mauvaise passe:* (III) être dans la merde (jusqu'au cou): HOT WATER. to have s. in one's blood (3) *manquer de courage, être poltron:* (III) être foireux: CHICKEN. to have s.o. on the s. list (3) *détester q'un:* (III) ne pas pouvoir blairer q'un: SMELL.

shithouse n (3) *toilette* (III) gogues: JOHN.

shitless—to be scared s. (3) *avoir grande peur:* (III) avoir les miches qui font bravo, avoir les foies: JITTERS.

shitty—it's a s. deal (3) *c'est une affaire douteuse:* (III) il y a de la merde au bout du bâton, c'est une affaire merdeuse*.

shiv n (2) *couteau:* (III) lame, lardoir, lingue, rallonge, saccagne, sacaille, eustache, article, rapière, surin, schlass—vt (2a) suriner, chouriner, rallonger, rapiérer, lamer, saccagner.

schnook n (2a) *individu maladroit, malhabile:* (I) manchot, pataud, godiche; (II) gourde, empoté.

shoeleather express—to go by [take the] s. e. (2) *aller à pied:* (II) prendre le train onze: FOOT IT.

shoemaker n (2) *mauvais ouvrier:* (I) bâcleur, saboteur, savateur, bousilleur, margoulin.

shook—to be all s. up (2) *être ébranlé:* (I) être secoué, en prendre un coup.

shoot vt (2a) *donner:* (I) filer, flanquer, balancer. vi (3) *arriver à l'orgasme sexuel:* COME. to s. at (I) *tenter d'achever, viser à.*

shooting gallery n (2) *lieu où se rassemblent des toxicomanes pour se faire piquer.*

shooting iron n (2) *revolver, fusil:* (III) flingue: CANNON.

shooting match—the whole s. m. (2) (II) toute la baraque: CABOODLE.

short—to cut s.o. s. (1) *interrompre q'un:* (I) couper la parole à; (II) couper la chique à. to be caught s. (2) *se trouver à court de.* (2) *être pris par un besoin pressant avant d'arriver aux toilettes:* (II) faire dans son pantalon. to have s.o. by the s. hairs (2) *avoir q'un à sa merci:* (III) avoir q'un à sa pogne.

short arm n (3) *le membre viril:* PRICK. s.a. inspection (2 mil.) *visite médicale pour dépister les maladies vénériennes:* (III) revue des quéquettes.

shortchange vi, vt (2) *rendre moins de monnaie (surtout à dessein):* (I) rouler; (II) estamper; (II) empiler. (2) *tromper q'un sur la quantité d'objets ou de travail qu'on doit payer:* (I) pigeonner; (II) arnaquer, arranger, refaire, repasser; (III) entuber, fabriquer. s. artist n (2) *escroc:* (II) arnaqueur, enfileur; (III) entubeur.

shorts n (1) *caleçon:* (III) calcif, caldard. to have the s. (2) *être à court d'argent:* (III) être sans un, n'avoir pas le rond: BROKE.

short-sheet vt (2) *faire une plaisanterie consistant à plier les draps de telle manière qu'une personne soit gênée en se mettant au lit:* (III) mettre le lit en porte-feuilles.

short snort n (2) *très petite quantité d'une boisson:* (I) doigt; (II) goutte; (III) larmichette.

short-timer n (2) *détenu condamné pour une courte période.*

shortweight vi (2) *tromper en pesant q'ch.:* (II) donner [filer] le coup de pouce.

shorty n (2) *homme de courte taille:* (II) avorton: BANTIE.

shot n (2) *gorgée (de boisson):* (I) goulée; (II) godet; (III) glass. (1) *injection, piqûre:* (II) piquouse—adj (2) *hors d'usage:* (I) ratatiné; (III) naze, nazebroque. (2) *fatigué:* (II) lessivé: BEAT. s. in the arm n (2 fig.) *stimulant (au fig):* (I) coup de fouet. at one s. (1) *d'un seul trait (boisson):* (II) cul-sec. (1) *d'une seule traite (travail):* (I) sans lever les yeux; (III) sans débander. not by a long s. (2) *sans l'ombre d'une chance.* to take a s. at (1) *faire une tentative:* (I) faire un bout d'essai. a long s. (1) *une grosse cote (cheval de course) et, par extension, chose ou personne qui a peu de chance de réussir.* to call the shots (2) *donner les ordres:* (I) tenir la barre; (III) driver.

shotgun wedding n (2) *mariage sous contrainte, mariage forcé.*

shouting—it's all over but the s. (2) *il n'y a plus rien à faire:* (I) les jeux sont faits, les carottes sont cuites.

shove vt (2) *vendre des objets volés ou faux:* (III) bazarder, fourguer. to s. off (1) *s'en aller:* (I) prendre le large, décamper: BEAT IT.

shovel—to s. it down (2) *manger avec avidité:* (II) bâfrer: BLOWOUT.

show—to boss [run] the s. (2) *conduire, contrôler toute l'affaire:* (I) tenir la barre; (II) faire marcher la machine; (III) driver. to steal [run away with] the s. (2) *être la vedette d'un spectacle, d'un événement:* (III) tirer à soi la couverture. to s. s.o. up (1) *surclasser q'un:* (I) écraser, damer le pion à; (II) mettre dans sa poche [le vent]; (III) rendre le double-six à, mettre dans sa fouille [farfouillette]. to give the s. away (2) *révéler le secret:* (II) vendre la mèche, débiner le truc. to stop the s. (2 théât.) *déclencher enthousiasme délirant des spectateurs:* (III) faire trembler les lustres, casser la baraque. not to stand (have) a s. (2) *n'avoir aucune possibilité de réussir, de gagner:* (I) partir battu; (III) ne pas avoir la bagouse. to make [put on] a big s. (2) *faire des manières:* (I) faire le beau: DOG.

showdown n (1) *situation dans laquelle les secrets sont révélés et la vérité mise au grand jour:* (I) la minute de vérité. to have a s. (1) *exposer, révéler les faits, la vérité:* (I) abattre son jeu, mettre les cartes sur la table.

shower—to send to the showers (2) *mettre un joueur hors du jeu:* (II) envoyer au vestiaire.

showoff n (1) *poseur:* (I) plastronneur, m'as-tu-vu, matuvu, acrobate; (III) bêcheur, béchamel.

showstopper n (2) *morceau, chanson à succès:* (II) boum, tabac.

showup (line) n (2) *défilé de suspects devant les inspecteurs de police.*

shrimp n (1) *individu petit:* (II) aztèque: BANTIE.

shucks—not worth s. (1) *ne rien valoir:* (II) ne pas valoir chipette: BEANS. shucks! (1) *mince alors!*

shuffle—to be lost in the s. (2) *être perdu dans la multitude, passer inaperçu dans la confusion:* (I) être noyé dans la masse. to s. off (2) *mourir:* (III) avaler sa chique: BUCKET.

shut—to be s. of s.o. (1) *être débarrassé de, en avoir fini avec:* (I) se dépêtrer de, se dépouiller de; (III) se défausser de. to s. s.o.

up (2) *faire taire:* (I) clouer le bec à: DAMPER.

shuteye n (2) *sommeil:* (II) somme, roupillon; (III) ronflette. to grab some s. (2) *dormir:* (II) piquer un roupillon: EAR.

shutterbug n (2) *photographe (amateur ou professionnel):* (I) chasseur d'images.

shy—to be s. of s.t. (1) *être à court de q'ch.:* (I) être pauvre de.

shyster n (2) *professionnel (surtout avocat) véreux:* (I) avocat (etc.) marron [bidon].

sick—to pull the s. act (2) *feindre d'être malade:* (II) se faire porter pâle, piquer un ticket, tirer au flanc; (III) piquer un ticson. to be s. and tired of s.t. (I) *en avoir par dessus la tête de q'ch.:* (II) en avoir marre de q'ch.: BELLYFUL. to ride the s. book (2 mil.) *se soustraire aux corvées en feignant d'être malade:* (II) se faire porter pâle, tirer au flanc; (III) tirer au cul [derche], piquer un ticket [ticson].

sick joke n (2) *anecdote ou histoire du genre humour noir.*

sick sack n (2) BARF BAG.

side—to show one's better s. (1) *se montrer sous son meilleur aspect (physique ou moral), montrer son meilleur côté.* to show one's worst s. (1) *montrer son mauvais côté.* on the s. (1) *activité secondaire.* to be on s.o.'s good s. (1) *être dans les bonnes grâces de q'un:* (I) être dans les papiers de, être le chouchou de q'un. to cut a s. (2) *enregistrer un disque.* to split one's sides laughing (2) *se tordre de rire:* (II) se fendre la pipe: BELLYLAUGH.

sidekick n (2) *ami:* (III) pote: BUDDY. (2) *complice, associé:* (III) homme de barre.

sideline—to sit on the sidelines (2) *rester à l'écart d'une action, d'un jeu, etc.:* (I) faire tapisserie, faire bande à part [cavalier seul].

side-splitter n (2) *q'ch. de très amusant:* (II) q'ch. de marrant: CIRCUS.

sidesplitting adj (2) *très amusant:* (I) *marrant;* (II) bidonnant, rigolo; (III) tordant, boyautant, crevant, cintrant, fendant.

sidewalk superintendent (2) *badaud qui regarde un chantier de construction en activité.*

sight—to be unable to stand the s. of (2) *ne pas pouvoir supporter, détester:* (III) avoir dans le blair: SMELL. out of s. (1) *d'un prix exagéré, ruineux:* (I) hors de prix; (II) le coup de masse [fusil]; (III) grisole [lerchem], le coup de barre. to be [look] a s. (2) *être mal vêtu, les vêtements en désordre:* (II) être fichu [foutu] comme l'as de pique, être mal ficelé [fagoté, harnaché]. not by a darn

[damn] s.! (2) *rien à faire!, jamais de la vie!* to keep one's sights on (1) *maintenir une surveillance sur:* (I) avoir à l'oeil; (II) viser, avoir dans le collimateur.

sign—to s. out (1) *pointer au départ.* to s. in (1) *pointer à l'arrivée.* to s. up for (1) *s'inscrire à, s'engager pour.* to s. off (2) *se taire, cesser de parler:* (III) la mettre en veilleuse: CLAM UP.

signals—to get [have] one's s. crossed (2) *se tromper, être en erreur, mal comprendre:* (I) se mettre le doigt dans l'oeil; (III) se gourrer: BASE.

silk—to hit the s. (2 mil.) *descendre en parachute:* (III) vider le zinc.

silly goose n (1) *femme stupide, nigaude:* (I) bêta, pécore, bécasse: DUMB DORA.

simoleons n (2) *argent:* (III) pèze, artiche: BRASS.

simp (abbr. of simpleton) n (2) *stupide, nigaud:* (II) tourte, cruche: BLOCKHEAD.

Simple Simon n (1) SIMP.

sin—to be as ugly as s. (1) *être très laid:* (II) être blêche; (III) être tarte [tartouse, tartignole, lavedu, loqudu, toc].

sing vi (2) *confesser, avouer:* (III) manger le morceau: BELCH. to s. out (2) *parler à haute voix, sans hésitation.*

sinker n (2) *beignet.*

sis (abbr. of sister) n (1) *soeur:* (III) frangine, frelotte.

sissy n (1) *homme efféminé:* (I) femmelette; (II) chiffemolle; (III) gonzesse.

sissyish adj (1) *efféminé.*

sit—to s. tight (1) *ne pas céder, ne pas se laisser ébranler:* (I) ne pas caler, ne pas lâcher pied; (II) ne pas caner. (I) *attendre le déroulement d'une affaire (avant de prendre une décision ou avant d'agir).* to s. in for s.o. (1) *être, agir à la place de q'un:* (III) faire le baron [jockey]. to s. on s.o. (2) *réprimander, semoncer:* (I) laver la tête à; (II) engueuler: BAWL OUT.

sitter n (2) *fesses:* (I) derrière: ASS.

sitting duck n (2) *cible très facile à atteindre, chose ou personne facile à abattre, à vaincre, etc.:* (II) une vache dans un couloir.

six—to hit on all six(es) (2) *fonctionner parfaitement (moteur):* (II) bicher, tourner rond, gazer; (III) gazouiller. to be at sixes and sevens with (1a) *être en désaccord avec:* (I) être en froid avec; (II) être en brouille avec. to be s. feet under (2) *être enterré:* (II) manger les pissenlits par les racines; (III) être chez les têtes en os.

six-footer n (1) *homme très grand (six pieds ou plus de taille):* (I) grand cri-cri; (III) double-mètre*, grande bringue, dépendeur d'andouilles.

six-shooter n (1) *revolver:* (III) calibre: CANNON.

sixty-four dollar question n (2) *question à laquelle il est difficile de répondre (originaire d'un concours à la radio américaine):* STICKER.

size—to cut s.o. down to s. (2) *rabaisser q'un à sa juste valeur:* (I) rogner les ailes à q'un, dégonfler; (II) rabattre le caquet à q'un. to s. up the situation (1) *évaluer la situation:* (I) prendre la température [le pouls]. to s. up (1) *évaluer.* that's [about] the s. of it! (1) *c'est ainsi!*

skedaddle vi (2a) *se sauver, s'en aller:* (II) se barrer, se cavaler: BEAT IT.

skeleton—to be as skinny as a s. (2) *être très maigre:* (I) être un paquet d'os*: BEAN-POLE. to be a walking s. (2) BEANPOLE.

skeleton crew n (1) *équipe d'ouvriers qui assure un service minimum:* (I) équipe de fortune.

skid row n (2) *quartier urbain fréquenté par les clochards et les ivrognes:* (I) bas-fonds; (II) la zone.

skids—to be on the s. (2) *être sur le déclin:* (I) être en perte de vitesse, être sur la pente savonneuse, être au bout du rouleau; (III) partir en brioche [couilles].

skimmer n (2a) *chapeau;* (II) bada: BEANIE.

skimp vi (1) *lésiner, économiser:* (I) faire des économies de bouts de chandelle; (II) mégotter, être radin; (II) être arquinche.

skimpy adj (1) *bien juste, étriqué:* (III) de la courtille [courtine].

skin vt (1) *tricher:* (I) carotter; (II) empiler: CLIP. *faire payer trop cher:* (I) écorcher, échauder, estamper; (II) empiler. to s. out (2) *s'enfuir, s'en aller:* (I) décamper, prendre le large: BEAT IT. to s. s.o. alive (1) *réprimander, donner une verte semonce à:* (I) savonner; (II) enguirlander: BAWL OUT. to s. alive [by a mile] (2) *anéantir, vaincre définitivement:* (I) écraser; (II) rosser; (III) donner une déculottée, filer une piquette: RIBBON. to s. through (1) *réussir, passer, finir de justesse.* by the s. of one's teeth adv (1) *de justesse:* (I) d'un cheveu; (II) moins une. to get under s.o.'s s. (2) *ennuyer:* (I) barber; (III) emmerder; BUG. to have s.o. under one's s. (2) *être entiché de q'un:* (III) avoir q'un dans la peau*: BATS. to get by with a whole s. (1) *échapper de justesse à:* (I) s'en

tirer à bon compte, l'échapper belle. to save one's s. (2) *sauver sa vie:* (I) sauver sa peau; (III) sauver ses cotelettes [os]. that's no s. off my teeth (2) *cela ne me regarde pas:* (II) ce n'est pas de mes oignons.

skin artist n (2) *escroc, tricheur:* (III) arnaqueur: BUNCO MAN.

skinflint n (1) *avare:* (II) radin: CHEAP-SKATE.

skin flute n (3a) *le verge:* (II) popaul; (III) bite: COCK.

skinful—to have a s. (2) *être ivre:* (II) être rond; (III) avoir sa cuite: BLOTTO.

skin game n (1) *tricherie:* (I) carottage; (III) arnaque: BUNCO GAME.

skins n (2) *argent (billets):* (III) talbins, fafs, fafiots. (2) *tambour d'orchestre de jazz:* (II) batterie.

skip vi (1) *se sauver, s'enfuir:* (I) prendre le large; (III) jouer rip: BEAT IT. to s. out (2) *partir sans payer:* (I) faire un trou dans la lune; (III) planter un drapeau, faire un pouf. to s. out on s.o. (2) *abandonner:* (III) plaquer, plaquouser, faire la malle [valise], laisser en rade [plan, frime].

skip tracer n (2) *personne chargée de retrouver des gens partis sans payer leurs dettes.*

skirt n (2) *jeune fille, femme:* (I) poupée; (III) gonzesse: BABE. to chase skirts (2) *courir les femmes:* (II) cavaler; (III) bourriner: BROAD.

skirt chaser n (2) *coureur de filles:* (II) juponneur, cavaleur; (III) bourrineur.

skivvies n (2) *sous-vêtements d'homme:* (III) calcif, caldard, calfouette.

skulduggery n (1) *mauvais tour:* (I) tour de cochon; (II) saloperie, crasse; (III) turbin, vacherie.

skull session n (2) *séance ou réunion où sont élaborées les tactiques (armée, sports, politiques, etc.):* (I) table ronde.

skunk n (1) *individu méprisable:* (I) sale bougre; (II) fripouille, salaud: BAD ACTOR. —vt (2) *vaincre totalement (sans que l'équipe adverse marque un seul point):* (I) annihiler, battre à plate couture, tailler en pièces; (II) écraser, mettre dans sa poche.

sky—to hit the s. (2) *se laisser emporter par la colère:* (I) voir rouge; (II) sortir de ses gonds: BLOW UP. to reach for the s. (2) *avoir des idées de grandeur:* (III) péter plus haut que son cul. (2) *tenir les mains en l'air sous la menace d'une arme:* (III) tenir les louches [paluches] au plafond.

skypiece n (2) *chapeau:* (III) bada: BEANIE.

sky pilot n (2a) *prêtre, pasteur:* (III) corbeau: HOLY JOE.

skyrocket vi (1) *augmenter rapidement (prix, salaires, valeurs, etc.):* (I) monter en flèche; (II) faire la grimpette; (III) allonger le tir.

slab n (2) *dalle funéraire.* (2) *table d'autopsie à la morgue.* (2) *en baseball, dalle sur laquelle reste le lanceur.*

slack season n (1) *basse-saison, morte-saison.*

slack times n (1) *période de crise.*

slam n (1) *remarque critique et dénigrante:* (I) éreintement; (II) débine; (III) vanne.— vt (1) *critiquer, dénigrer:* (I) éreinter; (II) débiner: COALS. to s. into (1) *heurter:* (I) accidenter: BANG.

slam-bang adj (1) *brusquement, violemment, bruyamment:* (I) avec boucan [brouhaha, chambard]; (II) avec bousin [pétard, pet, raffût, tam-tam]; (III) avec barouf [chabanais, ramdam, foin].

slant n (1) *point de vue, manière de voir.*

slap—to s. s.t. on (2) *passer un vêtement en hâte:* (I) se jeter q'ch. sur le dos; (II) enfiler q'ch.; (III) se mettre q'ch. sur le râble [les andosses]. to s. together (2) *faire hâtivement et sans soin:* (I) bâcler, rafistoler, rapetasser; (II) torcher, saboter. to s. s.o. around (1) *frapper, battre:* (II) tabasser; (III) filer une avoine à: BASH.

slap-bang adj, adv (1) *sans soin, hâtivement:* (I) baclé, saboté, torchonné; (II) à la flan.

slaphappy adj (2) *se dit d'un boxeur dont les facultés mentales sont atteintes par les coups reçus.* (2) *fou:* (I) cinglé; (II) timbré: BATS.

slat n (2) *côte (anatomie):* (II) côtelette. to kick s.o. in the slats (2) *donner un coup de pied sur les côtes:* (III) bourrer les côtelettes à, allonger un coup de savate dans les côtelettes à.

slaughter n (2 fig.) *victoire décisive (sports):* (II) Trafalgar; (III) déculottée.

sleep—to s. on s.t. (2) *réfléchir longuement avant de prendre une décision:* (I) dormir sur*; (III) gamberger. to s. with s.o. (1) *coucher avec q'un:* (III) faire une partie de traversin [de jambes en l'air].

sleighride—to take s.o. for a s. (2) *tromper, duper:* (II) monter un bateau à q'un; (II) mener q'un en barque*: CLIP. (2) *faire payer trop cher:* (I) écorcher: CLIP. (2) *taquiner:* (I) chiner: BUSINESS.

sleuth n (1) *détective:* (III) limier, bourre.

slew(s) (2) *une grande quantité:* (II) une tripotée: BAGS OF.

slick adj (1) *rusé, malin:* (II) combinard, roublard. (2) *agréable, satisfaisant:* (II) badour; (III) chouette: CLASSY. to s. s.t. up (1) *mettre la dernière main à:* (I) lécher, fignoler.

slick bunch n (2) *groupe combinard dont il faut se méfier:* (I) Filou et compagnie; (II) Faisan et compagnie, La maison j't'arnaque; (III) La maison arrangemane.

slick chick n (2) *jolie jeune fille:* (I) poupée; (II) pépée, prix de Diane; (III) lot.

slick customer n (2) SHARPIE.

slicked up—to be all s. up (1) *être habillé soigneusement:* (I) être tiré à quatre épingles, être sur son trente-et-un.

slicker n (1) SHARPIE.

slick operator n (2) SHARPIE.

slim-jim n (2) *homme mince et grand:* (I) grande bringue; (III) asperge: BEAN POLE.

sling—to s. it (2) *parler sans sincérité:* (I) bonimenter; (II) faire du baratin: APPLESAUCE. to s. the lingo (2a) *parler argot:* (III) dévider [jaspiner] le jars, jacter argomuche.

slinky n (2) *souple et gracieux, félin.*

slip—to s. one over on s.o. (1) *tromper, duper, frauder q'un.* (II) tirer une carotte à; (III) fabriquer: CLIP. to s. up (1) *commettre une erreur:* (I) faire une gaffe; (II) gaffer: BONER.

slip-up n (1) *bévue, erreur (par inadvertance):* (I) gaffe, boulette: BONER.

slob n (1) *personne malpropre:* (II) salaud, torchon; (III) crado, cra-cra, craspec. (1) *personne maladroite, incapable:* (I) brisetout, brise-fer; (III) gourde, andouille, pocheté, empoté. to be dressed like a s. (1) *être habillé sans soin;* (II) être fichu [foutu] comme l'as de pique [comme quatre sous]. poor s. (2) POOR FISH.

slop—to s. over (1) *s'exprimer avec une sentimentalité excessive.* to s. it up (2) *boire à l'excès:* (II) picoler, lamper: BOOZE.

sloppy adj (1) *négligé, sans soin (dans ses manières, vêtements, travail, etc.), débraillé (vêtements):* (I) souillon, brouillon; (II) saligaud, salaud, sagouin, torchon. to do a s. job (1) *mal exétuter un travail:* (I) bousiller, torcher: BITCH UP.

slot n (2) *emploi, situation:* (I) place; (II) job; (III) placarde (surtout pour une bonne situation).

slots (the) n (2) *appareils à sous:* (III) tirepognon.

slouch—to be no s. (2) *ne pas être sans habileté, être capable et rusé:* (II) être dans le vent [coup]: BALL.

slow—to take it s. (and easy) (2) *aller doucement:* (II) faire à la pépère, ne pas se fouler la rate; (III) faire en (père) peinard [à la papa].

slowpoke n (2) *personne qui agit avec lenteur;* (II) lambin, limace, limaçon, tortue, chenille, traînard; (II) gnangnan; (III) dort-en-chiant.

slug n (1) *coup de poing:* (I) taloche; (II) beigne: CLIP. (2) *consommation d'une boisson:* (II) goutte; (III) godet, glass.—vt (1) *battre, frapper:* (I) rosser; (II) tabasser; (III) passer à la casserole: BASH. to s. it out (2) *se battre, bagarrer:* (II) se tabasser, se peigner: HASSLE. to s. one down (2) *boire un coup de whisky, etc.:* (II) siffler un coup: BELT.

slugfest n (2) *bagarre, lutte:* (II) coup de torchon; (III) corrida: DONNYBROOK.

slugger n (1) *boxeur puissant:* (I) cogneur.

slum(gullion) n (2a) *ragoût grossier:* (I) ratatouille; (II) rata, ragougnasse.

slumming—to go s. (2) *s'amuser dans les bars, cabarets, etc., des bas quartiers:* (I) se la faire crapuleuse, s'encanailler.

slurp vi, vt (2) *boire en faisant beaucoup de bruit:* (I) laper.

smacker n (2) *visage, figure:* (I) frime; (II) binette; (III) cerise: KISSER.

smackers n (2) *lèvres:* (I) babines; (III) babouines, badigoinces.

small change n (1) *menue monnaie:* (II) broutilles, poussières; (III) mitraille, ferraille.

small potatoes n (1) *personne(s) ou chose(s) sans importance, insignifiante(s), médiocre(s):* (I) moins que rien; traîne-lattes.

smalltime adj (2) *médiocre:* (I) de second plan.

smalltime racketeer n (2) *voyou, escroc sans importance:* (II) voyou au petit pied; (III) demi-sel, barbeau à la mie-de-pain, faux-marlou, barbiquet.

smart aleck n (2) *fanfaron, hâbleur:* (I) m'as-tu-vu, plastronneur, gommeux; (II) prétentiard; (III) bêcheur, béchamel, vanneur.

smart customer n (2) SHARPIE.

smart guy n (2) *rusé, malin:* SHARPIE.

smarty-pants n (2) *individu qui se croit plus avisé qu'il ne l'est.*

smash—to go s. (1) *se briser, être réduit en miettes.* (1) *faire faillite, échouer:* (I) faire un four: BLOWUP.

smashed adj (2) *ivre:* (II) saoul, rond: BLOTTO.

smash hit n (2) *avoir un grand succès (théât.):* (II) tenir l'affiche.

smear vt (2) *vaincre définitivement; anéantir;* (II) écraser; (III) mettre en pièces détachées: RIBBON. (2) *soudoyer à prix d'argent:* (I) graisser la patte à, acheter; (III) affûter.

smear campaign n (1) *campagne de calomnie, dénigrement systématique.*

smell vi (2) *être malhabile, incapable:* (I) ne pas être à la hauteur; (III) être une gourde, être godiche [empoté, empaillé, bon à lap, bon à nib], ne pas valoir un coup de cidre [pet de lapin]. to be unable to stand the s. of s.o. (2) *ne pas pouvoir tolérer q'un, haïr:* (I) avoir q'un dans le nez; (III) ne pas pouvoir blairer* [piffer, encadrer, encaisser, piper] q'un, avoir q'un à la mouscaille [dans le pif, tarin, etc.].

smeller n (2) *le nez:* (III) le pif, le blair: BEAK.

smidgen n (1) *une petite quantité:* (I) un soupçon [un brin, une larme, un tantinet]; (III) un chouïa, une larmichette.

smile—to crack a s. (2) *faire risette.*

smithereens n (1) *petits morceaux.* to smash [knock] to s. (1) *démolir:* (I) mettre en capilotade; (III) mettre en pièces détachées. RIBBON.

smithers n (1) SMITHEREENS.

smoke n (2 derog.) *Noir:* (III) bougnoule: COON. to go up in s. (2) *échouer, être réduit à néant:* (I) finir en eau de boudin, faire four: BLOW UP. to grab a s. (2) *fumer une cigarette:* (III) en griller une.

smoke-eater n (2) *pompier:* (III) pompelard.

Smokey Stover n (2a) SMOKE-EATER.

smooch n (2) *petit baiser:* (I) bécot, bise, bisou.—vi (2) *échanger de petits baisers:* (I) baisoter, bécoter, biser.

smooth adj (2) SLICK.

smoothie n (2) SHARPIE.

smooth operator n (2) SHARPIE.

smut peddler n (1) *trafiquant de photos et livres pornographiques:* (III) marchand de cartes à jouir.

snack n (1) *goûter:* (I) casse-croûte; (II) casse-graine, casse-dalle.

snafu (deriv.: situation normal all fouled up) adj (2 mil.) *en désordre, confus:* (I) bousillé, amoché: BITCHED UP.

snag vt (2) *voler, prendre, mettre la main sur:* accrocher; (III) griffer: CLIP.

snail's pace n (1) *allure très lente:* (I) pas de tortue*, pas d'enterrement.

snake eyes n (2) *le double-un dans la passe anglaise (jeu de dés).*

snap n (2) *q'ch. de facile à faire, à gagner:* (I) du tout cuit: ABC. to s. it up (1) *s'emparer vivement de q'ch.:* (II) se jeter sur; (II) mettre le grappin sur; (III) harponner, agrafer, agriffer. to s. it up [into it] (1) *accélérer le rythme d'un travail:* (I) mettre les bouchées doubles; (II) mettre le grand braquet, mettre les gaz [la gomme]. to s. out of it (1) *se remettre sur pied physiquement:* (I) se remettre d'aplomb; (II) se retaper, se rebecter (la cerise). (1) *surmonter sa déchéance:* (I) reprendre du poil de la bête. s. it up! (2) *dépêchez-vous!:* (II) activez! grouille-toi!; (III) magne-toi! (le popotin, la rondelle). s. out of it! (2) *remontes-toi!* not give a snap about (1) *se moquer de:* (I) se ficher de: DAMN. to be no s. (1) *être difficile:* (II) ne pas être de la tarte [du nougat, du gateau]; (III) être duraille, durillon.

snap course n (2) *cours facile:* (I) cours tout maché.

snappy adj (1) *vigoureux, dynamique, plein d'allant:* (I) plein de feu [vie]. (1) *à la mode, élégant:* (II) badour: CLASSY. (2) *frais, froid (climat):* (II) frigo, frisquet. to make it snappy (2) *se dépêcher:* (II) se grouiller: GAS.

snatch n (2) *rapt d'un enfant, kidnapping.* (2) *vol, cambriolage:* (III) casse, coup: HEIST. (3) *vagin:* BOX.—vt (2) *kidnapper.* (2) *voler:* (I) chiper; (III) arranger, chouraver: CLIP.

snazzy n (2) *élégant:* (III) chouette: CLASSY.

sneakers n (1) *chaussures de tennis:* (II) les tennis.

sneak preview n (1) *spectacle (film, pièce de théâtre, etc.) offert, avant la mise en circulation, dans une petite salle de province, afin de sonder les réactions des spectateurs et juger de ses chances de succès:* (I) banc d'essai.

sneezed—it's not to be s. [nothing to sneeze] at (1) *ce n'est pas peu de chose:* (I) ce n'est pas de la petite bière; (III) ce n'est pas de la paille.

snide—s. **remark** n (2) *remarque offensante, brocard:* (III) vanne.

sniffer n (2) *nez:* (III) tarin, pif: BEAK.

sniffles (the) n (1) *rhume, catarrhe.* (1) *besoin de renifler à cause d'un rhume, d'une allergie ou d'une émotion:* (II) la goutte au nez, la reniflette.

sniffy adj (1) *dédaigneux:* (I) pimbêche; (II) bêcheur.

snip n (1 derog.) (1) *enfant (surtout impudent), gamin:* (I) mioche; (III) chiard: KID.

snipe n (2) *bout de cigarette ou de cigare:* (II) mégot; (III) clope, orphelin, sequin.

snippy adj (1) *impudent, insolent:* (II) culotté, gonflé.

snitch n (2) *dénonciateur:* (I) rapporteur; (II) cafeteur, mouchard; (III) mouche, rapporte-paquet sans ficelle (argot écolier). —vi (2) *dénoncer:* (I) cafarder, moucharder: BELCH.—vt (2) *voler:* (I) faire main basse sur; (II) chiper: CLIP. to s. on s.o. (2) *dénoncer q'un:* (III) donner, brûler: FINGER.

snooks n (2) *mon chéri, ma chérie:* (I) mon chou, ma cocotte, mon loup.

snookums n (2) SNOOKS.

snoop(er) n (1) *curieux qui tente de tout savoir des affaires d'autrui:* (I) fouineur, fureteur; (II) fouinard.

snoopy adj (1) *curieux:* (I) fouineur, fureteur; (II) fouinard.

snoot n (1) *le nez:* (III) blair, pif: BEAK. (2) *la figure:* (I) frimousse; (II) tirelire: KISSER. to punch s.o. in the s. (2) *donner un coup de poing au nez:* (III) rentrer dans le blair [pif, tarin, portrait, etc.] à.

snootful—to have a s. (2) *être ivre:* (III) avoir le nez [pif] salé [piqué]*: BLOTTO.

snooty adj (1) *prétentieux:* (II) bécheux; (III) béchamel, prétentiard.

snooze n (1) *petit sommeil:* (II) somme, petit roupillon; (III) ronflette.*

snort n (1) *petite quantité d'une boisson:* (I) goutte, larme; (II) larmichette. (2a) *dose d'une drogue:* (III) prise, piquouse, la dose.

snot n (3) *morve:* (II) chandelle.

snot-nose n (2) *jeune personne insolente:* (I) morveux*.

snot-rag n (3) *mouchoir:* (II) tire-gomme [jus, moelle]; (III) blave.

snotty adj (2) *impudent, insolent:* (II) culotté, gonflé.

snout n (1) *nez:* (III) blair: BEAK.

snow n (2) *cocaïne (drogue):* (III) fée blanche: C. to s. under (1 fig.) *accabler (de* *travail, d'injures, etc.):* (I) abreuver, abrutir. to s. s.o. (2) *convaincre par des mensonges ou paroles captieuses:* (I) entortiller; (II) empaumer: BILL.

snowbird n (2) *toxicomane, drogué:* (III) camé, chnouffé. (2a) *clochard qui fuit l'hiver en allant au sud.*

snow job n (2) *flatterie intéressée:* (I) pommade, eau bénite de cour: APPLESAUCE.

snow-white adj (2) *innocent:* (II) blanc (comme la neige)*.

snuff—to be up to s. (2) *satisfaire les conditions requises, être de bonne qualité.*

soak n (2) *ivrogne:* (II) poivrot: BARFLY. —vt (2) *faire payer trop cher:* (II) écorcher: CLIP. (2) *frapper:* (II) rosser; (II) tisaner: BASH. (2) *déposer au mont-de-Piété:* (II) mettre au clou [chez ma tante]; (II) empégaler. to be soaked (2) *être ivre:* (II) être gris [soûl]: BLOTTO. to get soaked (2) *s'enivrer:* (III) se piquer le nez: BOILED.

so-and-so n (1) *euphémisme pour qualifier q'un sans être vulgaire:* (I) c'est un pas grand chose. Mr. So-and-So n (1) *q'un dont on ne connaît pas le nom:* (I) M. un Tel; (II) M. Machin, M. Truc-Chose, M. Tartunpion.

soap opera n (2) *roman ou drame à épisodes très sentimental, commandité par les fabriquants de savon aux U.S.A. et transmis par radio ou par télévision.*

s.o.b. (**son of a bitch**) n (3) *personne méprisable, de mauvais caractère:* (IV) c.o.n.*, conard, fils de pute: BAD ACTOR.

sob act—to put on the s. a. (2) *faire semblant d'être triste, pleurer hypocritement:* (I) verser des larmes de crocodile; (II) ouvrir les écluses.

sob sister n (2) *femme journaliste spécialisée en histoires mélodramatiques:* (III) soeur-larmes-à-l'oeil*.

sob story n (1) *histoire qui tend à susciter la pitié ou l'indulgence, histoire qui tire les larmes:* (II) mélo. to tell a s. s. (1) *raconter une histoire à tirer des larmes:* (I) jouer la scène du grand deux.

socialite n (1) *membre de la haute société:* (II) aristo, grossium.

socialize vi (1) *fréquenter les réceptions mondaines:* (II) courir les pince-fesses.

sock n (2) *gifle, coup de poing:* (I) taloche; (II) beigne: CLIP.—vt (2) *donner un coup, frapper:* (II) filer une beigne à: BASH. to s. down (2) *payer:* (III) casquer: ANTE UP. to s. away (2) *cacher (de l'argent):* (III) plan-

quer: HOLE AWAY. to give s.o. a s. in the puss (2) *donner un coup de poing en pleine figure:* (III) rentrer dans la gueule à: BASH.

sockful n (2) *grande quantité:* (I) une potée: BAGS OF.

socking n (2) *volée de coups:* (I) pile; (II) dérouillée: ANOINTING.

soda jerk n (2) *serveur de soda dans les "drug stores."*

soft—to be s. on s.o. (2) *être épris de q'un:* avoir le béguin pour: BATS. to have it s. (2) *être bien placé:* (II) être dans un fauteuil doré: EASY STREET.

soft job n (2) *bonne situation:* (I) filon, assiette au beurre; (II) fromage; (III) placarde, bonne gâche.

soft-pedal vt (1) *diminuer, ralentir une activité, atténuer.*

soft sell n (2) *publicité discrète.*

soft snap n (2) *facile à faire:* (III) du nougat: ABC.

soft soap n (1) *flatterie:* (I) boniment; (II) baratin: APPLESAUCE.—vt (1) *flatter:* (II) passer de la pommade: APPLESAUCE.

soft spot n (2) SOFT JOB.

soft touch—to be a s. t. (2) *être généreux;* (I) avoir le coeur sur la main, être large; (II) avoir le porte-monnaie facile.

softy n (1) *individu délicat, faible, sans élan:* (I) mollasson; (II) chiffe-molle. (1) *individu sentimental à l'excès.*

s.o.l.—to be s. o. l. (shit out of luck) (3) *avoir la malchance:* (II) avoir la déveine [la poisse, la guigne]; (III) avoir la cerise; (IV) manquer de pot [bol, bagouse].

sold—to be s. on s.t. (1) *être convaincu:* (I) croire [soutenir] mordicus, croire dur comme fer. to be s. on s.o. (1) *être un adepte convaincu:* (I) être partisan de q'un.

soldier—to s. on the job (1) *renâcler à la besogne:* GOLDBRICK.

solid—to be in s. with (1) *être dans les bonnes grâces de:* (II) être dans les papiers [la manche] de, être le chouchou de.

solitary n (2) *cellule, cachot disciplinaire d'une prison:* (III) cave, chtard, jettard, mitard.

so long (1) *au revoir:* (III) à la revoyure.

song—to belt out a s. (2) *chanter:* (III) pousser une goualante, goualer.

song and dance n (1) *réponse évasive:* (I) réponse de normand.

song belter n (2) *chanteur de chansons populaires:* (III) goualeur.

song plugger n (2) *metteur en ondes qui tend à commercialiser une chanson.*

sooner n (2) *habitant de l'Oklahoma.*

sore—to be s. (as hell) (2) *être en colère:* (II) être à cran: BLAZES. to get s. (2) *se mettre en colère:* (I) piquer une crise: BLOW UP.

sorehead n (1) *qui ne peut supporter aucune opposition, défaite, échec, etc.*

sore thumb—to stick out like a s.t. (2) *être bien en évidence.*

sorrow—to drown one's sorrows (2 fig.) *s'enivrer (pour oublier ses ennuis):* (II) se soûler; (III) se piquer le pif: BOILED.

sort—to be out of sorts (1) *se sentir indisposé:* (I) ne pas être dans son assiette; (II) être patraque.

so-so adv (1) *comme çi, comme ça:* (I) cahin-caha; (II) couçi-couça.

sound off vi (2) *parler à haute voix:* (II) gueuler: HOLLER. (2) *parler indiscrètement.* (2) *protester:* (II) rouspéter: BEEF. (2) *exprimer ses opinions:* (I) piquer un laïus; (II) laïusser.

soup n (2) *nitroglycérine (employée par les cambrioleurs pour faire sauter les coffres-forts):* (III) plastic. (2) *révélateur photographique.* (2) *brouillard:* (II) soupe*, purée [soupe] de pois. to be in the s. (2) *être en difficulté, dans une mauvaise passe:* (III) être dans la panade: HOT WATER. from soup to nuts (2) *un repas complet, le tout:* (II) tout le bataclan: CABOODLE. to s. up (2) *augmenter la puissance d'un moteur, survolter.*

soup-and-fish n (2) *habit de soirée.*

soupstrainer n (2) *moustache:* (II) bacchante; (III) charmeuses.

sour—to go s. (2) *tourner mal (entreprise, travail, projet, etc.):* (II) foirer: BLOW UP.

sour note n (1) *fausse note:* (II) canard, couac. (2) *rémarque ou réflexion désagréable:* (I) fausse-note*.

sourpuss n (2) *personne désagréable, acariâtre:* (I) tête d'enterrement; (II) chameau.

souse n (2) *ivrogne:* (II) pochard: BARFLY.

soused—to be s. (to the gills) (2) *être ivre:* (I) avoir le nez piqué; (II) avoir son plein: BLOTTO. to get s. (2) *s'enivrer:* (I) se piquer le nez; (II) s'arrondir: BOILED.

southpaw n (2) *gaucher.*

sowbelly n (1) *viande de porc tirée de la partie ventrale:* (I) ventrèche.

space—to head for the wide-open spaces (2) *aller à la campagne:* (I) se mettre [partir] au vert.

spade n (2 derog.) *Noir:* (III) bougnoule: COON.

sparkler n (1) *diamant, brillant:* (III) diam, joncaille, pierre.

sparkplug n (2 fig) *animateur d'une activité:* (I) meneur de jeu, moteur*, bout-en-train (dans une réunion).

spastic—to be s. (2) *s'inquiéter, être nerveux:* (I) se faire de la bile, avoir les nerfs en pelote: STEW.

spat n (1) *petite querelle:* (I) bisbille.—vi (1) *se disputer pour des riens:* (III) se manger [bouffer] le nez [pif].

speakeasy n (2) *bar clandestin.*

spec—to buy s.t. on s. (2) *acheter q'ch. en vue d'une spéculation future:* (I) boursicoter.

specs n (2) *spéculateurs.* (2) *lunettes:* (II) bicyclettes; (III) pare-brise.

speed—that's my s. (2) *c'est à ma portée:* (I) c'est dans mes cordes.

speedball n (2) *personne qui travaille très vite:* (II) un rapide. n (2a) *stupéfiant composé d'un mélange de cocaïne et héroïne.*

speed cop n (2) *policier de la route:* (II) motard; (III) perdreau.

speed demon n (2) *un passionné de la vitesse:* (I) un fou du volant; (II) un bombeur, un dingue du volant.

spell—to s. s.o. (1) *relever q'un provisoirement de ses fonctions:* (II) prendre la relève. to s. s.t. out (1) *expliquer sans omettre aucun détail:* (I) expliquer par le menu, expliquer de A jusqu'à Z.

spellbinder n (1) *orateur qui subjugue son auditoire.*

Spi(c)k n (2 derog.) *originaire de l'Amérique du Sud ou des Antilles.*

spiel n (2) *discours:* (I) speech, laïus. (2) *boniment:* (II) baratin: BALLYHOO.—vi (2) *faire du boniment:* (II) faire du baratin, baratiner. to give [make] a s. (2) *faire un discours:* (I) piquer un laïus; (II) laïusser.

spieler n (2) *crieur à l'entrée d'un cirque, d'une foire, etc.:* (I) bonimenteur; (II) aboyeur.

spiffed—to be all s. up [out] (2) *être habillé avec élégance:* (I) être tiré à quatre épingles, être endimanché, être sur son trente-et-un.

spifflicated adj (2) *ivre:* (II) chargé; (III) ourdé: BLOTTO.

spike—to s. a drink (2) *corser une boisson (parfois avec l'intention de faire perdre aux gens leurs facultés de raisonnement).*

spill n (1) *chute:*—vi (1) *avouer, confesser:* (III) s'affaler, se mettre à table: BELCH. to take a s. (1) *tomber:* (I) chuter; (II) ramasser un billet de parterre: CROPPER.

spin—to give s.t. a s. (2) *faire l'essai de q'ch.*

spinach n (2) *argent (billets):* (III) faffes, fafiots, talbins.

spine tingler n (2) *roman, film, etc., effrayant:* (I) qui donne la chair de poule.

spit—to s. it out (1) *dire ce que l'on pense, dire ce qu'on a sur le coeur:* (III) se déballer, vider son sac. to be the s. and image of s.o. (I) *être très ressemblant à q'un:* (I) être q'un tout craché, être le portrait de.

spitter n (2a) *visage:* (II) balle, tranche: KISSER.

splash—to make a (big) s. (1) *faire sensation:* (I) faire du bruit; (II) faire du barouf.

splashy adj (1) *voyant, éclatant* (I) criard, tapageur; (II) gueulard.

splice vt (2) *marier.* to get spliced (2) *se marier:* (III) se maquer: FINAL STEP.

splinter group n (1) *groupe fractionnaire d'un parti politique.*

split n (2) *partie des bénéfices, du butin:* (I) gratte; (III) fade, pied, taf(fe). (1) *une demi-bouteille;* (I) demi.—to s. (up) (1) *partager (profits, butin, etc.):* (I) partager le gâteau; (III) fader, faire le fade, décarpiller. (2) *divorcer, se séparer:* (III) se démaquer, se désentifler. to s. out (2) *partir, s'en aller:* (I) prendre le large: BEAT IT.

splurge vi (1) *étalage de grands airs:* (I) épate, esbroufe; (II) chiqué, l'affiche.—vi (1) *dépenser beaucoup d'argent:* (I) dépenser l'argent à la pelle. to make [put on] a s. (1) *agir avec beaucoup d'ostentation:* (I) faire le beau, faire de l'esbroufe: DOG.

spoilsport n (1) *qui trouble la joie d'une réunion:* (I) empêcheur de danser en rond, rabat-joie, trouble-fête*; (II) casse-pied; (III) emmerdeur.

spondulix n (2) *argent:* (III) artiche, pognon: BRASS.

sponge—to s. on s.o. (1) *vivre au dépens de q'un:* (I) vivre [être] au crochets de q'un. to throw in the s. (1) *s'avouer vaincu, ceder:* (II) jeter l'éponge; (III) lâcher les bobs: BACK DOWN.

sponger n (1) *qui emprunte souvent de l'argent (sans le rendre), qui vit au dépens d'autrui:* (I) tapeur; (III) torpille, torpilleur.

spoof n (2) *plaisanterie, attrape:* (I) blague; (II) rigolade, mise-en-boîte [barque].—vi (2) *plaisanter:* (I) blaguer; (II) rigoler. to s. s.o. (2) *se moquer de q'un, inventer une plaisanterie pour tromper:* (III) se payer la figure de q'un: BUSINESS.

spoofer n (2) *qui aime plaisanter:* (I) blagueur, loustic; (II) marrant, plaisantin.

spook n (2) *revenant, spectre.*

spooky adj (2) *hanté, sinistre.*

sport n (1) *joueur:* (III) flambeur: (1) *viveur:* (I) noceur; (II) bambocheur, foireur. a good s. n (1) *personne prodigue:* (I) qui a la main large, qui a le porte-monnaie facile [à la main]. (1) *homme sympathique:* (II) bon gars; (III) bon zigue: GOOD EGG. (1) *qui perd en souriant.* a bad [rotten] s. (1) *qui n'aime pas perdre:* (I) un mauvais joueur. tinhorn s. n (1) *vantard:* (I) fanfaron, tartarin; (II) cravateur.—vt (1) *porter avec ostentation:* (I) arborer.

sporting chance n (1) *chance comportant le risque de perte ou faillite.*

sporting house n (1) *maison de prostitution:* (II) maison de passe: CALL HOUSE.

sporty adj (1) *se dit de couleurs ou de modes voyantes ou choquantes (vêtements d'homme).*

spot n (2) *projecteur (de lumière):* (I) spot*, sunlight. (2) *situation, emploi:* (I) place; (II) job, turbin; (III) placarde.——year s. (2)——*années de condamnation:* (III) gerbement ⌈sapement⌉ de——longes.——spot n (2) *billet de banque de——dollars:* (III) fafiot [talbin] de——dolluches.—vi (1) *donner un handicap.* vt (2) *repérer:* (II) tapisser, dégauchir. to be in a (tight) s. (2) *être dans une situation gênante, pénible:* (I) être dans le pétrin: HOT WATER. (2) *avoir des ennuis pécuniaires.* to be on the s. (2) *être dans une situation dangereuse:* (I) être sur la corde raide, se trouver entre l'enclume et le marteau. (2) *être condamné à mort par le milieu ou par une bande rivale.* (2) *être obligé à agir ou à répondre.* to hit the s. (1) *se dit de q'ch. qui satisfait un désir ou une envie.* to hit [touch] s.o.'s sore s. (1) *toucher le point faible de q'un:* (I) toucher la corde sensible, mettre le doigt sur la plaie. to hit the high spots (1) *traiter superficiellement un sujet (dans une discussion, un discours, etc.)* (2) *faire une tournée des cabarets, des boîtes-de-nuit, etc.:* (I) faire la noce; (II) foirer, bambocher, faire la tournée des grands ducs; (III) se la faire crapuleuse.

spout—to s. off (1) SOUND OFF.

spread n (1) *repas copieux:* (I) ripaille; (II) gueuleton. to s. it on thick (2) *exagérer:* (I) aller fort, broder; (II) attiger: APPLESAUCE. middle-age s. n (2) *ventre protubérant:* (II) brioche: BAY WINDOW.

spring—to spring s.o. (from jail) (2) *faire libérer q'un de prison:* faire larguer [relarguer] q'un, faire sortir du trou [de l'ombre]. to s. a leak (3) *uriner:* (III) lansquiner, lisbroquer: LEAK.

spring chicken—to be no s. c. (2) *ne pas être jeune:* (II) avoir de la bouteille; (III) avoir du carat.

spud n (1) *pomme de terre:* (I) pomme, patate.

spunk n (1) *courage.* to have s. (1) *être courageux:* (I) ne pas avoir froid aux yeux: GAME.

spunky adj (1) *courageux:* GAME.

square n (2) *individu vieux jeu:* (I) vieille lune; (III) croulant.—adj (I) *honnête:* (II) blanc-bleu; (III) franco, régulier, réglo, régul. (2) *vieux jeu, démodé.* to act [be] on the s. (1) *être honnête, agir honnêtement, franchement:* (I) être droit; (III) être régulier [régul, réglo]. to s. oneself (1) *se justifier:* (I) se laver, se dédouaner; (II) se blanchir. to s. off with s.o. (2) *se mettre en face de q'un, prêt à se battre:* (III) se mettre en carante [quarante]. to s. s.o. away (2) *renseigner, informer q'un:* (I) mettre à la page; (III) affranchir: CLUE IN. to get squared away (1) *régler ses affaires, mettre ses affaires en ordre.* (2) *se renseigner:* (I) se mettre à la coule: HIP.

square circle n (1) *le ring (boxe ou catch).*

square deal n (1) *affaire honnête, légitime:* (I) coup régulier.

square dealer n (1) *individu honnête, digne de foi:* (I) as, épée; (II) blanc-bleu; (III) régulier, régul, réglo.

squarehead n (2 derog.) *Allemand:* (I) tête carrée*; (III) fridolin: FRITZ.

square shooter n (1) SQUARE DEALER.

squash vt (2) *vaincre définitivement:* (I) écraser, battre à plate couture, rosser, tailler en pièces; (III) mettre en pièces détachées. (1) *faire taire:* (II) clouer le bec à: DAMPER.

squawk vi (2) *protester:* (I) rouspéter; (II) rouscailler: BEEF. (2) *avouer, confesser (à la police):* (III) s'allonger, accoucher: BELCH. to put up a s. (2) *protester.* to put in a s. (2) *déposer une plainte (à la police):* (III) porter le deuil: BEEF. (2) *porter plainte (au patron, à la direction, etc.):* BEEF.

squawk box n (2) *haut parleur.*

squawker n (2) *qui proteste toujours:* (I) rouspéteur; (II) ronchonneur: BEEFER.

squeak—to have a narrow [close] s. (1) *éviter de justesse:* (I) la manquer [l'échapper] belle. to s. by (1) *faire [finir] de justesse:* (II) faire [finir] au quart de poil.

squeal vi (2) *avouer:* (III) se mettre à table, manger le morceau: BELCH. to s. on (2) *dénoncer:* (I) balancer, moucharder: FINGER.

squealer n (2) *denonciateur, délateur:* (II) cafard; (III) donneur: BEEFER.

squeeze—to be caught in a s. (1) *être prisonnier des circonstances:* (I) être pris à la gorge [dans un étau], avoir le couteau sous la gorge, se trouver entre l'enclume et le marteau, être coincé. to put the s. on s.o. (1) *obliger q'un à agir contre son gré:* (I) forcer la main à q'un. (2) *forcer q'un à payer:* (I) pressurer; (II) faire cracher au bassinet; (III) mettre à l'amende.

squeeze box n (2) *accordéon:* (III) piano à bretelles.

squelch vt (1) *faire taire:* (II) fermer le bec à: DAMPER.

squint—to give [take] a s. at (1) *regarder, donner un coup d'oeil à:* (III) filer un coup de sabord: EYE.

squirrel—to s. away (2) *cacher:* (III) planquer: HOLE AWAY.

squirt n (1) *personne de courte taille:* (I) riquiqui: BANTIE. (1) *jeune personne impudente.*

stab n (1) *essai, tentative.*

stack—stacks of (1) *une grande quantité de:* (I) un tas de*: BAGS OF. to s. up to [with] (2) *être de la même force ou du même niveau que:* (I) être à la hauteur de. to blow one's s. (2) *se laisser emporter par la colère:* (I) s'emballer; (II) se mettre en rogne: BLOW UP. (2) *devenir fou:* (I) déménager; (III) partir du ciboulot: BATS.

stacked—to be (well) s. (2) *(pour une femme) avoir de belles formes:* (III) être bien roulée: ACADÉMIE.

stag—to go stag (1) *pour un homme (marié ou non) assister à une réception, gala, etc., sans compagnie féminine:* (I) sortir en garçon, faire cavalier seul.

stag party n (1) *réunion d'hommes.*

stage-door Johnny n (2a) *soupirant qui attend une vedette à l'entrée des artistes d'un théâtre.*

stake—to pull up stakes (1) *déménager, changer de lieu:* (I) prendre ses cliques et ses claques. (1) *s'en aller, partir:* (II) se casser: BEAT IT. to s. s.o. (1) *commanditer, subvenir* à q'un: GRUBSTAKE. to s. out (2) *placer des policiers dissimulés pour qu'ils exercent une surveillance discrète:* (III) mettre en planque, faire une planquouse.

stake-out n (2) *policiers cachés:* (III) planque, planquouse.

stall n (1) *dérobade.* to s. vi (1) *essayer d'éviter une réponse, une action, etc.:* (I) gagner du temps, renvoyer aux calendes grecques. to s. s.o. (off) (1) *différer une réponse ou le paiement d'une dette:* (I) lanterner.

stamping ground n (1) *quartier, endroit favori:* (III) coin, coinstot.

stand—to s. in with s.o. (1) *être dans les bonnes grâces de:* (I) être dans les papiers [la manche] de, être le chou-chou de. to s. for (1) *tolérer.* to s. treat (1) *payer pour les autres (dîner, théatre, etc.).* last-ditch s. n (1) *la dernière tentative:* (I) le baroud d'honneur. to s. s.o. up (2) *manquer à un rendezvous:* (II) poser un lapin à; (III) laisser en rade [frime, carreau, plan]. to take it standing up (2) *ne pas broncher (sous des coups, une réprimande, une punition, etc.):* (II) encaisser le coup.

standby passenger n (1) *passager sans place retenue qui attend une annulation pour pouvoir voyager.*

standee n (1) *spectateur qui reste debout, faute de place.*

stand-in—to have a s.-i. with s.o. (2) *être dans les bonnes grâces de:* (I) être dans les papiers de.

standout n (1) *excellent, extraordinaire:* (I) super.

standpatter n (1) *conservateur:* (I) immobiliste*.

standup—to give s.o. a s. (2) STAND UP.

star—to see stars (1) *être ébloui à la suite d'un choc violent à la tête:* (I) voir trente-six chandelles, entendre (sonner) les cloches.

starch—to take the s. out of s.o. (1) *démoraliser q'un (par l'effet d'un coup, d'une mauvaise nouvelle, d'une défaite, etc.)*

starlet n (1) *jeune vedette, starlette.*

stash (away) vt (2) *cacher:* (III) planquer: HOLE AWAY.

state—to be in a s. (1) *être dans un état de surexcitation;* (I) être dans tous ses états*; (II) se monter le bourrichon, se frapper: STEW.

stateside n (1) *la mère patrie (U.S.A.) pour les Américains qui se trouvent à l'étranger.*

statistics n (1) *les trois mesures fondamentales de la femme (poitrine, taille, hanches) qui sont à la base de sa béauté.*

stay—to s. with it (1) *ne pas faiblir, persévérer dans q'ch. en dépit des dangers ou des échecs:* (I) se cramponner à; (II) ne pas lâcher les dés.

stay-at-home n (1) *individu casanier:* (I) pantouflard.

steady n (2) *fiancée:* (III) régulière, particulière, to go s. (1) *fréquenter en vue de mariage:* (I) fréquenter pour la bonne cause.

steal n (1) *article acheté ou vendu à un prix très bas:* (I) une très bonne affaire; (II) une bonne aff(1)ure.

steam—to get the s. up (2 fig.) *faire appel à toute son énergie avant de commencer un travail:* (I) se mettre sous pression*. to blow [let] off s. (1 fig.) *extérioriser des sentiments violents (par allusion à la locomotive qui laisse échapper sa vapeur):* (I) exploser. to go full s. ahead (1 fig.) *aller à toute vitesse:* (I) aller [donner] à toute vapeur*. to have s. (1) *avoir beaucoup d'entrain:* (I) avoir de l'allant; (II) péter le feu: BEANS. to run out of s. (2) *perdre son énergie, ses forces, devenir fatigué:* (I) s'avachir; (III) recevoir le coup de barre [pompe, bambou]: BEAT. to run [go] under a full head of s. (2 fig.) *aller à toute vitesse:* BARREL.

steamed-up (2) HEPPED-UP.

steep adj (1) *exorbitant, excessif.* s. price (1) *prix excessif:* (III) coup de fusil [barre, masse, massue].

steer n (2) *renseignement:* (I) tuyau; (III) tube, tubard, rencart.

steerer n (2) *homme qui manoeuvre pour amorcer des clients:* (III) jockey: COME-ON.

step—to s. on it (1) *se dépêcher:* (II) allonger le pas, se grouiller: GAS. to s. out (1) *faire une partie de plaisir:* (I) faire la noce; (II) faire la bringue: BAT. to s. out on (2) *tromper (femme ou mari):* (I) faire porter des cornes à; (II) faire cocu; (III) doubler: CHEAT ON. to watch one's s. (2) *agir avec discrétion.*

stepping—to do some high s. (2) *faire une partie de plaisir:* (II) bambocher; (III) se la faire crapuleuse: BAT.

stew vi (1) *s'inquiéter:* (I) se faire de la bile, se faire du mauvais sang [des cheveux]; (II) se biler, se faire des crins [du tintouin]; (III) s'en faire, se faire du mouron [de la mousse, du suif, des tif(fe)s]. to be (all) in a s. (1): STEW. (1) *être en colère:* (I) être à cran: BLAZES.

stew (bum) n (2) *ivrogne:* (II) soûlard, poivrot: BARFLY.

stewed—to be s. (to the gills) (2) *être dans un état d'ivresse:* (II) être rond, paf: BLOTTO. to get s. (2) *s'enivrer:* (II) se soûler; (III) se piquer le pif: BOILED.

stick n (2) *cigarette de marijuana, kif:* (III) thé, fée verte. to make s.t. s. (1) *faire respecter (une décision, un règle, un ordre, etc.)* to s. around (1) *attendre sur place:* (I) rester planté, se planter; (II) poireauter. to s. s.o. (1) *présenter à q'un un problème difficile à résoudre:* (I) poser une colle à. (2) *frauder:* (III) empiler, fabriquer: CLIP. to s. s.o. for s.t. (2) *faire payer q'ch. à q'un contre son gré:* (III) faire casquer; ANTE UP. to s. up for (2) *aller à la défense de:* (I) épauler, donner un coup d'épaule; (III) prendre les patins de. to s. up (2) *dérober à main armée:* (III) braquer, mettre en l'air: HEIST. to s. s.t. out (2) *persévérer dans une tâche désagréable ou pénible, ne pas reculer:* (III) ne pas caner: BACK DOWN. to get the short end of the s. (2) *recevoir très peu de bénéfices:* (II) ramasser les miettes [des clarinettes].

stick-in-the-mud n (1) *conservateur (en général):* (I) portant les oeillères, immobiliste (politique).

stick-man n (2) *croupier:* (III) croupanche.

sticker n (1) *problème difficile à résoudre, question difficile:* (I) colle, casse-tête chinois. (2) *couteau (comme arme):* (III) surin, rapière: SHIV.

sticks (the) n (2) *la campagne:* (III) le bled, la brousse, la cambrousse.

stick-to-itiveness n (1) *ténacité, attention soutenue (à un travail, etc.).*

stickum n (2) *colle, matière visqueuse.*

stickup n (2) *vol à main armée:* (III) braquage, mont-en-l'air: HEIST.

stickup man n (2) *voleur à main armée:* (III) braqueur, monte-en-l'air.

sticky—to have s. fingers (2) *avoir tendance à voler tout ce qui est à portée de la main:* (I) ne laisser rien traîner.

stiff n (2) *cadavre:* (II) macchab', macchabée, refroidi; (III) viande froide. (2) *clochard:* (III) clodo, trimard, traîne-lattes.— adj (1) *d'un prix excessif.* to be s. (2) *être ivre:* (I) avoir le nez sale: BLOTTO. to be scared s. (2) *avoir grande peur:* (II) avoir la frousse; (III) avoir les miches qui font bravo: CHICKEN.

still n (2) *image, scène extraite d'un film.*

sting—to s. s.o. (2) *duper, escroquer:* (I) écorcher; (III) arnaquer: CLIP.

stink vi (2) *être de mauvais caractère:* (II) être un salaud: BAD ACTOR. (2) *être de mauvaise qualité:* (II) être toquard: CRAPPY. to raise [make] a (big) s. (2) *protester vivement:* (I) rouspéter; (III) groumer: BEEF.

stinkaroo n (2) *objet de mauvaise qualité:* [III] peau de zébi(e): CRAP.

stinker n (2) *personne méprisable et dégoutante:* (II) saligaud, coquin: BAD ACTOR. (2) *q'ch. de désagréable.*

stink list—to have s.o. on the s. l. (2) *trouver q'un répugnant:* (II) avoir q'un dans le nez; (III) ne pas pouvoir blairer [piffer] q'un: SMELL.

stinko adj (2) *ivre:* (I) éméché; (II) paf: BLOTTO.

stir n (2) *prison:* (II) bloc; (III) taule: BRIG. **stir-crazy**[-happy] adj (2) *détraqué à cause d'une longue période de détention (en prison).*

stoke—to s. up (2) *manger:* (II) bouffer: CHOW.

stomach—to have a cast-iron s. (2) *pouvoir digérer n'importe quoi:* (I) avoir un estomac d'autruche, avoir un estomac d'acier [de fer]; (II) avoir le buffet blindé.

stoned adj (2) *ivre:* (II) soûl: BLOTTO. (2) *drogué:* (III) chargé, chnouffé, camé.

stony—to be s. (broke) (2) *être sans argent:* (II) être sans un: BROKE.

stool vi (1) *épier en secret pour dénoncer (surtout à la police)* (I) moucharder. to s. on s.o. (1) *dénoncer q'un:* (I) moucharder; (III) vendre: FINGER.

stoolie n (2) *auxiliaire de la police:* (I) mouchard; (III) mouche, donneur, bordille, bourdille, bourrique, mouton.

stool pigeon n (1) *auxiliaire de la police:* STOOLIE.

stop n (2a) *recéleur:* (III) fargue, franquiste. to pull out all the stops (1 fig.) *donner le maximum:* (II) mettre le paquet; (III) mettre la gomme.

store—to mind the s. (2) *prendre la responsabilité d'un service:* (I) surveiller la boutique*.

storm—to blow up [kick up, raise] a s. (1) *protester vivement:* (II) rouscailler: BEEF. (2) *faire un vacarme:* (II) faire du boucan: CAIN. to blow up a s. (2) *pour un orchestre de jazz, jouer avec beaucoup d'entrain.*

story—to break a s. (1) *annoncer une nouvelle.* to chase down a s. (1) *aller chercher sur place les détails d'une nouvelle.*

stovepipe (hat) n (1) *chapeau de haute forme:* (I) tuyau de poêle*.

stow—to s. it away (2) *manger avidement:* (I) bâfrer; (II) briffer: CHOW.

straight—to play [shoot] s. (1) *agir honnêtement, être droit:* (II) être franco; (III) être régul [réglo, régulier]. to play it s. (2) *suivre le texte à la lettre (théâtre) et, par extension, se conformer strictement aux règles, techniques, principes, etc.* to keep a s. face (1) *garder un visage impassible:* (II) ne pas bouger d'une oreille. to lie with a s. face (1) *mentir avec aplomb:* (I) mentir comme un arracheur de dents. to walk a s. line (1) *marcher droit pour prouver qu'on n'est pas ivre:* (II) mettre son coude sur le genou.

straight-and-narrow—to follow [stick to] the straight-and-narrow (path) (1) *se conduire avec droiture, honnêtement, vertueusement:* (I) suivre le droit chemin*.

straight dope n (2) STRAIGHT STEER.

straight shooter n (2) *individu honnête:* (I) as; (II) blanc-bleu; (III) un vrai.

straight steer n (2) *renseignement digne de foi:* (I) bon tuyau; (III) bon tubard.

straight talk n (1) *discours franc sans détour.*

strain—to crack under the s. (1) *s'effondrer (physiquement ou moralement):* (I) lâcher pied, lever les bras, passer la main: (II) caler; (III) caner, s'écrouler, passer la pogne.

straphanger n (1) *passager de métro ou autobus, qui doit s'accrocher aux courroies, faute de places assises.*

strapped adj (2) *à court d'argent:* (II) fauché: BROKE.

strapping n (1) *volée de coups:* (I) pile: ANOINTING.—adj (1) *fort:* (II) costaud; (III) fortiche, balaise, balèze.

straw n (2a) *lit:* (III) pieu: BUNK. s. in the wind (1) *signe précurseur.*

straw boss n (1) *contre-maître:* (II) contre-coups.

straw-hat theatre n (1) *théâtre de campagne (situé dans les lieux de villégiature où résident les estivants qui autrefois portaient des chapeaux de paille).*

streak—to be on [have] a losing s. (2) *être perdant:* (II) avoir la guigne; (III) avoir baccara, avoir la poisse, manquer de bol [pot]. to have a winning s. (2) *être gagnant:* (II) faire la barbe. to go like a (blue) s. (2) *aller à toute vitesse:* (III) gazer: BARGE ALONG.

street—to hit the s. (2) *pour une nouvelle à sensation, être annoncée dans les rues par les vendeurs de journaux.*

streetwalker n (1) *prostituée:* (III) radineuse: HOOKER.

stretch n (2) *période de temps.* (2) *période de condamnation à la prison:* (III) gerbement, sapement*—vi (2) *pendre (exécution).* to s. s.o. out (2) *abattre q'un à force de coups:* (I) aplatir, écraser, battre à plate couture. to do a s. (2) *subir une période d'emprisonnement:* (III) faire de la taule. at one s. adv (1) *tout d'une traite:* (I) d'arrache-pied; (III) sans débander. to take a s. (2) *faire une pause pour se détendre:* (II) se dérouiller les jambes, se secouer les puces.

strike—to have two strikes against one (2) *être dans une mauvaise situation (locution originaire du jeu de baseball, dans lequel le "batteur" n'a droit qu'à trois essais. S'il manque les deux premiers, il lui faut réussir le dernier pour avoir la chance de marquer des points):* (I) n'avoir plus qu'une planche de salut.

string n (1) *clause restrictive:* (II) os, hic. to s. s.o. along (1) *tenir q'un en suspens, lanterner q'un.* (1) *se moquer de q'un:* (II) mener q'un en bateau: BUSINESS. to s. s.t. out (1) *faire durer longtemps:* (I) faire traîner en longueur; (II) glandouiller; (III) glander. to s. up (1) *pendre (un condamné):* (I) envoyer à la lanterne. to pull strings (1) *tâcher de profiter de ses bonnes relations:* (I) faire les couloirs.

string bean n (2) *individu mince et grand:* (I) grande perche: BEANPOLE.

stripes n (2 mil.) *galons:* (III) sardines.

stripped adj (2) *sans argent:* (I) fauché; (II) sans un: BROKE.

stripper n (2) *stripteaseuse.* (3) *préservatif:* (II) capote anglaise; (III) imperméable à Popaul.

strong—to come on s. (2) *exagérer, vanter:* (I) aller fort; (III) en installer: APPLESAUCE.

strong-arm—to s.-a. s.o. (2) *attaquer q'un:* (I) mener à la baguette; (II) mener [mettre] à la matraque: HIGH PRESSURE. s.-a. guy n (2) *homme fort:* (III) battant, fortiche, balaise, balèze.

stuck—to be s. (1) *être en panne:* (III) tomber en rade [carafe, plan, rideau]. to be s. for the bill (2) *devoir payer contre son gré:* (I) rester avec la note sur le dos; (II) se faire coller la note sur le dos. to be s. with s.t. (1) *être chargé d'une tâche ou d'une responsabilité contre son gré:* (I) se faire coller q'ch. sur le dos [râble]. to be s. on s.o. *être épris de q'un:* (I) avoir le béguin pour: BATS.

stuck-up adj (1) *hautain, prétentieux:* (I) plastronneur; (III) bêcheur, vanneur.

stuff—to know one's s. (2) *être très capable, être au courant:* (I) connaître sur les bouts des doigts, être à la hauteur: BALL. to have the s. (2) *être courageux:* (I) avoir de l'étoffe*; (III) en avoir dans le bide: GAME. to be on the s. (2) *être adonné aux stupéfiants:* (III) être camé [schnouffé]. to do one's s. (2) *faire ce qu'on doit faire:* (I) faire son boulot. to strut [show] one's s. (2) *faire voir ce dont on est capable:* (II) faire voir ce qu'on a dans le ventre [bide, buffet].

stuffed shirt n (2) *pédant, prétentieux.* (I) collet monté*; (II) prétentiard; (III) béchamel, bêcheur.

stuffing—to lick [knock, punch, belt] the stuffings out of (2) *frapper rudement:* (I) battre à plate couture: BASH. (2) *vaincre définitivement:* (I) écraser: RIBBON.

stuffy adj (1) *pédant:* STUFFED SHIRT. (1) *ennuyeux, fade, sans esprit:* (II) barbant, rasant, rasoir, sciant.

stumblebum n (2) *misérable (surtout à cause de son ivresse):* (III) traîne-lattes: BUM.

stump—to s. s.o. (1) *poser à q'un une question embarrassante:* (I) poser une colle à q'un, coller. to be up a s. (1) *ne pas pouvoir répondre:* (I) être collé. to be put on the s. (1) *être mis dans l'obligation de répondre à une question embarrassante:* (I) se faire poser une colle, être collé.

stumped—to be s. (1) STUMP (UP A).

stumper n (1) *question à laquelle il est difficile de répondre:* (I) colle, casse-tête (chinois).

stunner n (1) *femme très jolie:* (I) poupée; (II) prix de Diane, pépée; (III) un lot. (1) *chose d'une rare beauté.*

stunning adj (1) *beau, très joli:* (I) épatant, époustouflant; (II) chouette; (III) badour, bath (aux pommes).

stunt n (1) *tour de force.* to pull a s. on s.o. (1) *faire un mauvais tour à q'un:* (II) faire une crasse [saloperie] à, doubler; (III) turbiner.

style—to cramp s.o.'s s. (2) *diminuer l'impression produite par q'un:* (I) couper les effets de q'un; (II) casser la cabane [baraque] à q'un.

sub (abbr. of substitute) n (1) *remplaçant, intérimaire.* (abbr. of submarine) n (1) *sous-marin.*—vi (2) *remplacer (à titre provisoire).*

submarine sandwich n (2) HERO SANDWICH.

suburbanite n (1) *personnage qui habite les banlieues d'une ville:* (I) banlieusard.

suburbia n (1) *les banlieues d'une ville.*

such-and-such n (1) SO-AND-SO.

suck—to s. s.o. in (2) *escroquer, duper q'un:* (I) carotter; (III) empiler: CLIP. to s. around s.o. (2) *fréquenter q'un par intérêt:* (I) s'acoquiner à; (II) peloter: APPLE-POLISH.

sucker n (2) *dupe, victime d'une escroquerie:* (III) poire, pigeon: BOOB. (2) *individu crédule:* (I) jobard; (II) gobeur: BOOB. to be a s. (2) *se laisser prendre, se laisser duper:* (I) mordre à l'appât, gober: BAIT. to make a s. out of s.o. (2) *tromper, duper q'un:* (II) tirer une carotte à q'un: CLIP. to play s.o. for a s. (2) *tromper, duper:* (III) pigeonner: CLIP. to land a s. (2) *réussir à duper:* (III) trouver une poire [pigeon, etc.]. to be suckered (2) *se laisser duper:* (I) se laisser faire: CLIPPED.

sucker-bait n (2) *ruse pour duper:* (II) attrape-nigaud; (III) piège à con, attrape-couillons.

suckered—to be s. (2) *se laisser duper:* (I) se laisser faire: CLIPPED.

sucker list n (2) *répertoire de dupes:* (III) liste de poires [pigeons, caves, etc.].

sucker play n (2) *escroquerie:* (III) arnaque: BUNCO GAME.

suds n (2) *bière (boisson):* (III) moussante.

sugar n (2) *argent:* (III) pognon, fric: BRASS. (2) *stupéfiants:* (III) came, chnouffe, fée blanche, blanc, neige. (2) *profits:* (III) afflure, affure, rabe, rabiot.

sugar daddy n (2) *homme très généreux envers sa maîtresse:* (II) papa gâteau.

sugarplum n (2) *ma chérie, mon chéri:* (I) mon petit chou: HONEY.

Sunday best—to wear one's S. b. (1) *porter ses meilleurs vêtements, être habillé avec élégance:* (I) être endimanché*, être tiré à quatre épingles, être sur son trente-et-un.

Sunday driver n (2) *automobiliste inexpérimenté du fait qu'il ne conduit que le dimanche:* (II) chauffard du dimanche*.

Sunday punch n (2) *le coup le plus puissant dont est capable un boxeur:* (I) coup meurtrier, botte secrète.

Sundays—in a month of S. (2) *rarement, presque jamais:* (II) tous les trente-six du mois: BLUE MOON. (2) *depuis longtemps:* (I) il y a belle lurette; (III) il y a un bail.

sunk—to be s. (2) *être ruiné, avoir son compte:* (III) être foutu: COOKED.

super n (2) *gardien d'immeuble.* (2) *surveillant général.* (2) *figurant (théât.).*

superduper adj (2) *très grand, colossal:* (I) mastodonte; (III) maousse. (2) *de première classe:* (I) maison, renversant: DAISY.

sure—to have a s. thing (2) *posséder q'ch. de réussite certaine:* (II) avoir q'ch. de tout cuit; (III) avoir beau schpile: BAG.

surefire adj (2) *de réussite assurée:* (III) du sucre: BAG.

swag n (2) *butin:* (III) fade, taf, bouquet.

swallow—to s. s.t. (1) *accepter comme vrai sans réfléchir:* (I) gober q'ch.: BAIT.

swank—to put on (the) s. (2) *prendre des airs:* (I) faire l'esbroufe; (II) faire du chiqué: DOG.

swap vt, vi (1) *échanger, troquer:* (III) cambuter, chanstiquer.

sweat—to be all in a s. (2) *être très agité:* (I) se faire de la bile: STEW. to work up a s. over (2) *s'inquiéter à propos de q'ch.:* (II) en roter [baver]. to s. over s.t. (1) *s'appliquer à un travail:* (II) mouiller sa chemise, suer sang et eau, mettre le paquet. to s. out s.t. (2) *attendre longtemps et avec anxiété:* (I) faire le pied de grue; (II) poireauter: COOL. to s. s.t. out of s.o. (2) *forcer q'un à répondre:* (I) cuisiner, mettre sur le gril; (III) passer à tabac: GRILL. to s. s.o. (2) *interroger:* (III) passer à la casserole: GRILL. to be no s. (2) *être une tâche facile:* (I) être bête comme chou; (III) être du gâteau: ABC.

sweatbox n (2 fig) *endroit très chaud:* (I) fournaise.

sweater girl n (2) *jeune femme qui met ses charmes en valeur en portant des vêtements collants:* (I) femme bien moulée; (II) bien roulée [ballottée].

sweet—to be s. on s.o. (1) *avoir un caprice pour q'un:* (II) avoir le pépin pour: BATS.

sweetie (pie) n (1) HONEY.

sweet nothings n (1) *mots doux, mots d'amour.*

sweet potato n (1) HONEY. (2) *ocarina (instrument de musique).*

sweet talk n (2) *paroles trompeuses:* (I) boniments; (II) baratin: APPLESAUCE.

sweet tooth—to have a s. t. (1) *aimer les sucreries:* (I) avoir la bouche sucrée; (II) avoir la gueule sucrée.

swell n (1) *personne élégante.*—adj (1) *agréable, satisfaisant:* (I) épatant; (III) astap', de première bourre: CLASSY.

swig n (1) *une gorgée d'un liquide:* (II) lampée: SNORT—to take a s. (2) *prendre une gorgée:* (III) se jeter un coup derrière la cravate: BELT ONE DOWN.

swillpot n (2a) *ivrogne:* (I) sac-à-vin; (II) picoleur: BARFLY.

swim—to s. in (2 fig.) *avoir beaucoup de:* (III) avoir une flaupée de: BAGS OF. to be in the s. (2) *être au courant:* (II) être dans le vent [mouvement]: BALL. to get back in the s. (2) *reprendre une activité, un travail:* (I) se remettre dans les brancards: GRIND.

swindle sheet n (2) *la note de frais (ainsi nommée parce que les frais sont susceptibles d'éxagération).*

swing vi (2) *être pendu (condamné):* (III) être épuré. to be in the s. (1) *participer à une activité:* (II) être dans le mouvement [du bâtiment, dans le coup, dans le vent]. to be in full s. (1) *être en pleine activité:* (I) battre son plein; (II) être en plein boum, boumer. to take a s. at s.o. (2) *lancer un coup de poing à:* (II) filer une beigne à: CLIP.

swing shift n (1) *l'équipe de soir.*

swipe vt (2) *voler:* (III) choper, faire: COP. to take a s. at (1) *donner un coup à:* (II) flanquer une taloche à: CLIP.

switch vt (1) *échanger, troquer:* (III) chanstiquer, cambuter. to make a s. (1): SWITCH. to pull a s. (2) *échanger subrepticement:* (III) faire un cambut [chanstique], cambuter, chanstiquer.

switcheroo n (2) SWITCH.

swordsman n (3) CASANOVA.

swot n (1) SWAT.

T—to suit to a T (2) *convenir parfaitement:* (I) aller comme un gant, botter, taper dans l'oeil; (II) ganter.

tab n (1) *note, facture:* (I) addition (restaurant); (II) le coup de fusil, la douloureuse. to pick up the t. (1) *accepter de payer la note.* to keep tab(s) on s.o. (1) *surveiller q'un:* (I) tenir l'oeil sur; (II) avoir à l'oeil [dans le collimateur]; (III) gaffer, braquer, mater.

table—to be under the t. (2) *être ivre:* (II) être paf; (III) être blindé: BLOTTO. to pay under the t. (1) *payer en secret (commission, un ristourne, etc.):* (I) payer dessous la table, donner de la gratte, graisser la patte; (III) donner une fleur [un gant, un bouquet].

table hopper n (2) *personne qui, dans un restaurant luxueux, va de table à table pour saluer les célébrités (parfois sans leur consentement).*

tack—to be sharp as a t. (1) *avoir l'esprit très vif.*

tag n (2) *plaque d'immatriculation (voiture).* (2) *nom, surnom:* (III) blaze: HANDLE. to get a t. (2) *se faire dresser une contravention (pour une infraction aux règles de circulation):* (III) écoper [se faire coller] un biscuit: TICKET. to t. after s.o. (1) *suivre:* (I) être sur les talons de; (II) filer le train à: (III) filocher.

tail n (2) *policier en surveillance discrète d'un suspect:* (I) limier; (II) pisteur. (1) *fesses:* (III) cul: ASS. piece of t. (3) l'acte charnel: LAY. to t. [be on the t. of] s.o. (2) *suivre en épiant:* (I) filer, être sur les talons de; (II) filer le train à; (III) filocher, courir sur les osselets, être sur l'alpague de. to drag one's t. (2) *faire q'ch. lentement et sans enthousiasme:* (I) renâcler à la besogne; (III) tirer au cul: GOLDBRICK. (2) *être épuisé de fatigue:* (I) être éreinté: BEAT. to be on s.o.'s t. (2) *surveiller constamment, importuner:* (I) être toujours sur le dos de q'un (II) être sur le râble. to have s.o. by the t. (2) *avoir q'un à sa merci:* (I) tenir q'un à la gorge, mettre le pied [couteau] sous la gorge de q'un; (III) avoir q'un à sa pogne. to work one's t. off (2) *travailler beaucoup:* (I) piocher; (II) turbiner: GRIND. in two shakes of a lamb's t. (1) *tout de suite:* (III) en moins de deux, fissa, illico (presto), recta.

tail-ender n (2) *le dernier:* (I) culot; (III) le feu [la lanterne] rouge (sports).

tailgate vi (2) *suivre trop de près la voiture qui précède:* (III) lécher [sucer] les roues.

tails n (1) *habit de cérémonie:* (I) queue-de-pie.

tailspin—to go into a t. (2 fig.) *se laisser accabler par ses émotions.*

take n (2) *revenue, rente:* (I) gâteau; (III) fade. to be unable to t. s.o. (2) *ne pas pouvoir supporter q'un:* (III) ne pas pouvoir blairer q'un: SMELL. to split the t. (2) *partager les profits:* (I) partager le gâteau; (III) aller au fade [décarpillage], décarpiller. to t. up with s.o. (1) *se lier avec, fréquenter:* (I) s'accointrer avec, s'acoquiner à. to t. on (1) *faire montre d'une émotion violente:* (I) s'arracher les cheveux, fondre en larmes. to t. it out on s.o. (1) *se venger sur q'un, s'en prendre à q'un.* to t. it lying down (1) *se laisser réprimander, battre, accuser, etc., sans réagir:* (I) encaisser sans broncher; (II) faire le mort. to t. it on the chin (2) *être l'objet d'une grande peine, avoir un grand chagrin:* (I) encaisser [recevoir] des coups durs. to t. s.o. over [in] (2) *escroquer, duper q'un:* (I) carotter q'un: CLIP. to t. off after s.o. (1) *pourchasser, courir en poursuite de.* to be able to t. it (2) *pouvoir supporter des peines, être courageux:* (I) pouvoir encaisser des coups durs; (II) en avoir dans le bide: GAME. to t. off (1) *s'en aller, se sauver:* (I) ficher le camp; (III) *mettre les cannes:* BEAT IT. t. off! (2) *allez-vous en!* (II) filez!; (III)

à la gare! to have what it takes (2) *avoir du courage:* (I) ne pas avoir froid aux yeux: GAME. (2) *être capable:* (I) être à la hauteur; (II) connaître la musique: BALL. to t. s.o. on (2) *se mettre en lutte avec q'un:* (III) se l'accrocher, se mettre en quarante [carante].

take-in n (1) *escroquerie:* (II) carottage: BUNCO GAME. to be taken over (2) *être victime d'une escroquerie:* (III) être fabriqué: CLIPPED.

takeoff n (1) *caricature, imitation:* (I) pastiche. to do a t. on s.o. (1) *mimer, imiter, caricaturer q'un:* (I) singer, pasticher.

talk vi (2) *avouer, confesser:* (III) accoucher: BELCH. to t. up (1) *répliquer.* (1) *parler à haute voix, se faire entendre.* to t. s.t. up (1) *faire de la publicité pour q'ch.:* (I) faire du battage: BALLYHOO. to t. big (2) *exagérer, se vanter:* (II) en installer: APPLESAUCE. to t. one's head off (2) *parler sans cesse.*

talking-to (n) (1) *semonce, réprimande:* (I) attrapade: BAWLING-OUT. to get a t.-t. (1) *se faire réprimander:* (I) recevoir une saucée: BAWLING-OUT.

tall order n (2) *tâche ardue:* (II) un sacré boulot; (III) un sacré turbin.

tall tale n (2) *histoire éxagérée, mensonge:* (I) canard, craque: APPLESAUCE.

tall timber (the) n (2) *la campagne:* (II) la brousse: BACKWOODS.

tan n (1) *bronzage de la peau par le soleil.* to t. s.o. [s.o.'s hide] (1) *battre, frapper q'un:* (II) tanner le cuir à q'un*: BASH. to get a t. (1) *se faire bronzer par le soleil:* (I) se faire rôtir.

tanglefoot n (2a) *alcool (boisson):* (III) gnôle: BUG JUICE.

tango—it takes two to t. (2) *certaines tâches impliquent la participation d'au moins deux personnes:* (II) pour faire l'amour il faut être au moins deux*.

tank n (2) *ivrogne:* (III) poivrot: BARFLY. (2) *pièce ou cellule où on place les suspects:* (III) cage-à-poules.

tanked(-up) adj (2) *ivre:* (I) éméché; (III) blindé: BLOTTO.

tank town n (1) *petite ville ou village de province:* (I) patelin, trou; (III) bled.

tanning n (1) *volée de coups:* (II) trempée, avoine: ANOINTING.

tap—to be on t. (1) *être toujours disponible, prêt ou disposé.* to have a t. (2) *avoir des relations influentes:* (I) avoir un piston, connaître q'un qui a le bras long. to t. [put the t. on] s.o. (2) *demander de l'argent à q'un:* (I) taper q'un*; (II) chiner: ARM.

tape vi (1) *enregistrer sur bande magnétique.*

tar n (1) *matelot:* (I) loup de mer; (III) matave. to lick [knock, belt, punch, sock] the t. out of s.o. (2) *battre q'un rudement:* (II) filer une avoine; (III) passer à la casserole: BASH.

target—to be right on t. (2 fig.) *agir justement:* (I) taper dans le mille*.

tarp (abbr. of tarpaulin) n (2) *bâche goudronnée.*

tart n (2) *femme de moeurs faciles:* (III) boudin, poufiasse: BAG.

tarzan n (2) *homme fort:* (I) Achille; (II) costaud; (III) malabar, fortiche, balaise, balèze.

tea n (2) *marijuana, kif:* (III) thé (des familles), fée verte.

tear n (2) *débauche, ripaille:* (I) noce, bamboche; (II) bringue: BAT. to t. around (1) *s'affairer:* (I) se démener (comme un diable dans un bénitier). to t. along (1) *aller à grande vitesse:* (II) bomber; (III) gazer: BARREL. to be [go on] a t. (2) *se livrer à une débauche (surtout à l'ivresse):* (II) partir en bringue, faire la foire: BAT. to t. into s.o. (2) *attaquer q'un, se mettre à battre:* (I) tomber sur le dos à; (III) rentrer dans le portrait à: HAUL OFF. to t. s.o. down (1) *critiquer, dénigrer:* (II) débiner; (III) assassiner: COALS. to t. out (1) *partir en hâte, se sauver:* (III) mettre les bâtons, jouer rip: BEAT IT.

tear-jerker n (2) *pièce, roman, film, etc., dramatique qui tire les larmes:* (I) un mélo.

teed off—to be t. off (2) *être contrarié:* (I) avoir la bisque: BRASSED OFF.

teeny-weeny adj (1) *tout petit:* (I) un soupçon, une larme (boisson, etc.): SMIDGEN.

teensy adj (1) tout petit: TEENY-WEENY.

teeth—to knock in s.o.'s t. (2) *frapper q'un:* (II) casser la gueule à; (III) tabasser: BASH.

tell—to t. on s.o. (1) *dénoncer:* (I) moucharder; (III) moucher, vendre. to t. s.o. off (2) *réprimander, semoncer:* (I) mettre sur le gril; (II) enguirlander: BAWL OUT. to t. s.o. where to get off (2) *dire à q'un ce qu'on pense de lui:* (I) dire à q'un ses quatre vérités; (II) vider son sac, dire à q'un tout ce qu'on a sur la patate, to t. s.o. where to shove [stick] it (3) *refuser q'ch. à q'un:* (III) dire à q'un d'aller se faire foutre [de se brosser]. tell off vt (2) *réprimander:* (II) engueuler: BAWLING-OUT.

ten—to count to t. (1 fig.) *compter jusqu'à dix pour tenter d'apaiser sa colère:* (I) laisser tomber la vapeur. (1) *réfléchir avant de parler ou d'agir:* (I) tourner sept fois la langue dans sa bouche.

tend—to t. to one's own business (2) *ne se mêler que de ses propres affaires:* (I) cultiver son jardin; (II) s'occuper de sa gauffre [de ses oignons].

tenner n (2) *billet de dix dollars.*

ten-spot n (2) TENNER.

ten-strike—to hit a t.-s. (2a) *réussir parfaitement:* (I) taper dans le mille.

terribly adv (1) *très, excessivement, fortement:* (II) vachement, bigrement.

terrific adj (1) *extraordinaire:* (I) super, épatant, du tonnerre; (III) sensas', astap'.

test hop n (2) *vol d'essai.*

there—to be not all t. (2) *être fou:* (I) être timbré; (III) travailler du cigare: BATS.

thick—to be t. with s.o. (1) *être très ami:* (I) être de bons copains: BUDDY-BUDDY. to lay it on t. (1) *exagérer:* (I) broder, (II) aller fort: APPLESAUCE.

thing—to make a good t. out of (1) *tirer profit de:* (III) afflurer. to have a good t. (1) *avoir une source de profits:* (I) avoir une vache à lait, avoir le filon (d'or). to have a t. on s.o. (2) *être épris de q'un:* (I) avoir le béguin pour: BATS. to tell s.o. a t. or two (2) *chapitrer, dire ce qu'on pense:* (I) dire deux mots à*, dire à q'un ses quatre vérités; (II) vider son sac, parler du pays, dire tout ce qu'on a sur la patate. to see things (1) *avoir des hallucinations.*

thingumajig n (2) *chose dont on ne peut se rappeler le nom, objet en général:* (I) truc, machin, fourbi, bidule.

think—to give s.t. a t. (2) *réfléchir [penser] à q'ch.:* (II) se gratter (la tête); (III) gamberger. to do some tall thinking (2) *réfléchir profondément:* THINKER.

think box n (2) *cerveau:* (II) chou, ciboulot: BEAN.

thinker n (2) THINK BOX. to use one's t. (2) *penser, réfléchir:* (III) se creuser le ciboulot [les méninges], faire travailler les méninges, gamberger.

thinking cap n (1) THINK BOX. to put on one's t. c. (1) *réfléchir, penser:* THINKER.

think tank n (2) THINK BOX. (2) *aggrégation de savants dans un institut de recherches.*

third degree n (1) *interrogatoire brutal (police):* (III) casserole. to give the t. d. (1) *interroger avec brutalité pour faire confesser:* (II) griller, cuisiner; (III) passer à tabac [à la casserole].

threads n (2a) *vêtements:* (III) fripes, nippes: DUDS.

three squares (2) *trois repas copieux (par jour).*

three-time loser n (2) *récidiviste jugé pour la troisième fois qui risque de ce fait, la condamnation à perpétuité:* (II) vieux cheval de retour.

throat—to cut one's own t. (1) *être responsable de sa propre perte, de son propre malheur, etc.:* (I) l'avoir cherché [voulu], donner des verges pour se faire fouetter. to cut each other's t. (1) *se dit de deux commerçants qui se font concurrence l'un à l'autre au point de se ruiner réciproquement.* to jump down one's t. (2) *se mettre à réprimander q'un:* (I) savonner; (II) enguirlander: BAWL OUT.

throne n (2) *cabinet d'aisance:* (III) le trône: JOHN.

throne room n (2) THRONE.

through—to be t. with s.o. (1) *rompre définitivement ses relations avec q'un:* (I) couper les ponts avec q'un. to get t. to s.o. (1) *réussir à faire comprendre q'ch. à q'un:* (I) faire rentrer dans la tête de, éclairer la lanterne à. (1) *réussir à atteindre q'un (grâce à des complaisances).* (1) *réussir à soudoyer:* (I) acheter q'un.

throw n (2) *unité (s'emploie exclusivement en parlant de prix, e.g., ten cents a t.: dix sous la pièce):* (II) le bout, la bête. to throw in with s.o. (1) *s'acoquiner avec:* (I) se mettre en cheville avec: (II) se mettre de mèche avec; (III) se flécher [équiper] avec. to t. a game (a fight, etc.) (1) *se laisser vaincre à dessein:* (II) se coucher. to t. the bull (2) *se vanter, bluffer:* (II) en installer: APPLESAUCE. (2) *bavarder:* (I) jaboter; (III) bavasser: BREEZE. to t. a party (1) *donner une réception.*

thumb—to weigh the t. (2) *se dit d'un commerçant qui augmente le poids en appuyant le pouce sur la balance:* (II) filer le coup de pouce*, to t. it [a ride] (1) *faire de l'autostop.* to twiddle one's thumbs (1) *ne rien faire, perdre son temps:* (I) se tourner les pouces*; (II) les avoir à la retourne: BUM AROUND. to be all thumbs (1) *être maladroit:* (I) être pataud [godiche]; (II) être adroit de ses mains comme un cochon de sa queue.

thumping adj (1) *très grand:* (I) mastodonte, boeuf; (III) maousse.

thundering adj (1) THUMPING.

tick—on t. (1) *à crédit:* (I) à la gagne; (III) à croume.

ticker n (2) *le coeur:* (III) le battant, le palpitant, le grand ressort.

ticker-tape parade n (1) *parade ou défilé en l'honneur d'un personnage auquel la foule témoigne son enthousiasme par des nuées de petits bouts de papier jetés des balcons et des fenêtres.*

ticket n (1) *contravention:* (II) papillon, contredanse; (III) prune, biscuit, contrav. to get a t. (1) *se faire dresser une contravention:* (II) se faire coller [filer] un biscuit, etc. to slap [plaster] a t. on (2) *dresser une contravention:* (III) coller [filer] un biscuit, etc. to write one's own t. (2) *imposer ses conditions (dans un contrat, pour un emploi, etc.)*

tie—to t. up with s.o. (1) *s'acoquiner à:* THROW IN WITH. to t. into s.o. (2) *attaquer, se mettre à battre:* (I) tomber sur le dos de: HAUL OFF. to t. one on (2) *devenir ivre:* (I) se piquer le nez; (III) s'arrondir: BLOTTO. to be tied up (1) *être occupé (avec un travail qu'on ne peut quitter pour l'instant).* to be fit to be tied (2) *être en colère:* (II) être en rogne [pétard]: BOILING. to get tied (1) *se marier:* (III) se maquer, s'antifler (de sec).

tie-up n (1) *lien.* to have a t.-u. with s.o. (1) *avoir des liens (commerciaux, politiques, etc.) avec q'un:* (I) être en cheville avec; (III) être de mèche avec.

tight adj (1) *avare, parcimonieux:* (II) radin: CHEAPSKATE. (2) *ivre:* (II) soûl: BLOTTO.

tightfisted adj (2) *avare:* (I) rapiat: CHEAPSKATE.

tightrope—to walk a t. (2) *être dans une situation difficile, branlante:* (II) marcher sur la corde raide*: ICE.

tight spot n (2) *situation embarrassante, mauvaise passe:* (I) pétrin; (III) emmerdement: HOT WATER. to get out of a t. s. (2) *se tirer d'une situation difficile:* (I) se débrouiller; (III) sortir de l'auberge: CLEAR.

tight squeeze n (1) *tout juste:* (I) au quart de poil.

tightwad n (2) *avare:* (II) pingre, rat: CHEAPSKATE.

till—to tap the t. (1) *voler de l'argent du tiroir-caisse.*

time—to kill t. (1) *perdre son temps avec des riens:* (III) flemmarder, flanocher: BUM AROUND. to stall for t. (2) *tenter de gagner du temps, temporiser:* (I) lanterner. to run out of t. (2) *manquer de temps pour terminer q'ch.* to work against t. (2) *se dépêcher pour terminer q'ch. à temps:* (I) courir contre la montre* to take one's (old sweet) t. (1) *prendre son temps:* (I) lambiner, traîner, traînailler. to turn in one's t. (2) *quitter son emploi:* (II) rendre son sac [paquet, tablier], prendre ses quatre ronds, ramasser ses clarinettes [outils]. to make t. (2) *faire des progrès en amour ou autres démarches.* to have a gay [high] t. (2) *s'amuser beaucoup:* (I) se marrer; (II) se gondoler, se bidonner. (2) *faire une partie de plaisir:* (I) faire la noce; (II) bambocher: BAT. to do t. (2) *être en prison:* (II) être à l'ombre [au bloc]: BEHIND BARS. to give s.o. a hard t. (2) *être dur avec q'un:* (I) être chien avec q'un: BAD TIME. in jig t. adv (1) *rapidement:* (III) en moins de deux, fissa, recta. any old t. adv (1) *n'importe quand.* to take t. out (1) *faire une pause (dans un travail).*

tin can n (2) *vieille voiture:* (I) tacot; (II) clou: CRATE. (2) *contre-torpilleur.*

tin ears—to have t. e. (2) *ne pas apprécier la musique.*

tinhorn adj (2a) *de peu de valeur:* (II) à la manque: TWO-BIT.

tin lizzie n (2a) TIN CAN.

tin-pan alley n (2) *quartier de New York fréquenté par les compositeurs et les joueurs de musique populaire.*

tip n (1) *renseignement:* (I) tuyau; (III) tubard, tube, rencart. to give s.o. a t. (1) *donner un renseignement confidentiel à q'un:* (III) tuyauter, tubarder, rencarder, refiler un tubard (un tube) à. to t. s.o. off (2) *avertir q'un:* (III) affranchir, mettre au parfum: CLUE IN. to t. over (2) *dérober par effraction:* (III) mettre en l'air: HEIST.

tip sheet n (1) *journal hippique:* (III) le papier.

tipster n (2) *marchand de tuyaux (courses hippiques):* (III) piège, tubeur, marchand de tubards.

tiptop adj (1) *excellent, parfait:* (I) le bouquet: A-NUMBER ONE.

tits n (2) *mamelles:* (III) avant-scènes: BOOBIES.

titties n (2a) TITS.

tizzy—to be in a t. (2) *être dans un état d'agitation:* (I) se biler; (III) se faire de la mousse: STEW.

Tobacco Road n (1) *région arriérée décrite dans le roman d'Erskine Caldwell du même titre.*

toe—to step on s.o.'s toes (2) *offenser, faire un affront à q'un.* to be [keep] on one's toes (1) *être sur le qui-vive:* (I) ne dormir que d'un oeil; (II) être à la redresse. (1) *être au courant:* (II) être au coup [dans le vent]: BALL. to turn up one's toes (2) *mourir:* (III) lâcher la rampe: BUCKET.

toggery n (1) *magasin pour hommes:* (III) chez le fripier.

togs n (1) *vêtements:* (III) fripes, loques: DUDS. to tog out (1) *vêtir:* (III) bâcher, linger, loquer, saper, nipper, fripper.

tomato n (2) *jeune fille, femme:* (III) gonzesse, frangine: BABE.

tomcat n (2a) *coureur de femmes:* (II) cavaleur: CASANOVA. to t. around (2) *courir les femmes:* (I) courir le jupon; (II) cavaler: BROADS.

Tommy gun n (1) *mitraillette:* (III) arroseuse: BURP GUN.

tommyrot n (2) *non-sens, ânerie:* (I) fichaise; (II) foutaise: APPLESAUCE.

tone—to t. down (1) *adoucir (voix, bruit):* (II) mettre en sourdine. (1) *reduire son activité:* (II) décrocher, mettre les pouces.

tongue—to have a loose t. (2) *avoir un penchant à parler indiscrètement:* (I) avoir la langue trop longue, potiner; (II) être une boîte-à-cancans. (2) *aimer critiquer, médire.* to have a slick [smooth] t. (2) *avoir de la facilité d'élocution:* (I) avoir la langue bien pendue [affilée], avoir du bagou; (II) avoir du baratin, avoir une bonne tapette. to bite one's t. (2) *garder le silence:* (I) se mordre [avaler] sa langue. to have one's t. hanging out (for s.t.) (2) *éprouver un vif désir pour q'ch.:* (I) avoir une marotte pour, raffoler de; (II) en pincer pour, être mordu [pincé] pour.

tongue-lashing n (2) *semonce, réprimande sévère:* (I) abattage; (III) engueulade: BAWLING-OUT.

tongue-wagging n (2) *bavardage:* (I) commérage, potins, cancan, ragot.

tony adj (2a) *élégant, à la mode:* (III) badour: CLASSY.

tool n (3) *le membre viril:* COCK. to t. along (2) *conduire à vite allure:* (III) donner plein gaz: BARREL.

toot—to go on a t. (2) *faire une partie de plaisir:* (I) bambocher; (II) faire la bombe: BAT.

toothpicks n (2) *jambes minces:* (III) allumettes: BEANPOLES.

tootsies n (2a) *pieds:* (II) pattes; (III) arpions: DOGS.

toot sweet adv (2) *tout de suite:* (III) illico, presto, fissa, recta.

top—to blow one's t. (2) *se laisser emporter par la colère:* (II) sortir de ses gonds: BLOW

UP. to come out on t. (1) *gagner, réussir:* (II) décrocher la timbale, gagner le coquetier. to t. it off (I) *pour couronner le tout:* (I) en plus de ça; (II) pardessus le marché. to take a slice off the t. (2) *prendre sa part des profits avant de faire face à ses obligations:* (II) se sucrer d'abord. to sleep like a t. (1) *dormir profondément:* (I) dormir comme un sabot, dormir à poings fermés; (II) dormir comme une souche; (III) en écraser. to be filled to the t. (1) *être au grand complet:* (I) être plein à craquer; (III) être bourré à bloc.

top banana n (2) *vedette principale d'un spectacle de variété, et, par extension, le chef:* (III) caïd, manitou, singe, crack.

top brass n (2) *officiers supérieurs, personnages:* (I) galonnards (milit.), huiles; (II) grosses légumes, gros bonnets, pontes, caïds; (III) manitoux, grossiums, hommes de poids.

top dog—to be t. d. (2) *être à la tête d'une entreprise, etc.:* (III) être le caïd [gros manitou, singe, direlôt].

top-drawer adj (1) *de premier rang:* (I) le dessus du panier, la crême, la fleur des pois, le bouquet.

topflight adj (2) TOP-DRAWER.

top form—to be in t. f. (1) *être en excellente condition:* (I) être en pleine forme*; (III) avoir la frite [patate].

top-hole adj (2a) TOP-DRAWER.

top kick n (2) *sergent-major:* (III) adjupète, juteux.

topnotch adj TOP-DRAWER.

topper n (1) *pardessus:* (II) pelure: BENNY.

tops—to be [rate] t. (2) *être de première classe, de premier rang:* (I) être le bouquet [la crême de la crême, le dessus du panier, la fleur des pois].

top sarge n (2) TOP KICK.

top shape (1) TOP FORM.

torch n (2) *pyromane, incendiaire.* (2a) *revolver:* (III) calibre: CANNON. to carry a t. (2) *démeurer amoureux de q'un même après avoir été abandonné.*

torch man n (2a) *voleur qui fait sauter les coffres-forts:* (III) perceur.

torch song n (1) *chanson sentimentale (généralement de femme abandonnée ou déçue).*

torpedo n (2) *voyou armé payé pour assassiner un rival:* (III) porte-flingue.

toss—to t. one down (2) *prendre un verre de whisky, de vin, etc.:* (III) en écluser un: BELT.

tote vt (1) *porter:* (II) trimbaler, transbahuter. to t. up (1) *additionner:* (I) faire les totaux.

tote board n (2) *totalisateur (des champs de courses):* (II) tableau.

totem pole—to be low man on the t. p. (2) *être au bas de l'échelle:* (I) être le dernier des derniers. to be high man on the t. p. (2) *être au sommet:* (I) tenir le haut du pavé.

touch—to put the final [finishing] t. to (1) *mettre la dernière main à:* (I) fignoler, lécher. (2) *détruire:* (II) bousiller; (III) mettre en pièces détachées. to have the t. for (1) *être habile:* (I) avoir la bosse de; (II) avoir la patte pour*; (III) avoir la paluche pour. to put the t. on s.o. (2) *essayer d'emprunter de l'argent:* (III) proposer la botte à: ARM. to make a t. (2) *emprunter de l'argent:* (I) taper; (II) chiner: ARM. (2) *pour une prostituée, trouver un client:* (III) faire un levage [un ticket, une passe].

tough adj (1) *dur, difficile, fatiguant:* (I) éreintant; (II) esquintant, salé; (III) escagassant, coton, cotelard, duraille. to make it t. for s.o. (2) *être dur avec q'un:* (II) être vache avec q'un: BAD TIME. t. going [sledding] n (2) *situation difficile, pénible:* (I) pétrin; (II) sirop; (III) panade, cerise. t. guy [baby, cookie, customer] n (2) *individu hardi et malin:* (I) lascar; (III) dur, duraille, peau-rouge. to give s.o. a t. time (2) *être dur avec q'un:* (I) être chien avec q'un: BAD TIME. a t. nut to crack (2) *problème difficile à résoudre.* (I) problème épineux, casse-tête (chinois); (III) glandilleux. (2) *personne difficile à vaincre, à convaincre:* (I) coriace; (III) dur-à-cuire. to have t. luck (2) *avoir de la malchance:* (II) avoir de la déveine; (III) manquer de pot [bol, bagouse, fion], avoir la cerise. to be in a t. spot (2) *être dans une mauvaise passe:* (III) être dans la panade: HOT WATER. to wiggle out of a t. spot (2) *se tirer d'affaire:* (II) se débrouiller: CLEAR.

tourist trap n (1) *lieu où on tire avantage des touristes:* (I) boîte-à-touristes; (III) attrape-couillons.

tout n (2) TIPSTER.—vi (2) *donner des tuyaux à prix d'argent:* (II) tuyauter; (III) tubarder, refiler des tubards [tubes].

towel—to throw in the t. (2) *céder, s'avouer vaincu:* (I) mettre les pouces: (II) jeter l'éponge*: BACK DOWN.

town—to go to t. (2) *réussir (affaire, métier, commerce, etc.):* (I) arriver, percer; (II) décrocher la timbale, faire un boum. (2) *donner le maximum de soi-même:* (II) mettre le paquet: ALL. to do the t. (2) *faire le tour d'une ville.* (2) *faire le tour des boîtes-*

de-nuit: (I) faire la tournée des grands ducs, faire la noce [foire], nocer; (II) faire la bombe; (III) dérouler. to have a night on the t. (2) DO THE TOWN. to blow into t. (2) *arriver en ville:* (II) s'amener; (III) s'abouler, se radiner. to blow t. (2) *quitter la ville.* to paint the t. red (2) DO THE TOWN. one-horse [jerkwater, cow, hick, tank] t. n (2) *village ou petite ville de province:* (I) patelin, trou; (II) bled.

traces—to kick over the traces (1) *cesser de se conformer aux lois, règles, coutumes, etc.):* (I) jeter son bonnet par-dessus les moulins*; se ficher du tiers comme du quart.

track—to burn up the t. (2) *aller, conduire à grande vitesse:* (I) aller à toute vapeur; (III) bomber: BARREL. to go off the t. (2) *devenir fou:* (I) dérailler*; (III) partir du cigare: BATS. to come from the wrong side of the tracks (2) *être né pauvre (dans les quartiers près des voies du chemin-de-fer, qui sont généralement de bas niveau aux U.S.A.):* (II) sortir de la zone. to make t. (1) *s'échapper, s'en aller en hâte:* (I) prendre le large; (III) mettre les adjas: BEAT IT.

trade—to take it out in t. (2) *être payé en services au lieu d'argent comptant.* (3) *recevoir les faveurs d'une femme comme règlement d'une dette:* (II) se faire payer en nature.

traffic jam n (1) *embouteillage (circulation).*

tramp n (2) *prostituée:* (III) tapineuse: HOOKER. (2) *femme de moeurs faciles:* (III) boudin: BAG.

trap n (2) *bouche:* (II) gueule: KISSER. to shut one's t. (2) *se taire:* (III) la boucler: CLAM UP.

traveling man n (1) *commis-voyageur.*

treat—to stand t. (1) *payer les boissons, les repas de ses amis:* (III) régaler.

tree—to be up a t. (1) *être dans une situation désespérée:* (I) être aux abois, avoir le dos contre le mur, être coincé. to bark up the wrong t. (2) *se tromper:* (III) se gourrer: BASE (OFF). go climb a t.! (2) *allez-vous-en!:* (2) filez! à la gare! va te coucher!; (III) va te faire foutre.

triangle n (2) *ménage à trois.*

trick n (2a) *client d'une prostituée:* (III) cave, miché, micheton, miston. to turn a t. (2a) *trouver un client (prostituée):* (III) faire une passe [un ticket, un levage]. dirty [nasty, rotten, ratty, stinking, lousy] t. n (2) *sale tour:* (II) tour de cochon, cochonnerie, saloperie. a cute [nice] t. n (1) *jolie jeune fille:* (II) prix de Diane, pépée; (III) lot.

trick knee n (2) *genou chancelant:* (II) genou qui se dévisse.

trigger—to t. (off) s.t. (1) *déclencher une activité:* (I) donner [commencer] le branle. to be quick on the t. (1) *être rapide au tir (police, voyou, etc.):* (III) avoir la détente facile, être rapide à la gâchette, avoir la gâchette chatouilleuse. (2) *être vif d'esprit, à répondre ou à comprendre:* (III) avoir la comprenette facile. (2) *se fâcher facilement:* (I) avoir la tête près du bonnet, monter [s'emporter] comme une soupe au lait. to be t.-happy (2) *être prêt à tirer même sans provocation.*

trigger man n (2) *voyou chargé d'assassiner un rival.*

trim vt (1) *vaincre, remporter une victoire sur q'un:* (I) écraser; (II) tailler en pièces. (1) *escroquer, duper:* (I) carotter; (III) arnaquer: CLIP.

trimming n (1) *volée de coups:* (I) brossée; (II) raclée: ANOINTING. (1) *escroquerie:* (II) carottage; entourloupette; (III) arnaquerie. (1) *défaite sévère:* (II) veste, raclée, déculottée.

tripe n (2) *âneries, non-sens:* (I) fichaise: APPLESAUCE. (2) *choses sans valeur, articles de piètre qualité:* (I) camelote; (II) gnognote: CRAP.

trolley—to be off one's t. (2) *être fou:* (I) être cinglé; (III) travailler du chou: BATS. to go off one's t. (2) *devenir fou:* (I) déménager; (III) partir du chou: BATS.

trooper n (1) *agent de la police routière aux U.S.A.* to swear like a t. (2) *blasphémer:* (I) jurer en bleu, jurer comme un charretier. to lie like a t. (2) *mentir avec effronterie:* (III) bourrer le crâne [caisse].

trot n (2) CRIB. to trot s.t. out (1) *étaler, exhiber q'ch.*

trots (the) n (2) *diarrhée:* (II) courante; (III) foirade.

trouble—to ask [look] for t. (1) *chercher des embêtements:* (I) la chercher; (II) chercher des rognes; (III) chercher des crosses [patins]. to drown one's troubles (2 fig.) *s'enivrer (pour oublier ses ennuis):* (I) se piquer le nez: BOILED.

truck n (1a) *articles sans valeur:* (I) camelote: CRAP. to have no t. with (1) *ne vouloir rien à faire avec q'un.*

truck horse n (2 derog.) *femme grasse:* (II) bouboule, bombonne, bibindum; (III) jument de brasseur*.

trump n (1) *brave homme:* (I) bon gars; (III) brave gonze [mec], réglo, régulier.

trumpet n (2) *le nez:* (III) pif, tarin: BEAK. to blow one's own t. (2) *se vanter:* (I) aller fort, broder, se pousser du col, se donner des coups de pied, s'envoyer des fleurs; (III) se filer des coups de lattes.

try—to take a t. at (1) *faire un essai de.*

tub n (1) *bateau disgracieux et lent:* (I) rafiot. t. of lard n (2 derog.) *femme grasse:* bouboule, boule de suif*: BABY ELEPHANT.

tubby adj (1) *gras:* (I) rondouillard; (III) gras du bide, gravos, tas de suif.

tucker—to t. out (1) *épuiser de fatigue:* (I) éreinter, esquinter, crever.

tugboats n (2a) *chaussures (surtout larges):* (II) bateaux, ribouis: CLODHOPPERS.

tumble—to t. to s.t. (2) *comprendre subitement:* (III) piger, entraver (en moins de deux). to t. for s.o. (2) *s'éprendre, s'enticher de q'un* (II) être mordu [pincé] pour. not to give s.o. a t. (2) *dédaigner, ne pas prêter attention à.* to take a t. (2) *se faire arrêter (par la police):* (III) tomber*, se faire faire marron: BAG.

tune—to the t. of (1) *pour la somme de;* (I) pour la bagatelle de.

tunesmith n (2) *compositeur de chansons.*

turf n (2) *champ d'activité d'un "gang."* to be on the t. (2) *pour une prostituée, accoster les clients dans les rues:* (III) être sur le turf* [le trottoir, le tapin, le bitume, le rade].

turkey n (2) *insuccès (surtout dans le théâtre):* (I) fiasco; (II) four, bouchon, veste; (III) bide. to talk t. (1) *parler franchement et avec sévérité.*

turn—to t. in (1) *se coucher:* (III) se pieuter: BUNK DOWN. to t. up (1) *arriver:* (III) radiner: BLOW IN. to t. on (2) *s'intoxiquer avec le marijuana:* (III) se camer, se charger, se schnouffer.

turnip n (2a) *montre:* (II) oignon; (III) bobe, bobard, tocante.

tux (abbrev. of tuxedo) n (1) *smoking.*

twat n (3) *le sexe de la femme, le vagin:* (IV) BOX.

twerp n (2) *individu ennuyant:* (II) casse-pieds; (II) raseur: CREEP.

twilight zone n (1 fig.) *point obscur ou litigieux d'une situation.*

two-bit adj (2) *(préfixe) de peu de valeur:* (I) de quatre sous; (II) à la manque, à la gomme, à la godille; (IV) de mes deux.

two bits n (2) *vingt-cinq "cents" américains.*

two-by-four adj (2) *tout petit, exigu, étroit (pièce, etc.):* (I) riquiqui.

two cents—to feel like t. c. (2) *se sentir hors de place:* (I) être dans ses petits souliers; (II) se sentir péteux. (2) *se sentir malade:* (I) ne pas être dans son assiette; (II) se sentir patraque; (III) être affûté [fadé]. to not be worth t. c. (2) *valoir très peu:* (II) ne pas valoir un pet de lapin: DAMN. to put one's t. c. in (2) *exprimer son opinion sans être invité:* (I) y mettre son mot [grain de sel]; (II) entrer dans la danse, y ramener sa fraise [science].

two-fisted adj (1) *fort et viril:* (II) costaud; (III) fortiche, balaise, balèze.

two shakes—in t. s. (of a lamb's tail) (2) *en peu de temps, vitement:* (III) en moins de deux*, fissa, illico presto, recta.

two-time vt (2) *tromper (sa femme ou son mari):* (I) faire cocu(e); (II) doubler; (III) faire un char: CHEAT.

two-timed adj (2) *trompé (par sa femme), trompée (par son mari):* (I) porter les cornes, être cocu(e); (II) être cocufié(e), porter le [être peint(e) en] jaune.

two-time loser n (2) *récidiviste pour la deuxième fois:* (III) cheval de retour.

two-timer n (2) *femme ou mari infidèle.*

u-haul-it n (1) *remorque louée pour usage particulier (très répandue aux U.S.A.).*

ulcer alley n (2) *quartier de New York (Madison Avenue) où sont groupés les bureaux des agents publicitaires, desquels on dit qu'ils souffrent d'ulcères en raison de l'intensité de leur travail.*

ultra-ultra adj (2) *supérieur:* (I) super-super, ultra-super, super-ultra.

umpchay n (2) *sot, niais:* (II) jobard, cornichon: BLOCKHEAD. (2) *dupe, victime, crédule:* (I) gobemouches; (III) cave: BOOB.

umpteenth adj (2) *nombre ordinal imprécis:* (II) ennième, nième.

uncle n (2) *mont-de-piété:* (II) chez ma tante*, clou; (III) pégale, to say u. (2) *céder, s'admettre vaincu:* (I) mettre les pouces: BACK DOWN. everybody and his u. (2) *tout le monde:* (I) toute la smala(h).

under—to get out from u. (1) *se tirer d'affaire:* (II) se débrouiller; (III) se démerder: CLEAR.

undercover man [agent] n (1) *agent secret:* (III) barbouse.

underpinnings n (1) *les jambes:* (III) les flûtes: GAMS.

undies n (1) *diminutif de "underwear" (sous-vêtements de femmes):* (I) les dessous.

unhitched—to get u. (2) *divorcer, se séparer:* (III) se démaquer, se désentifler.

unlax vi (2) *(déformation de "relax")* se détendre: (I) débander l'arc.

up—to be up on (1) *être au courant de:* (I) connaître sur le bout des doigts, être fort [calé, ferré] en. to be up against (1) *se trouver en face de (problème, personne, situation, etc.).* to be up to s.t. (1) *être capable de.* (1) *être en train de tramer secrètement:* (I) manigancer, mijoter, combiner; (II) brocanter, graillonner. to be up to s.o. (1) *deviner les vraies intentions de q'un:* (I) voir clair dans le jeu de q'un, connaître le numéro de q'un; (II) voir q'un venir avec ses gros sabots. to be up against it (2) *être dans la misère:* (III) être dans la débine [dèche]: DOWN-AND-OUT. to be on the up and up (2) *être honnête, légal:* (III) être de l'authentique [de l'officiel], être réglo [régulier]. to up prices (1) *hausser les prix:* (III) allonger le tir.

up-and-coming adj (1) *prometteur (dans sa carrière):* (I) qui monte.

upchuck vi (2) *vomir:* (III) dégobiller: COOKIES.

upper—to be on one's uppers (1) *être pauvre, dans la misère:* (III) être dans la dèche: DOWN-AND-OUT.

upper crust n (1) *les riches, les aristocrates:* (I) la crème, le gratin; (III) les aristo', les aristèches.

upper story n (2) *cerveau:* (III) ciboulot: BEAN.

uppish adj (1) *prétentieux:* (II) prétentiard; (III) béchamel, bêcheur, vanneur.

uppity adj UPPISH.

upstage adj (1) UPPISH. to act u. (1) *prendre des airs:* (I) faire de l'esbroufe; (II) faire du chiqué: DOG.

upstairs—to have s.t. u. (2) *être intelligent et capable:* (III) en avoir dans le chou [cigare, ciboulot, etc.]. to kick s.o. u. (2) *couper le pouvoir de q'un en l'élévant à un rang supérieur mais avec des fonctions moins importantes.*

uptake—to be quick on the u. (2) *avoir l'esprit vif.*

vamo(o)se vi (2) *se sauver, s'en aller, s'enfuir:* (II) se casser; (III) jouer rip: BEAT IT.

vamp n (2) *femme fatale, coquette:* (I) allumeuse, vamp.—vt (2) *aguicher, flirter:* (II) faire du gringue, gringuer.

varnish n (2) *mauvais alcool:* (III) raide: BUG JUICE.

veep n (1) *vice-président:* (I) vépé.

velvet n (2) *bénéfices nets:* (II) velours*, gâteau: GRAVY.

vest—to play close to the v. (2 fig.) *ne pas révéler ses intentions:* (I) cacher son jeu.

vet (abbr. of veteran) n (1) *ancien combattant:* (II) les P.C.D.F. (les Pauvres Cons du Front); (III) les vieux cons. (abbr. of veterinarian) n (1) *vétérinaire.*

vine—to die on the v. (1) *échouer en cours d'une réalisation quelconque:* (I) avorter, finir en queue de poisson; (II) tourner [finir] en os [eau] de boudin, foirer: BLOW UP.

vinegar—to be full of piss and v. (3) *avoir beaucoup d'entrain:* (I) avoir de l'allant; (II) péter le feu: BALL.

vino n (2) *vin:* (II) gros rouge, picrate; (III) aramon, brutal, jaja, sens unique.

V.I.P. (very important person) n (2) *personnage important:* (II) grosse légume: BIG BEAN.

visiting fireman n (2) *personnage en visite faisant l'objet d'une réception chaleureuse.*

visitor—to have a v. (1 euph.) *avoir les menstrues:* (II) avoir ses affaires: CURSE.

vittles n (2) *nourriture:* (I) victuailles; (III) becquetance: CHOW.

wack n (2) *un peu fou:* (II) loufoque; dingo: CRACKPOT.

wacky adj (2) *un peu fou:* (I) fêlé; (III) louf: BATS.

wad n (1) *rouleau de billets de banque:* (II) matelas. (2) *beaucoup d'argent.* a wad [wads] of (2) *une grande quantité:* (II) une charibotée: BAGS OF. to shoot one's w. (2) *risquer son tout:* (I) jouer son va-tout, risquer [mettre] son dernier sou [le paquet]; (III) parier sa chemise.

wade—to w. into s.o. (1) *attaquer, tomber sur:* (III) rentrer dans le pif à q'un: HAUL OFF. to w. into s.t. (1) *commencer (un travail):* (I) entamer (un travail).

wagon—to fix s.o.'s w. (2) *se venger sur q'un:* (I) avoir q'un au tournant [virage]. to be on the (water) w. (2) *être au régime sec (pour un ivrogne).* (2) *s'abstenir de vin, spiritueux, etc.:* (I) être de la Croix Bleue.

wait—to w. up for s.o. (1) *attendre q'un après l'heure habituelle du coucher.*

walk—to w. out (1) *sortir en grève.* to w. out on s.o. (1) *abandonner q'un:* (I) laisser tomber; (III) plaquer: DITCH.

walking dandruff n (2) *pou:* (III) mie de pain mécanique: COOTIE.

walking dictionary n (1) *encyclopédie vivante.*

walking papers—to get one's w. p. (1) *être congédié:* (II) se faire saquer: BOUNCE. to give s.o. his w. p. (1) *renvoyer q'un:* (I) flanquer q'un à la porte; (II) saquer q'un: BOUNCE.

walkover—to win in a w. (2) *gagner facilement:* (II) gagner avec les doigts dans le nez, arriver [passer le poteau] dans un fauteuil.

walkout n (1) *grève;* (I) débrayage.

walkup n, adj (1) *bâtiment, maison, sans ascenseur.*

wall—to come up against a brick [stone] w. (1 fig.) *rencontrer une difficulté presque insurmontable:* (II) tomber sur un os. (1 fig.) *rencontrer une ferme opposition de la part de q'un:* (II) tomber sur un manche. to have one's back against the w. (1 fig.) *être dans une situation désespérée:* (I) avoir le dos au mur*: HARD-PRESSED. to go over the w. (2) *s'échapper de prison:* (I) sauter [faire] le mur*; (III) s'esballoner, faire la belle. to climb the walls (2 fig.) *se tordre de douleur:* (I) sauter au plafond, se taper la tête contre les murs.

wallflower n (2) *personne (surtout une femme qui assiste à un bal sans y prendre part):* (I) qui fait tapisserie.

wallop n (1) *coup de poing fort:* (I) taloche; (II) beigne: CLIP.—vt (1) *donner un coup de poing:* (II) filer une beigne: CLIP. to pack a w. (2) *être fort (capable de donner un coup fort).*

walloping n (1) *volée de coups:* (I) brossée; (II) peignée: ANOINTING—adj (1) *très grand:* (I) mastodonte; (III) maousse.

waltz—to w. off (2) *partir, s'en aller avec nonchalance:* (I) jouer des pieds; (II) ficher le camp: BEAT IT.

wampum n (2a) *argent:* (III) fric, pognon: BRASS.

wangle vt (1) *obtenir par fourberie:* (I) accrocher, agrafer: LATCH ON TO.

want—to w. in (1) *vouloir participer à une activité:* (II) vouloir marcher avec, vouloir être partenaire. to w. out (1) *vouloir se retirer d'une activité.*

want ad n (1) *petite annonce dans un journal.*

war paint n (2) *fard, produits de beauté:* (III) badigeon. to put on the w. p. (2 fig.) *se farder:* (II) se badigeonner: FACE.

warm—to make things w. for s.o. (1) *punir q'un:* (II) en faire baver à q'un. to be w. (1) *être sur le point de découvrir:* (I) brûler, toucher du doigt.

wash—to hold up in the w. (2) *se dit d'une idée, une suggestion, etc., qui se montre juste en pratique.* to come out in the w. (2) *être révélé tôt ou tard:* (I) venir au grand jour. to w. out (2) *être renvoyé d'une école après avoir échoué aux examens:* (I) être viré [balancé]; (III) être saqué.

washday blues n (2,I) tristesse du lundi [jour de lessive].

washout n (2) *insuccès:* (II) four; (III) bide: BUST.

washed-out adj (1) *fatigué, épuisé:* (I) esquinté; (II) lessivé*: BEAT. (2) *être renvoyé de l'école:* (I) être viré; (II) être saqué.

washed-up—to be washed-up (2) *être ruiné, avoir son compte:* (I) être fichu; (III) être foutu: COOKED. to be (all) w. u. with (2) *en avoir assez de q'ch.:* (II) en avoir marre: BELLYFUL.

water—to be in hot w. (1) *être dans une mauvaise passe:* (I) être dans le pétrin: HOT WATER. to hold one's head above w. (1) *réussir tant bien que mal:* (I) se maintenir à flot*, joindre les deux bouts. to hold w. (1) *se dit d'un argument qui paraît juste:* (I) tenir debout. to make w. (1 euph.) *uriner:* (III) lansquiner: LEAK. to be in deep w. (1) *être dans une situation telle qu'un échec est à redouter:* (I) être au bord du gouffre, danser sur la corde raide. to w. down (1) *mettre de l'eau dans une boisson pour la rendre moins forte:* (I) baptiser. (1) *adoucir (discours, article, etc.):* (I) mettre des bémols.

waterworks—to turn on the w. (2) *commencer à pleurer:* (III) ouvrir les écluses; chialer: BAWL.

way—to go for s.o. (or s. t.) in a big w. (2) *être très épris de q'un (ou de q'ch.):* (II) en pincer pour: BATS. to be w. out (in left field) (2) *être dans l'erreur, se tromper:* (I) se mettre le doigt dans l'oeil (jusqu'au coude), battre la campagne: BASE. (2) *être anticonformiste:* (I) être à contre-courant. from w. back (2) *depuis longtemps:* (I) il y a belle lurette; (III) il y a un bail. to elbow one's w. in (1) *s'ouvrir la voie, chercher à faire son chemin:* (I) jouer des coudes*. to do s.t. the hard w. (2) *faire q'ch. empiriquement, de la manière la plus difficile:* (III) travailler avec sa bite et son couteau. to find a w. out (1) *se tirer d'affaire:* (II) se débrouiller: CLEAR. to make one's own w. (1) *réussir par soi-même.* to know one's w. around (1) *être rusé:* (I) savoir se tirer d'affaire; (II) être débrouillard; (III) avoir de la défense, être marle [mariole, marlou], être démerdard. to come up the hard w. (2) *réussir dans sa car-*

rière avec beaucoup d'effort et sans appui: (I) s'élever à la force des poignets, grimper seul, se faire soi-même. to beat one's w. (1) *faire son chemin à la force des poignets.* to thumb one's w. (2) *faire de l'autostop.* to rub s.o. the wrong w. (1) *ennuyer q'un:* (I) chiffonner; (II) barber; BUG. to put s.o. out of the w. (2) *tuer:* (III) zigouiller, faire son affaire à: BUMP OFF. in the worst w. adv (1) *intensément (avec envie ou besoin):* (I) méchamment; (II) vachement, bigrement.

weak sister n (2) *homme faible, sans énergie:* (I) mollasson, femmelette; (II) crevé. (2) *poltron:* (I) péteux; (II) foireux: CHICKEN.

weather—to be under the w. (2) *se sentir indisposé:* (I) être affûté, [patraque], ne pas être dans son assiette; (II) se sentir pâle.

weatherman n (1) *météorologiste:* (I) météo; (II) l'homme à la grenouille.

weed n (2) *tabac:* (I) perlot; (III) gros cul, trèfle. (2) *marijuana:* (III) thé, fée verte, kif. to be on the w. (2) *être adonné à la marijuana:* (III) marcher au thé.

wee-wee vi (2) *(mot enfantin) uriner:* LEAK.

weight—to throw one's w. around (2) *faire ressentir son pouvoir, son autorité:* (I) faire claquer son fouet.

welch vi (2) *manquer à une obligation (devoir, dette, promesse, pari, etc.):* (II) bouffer la commande (devoir); (II) planter un drapeau (dette); (III) tirer au cul [flanc] (devoir), chier dans les doigts à. to w. out (2) *perdre courage:* (III) caner: CHICKEN.

welcome mat—to put out the w. m. (1) *recevoir à bras ouverts.*

welded adj (2) *marié:* (III) maqué, antiflé, marida.

well-fixed adj (2) *riche:* (I) aux as: BANK-ROLL.

well-heeled adj (2) WELL-FIXED.

well-padded adj (1) *bien en chair:* (I) dodu; (III) malabar: BEEFY.

well-stacked—to be w.-s. (2) *avoir de belles formes (femme):* (I) avoir une belle académie; (III) être bien roulée [ballottée, balancée], avoir un beau chassis.

well-upholstered adj (2) WELL-PADDED.

west—to go w. (2) *mourir:* (II) s'en aller les pieds devant: BUCKET.

wet—to be all w. (2) *se tromper complètement:* (I) se mettre le doigt dans l'oeil (jusqu'au coude): BASE.

wetback n (1) *main d'oeuvre agricole méxicaine qui s'introduit illicitement dans les U.S.A. en traversant le Rio Grande.*

wet blanket n (2) *rabat-joie:* (I) empêcheur de danser en rond.

wet smack n (2) *individu ennuyeux:* (I) scie; (II) raseur: CREEP.

whack n (2) *fou:* (I) braque; (II) timbré: CRACKPOT. (2) *partie des profits, du butin:* (I) gratte; (III) fade, pied, taf, décarpillage. (1) *un coup, une gifle:* (I) taloche; (II) beigne: CLIP.—(2) *essai, tentative.*—vt (1) *donner une gifle, frapper, cogner:* (I) filer un ramponneau; (III) filer un taquet: CLIP. to take a w. at s.t. (1) *tenter, faire un essai.* to take a w. at s.o. (1) *lancer un coup de poing, une gifle à q'un:* (I) filer une taloche à: CLIP. to be out of w. (2) *être hors de service, être en panne:* (II) être patraque; (III) être à la casse [au tas].

whacking n (1) *volée de coups:* (II) trempée, beigne: ANOINTING.—adj (1) *très grand, énorme:* (I) mastodonte; (III) maousse.

whacky adj (2) WACKY.

whale—a w. of a (1) *très grande, énorme:* WHACKING.

whammy—to put the w. on (2) *s'opposer à la réussite de q'ch. (figurativement en faisant un mauvais oeil):* (I) mettre des bâtons dans les roues, couper l'herbe sous les pieds.

whang n (3) *le membre viril:* COCK.

whatchacallit n (2) WHAT'SIS.

what for—to give s.o. w. f. (2) *réprimander:* (I) savonner la tête à; (II) enguirlander: BAWL OUT.

what'sis n (2) *chose sans nom précis:* (II) truc, machin; (III) fourbi.

wheel n (2) *personnage important:* (I) huile; (II) gros bonnet: BIG BEAK. (1) *bicyclette:* (I) vélo; (II) bécane, biclo. to put one's shoulder to the w. (1) *aider dans une affaire, participer à l'effort:* (I) pousser à la roue*. to w. and deal (2) *brasser de grosses affaires plus ou moins équivoques.* to take the w. (1) *conduire:* (I) prendre le [se mettre au] volant; (II) prendre le bout de bois. (1) *diriger:* (I) prendre les commandes, mener la barque; (III) driver.

wheeler-dealer n (2) *brasseur de grosses affaires douteuses.*

wheeze n (2) *histoire, anecdote démodée:* (I) scie, rengaine, histoire vieux jeu. it's an old w. (2) *c'est vieux comme Hérode;* (II) j'ai mouillé mon bavoir quand je l'ai entendue pour la première fois.

whip vt (1) *défaire, vaincre:* (I) écraser; (II) tailler en pièces. to w. up (1) *préparer q'ch. (de bon ou de mauvais) rapidement:* (I) bâcler, faire au pied levé, faire à la va-vite; (II)

faire vite-fait. (1) *préparer un repas à la hâte.*
to be smart as a w. (1) *être très intelligent:*
(I) être une grosse tête; (III) avoir q'ch.
dans le chou [ciboulot, cigare, etc.]. to w.
through s.t. (1) *faire q'ch. rapidement:* (I)
bâcler, torcher q'ch. to crack the w. (1)
montrer son autorité: (I) faire claquer son
fouet*. whip n (2a) MECHANIC.

whipcracker n (1) *martinet:* (I) pètesec.

whirl—to give s.t. a w. (2) *faire l'essai de*
q'ch.

whirlybird n (2) *hélicoptère:* (III) ventilateur, moulin, marguerite.

whiskers—to have w. on it (2) *se dit d'une*
vieille histoire: (I) c'est une rengaine: HAIRY.

Whiskers—Mr. W. n (2) *Oncle Sam.*

whiskey tenor n (2) *qui a la voix éraillée*
par l'abus d'alcool: (III) voix de rogomme.

whistle n (2a) *gorge:* (III) gargane, avaloir,
cornet, couloir, dalle, fanal, gargue, gargoulette, goulot, gargamelle. to be clean as a w.
(1) *être très propre.* (2) *avoir un casier*
judiciaire vierge: (III) être blanc. (2) *être*
sans argent: (II) être fauché, être sans un:
BROKE. to be slick as a w. (2) *être très*
habile: (III) être (un) mariole [marle, marlou, marloupin, vicelard]. (2) *être très rusé:*
(I) être fûté [ficelle, matoi]; (II) être
roublard, malin comme un singe; (III) être
marle [mariole, marlou, vicelard]. to blow
the w. on s.o. (2) *dénoncer:* (I) vendre;
(II) doubler; (II) balancer: FINGER. (2)
forcer q'un à cesser une activité. to w. for
s.t. (2) *être privé de q'ch., désirer sans pouvoir obtenir:* (I) se brosser le ventre; (III)
faire tintin. to wet one's w. (1) *prendre un*
verre: (II) se rincer la dalle*: BELT ONE
DOWN.

whistle-bait n (2) *femme très attrayante:*
(I) poupée; (II) prix de Diane, femme qui
a de la conversation; (III) belle poule, beau
chassis, belle carrosserie.

whistlestop n (1) *petite ville sans importance:* (I) patelin; (II) trou, bled.

white cross n (2a) *cocaïne, héroïne:* (III)
blanc, blanche, neige, fée blanche, neigé.

white stuff n (2a) WHITE CROSS.

white trash n (2 derog.) *habitant blanc du*
sud des U.S.A., pauvre et ignorant.

who-dun-it n (2) *"qui a fait le coup?"*
roman policier: (I) série noire.

whole hog—to go the w. h. (2) *s'engager*
complètement: (I) foncer tête baissée, donner tout ce qu'on a dans le ventre, engager
sa dernière chemise, jouer son va-tout.

whole show n (2) *l'ensemble:* (II) toute la
boutique; (III) le toutime: CABOODLE.

whole works n (2) WHOLE SHOW.

whoop—not worth a w. (2) *qui ne vaut*
rien: (II) qui ne vaut pas chipette: DAMN.
not to give a w. (2) *se moquer de, ne pas*
s'intéresser à: (I) se ficher de: DAMN. to w.
it up (2) *faire une partie de plaisir:* (I)
faire la noce; (II) bambocher: BAT. (2)
faire du vacarme: (I) faire un chahut: CAIN.

whooper-dooper n (2) *chose formidable:*
(I) chose ébouriffante [renversante, miro-
bolante, faramineuse, pharamineuse, épous-
touflante, esbroufante, épatante, soufflante];
(II) chose formid' [fumante, sensas', du
tonnerre, bolide].

whopper n (2) *mensonge:* (I) craque, menterie, bourrage de crâne; (II) baratin, cravate; (III) prise de col [colbac, colbaque].
(2) *q'ch. de très grand:* (I) mastodonte;
(III) ma(h)ousse.

whopping adj (2) *très grand:* (I) mastodonte; (III) ma(h)ousse.

whozsis n (2) WHAT'SIS.

wide-open adj (2) *se dit d'une ville où la*
prostitution et les jeux sont florissants en
dépit des lois qui les interdisent. to run
[drive] w.-o. (2) *aller à toute vitesse:* (II)
donner plein gaz*: BARGE.

wiener n (1) *saucisse de Francfort:* (III)
sauciflard, sifflard.

wienie n (1) WIENER.

wig—to flip one's w. (2) *se mettre en colère:*
(I) s'emballer; (II) voir rouge: BLOW UP.
(2) *devenir fou:* (III) partir du ciboulot:
BATS.

wiggle—to w. out of s.t. (I) *se dépêtrer de*
q'ch.: (I) sortir du pétrin [de l'auberge], se
débrouiller; (III) se démerder, sortir de la
mouscaille. to get a w. on (2) *se dépêcher:*
(II) se grouiller; (III) se magner: GAS.

willies (the) n (2) *peur:* (II) frousse,
trouille; (III) les foies: JITTERS. (2) *état*
nerveux: (I) tremblote.

win—to chalk up a w. (2) *inscrire une victoire à son actif (sports):* (I) inscrire à son
palmarès. to roll up a w. (2) *remporter une*
victoire (sports).

wind—to be three sheets to the w. (2a)
être ivre: (I) être dans les vignes du Seigneur;
(III) en avoir un coup dans le pif: BLOTTO.
to be full of w. (2) *parler sans sincérité,*
mentir: (II) être baratineur: APPLESAUCE. to
throw s.t. to the w. (1) *se débarrasser de*
q'ch.: (I) jeter q'ch. aux quatre vents* [aux
orties]; (II) balancer, laisser choir; (III)
quimper, mettre au rancard.

windbag n (1) *vantard, hâbleur:* (I) blagueur; (II) baratineur: BAG OF WIND.

window—to go [fly] out of the w. (2) *disparaître sans explication (argent):* (I) être jeté par la fenêtre.

wing n (1) *bras:* (II) aile, aileron, anse, bradillon. to earn one's wings (2) *obtenir son diplôme de fin d'études:* (I) gagner ses galons*. to clip s.o.'s wings (1) *retrancher q'un de son autorité:* (I) rogner les ailes à q'un*, rabattre le caquet à.

wingding n (2) *débauche, partie de plaisir:* (I) noce; (II) bamboche: BAT. (2) *réunion bruyante, vacarme:* (I) chahut, brouhaha, boucan; (III) ramdame, zinzin, (2a) *dispute, querelle tumultueuse:* (II) crêpage de chignons.

wink—to give the w. (2) *donner signe (d'approbation, de consentement, etc.) en clignant de l'oeil:* (I) faire de l'oeil.

wino n (2) *ivrogne de basse classe consommant exclusivement des vins de mauvaise qualité:* (I) sac-à-vin; (II) poivrot.

wipe out (1) *ruiner (affaires, commerce), déposséder:* (I) plumer; (II) nettoyer: CLEAN OUT.

wire n (1) *télégramme.* (2a) *voleur à la tire:* (III) fourchette: DIP. to get in under the w. (2) *arriver au dernier moment:* (I) arriver pile. (2) *finir au dernier moment:* (II) finir sur les chapeaux de roue(s). to have one's wires crossed (2) *être dans l'erreur, se tromper:* (III) se gourrer: BEAM. to burn up the wires (2) *transmettre des nouvelles sensationelles par télétype ou télégraphe:* (I) bloquer les lignes.

wise—to get w. to s.o. (2) *reconnaître les intentions de q'un.* to get w. to s.t. (2) *apercevoir la vérité.* to put s.o. w. (2) *mettre q'un au courant:* (III) affranchir: HIP.

wiseacre n (1) *qui se croit très intelligent, prétentieux:* (I) savantasse; (II) prétentiard, crâneur; (III) vanneur.

wisecrack n (2) *remarque blessante, vexatoire:* (II) postiche; (III) vanne. (2) *riposte brusque et impertinente:* (I) riposte cavalière; (III) vanne. to make a w. (2) *faire une réplique cavalière:* (II) faire un postiche; (III) balancer un(e) vanne.

witch's tit—to be as cold as w. t. (3) *être très froid,* (I) être froid comme le marbre, être du marbre; (III) être frigo. (3) *faire très froid:* (III) faire frigo.

with—to be w. it (2) *être au courant:* (II) être dans le mouvement; (III) être dans le coup: BALL.

wiz (abbr. of wizard) to be a w. at s.t. (2) *être très capable en q'ch.:* (I) être calé en

[ferré sur], avoir la bosse de; (III) avoir le fion de.

wolf n (2) *libertin:* (III) cavaleur, juponneur: CASANOVA.

wolf call n (2) *sifflement admiratif destiné à une femme.*

woo—to pitch w. (2a) *faire la cour (à une femme):* (III) gringuer, faire la gringue.

wood—to knock on [touch] w. (1) *toucher du bois (pour) éviter la malchance).* to saw w. (2) *dormir (profondément):* (II) roupillonner: EAR. to get out of the woods (1) *sortir d'une situation difficile, dangereuse, etc.:* (II) se tirer d'affaire, sortir du pétrin [de l'auberge]; (II) se débrouiller; (III) se démerder.

wooden kimono n (2) WOODEN OVERCOAT.

wooden medal—to get a w. m. (2) *recevoir une récompense symbolique:* (II) recevoir une médaille en chocolat*.

wooden overcoat n (2a) *cercueil:* (II) paletot de sapin*, boîte à dominos. to put on a w. o. (2a) *mourir:* (II) prendre la mesure d'un paletot de sapin*: BUCKET.

woodpile relation n (2) *parent très éloigné:* (I) cousin à la mode de Bretagne.

Woolworth's best n (2) *chose de bonne qualité mais bon marché.*

woozy adj (2) *presque évanoui sous les coups:* (II) dans les pommes; (III) dans les vapes [le colletar] (2) *somnolent:* (I) dort-debout.

wop n (2 derog.) *Italien:* (III) rital, macaroni.

word—to pass the w. along (1) *transmettre un renseignement:* (II) faire la chaîne. (1) *avertir d'un péril par messages successifs:* (III) mettre au parfum, affranchir, envoyer le duce [serbillon].

work—to w. s.o. (2) *dérober, tromper, duper:* (II) carotter; (III) arranger: CLIP. to w. s.o. over (2) *punir, frapper rudement:* (III) passer à la casserole: BASH. to go to w. on s.o. (2) *se mettre à battre q'un:* (III) rentrer dans la figure [le portrait, la gueule] à q'un: HASSLE. (2) *interroger pour obtenir un aveu:* (II) cuisiner, passer à la question: GRILL.

workhorse n (1 fig.) *qui travail avec assiduité:* (I) bûcheur, piocheur; (II) dur au boulot; (III) bosseur, turbineur.

working stiff n (2) *ouvrier (manuel):* (II) boulot; (III) pue-la-sueur.

works—the (whole) w. (2) *le tout:* (I) tout le paquet; (II) tout le tremblement: CABOODLE. to give s.o. the w. (2) WORK OVER. to shoot the w. (2) *parier son tout:* (I) jouer son va-tout; (III) risquer [mettre] le paquet, parier sa chemise. to spill [queer, give away] the w. (2) *révéler le secret:* (II) vendre la mèche; (II) vider son sac: BELCH. to gum up [queer] the w. (2) *faire échouer un projet:* (I) mettre des bâtons dans les roues.

world—to be on top of the w. (2) *être très heureux:* (I) être au septième ciel, être aux anges. to set the w. on fire (2) *avoir un grand succès dans sa carrière:* (II) faire un boum. to get up in the w. (2) *avancer dans sa carrière:* (II) prendre du galon. to have the w. by the balls [nuts] (3) *être à l'aise dans une bonne situation:* (I) être dans des eaux grasses; (III) se la couler douce: EASY STREET. to be out of this w. (2) *faire sensation:* (II) être sensas'; (III) être astap' [du tonnerre, au poil, foutral].

worry wart n (2) *qui s'inquiète à la moindre provocation:* (I) qui se fait de la bile pour rien: STEW.

wot'zis n (2) WHAT'SIS.

wound—to be all w. up (2) *être très nerveux, être dans un état de tension nerveuse:* (I) avoir les nerfs en pelote.

wow n (2) *chose extraordinaire:* (III) q'ch. de foutral [du tonnerre]: LOLLAPALOOZA. to w. them (2) *avoir un succès sensationnel (théât.):* (III) casser la baraque, faire trembler les lustres. to w. s.o. (2) *stupéfier, étonner:* (I) épater; (II) asseoir: BOWL OVER.

wrap--to w. oneself around (drink, food) (2) *consommer (repas, boisson):* (II) s'envoyer, se taper; (III) se farcir, se cloquer, se cogner. to w. s.t. up (1) *terminer, achever (un travail):* (I) mettre le point final à.

wraps—to keep s.t. under w. (1) *ne pas révéler, tenir q'ch. en cachette:* (I) tenir sous cape.

wrap-up n (2) *résumé:* (I) topo.

wringer—to put s.o. through the w. (2) *faire subir à q'un de dures épreuves:* (II) passer au laminoir*, être chien avec, faire danser; (III) être vache avec, passer à la casserole: HARD TIME.

wrinkle n (2) *nouveauté, nouvelle idée.*

write—it's nothing to w. home about (2) *ce n'est pas grand-chose, rien de spécial.*

write-up n (1) *article de journal:* (II) pathos, ours, papier, papelard.

wrong—to be in w. with s.o. (1) *ne pas être dans les bonnes grâces de q'un.* to get s.o. in w. (1) *mettre q'un dans l'embarras:* (II) mettre q'un dans le pétrin.

wrung out—to be w. o. (2) *être épuisé (de fatigue, de souffrance):* (II) être lessivé; (III) être sur les rotules: BEAT.

x—to x out (2) *caviarder.*

yack vi (2) *bavarder, parler:* (II) jaboter; (III) bavasser: BREEZE.

yackety-yack n (2) *bavardage:* (I) bla-bla-bla*; (III) jactage.

yak-yak vi (2) YACK.

Yank n (2) *Américain:* (III) Ricain, Amerloque, Amerlo.

yap n (2) *bouche:* (II) gueule, tirelire: KISSER.—vi (2) *parler:* YAK. to shut one's y. (2) *se taire:* (III) la boucler: CLAM UP.

yap(head) n (2) *sot, niais:* (I) bêta, cornichon: BLOCKHEAD.

yard n (2) *cent dollars, mille dollars.*

yardbird n (2a) *prisonnier, forçat.*

yeah (2) *oui:* (III) gigo, gy.

yeh-yeh [**ye-ye, ye ye**] n (2, III) yé-yé: COOL CAT.

yellow adj (1) *poltron, peureux:* (II) froussard, péteux: CHICKEN. to turn y. (2) *perdre courage:* (III) se dégonfler, foirer: CHICKEN.

yellow streak—to have a y. s. (2) *être poltron:* (II) être péteux, être froussard: CHICKEN.

yen—to have a y. for (1) *désirer, avoir envie de:* (I) avoir le béguin pour; (II) avoir le pépin pour, gober, être pincé pour.

yes man n (2) *qui donne son approbation sans poser de questions:* (II) béni-oui-oui.

yokel n (1 derog.) *paysan, rustique:* (III) pedzouille, plouk: APPLE KNOCKER.

yours truly n (2) *moi-même:* (III) mézigue, ma pomme, mécole, mézingue.

yummy adj (2) *délicieux:* (III) choucard.

yup (2) *oui:* (III) gigo, gy.

zero—to bat z. (2 fig) *échouer complètement:* (II) ramasser une veste [pelle]; (III) prendre la pile, ramasser une gamelle.

zig—to z. when one should zag (2) *faire le contraire de ce qu'on doit faire.*

zip n (1) *énergie, entrain:* (I) allant. to have (a lot of) z. (1) *avoir de l'entrain:* (I) avoir de l'allant; (II) péter le feu: BALL. to lose one's z. (2) *perdre son entrain, devenir fatigué:* (I) s'avachir. to z. along (1) *aller à toute vitesse, conduire à grande allure:* (III) aller à pleins tubes: BARREL.

zip gun n (2) *pistolet improvisé porté par les jeunes voyous.*

zippy adj (1) *plein de vigueur, d'entrain.*

zombie n (2) *personne ennuyeuse:* (II) raseur: CREEP.

PART II

FRENCH-AMERICAN

FRANÇAIS-AMÉRICAIN

LISTE DE SYMBOLES ET D'ABRÉVIATIONS

	AMÉRICAIN	FRANÇAIS
(1)	colloquial	familier
(2)	slang	slang
(3)	obscene or vulgar	obscène ou vulgaire
(I)	colloquial	familier
(II)	vernacular	langue populaire
(III)	argot	argot
(IV)	obscene or vulgar	obscène ou vulgaire
(a)	limited usage	usage limité
abbrev.	abbreviation	abréviation
abrév.	abbreviation	abréviation
adj.	adjective	adjectif
adv.	adverb	adverbe
bouch.	butcher's slang	argot des bouchers
derog.	derogatory	péjoratif
esp.	especially	spécialement
euph.	euphemism	euphémisme
fig.	figurative	figuré
hum.	humorous	humoristique
imp.	imperative	impératif
interj.	exclamation	interjection
invar.	invariable	invariable
mil.	military	militaire
n	noun	substantif
nf	feminine noun	substantif féminin
nm	masculine noun	substantif masculin
péj.	derogatory	péjoratif
pl.	plural	pluriel
q'ch.	something	quelque chose
q'un	someone	quelqu'un
scol.	school slang	argot des écoliers
s.o.	someone	quelqu'un
s.t.	something	quelque chose
théât.	theatre	théâtre
USA	United States	Etats-Unis
v	verb	verbe
vi	intransitive verb	verbe intransitif
vp	reflexive verb	verbe pronominal
vt	transitive verb	verbe transitif
*	particularly appropriate translation	traduction particulièrement appropriée

abasourdir vt (I) *to astonish, overwhelm:* (1) floor, flabbergast, bowl over; (2) knock for a loop, wow.

abattage nm (I) *vivacity, liveliness:* (1) ginger; (2) pep, zip, moxie. (I) *reprimand:* (2) bawling- [cussing-] out, calling- [dressing-] down, tongue-lashing. (III) *a natural in dice.* **maison d'a.** (IIIa) *low-class brothel:* (3) cheap cathouse.

abattis nm pl (II) the *extremities (hands, feet, arms or legs).*

abois—être aux a. (I, fig.) *to be in a desperate situation:* (1) to be on one's last legs, have one's back against the wall, hard-pressed; (2) to be against the ropes [at the end of one's rope], have had it.

abondance—parler d'a. (I) *to extemporize:* (1) ad lib. **parler avec a.** (I) *to speak fluently* [*glibly*]: (2) spout [blow] off, run off at the mouth.

abouler vt (III) *to hand over, pay up:* (2) come across [through] with, cough [pony, ante] up, shell [dish] out, plank [plunk] down, kick in with, fork over, lay it on the line. **s'abouler** vp (III) *to arrive:* (2) blow [pull, sashay, roll] in, show [turn] up.

aboyeur nm (I, 1) barker (circus, etc.); (2) ballyhoo artist, come-on man, spieler, spiel-man, pitchman.

abreuver vt (1) *to overwhelm:* (2) snow under, swamp.

abruti—espèce d'a. nm (II) *stupid person:* (2) dumb jerk, stupid bastard, blooming idiot.

abrutir vt (1) *to overwhelm, overburden:* (2) snow under, beat down; (I) *to stupefy with surprise:* (2) to floor: ABASOURDIR; (III) *to bungle:* (2) goof up: AMOCHER.

absence—briller par son a. (I) *to stand out by one's absence.* **avoir des absences** (I) *to be absent-minded:* (1) be a pipe-dreamer, have one's head in the clouds.

acabit—être de bon a. (I) *to be of good quality:* (2) to be up to snuff [specs]. **être du même a.** (I) *to be birds of a feather:* (2) be tarred with the same brush.

académie—avoir une belle a. (I) *to have a beautiful* [*well-built*] *body:* (2) to have a swell chassis*, be (well) stacked, be nicely put together, be built like a brick outhouse.

accidenter vt (I) *to collide with, ram:* (1) bang [crash, slam, barge, smash] into, connect with.

accointer—s'a. avec q'un (I péj.) *to become closely associated with s.o.:* (1) become

chummy with; (2) become buddy-buddy [palsy-walsy] with, take [tie] up with.

accoucher vi (III) *to confess:* (2) come clean, crack, belch, open up, sing, squawk, rat, talk, spill (the works, one's guts), own up, peach.

accoutrer (s') vp (I) *to get dressed up in grotesque fashion:* (2) to dress like a scarecrow, get dolled up like a Christmas tree, dress like Mrs. Astor's pet horse.

accroc nm (I) *snag, hitch:* (2) bug (in a machine, etc.).

accroche-coeur nm (I, 1) spit curl.

accroche-pipe nm (II) *mouth:* (2) kisser, mug, puss, mush, muzzle, smacker, spitter, trap, yap, mouthpiece.

accrocher vt (I) *to manage to get:* (1) latch onto, snatch, wangle, finagle. **s'a. à q'un** (I) *to pester* [*plague*] *s.o.:* (2) gripe, get s.o.'s goat, get under s.o.'s skin. **s'a. avec q'un** (II) *to come to blows with s.o.:* (1) lock horns with s.o.; (2) mix up [tangle] with, have a set-to with, go to work on, take a swing at, trade punches with, light [sail, tear, pile, rip, pitch, lay, heave, plow, tie] into. **se l'a.** (III) *to go hungry:* (1) to tighten [take a notch in] one's belt, be on short rations. **être accroché** (II) *to be courageous:* (1) have spunk; (2) be game, have guts [what it takes]. (II) *to be in debt:* (2) in the hole [red].

accrocheur [euse] nmf (I) *tenacious person:* (1) bullhead, pighead, mule. —— adj. *persistent, stubborn:* (1) dogged, bullheaded, pigheaded, mulish.

accus (abrév. de **accumulateurs**) nm pl. (I) *storage battery.*

achalander vi (I) *to stock up (with supplies, merchandise, etc.).*

achar (abrév. de **acharnement**) nm (III) *stubbornness:* (2) pigheadedness, cussedness, bullheadedness, stick-to-itiveness.

acheter—a. chat en poche (I) *to buy s.t. sight unseen:* (1) buy a pig in a poke. **a. q'un** (I) *to bribe s.o., buy s.o.'s allegiance:* (1) buy s.o. off.

Achille—être un A. (I) *to be a hero:* (2) be a strongman [he-man, Tarzan, Superman].

acrobate nmf (I, 1) show-off; (2) joker, grandstander. (I) *shrewd person:* (2) slick person [customer], smooth character, smoothie.

activez! imp. (II) *hurry!:* (2) step on it!, make it snappy!, get a move on!, get moving!, shake a leg!

addition nf (I) *restaurant check:* (2) the tab, damages, bad news, the freight.

adjas—mettre les a. (III) *to run away* [*off*]: (1) scoot; (2) beat it, breeze (out), blow, clear [cut, light, lam, skin, peel, pull] out, hightail it, split, take it on the lam, take a (run-out) powder, scram, vamoose, pull freight (out), make oneself scarce, make tracks, leg it, take to one's heels, get [pull] the hell out, dust off, cheese it.

adjupète nm (III) *first sergeant:* (2) top sarge, top kick.

adroit—être a. de ses mains comme un cochon de sa queue (II) *to be clumsy [awkward]:* (2) to have two left hands [feet], be a clumsy galoot [goon].

afanaf adv (III) *equally:* (2) fifty-fifty, halvies. **marcher a.** (III) *to share equally:* (2) to go fifty-fifty [halves], split down the middle, go [split] even steven.

aff' (abrév. de **affaire**) nf (III) *business, business deal.*

affaire nf (III) *any criminal act:* (2) caper, heist, job, action. **bonne a.** (I) *bargain:* (2) good buy [deal]. **mauvaise a.** (II, 1) shady deal. **faire son a. à q'un** (III) *to punish, to kill s.o.:* (2) bump [knock, finish] off, liquidate, cream, croak, take for a ride, hit, ice, erase, put away, do in, get rid of, lay low, blot out, lay [rub, wipe] out. **affaires** nf pl (I) *one's belongings, personal effects:* (2) one's duds [things, trappings]. **avoir ses affaires** (II) *to menstruate:* (1) have one's period; (2) have the monthlies [the curse, a visitor], fall off the roof; (3) wear the rag, fly the flag. **les a. sont les a.** (I, 1) *business is business.*

affaler (s') vp (I) *to drop [sag] down:* (1) fall flat, flop down; (II) *to confess:* (2) sing: ACCOUCHER.

affiche—c'est l'a. (II) *it's a sham:* (2) it's phony, it's just for show. **être épais comme une a.** (I, 2) to be as skinny as a rail. **faire l'a.** (II) *to show off:* (2) put on airs [the dog, a show]. **tenir l'a.** (II) *to enjoy a long period of success (esp. theatre):* (2) to have a long run.

affiché adj (III) *certain, assured:* (2) cinched, in the bag, on ice, cut and dried, sure as shooting, dead sure [certain], a breeze.

afflure nf (III) *profit:* (2) gravy, velvet, sugar, pickings, take, cream.

afflurer vi t (III) *to make a profit:* (1) come out ahead; (2) make a buck, make some gravy [velvet].

affranchi (e) nmf (II) *one of the underworld (in France, the "Milieu"):* (2) one of the boys, someone in the know. —— adj. (2) in the know, wised-up, tipped-off, hip.

affranchir vt (II) *to inform:* (1) tip off, wise up: (2) put hip [wise], put in the know,

bring up to date, give the high sign, square away. (II) *to make the preparation for (a robbery, etc.):* (2) to set up.

affubler (s') vp (I) *to dress up grotesquely:* ACCOUTRER (s').

affure nf (III) *business deal:* AFFAIRE.

affurer vt (III) *to make a profit:* (2) make a buck; AFFLURER.

affûté adj (I) *tired, worn out:* (2) beat, done in, bushed, pooped (out), worn [done] to a frazzle, dragged [fagged, washed, pegged, petered, tuckered] out, dog-tired, (all) shot, to be out [dead] on one's feet [pins]. (I) *sick:* (2) under the weather, off color, below par, off one's feed.

affûter vt (III) *to bribe:* (2) buy [pay] off, put the fix on, fix, grease.

afnaf (III) AFANAF.

agiter—les a. (III) *to run away:* (2) to scram: ADJAS.

agoniser vt (II) *to insult, criticize:* (2) pan: AQUIGER.

agrafe nf (III) *hand:* (2) mitt, duke, hoof, flipper, fin, lunch [meat] hook.

agrafer vt (III) *to arrest:* (2) pinch, nab, bag, collar, pick up, haul [pull, run] in, nail, glom, snag, put the collar [hooks] on; (III) *to catch hold of:* (1) buttonhole; (2) collar, latch on to, snag.

agricher vt (III) *to grab hold of:* AGRAFER (usually in sense of looking for a fight).

agriffer vt (III) *to arrest, catch hold of:* (2) collar: AGRAFER.

aguicher vt (II) *to try to win a boy's favors (by flattery):* (2) dish out a line to, sweet talk, soft-soap, butter up, make a play for.

aiguiller vt (IV) *to have sexual relations with:* (3) screw, fuck, hump, lay, bang, jump, put the boots [hooks] to, diddle, jazz, hose.

aiguillonner vt (I) *to urge on:* (1) egg [needle, spur] on, push along.

ail—sentir l'a. (IV) *to suspect Lesbianism.* **taper l'a.** (IV) *to be a Lesbian.*

aile nf (III) *arm:* (2) wing, fin, flipper. **en avoir dans l'a.** (II) *to be in trouble:* (2) be in hot water, be in a tough spot, be in for it. **en avoir un coup dans l'a.** (III) *to be drunk:* ALLUMÉ. **tirer une plume de l'a.** (I) *to blackmail, extort:* (2) put the bee on, put the screws to. **rogner les ailes à q'un** (I) *to clip s.o.'s wings:* (1) put s.o. in his place, take s.o. off his high horse; (2) cut s.o. down to size.

air—courant d'a. nm (II) *rumor:* (1) hearsay; (2) scuttlebutt, grapevine. **de l'a.!** (III, 2) scram!, beat it!, take off! **en jouer**

un a. (III) *to run away:* (2) beat it: ADJAS. **envoyer en l'a.** (III) *to kill:* (2) bump off: AFFAIRE. (III) *to rob:* (2) knock [tip] over, heist. **ficher [foutre] en l'a.** (III) *to throw [toss] away:* (1) get rid of, chuck [peg] away, bounce [heave] out; (2) give the heave-ho. **jouer la fille de l'a.** (III) *to run off, escape:* (2) lam off: ADJAS. **l'avoir en l'a.** (IV) *to be sexually aroused, have an erection:* (3) be hot and bothered, have hot pants, be horny, have a hard on [bone on]. **l'avoir en l'a. pour qu'un** (IV) *to be desirous of s.o.:* (2) have a yen for s.o., burn up for s.o.; (3) have it up for s.o. **mettre en l'a.** (III) *to kill:* (2) bump off: AFFAIRE. (III) *to rob, hold up:* (2) knock over, pull a job on, heist. **ne pas manquer d'a.** (III) *to be bold:* (1) be fresh [sassy, saucy]; (2) be brassy [cheeky, cocky], have gall [guts]. **partie de jambes en l'a.** (IV) *an act of sexual intercourse:* (3) piece (of tail, ass, coozie), lay, nookie, screw. **propos en l'a.** (II) *silly suggestion:* (2) crackpot idea. **se donner de l'a.** (III) *to run away:* (2) cut out: ADJAS. **se donner [prendre] des airs** (I) *to put on airs:* (2) put on the dog [Ritz], put on swank, put on a big front [splash]. **vivre de l'a. du temps** (I) *to live on air:* (1) live on beans [love, bread and water, peanuts]. **se déguiser en courant d'a.** (II) *to disappear:* (2) to do a fade-out, fade out of the picture, take a powder.

aise—en prendre à son a. (I) *to do as one pleases:* (1) go one's own sweet way, take it easy.

alboche nm (IIIa péj.) *German:* (2) Heinie, Jerry, Fritz, Kraut, square-head.

algèbre—c'est de l'a. (I) *it's hard to understand:* (2) it's Greek to me, it's as clear as mud.

aligner—les a. (III) *to pay up:* (2) fork over: ABOULER. **s'aligner avec qu'un** (III) *to face up to s.o.:* (1) come eye to eye with s.o., lock horns with s.o.

allant—avoir de l'a. (I) *to be energetic:* (2) have pep [push, zip, drive, moxie, steam], have something on the ball, be a fire-ball [go-getter], be full of pep [ginger, go, life], have get-up-and-go; (3) be full of piss and vinegar.

allemand—c'est du haut a. (I) *it's hard to understand:* ALGÈBRE. **faire une querelle d'a. to bicker:** (1) pick a quarrel, squabble.

aller—a. fort (I) *to boast, exaggerate:* (2) throw the bull, lay [pile, spread] it on thick, hand [dish] out a line, spread the baloney, come [pitch] it strong, blow off (at the mouth), talk big.

allonger vt (I) *to hand over:* (2) ante up: ABOULER. **a. le pas** (I) *to hurry:* (2) step on it, shake a leg, step on the gas, get a wiggle on. **a. le tir** (III) *to raise the price:* (2) hike [boost, shove, kick] up the price, raise the ante. **les a.** (III) *to pay up:* (2) fork over: ABOULER. **s'allonger** vp (I) *to fall flat:* (2) to flop down: AFFALER (s'). **s'a. q'ch.** (III) *to treat oneself to s.t.:* (2) blow oneself to s.t.

Allongés—le Boulevard des A. (III) *cemetery:* (2) boneyard, bone orchard, marble orchard, Marble City.

allumé adj (III) *drunk:* (2) stewed, plastered, lit, loaded, tight, potted, looped, pickled, stoned, crocked, boiled, canned, oiled, soused, high (as a kite), pie-eyed, plowed, shellacked, stinko, boozed [likkered-, tanked-] up, spifflicated, ossified, loaded [lit, stewed] to the gills, blotto, under the table, drunk as a lord [sailor], half-seas over, three sheets to the wind, have a skinful [snootful], have a bun [jag, load] on, lit up like a Christmas tree.

allumer vt (III) *to kill:* (2) do in: AFFAIRE. *to look at:* (2) grab a look at, take a gander [squint] at, get a load of, glom, have a look-see, give the once-over [the double-O], keep an eye on. *to pay up:* ABOULER. (III) *to excite (sexually):* (2) to get hot; (3) give hot pants.

allumettes nf pl (II) *thin legs:* (2) matchsticks, broomsticks, toothpicks, bean poles.

allumeuse nf (I) *flirt, vamp:* (2) playgirl. (III, 2) dance hall hostess, B-girl. (IV) *woman who arouses a man sexually without satisfying his desires:* (3) cock-teaser.

alpague nf (III) *overcoat:* (2) topper, benny. **l'avoir sur l'a.** (III) *to get the blame (for a crime):* (2) hold the bag, take the rap, be fingered. **être sur l'a. de q'un** (III) *to be watching s.o. constantly:* (2) be on s.o.'s ass [tail]. **les avoir sur l'a.** (III) *to have them in pursuit (police, enemies):* (2) have them on one's back [tail, ass], have them gunning for. **mettre la main sur l'a.** (III) *to arrest:* (2) to pinch: AGRAFER.

alpaguer vt (III) *to arrest:* (2) to pinch: AGRAFER.

aman—faire [demander l'] a. (I) *to surrender:* (1) give in [up], back down, cave in; (2) knuckle under, call quits, say [holler] uncle, throw in the sponge [towel].

amen—dire [répondre] a. (I) *to agree, approve:* (2) okay, give the nod [o.k.], put the o.k. on.

amende nf (I) *police fine* (for minor offense). **faire a. honorable** (I) *to apologize, beg pardon:* (2) eat crow [one's words]. **mettre à l'a.** (I) *to fine (police).* (III) *to extort money* *(usually from a merchant):* (2) shake down, put the squeeze on, demand "protection money."

amener (s') vp (II) *to come, arrive:* (2) to blow in: ABOULER (S'). **a. sa fraise** (III) *to arrive.*

amerlo [oque, ot] nm (III) *American, Yank, Yankee.*

ami—être a. jusqu'aux autels (I) *to be friends as long as religion is not discussed.* **être amis comme cochons** (II) *to be close friends:* (1) be pals; (2) be buddy-buddy [palsy-walsy]; (3) be ass-hole buddies. **être amis comme les deux doigts de la main** (I) *to be intimate friends.*

aminche nm (III) *friend:* (1) buddy, chum, pal; (2) sidekick.

amoché adj (I) *bungled, botched:* (2) fouled [messed, goofed, balled, loused, screwed] up.

amocher vt (I) *to bungle, botch:* (1) mess [hash] up, make a mess [hash] of; (2) foul [goof, louse, bitch, bugger, gum, screw, ball] up, do a lousy [sloppy] job on. (III) *to beat up, injure:* (1) wallop, whack, clout, bash, lick, larrup, tan, baste, hide, whale; (2) cream, shellac, sock, clobber, slug, knock [lick, belt] the daylights [stuffings, tar] out of, lick the pants off of, lick to a frazzle, give a working-over, hammer, lay low, lambaste, rough up.

amour—brûler d'a. pour qu'un (I) *to be madly in love with s.o.:* (2) have a crush [case] on s.o., go ape over s.o., be stuck [sweet] on s.o., go for s.o. (in a big way), be batty [goofy, crazy, nuts, whacky] about s.o., have a yen for s.o., be all a-flutter over s.o. **vivre d'a. et d'eau fraîche** (I) *to live on love:* AIR.

ampoule—ne pas se faire des ampoules aux mains (I, 1) to take it easy: (2) work up no sweat, let the other guy do it, twiddle one's thumbs.

amuse-gueules nm pl (II) *hors-d'oeuvres, canapés, tidbits, appetizers.*

amusette nf (I) *pastime, diversion.* (III, 2) small-time racket.

amygdales—s'humecter [se rincer] les a. (II) *to take a drink:* (2) wet one's whistle*, take a snort [slug, swig], belt [toss] one down.

ancre—lever l'a. (I) *to run away:* (2) hit the road: ADJAS.

andosses nf pl (III) *shoulders, back.* **en avoir plein les a.** (III) *to be tired:* (2) to be beat: AFFÛTÉ. **avoir plein les a. de q'ch.** (III) *to have had enough of s.t.:* (2) be sick and tired of s.t., be fed up (to the hilt) with s.t., have

one's bellyful of s.t., have had it, have had (more than) enough of s.t., be all washed up with s.t.

andouille nf (II) *stupid person:* (2) boob, blockhead, chump, dope, dumbbell, fathead, sap, bonehead, dumb cluck [bunny, dodo, jerk, nut, ox], chucklehead, dimwit, lame-brain, numbskull, birdbrain, chowderhead, knucklehead, blubberhead, featherbrain, goof (ball), dummkopf, nincompoop, lunkhead, lughead, pinhead, puddinghead, dumbhead, saperoo, schmoe, schnook, yaphead, ump-chay, saphead, goon, zombie.

âne nm (I) *stupid person:* (2) lunkhead. ANDOUILLE. **â. bâté** (II) *dope:* ANDOUILLE. **brider l'â. par la queue** (I) *to do things backwards:* (2) louse things up; (3) do things ass backwards. **être comme l'â. de Buridan** (II) *to avoid taking sides:* (1) straddle the fence, steer a middle course, play both sides against the middle. **être méchant comme un â. rouge** (I) *to be very mean:* (1) mean as a wildcat. **faire l'â. pour avoir du son** (II) *to attract customers by apparently stupid actions:* (2) put on an act, con, suck in. **l'â. du moulin** (I) *scapegoat:* (2) fall guy, goat, whipping-boy. **vouloir tirer des pets d'un â. mort** (I, 1) to try to get blood from a stone [squeeze blood from a turnip].

ânerie nf (I) *nonsense, tomfoolery:* (1) poppycock; (2) tommyrot, bilge, baloney.

anges—être aux a. (I) *to be elated:* (1) be in seventh heaven*, have one's head in the clouds, be walking on air, be happy as a lark; (2) be flying high, be out of this world, be tickled pink [to death]. **rire aux a.** (I) *to laugh without reason* (usually a baby laughing during sleep). **faiseur (-euse) d'a.** (II) *abortionist.*

Anglais—avoir les A. (III) *to menstruate:* (2) to have the curse: AFFAIRES. **les A. ont débarqué** (III) *to have started to menstruate.*

anguille nf (III) *trouser belt.* **il y a a. sous roche** (I, 1) there's a catch somewhere, there's a nigger in the woodpile, there's something rotten in Denmark; (2) there's a gimmick in it, there's something fishy. **se mettre l'a.** (IIIa) *to go hungry:* ACCROCHER (SE L').

anicroche nf (I) *snag:* ACCROC.

anneau nm (IVa) *anus:* (3) asshole, bung-hole, bumhole, cornhole.

anse nf (IIIa) *arm:* (2) wing: AILE.

antiffe—battre l'a. (IIIa) *to be a vagabond:* (2) bum around, be on the bum, hit the road, beat the pavement, vag it.

antiffer vi (IIIa) *to enter:* (2) blow [barge, duck, drop, pop, pull, roll] in.

antifle nf (IIIa) *church.*

antifler vi (IIIa) *to enter:* (2) blow in: AN-TIFFER. **s'antifler** vp (III) *to live together unmarried:* (2) shack up. **s'antifler de sec** (IIIa) *to get married:* (2) get hitched [merged, spliced, welded].

antisèche nm (III, 1 schol.) pony, crib; (2) trot.

apaiser vt (IIIa) *to kill:* (2) to liquidate: AFFAIRE.

apéro nm (II) *aperitif, before-dinner drink.*

aplatir vt (II) *to knock down:* (1) flatten; (2) knock for a loop, lay low [out], plaster, put down for the count, lay out flat. (II) *to astonish:* (2) to WOW: ABASOURDIR. (III) *to kill:* (2) to cool: AFFAIRE. **s'aplatir** vp (I) *to fall flat:* AFFALER (s').

apothicaire—compte d'a. (I) *exorbitant bill:* (2) doctored [loaded, hiked-up] bill.

apôtre—faire le bon a. (I) *to act the saint:* (2) act holier-than-thou, act like a goody-goody.

appareil—être dans le plus simple a. (II) *to be naked:* (2) be in the altogether* [one's birthday suit, the raw, the buff], be without a stitch (of clothes), be stripped [peeled], be naked as a jaybird.

appel—avoir un a. (III, 2) to get the wink [nod, come-on, eye] (from a woman in flirtation). **faire un a.** (III) *to try to flirt:* (2) give the eye [nod, wink, come-on], try to make, make a play for.

appoint—donner [porter] son a. (I) *to make one's contribution:* (1) chip in; (2) kick in, ante up one's share, kick [toss] in one's ante, add to the pot.

apport—a. personnel nm (I) *down payment.*

aquigé adj (IIIa) *worn out:* (2) pooped: AFFÛTÉ.

aquiger vt (IIIa) *to criticize:* (1) to tell s.o. a thing or two, to give s.o. a piece of one's mind, to give s.o. the rough side of one's tongue; (2) knock, pan, rap, roast, slam, needle, haul over the coals, take apart, pick to pieces. (IIIa) *to injure:* AMOCHER.

araignée—avoir une a. au [dans le] plafond (I) *to be crazy:* (2) be nutty [batty, bugs, bats, balmy, cracked, cuckoo, daffy, dippy, dotty, dopey, goofy, loco, loony, psycho, screwy, whacky], have bats in the belfry*, be crazy as a bedbug [loon], have a screw loose, have a button missing, not have all one's buttons, be off the beam [one's rocker], be queer [touched] in the head.

aramon nm (III) *wine:* (2) vino, red ink.

arbalète nf (IV) *penis:* (3) cock, prick, pecker, dick, peter, rod, whang, tool, jigger, persuader. **filer un coup d'a.** (IVa) *to engage in a sexual act:* (3) grab (off) a lay, grab a piece of tail [ass, nookie, cake], get screwed [laid, fucked], get one's ashes hauled.

arbi nm (III péj.) *Arab, Algerian:* (2) Ayrab.

arborer vt (I) *to wear:* (2) sport, flash, show off.

arc—avoir plusieurs cordes [plus d'une corde] à son a. (I) *to have more than one means of action:* (1) have several aces up one's sleeve, have more than one string to one's bow*. **débander l'a.** (I) *to relax, let up, slack off:* (2) unlax.

arcan nm (IVa) *untrustworthy person:* (1) shady character.

ardoise—avoir une a. chez q'un (II) *to have credit with s.o.:* (2) be able to chalk it up*, be able to put it on the cuff, be able to buy on tick [time]. **liquider une a.** (II) *to pay off a debt:* (1) wipe the slate clean*; (2) settle up, even the score.

arganasses nf pl (IIIa) *menses:* AFFAIRES.

argasses nf pl (IIIa) *feet:* (2) dogs, hoofs, pups, purps, tootsies.

argomuche nf (III) *argot, slang, lingo.* **jacter l'a.** (III) *to speak argot:* (2) sling the lingo.

argoter vi (IIIa) *to speak argot:* (2) shoot [sling] the lingo.

argougner vt (IIIa) *to arrest, catch:* (2) to collar: AGRAFER.

argousin nm (II) *policeman:* (1) cop; (2) bull, fuzz, copper, shamus, flatfoot, John Law, bluecoat.

aristo (che) nm (III) *aristocrat, member of high society:* (1) social registerite, blueblood, nob; (2) swell, plute, upper-cruster.

arlequins nm pl (II) *table scraps, leftovers.*

arme—passer l'a. à gauche (II) *to die:* (2) kick the bucket, cash in (one's chips), croak, go west, shove [kick, pop] off, give up the ghost, peg out, curl [turn] up one's toes, go to glory, go home feet first, go the way of all flesh, put on a wooden kimono [overcoat], go to the last roundup.

arnaque nf (III) *swindle, trickery:* (2) gyp, con [skin] game, racket, flimflam, shake-down, fleecing, rooking, bilking, clipping. **faire l'a.** (III) *to cheat, swindle:* (2) to clip: ARNAQUER.

arnaquer vt (III) *to swindle, cheat:* (1) fleece, skin, flimflam, bamboozle, hornswog-gle; (2) gyp [con, clip, hook, rook], take over (the coals), play for a sucker, make a sucker of, take for a ride, take [suck] in, sell a bill of goods [a gold brick], pull a fast one on.

arnaqueur [euse] nmf (III) *crook, swindler, cheat:* (2) gyp [clip, skin] artist, gypster, sharper, flimflammer, grifter, bunco [con] man.

arnau adj (III) *angry, furious:* (2) burned up, boiling (mad), fit to be tied, hot under the collar, all steamed up, in a stew [tizzy].

arpète nm (II) *young apprentice:* (2) rookie, probie.

arpions nm pl (II) *feet:* (2) dogs: ARGASSES.

arquepincer vt (IIIa) *to arrest:* (2) to haul in, to pinch: AGRAFER.

arquer vt (II) *to walk:* (2) hoof [foot, leg] it, ride shank's mare, ride the shoe-leather express, ankle along.

arquin nm (IIIa) *safe cracker:* (2) pete man, box man, torch man, crib cracker, iron worker.

arquinche adj (III) *miserly:* (2) tight, close-[tight-]fisted, penny-pinching, Scotch.

arrache-pieds (d') adv (I) *without stop:* (1) without a break*, right on through, at one stretch, nonstop.

arracher (s') vp (III) *to run away:* (2) to clear out: ADJAS. **à l'arraché** adv. (I) *at full force:* (2) with all the stops out, at full blast.

arrangé adj (III) *sick:* (2) under the weather: AFFÛTÉ.

arranger vt (II) *to cheat:* (2) to gyp: ARNAQUER. (III) *to beat up:* AMOCHER. (III) *to rob (a person):* (2) knock over, roll, mug, put the arm on, pluck, take. (III) *to steal (an object):* (2) cop, hook, pinch, swipe*, snitch, glom, grab off, snag, lift, make, lay the hooks on.

arrangeur [euse] nmf (II) *swindler, crook:* (2) gyp artist: ARNAQUEUR.

arrière-train nm (II) *buttocks, backside:* (1) behind*, bottom; (2) can, prat, butt, backend, fanny, rear (end), tail, hind end, sitter, hindside; (3) ass.

arrondir (s') vp (III) *to get drunk:* (2) get looped, loaded, crocked, canned, lit, pickled, pie-eyed, plastered, potted, stoned, stewed, tight, soaked, boiled, spifflicated, tanked (up), soused, stinko, fried, high (as a kite) boozed [likkered] up, put [tie] a load on, tie one on, get a bun on. (III) *to be pregnant:* (1) be in a family way, be expecting [anticipating]; (2) be caught, have one in the oven, be infanticipating; (3) be knocked up.

arroser vt (III) *to drink to a successful ven-*

ture, drink a toast to. (III) *to pay up:* (2) to fork out: ABOULER.

arroseuse nf (III) *machine gun:* (2) chopper, tommy gun, Chicago typewriter, chatterbox.

arsouille nm (III) *crook:* (2) gypster: ARNAQUEUR. **avoir l'air a.** (III) *to look like a crook.*

art—être l'enfance de l'a. (I) *to be very easy:* (1) be as easy [simple] as ABC*, easy as apple pie; (2) be a (lead-pipe) cinch, be as easy as falling off a log, be a pipe [breeze, pushover], be duck soup, be no sweat.

artichaut nm (IIIa) *wallet:* (2) poke. **avoir un coeur d'a.** (I) *to be fickle.*

artiche nm (III) *money:* (2) dough, bucks, cabbage, brass, jack, mazuma, moola, bread, scratch, lettuce, spinach, kale, simoleons, skins, long green, gelt, spondulix, shekels, loot.

article nm (IIIa) *weapon (knife):* (2) shiv, sticker. (IIIa) *weapon (revolver):* (2) gat, rod, heater, piece, persuader, cannon, roscoe, torch. **être fort sur l'a.** (III) *to be amorous:* (2) be a wolf, be a heavy [hot] lover, be a hot guy, be a Casanova [Don Juan], go for women in a big way; (3) be a cocksman [gash-hound, pussy-chaser]. **faire l'a.** (I) *to boost, advertise:* (2) plug, put in a plug for, talk up, ballyhoo.

artiflot nm (IIIa) *artilleryman, gunner.*

artiller vt (IV) *to have sexual relations:* (2) to screw: AIGUILLER.

artillerie nf (III) *bad food:* (2) crap, slop, slum, garbage. (IIIa) *loaded dice:* (2) cheaters, phonies, artillery. (III) *revolver:* (2) gat: ARTICLE.

artous nm pl (III) *feet:* (2) pups: ARGASSES.

as nm (I) *superior individual, champion:* (1) ace*, first-rater, top-notcher; (2) top-holer, top man, A-number-one guy. **a. de carreau** (II) *soldier's knapsack.* **a. de pique** (II) *ugly man:* (2) scarecrow. (II) *stupid person:* ANDOUILLE. (III) *tail end of chicken:* (2) Pope's nose, part that goes over the fence last. **être plein aux a.** (II) *to be rich:* (2) be loaded*, be in the (big) money, be in the chips [dough], be flush [well heeled, well fixed], have a barrel of money, have a healthy bankroll, have plenty of scratch, have the dough [shekels]. **être fichu [foutu] comme l'a. de pique** (II) *to be badly dressed:* (2) dressed like a slob [scarecrow].

ascenseur—renvoyer l'a. (II) *return a favor:* (1) one hand scratches the other.

asperge nf (II) *skinny person:* (2) slim Jim, bean pole, broomstick. (IV) *penis:* ARBALÈTE.

aller aux asperges (IVa) *to whore:* (2) hustle, hook, walk the streets; (III) to peddle ass.

asphyxié adj (III) *drunk:* (2) gassed: ALLUMÉ.

asphyxier vt (III) *to astonish:* (2) to knock for a loop: ABASOURDIR. (II) *to rob, steal:* (2) to swipe: ARRANGER.

aspine nm (IIIa) *money:* (2) dough: ARTICHE.

assaisonner vt (III) *to beat up:* (2) to shellac: AMOCHER. (III) *to infect with venereal disease:* (3) burn, dose up, give v.d., give the clap.

assassiner vt (II) *to beat up:* (2) to slug: AMOCHER. (II) *to bungle:* (2) to bitch up: AMOCHER. (II) *to criticize:* (2) to pan: AQUIGER.

asseoir vt (II) *to astonish:* (2) to wow: ABASOURDIR.

assiette—l'a. au beurre (I) *easy job* (esp. political): (2) plum, gravy train, (soft) snap. **les assiettes** (III) *criminal court, trial court.* **ne pas être dans son a.** (I) *to feel out of sorts:* (1) feel below par, out of sorts, not up to snuff [the mark], under the weather; (2) be off one's feed [off color].

assis—en être a. (II) *to be astounded by it:* (2) to flip: ABASOURDIR.

assommer vt (I) *to bore:* (2) give a pain in the neck, bore stiff. (II) *to annoy, pester:* (2) bug, gripe, brown off, rile, get under the skin, rub the wrong way, get one's goat [nanny], give a pain (in the neck), get in one's hair.

assommoir nm (I) *cheap saloon:* (2) gin mill, booze joint, rum hole.

astibloche nf (III) *maggot, worm.*

asticot—engraisser les asticots (III) *to die:* (2) to kick off: ARME.

asticoter vt (II) *to pester, tease:* (2) to bug: ASSOMMER. (II) *to beat up:* AMOCHER.

astiquer vt (IIIa) *to beat up:* (2) to lambaste: AMOCHER. (IV) *to fornicate:* AIGUILLER.

atout nm (I) *trump card, joker.* (II) *blow, punch:* (2) wallop, whack, clout, sock, jab, clip, smack, slug. **avoir les atouts en main** (I) *to have things under control, be in control of he situation:* (1) have the upper hand, hold the reins. **avoir plusieurs atouts dans la manche** (I, 1) to have several aces [tricks] up one's sleeve, have an ace in the hole. **avoir tous les atouts en main** (I) *to hold all the trumps, have full control:* (1) have a sure thing [winner]. **avoir un a. dans la manche** [en réserve] (I) *to have something in reserve:* (I) to have an ace up one's sleeve [in the hole]. **recevoir un a.** (I) *to meet an unexpected obstacle:* (1) get a setback [bad break], hit a snag.

attaque—être d'a. (I) *to be full of energy:* (2) to be peppy: ALLANT.

attifer (s') vp (I) *to dress up:* (2) put on one's duds, get togged out.

attigé adj (IIIa) *sick:* (2) off-color: AFFÛTÉ.

attiger vt (II) *to boast, exaggerate:* (2) to lay it on thick: ALLER FORT. —— vt (II) *to injure, beat up:* AMOCHER. —— vt (IIIa) *to infect with a venereal disease:* ASSAISONNER.

attrapade [**age**] nm (I) *reprimand, scolding:* (2) bawling-out: ABATTAGE.

attrape-couillons nm invar. (III) *swindle:* (2) bunco [con, gyp, sucker, skin, shell] game, sucker bait.

attrape-nigaud nm invar. (II) ATTRAPE-COUILLONS.

attrape-pèze [**pognon**] nm invar. (III) ATTRAPE-COUILLONS.

attraper—se faire a. (I) *to get scolded, reprimanded:* (2) get chewed [bawled, cussed] out, get the devil [deuce, dickens], get put on the carpet, get called down, get what for, get a bawling-out [roasting, going-over, calling-down, cussing-out, tongue-lashing], get Hail Columbia. **se laisser a.** (I) *to let oneself be duped:* (1) let oneself be taken in; (2) let oneself be caught [suckered, screwed, stung, conned].

attriquer vt (IIIa) *to buy, purchase:* (1) pick up. **s'attriquer q'ch.** (IIIa) *to treat oneself to s.t.:* (2) to blow oneself to.

auber nm (III) *money:* (2) cabbage: ARTICHE. **avoir de l'a.** (III) *to be rich:* (2) to be loaded: AS.

auberge—sortir de l'a. (II) *to get out of a predicament:* (1) get out from under, get out of the woods; (2) wiggle out of a tight corner [spot], get out into the clear, get out from behind the eight ball.

aubergine nf (III) *red nose* (from alcoholism): (2) bottlenose, beet.

aussi sec adv (II) *immediately, right away:* (2) on the double, right off the bat, toot sweet, in a jiffy, pronto, in quick order, in jig time, in two shakes, in nothing flat, chop-chop, p.d.q. (pretty damn quick).

authentique—de l'a. (III) *the real thing:* (2) no phony, legit, the (real) McCoy, the Magoo.

autiche—faire de l'a. (IIIa) *to stir up trouble:* (1) stir up a hornet's nest, raise a rumpus; (2) kick [blow] up a storm, blow the panic whistle, push the panic button.

auticher vt (IIIa) *to entice, excite (sexually):* (2) give the come-on, play up to, work [stir up], vamp. **s'auticher** vi (IIIa) *to get excited (sexually):* (2) get worked up, get hot and bothered, get the urge; (3) get horny, get hot pants.

autor (d') adv (III) *without hesitation:* (1) on the spur of the moment; (2) at the drop of a hat, without batting an eye, in a flash, right off the bat.

auto-stop—**faire de l'a.** (I) *to hitchhike:* (2) bum [thumb, hook] a ride, bum [thumb] one's way, thumb it.

autruche—**avoir un estomac d'a.** (I, 2) to have a cast-iron stomach, be able to eat nails. **faire la politique de l'a.** (I) *to hide one's head in the sand.*

auxi (abrév. de **auxiliaire**) nm (IIIa) *prison trusty.*

avachi adj (I) *tired:* (2) beat: AFFÛTÉ.

avachir (s') vp (I) *to become tired, lose energy:* (2) peter [poop, fag] out, run down, run out of steam, lose one's pep [zip].

avaler vt (I) *to swallow, bite (fig.):* (2) fall for, take the bait, get hooked [sucked] in, swallow hook, line and sinker. **faire a. q'ch. à q'un** (I, 2) put s.t. over on s.o., make s.o. bite on s.t., pull a fast one on s.o., sell a bill of goods to s.o., suck s.o. in, hook s.o. **a. son bulletin de naissance** (II) *to die:* (2) kick off: ARME. **l'avaler** (II) *to die.*

avale-tout nm invar. (I) *glutton:* (2) chow-hound.

avaloire nf (III) *throat, gullet:* (2) craw, whistle, throttle, hatch.

avance—**avoir de l'a.** (II) *to be ahead of one's working schedule:* (2) be ahead of the game.

avantage nm (II) *favor:* (2) break. **faire un a. à q'un** (II) *to do s.o. a favor:* (2) give s.o. a break* [boost], lend s.o. a hand.

avant-scènes nf pl (III) *breasts:* (2) ninnies, mammaries; (3) boobies, bubs, tits, titties, knockers.

avocat—**faire l'a.** (III) *to act as an accomplice:* (2) be the stooge [shill, plant, front-man, come-on]. (III) *to play someone else's hand in cards:* (2) act as a stand-in.

avocat-bêcheur nm (III) *prosecuting attorney:* (2) the D.A. (District Attorney).

avoine nm (III) *beating:* (1) walloping, whacking, clouting, licking, tanning, hiding, whaling, larruping: (2) shellacking, clobbering, pasting, socking, lambasting, basting, belting, bashing, dusting, lamming, strapping, going- [working-]over, anointing, overhaul-ing, roughing-up. **filer une a.** (III) *to beat up:* AMOCHER.

avoir—**a. q'un** (II) *to cheat, swindle s.o.:* (2) to gyp: ARNAQUER. (II) *to defeat s.o.:* (2) to trim, give a shellacking. **en a. (du poil au cul)** (II) *to be audacious, bold:* (2) to have guts: BIDE.

avorton nm péj. (I) *small person:* (2) bantie, half-pint, peewee, shrimp, peanut, little squirt, (sawed-off) runt.

azor nm (IIIa) *toilet:* (1) wash [powder, throne] room, john; (3) crapper, shithouse.

aztèque nm (II) *small person:* AVORTON.

baba nm (IV) *buttocks:* (2) fanny: ARRIÈRE-TRAIN. **en rester b.** (I) *to be astonished:* ABASOURDIR. **l'avoir [se le faire mettre] dans le b.** (IV) *to be the loser:* (2) get trimmed [licked, shellacked], get the short end of the stick, be an also-ran; (3) get the shaft, get a hosing [screwing].

babillard nm (III) *newspaper:* (2) daily rag [blab, tattler], scandal sheet.

babillarde nf (III) *letter:* (1) line, note.

babillarder vt (IIIa) *to write a letter:* (1) scribble a note, drop a line.

babille nf (III) *letter:* (1) line.

babines nf pl (II) *lips:* (2) smackers, kissers. **s'en lécher les b.** (II) *to smack one's lips over.*

babiole nf (I) *trinket, bauble, knickknack, gewgaw.*

babouines nf pl (III) BABINES.

bac (abrév. de **baccalauréat**) nm (I) *certificate giving access to the University.*

baccara—**avoir b.** (III) *to be sure to lose:* (2) be sunk, be a dead duck, be a sure loser, be a gone goose. **être en plein b.** (IIIa) *to be dejected:* (2) have the blues, be down in the dumps [mouth].

bacchantes nf pl (II) *moustache:* (2) soup-strainer, cookie-duster. **bacchantes en guidon de course [de phoque]** (III, 2) handle-bar moustache.

bâche nf (III) *cap (headgear):* (2) lid, dip, beanie, bean pod. (III) *tarpaulin:* (2) tarp.

bâché adj (III) *dressed:* (2) togged [rigged] out.

bâcher vt (II) *to dress:* (2) rig [tog] out. **se bâcher** vp (III) *to get dressed:* (2) put on one's duds. (III) *to go to bed:* (1) bunk down, turn in; (2) hit the hay [sack], crawl into the feathers [hay, roost, sack].

bachot nm (I) BAC.

bachotage nm (I) *hasty preparation for an examination:* (2) boning-up, cramming.

bachoter vi (I) *to study intensively for school exam:* (2) bone up, cram, pound the books.

bâcler vt (I) *to do quickly and carelessly:* (2) knock [throw] together, rush out, do a rush job, give a lick and a promise, dust off (in a hurry).

bada nm (III) *hat:* (2) lid, skypiece, beanie, Benny, skimmer, topper. **porter le b.** (III) *to be wrongly accused:* (2) be the patsy [fall guy], take a phony [bum] rap, be framed, take a bum beef. (III) *to be suspected of being a police informer:* (2) be pegged for a stool pigeon [stoolie, fink, fingerman, canary, squawker, ratter].

badaboum nm (III) *fight, brawl:* (2) hassle, ruckus, row, rumble, scrap, mix-up, rhubarb, set-to, free-for-all, donnybrook, slugfest, brannigan.

baderne—**vieille b.** (I) *old man:* (2) old dodo [coot, buzzard, goat, codger, duffer, geezer], has-been, back-number, fossil, antique, moss-back.

badigeon nm (I) *cosmetics:* (1) make-up; (2) war paint.

badigeonner vi (I) *to put on cosmetics:* (1) to make up, put on make-up; (2) put on the war paint.

badigoinces nf pl (III) *lips:* BABINES.

badour adj (III) *good-looking, handsome:* (2) easy to look at, easy on the eyes, eye-filling, fetching, nifty (-looking), snazzy, keen (-looking), (real) cool, classy.

baffe nf (I) *blow, punch:* ATOUT. (III) *slap.*

bafouille nf (III) *letter:* (1) line.

bafouillarder vt (IIIa) *to write a letter:* (2) drop [scribble] a note [line].

bafouiller vi (I) *to speak indistinctly:* (2) gargle [swallow] one's words. *to talk nonsense:* (2) talk in circles, shoot off one's mouth, spout off, blow [run] off at the mouth.

bâfrer vi (II) *to eat gluttonously:* (1) have a blow-out; (2) cram [stuff] oneself, pack [stuff] it away, eat like a horse, fork [shovel, wolf] it down, make a pig of oneself.

bâfreur [**euse**] nmf (III) *glutton:* (2) chow hound.

bagage—**plier b.** (I) *to run away:* (2) to cut out: ADJAS. (I) *to die:* (2) kick off: ARME. **avoir un b. formidable** (I) *to have considerable experience (in a given field):* (2) be a hot rock.

bagarre nf (I) *fight:* (2) hassle: BADABOUM.

bagarrer (se) vp (I) *to fight:* (2) scrap, trade punches: ACCROCHER (s').

bagasse! (interj.) (I) *nonsense:* (2) baloney!

bagatelle nf (I) *trinket:* BABIOLE. **la b.** nf (III) *love-making:* (3) screwing. **être porté sur la b.** (III) *to be amorous:* ARTICLE.

bagne nm (I) *any job requiring hard work:* (2) sweatshop, slave shop, salt mines, rock pile.

bagnole nf (II) *automobile:* (2) crate, buggy, wagon, jalopy, heap.

bagoter vi (III) *to walk quickly:* (2) step on it, hum along, shake a leg, get a wiggle on.

bagots nm pl (III) *baggage:* (1) duffel.

bagou(t)—**avoir du b.** (I) *to be a glib speaker:* (2) have the gift of gab, have a slick [smooth] tongue, have a touch of the Blarney stone.

bagouler vt (IIIa) *to speak a foreign language.*

bagouse nf (III) *finger ring:* (2) band, hoop. (IV) *anus:* ANNEAU. **avoir de la b.** (IV) *to be lucky:* BOL. **l'avoir dans la b.** (IV) *to be swindled:* (3) be screwed, get a royal screwing, get the shaft.

bague nf (IV) *anus:* ANNEAU. **avoir de la b.** (IV) *to be lucky:* BOL. **c'est une b. au doigt** (I, 1) it's as easy as pie; (2) it's a breeze: ART.

baguette—**mener q'un à la b.** (I) *to spur s.o. along, urge s.o. on:* (2) high-pressure s.o., put the pressure on s.o., put the screws to s.o., whip s.o. into line. **mettre les baguettes** (III) *to run away:* (2) beat it: ADJAS.

bahut nm (III) *school, lycée.* (III) *taxi, cab.* (III) *truck:* (2) rig. (III) *room:* (2) pad, kip. **griffer un b.** (III) *to take a taxicab:* (2) grab a cab [taxi].

baigneur nm (III) *nose:* (2) beezer, beak, schnozzle, schnozzola, bill, bugle, beagle, horn, foghorn, smeller, sniffer, snoot. **claquer le b. de q'un** (III) *to punch s.o. (in the nose):* (2) to give s.o. a sock (in the puss, in the snoot, in the kisser).

bail—**il y a un b.** (III) *it's been a long time:* (2) it's been ages, it's been a dog's [coon's] age, not since Hector was a pup, it's been a month of Sundays.

baille nf (III) *water (rain, sea, river, etc.).* **filer à la b.** (III) *to throw into the water:* (2) fling [toss] into the drink.

bain—**envoyer q'un au b.** (II) *to get rid of s.o.:* (2) send s.o. packing, give s.o. the bounce [gate], kick s.o. out, send s.o. to the showers [devil, sidelines], tell s.o. off, tell s.o. where to head off. **être dans le b.** (II) *to know what's going on:* (2) be hip, be (right) up to date, know the latest dope, know what's cooking, be in the know [swim], know what's up [what], know the score. (II) *to be in-volved in a situation or project:* (1) be right in the middle of, be up to one's neck in. **mettre q'un dans le b.** (IIIa) *to start legal [police] action against s.o.:* (2) put in a beef [squawk] against s.o. **se remettre dans le b.** (III) *to get back to work:* (2) get back in the swim* [swing], get back into harness, start perking [rolling] again, pick up where one left off.

baïonnette nf (IV) *penis:* ARBALÈTE.

baiser vt (IV) *to fornicate:* AIGUILLER. (note: "baiser" must not be used to translate the verb "to kiss." "embrasser" is the correct word in this sense). **se faire baiser** (IV) *to get arrested:* AGRAFER. (IV) *to be swindled or cheated:* (3) to get screwed*: BAGOUSE. **être baisé** (IV) *to be caught red-handed:* (2) caught with the goods, caught with one's pants down. (IV) *to be arrested:* AGRAFER. (IV) *to be swindled:* (3) be screwed: BAGOUSE.

baisette nf (IV) *penis:* ARBALÈTE.

baisoter vt (I) *to kiss:* (2) (give a) smooch, smack, peck.

bal—sortir du b. (III) *to be out of the action:* (1) be out of the picture [running].

balade nf (II) *walk, stroll.* (II) *ride, joy-ride.*

balader (se) vp (II) *to take a stroll:* (1) take the air, stretch one's legs. **envoyer b.** (II) *discharge:* (2) send packing, give the bounce: BALAI.

baladeuse nf (I) *electric extension light.* **avoir les mains baladeuses** (II) *to seek to caress a woman intimately:* (2) have roaming [Roman] hands.

balai nm (III) *last subway out of Paris:* (2) the owl-train. **donner un coup de b.** (I) *to sweep up, clean up:* (1) make a clean sweep. (I) *to discharge employees:* (2) fire, can, sack, give the gate [boot, bounce, air, heave-ho, axe, sack, bag, bum's rush], send packing.

balaise nm (III) *strong man:* (2) muscle-man, Tarzan, strong-arm guy, iron man. —— adj (III) *strong, powerful:* (1) hefty, husky, beefy.

balancement nm (IIIa) *jail or prison sentence:* (2) rap, stretch, hitch, jolt.

balancer—b. q'ch. (I) *to throw s.t. away:* (1) chuck [peg] away, dump, ditch, get rid of, throw on the ash heap. (I) *to give, hand over:* (2) to fork over: ABOULER. **b. q'un** (III) *to fire s.o.:* (2) to can: BALAI. (III) *to denounce s.o.:* (2) put the finger on s.o., sell s.o. out [down the river],

blow the whistle on s.o., call the turn on s.o., squeal [peach, rat, fink] on s.o. **s'en balancer** (II) *not to worry about it:* (2) not to give a damn [hoot] about it, thumb one's nose at it, say the hell with it. **être bien balancée** (III) *to be well built (woman):* (2) be stacked: ACADÉMIE.

balançoire—envoyer à la b. (II) *to discharge:* (2) to give the gate: BALAI. **b. à minette** (IV) *sanitary napkin.*

balanstiquer vt (III) *to throw away:* (2) to peg away: BALANCER.

balaud nm (III) BALLOT.

balayer vt (I) *to fire:* (2) to bounce: BALAI.

balayette nf (IV) *penis:* ARBALÈTE. **partie de b.** (IV) *an act of intercourse:* ARBALÈTE.

balayeur nm (III) *the jack (in cards):* (2) jake, jay boy.

balcon—il y a [elle a] du monde au b. (III) *she's very bosomy:* (2) she's well stacked. **quel b.!** (III) *what a build!:* (2) wow, is she stacked!

balèze adj (II) *strong:* (2) beefy: BALAISE.

ballade nm (III) *pocket:* (2) kick, poke, keister.

balle nf (III) *head:* (2) bean, block, nut, noggin, knob, noodle, dome, crown, top story, think tank, cocoa. (III) *face:* (2) kisser, mug, puss, pan, map, phiz. nf (III) *franc.* **ça fait ma b.** (IIIa) *that's my business, leave that to me:* (1) I'll take care of that. **enfant de la b.** (I) *s.o. born in circus or theatre circles:* (2) circus brat, stage brat. **renvoyer la b.** (I) *to make a quick retort:* (2) make a snappy [quick] comeback. **se renvoyer la b.** (I) *to evade the responsibility:* (2) pass the buck. **peau de b.** (II) *nothing:* (2) not a damn thing. (II) *no:* (2) no dice, no sale. **trou de b.** (II) *anus:* ANNEAU.

bal(l)oches nf pl (IV) *testicles:* (3) nuts, balls, family jewels.

ballon nm (III) *prison:* (2) clink, cooler, pen, lockup, stir, pokey, can, brig, calaboose, jug, hoosegow. (III) *belly:* (2) gut, bread-basket [box], gizzard, tummy. **b. d'essai.** (I) *trial balloon:* (1) feeler. **avoir attrapé un b.** (III) *to be pregnant:* ARRONDIR (s'). **enlever le b.** (III) *to kick in the buttocks:* (2) kick [boot] in the can [rear end, bottom, keister], give the boot. **être au b.** (III) *to be in prison:* (2) do time, be behind bars, be in stir [pokey], be in the can [clink, cooler, jug]. **faire b.** (III) *to go hungry:* (2) be on short rations. (III) *to be disappointed:* (2) be left out in the cold [rain], draw a blank, come out empty-handed. (III) *to be deprived of, do without:* (2) be done out of, whistle for.

mettre au b. (III) *to put into prison:* (2) put behind bars, put [throw, toss] into the clink [can, cooler, jug], run in, put away, jug, send up the river.

ballonner vt (III) *to put in prison:* (2) to toss in the clink: BALLON.

ballot nm (III) *stupid person:* (2) boob, dope: ANDOUILLE.

ballotter vt (III) *to denounce, toss away:* (2) to chuck away: BALANCER. (III) *to hand over:* (2) to fork over: ABOULER. **être bien ballottée** (III) *to have a lovely shape (female):* (2) to be stacked: ACADÉMIE.

balmuche pron (III) *nothing:* (2) not a damn thing, but nothing.

balourd adj (III) *fraudulent:* (1) phony; (2) doctored [faked] up. **marcher sur des balourds** (IIIa) *to travel under false identity papers.*

balpeau pron (III) *nothing:* (2) not a damn thing: BALMUCHE.

Balthazar nm (II) *banquet, feast:* (1) blowout, spread, food fest.

baluchard (e) nmf (III) *dope:* (2) goofball: ANDOUILLE.

baluche nf (III) *dope:* (2) knucklehead: ANDOUILLE. (III) *cigarette:* (2) butt, coffin nail, weed, gasper, fag, cancer stick.

baluchon nm (II) *bundle, pack (clothes, laundry, etc.).* (III) *vagabond's pack:* (3) bindle.

baluchonner vt (IIIa) *to put [throw] into a bag (esp. during robbery).*

bamboche nf (I) *spree:* (2) bender, bat, binge, bust, fling, tear, jag, toot, blowout, shindig, shindy.

bambocher vi (I) *to go on a spree:* (2) go on a bat [bender, binge, bust, tear], have a blowout [hot time, shindig, shindy, wingding], cut loose, paint the town (red), whoop it up, make whoopee, have a night on the town, have oneself a high time, tie one on.

bambou—avoir le coup de b. (IIIa) *to be tired out:* (2) to be pooped: AFFÛTÉ. **avoir reçu un coup de b.** (IIIa) *to be crazy:* (2) to be touched in the head: ARAIGNÉE.

bamboula nf (III) *spree:* BAMBOCHE. (III) *Negro:* (2) coon, dinge, shine, boogie, nigger, jigaboo. **faire la b.** (IIIa) *to go on a spree:* (2) to go on a binge: BAMBOCHER.

bananes nf pl (II) *honorary decorations, medals:* (2) fruit salad, chest hardware.

banban[ne] nmf (IIa) *lame person.* —— adj (II) *lame:* (2) gimpy, game-legged, limpy.

banc—être sur les bancs (I) *to be taking school courses.*

banco! (III) *agreed!:* (2) I'm with you!, check!, I'll buy that!, it's a go [deal]!, you're on!, Roger!

bandant adj (IV) *sexy:* (3) hot (in the pants), horny.

bande—faire b. à part (I) *to mind one's own business:* (2) keep one's nose out, stay on the sidelines, stay in one's own corner, be a lone wolf.

bander vi (IV) *to have an erection:* (3) have a hard [bone] on, have it up. (IV) *to have an orgasm:* (3) come, shoot one's load, pop off. **b. pour qu'un** (III) *to be desirous of s.o.:* (2) be hot and bothered over s.o., have it hot for s.o., be in a sweat [worked up] over s.o., have a pash for s.o.

bandeur [euse] nmf (IV) *amorous person:* (3) gash-hound: ARTICLE.

bandocher vi (IV) *to be passionate, have a sexual orgasm:* (2) to come: BANDER.

banlieusard[e] nmf (I, 1) suburbanite.

bannes nf pl (IIIa) *bed sheets.*

bannière nf (IIIa) *man's shirt.*

banquer vt (III) *to pay up:* (2) to cough up: ABOULER.

banquiste nm (III) *circus performer.*

baptiser vt (I) *to water down* (wine, milk, etc.)

baquet nm (III) *belly:* BALLON. (IV) *female genitals:* (3) pussy, cunt, box, snatch, hole, crack, twat.

barabille—mettre la b. (IIIa) *to stir up trouble:* (2) kick up a fuss: AUTICHE.

baragouiner vt (I) *to speak a language poorly:* (2) garble [butcher, murder] a lingo. (I) *to speak indistinctly, mumble, jabber.*

baraque nf (I) *shack, shanty:* (1) barn; (2) dive, dump, hole in the wall, rattrap. **avoir b.** (III) *to lose in gambling:* BACCARA. (I) *to throw craps in dice:* (1) crap out. **toute la b.** (III) *everything:* (1) lock, stock and barrel; (2) the whole works [business, shooting match, shebang], the whole kit and caboodle. **(faire) casser la b.** (III théât.) *to give a successful performance:* (2) to bring the house down*, to lay them in the aisles, to wow them.

baraqué adj (III) *strong:* (2) beefy: BALAISE.

baratin nm (II) *sales talk:* (2) plug, pitch, spiel, ballyhoo. (2) *glib talk, flattery:* applesauce, baloney, bull, hokum, blarney, softsoap, bunkum, banana oil, snow job.

baratiner vt (II) *to flatter, talk glibly:* (2) hand [dish] out a line, throw the bull, dish out the baloney [bull, applesauce], soft-soap, sweet talk, lay [pile] it on thick, to give a snow job, to snow.

baratineur nm (III) *high-pressure salesman:* ABOYEUR. (III) *flatterer:* (2) soft-soaper, bull-thrower, baloney [hot air] artist; (3) bull-shit artist.

barbant adj (II) *boring; annoying:* (2) bugging, griping, pestiferous.

barbaque nf (II) *meat (esp. of poor quality):* (2) horse meat, shoe leather.

barbe nf (II) *annoying or boring thing:* (2) pain in the neck [ass]. (IIIa) *pimp:* (2) mackerel, fancy man. **la b.!** imp. (II) *keep quiet!:* (2) dry up!, that's enough, dammit!, cut it out!. **quelle b.!** (II) *how boring!:* (2) what a pain (in the neck)! **faire la b.** (III) *to be a big winner:* (2) make a killing [clean-up], clean up, take the boys over, come out way ahead. **rire dans sa b.** (I) *to laugh to oneself:* (1) laugh up one's sleeve*. **faire q'ch. à la b. de q'un** (I) *to do s.t. in s.o.'s presence and in spite of it:* (1) do s.t. right to his face.

barbeau nm (III) *pimp.*

barber vt (I) *to bore, annoy, pester:* (2) bug: ASSOMMER.

barbichonner vi (IIIa) *to be a winner:* (2) to clean up: BARBE.

barbifier vt (Ia) *to shave:* (2) scrape off the whiskers. (Ia) *to bore:* (2) to bug: ASSOMMER.

barbillon nm (III) *pimp.*

barbiquet nm (péj.) (III) *young criminal:* (2) punk. (III) *pimp.*

barboter vt (III) *to steal, swipe:* (2) to cop: ARRANGER. (III) *to search (a prisoner):* (2) frisk, shake down, fan, go [work] over.

barbotte nf (III) *searching (of a prisoner):* (2) frisking, shakedown, fanning, working-over.

barbouze nf (III) *beard:* (2) beaver, chin whiskers. (III) *undercover agent:* (2) G-man.

barbu nm (III) *the king (in cards):* (2) K-boy, old man. (IV) *female genitals:* BAQUET.

barca! (imp.) (III) *that's enough!:* BARBE (LA).

barda nm (II) *knapsack, haversack.* (II) *one's belongings:* AFFAIRES. (II) *1000-franc note:* (2) a grand.

barder—**ça va b.** (III) *attention!:* (2) watch out!, things are going to get hot [start humming]. **ça barde** (II, 2) things are getting hot, it's rough [tough] going.

baron nm (IIIa) *accomplice, decoy:* (2) come-on (man), front, shill, plant, stooge, stick, steerer. **faire le b.** (IIIa) *to act as a decoy:* (2) to stooge: AVOCAT.

baronne nf (III) *one's wife:* (2) the missus, the little woman, the better-half, the old lady, the ball-and-chain, the frau.

baronner vi (IIIa) *to act as decoy:* (2) to stooge: AVOCAT.

baronnet nm (IIIa) *mouth:* (2) mug: ACCROCHE-PIPE.

baroud nf (III) *brawl:* (2) donnybrook: BADABOUM.

barouf[le] nm (II) *noise, racket:* (1) hullabaloo, ruckus, rumpus.

barque—**mener [mettre] q'un en b.** (II) *to poke fun at s.o.:* (2) to put s.o. on: BATEAU. **bien mener sa b.** (I) *to have things under control:* (1) be on top of the situation.

barre—**à toute b.** (III) *at top speed:* (2) like a house on fire, like a blue streak, like greased lightning, wide open, under full steam, in high gear, lickety-split, on the double. **avoir b. sur q'un** (I) *to have the advantage over s.o.:* (2) have the jump [bulge, edge] on s.o., be one up on s.o., be one jump ahead of s.o. **avoir [recevoir] le coup de b.** (II) *to be tired:* (2) to be done in: AFFÛTÉ. **c'est le coup de b.** (II) *the price is too high:* (2) it's a gyp [holdup, highway robbery]. **homme de b.** (III) *friend, partner:* (1) buddy: AMINCHE.

barrer (se) vp (III) *to run off:* (2) to scram: ADJAS.

bas—**b. de laine** (II) *savings, nest egg:* (2) dough [money] socked away.

bascule—**la b. à Charlot** (III) *the guillotine.*

bassin [e] nmf (III) *bore, pest:* (2) creep, drip, droop, meatball, sad sack, schmoe, zombie, pain in the neck [ass], wet smack [blanket], pill.

bassinant adj (II) *boring:* (2) bugging: BARBANT.

bassiner vt (II) *to annoy, bore:* (2) to give a pain: ASSOMMER.

bassinet—**cracher au b.** (II) *to pay up:* (2) to cough up*: ABOULER.

basta! imp. (III) *enough!, cut it out!:* BARBE (LA).

baston nm (IIIa) *blow:* (2) clip: ATOUT.

bastonner (se) vp (III) *to fight:* (2) to slug it out: ACCROCHER.

bastos nf (III) *bullet:* pill.

bastringue nm (II) *noise, racket:* (1) hullabaloo: BAROUF. (II) *cheap dance hall:* (2) honky-tonk, dime-a-dance joint [palace]. (II) *noisy dance band.* (II) *mechanical record player:* (2) juke box. (III) *the Administration, the Government.* (III) *the radio:* (2) the agony box.

bataclan—tout le b. (II, 1) the whole works: BARAQUE.

bat'd'af' nm (IIIa) (abrév. de **bataillon d' Afrique**) *French punishment-battalion (once stationed in Africa).*

bateau nm (I) *driveway across a street sidewalk to permit entry into a court:* (1) driveway. **monter un b. à q'un** (I) *to make fun of s.o., play a joke on, ridicule:* (2) kid [rib, spoof, rag, razz, needle] s.o., put s.o. on, string s.o. along, make a sap [sucker] of s.o., give s.o. the business, pull s.o.'s leg*, take s.o. for a (sleigh) ride. **mener q'un en b.** (II) *to swindle or dupe s.o.:* (2) gyp s.o.: ARNAQUER.

bateaux nm pl (III) *big feet:* (2) dogs: ARGASSES. (III) *big shoes:* (2) clodhoppers, canal boats.

bath (aux pommes) adj (II) *pleasing, handsome:* (2) groovy. nifty, keen, neat, classy, easy to look at, peachy, dandy, snazzy, cool, divine, stunning, scrumptious.

batifoler vi (I) *to play around (childishly):* (1) kid [horse] around, kick up one's heels.

bâtiment—être du b. (I) *to be in the same business, be part of the firm:* (2) be one of the boys, be one of us. (III) *to know how to manage:* (2) know the angles, know what's what, have been around, know which side is up, be on the ball.

bâton nm (III mil.) *battalion* **b. merdeux** (III) *complainer:* (1) crabber; (2) bellyacher, griper, beefer, crank, groucher, squawker, grouser. **bâtons** nm pl (III) *legs:* (2) gams, pins, pegs, shafts, stumps. **à bâtons rompus** (I) *at irregular intervals:* (1) in fits and starts; (2) on again, off again. **mettre des bâtons dans les roues** (I) *to interfere:* (2) throw a monkey wrench into the works, gum up the works, queer [crab] the act, stymie things, put a crimp in one's style. **mettre les bâtons** (III) *to run off:* (2) take it on the lam: ADJAS:.

bâtonné adj (IIIa) *banned from certain areas by police* (French law permits any local police jurisdiction to enforce an "interdiction de séjour.")

batouse nf (IIIa) *textiles, fabrics, cloth.* **faire la b.** (IIIa) *to sell textiles door-to-door or in open-air markets.*

battage nm (I) *sales talk:* (2) plug: BARATIN. **faire du b. sur q'ch.** (I) to advertise s.t.: (2) plug [boost, talk up, push, ballyhoo] s.t., make a spiel for s.t., do a hard-sell.

battant nm (III) *heart:* (2) ticker, pump. (III) *fighter:* (2) battler, bruiser, mauler, fighting fool. (III) *tongue:* (2) clapper. —— adj *strong:* BALAISE.

battoir nm (II) *hand:* (2) mitt: AGRAFE.

battoir-à-oeufs nm (III) *helicopter:* (2) eggbeater*: MARGUERITE.

bauches nf pl (IIIa) *playing cards:* (2) pasteboards, books, boards.

bavard nm (III) *lawyer:* (2) mouthpiece.

bavarde nf (III) *tongue:* (2) clapper.

bavasser vi (III) *to talk nonsense:* (2) to run off at the mouth: BAFOUILLER.

baveau [elle] adj (III) *good-looking:* (2) keen: BADOUR.

baver vi (III) *to talk glibly:* (2) to dish out the applesauce: BARATINER. **en b.** (II) *to be upset about it:* (2) be sore as hell about it, be in a sweat [tizzy] over it. **en faire b. à q'un** (II) *to upset s.o. over it:* (2) make s.o. sweat over it, give s.o. a rough time over it.

bavette—tailler une b. (I) *to have a chat:* (2) jaw, chew the fat*, chin, shoot the breeze [bull], yack, gas, have a gabfest, gab.

baveuse nf (III) *tongue:* (2) clapper.

baveux nm (III) soap. (III) *newspaper:* (2) rag: BABILLARD. (III) *lawyer:* (2) mouthpiece.

bazar nm (II) *shanty:* (2) dump: BARAQUE. **tout le b.** (I) *everything:* (2) the whole works: BARAQUE. **l'avoir dans le b.** (III) *to lose* (2) to get taken: BABA.

bazarder vt (II) *to sell off cheaply:* (1) dump; (2) get rid off, push off.

beau—faire le b. (I) *to show off:* (2) put on a splurge [show, splash], put on the dog [Ritz], put on an act, ride one's high horse. (I) *to sit up and beg (said of a dog).*

beaujol(pif) nm (III) *Beaujolais wine.*

bec nm (III) *mouth:* (2) kisser: ACCROCHE-PIPE. (III) *snag:* (1) hitch: ACCROC. **avoir le b. salé** (III) *to be thirsty:* (1) be dry, ready for a drink. **claquer du b.** (II *to be hungry, be starved:* (1) be empty, hungry as a bear. (III) *to be cold:* (2) have the shivers. **clore [clouer] le b. à q'un** (I) *to silence s.o.:* (2) shut s.o. up, squelch [shush] s.o., soft-pedal s.o., put the lid [soft-pedal, damper] on s.o. **se rincer le b.** (II) *to take a drink:* (2) to wet one's whistle*: AMYGDALES. **tomber sur un b. (de gaz)** (II) *to meet an obstacle:* (1) hit a snag; (2) be stymied, come to a dead end, come a cropper, fizzle out, flop.

bécane nf (II) *bicycle:* (2) bike, wheel. (II) *switching locomotive:* (1) yard-engine, donkey-engine.

bécasse nf (I) *stupid [foolish] woman:* (2) dizzy dame, silly goose, dumb Dora.

bêchage nm (I) *criticism:* (2) knocking, slamming, roasting, needling, rapping, panning.

béchamel nm (III) *braggart:* (2) fourflusher, big bluff, windbag, bag of wind, bullthrower; (3) bullshit artist.

bêche—**jeter de la b. à** (II) *to scorn:* (1) turn up one's nose at, sniff at, look down one's nose at, look down upon, snap one's fingers at.

bêchemeux [euse] adj (IIa) *proud, pretentious:* (2) swell-headed, stuck-up.

bêcher vt (I) *to criticize:* (2) to roast: AQUIGER. (III) *to poke fun at:* (2) to rib: BATEAU. (III) *to be suspicious of:* (2) be leery about. vi (III) *to boast, show off:* (2) dish out a line: ALLER FORT.

bêcheur[euse] nmf (I) *critic* (of other people): (2) panner, backbiter, roaster. (III) *braggart:* (2) blowoff: BÉCHAMEL. —— adj (I) *critical, disparaging.*

bécif adv (III) *quickly, at full speed:* (2) in high: BARRE.

bécot nm (I) *little kiss:* (2) peck, smack, smooch.

bécoter vt (I) *to kiss:* (2) to smooch: BAISOTER.

becquetance nf (III) *food:* (2) grub, chow, groceries, eats, chuck, vittles.

be(c)queter vi (III) *to eat:* (2) put [tie] on the feed bag, feed one's face, stoke up, pack [stow] away a meal, appease the inner man, hit the chowline. **en b.** (IIIa) *to confess:* (2) sing: ACCOUCHER.

bedaine nf (I) *stomach:* (2) breadbasket: BALLON. (I) *potbelly:* (2) corporation, bay window, spare tire, beerbelly, middle-age spread, Milwaukee tumor, bar-blister, gut.

bédis nm (IIIa) *the police:* (1) the cops; (2) the Law, the bulls, the fuzz, the boys in blue.

bedon nm (I) BEDAINE.

bedonner vt (I) *to develop a paunch (potbelly):* (2) put on middle-age spread, grow a gut, fill out around the middle, get a corporation [bay window].

bégonia—**charrier dans les bégonias** (III) *to exaggerate:* (2) to throw the bull: ALLER FORT.

bégueule nf (I) *excessively prudish woman:* (2) iceberg.

béguin nm (I) *sweetheart, darling:* (1) girl friend; (2) flame, heartthrob, dreamboat,

passion, sugar, sweetie (pie), honeybunch. **avoir le b. pour q'un** (I) *to be in love with s.o.:* (2) have a thing on s.o.: AMOUR.

beigne nf (II) *slap, smack, punch:* (2) clip: ATOUT. **filer une b.** (III) *to beat:* (2) to work over: AMOCHER.

Belgico nm (III) *Belgian.*

belle—**(em)mener q'un en b.** (III) *to play a joke on s.o.:* (2) pull s.o.'s leg: BATEAU. (III) *to cheat s.o.:* (2) con s.o.: ARNAQUER. **être décarré de b.** (IIIa) *to be acquitted:* beat the rap, be sprung [let off]. **faire la b.** (III) *to escape (from prison):* (2) crash [break, bust] out [of stir], crash jail, make a break, duck out, go over the fence [hill]. (II) *to show off:* (2) put on the dog: BEAU. **la b. époque** nf (I) *the gay 90's, the good old days (actually the early 1900's in France).* **se faire b.** (II) *to have things easy:* (2) have it soft* [made], have [live] the life of Riley, have a cinch [soft snap], ride the gravy train. **l'échapper b.** (III) *barely to escape:* (2) have a close [call], have a narrow [tight] squeak, barely get away with it.

bénard nm (III) *trousers, pants:* (1) breeches; (2) britches, jeans. **chier dans son b.** (IV) *to be afraid:* (2) to have the jitters: BLANCS.

bénéf (abrév. de **bénéfice**) nm (III) *profit:* (2) gravy: AFFLURE.

béni-oui-oui nm (II, 2) yes-man.

bénouze nm (III) *pants:* BÉNARD.

béquillard nm (I) *cripple, one who walks with crutches:* (2) gimpy (-legged).

béquilles nf pl (III) *legs:* (2) stems: BÂTONS.

bercail nm (III) *home:* (2) pad, hangout.

Bérés[z]ina nf (IIIa) *calamity, catastrophe.*

berge nf (III) *a year.*

bergère nf (II) *wife:* BARONNE. (III) *girl, woman:* (2) babe, bim, broad, chick, dame, filly, dish, doll, frail, gal, jane, moll, petticoat, skirt, tomato.

berlingot nm (III) *old auto:* (2) jalopy, tin lizzie, crate, junk heap, heap of tin, rattletrap. (III) *pimple, boil:* (2) hickey. (IV) *virginity, maidenhead:* (2) cherry. (IV) *clitoris.*

berlingue nm (III) BERLINGOT (except "old auto").

berlue nf (IIIa) *blanket.* (IIIa) *cover-up for illegal activities:* (2) cover, front. **avoir la b.** (I) *to be myopic.* (I) *to be mistaken, misjudge:* (2) miss the point, be off the beam [track], be out in left field. **avoir une b.** (IIIa) *to have an alibi* (for the police): (2) have a cover-up [front]. **mettre la b.** (IIIa) *to set up a table for card games (usually clandestine).* **se faire des berlues** (II) *to* *delude oneself:* (2) kid oneself, be out in left field, have one's head in the clouds, be off the beam, let one's imagination run away with itself.

berlurer (se) vp (II) *to delude oneself:* (2) to kid oneself: BERLUE.

bernique! (interj.) (III, 2) nothing doing!, no go!, no sale!, no dice!, no soap!

berzingue—à tout b. (III) *at top speed:* (2) in high: BARRE.

bésef adv (III) *very many:* (2) loads [heaps, oodles] of: CHARIBOTÉE. **pas b.** (III) *very little:* (2) damn little, peanuts, chicken feed, beans.

besogne—renâcler à la b. (I) *to shirk on the job:* (2) goldbrick, soldier [lay down] on the job, goof off. **être dur à la b.** (I) *to be a hard worker:* (2) be a plugger, be a bear for work.

bestiole nf (III) *child's penis.*

bêta nm (I) *dope:* ANDOUILLE. —— adj *stupid:* (1) dumb; (2) dopey, thick-headed, dimwitted, sappy, slow on the pickup.

bêtasse nf (I) *silly woman:* (2) dumb Dora: BÉCASSE. —— adj *stupid:* (1) dumb: BÉTA.

bête—être b. comme chou (I) *to be easily done:* (2) to be a snap: ART. **être b. comme ses pieds** (I) *to be stupid:* (1) to be dumb: ANDOUILLE.

betterave nf (III) *bottle of wine.* (III) *red nose:* (2) beet: AUBERGINE.

beuglant nm (II) *low-class night club:* (2) joint, dive, honky-tonk, clip [gyp] joint.

beuglante nf (II) *popular song:* (1) song hit, ditty, tune.

beugler vi (I) *to shout:* (1) holler, bellow*, whoop.

beurre nm (III) *money:* (2) bread: ARTICHE. **accommoder q'un au b. noir** (II) *to give s.o. a black eye:* (2) hang a shiner [blinker] on s.o. **être comme du b.** (I) *to be easy to do:* (2) to be a cinch: ART. **faire son b.** (I) *to get rich:* (2) make one's pile*, make a barrel (of money), feather one's nest, pile [build] up a bankroll, strike it rich. **mettre du b. dans les épinards** (I) *to earn extra money:* (2) make a few bucks on the side, earn [make] some gravy [velvet], moonlight. **promettre plus de b. que de pain** (I) *to make exaggerated promises:* (2) promise the world, promise a lot and deliver little.

beurré adj (III) *drunk:* (2) boiled: ALLUMÉ.

beurrée—avoir une b. (III) *to be drunk:* (2) to be boiled: ALLUMÉ.

bibard [e] nmf (III) *heavy drinker, alco-*

holic: (2) boozer, lush, soak, booze-[rum-]hound, souse, rummy, guzzler, barfly, rumpot, stew (bum).

biber vt (II) *to swindle, cheat:* (2) to gyp: ARNAQUER.

biberon [ne] nmf (III) *heavy drinker:* (2) boozer: BIBARD.

biberonner vi (I) *to drink excessively (alcohol):* (2) booze, hit the bottle [booze], bend the elbow, drink like a fish, swill, lap [slop, soak] it up.

bibi nm (II) *me, myself:* (2) yours truly. (III) *hat (esp. woman's):* (2) lid: BADA.

bic nm (III péj.) *Arab.*

bicause (III) *because, on account of.* —— *why?:* (2) how come?, for why?

biche nf (II) *girl, young woman:* (2) babe: BERGÈRE.

bicher vi (II) *to run smoothly, get along well:* (2) hit on all fours [sixes], perk along (smoothly). (III) *to be pleased, satisfied:* (2) be tickled pink [to pieces]. (IIIa) *to arrest:* AGRAFER. **b. comme un pou** (III) *to be highly pleased.* **ça biche** (III) *things are going smoothly:* (2) things are clicking [jake, hunky-dory, perking along]. —— (interj.) *agreed!, okay:* BANCO. **ça biche?** (II) *how are things?:* (2) how's it goin'?

bichonner vt (I) *to fondle, pet.* (I) *to dress up:* (2) pretty [doll, spruce] up, tog out. **se bichonner** vp (I) *to dress oneself up:* (2) put on one's duds, get togged out.

bichotter vt (IIIa) *to steal, swipe:* (2) to cop: ARRANGER.

bicot nm (I péj.) *Arab.*

bicyclettes nf pl (II) *eyeglasses:* (1) specs; (2) cheaters.

bidard adj (III) *lucky.*

bide nm (III) *belly:* (2) gut: BALLON. **être gras du b.** (III) *to be fat:* (2) be beefy, have a potbelly [bay window, corporation]. **en avoir dans le b.** (III) *to be brave:* (1) have grit [spunk]; (2) have guts* [moxie], have what it takes, have the stuff, have intestinal fortitude. **ne rien avoir dans le b.** (III) *to be a coward:* (2) have no guts*, be chicken [yellow], not have what it takes; (3) have shit in one's blood. **récolter un b.** (III) *to have a failure (art, theatre, etc.):* (2) lay an egg, have a flop* [frost, turkey, flivver].

bidoche nf (III) *meat (esp. inferior quality).* **sac à b.** (III) *sleeping bag:* (2) fleabag; (3) fart sack (military slang).

bidon adj (III) *false:* (2) phony: BALOURD. —— nm (III) *stomach:* (2) gut: BALLON. **en avoir dans le b.** (III) *to be courageous:*

(2) to have guts: BIDE. **être du b.** (III) *to be a fake:* (2) be phony [a gyp, a flimflam].

bidonnant adj (III) *funny, amusing:* (2) side-splitting, a scream, a howl, too funny for words, good for a laugh, rib-tickling.

bidonner vt (III) *to deceive, lie to:* BATEAU. **se bidonner** vp (III) *to laugh, enjoy oneself, have fun:* (1) have a laugh; (2) get a kick, have a gay [good] time, be in stitches, have a belly-laugh, laugh oneself sick.

bidonville nm (I) *shantytown.*

bière—ce n'est pas de la petite b. (I) *it's no trifling matter:* (2) it's nothing to be sneezed at, it's no small potatoes*, it's no joke.

biffe (la) nf (II) *the infantry.* (III) *junk collectors, ragpickers.*

biffeton nm (III) *ticket:* (2) ducat. (III) *banknote:* (1) bill; (2) folding money, skin, lettuce, long green. (III) *playing cards:* (2) pasteboards: BAUCHES. **piquer un b.** *to self-inflict injury for army discharge or insurance claim.*

biffin nm (II) *infantryman:* (2) doughfoot, dogface, footslogger, doughboy. (II) *ragpicker, junk collector.*

bifteck—gagner son b. (III) *to earn one's living:* (2) bring home the bacon*, earn one's keep [bread and butter], bring in the groceries, keep the pot boiling.

bifton nm (III) BIFFETON.

biftonner vt (IIIa) *to write a letter:* (1) scribble a line [note].

bigler vt (III) *to look at, take notice of, scrutinize:* (1) eye up and down; (2) give the once-over [eye, double-O], take a gander [look, look-see, squint] at, get a load of, glom, lamp.

bigne nf (IIIa) *prison, jail:* (2) clink: BALLON.

bignole nmf (II) *concierge.*

bigophone nm (III) *telephone, phone.*

bigorne nf. (III) *fight, scrap:* (2) hassle: BADABOUM.

bigorné—être mal b. (III) *to be in a bad humor, in an ugly mood:* (2) be browned-off, griped, have a mad on. (III) *to be homely:* (2) be hard on the eyes, be no prize package, be not much for looks, be nothing to write home about.

bigorner vt (II) *to beat up:* (2) to work over: AMOCHER. **se bigorner** vp (III) *to come to blows:* (2) to get into a hassle: ACCROCHER('s).

bigornette nf (IIIa) *cocaine:* (2) snow, big C, nose candy, white cross, schmeck.

bigoudi—travailler du b. (III) *to be somewhat crazy:* (2) be off one's rocker: ARAIGNÉE.

bigre! (interj.) (I, 1) gosh!, holy cow!, gee whiz!, Holy Moses!

bigrement adv (I) *very much:* (2) awfully, damnably, cussedly, all-fired.

bilan—déposer le b. (III) *to die:* (2) to kick the bucket: ARME.

bile—se faire de la b. (I) *to worry, fret:* (1) stew; (2) work up a sweat [tizzy], sit in the anxious seat.

biler (se) vp (I) *to fret:* (1) to stew: BILE.

billard—passer [monter] sur le b. (I) *to undergo surgery:* (2) go under the knife, be cut. **être du b.** (III) *to be easy:* (2) to be a soft snap: ART. *to be a bargain:* AFFAIRE. **dévisser son b.** (III) *to die:* (2) to pop off: ARME.

bille nf (II) *head:* (2) nut: BALLE. **b. de clown** (III) *homely person:* (1) scarecrow, ugly duckling. (III) *comical person:* (2) wise-cracker, funny guy.

billet—prendre un b. de parterre (I) *to fall:* (1) take a flop [spill, header], come a cropper; (2) go kerplunk. **je vous fous mon b.** (III) *you can take my word:* (1) you can bank on what I say; (2) I'm not kidding you.

billot nm (III) *dope:* (2) knucklehead: ANDOUILLE.

binette nf (II) *face:* (2) kisser: BALLE.

biniou nm (III) *accordion:* (2) squeeze box.

bique nf (II) *old or inferior horse:* (2) nag, plug, hay [oat] burner, palooka, plater. (II) *old woman (derog.):* (2) old bag [hen, bat, rip, witch].

birbe—vieux b. (II) *old man:* (2) old goat: BADERNE.

biroute nf (IVa) *penis:* ARBALÈTE.

bisbille nf (I) *petty quarrel:* (1) tiff, spat.

biscottos nm pl (IIIa) *biceps (muscles).* **rouler les b.** (IIIa) *to show off one's strength, swagger:* (2) show [flash] one's muscle, throw one's weight around, put on a big show, act the big shot.

biscuit nm (III) *police summons:* (2) ticket, tag. **ne pas s'embarquer sans b.** (II) *to make full preparation for an undertaking:* (2) get all set for.

bise nf (II) *kiss:* BÉCOT.

biseness nm (III) *work, job:* (2) racket. (IIIa) *prostitution:* (2) hustling, street-walking. **en faire tout un b.** (II) *to make a big fuss about:* (1) make a to-do over; (2) raise a (big) stink over.

bisenesseuse nf (IIIa) *prostitute:* (2) hustler, hooker, chippy, tart, call girl.

biser vt (II) *to kiss:* BAISOTER.

bisou nm (II) *little kiss:* (1) peck: BÉCOT.

bisque nf (I) *bad humor, chagrin:* (2) peeve, gripe. **avoir [prendre] la b.** (I) *to be in bad humor:* (2) to be brassed off: BIGORNÉ.

bistouille nf (III) *coffee laced with brandy.*

bistro (t) nm (II) *café, bar, bar restaurant.*

bitard nm (IIIa) *hat:* (2) lid: BADA.

bite nf (IV) *penis:* ARBALÈTE.

bitos nm (III) *hat:* (2) lid: BADA.

bitume nf (III) *asphalt, road, pavement:* **raser le b.** (III) *to be very short:* (2) to be knee-high to a grasshopper, to be lower than a snake's knees [hips].

biture—prendre [ramasser] une b. (III) *to get drunk:* (2) get loaded: ARRONDIR (s').

biturer (se) vp (III) *to get drunk:* (2) to tie one on: ARRONDIR (s').

bizet nm (IIIa) *immature criminal, young pimp:* (2) punk.

bizness nm (III) BISENESS.

bizut nm (III) *freshman student:* (1) frosh, freshie.

bla-bla-bla nm (II) *talk, chatter:* (2) gab, blab, hot air, chin music, wind, yackety-yack.

blague nf (I) *joke, hoax:* (2) kidding, spoof, ribbing, gag, leg pulling. (I) *glib talk:* (2) blarney: BARATIN. **b. à part!** (I, 1) all joking [kidding] aside; (2) cut the kidding [crap, baloney, bull]! **c'est de la b.** (II) *that's a joke:* (2) that's a lot of baloney [bunk, bull, hot air, hokum, applesauce]; (3) that's a lot of crap [shit]. **sans b.!** (II) *no joking!:* (2) no kidding!

blaguer vi (I) *to tease, banter:* (2) kid, rag, rib, spoof, josh.

blagueur [euse] nmf (I) *teaser, joker:* (2) ribber, spoofer, kidder, josher. (I) *liar:* (2) bull thrower; (3) bullshit artist.

blair nm (III) *nose:* (2) beezer: BAIGNEUR. **en avoir un coup dans le b.** (III) *to be drunk:* (2) to be looped: ALLUMÉ. **rentrer dans le b. de q'un** (III) *to punch s.o. in the nose:* (2) give s.o. a sock in the puss [snoot].

blaireau nm (III) *nose:* (2) beak: BAIGNEUR.

blairer—blairer q'un (III) *to like s.o.:* (1) have a liking for s.o., take to s.o.; (2) go for s.o. **ne pouvoir b. q'un** (III) *to detest [hate] s.o.:* (2) be unable to stand the smell* [sight] of s.o., be unable to go [take] s.o., be sour on s.o., hate s.o. like poison; (3) have s.o. on one's stink [shit] list.

blanc nm (III) *silver (metal).* (III) *white wine.* (III) *cocaine:* (2) snow: BIGORNETTE. **être b.** (III) *to have no police record:* (2) be clean, have no pedigree. **être (raide) à b.** (III) *to have no money:* (2) be broke [busted, clean, cleaned out, on the rocks, stony, strapped, without a red cent, hard up], have the shorts, be dead [flat, stone] broke. **avoir les (foies) blancs** (III) *to be afraid, scared:* (1) be scared stiff, have one's heart in one's mouth; (2) be scared shitless.

blanc-bleu nm (II) *dependable person:* (2) square [straight] shooter, square dealer, right [regular, level] guy, fair and square fellow. —— adj *honest, dependable:* (1) true-blue*; (2) square, regular, on the level, straight-shooting, square-dealing, all right.

blanche nf (IIIa) *heroin:* (2) horse, H, happy dust. (IIIa) *cocaine:* (2) snow: BIGORNETTE.

blanchecaille nf (IIIa) *laundress.*

blanchette nf (III) *one franc.*

blanchir vt (I) *to clear of guilt:* (1) white-wash*, wipe the slate clean, give a clean bill.

blanchouillard adj (IIIa) *without money:* (1) broke: BLANC.

blanquette nf (IIIa) *silver (metal).* (IIIa) *laundress.*

blase nm (III) *nose:* (2) schnozzle: BAIGNEUR. (III) *name:* (2) moniker, handle, flag.

blave nm (IIIa) *handkerchief:* (1) hankie; (3) snot rag.

blaze nm (III) BLASE.

blé nm (IIIa) *money:* (2) cabbage: ARTICHE. **manger son b. en herbe** (I) *to spend one's money before earning it:* (2) blow one's pay in advance.

blèche adj (III) *homely:* BIGORNÉ. (III) *mean, dirty, nasty:* (2) low-down, scummy, crappy, lousy, scabby, ratty, cheesy, stinking.

bled nm (II) *rural area:* (2) the backwoods, sticks, boondocks, tall timber. (III) *village, small town:* (2) hick(s)ville, hick [one-horse, jerkwater] town, whistle-stop. **sortir de son b.** (II) *to look like a farmer:* (2) look like a hick [rube].

bleu nm (I) *young recruit:* (2) rookie. **être b.** (III) *to be angry:* (2) see red*, be boiling [hopping] mad, be burned up, be fit to be tied, be hot under the collar, be all in a stew [sweat], mad as a wet hen, all steamed up. **passer q'ch. au b.** (I) *to hush s.t. up:* (2) soft-pedal s.t., keep mum about s.t., put the lid on s.t. **bleus** nm pl (II) *work clothes, dungarees:* (2) blue jeans.

blindé adj (III) *drunk:* (2) loaded: ALLUMÉ.

blinder (**se**) vp (III) *to get drunk:* (2) to get loaded: ARRONDIR (s').

blindes—défendre ses b. (III) *to protect one's interests:* (2) look out for number one, look out for yours truly.

bloc nm (II) *prison, jail:* (2) clink: BALLON. **à b.** (II) *to the limit:* (1) all the way, (right) up to the hilt, right to the top. **être au b.** (II) *to be in prison:* BALLON. **mettre [fourrer] au b.** (III) *to throw in jail:* (1) to put behind bars: BALLON.

bloche nm (III) *worm, maggot, grub.*

bloquer vt (III) *to put in jail:* (2) to toss in the clink: BALLON. (III) *to sell out:* BAZARDER.

blot nm (III) *reduced price for a bulk purchase.* (III) *several things as a group:* (2) the lot, the (whole) works. (III) *special talent, long suit.* (III) *fate, outcome.*

blouser vt (I) *to fool, cheat:* (2) to put one over on: BATEAU.

blouson—b. doré nm (II) *delinquent teen-ager from well-to-do family.* **b. noir** nm (II) *delinquent teen-ager typically wearing black shirt or leather jacket.*

bluffeur nm (I, 2) fourflusher, phony, bull-thrower.

bobard nm (I) *joke, lie, tall story:* (2) gag: BLAGUE.

bobe nf (IIIa) *watch:* (2) ticker, turnip.

bobèche nf (III) *head:* (2) noodle: BALLE.

bobéchon nm *head:* (2) nut: BALLE.

bobinard nm (III) *brothel, disorderly house:* (2) cathouse, crib, call-house, red-light joint, joy house.

bobine nf (II) *head:* (2) nut: BALLE. (III) *illegal floating dice game.*

bobinette nf (III) *game using three dice and usually played at bars, bar dice.*

bobino nf (IIIa) BOBE.

bobonne nf (II) *sweetheart, darling:* (1) honey; (2) sweetie-pie, sugar, lovey-dove, honeybunch.

bobs nm pl (III) *dice:* (2) bones, ivories, African dominoes [golf], cubes. **lâcher les b.** (III) *to give up, surrender:* (2) throw up the dice*, throw in the sponge [towel, the cards, one's hand], call it quits, back down [out]. **piper les b.** (III) *to cheat at dice:* (2) load the dice, stack the dice. **pousser les b.** (III) *to throw the dice:* (2) roll the bones.

bocal nm (III) *belly:* (2) gut: BALLON.

bocard nm (III) *whorehouse:* (2) crib: BOBINARD.

bocsif (**son**) nm (III) *disorderly house:* (2) crib: BOBINARD.

boeuf adj (II) *great, grand:* (1) dandy, first-class, top-notch; (2) cool; (3) the nuts.

b.o.f. (abrév. de **beurre-oeufs-fromages**) (IIa, 2) big butter-and-egg man (derog. suggesting "nouveau riche").

bogue nf (IIIa) *watch:* (2) ticker: BOBE.

bois—boùt de b. n (II, aviation) *propeller:* (1) prop. **bouts de b.** (I) *pieces [sticks] of furniture.* **être dans ses b.** (I) *to own one's own furniture.* **je te ferai voir de quel b. je me chauffe** (I) *I'll show you what stuff I'm made of (inviting s.o. to fight):* (1) I'll show you who's the better man. **mettre les bouts de b.** (III) *to run away:* (2) beat it: ADJAS. **trouver visage de b.** (I) *to find nobody home, get no answer at the door:* (1) find the house dark, find nobody home but the cat. **avoir la gueule de b.** (I) *to have a hangover:* (2) have a big head.

boîte nf (III) *mouth:* (2) kisser: ACCROCHE-PIPE. (III) *college, lycée.* (III) *prison:* BALLON. **b.-à-babil** (II) *the radio.* **b. à malice** (I) *bag of tricks.* **b. à ouvrage** (IV) *vagina:* BAQUET. **b. à Perrette** (II) *secret funds of an organization, slush fund.* **b.-à-sel** (II) *theatre ticket office, box office.* **b. de nuit** (I) *night-club, night spot.* **b.-à-cancans** (II) *gossiper, chatterbox:* (2) blabbermouth, dirt peddler. **b.-à-dominos** (III) *coffin:* (2) wooden kimono [overcoat], pine overcoat. **boîtes-à-lait [lolo]** (III) *breasts:* AVANT-SCÈNES. **b. à ragoût** (III) *stomach:* BALLON. **fermer la b.** (II) *to stop talking, keep silent:* (1) shut up, shut one's mouth*, keep quiet [mum], hush up, hold one's tongue, not let out a peep; (2) pipe down, button up (one's lip), shut one's trap [yap], dry up, can the chatter [noise], stop yacking, knock it off, put the lid [damper, soft pedal] on, clam [dummy] up. **mettre à la b.** (III) *put in jail:* (2) to put away: BALLON. **mettre q'un en b.** (I) *to tease s.o.:* (2) to pull s.o.'s leg: BATEAU. **mise en b.** nf (1, 2) kidding, ribbing, leg-pulling.

bol—avoir du b. (III) *to be lucky:* (2) get a (lucky) break. **en faire un b.** (III) *to be very hot:* (2) be stinking hot, be hot as hell [blazes]. **manquer de b.** (III) *to be unlucky:* (2) be jinxed [hoodooed]; (3) be s.o.l., be shit out of luck.

bombance nf (I) *spree:* (2) bat: BAMBOCHE.

bombarder vt (III) *to smoke (tobacco).*

bombe nf (II) *spree:* (2) bat: BAMBOCHE. **arriver comme une b.** (II) *to arrive unexpectedly:* (2) blow in [show up] out of nowhere, pop in [up] out of the blue (sky). **faire la [partir en] b.** (II) *to go on a spree:* (2) to go on a toot: BAMBOCHER.

bombé adj (III) *hump* [*hunch*]*backed.*

bomber vi (III) *to drive fast:* (3) burn up the road, highball, barrel [scoot, tear, breeze, clip, zip] along, drive wide open, open it up, go like crazy [mad], drive like a bat out of hell, step on the gas, give it the gas, go at full blast [steam]. **se bomber de** vp (III) *to do without:* ACCROCHER. **tu peux te b.**! (III, 2) nothing doing!, nuts to you!, go jump in the lake!

bombonne nf (III) *fat woman:* (2) big Bertha, blimp, roly-poly, baby elephant.

bon—être b. (III) *to be duped, swindled:* (2) be taken over: BAGOUSE. (III) *to be arrested:* (2) to get pinched: AGRAFER. **il y a du b.** (II, 2) things are O.K., it's a good deal, there's a profit [buck] to be made. **ne pas être b.** (III) *to disagree:* (1) not go along, not be for it. **b. débarras!** (II) *good riddance (to bad rubbish).*

bondi—être b. (IIIa) *to be arrested:* (2) to take a fall: AGRAFER.

bondir—se faire b. (IIIa) *to get arrested:* (2) to take a fall: AGRAFER.

boniment nm (I) *glib talk:* (2) baloney: BARATIN. **faire du b. à q'un** (I) *to flatter s.o.:* (2) soft soap: BARATINER.

bonimenteur nm (I) *barker:* ABOYEUR. (II) *flatterer:* (2) soft-soaper: BARATINEUR.

bonir vi (III) *to talk, disclose:* (2) blab, leak, belch, pipe off, spill: ACCOUCHER.

bonnard adj (III) BON.

bonne—avoir q'un à la b. (III) *to love s.o.:* (2) to have a yen for: AMOUR.

bonnet nm (IIIa) *swindling card game similar to 3-card monte.* **b. d'âne** (I) *dunce cap.* **avoir la tête près du b.** (I) *to be easily angered:* (1) be hotheaded [quick-tempered]; (2) fly off the handle easily, have a low boiling point. **avoir son b. de travers** (I) *to be cranky, in bad humor:* (2) be grouchy [crabby, cantankerous, ornery], have gotten out of bed on the wrong side. **c'est b. blanc et blanc b.** (I) *it's six of one and a half-dozen of the other:* (2) no matter how you slice it, it's all baloney. **deux têtes sous un b.** (I) *two minds with but a single thought.* **jeter son b. pardessus les moulins** (I) *to laugh at convention, be a non-conformist:* (2) be a maverick, throw one's cap over the windmill*. **parler à son b.** (I) *to talk to oneself:* (2) talk to the four walls. **prendre sous son b.** (I) *to assume the responsibility for, take charge of:* (1) take under one's wing*. **b. d'évêque** (III) *tail end of a chicken:* AS.

bonniche nf (II) *housemaid.*

bonnir vi (III) BONIR.

bonze—vieux b. (II) *old codger:* (2) old goat: BIRBE.

bordée—tirer une b. (I) *to go on a spree* (esp. sailor's on shore leave): BAMBOCHER.

bordel nm (III) *disorderly house:* (2) joy house: BOBINARD. (III) *(fig.) any untidy place:* (2) dump, dive, rattrap, barn.

bordille nf (IIIa péj.) *worthless person, good-for-nothing:* (2) louse, skunk, rat, no-good, bum, heel, bad egg, lowlife, mug, son of a bitch; (3) prick. (III) *police informer:* (2) stool pigeon, stoolie, fink, squealer, ratter, squawker, canary, belcher, beefer, peacher.

borduré adj (IIIa) *exiled by one's fellow criminals:* (2) put off-limits, frozen out.

borgne nf (III) *night.*

borgnio (n) nf (III) BORGNE.

borgnotter vt (III) *to keep an eye on:* BIGLER.

borne nf (II) *kilometer.*

boscot nm (III) *exec. officer on ship.* —— adj (III) hunch [hump] backed.

boss nm (II) *boss, chief, gang leader:* (2) big boy.

bosse—avoir la b. de q'ch. (I) *to have a special knack* [*flair, gift*] *for s.t.:* (2) be a wiz at s.t. **rouler sa b.** (I) *to wander from place to place, live adventurously:* (2) beat [knock, barge, bat, barrel] around, see the world. **se donner** [**payer**] **une b.** (I) *to celebrate, go on a spree:* (2) to go on a bat: BAMBOCHER. **se flanquer une b. de rire** (I) *to laugh heartily, roar with laughter;* (2) split one's sides [bust a gut] laughing.

bosseler vt (III) *to beat up:* (2) to shellac: AMOCHER.

bosser vi (II) *to work hard:* (1) plug, grind, keep one's nose to the grindstone; (2) knock oneself out.

bosseur [**euse**] nmf (III) *hard worker:* (1) plugger, plodder, workhorse.

botte—à propos de bottes (I) *without rhyme or reason, pointless.* **avoir du foin dans ses b.** (I) *to be rich:* (2) to be loaded: AS. **en avoir plein les b.** (III) *to be tired of, fed up with:* (2) to have one's bellyful of: ANDOSSES. **filer** [**flanquer**] **un coup de b. à q'un** (III) *to try to borrow from s.o.:* (2) mooch on s.o., sponge from s.o., make a touch on s.o.*, put the bee [bite, arm, touch] on s.o. **graisser ses b.** (II) *to prepare to die:* (2) get ready to kick off: ARME. **lécher les b. à q'un** (II) *to toady to s.o., curry favor with s.o.:* (2) play up to s.o., apple-polish, brownnose, soft-soap. **porter une b. [des bottes] à q'un** (I) *to ask embarrassing questions of an opponent, attack him verbally or in writing.* **proposer la b.** (III) *to invite to fight:* (2) square off. (IV) *to invite to sex relations:* (3) ask for a lay [screw, piece of tail].

botter vt (I) *to kick, boot in the rear:* (2) kick in the ass [prat, fanny]. (I) *to beat:* AMOCHER. —— vi (I) *to suit, please, satisfy:* (2) hit the (right) spot, go over big, be right down one's alley, be just what the doctor ordered, suit to a T.

bottin nm (I) *directory (telephone, street, etc.).*

bottine (la) nf (IV) *the Lesbian world.*

bottiner vi (III) *to try to make a loan:* (2) mooch, sponge, put the bee [bite, arm, touch] on.

bouboule nmf (II) *fat person:* (2) fatty*, fatso, butterball, fat stuff [pig, ox], blimp, five-by-five.

bouc nm (I) *goatee.*

boucan nm (I) *noise, din:* BAROUF.

bouché adj (I) *stupid, unintelligent:* (2) dopey: BÊTA. **b. à l'émeri** (II) *absolutely stupid:* (2) hopelessly dumb.

bouchée—mettre les bouchées doubles (I) *to speed up one's work:* (2) go to work on the double. **pour une b. de pain** (I) *for a trifle, for a mere nothing:* (2) for peanuts [beans].

boucher—en b. un coin à q'un (III) *to astonish s.o.:* ABASOURDIR. **b. un trou** (II) *to pay a debt, settle a bill:* (2) clean [wipe off] the slate.

bouchon nm (II) *failure:* (2) flop(eroo), bust, frost, washout, fizzle. **envoyer le b.** (III) *to boast, exaggerate:* (2) to throw the bull: ALLER FORT. **ramasser un b.** (II) *to fall down:* (2) to take a flop: BILLET.

bouclard nm (III) *store, shop.*

boucler vt (I) *to lock up, put under lock and key.* (III) *to put in jail:* (1) to lock up: BALLON. **la b.** (II) *to stop talking:* (2) to clam up: BOÎTE.

bouder vt (IIa) *to sell poorly:* (2) be a slow [dead] number, be a slow mover.

boudin nm (III) *auto tire.* (III) *woman of easy morals:* (2) broad, floozy, bag, tomato, bat, chippy, pushover, tramp, scut, bitch, pig, easy make [lay], round heels. (III) *prostitute:* (2) hustler: BISENESSEUSE. **avoir du b.** (IIIa) *to sell poorly:* BOUDER. **avoir un sacré b.** (III) *to be a heavy winner:* (2) have a hot streak, clean up. **finir [tourner] en eau [os] de b.** (II) *to be unsuccessful, fail:*

(2) fizzle* [peter, flivver, wash] out, go flooey, fall flat, blow up, lay an egg, be a frost [flop, fizzle], do a Brodie.

boueux [euse] nmf (II) *rustic, peasant:* (1) hick, yokel, clodhopper; (2) rube, hayseed, jaybird, apple knocker.

bouffarde nm (III) *tobacco pipe.* **téter sa b.** (III) *to smoke one's pipe:* (2) to take a drag.

bouffarder vt (III) *to smoke (tobacco):* (2) to take a drag.

bouff[é]e nf (III) *food:* (2) chow: BECQUETANCE.

bouffer vt (III) *to eat:* (2) to put on the feed bag: BECQUETER. (III) *to eat gluttonously:* (2) to pack it away: BÂFRER.

bouffetance nf (II) *food:* BECQUETANCE.

bouge nm (I) *disreputable place:* (2) dive, joint.

bougeotte—avoir la b. (I) *to have the fidgets:* (2) have ants in one's pants, to be jittery.

bougie nf (III) *head:* (2) nut: BALLE. (IIa) *five-franc piece.* **éteindre sa b.** (II) *to die:* (2) to shuffle off: ARME.

bougnat nm (II) *coal vendor.* (III) *barkeeper, wine merchant.* (II) *native of Auvergne.*

bougne nm (III) BOUGNAT.

bougnoule nm (III péj.) *Arab, Algerian.* (III) *Negro:* (1) darkie; (2) dinge, coon, boogie, shine, smoke, jigaboo.

bougonner vi (I) *to grumble, complain:* (I) crab; (2) bitch, beef, gripe, grouse, sound off, put up a kick [squawk, beef], kick, bellyache.

bougre nm (II) *individual:* (1) fellow, chap; (2) guy, geezer, gee, lug, mug, gink, joker, bugger, gazabo. **bougre!** (interj.) (II,2) damn it!, hell!, heck! **b. d'emplâtre** (II,2) boob, dope: ANDOUILLE. **b. d'idiot** (II,2) blooming idiot: ABRUTI. **sale b.** (I) *nasty person:* (2) dirty louse: BORDILLE. **bon b.** (I,2): good egg, good Joe.

bougrement adv (II) *very much:* (2) damnably: BIGREMENT.

boui-boui nm (II) *low-class café:* (2) dive, joint, honky-tonk, dump, hole-in-the-wall.

bouif nm (II) *cobbler, shoe repair man.*

bouillabaisse—être dans la b. (III) *to be in difficulty, in trouble:* (2) be in hot water [a mess, behind the eight ball, up a tree, up the creek, in a pickle, in the soup, in bad shape, in a helluva mess [spot], in a tough spot, jinxed]; (3) be s.o.l. [shit out of luck], up shit creek (without a paddle).

bouille nf (III) *face:* (2) mug: BALLE. (III) *victim of a swindle:* (2) (easy) mark, sucker, patsy, pigeon, goat, boob, chump, fish.

bouillon nm (III) *water:* BAILLE. **boire un b.** (I) *to take a loss in a business venture:* (2) go on the rocks, lose one's shirt*, be cleaned out, be taken to the cleaners. (I) *to fall into the water:* (1) get a soaking, *to drown (or almost drown):* (2) feed the fishes. **b. d'onze heures** (I) *poison.* (2) mickey finn, knockout drops.

bouillotte nf (III) *face:* (2) mug: BALLE.

boule nf (II) *head:* (2) nut: BALLE. **b. de billard** (II) *bald head:* (2) ivory dome, billiard ball. **boules de loto** (II,2) banjo [bug, goggle] eyes. **b. de neige** (II) *snowball.* **faire les boules** (IIIa) *to be a prostitute:* (2) hustle. **perdre la b.** (I) *to go crazy, lose one's mind:* (2) go off one's rocker* [nut, trolley], go off the track [deep end], go nuts [batty, loony, whacky, loco, bugs], crack up, flip one's lid [wig]. **se mettre en b.** (II) *to become angry:* (2) get mad, burn [blow] up, blow a fuse [gasket, one's stack], get one's dander [Irish] up, fly off the handle, hit the ceiling, throw a (cat) fit, raise the roof, **se serrer la b.** (III) *to go hungry:* ACCROCHER.

bouler—**envoyer b.** (II) *to discharge:* (1) send packing, give the gate: BALAI.

boulette nf (I) *error, blunder:* (2) boner, goof, slip-up, boo-boo.

boulonner vi (II) *to work hard:* BOSSER.

boulot nm (II) *work, job.* (II) *honest worker:* (2) working stiff. **être (dur au) b.** (II) *to be a hard worker:* BOSSEUR. **boulot-boulot!** (II) *work comes first!* **parler b.** (II) *to talk about one's work:* (I) to talk shop.

boulotter vt (II) *to eat:* BECQUETER. (II) *to go along smoothly:* BICHER.

boum—**en plein b.** (II) *at the height of activity:* (2) in full swing, booming. **faire un b.** (II) *to make a success:* (2) click, make a (big) hit, connect, hit it big, hit the bull's eye, have a howling success, go over big [like a million bucks, with a bang], ring the bell, strike oil.

boumer vi (II,2) *to make a big hit:* BOUM. **ça boume** (II,2) things are hopping: BICHE (ÇA).

boumian nm (II) *gypsy, bohemian.*

bouquet nm (I) *pleasant odor of wine.* (I) *jumbo shrimp.* (III) *commission, tip:* (2) payoff (for suggesting a good business deal). **c'est le b.** (I) *it's the best, there's nothing better:* (2) it's tops, it's A-number one, it

takes the cake. **c'est le b.!** interj. (I) *that's the last straw!, that beats (it) all!*

bouquin nm (I) *book.*

bouquiner vi (I) *to read.* (I) *to browse through the bookstalls.*

bourde nf (I) *mistake:* (2) boner: BOULETTE.

bourdille nf (IIIa, 1) *squealer:* (2) fink: BORDILLE.

bourdiller vt (IIIa) *to denounce:* (1) to squeal on: BALANCER.

bourdon nm (III) *horse:* (I) nag: BIQUE. **avoir le b.** (III) *to be depressed:* (2) have the blues, be down in the dumps [mouth]. **planter son b.** (III) *to establish oneself:* (1) get set up, plant oneself, put down roots.

bourgeois—**les en b.** (III) *the police (esp. in civilian clothes), the vice squad:* (2) the Law, the bulls, the cops, the fuzz.

bourgeoise nf (III) *wife:* (2) the ball-and-chain: BARONNE.

bourguignon nm (II) *the sun, old Sol.*

bourlinguer vi (I) *to travel around, live adventurously:* (2) to knock [beat] around.

bourre nm (III) *policeman:* (2) cop: ARGOUSIN.—**être à la b.** *to be late (for an appointment).* **être de première b.** (III) *to be of top quality:* (1) to be top-notch: BOUQUET. **se tirer la b.** (III) *to come to blows:* (2) to get into a hassle: ACCROCHER.

bourrée nf (II) *beating, thrashing:* (2) shellacking: AVOINE.

bourreman—**la maison b.** (III) *the police:* (2) the fuzz: BOURGEOIS.

bourre-pif nm (III) *punch (in the nose):* (2) clip: ATOUT.

bourrer vt (IV) *to have intercourse:* AIGUILLER. **b. à tout berzingue** (III) *to drive at full speed:* (2) to barrel: BOMBER. **b. le crâne [la caisse, le mou] à q'un** (I) *to lie to s.o.:* fill s.o. with lies; (2) lay [pile] it on thick, give s.o. a load of bull [crap]. **b. q'un de coups** (I) *to beat s.o. up:* AMOCHER. **se bourrer** (II) *to eat ravenously:* (1) stuff oneself: BÂFRER. (II) *to save money:* (2) sock [pile, salt] it away, build up a bankroll. **être bourré (à bloc)** (III) *to be very rich:* AS. (III) *to be filled (theatre, etc.):* (1) to be full up. **être bourré à zéro [comme un coing]** (II) *to be drunk:* (2) to be plastered: ALLUMÉ.

bourreur—**b. de crâne** (I) *liar, rumormonger:* BÉCHAMEL.

bourrichon nm (III) *head:* BALLE. **se monter le b.** (II) *to get excited:* (1) to get in a dither; (2) to get all stewed up, to get one's bowels in an uproar.

bourrin nm (II) *horse:* (2) hayburner: BIQUE. (IV) *woman of easy morals:* (2) bag: BOUDIN.

bourriner vi (III a) *to chase after women:* (1) gallivant around; (2) chase skirts, be on the make, alley-cat around.

bourrique nf (I) *stupid person:* (2) block-head: ANDOUILLE. (III) *squealer:* (2) fink: BORDILLE. **la b.** (III) *the police:* (2) the fuzz: BOURGEOIS.

bourriquer vi (IIIa) *to inform:* (2) to rat: ACCOUCHER.

bourse—avoir la b. plate (II) *to have no money:* (2) be broke: BLANC.

bous nm (IIIa) *beard:* (1) chin whiskers; (2) beaver: BOUC.

bouscaille—être dans la b. (IIIa) *to be in a mess:* (2) to be in hot water: BOUILLABAISSE.

bousculette nf (II) *bustling crowd:* (1) pushing [shoving] mob.

bouseux [euse] nmf (III) *country yokel:* (2) rube: BOUEUX.

bousiller vt (I) *to botch up, bungle:* (2) to bitch up: AMOCHER. (II) *to damage budly, wreck:* (1) bust up, knock to pieces, smash up [to smithereens]. (III) *to kill:* (2) to bump off: AFFAIRE. (IIIa) *to tattoo.*

bousilleur [euse] nmf (I) *careless [slip-shod] worker:* (1) botcher, bungler; (2) butcher.

bousin nm (IIIa) *noise, row, rumpus, racket:* BAROUF. (III) *horse:* (2) hayburner: BIQUE.

boussole nf (I) *head:* (2) noodle: BALLE. **perdre la b.** (I) *to go crazy:* (2) go batty: BOULE.

boustifaille nf (II) *food:* (2) eats: BECQUE-TANCE.

boustifailler vi (II) *to eat:* (2) put on the feed bag: BECQUETER.

boustiffe nf (III) BOUSTIFAILLE.

bout—tenir le bon b. (1) *to have the upper hand:* (1) have the better end of the deal [bargain]. **mettre les bouts** (III) *to run off:* (2) to cut out: ADJAS.

boutanche nf (III) *bottle.*

bouteille—avoir de la b. (II) *to be elderly:* (1) have put on years*, be past one's prime; (2) be no (spring) chicken, have seen better days. **caresser la b.** (II) *to drink excessively:* (2) hit the bottle: BIBERONNER. **c'est la b. à l'encre** (I) *it's all confused:* (1) it's clear as mud*. **être taillé en b. Saint-Galmier** (II) *to be round- [stoop-]shouldered.* **prendre de la b.** (I) *to become old, put on years.*

porter des bouteilles (II) *to walk slowly and carefully:* (1) watch one's step.

boutique—toute la b. (II) *the whole works:* (1) lock, stock, and barrel: BARAQUE. **parler b.** (I) *to talk shop.* **quelle b.!** (I) *what a messy place!:* (2) what a dump! **cela vient de votre b.** (I) *it's your doing:* (2) you're the guy who did it.

bouziller vt (II): BOUSILLER.

bouzin nm (III): BOUSIN.

bouzine nf (III) *old auto:* (2) jalopy: BER-LINGOT.

boxon nm (III): BOCSIF.

boyautant adj (II) *amusing:* (1) side-split-ling: BIDONNANT.

boyauter (se) vp (II) *to enjoy oneself:* (2) to get a laugh: BIDONNER (SE).

brac adj (III) *crazy:* (2) nutty: ARAIGNÉE.

bracelets nm pl (III) *handcuffs:* bracelets, nippers, cuffs, irons.

bradillon nm (III) *arm:* (2) wing: AILE.

braire vi (I) *to shout:* (1) holler: BEUGLER.

braise nf (III) *money:* (2) cabbage: ARTICHE.

brancards nm pl (III) *legs (female):* (2) gams, shafts, pins. **être dans les b.** (IV) *to be making love:* (2) to be between the sheets, having a party [roll in the hay]; (3) be screwing, be knocking one off. **ruer dans les b.** (III) *to rebel, kick over the traces*.* **sortir des b.** (III) *to abandon one's wife:* walk [run] out on the old lady.

branche—vieille b. (II) *old friend:* (2) old buddy [pal].

brancher—b. q'un sur q'ch. (II) *to inform s.o. about s.t.:* (2) put s.o. in the know about s.t., bring s.o. up to date about s.t., put s.o. hip to s.t., wise s.o. up about s.t., give s.o. a line on s.t. **b. q'un avec q'un** (III) *to put s.o. in contact with s.o.:* (1) put s.o. in touch with s.o., pair s.o. off with s.o.

branler—b. dans le manche (I) *to be in a precarious situation:* (1) be in a shaky [tick-lish] spot. **se branler de q'ch.** (IV) *not to worry about s.t.:* (2) not to give a damn [hoot in hell] about s.t. **se branler** (IV) *to mas-turbate.*

branque nm (II) *stupid person:* dope: AN-DOUILLE. (II) *eccentric person:* (2) kook, far-out guy, crackpot.

branquignol nm (II) BRANQUE.

braquage nm (II) *armed robbery, holdup:* (2) heist, stick-up. **se mettre au b.** (II) *to become a holdup man.*

braque adj (II) BRAC.

braquemart nm (IV) *penis:* ARBALÈTE.

braquer vt (II) *to look at:* BIGLER. (II) *to rob at gunpoint:* (2) heist, stick up, knock over, pull a job [heist] on.

bras—**avoir le b. long** (I) *to have influence:* (2) have pull [drag], have friends in the right places, know the right people, have an in. **avoir le b. lourd** (II) *to be rich:* (2) to be loaded: AS. **avoir les b. retournés** (I) *to be lazy:* (1) be a lazybones [lazy good-for-nothing]; (2) have no push [drive, ambish], to have been born tired; (3) have lead in one's ass. **demeurer [rester] les b. croisés** (I) *to do no work:* (1) twiddle one's thumbs; (2) louse [bum] around **être le b. droit de q'un** (I,1) to be s.o.'s right-hand man*, be s.o.'s right bower [man Friday]. **recevoir à b. ouverts** (I) *to welcome [receive] with open arms:* (2) put out the welcome mat. **vivre de ses b.** (I) *to do manual labor:* (2) be a working stiff.

brayer vi (III) *to shout:* (2) to holler: BEUGLER.

brélica nm (IIIa) *revolver, pistol:* (2) roscoe, gat, heater, cannon, rod, torch, smoker, iron, persuader.

brelique-breloque adv (I) *slapdash:* (1) any-which-way.

breloque—**battre la b.** (I, 1) to be nutty: ARAIGNÉE. (II) *to function irregularly (machinery):* (1) misfire, be out of kilter.

brêmes nf pl (III) *playing cards:* (2) pasteboards: BAUCHES. (II) *business card.* **maquiller les b.** (III) *to cheat at cards:* (2) stack [fix] the deck, ginny the pasteboards.

bricheton nm (III) *bread.*

bricole nf (I) *trifle, gewgaw.* **faire de la b.** (I) *to putter around:* (1) do odd jobs, do-it-yourself. (IV) *infant's penis.*

bricoler vi (I) *to putter around, tinker:* (1) do odd jobs.

bricoleur nm (I) *putterer, handyman:* (1) jack-of-all-trades, do-it-your-selfer.

bride nf (III) *watch-chain.* **avoir la b. sur le cou** (I) *to be free, have full rein:* (1) be on one's own. **courir à b. abattue [à toute b.]** (I) *to go at full speed:* (2) to barrel: BARRE. **lâcher la b. à** (I) *to give in to, give free rein to.* **se mettre la b.** (III) *to do without:* BALLON. **serrer la b. à** (I) *to hold tight rein on, keep a firm grip on, clamp down on.* **tourner b.** (I) *to turn back, make an about-face.*

brider vt (I) *to restrain, curb:* (1) clamp down on, rein in, tighten the reins on; (2) put the lid on. (III) *to close, shut.*

briffe nf (II) *food:* BECQUETANCE.

briffer vt (II) *to eat:* (2) to hit the chow: BECQUETER.

brignole(t) nm (III) *bread.*

briller vi (IV) *to have an orgasm:* (3) come, pop off, shoot one's load. **b. pour q'un** (II) *to be in love with s.o.:* (2) to have a thing for s.o.:* AMOUR.

brin—**un b. de q'ch.** (I) *a small amount of s.t., a bit of:* (2) smidgen. **un beau b. de** (I) *a nice specimen of.*

brindezingue adj (III) *drunk:* (2) looped: ALLUMÉ.

bringue nf (II) *spree:* (2) bender: BAMBOCHE. **faire la b.** (II) *to go on a spree:* (2) to go on a toot: BAMBOCHER. **une grande b.** nf (II) *a tall, thin woman:* (2) bean pole, Slim Jane.

bringueur nm (I) *high-living person:* (2) hell-bender, high-stepper.

brioche nf (III) *stomach:* (2) breadbasket: BALLON. **faire des brioches** (I) *to make a mistake:* (2) pull a boner: BOULETTE. **partir en b.** (IIIa) *to neglect oneself:* (2) hit the skids, hit a slump, be on the downgrade, do a tailspin, go downhill, go to pot [to the dogs]. **prendre de la b.** (III) *to develop a paunch:* (2) get a corporation: BEDONNER.

brique nf (III) *a million francs (old post-WW II), 10,000 new francs.* **rouler une b.** (III, 2) to give a French kiss. **bouffer [becqueter] des briques** (III) *to go hungry:* BALLON.

briquer vt (I) *to give a vigorous cleaning, scrub [polish] up:* (1) make spic-and-span.

briqueuse nf (IIIa) *laundress.*

brise-fer nm invar. (I) *inept person:* (1) butterfingers, clumsy galoot [ox].

briser—**se la briser** vi (III) *to flee, run away:* (2) breeze out: ADJAS.

brise-tout nm invar. (I) BRISE-FER.

broc—**ne pas valoir un b.** (IIIa) *to be worthless:* (2) not worth a damn [hoot, plugged nickel, red cent, two hoots in hell, a continental], not worth beans.

brocante nf (I) *second-hand goods, junk:* (2) crap. (II) *watch (timepiece).*

brochette—**une belle b.** (II) *a good haul (said of criminals rounded up by the police).*

broder vi (I) *to exaggerate:* (2) to lay it on thick: ALLER FORT.

broque—**de la b.** adj (III) *false:* (2) phony: BALOURD. **marcher à la b.** (IIIa) *to sell fraudulent merchandise:* (2) peddle phony goods.

broquer vt (IIIa) *to look at:* BIGLER.

broquille nf (III) *minute (time).* (III) *selling fake jewelry.*

brossée nf (I) *beating:* (2) shellacking: AVOINE.

brosser vt (IV) *to fornicate:* AIGUILLER. **se brosser** (III) *to go hungry:* BALLON. **tu peux te brosser** (III, 2) nuts to you!, go jump in the lake!; (3) go screw yourself!

brouhaha nm (I) *noise, uproar:* BAROUF.

brouillamini nm (I) *confusion, disorder:* (1) mess.

brouillard—foncer dans le b. (III) *to run away:* (2) make oneself scarce: ADJAS. **être dans les brouillards** (II) *to be drunk:* ALLUMÉ. (II) *to be confused:* (2) be in a fog* [daze], be all balled up.

brousse nf (II) *rural area:* (2) the sticks: BLED.

broyer—b. du noir (I) *to be depressed:* (2) be down in the mouth: BOURDON.

broyeur—broyeur [euse] de noir (I) *pessimist, chronic complainer:* (2) Calamity Jane (female), calamity howler (male), crapehanger.

brûlé adj (II) *ruined, exposed:* (2) done for, up the creek, kaput.

brûlée nf (II) *beating:* (2) lambasting: AVOINE.

brûle-gueule nf (II) *stubby pipe.*

brûler vi (I) *to be close to uncovering the answer (in a game, etc.):* (1) be warm [hot]. **b. de l'encens** (I) *to flatter:* (2) butter-up, soft-soap. **b. la chandelle par les deux bouts** (I) *to burn the candle at both ends*.* **b. la cervelle à q'un** (I) *to blow s.o.'s brains out*, kill s.o.:* AFFAIRE. **b. la politesse** (I) *to leave without saying good-bye:* (1) to take French leave. **b. le dur** (III) *to ride a train without paying:* (2) hook a ride, ride the rods. **b. le pavé** (I) *to travel fast:* (2) burn up the road: BOMBER. **b. les planches** (I) *to have a successful show (theat.):* (2) go over with a bang, bring the house down*, knock [lay] them in the aisles. **b. q'un** [q'ch.] (I) *to overtake s.o.* [*s.t.*]. **b. ses vaisseaux** (I) *to burn one's bridges.* **b. un espion** (I) *to expose a spy.* **b. une carte** (I) *to put a playing card out of play:* (2) burn* [bury] a card. **b. une étape [station]** (I) *to skip a train station.* **se brûler les doigts** (I) *to get into trouble:* (1) get one's fingers burned*; (2) get in a jam. **le rôti brûle** (I) *the situation is getting worse:* (2) things are getting hotter. **le tapis b.** (III) *all bets haven't been placed (in card games):* (2) the pot [kitty] is light, someone feed the kitty, who put in twice? *(ironically).* **le torchon b.** (II) *there's trouble brewing at home.*

brutal nm (III) *red wine:* (2) red ink, vino, dago red.

bu adj (III) *drunk:* (2) boiled: ALLUMÉ.

bûche nf (I) *stupid person:* (2) dope: ANDOUILLE. (IIIa) *wooden match.* **ramasser une b.** (I) *to fall down:* (2) take a flop: BILLET.

bûcher vi (I) *to work hard:* (2) to plug: BOSSER. **se bûcher** vp (I) *to come to blows:* (2) to get into a hassle: ACCROCHER.

bûcheur [euse] nmf (I) *hard worker:* (2) plugger, workhorse.

buffet nm (III) *belly:* (2) gut: BALLON. **danser devant le b.** (II) *to go hungry:* ACCROCHER. **en avoir dans le b.** (III) *to be brave:* (2) have guts: BIDE.

buis—coup de b. (IIIa) *fatigue:* BARRE.

buissonnière—faire l'école b. (I) *to play hooky.*

bulle—se coincer la b. (III) *to take it easy, idle around:* (1) loaf, twiddle one's thumbs; (2) bum [fool, louse, bat, barge, diddle, laze, piddle] around, goof off; (3) fart around.

bureau nm (III) *stomach:* (2) gut: BALLON.

burette nf (III) *head:* (2) bean: BALLE.

burettes nf pl (IV) *testicles:* BALLOCHES.

buriner vi (II) *to work:* BOSSER.

burlingue nm (III) *belly:* (2) breadbasket: BALLON. (III) *office.* (III) *desk.*

burnes nf pl (IV) *testicles:* (2) nuts: BALLOCHES. **baver sur les b.** (IV,2) *to be full of baloney* [hot air, bull, crap]. **casser les b.** (IV) *to annoy, pester:* (2) to bug: ASSOMMER.

buse nf (II) *stupid person:* (2) dimwit: ANDOUILLE. **triple b.** (II) *very stupid person:* (2) dope: ANDOUILLE.

but nm (IIIa) *head:* (2) bean: BALLE.

buter vt (III) *to kill:* (2) to do in: AFFAIRE. **se buter** vp (II) *to commit suicide:* (2) blow one's brains out, bump oneself off, take the gas pipe.

butte—avoir sa b. (IIIa) *to be pregnant:* ARRONDIR (s'). **taper dans la b.** (IIIa) *to work:* (2) to plug away: BOSSER.

C nf (IIIa) *cocaine:* (2) snow: BIGORNETTE.

cabane nf (I) *shanty:* (2) dump: BARAQUE. (III) *place of work.* (III) *prison:* (2) hoosegow: BALLON. (IIIa) *brothel:* (2) crib: BOBINARD. **casser la c. à q'un** (III) *to uncover s.o.'s intentions:* (2) show s.o. up. (III) *to interfere with s.o.'s plans:* (2) crab s.o.'s act [deal]. **être en c.** (III) *to be in prison:* (2) to be in stir: BALLON. **mettre en c.** (III) *to throw into jail:* (2) to toss in the clink: BALLON.

cabèche nf (III) *head:* (2) bean: BALLE.

caberlot nm (III) *head:* (2) bean: BALLE.

cabinces nf pl (IIIa) *toilet, comfort station:* (2) john(ny), powder [throne] room, little boys' [girls'] room; (3) can, crapper, piss house.

caboche nm (II) CABÈCHE.

cabot nm (III) *dog:* (2) pooch, mutt, bow-wow. (II) *inferior actor:* (1) ham. (III mil.) *corporal.*

cabotin nm (I, 1) ham actor.

caboulot nm (II) *cheap cabaret:* (2) dive: BEUGLANT.

cabriole—faire la c. (I) *to adjust one's opinions to the circumstances:* (1) swing with the tide.

cabriolets nm pl (IIIa) *handcuffs:* (2) irons: BRACELETS.

cadancher vi (IIIa) *to die:* (2) to cash in one's chips: ARME.

cadavre nm (II) *empty liquor bottle:* (2) corpse, dead soldier. (III) *constant loser:* (2) jinxed player.

cadennes nf pl (IIIa) *handcuffs:* (2) brace-lets: BRACELETS.

cadet—le c. des soucis de q'un (I) *the least of s.o.'s worries.*

cador nm (III) *dog:* (2) pooch: CABOT. (III) *expert:* (2) ace: AS.

cadre—rentrer dans le c. à q'un (III) *to attack s.o., beat s.o. up:* (2) lash into s.o.: ACCROCHER.

cafard nm (I) *informer:* (2) squealer: BORDILLE. avoir le c. (I) *to be depressed:* (1) to have the blues: BOURDON.

cafarder vt (I) *to denounce, inform on:* (2) to put the finger on: BALANCER.——vi (I) *to confess:* (2) to belch: ACCOUCHER.

cafardeux [euse] adj (I) *depressed:* (2) blue, down in the mouth [dumps], browned off.

café—le c. des pauvres (IV) *love-making at home (a warming and pleasing substitute for the afterdinner cup of coffee which the poor cannot afford).*

cafetière nf (II) *head:* (2) noodle: BALLE.

cafouiller vi (II) *to sputter, misfire (motor).* (II) *to stutter, talk nonsense:* (2) to run off at the mouth: BAFOUILLER.

cafouilleur [euse] nmf (II) *blunderer, muddler.*

cagade nf (IIIa) *error:* (2) goof: BOULETTE.

cage—cages à miel nm pl (III) *ears.* c. à

poules (III) *jail cell for suspects held for questioning:* (2) bullpen, (fish) tank, cage.

cagna nm (III) *shelter (army).* (III) *room:* (2) pad: BAHUT.

cagnard [e] nmf (I) *lazy person:* (2) lazy good-for-nothing. —— adj. *lazy.*

cagner vi (III) *to die:* (2) to go west: ARME. (III) *to back down, give in:* (2) chicken out, turn yellow, say uncle, call (it) quits, throw in the towel [sponge], get scared out.

cahin-caha adv (I, 1) so-so, neither here nor there. vivre c.-c. (I) *to manage to scrape along (in life):* (1) to squeeze by.

caïd nm (II) *the leader (of a gang, etc.):* (2) the boss [top] man, big cheese [wheel, gun, shot]. (II) *expert:* AS.

caille—l'avoir à la c. (III) *to be depressed:* (1) be blue: BOURDON.

caillou nm (II) *head:* (2) bean: BALLE.

caisse nf (II) *the chest.* (III) *army guard-house:* (2) clink, cooler, jug, doghouse, booby-hatch. bourrer la c. à q'un (II) *to lie to s.o.:* (2) hand s.o. a line, give s.o. a load of bull: BOURRER. c'est de la c. (III) *it's all the same, it's six of one and a half dozen of the other:* (2) it makes no diff (to me), no matter how you slice it, it's all baloney, it makes (me) no never mind. mettre q'un en c. (II) *to poke fun at s.o.:* (2) to pull s.o.'s leg: BATEAU. prendre la c. (II) *to get drunk:* (2) to tie one on: ARRONDIR (s'). s'en aller de la c. (III) *to die of tuberculosis:* (2) to kick off with T.B.

caisson nm (II) *head:* (2) bean: BALLE. (II) *chest.* se faire sauter le c. (II) *to commit suicide:* (2) blow one's brains out, bump oneself off, do the Dutch act.

calancher vi (2) CADANCHER.

calbombe nf (II) *electric light.* (IIIa) *candle.*

calcif nm (III) *underdrawers:* (2) shorts, skivvies.

caldard nm (III) CALCIF.

calé adj (II) *complicated, difficult:* (2) tough, hard to figger out, no snap [cinch]. (II) *rich:* AS. être c. en q'ch. (I) *to be well informed about s.t.* (2) be up [posted] on s.t., know s.t. backwards, know all the answers about s.t., know s.t. down to the ground, know one's stuff about s.t., have s.t. down pat [cold], be tops [hot] in s.t.

caleçons—c. à manches longues nm (II) *long underwear:* (2) long-handled under-wear, long johns.

calecer vt (IV) *to have intercourse:* AIGUILLER.

caledard nm (III) *underdrawers:* CALCIF.

cale-dents nm invar. (III) *sandwich, snack.*

calendes—renvoyer q'ch. aux c. grecques (I, 2) to put s.t. off till hell freezes over [till the moon turns blue, till (the) pigs fly].

calendos nm (II) *Camembert cheese.*

caler vi (III) *to back down:* (2) to call quits: CAGNER. **se c. les joues** (II) *to eat heartily:* (2) to stow it away: BÂFRER. **se les c.** (III) BÂFRER.

calibre nm (III) *pistol, revolver:* (2) rod: BRÉLICA.

calicot nm (II) *dry goods clerk:* (2) counterjumper.

calot nm (III) *eye:* (2) peeper, blinker, glim.

calotte nf (II) *slap, smack:* (2) swot, whack. **la calotte** (péj.) *the clergy.*

calotter vt (I) *to slap, smack:* (2) swot, whack. (III) *to take, lay hands on:* (2) to cop: ACCROCHER. (III) *to steal:* (2) to cop: ARRANGER.

calsif nm (III) CALCIF.

calter (se) vp (II) *to run away:* (2) to beat it: ADJAS.

cambron (IIIa) *prison cell:* (2) hole, drum, cave.

Cambronne—le mot de C. (I) *euphemism for "merde" comparable to American "a four-letter word."*

cambroussard [e] nmf (II) *rustic:* (2) hick: BOUEUX.

cambrousse nf (II) *the rural areas:* (2) the sticks: BLED.

cambuse nf (II) *room:* (2) pad, kip. (II) *untidy house:* (2) dump: BARAQUE. (II) *low-class bar:* (2) dive: BOUI-BOUI.

cambut—faire un c. (IIIa) *to substitute fake for real item (jewelry, etc.):* (2) pull a swap [switch (eroo)], throw in a phony [ringer].

cambuter vt (IIIa, 2) to pull a switch: CAMBUT.

came nf (III) *street vendor:* (2) pitchman. —— nf (III) *cheap merchandise:* (1) junk; (2) crap, bargain-basement stuff, dime-a-dozen stuff. (III) *narcotics (esp. cocaine):* BIGORNETTE. **arbre à cames** (IIIa) *lame person:* (2) limpy, gimpy. **lâcher la c.** (IV) *to have an orgasm:* BANDER.

camé nmf (III) *drug addict:* (2) junkie, snowbird, dope fiend, cokie, hophead. —— adj *under the influence of narcotics:* (2) charged, coasting, (flying) high, hopped [junked, coked] up, primed.

camelote nf (I) *cheap merchandise:* (1) junk: CAME.

camembert nm (III) *traffic stanchion in roadway.*

camer vt (III) *to give s.o. narcotics, make an addict out of s.o.:* (2) hook s.o. **se camer** vp (III, 2) take a blast, give oneself a bang, get charged [stoned, high].

camerluche nm (IIIa) *friend:* (1) pal: AMINCHE.

camouflet nm (I) *insult, snub, affront:* (1) slap in the face.

camp—fiche- [fous-] moi le c. (II,2) beat it! scram! amscray! take off! **ficher le c.** (II) *to run away:* (2) scram out: ADJAS. **foutre le c.** (III) *to run away.*

campêche—bois de campêche (II) *inferior champagne.*

canaque nm (IIIa péj.) *Negro:* (2) nigger, coon, shine, smoke, dinge, boogie, jigaboo.

canard nm (I) *newspaper:* (2) scandal sheet: BABILLARD. (I) *rumor:* (2) scuttlebutt, rumble, dirt, latrine rumor. (II) *old horse:* (1) plug: BIQUE. (II) *false note (music):* (2) clinker.

canarder vi (I) *to shoot at s.o. from cover, snipe.* (I) *to sing or play off key.* (I) *to lie:* BOURRER.

canasson nm (III) *horse, nag:* (2) hayburner: BIQUE.

can-can nm (I) *rumor:* (2) dirt: CANARD.

canelet nm (III) *drinking glass.*

canelles nf (IIIa) *handcuffs:* (2) nippers: BRACELETS.

caner vi (II) *to back down:* (2) to call quits: CAGNER. (II) *to die:* (2) to kick the bucket: ARME.

caneur [euse] nmf (III) *coward:* (2) quitter, yellow bastard, yellowbelly, chicken.

canif—coup de c. dans le contrat (II hum.) *extraconjugal relations:* (2) stepping out, two-timing, extracurricular activity.

canne nf (III) *leg:* (2) shaft: BÂTON. **avoir la c.** (IV) *to have an erection:* BANDER. **avoir les cannes en vermicelle** (III) *to be tired:* (2) be out on one's feet: AFFÛTÉ. **mettre les cannes** (III) *to run away:* (2) take it on the lam: ADJAS.

canon nm (III) *drinking glass.*

canotier—travailler du c. (III) *to be somewhat crazy:* (2) be off one's rocker: ARAIGNÉE.

canter nm (III) *something obtained easily:* (2) pushover, setup, (soft) snap, (lead-pipe) cinch, pipe, easy pickings, breeze, sure thing.

canulant adj (III) *boring:* (2) bugging: BARBANT.

canular nm (I) *hoax:* (1) spoof, ribbing, leg-pulling, sleigh ride, hazing.

canule nf (II) *pest, bore:* (2) creep, drip: BASSIN.

canuler vt (II) *to annoy, pester:* (2) to give a pain in the neck: ASSOMMER.

caoua(h) nm (III) *coffee:* (2) java, mocha, joe, jamoka, mud.

cape—faire q'ch. sous c. (I) *to do s.t. in secret:* (1) do s.t. on the sly; (2) do s.t. on the q.t., do s.t. under cover. **rire sous c.** (I) *to laugh up one's sleeve.* **tenir q'ch. sous c.** (I) *to keep s.t. secret:* (2) keep s.t. under cover [one's hat*, wraps].

capet nm (IIIa) *hat:* (2) bean pod: BADA.

capilotade—mettre en c. (I) *to break into little pieces:* (1) knock [smack] to smithereens, make hash out of*, cut to ribbons. (I) *to slander, vilify:* (2) to pan, knock, tear to pieces: AQUIGER.

capote—c. anglaise nf (III) *condom:* (2) rubber, stripper, safety.

caquer vi (IV) *to defecate:* (3) (take a) crap, shit, drop a load.

cara (abrév. de **caractère**) nm (IIa) *character, personality:* (1) make-up.

caraco(s) nm (III) *blunder:* (2) goof: BOULETTE.

carafe nf (III) *head:* (2) noodle: BALLE. **laisser q'un en c.** (II) *to leave s.o. stranded, in the lurch:* (2) leave s.o. high and dry [stymied, behind the eight ball, up the creek, in a hole]. **rester en c.** (II) *to be left stranded:* (2) be up the creek [on the sidelines, out of the running]. (II) *to be stalled (auto).*

carafon nm (II) *head:* (2) bean: BALLE. (III) *stupid person:* (2) lunkhead: ANDOUILLE.

carambouille nf (IIIa) *swindle involving purchase of goods on credit, selling off for cash and disappearing without paying.*

carambouilleur nm (IIIa) *swindler practicing "la carambouille."*

carante nf (IIIa) *table.* **se mettre en c.** (III) *to come face to face, sit across the table (for a discussion).* (III) *to square off (for a fight or argument).*

carapater (se) vp (II) *to run away:* (2) make tracks: ADJAS.

carat nm (IIIa) *year.* **avoir du c.** (III) *to be elderly:* BOUTEILLE.

carbi nm (III) *coal.* (III) *money:* (2) lettuce: ARTICHE. **aller au c.** (III) *to do unpleasant manual labor:* (2) work in the salt mines.

carboniser vt (III) *to criticize, malign:* (2) to roast*: AQUIGER.

carbure nm (III) *money:* (2) dough: ARTICHE.

carburer vi (II) *to function well (motor, etc.):* (2) to hit on all sixes: BICHER.

carcan nm (II) *horse, nag:* (2) hayburner: BIQUE. (II) *gawky woman:* (2) bean pole, broomstick. (II) *shrew:* (1) old biddy [bitch].

carder vt (IIIa) *to beat up:* (2) to work over: AMOCHER.

cardinal nm (II) *100 new franc note (with Richelieu's portrait).*

carlingue (la) (IIIa) *Gestapo (during Nazi occupation of France).*

carme nf (IIIa) *money:* (2) dough: ARTICHE.

carmer vt (III) *to pay:* (2) to dish out: ABOULER.

carmouille nf (III) *payment.*

carne nf (II) *horse:* BIQUE. (II) *cheap meat:* BARBAQUE.

carnet—le Carnet B (II) *police list of political suspects.*

carottage nm (II) *swindle, fraud:* (2) gyp: ARNAQUE.

carotte nf (II) *swindle:* (2) gyp: ARNAQUE. **tirer une c. à q'un** (II) *to hoax, defraud s.o.:* (2) to gyp: ARNAQUER. **poil de c.** (I) *redhead:* (1) carrottop*, bricktop.

carotter vt (I) *to swindle:* (2) to gyp: ARNAQUER.

carotteur [euse] nmf (I) *swindler:* (2) gyp artist: ARNAQUER.

carouble nf (IIIa) *duplicate key (for robbery):* (2) screw, double.

caroubler vt (IIIa) *to open locks with a duplicate key.* (III) *to steal:* (2) to cop: ARRANGER. (III) *to lock up:* (1) put under lock and key. (III) *to mistreat:* (2) give a rough time, put through the wringer.

caroubleur nm (IIIa) *robber, crook.* (III) *cruel person.*

carre nf (III) *hiding place:* (2) hide-out, cover, hole. (III) *stakes in card game:* (2) pot, kitty. **mettre à la c.** (III) *to put in secret place, hide:* (2) stash [hole] away, plant, bury.

carré adj (I) *honest, trustworthy:* (1) square: BLANC-BLEU.

carreau—rester [demeurer] sur le c. (I) *to be killed on the spot.* **se tenir [garder] à c.** (I) *to be on one's guard:* (2) keep one's eyes open [peeled], watch one's step, look out for number one.

carreaux nm pl (III) *eyes:* (2) peepers, glims, blinkers. **en avoir un coup dans les c.** (III) *to be drunk:* (2) to have a load on: ALLUMÉ.

carrée nf (II) *room:* (2) pad, kip. **tête carrée** (I) *stubborn person:* (2) bullhead, pighead. (I péj.) *German:* (2) Fritz, Heinie, Kraut, Jerry, squarehead*.

carrer vt (III) *to hide away:* (2) to stash: CARRE. **tu peux te le c. dans le baba** (IV) *you can keep it:* (3) you can shove it up your rear [ass].

carreur nm (IIIa) *person who watches the pot in poker game.*

carte—brouiller les cartes (I) *to cloud the issue:* (1) muddy the waters. **jouer cartes sur table** (I) *to put the cards on the table:* (I) be open and aboveboard, play fair and square. **perdre la c.** (I) *to get confused:* (I) get mixed up; (2) get balled [bollixed] up, be in a fog, go around in circles, forget which end is up.

cartonner vi (II) *to play cards.*

cartonnier nm (IIIa) *card sharp:* (2) mechanic, whip.

cartons nm pl (III) *playing cards:* (2) pasteboards: BAUCHES. **battre les c.** (III) *to shuffle [mix] the cards.* **taper les c.** (III) *to play cards.*

casaque—tourner c. (I) *to make an about-face (in opinion or politics):* (I) pull a switch, make a quick change.

casaquin—donner sur le c. à q'un (II) *to thrash s.o.:* (2) lambaste: AMOCHER.

casbah nm (III) *home, house, apartment (humorously):* (2) pad, hangout, home sweet home.

cascader vi (IIIa) *to get thrown in jail:* (2) take a fall* [tumble], get jugged [sent up]. (III) *to die:* ARME. (II) *to lead a dissolute life:* (2) live fast, take the primrose path.

case nf (III) *house:* (2) pad: CASBAH. **avoir une c. en moins [de vide]** (III) *to be crazy:* (2) have a screw loose: ARAIGNÉE.

casé adj (I) *married:* (2) hitched, spliced, hooked, tied.

caser vt (IV) *to have intercourse:* AIGUILLER. **se caser** (I) *to set up housekeeping.* (I) *to find a job:* (1) get placed. (I) *to get married:* (2) get hitched [spliced, joined], tie the knot, walk down the aisle.

cash—payer c. (III) *to pay cash:* (2) put [lay] it on the line, pay cash on the barrelhead.

casque—avoir le c. (II) *to be drunk:* (2) have a load on: ALLUMÉ.

casquer vt (I) *to pay up:* (2) fork out: ABOULER.

casquette—donner un coup de c. (III) *to*

clean up: (I) tidy [police] up. **l'homme à la c.** (II) *the gas and electric meter reader.*

cassage nm (III) *robbery, burglary:* (2) heist, job, caper, kick- [tip-] over.

cassante nf (III) *tooth.*

casse nf (III) *robbery:* (2) heist; CASSAGE. **il y aura de la c.** (I) *there's trouble brewing:* (1) things are going to hum. **acheter [vendre] q'ch. à la c.** (III) *to buy [sell] s.t. in parts (junked cars, stolen jewelry, etc.):* (2) to buy [sell] knocked down.

casse-burettes nm invar. (IV) CASSE-COUILLES.

casse-couilles nm invar. (IV) *pest, nuisance:* (3) pain in the ass: BASSIN.

casse-croûte nm invar. (I) *light meal:* (1) snack, bite.

casse-graine nm invar. (II) *light meal:* (1) snack, bite.

casse-gueule nm invar. (III) *liquor of poor quality:* (2) rotgut, hootch, panther piss, red mule, bug juice, tanglefoot, varnish. (III) *cheap café:* BOUGE. (III) *dangerous situation:* (2) tough [hot] spot.

cassement nm (III) *robbery:* (2) heist. CASSAGE.

casse-olives nm invar. (III,2) hootch: CASSE-GUEULE.

casse-oreilles nm invar. (III) *noise:* BAROUF.

casse-pattes nm invar. (II) CASSE-GUEULE.

casse-pieds nm invar. (I) *bore:* (2) drip: BASSIN.

casse-pipes nm invar. (II) *the war.*

casser vt (III) *to rob, burglarize:* (2) knock [tip] over, hold up, heist, pull a job on. **à tout c.** adv (II) *without restraint, to the limit:* (2) like all get out. **c. du sucre** (III) *to fall on one's buttocks:* (2) fall on one's butt [bottom, tail, fanny, rear end]. **c. la tête [les oreilles]** (I) *to overwhelm (with noise):* ABASOURDIR. **c. le pot** (IV) *to deflorate:* (3) take [break] the cherry. **c. les pieds à q'un** (I) *to bore:* (2) ASSOMMER. **c. les reins à q'un** (II) *to overcome s.o.'s resistance:* (2) break s.o., make s.o. call it quits [say uncle, knuckle down, throw in the sponge]. **c. sa pipe** (III) *to die:* (2) kick the bucket: ARME. **la c.** (III) *to die:* ARME. **ne pas en c. une** (III) *to say nothing:* (2) keep mum: BOÎTE. **ne rien c.** (II) *not to be worth much:* (2) cut no ice, be no great shakes, not amount to a hill [row] of beans. **ne rien se c.** (III) *to take it easy:* (2) laze around: BULLE. **se casser** (III) *to run off:* (2) beat it: ADJAS. **se casser le cou** (II) *to lose one's fortune:* (2) go broke, lose one's shirt, be busted [cleaned out, taken to the cleaners]. **se casser le nez** (I) *to find nobody home:* BOIS. (I) *to fail (in school):* (1) flunk. **se casser la tête** (I) *to make a serious attempt:* (2) buckle down (to business), knock oneself out, try one's level best.

casserole nf (IIIa) *informer, worthless person:* (2) louse: BORDILLE. (III) *low-class prostitute:* (2) cheap whore. **passer à la c.** (III) *to give the third degree (police):* (2) sweat, work over, grill, give a going- [working-]over. (IV) *to rape.*

casse-tête nm invar. (I) *difficult problem, puzzle, enigma:* (2) brain twister, brainteaser, hard [tough] nut to crack, stumper. (I) *loud noise:* BAROUF.

casseur nm (III) *robber, thief.*

cassis nm (III) *head:* (2) bean: BALLE.

castagne nm (IIIa) *beating, thrashing:* (1) tanning: AVOINE.

casuel—faire le c. (IIIa) *to rent a room for a brief assignation.*

cateau nf (IIIa) *woman of loose morals:* (2) floozy: BOUDIN.

catin nf (III) CATEAU.

causette nf (I) *chat:* BAVETTE.

cavale—être en c. (III) *to be running from the police:* (2) be on the lam, be hot.

cavaler vt (II) *to annoy, pester:* (2) to gripe: ASSOMMER. (II) *to run:* (2) leg it, shake a leg. **se cavaler** vp (II) *to flee:* (2) take off: ADJAS.

cavalerie nf (IIIa) *loaded dice:* (2) cheaters, phonies, doctors, fakes, artillery.

cavaleur nm (III) *lady [skirt] chaser:* (1) Casanova, Don Juan; (2) wolf, tomcat, ladies' man; (3) gash-hound.

cave nm (III) *stupid individual:* (2) dope: ANDOUILLE *(in the French underworld any honest person is considered* "un cave"). (III) *gullible person:* (2) sucker: BOUILLE.

caveçon—coup de c. (I) *humiliating experience, blow to one's pride.* **donner un coup de c. à q'un** (I, 1) to take s.o. down a peg, take s.o. off his high horse, put s.o. in his place: (2) tell s.o. where to head off, give s.o. his come-uppance.

caver vt (III) *to cheat, swindle:* (2) to sell a bill of goods: ARNAQUER.

cavette nf (III) *female version of* "cave."

caviarder vt (I) *to delete (or censor) passages in a manuscript:* (1) blue-pencil, ink out.

cavu nm (IIIa) *buttocks:* (2) fanny: ARRIÈRE-TRAIN.

ceinture—se mettre [serrer] la c. (II) *to do without, be deprived of:* BALLON.

ceinturer vt (IIIa) *to arrest:* (2) to nab: AGRAFER.

cellote nf (III) *prison cell:* (2) cave, coffin, hatch, hole, kip.

centre nm (IIIa) *name:* (2) handle: BLASE.

centrouse nf (IIIa) *central prison:* (2) the big house.

cerise nf (III) *face:* (2) map, mug, mush, pan, phiz, puss, kisser, clock, dial. **avoir la c.** (III) *to have bad luck, be in a difficult situation:* BOUILLABAISSE. **se faire la c.** (III) *to sneak or run off:* (2) duck [ease] out: ADJAS.

cerveau—avoir le c. brûlé (I) *to have bizarre ideas:* (1) have crazy notions; (2) have a bug in one's ear; (3) have a wild hair [a bug] up one's ass. **avoir le c. creux.** (I) *to be empty-headed, absent-minded.* **avoir le c. fêlé** (I, 1) to be a crackpot: ARAIGNÉE. **avoir un c. d'oiseau** (I) *to be stupid:* (2) be a bird-brain*: ANDOUILLE.

cervelas—faire la queue de c. (IIIa) *exercise parade in prison yard.*

cézique (III) *he, himself.*

chabanais nm (IIIa) *noise:* BAROUF. (III) *the four queens (in poker):* (2) the four ladies. (III) *brothel:* (2) crib: BOBINARD.

chabler vt (III) *to beat:* (2) to shellac: AMOCHER. (III) *to look at:* (2) take a gander at: BIGLER.

chabraque adj (IIIa) *crazy:* (2) batty, nutty: ARAIGNÉE.

chacal nm (IIIa) *informer:* (2) squealer: BORDILLE.

chagatte nf (IV) *female genitals:* BAQUET.

chahut nm (I) *noise, racket:* BAROUF. **en faire un c.** (II) *to raise a fuss about s.t.:* (2) raise a (big) stink, kick up a storm.

chahuter vt (I) *to make a lot of noise:* (2) raise the roof [Cain], kick up a storm. (I) *to throw into confusion.* (I) *to express disapproval of an actor, orator, etc.:* (1) to boo; (2) to razz, give the raspberries, give the Bronx cheer.

chaillotte nf (IIIa) *tooth.*

chair—c. de poule (I) *goose-flesh, duck-bumps.* **être bien en c.** (I) *to be plump;* (2) be well padded [well upholstered]. **être ni c. ni poisson** (I) *to be neither fish nor fowl.*

chaise—barreau de c. (III) *cigar:* (2) cabbage, stinkweed.

chaleureux [euse] adj (IIIa) *afraid, scared:* (2) chicken: BLANC.

chaleurs—avoir les c. (III) *to be afraid:* (2) to be chicken: BLANCS.

chalouper vi (II) *to walk with a roll (like a sailor).*

chambard nm (I) *racket, din:* BAROUF.

chambarder vt (I) *to upset, turn topsy-turvy:* (1) turn bottom up; (3) turn ass over head [ass-end up].

chamberlain nm (IIa) *umbrella:* (2) bumbershoot.

chambouler vt (II) *to turn topsy-turvy:* CHAMBARDER.

chambre à gaz nf (IIa) *subway.*

chambrer vt (II) *to ridicule, spoof:* (2) to razz: BATEAU.

chameau nm (II) *disagreeable person:* (2) louse, stinker, heel, sourpuss, pain in the neck; (3) pain in the ass. (III) *immoral woman:* (2) floozy: BOUDIN.

champ—aller aux champs (III) *to go to the horse races:* (2) play the nags [gee-gees, ponies]. **jouer le c.** (III) *to bet across the board.* **prendre la clé des champs** (I) *to run away:* (2) beat it: ADJAS.

champ' (abrév. de **champagne**) nm (III) *champagne:* (2) giggle water, bubble water.

champignon nm (I) *gas pedal, accelerator (auto).* **appuyer sur le c.** (I) *to step on the gas:* (2) give it the gun [juice], gun it, open her up.

chançard [e] nmf (II) *lucky person:* (2) lucky dog [stiff]. —— adj *lucky.*

chanceux [euse] nmf (I) CHANÇARD.

chandelle nf (II) *nasal discharge:* (2) snot. **en voir trente-six chandelles** (I) *to see stars (after a blow).* **faire des économies de bouts de c.** (I, 2) to pinch pennies. **souffler la c.** (II) *to die:* (2) to kick off: ARME.

chansonnette nf (III) *harsh questioning by police:* (2) grilling, sweating, buzzing, working- [going-]over.

chanstique nm (III) *substitution, switch.* **faire un c.** (III, 2) to pull a switch: CAMBUT.

chanstiquer vt (III) *to change, substitute:* CAMBUT.

chanterelle—appuyer sur la c. (I) *to harp on the subject:* (1) stick to the same point, hammer the point home.

chaparder vt (I) *to steal:* (2) swipe: ARRANGER.

chapardeur [euse] nmf (I) *sneak thief.*

chapeau—porter le c. (III) *to be suspected as an informer:* BADA. **travailler du c.** (II, 2) to be off one's rocker: ARAIGNÉE.

chapelet—un c. de q'ch. (I) *a series [string] of s.t.* **défiler son c.** (I) *to un-*burden oneself:* (1) pour one's heart out; (2) spill one's guts. **chapelets** nm pl (III) *handcuffs:* (2) bracelets, nippers, cuffs, irons.

chapelle nf (IV) *street urinal.*

chapiteau nm (I) *circus tent:* (1) the big top. (III) *head:* (2) bean: BALLE.

char nm (IIIa) *blunder:* (2) goof: BOULETTE. **faire un c. à sa femme** (III) *to be unfaithful to one's wife:* (2) cheat [step out] on one's wife, two-time one's wife.

charbon—sac à c. nm (III péj.) *priest:* (2) Holy Joe, sky pilot, pulpit-pounder.

charcuter vt (I) *to do bad surgery:* (2) butcher. (I) *to botch up:* (2) to louse up: AMOCHER.

charcutier nm (II péj.) *surgeon:* (2) sawbones.

chargé adj (III) *drunk:* (2) loaded: ALLUMÉ. (III) *armed:* (2) heeled, loaded, carrying iron, rodded-up, packing a rod. (III) *under influence of narcotics:* (2) charged, (flying) high: CAMÉ.

charger (se) vp (III) *to get drunk:* (2) get loaded: ARRONDIR (s'). (III) *to arm oneself:* (2) get heeled [charged, loaded]. (III) *to take a narcotic dose:* (2) take a blast [bang], get loaded [charged].

charibotage nm (III) *criticism:* (2) panning: BÊCHAGE. (III) *joke, spoof:* BLAGUE.

charibotée—une c. de (III) *a large quantity of:* (2) loads [oodles, barrels, scads, gobs, heaps, piles, rafts, slews, stacks, wads, tons, bags, bundles, sacks] of, all kinds of.

chariboter vi (III) *to exaggerate:* (2) to spread it on thick: ALLER FORT.

Charlemagne—faire C. (I) *to quit the game while a winner:* (2) pull out while ahead.

Charles-le-Chauve nm (IV) *penis:* ARBALÈTE.

charmeuses nf pl (II) *moustaches:* BACCHANTES.

charognard nm (IIIa) *informer, despicable person:* (2) lousy heel: BORDILLE.

charogne nf (II) *slut:* BOUDIN. (III) *person of low character:* (2) louse: BORDILLE. (III) *cheap meat:* BARBAQUE.

charre nm (III) *lie:* (1) bosh; (2) hot air, fish story, bull; (3) crap, bullshit. (III) *marital infidelity:* CHAR. **sans charre!** (interj.) (III) *really!:* (2) no kidding!: BLAGUE.

charriage—passer q'un au c. (III, 1) to pull s.o.'s leg: BATEAU.

charrier vt (III) *to hoax, spoof:* (2) to rib: BATEAU —— vi (III) *to exaggerate, boast:* (2) to throw the bull: ALLER FORT.

charron—gueuler au c. (IIIa) *to shout:* (1) holler: BEUGLER. (III) *to protest:* (2) put up a squawk, kick, raise the roof, yell bloody murder, beef.

charronner vt (IIIa) *to beat up:* (2) to work over: AMOCHER. —— vi (IIIa) *to complain, protest:* (2) to beef: CHARRON. (IIIa) *to lodge a complaint (to police):* (2) put in a squawk [beef].

chasse—au chasse adv (IIIa) *for nothing:* (2) for free, on the house.

châsse nm (II) *eye:* (2) peeper, blinker, glim.

chasser vi (III) *to flirt:* (2) be on the make, chase skirts [the broads]. **c. le mâle** (III) *to be a prostitute:* (2) hook, hustle.

châsser vt (III) *to look at, take notice of:* (2) take a gander at: ALLUMER.

chat—acheter c. en poche (I) *to buy a pig in a poke:* (1) buy sight unseen. **avoir un c. dans la gorge** (I) *to be hoarse, have a frog in the throat.* **c. fourré** (III) *the judge:* (2) His Honor, Hizzoner, the beak. (IV) *female genitals:* BAQUET. **écrire comme un c.** (I) *to scribble, scrawl:* (2) make hen scratches. **il n'y a pas là de quoi fouetter un c.** (I) *it's not important:* (2) it's nothing to make a fuss [stink] about. **il n'y a pas un c.** (I) *there's not a soul, the house is empty.* **retomber comme un c. sur ses pattes** (I) *to always manage to get out of a scrape.* **vivre comme chien et c.** (I, 1) to live like cats and dogs.

châtaigne nf (II) *blow, punch:* (2) clip: ATOUM. (II) *fight, brawl:* (2) hassle: BADA-BOUM.

châtaigner (se) vp (III) *to come to blows:* (2) to trade punches: ACCROCHER (s').

chatte nf (IV) *female genitals:* BAQUET.

chaud adj (I) *very new (recent):* (2) hot (off the press). (III) *sexy:* (2) hot: ARTICLE. **avoir la main chaude** (III) *to be lucky (in gambling):* (2) hold hot hands*. **cela ne fait ni c. ni froid** (I) *it's neither here nor there:* BONNET. **chaud [e] lapin [e]** nmf (III) *sexy person:* (2) hot number: ARTICLE. **chaude-pisse [-lance]** nf (IV) *gonorrhea:* (2) v.d. (venereal disease), clap. **être c. pour q'ch.** (I) *to be deeply interested in s.t.:* (2) be all wound up in s.t. **se mettre au c.** (II) *to go to bed:* (2) to hit the hay: BÂCHER.

chauffard [e] nmf (II) *bad auto driver:* (2) crazy driver, cowboy, road hog, hot rodder.

chauffer vt (I) *to prepare s.o. for an examination:* (2) bone s.o. up. (II) *to steal:* (2) swipe: ARRANGER. (III) *to grab hold of, arrest:* (2) to collar: AGRAFER. (III) *to flirt with:* (2) try to make [pick up]: APPEL.

chausser vt (II) *to please, suit:* BOTTER.

chaussettes—jus de c. (II) *bad coffee:* (2) mud, hogwash. **mettre les c. à la fenêtre** (IV) *to indicate a woman's lack of satisfaction with her sexual partner.* **c. à clous** (III) *policeman in civilian clothes:* (1) plainclothes man, dick.

chelem—être grand c. (IIIa) *to have no money:* (2) to be flat broke: BLANC.

chemise—être cul et c. avec q'un (III) *to be an intimate friend of s.o.:* (2) be buddy-buddy with s.o.: AMI.

chéquard nm (II) *person who sells his political influence:* (2) influence peddler*, five-percenter.

chercher—aller les c. (III) *to take a risk to earn money:* (2) take a flyer. **c. des poux dans la tête de q'un** (II) *to scrutinize s.o.:* (2) pick s.o. apart, go over s.o. with a fine-tooth comb*. **c. la petite bête** (I) *to be extremely meticulous, finicky:* (2) be picky. (I) *to look for hidden motives:* (2) look for a nigger in the woodpile, look for a gimmick [catch]. **c. midi à quatorze heures** (I) *to create unnecessary problems in a situation.*

chérot adj (II) *expensive, dear, high-priced.*

cherrer vi (II) *to boast:* (2) to throw the bull: ALLER FORT. (II) *to criticize:* (2) pan, knock: AQUIGER.

chetard nm (IIIa) *prison:* (2) clink: BALLON.

cheval—être à c. sur q'ch. (I) *to be insistent about s.t.:* (2) stick to one's guns over s.t. **être à c. sur un torchon** (IV) *to be menstruating:* ANGLAIS.

chevalier—c. d'industrie (I) *person who earns living by devious means:* (2) feather merchant, wangler. **c. de la lune** (III) *night worker (in general), burglar.* **les chevaliers du prépuce-cul** (IV) *the homosexual world:* (2) fairyland.

chevalière nf (IV) *anus:* ANNEAU.

cheveux—avoir mal aux c. (II) *to have a hangover:* (2) be hung up [over]. **couper [fendre] les c. en quatre** (I) *to split hairs.* **se faire des c. (blancs)** (I) *to worry, fret:* (1) stew: BILE. **se prendre aux c.** (I) *to come to blows:* (2) to get into a hassle: ACCROCHER.

cheville nf (I) *superfluous words (in writing):* (1) padding. **c. ouvrière** (I) *essential person in an undertaking:* (1) mainspring, kingpin. **être en c. avec q'un** (I) *to be associated with s.o.:* (2) be hooked* [tied, hitched, teamed] up with s.o., in cahoots with s.o., play ball with s.o. **ne pas arriver [monter] à la c. de q'un** (I) *to be far inferior to s.o.:* (2) not to be in the running [picture] with s.o., not play in the same league with s.o.

cheviller vt (I) *to pad out an article or poem.* (IIIa) *to talk glibly:* (2) to soft-soap: BARATINER.

chevilleur [euse] nmf (IIIa) *intermediary:* (1) go-between. (III) *accomplice, decoy:* (2) stooge: BARON.

chèvre nf (IIIa) *whore:* (2) hustler: BISENESSEUSE. (II) *horse:* BIQUE.

chevreuil nm (IIIa) *informer:* (2) squealer: BORDILLE. (III) *loose woman:* (2) round heels: BOUDIN.

chialer vi (II) *to cry, weep, blubber:* (1) to bawl; (2) turn on the waterworks, put on the sob [crying] act.

chialeur [euse] nmf (II péj.) *cry-baby, blubberer.*

chiard [e] nmf (III) *young child:* (1) little shaver [squirt]; (2) kid, little stinker, brat, punk.

chiasse—avoir la c. (IV) *to be afraid:* (3) to be scared shitless: BLANC.

chiasser vi (IV) *to be afraid:* (2) to be chicken: BLANC.

chiasseux [euse] nmf (III) *coward:* (2) chicken: CANEUR. —— adj *cowardly:* (2) yellow, chicken, yellow-bellied [-livered].

chibre nm (IV) *penis:* ARBALÈTE.

chicandier [ière] adj (III) *complaining, protesting:* (2) bellyaching, griping, beefing.

chichis nm pl (I) *frills, airs, fuss.* **faire des c. [du chichi]** (I) *to put on airs, to make a fuss.* **gens à chichis** (I) *snobbish people:* BEAU.

chichite nf (III) *any ill-defined illness:* (2) the crud, the epizootic, what's going around, the pip.

chichiteux [euse] nmf (I) *one who puts on airs:* (2) show-off*.

chicot nm (I) *stump of broken tooth, snag.*

chiée—une c. de (IV) *lots of:* CHARIBOTÉE.

chien—avoir du c. (I) *to have charm:* (2) have it, have what it takes. **coup de c.** (I) *sudden storm.* (I) *sudden heavy work load.* (I) *fight, fracas:* (2) set-to: BADABOUM. **être**

c. (II) *to be miserly:* (2) be a cheapskate [piker], be tight [hoggish, penny-pinching, piggish]. **être c. avec q'un** (I) *to be harsh with s.o.:* (2) give s.o. a hard [rough, tough] time. **recevoir q'un comme un c. dans un jeu de quilles** (I) *to give s.o. a cold welcome:* (2) give s.o. the cold shoulder. **rompre les chiens** (I) *to cut the conversation short:* (2) clam up.

chiendent nm (I) *snag, hitch:* ACCROC.

chiennerie nf (I) *miserliness:* (1) penny-pinching.

chier vi (IV) *to defecate:* CAQUER. **envoyer c.** (IV) *to send off, discharge:* (2) to send packing: BALAI. **faire c. q'un** (IV) *to bore s.o.:* (2) to give s.o. a pain in the neck: ASSOMMER.

chieux [euse] nmf (III) *small child:* (2) kid: CHIARD.

chiffon—parler chiffons (I) *to talk about clothes.*

chiffoner vt (I) *to vex, annoy:* (2) rub the wrong way*, rile, gripe, rag, get under one's skin, give a pain (in the neck), get one's goat [nanny], bug.

chiftire nm (III) *rag-picker:* (2) scrounger.

chigner vi (IIIa) *to cry, weep:* (2) to bawl: CHIALER.

chignole nf (II) *old car:* (2) jalopy: BAGNOLE.

chignon nm (III) *head:* (2) noodle: BALLE. **se crêper le c.** (III) *to fight, come to blows:* (2) to lace into each other: ACCROCHER.

chine—faire la c. (II) *to canvass from house to house [door to door], peddle:* (2) ring doorbells.

chiner vt (I) *to rib, tease:* (2) to josh: BATEAU. (I) *to criticize:* (1) pan, knock: AQUIGER. (II) *to canvass:* CHINE. (II) *to try to borrow:* (2) mooch, sponge: BOTTE.

chinetoque nm (III péj.) *Chinese:* (2) Chink. (III) *bungler.*

chineur [euse] nmf (I) *teaser, joker:* (2) ribber: BLAGUEUR.

chinois nm (IV) *penis:* ARBALÈTE. **se battre le c.** (IV) *to masturbate:* (3) jerk off.

chinoiserie nf (I) *red tape.*

chiotte nf (III) *old auto:* (2) crate, heap: BAGNOLE. **chiottes** nf pl (IV) *toilet:* (2) john: CABINCES. **envoyer aux chiottes** (III) *to discharge:* (2) to can: BALAI. **corvée de chiottes** (III mil.) *latrine duty.*

chiper vt (II) *to steal:* (2) swipe: ARRANGER. **être chipé pour q'un** (III) *to be in love with s.o.:* (2) to have a yen for s.o.: AMOUR.

chipester nm (IIIa) *bad whiskey:* (2) booze: CASSE-GUEULE.

chipette—**ne pas valoir c.** (II) *to be worthless:* (2) not worth a hoot: BROC.

chipeur [euse] nmf (II) *sneak thief.*

chipie nf (I) *shrewish woman:* (2) old rip, hellcat.

chipolata nf (IV) *penis:* ARBALÈTE.

chipoter vi (I) *to nibble.* (I) *to haggle.*

chique—**avaler** [poser] **sa c.** (III) *to die:* (2) to kick off: ARME. **couper la c. à q'un** (II) *to silence s.o.:* (2) shut s.o. up, cut s.o. short*. **mou comme une c.** (I) *listless:* (1) droopy; (2) pepless, pokey. **pour la c.** (II) *just for the fun of it:* (2) for a kick [laugh], for the hell of it.

chiqué—nm (II) *affectation, airs.* **faire du c.** (II) *to put on airs:* BEAU. **c'est du chiqué** (II) *it's a fake:* (2) it's phony, it's a put-up job.

chiquer vi (II) *to exaggerate:* (2) to spread it on thick: ALLER FORT. (II) *to pretend:* (1) make believe; (2) put on an act, throw a line of bull. (II) *to haggle, quibble.* (IIIa) *to eat:* (2) to put on the feed bag: BECQUETER.

chiqueur [euse] nmf (III) *liar, pretender:* (2) phony, fourflusher, bull-thrower; (3) bull-shit artist.

chleu nm (III péj.) *German:* (2) Heinie: ALBOCHE.

chlinguer vi (IV) *to stink.*

chnouf nm (IIIa) *narcotics (esp. heroin):* BIGORNETTE.

chnouffer (se) vp (IIIa) *to take narcotics:* (2) to take a charge: CAMER (SE).

chocolat—**être c.** (II) *to be duped, swindled:* (2) to be gypped: BAISÉ. **la turbine à c.** (IV) *anus:* ANNEAU.

chocottes nf pl (III) *teeth:* (2) ivories, choppers, china, crockery. **avoir les c.** (III) *to be afraid:* (2) to have the jitters: BLANCS.

choir—**laisser c.** (II) *to abandon, discard:* (2) dump, get rid of: BALANCER.

chômedu nm (III) *unemployed workman.* **être au c.** (III) *to be out of work:* (2) be on the beach.

choper vt (II) *to steal:* (2) swipe, hook: ARRANGER. **se faire c.** (III) *to get arrested:* (2) to get nabbed: CASCADER, AGRAFER.

chopeur nm (II) *petty thief.*

chopin nm (II) *bargain:* (2) a good deal: AFFAIRE (BONNE). (II) *lucky find:* (2) lucky strike, break. **faire un (beau) c.** (II) *to make a profit:* AFFLURER. (II) *to make an advantageous purchase:* (2) hit a gold mine, make a good deal.

chopine nf (II) *bottle.* (IV) *penis:* ARBALÈTE.

chopiner vi (III) *to drink excessively:* (2) booze, hit the bottle: BIBERONNER.

chopotte nf (III) *bottle.*

chou nm (I) *darling:* (1) sweetie, honey (bunch), sugar. (III) *head:* (2) bean: BALLE. **aller planter ses choux** (I) *to retire and live in the country.* **bête comme c.** (I) *stupid:* (2) dopy: ANDOUILLE. (I) *very easy, simple:* (2) a cinch: ART. **en avoir dans le c.** (III) *to be intelligent, capable:* (2) have what it takes, have plenty on the ball, know what's what. **en faire des choux et des raves** (I) *to utilize something for whatever is needed:* (1) make something do. **être** [finir] **dans les choux** (III) *to finish last (in a horse race):* (2) trail the field, be an also-ran, finish in the cellar. (III) *to fail (in an enterprise):* (2) flop, fizzle out: BOUDIN. **faire c. blanc** (I) *to fail:* BOUDIN. **faire ses choux gras de q'ch.** (I) *to profit from s.t.:* AFFLURER. **rentrer dans le c. à q'un** (III) *to beat s.o. up:* (2) to lambaste: AMOCHER. **s'y entendre comme à ramer des choux** (I) *to be a bungler.* **travailler du c.** (III) *to be crazy:* ARAIGNÉE.

choucard adj (III) *pleasant, good-looking:* (2) snazzy: BADOUR.

chouchou [te] nmf (I) *favorite:* (2) fair-haired boy (girl), number-one boy (girl).

chouchouter vt (I) *to overindulge:* (1) spoil. (I) *to fondle, caress:* (1) pet.

chouettard adj (III) CHOUETTE.

chouette adj (I) *excellent, first-rate:* (2) groovy, sharp. (I) *nice, good-looking:* (2) keen, cool: BADOUR. —— nm (IV) *anus:* ANNEAU. **avoir q'un à la c.** (II) *to love s.o.:* AMOUR. **marcher sur des chouettes** (IIIa) *to travel with true identity papers.*

chouettose adj (III) CHOUETTARD.

chouïa nm (III) *a small amount:* (1) a tiny bit; (2) a smidgen, a teensy [teenchy, teeny] bit.——adv (III) *quietly, softly:* (2) on the quiet [q.t.].

chouigner vi (IIIa) *to cry:* (2) to bawl: CHIALER.

chouille nm (III) CHOUÏA.

chouravé n (III) *stolen objects (searched for by the police):* (2) hot goods [ice].

chouraver vt (III) *to rob, steal:* (2) to cop: ARRANGER.

chouriner vt (III) *to stab:* (2) shiv.

chpile—**avoir beau c.** (III) *to be a sure winner:* (1) have a sure thing. **il y a du c.** (II) *it's loose, it's slack:* (1) there's a lot of play.

chtar nm (III) *blow:* (2) clip: ATOUT. (III) *disciplinary confinement cell in prison:* (2) solitary, the hole, the cave. (III) *jail, prison:* (2) pen: BALLON.

chtibe nm (IIIa) *prison:* (2) stir: BALLON. **atterrir au c.** (IIIa) *to throw into jail:* (2) to put in stir: BALLON.

chtouille nf (IV) *gonorrhea:* (3) clap.

chuter vi (I) *to fall:* (2) flop: BILLET.

cibiche nf (III) *cigarette:* (2) butt, coffin nail, pill, fag, cig, cancer stick, weed.

cidre—**ne pas valoir un coup de c.** (II) *to be worthless:* (2) not worth a damn: BROC.

cigare nm (III) *head:* (2) noodle: BALLE. **avoir mal au c.** (III) *to have a headache.* **travailler du c.** (III) *to be crazy:* (2) to be batty: ARAIGNÉE. **y aller du c.** (III) *to take a big risk:* (2) stick one's neck out, put one's neck in a noose. **le c. à moustaches** (IV) *penis:* ARBALÈTE.

cigler vt (IIIa) *to pay:* (2) to dish out: ABOULER. **c. avec un lance-pierres** (III) *not to pay:* (2) hold out.

cigogne nf (I) *tall, thin woman:* (2) bean pole, string bean.

cigue nm (IIIa) *twenty francs.*

cinéma—**faire du c.** (II) *to create a scene:* (2) put on an act [a show], blow up a storm, kick up a fuss, emote.

cinoche nm (III) *moving pictures:* (1) movies; (2) flickers.

cinq secs—**les mettre en c.s.** (III) *to run off:* (2) beat it: ADJAS.

cinquante-pour-cent nf (II) *wife:* (2) the better half: BARONNE.

cintrant adj (IIIa) *amusing, funny:* BIDONNANT.

cintré adj (III) *crazy:* (2) nuts: ARAIGNÉE.

cintrer (se) vp (IIIa) *to laugh, enjoy oneself:* (2) to have a big time: BIDONNER (SE).

cirage—**être dans le c.** (II) *to be drunk:* (2) to be under the table: ALLUMÉ. (II) *to be depressed:* (2) have the blues, be down in the dumps [mouth]: BOURDON. (II) *to be confused:* (2) be in a fog, not know which end is up.

cirer vt (IIIa) *to beat, punch:* (2) to paste: AMOCHER.

cisaillé adj (III) *without money:* (2) broke: BLANC.

cisailler vt (IIIa) *to beat at cards:* (2) take over [to the cleaners, for a ride], clean out. **c. q'un** (III) *to back down on one's agreement with s.o.:* (2) go back on s.o., renege, double-cross s.o.

citron nm (III) *head:* (2) bean: BALLE.

citrouille nf (II) *head:* (2) bean: BALLE.

civelot nm (III) *civilian.*

clac nm (IV) *whorehouse:* (2) call house: BOBINARD.

clamecer vi (III) *to die:* (2) to shuffle off: ARME.

clamser vi (III) CLAMECER.

clandé (abrév. de **clandestin**) (III) *illegal gambling house or house of prostitution.*

claouis nm pl (IV) *testicles:* BALLOCHES. **casser les c.** (IV) *to annoy, bore:* (2) give a pain in the neck: ASSOMMER.

claper vi (III) *to eat:* (2) to hit the chow: BECQUETER. **c. son bulletin de naissance** (III) *to die:* (2) to go out feet first: ARME.

clapette nf (III) *tongue:* (2) clapper.

clapoter vi (III) *to die:* (2) to kick off: ARME.

clapser vi (IIIa) *to die:* (2) to kick off: ARME.

claquant adj (II) *tiring, fatiguing.*

claque nm (III) CLAC. **en avoir sa c.** (II) *to have had enough of, be tired of:* (2) be fed up with: ANDOSSES. (II) *to be about to die:* (2) be on one's last legs, be at the end of the line, be ready to kick the bucket. **prendre ses cliques et ses claques** (I) *to run off:* (1) clear out (bag and baggage), pull up stakes.

claqué adj (II) *tired, worn-out:* (2) bushed: AFFÛTÉ. **le jardin des claqués** (III) *cemetery:* (2) boneyard: ALLONGÉS.

claquer vi (II) *to die:* (2) to shove off: ARME. (II) *to fail:* (2) fizzle out: BOUDIN. —— vi (I) *to sell.* (II) *to miss (shooting).* (II) *to fatigue, tire:* (1) wear out [down], break down, do in. **c. son argent** (III) *to spend one's money recklessly:* (1) throw away one's money; (2) pee away one's dough. **se claquer** vp (II) *to ruin one's health:* (2) let oneself get run down [go to the dogs]. **se c. un muscle** (I) *to strain a muscle:* (2) pull a muscle, get a charley horse.

clarinette—**bouffer [becqueter] des clarinettes** (III) *to go hungry:* BALLON. **des clarinettes!** (interj.) (III, 2) nothing doing! nuts to you! **c. baveuse** nf (IV) *penis:* ARBALÈTE.

class (e)—**en avoir c.** (III) *to be tired of:* (2) be fed up with: ANDOSSES.

clavier nm (III) *teeth:* (2) ivories, choppers, crockery. **se faire regarnir le c.** (III) *to have a set of false teeth made.*

clé—**mettre la c. sous la porte** (I) *to leave on the sly:* (1) sneak off; (2) take a powder, dust (off). **prendre la c. des champs** (I) *to run away:* (2) to scram: ADJAS.

cléb(ard) nm (III) *dog:* (2) pooch, mutt.

cléber vt (IIIa) *to eat:* BECQUETER.

clebs nm (III) CLÉBARD.

clerc—**faire un pas de c.** (I) *to make a mistake (through inexperience):* (2) to pull a boner: BOULETTE.

cliche—**avoir la c.** (IIIa) *to be afraid:* (2) to be chicken: BLANCS.

client nm (III) *any man:* (1) fellow; (2) guy, gink, geezer, gazabo, gee, joe, lug, mug.

clille nm (III) *client, customer.* **éponger un c.** (III) *to get rid of a customer.*

cliquette nf (III) *ear.* **avoir du miel dans les cliquettes** (III) *to be deaf:* (2) to be deef.

clochard nm (I) *vagabond:* (1) bum, hobo, tramp.

cloche nf (III) *vagabond:* CLOCHARD. (III) *stupid person:* (2) blockhead: ANDOUILLE. **acheter à la c.** (II) *to buy just as the market is to close (when prices are lowered).* **ça c.** (II) *it's going wrong:* (2) it's going screwy. **déménager à la c. de bois** (I) *to sneak out without paying the rent:* (2) jump the rent, fly the coop, take a powder. **être de la c.** (III) *to be a vagabond:* (2) be on the bum [beach]. **se taper la c.** (III) *to eat heartily:* (1) to have a blow-out: BÂFRER. **sonner les cloches à q'un** (III) *to reprimand s.o.:* (2) bawl [lay] s.o. out (in no uncertain terms), rake s.o. over the coals, let s.o. have it.

clocher vi (IIIa) *to listen.*

clodo nm (III) CLOCHARD.

clope nm (III) *cigarette stub:* (2) butt, snipe, dinch.

clopin-clopant adv (I) *limpingly, hobbingly, lamely:* (2) gimpingly.

clopiner vi (I) *to limp, hobble:* (2) gimp.

clopinette—**des clopinettes** (II) *little or nothing:* (2) damn little, peanuts. **travailler pour des c.** (II) *to work for little pay:* (2) work for peanuts [beans].

cloporte nm (III) *concierge.*

cloque nf (IV) *flatus:* (3) fart. **être en c.** (IV) *to be pregnant:* (3) to be knocked up: BALLON.

cloquer vt (III) *to put.* (III) *to give:* (1) hand out [over]; (2) fork over, dish out: ABOULER. (III) *to pawn:* (2) (put in) hock. **se cloquer** vp (III) *to place oneself:* (1) to set oneself down. **se c. q'ch.** (III) *to treat oneself to s.t.:* (2) blow oneself to s.t.

clos—**c. du pousse-péniche** (III) *drinking water:* (1) Adam's ale.

clou nm (II) *old car:* BERLINGOT. (II) *old bicycle.* (III) *prison:* (2) brig: BALLON. **être tombé sur un c. rouillé** (III) *to be pregnant:* BALLON. **mettre au c.** (II) *to put in prison:* (2) to toss in the clink: BALLON. (II) *to pawn:* (2) (put in) hock. **ne pas foutre un c.** (III) *to be idle, do nothing:* (2) twiddle one's thumbs, sit on one's hands, not do a damn thing: BULLE. **ne pas valoir un c.** (III) *to be worthless:* BROC. **clous** nm pl (IIIa) *burglar's tools.* **des clous** (II) *little or nothing:* (2) damn little, peanuts.

cocarde—**avoir sa c.** (IIIa) *to be drunk:* (2) to have a load on: ALLUMÉ.

cocasse adj (I) *good-humored, jovial, cheerful.*

coche—**être la mouche du c.** (I) *to be overzealous:* (1) a busybody; (2) an eager beaver. **manquer [rater] le c.** (I) *to miss a good opportunity:* (2) miss the boat, muff [fumble] the ball, flub the chance.

cochon nm (I) *despicable person:* (2) louse: BORDILLE. adj (I) *foul, dirty, obscene, smutty.* **tour de c.** (II, 1) *dirty trick;* (2) low blow, punch below the belt. **c. de payant** (II) *victim of a swindle:* (2) sucker, patsy, fall guy, mark, pigeon, goat. **être amis comme cochons** (I) *to be very close friends:* (2) be close pals, be buddy-buddy: AMIS.

cochonner vt (II) *to bungle:* (2) louse up: AMOCHER.

cochonnerie nf (II) *obscenity, smut.* (II) *deceitful action:* (2) dirty [ratty, stinking] trick. (II) *stupid error:* (2) goof: BOULETTE.

coco nm (II) *head:* (2) nut: BALLE. (II) *stupid person:* (2) chucklehead: ANDOUILLE. (III) *gasoline:* (1) gas; (II) *throat, windpipe.* —— nf (III) *cocaine:* (2) snow: BIGORNETTE. **mon c.** (II) *my darling:* (1) honeybunch, sugar, sweetie-pie. **avoir le c. fêlé** (III) *to be crazy:* (2) be a crackpot*: ARAIGNÉE. **mettre le c.** (III) *to hurry:* (2) to step on the gas*: DÉGROUILLER. (III) *accélérer:* (2) to step on [give it] the gas.

cocoter vi (III) *to stink.*

cocotte—**ma c.** (I) *my darling:* (2) sweetie-pie, honey (bunch), sugar.

cocu nm (I) *cuckold.*

coeur—**courrier du c.** (I) *in a newspaper, advice to the lovelorn column:* (1) lonely hearts column; (2) agony column.

coffio (t) nm (IIIa) *strong-box, safe:* (2) crib, keister, pete.

coffre nm (I) *the chest.*

coffrer vt (II) *to put in prison:* (2) to put in the hoosegow: BALLON.

coffret nm (IIIa) *stomach:* (2) breadbasket: BIDE.

cognage nm (IIIa) *loan:* (2) touch.

cognard nm (IIIa) *policeman:* (2) bull: ARGOUSIN.

cogne nm (II) COGNARD.

cogner vt (III) *to smell badly, stink.* (III) *to try to make a loan:* (1) sponge; (2) put the touch [bee, bite] on, mooch. **se cogner** (II) *to fight:* (2) to lock horns: ACCROCHER (s'). (II) *to treat oneself to:* (2) to blow oneself to.

coiffé—**être c. de q'un** (I) *be in love with s.o.:* AMOUR. **être c. de q'ch.** (I) *to have a deep interest in s.t.:* (2) be hipped about [over] s.t., go for s.t. in a big way. **être né c.** (I) *to be lucky:* (1) be born under a lucky star.

coin nm (II) *place which one frequents:* (2) hangout.

coincoin nm (IIIa péj.) *priest:* (2) sky pilot: CHARBON.

coinsteau [ot] nm (III) *neighborhood, section of the city.*

col—**se pousser du c.** (II) *to put on airs:* (2) to put on the dog: BEAU.

colbac [aque] nm (III) *neck.* **prendre au c.** (III) *to exaggerate:* (2) to throw the bull: ALLER FORT.

colibard nm (IIIa) *package, bundle.*

colibri nm (IIa) *loose woman:* (2) tomato, floozy: BOUDIN. (III) *untrustworthy acquaintance:* (2) double-crosser: BORDILLE.

colique nf (III) *annoying person:* (2) pain in the neck [ass]: BASSIN. **avoir la colique** (III) *to be afraid:* BLANC.

collage nm (I) *living together without being married:* (2) shack-up.

collant adj (I) *boring, annoying:* (2) bugging: BARBANT. (I) *hard to get rid of:* (2) tough to shake.

colle nf (I) *difficult question, problem:* (1) puzzler, stumper; (2) sixty-four dollar question. **ça c.!** (III) *agreed!:* BANCO. **chier dans la c.** (IV) *to exaggerate:* (3) to bullshit: ALLER FORT. **être [se mettre, vivre] à la c.** (III) *to live together without being married:* (2) shack up. **poser une c. à** (I) *to ask a puzzling question of:* (2) stick s.o., stump s.o. (II) *keep after school (student).*

pot-de-c. (III) *annoying tenacious person:* (1) barnacle; (2) pain in the neck: BASSIN.

collégien nm (IIIa) *cop:* (2) bull: ARGOUSIN.

coller vt (I) *to silence:* (2) shut up, put the lid [damper] on. (I) *to put on:* (2) slap [plaster] on. (I) *to give:* (2) to fork over: ABOULER. (I) *to fail (an examination):* (1) flunk. **se coller avec q'un** (III) *to come to blows with s.o.:* (1) to lock horns with: ACCROCHER. (III) *to live with s.o.:* (2) shack up with s.o. **se coller q'ch.** (III) *to treat oneself to s.t.:* (2) to blow oneself to: ALLONGER (s').

collet—**c. monté** nm (I) *pretentious person:* (2) stuffed shirt. (I) *old-fashioned, narrow-minded person, prig.*

colletar nm (IIIa) *difficult situation:* (2) tight spot: BOUILLABAISSE.

collier—**reprendre le c.** (I) *to go back to work:* (1) get back into harness; (2) start perking again.

collimateur nm (II) *eye.* **avoir dans le c.** (II) *to watch:* (1) keep an eye on, keep on target, keep one's sights on*; (2) be on the neck [ass, tail] of.

colombin nm (IV) *turd.* **des colombins** (III) *nothing:* (2) but nothing, not a damn thing, peanuts. **avoir les colombins** (III) *to be afraid:* BLANCS.

coloquinte nf (II) *head:* (2) noodle: BALLE.

colosse—**faire pleurer le c.** (IV) *to urinate:* (3) to take [spring] a leak, to pee, to (take a) piss.

coltin nm (III) *work, job.*

coltiner (se) vp (III) *to fight, come to blows:* (2) to slug each other: ACCROCHER (s'). **se coltiner q'ch.** (III) *to do s.t.*

comac adj (III) *(with a gesture suggesting bigness) big, important:* (2) yeah big, whopping (big).

combinard [e] nmf (II) *one who gets along by any means:* (2) finagler, hipster, shrewdie, slick customer.

combine nf (II) *business deal of doubtful honesty:* (1) shady deal; (2) racket, con [skin] game. **connaître la c.** (II, 2) *to be wise [hip] to the racket, be in the know, know what's going on, know (all) the angles.* **être dans la c.** (II) *to participate in the business:* (2) be part of [in on] the game [racket], be one of the boys. **une bonne c.** (II) *a good business:* (2) a good deal [racket].

comme-aco adv (III) COMAC.

comme tout adv (I) *completely, absolutely:* (2) up to the hilt, like all get-out.

compas nm pl (IIIa) *legs:* (2) shafts: BÂTONS. **avoir le c. dans l'oeil** (I) *to be able to measure with a glance.* **jouer des c.** (III) *to run away:* (2) to take a powder: ADJAS.

compotier nm (IIIa) *head:* (2) bean: BALLE.

comprenette nf (II) *brains, intelligence:* (2) the old bean [noodle].

compte—avoir son c. (III) *to be drunk:* (2) to be boiled: ALLUMÉ. (II) *to be tired out:* (2) to be done in: AFFÛTÉ. (II) *to be killed:* (2) be done in, be blotted out. (II) *to be beaten, to lose:* (1) get a licking [beating]; (2) get a shellacking, get [take] a trimming.

comptée nf (IIIa) *prostitute's earnings.*

compte-gouttes—donner au c. (I) *to dole out:* (1) hand [dish] out in dribs and drabs.

compteur—avoir un c. à gaz dans le dos (III) *to be hunchbacked.* **relever les compteurs** (IIIa) *to collect the money gained in a swindle:* (2) haul in the take.

con nm (IV) *stupid person:* (2) nitwit: ANDOUILLE. (IV) *female genitals:* BAQUET. (IV) *despicable person:* (2) louse, stinker; (3) stupid bastard, son of a bitch, s.o.b.: BORDILLE. —— adj (IV) *stupid, ridiculous:* (1) screwy, goofy. **jouer au c.** (IV) *to act stupidly:* (2) act like a dope. **être c. comme la lune** (IV) *to be very stupid:* (2) be as dumb as all get out [as hell], be a stupid jerk.

conard nm (IV) CON.

condé nm (III) *policeman:* (1) cop: ARGOUSIN. (III) *police protection (in exchange for secret information).* (III) *sure information:* (2) straight dope.

confiture—être dans la c. (III) *to be in trouble:* (2) to be in a spot: BOUILLABAISSE.

connasse nf (IVa) *female genitals:* BAQUET. (IV péj.) *stupid person:* (2) dumb jerk: ANDOUILLE. (IV) *semiprofessional prostitute.*

conne nf (IV) *idiot:* (2) blockhead: ANDOUILLE. —— adj (IV) *stupid:* (2) dopy: BÊTA.

connerie nf (III) *stupid action:* (2) goof: BOULETTE.

consigne—avaler [manger] la c. (II) *to forget the message or errand.*

contredanse nf (II) *police summons:* (2) ticket, tag.

conversation—avoir de la c. (II) *to be well-built (woman):* (2) to be stacked: ACADÉMIE.

converse nf (III) *conversation:* (2) gabfest, spiel, chit-chat.

copaille nf (IIIa) *worthless person:* (2) heel: BORDILLE.

copain nm (I) *close friend:* (2) buddy: AMINCHE.

copains-copains adj (II) *very friendly:* (2) buddy-buddy*: AMINCHE.

copeaux—avoir les c. (IIIa) *to be afraid:* (2) to be chicken: BLANC. **des c.** (III) *nothing:* (2) not a damn thing: BALMUCHE.

copine nf (I) *female friend:* (1) girl friend.

coq nm (III) *blackened eye:* (2) blinker, shiner, mouse. (IIIa) *20-franc gold piece.*

coquard nm (II) COQ.

coquelicot nm (III) COQ.

coqueluche nf (I) *favorite person:* (2) fair-haired boy, number-one boy. **être la c.** (I) *to be in favor:* (2) stand [be] ace-high, be the fair-haired boy.

coquillard nm (III) *eye:* (2) peeper, blinker, glim. (III) *buttocks:* (2) butt: ARRIÈRE-TRAIN. **s'en tamponner le c.** (IV) *to scorn:* (1) snap one's fingers at; (2) not give a damn about, say to hell with.

coquille—rentrer dans sa c. (I) *to pull in one's horns, retrench.*

coquin (e) nmf (I) *rascal (humor. to intimate friend or child).*

corbeau nm (III péj.) *priest:* CHARBON. (III) *rapacious person.*

corde—il ne vaut pas la c. pour le pendre (I) *he's not worth the powder to blow him up, he's not worth the rope to hang him with*:* (2) he's not worth a hoot [damn]. **tenir la c.** (II) *to hold an advantage:* (2) have an edge, have the jump. **il pleut des cordes** (I) *it's pouring (rain):* (2) it's raining cats and dogs [pitchforks].

corder vi (IIIa) *to die:* (2) to turn up one's toes: ARME.

corgnole nm (IIIa) NECK.

cormoran nm (III péj.) *a Hebrew:* (2) Hebe, kike, sheeny, mockie.

cornancher vi (III) *to stink.*

cornard nm (II) *deceived husband:* COCU.

corner vi (III) *to stink.*

cornet nm (III) *stomach:* (2) gut: BIDE. (III) *throat, gullet.*

cornette nf (II) *woman whose husband is unfaithful.*

corniaud nm (III) *stupid person:* (2) boob: ANDOUILLE.

cornichon nm (I) *stupid person:* (2) dumbbell: ANDOUILLE. (III) *telephone.* **un coup de c.** (III) *telephone call:* (1) phone call, ring; (2) buzz.

corrida nf (III) *fight, battle-royal:* (2) donnybrook: BADABOUM.

corridor nm (IIIa) *throat, windpipe.*

cortausse nf (IIIa) *beating, thrashing:* (2) tanning: AVOINE.

cossard nm (III) *lazy person:* (2) lazybones, lazy good-for-nothing [slob], thumb-twiddler.

cosse—**avoir la c.** (III) *to be lazy:* (2) to be born tired: BRAS.

costard nm (II) *man's suit.* **c. en sapin** (III) *coffin:* (2) pine [wooden] kimono.

costaud [eau] (II) *strong man:* (2) muscleman, beefy guy: BATTANT. —— adj (II) *strong:* (2) hefty, beefy.

costume—**se faire faire un c. en sapin** (III) *to die:* (2) to get fitted for a wooden kimono*: ARME.

côté—**c. cour** (III) *actor's left (stage).* **c. jardin** (III) *actor's right.*

cotelard adj (IIIa) *difficult, tiring:* (2) tough: CALÉ.

côtelette—**pisser sa c.** (IVa) *to have a baby.* **sauver ses côtelettes** (III) *to escape from a dangerous situation:* (2) save one's hide [skin].

coton adj (III) *difficult, hard to do:* (2) tough: CALÉ. **avoir les jambes en c.** (III) *to be very tired:* (2) be bushed: AFFÛTÉ.

cou—**se mettre la corde au c.** (II) *to get married:* (2) get hitched [hooked, spliced], tie the knot.

couche—**en traîner [en avoir] une c.** (III) *to be stupid:* (2) to be a dope: ANDOUILLE.

coucher—**avoir un nom à c. dehors** (II) *to have a peculiar name:* (2) have a queer handle. **c. à la belle étoile** (I) *to sleep outdoors.* **c. à la barbette [sur la dure]** (III) *to sleep outdoors.* **va te c.!** (I) *shut up!* (2) dry up! button up your lip! knock it off. **se coucher** vp (II) *to let oneself be defeated voluntarily (sports):* (2) to throw the game, to fake a fall (boxing, wrestling).

couchette—**mignon de c.** (I) *elegant young man:* (1) dude; (2) sharpie, smoothie.

couçi-couça adv (II) *so-so.*

coucou nm (III milit.) *airplane.* **avaler comme un c.** (III) *to eat gluttonously:* (2) to pack it away: BÂFRER. **gras comme un c.** (II) *fat, obese:* (2) beefy. **maigre comme un c.** (III) *thin:* (2) skinny as a rail: AFFICHE.

coude—**jouer des coudes** (I) *to push one's way through (a crowd):* (1) elbow one's way*, **lâcher le c. à q'un** (II) *to leave s.o. alone:* (1) let s.o. be; (2) get off s.o.'s neck [back]. **lever le c.** (I) *to drink excessively:* (2) bend the elbow*: BIBERONNER. **se fourrer le doigt dans l'oeil jusqu'au c.** (II) *to be mistaken:* (2) be off the beam, be out in left field, pull a boner, be all wet.

coudée—**avoir ses [les] coudées franches** (I) *to have full freedom of action:* (1) have free rein*.

couenne nf (II) *stupid person:* (2) boob: ANDOUILLE. (III) *skin:* (2) hide.

couic—**que c.** (III) *nothing:* (2) not a damn thing, but nothing. **faire c.** (II) *to die:* (2) to kick off: ARME. **ne comprendre que c.** (III) *to understand nothing.*

couilles nf pl (IV) *testicles:* BALLOCHES. **casser les c. à q'un** (III) *to annoy s.o., tire s.o.:* (2) to give s.o. a pain in the neck: ASSOMMER. **partir en c.** (III) *to neglect oneself:* (1) let oneself go downhill; (2) go to the dogs, be on the skids.

couillon nm (I) *contemptible person:* (1) dirty dog, skunk, louse, stinker, heel, mug: BORDILLE. (I) *stupid person:* (2) dope: ANDOUILLE.

couillonnade nf (II) *stupid act:* (1) silly [stupid] stunt.

couillonner vt (III) *to swindle s.o.:* (3) screw s.o.: ARNAQUER.

couiner vi (I) *to cry:* (2) to bawl: CHIALER.

coulante nf (IV) *gonorrhea:* (2) clap.

coule—**être à la c.** (I) *to be in the know:* (1) be in on the latest; (2) be hip, be on the ball, know the score, know what's what. [one's p's and q's]. **mettre à la c.** (I) *to bring up to date:* (2) square away: AFFRANCHIR.

couler—**se couler** vp (I) *to ruin oneself:* (2) go to the dogs, be on the skids. **se la couler douce** (II) *to do nothing:* (2) to twiddle one's thumbs: BRAS.

couleur nf (I) *lie, falsehood:* (1) fib; (2) fish story. **annoncer la c.** (III) *to decide to confess:* (2) to sing: ACCOUCHER. **connaître la c.** (II) *to understand:* (2) dig, be wise [hip] to: COUP. **défendre ses couleurs** (II) *to defend one's interests:* (2) look out for number one, take care of yours truly. **éclairer sur la c.** (III) *to inform:* (2) to wise up: AFFRANCHIR.

couloir nm (III) *throat.* **faire les couloirs** (II) *to pull (political) strings, lobby.* **c. à lentilles** (IV) *anus:* ANNEAU.

coup nm (III) *any criminal affair:* (2) caper, heist, job. **c. de balai** (II) *clean sweep.* **c. de barre** (III) *sudden fatigue.* **c. de boule** (III) *blow on the head.* **c. de casque** (IIIa) *final sales talk:* (2) last pitch, clincher. **c. de chien** (I) *sudden fit of anger:* (2) catfit, quick burn, blowoff. **c. de fil** (I) *telephone call:* (1) phone call, ring; (2) buzz. **c. de fion** (III) *stroke of luck:* (2) lucky break. **c. de fusil** (III) *overcharged bill:* (2) padded bill. **c. du lapin** (III) *treacherous blow:* (2) punch below the belt. **c. de massue** (III) *heavy blow:* (2) k.o. (knockout), wallop, terrific slug. (III) *overcharged bill:* (2) padded bill. **c. de pompe** (III) *severe fatigue.* **c. de pot** (III) *stroke of luck:* (2) lucky break. **c. de pouce** (III) *helping hand.* **c. de main** (I, 2) lift. **c. de rouge** (II) *drink of red wine:* (2) slug [shot] of wine. **c. de veine** (III) *stroke of luck.* **c. de sabre** (IV) *sexual act:* ARBALÈTE. **c. de sens unique** (III) *drink of red wine.* **c. fourré** (III) *dishonest affair:* (2) dirty deal. **c. monté** (III) *prearranged affair:* (2) put-up job, frame-up, phony [rigged] deal. **avoir bu un c. (de trop)** (II) *to be drunk:* (2) loaded: ALLUMÉ. **avoir le c. de barre** [**pompe**] (III) *to become suddenly tired:* (2) poop out, cave in. **donner le c. de pouce** (IIIa) *to strangle:* (2) mug. **écraser le c.** (III) *to agree to settle a dispute:* (1) smoke the peace pipe, sit down and talk business. **en avoir un c.** (III) *to be crazy:* ARAIGNÉE. **essuyer le c. de fusil** (III) *to pay an exaggerated bill:* (2) pay through the nose. **être dans le c.** (II) *to know one's business:* COULE. (II) *to be enthusiastic about one's work:* (2) to be keen about one's job. **être le même c.** (II) *to be one and the same:* BONNET. **faire un c.** (III) *to commit a robbery:* (2) pull a heist [job, caper]. **filer un c. de carreau** [**sabord**] (IIIa) *to take a look:* BIGLER. **monter le c. à q'un** (III) *to swindle s.o.:* ARNAQUER. **ne pas en ficher** [**foutre**] **un c.** (III) *not to care:* (2) not to give a damn [hoot]. **ne pas valoir un c. de cidre** (III) *to be worthless:* (2) not worth a damn [hoot]. **rater son c.** (II) *to miss the opportunity:* (1) miss the boat: COCHE. **tirer un c.** (IV) *to have sexual intercourse:* ARBALÈTE.

coupé (à blanc) adj (III) *without money:* (2) broke: BLANC.

couper—**c. dans le pont** [**un bateau**] (II) *to believe a lie:* (2) swallow [fall for] a line, take the bait, be a sucker. **c. dedans** (II) C. DANS LE PONT. **c. la chique** [**le sifflet**] à

q'un (II) *to silence s.o.:* (1) cut s.o. short; (2) put the kibosh [lid, damper] on s.o. **se couper** vp (I) *to contradict oneself.*

coupe-tiffes nm (III) *hairdresser.*

coupolard nm (II) *member of the French Academy.*

coupure nf (II) *excuse, alibi:* (2) blind, cover-up. **faire la [une] c.** (III) *to cut short a conversation:* (2) go mum, knock it off.

courailler vt (I) *to chase women:* (1) gallivant; (2) chase skirts, alley-cat around.

courante nf (II) *diarrhea:* (2) the runs [trots, G.I.'s].

courir vt (II) *to bore:* (2) to pester: ASSOMMER. **c. la gueuse** *to chase after women of easy morals:* (2) run after the broads, [alley] cat around. (3) chase after tail. **c. la poste** (II) *to run away:* (2) to beat it. ADJAS. **c. sur le haricot** (II) *to bore, pester:* (2) to bug: ASSOMMER. **faire c. un bruit** (II) *to spread a rumor:* (2) spread a phony story. **laisser c.** (II) *to abandon, let go:* (2) dump, ditch, give the gate. **c. dans les rues** (II) *to be the talk of the town.*

course—**c. à l'échalotte** [**l'oignon**] (III) *forceful ejection (of a person):* (2) bounce, bum's rush. **être dans la c.** (II) *to take part in an affair:* (1) be on the team: BÂTIMENT.

courte-botte nm (I) *short man, runt:* (1) shrimp, shorty; (2) half-pint, bantie.

courtille—**être de la c.** (III) *to be without money:* (2) broke: BLANC. (III) *to be short (in length).*

courtines nf pl (III) *race track (horse):* (2) the track. **être de la courtine** (III) COURTILLE. **jouer aux c.** (III) *to bet on the horses:* (2) play the nags [ponies, gee-gees, bangtails, races].

couru—**être c. (d'avance)** (I) *to be assured in advance:* (2) be a sure thing [winner], be in the bag, be a (dead) cinch, be on ice. **c'est c.** (I) *it's a sure thing.*

cousu—**avoir la bouche cousue** (I) *to keep silent:* (2) keep one's lip buttoned up*, keep mum. **être c. d'or** (I) *to be very rich:* (2) loaded: AS.

cousue-main nf (III) *hand-rolled cigarette:* (2) roll-your-own.

cousu-main adj (II) *easy, certain to succeed:* (2) cinch, (soft) snap: ART.

coûter—**c. les yeux de la tête** (I) *to be very expensive:* (2) cost an arm and a leg*.

couture—**battre à plate c.** (I) *to beat severely:* (2) to shellac: AMOCHER. **sur toutes**

les coutures (I) *from all sides:* (1) upside down and inside out, from stem to stern.

couvert—être c. (IIIa) *to have an apparently legal job to hide criminal activities:* (2) to have a front: BERLUE. **remettre le c.** (III) *to begin [start] over again.*

couverture nf (IIIa) *cover-up activity:* (2) front: BERLUE. **tirer la c. à soi** (I) *to take the bigger [lion's] share:* (2) grab [bite] off the biggest hunk. (III) *to draw the audience's attention to oneself (theatre):* (2) grab [hug] the spotlight, steal the show.

couvrante nf (III) *blanket.* (III) *cover-up:* BERLUE.

crabes nm pl (II) *crab-lice:* (2) walking dandruff.

crac nm (IV) *vulva:* BARBU.

crachat—se noyer dans un c. (III) *to fail on account of minor difficulties:* (2) get floored by peanuts. **crachats** nm pl (III) *honorary decorations:* (2) fruit salad, chest hardware.

craché—être q'un tout c. (I) *to resemble s.o. closely:* (2) be the splitting image of s.o.*, be a dead ringer for s.o., be a chip off the [old] block.

cracher (III) *to pay:* (2) cough up: ABOULER. **c. au bassinet** (II) *to be forced to pay:* (2) kick in, cough [pony] up. **c. blanc** (II) *to be very thirsty:* (2) spit cotton*. **c. le feu** (II) *to be very active:* (2) go like a house on fire: ALLANT. **c. le morceau** (III) *to confess (under pressure):* (2) sing, spill one's guts: ACCOUCHER. **faire c. q'un** (III) *to make s.o. pay up.* **ne pas c. sur q'ch.** (I) *to like s.t.:* (2) go for s.t.

cracheur nm (III) *braggart:* (1) show-off: BÉCHAMEL.

crachoir—tenir le c. (I) *to talk volubly:* (1) hold the floor; (2) spout off, shoot off one's mouth.

crack nm (I) *champion:* (1) champ, ace.

cracra adj (III) *dirty:* (2) crummy, scummy, lousy, crappy.

crado adj (III) CRACRA.

craindre vi (IIIa) *to be wanted by the police:* (2) be hot, be on the lam.

cramiot nm (IIIa) *sputum:* (1) spit.

cramouille nf (IVa) *vulva:* BARBU.

crampon nm (I) *pest, bore:* (1) barnacle: BASSIN.

cramponnant adj (II) *annoying, boring:* (2) bugging: ASSOMMANT.

cramponner vt (II) *to pester:* (2) to give a stiff pain: ASSOMMER.

cramser vi (III) *to die:* (2) kick off: ARME.

cran—avoir du c. (I) *to have courage:* (2) have guts: BIDE. **être à c.** (I) *to be angry:* (2) to be burned up, see red, be boiling [hopping] mad, be mad as blazes, have a mad on, be all steamed up, be (all) in a stew, blow one's stack.

crapaud nm (III) *wallet:* (2) poke. (II) *child:* (2) kid: CHIARD. **être constipé du c.** (III) *to be miserly:* (2) to be a cheapskate: CHIEN.

crapoussin nm (II) *short person:* (1) shrimp: AVORTON.

crapulerie nf (III) *a foul trick:* (2) a dirty stunt, a stinking trick.

crapuleuse—se la faire c. (III) *to live it up in the night clubs:* (2) make the rounds, hit the gay [night] spots.

crapulos nm (II) *cheap cigar:* (2) cabbage, stinkweed.

craquante nf (IIIa) *wooden match.*

craque nf (I) *lie, fib:* (2) fish [tall] story.

craquette nf (IV) *vulva:* BARBU.

craspec adj (III) *very dirty:* CRACRA.

crasse—faire une c. à q'un (II) *to play a mean trick on s.o.:* (2) pull a dirty stunt on s.o.

cravate nf (III) *lie, falsehood.* **s'en envoyer [jeter] un derrière la c.** (III) *to take a drink:* (2) belt [slug] one down, take a swig. **s'en mettre derrière la c.** (III) *to eat heartily:* (2) to pack it away: BÂFRER.

cravater vi (III) *to exaggerate:* (2) to spread the baloney: ALLER FORT. (III) *to arrest:* (2) collar: AGRAFER.

crayon nm (III) *credit (financial).* **crayons** nm pl (III) *hair.* (III) *legs:* (2) pins: BÂTONS. **agiter les c.** (III) *to run away:* (2) to take a powder: ADJAS.

crayonneur (euse) nmf (II) *poor artist, dauber.*

crèche nf (III) *home, apartment:* (2) pad: BAHUT.

crécher vt (III) *to inhabit, live in.* **se crécher** vp (III) *to go to bed:* (2) hit the sack: BÂCHER.

crémaillère—pendre la c. (I) *to have a house-warming party.*

crémone—la mettre à la c. (III) *to stop talking:* (2) button up one's lip, shut one's trap [yap], clam up.

crêpe nf (III) *stupid person:* (2) nitwit: ANDOUILLE. **se tourner comme une c.** (III) *suddenly to change one's opinion:* (1) make an about-face [flip-flop]. (III) *beret (headgear).*

cressons nm pl (III) *hair.*

crétin nm (I) *stupid person:* (2) dope: ANDOUILLE.

crevant adj (II) *amusing:* BIDONNANT. (II) *fatiguing:* ASSOMMANT.

crevard adj (III) *hungry, starved.*

crevasse nf (IV) *vagina:* BARBU.

crève nf (III) *death.* **attraper la c.** (III) *to catch one's death (of a cold)*.*

crève-la-faim nm invar. (II) *poor, unfortunate person:* (2) down-and-outer*, poor slob.

crevé nm (II) *weak man:* (2) pantywaist, softy, weak sister, jellyfish, cream puff. —— adj (II) *tired:* (2) pooped, bushed: AFFÛTÉ.

crever vt (I) *to tire [fag] out:* (1) wear down, tucker out; (2) do in, poop out, run ragged. (III) *to kill:* (2) to bump off: AFFAIRE. **la c.** (III) *to go hungry:* ACCROCHER. —vi (I) *to die:* (2) kick off: ARME. **se crever** (I) *to burst, to blow up.* (I) *to kill oneself:* (2) to do the Dutch act, to take the gas pipe.

cri—**aller au c.** (II) *to protest vehemently:* (1) kick; (2) put up a howl [squawk], kick up a storm. **c'est le dernier c.** (I) *it's the latest style:* (1) it's the last word. **c'est un c.!** (II) *it's scandalous!:* (2) it's a dirty [damn] shame! **faire du c.** (II) *to spread scandal.* **pousser le c.** (III) *to warn:* (2) tip off: AFFRANCHIR.

cric nm (III) *whiskey:* (2) booze, rotgut: CASSE-GUEULE.

crin—**être comme un c.** (I) *to be rude, disagreeable.* **être de mauvais c.** (II) *to be in bad humor:* (2) be a sour-puss, be browned [teed, pissed] off. **se faire des crins** (II) *to get upset, stew:* BILE.

criquer (se) vp (IIIa) *to run away:* (2) to clear out: ADJAS.

crise—**piquer une c.** (II) *to become angry:* (2) fly off the handle, kick up a storm, blow one's stack: CRAN.

crochues—**les avoir [avoir les mains] c.** (I) *to be money-hungry:* (2) to have an itchy palm.

crochet—**avoir les crochets** (III) *to be hungry:* (2) be empty. **être [vivre] aux c. de q'un** (II) *to live at s.o.'s expense:* (2) to sponge [chisel, mooch, free-load] on s.o.

crocheter (se) vp (III) *to come to blows:* (1) to lock horns: ACCROCHER.

crocs nm pl (III) *teeth:* (2) choppers, ivories, crockery. **avoir les c.** (III) *to be hungry.* **se dérouiller les c.** (III) *to eat:* BECQUETER. **se laver les c. au roquefort** (III) *to have bad breath:* (1) to have halitosis.

croix nf (IIIa) *ignorant person:* (2) nitwit: ANDOUILLE.

croquant [e] nmf (I) *peasant:* (2) hick: BOUEUX.

croque nf (III) *food:* (2) eats: BECQUETANCE.

croque-mort nm (II) *undertaker.*

croquenot [eau] nm (III) *shoe:* (2) clod-hopper.

croquer—vt (III) *to eat:* (2) to tie on the feed bag: BECQUETER. (III) *to squander:* (2) blow (one's dough), throw [piss] one's money away. **en croquer** (III) *to inform to the police:* (2) squeal, belch, peach: ACCOUCHER.

croquignol [e] nmf (III) *peasant:* (1) hick: BOUEUX. (II) *nasal mucus:* (2) snot.

crosse nf (III) *dispute, quarrel:* (2) ruckus, hassle, set-to, tangle. **chercher des crosses** (III) *to pick a quarrel, look for a fight:* (1) look for trouble. **mettre la c. en l'air** (II) *to desert (in wartime):* (2) go over the hill, go A.W.O.L.

crosser vi (IIIa) *to be angry:* (2) to see red: CRAN. (III) *to criticize:* (2) to pan: AQUIGER. **se crosser** vp (III) *to argue, to complain:* (2) gripe, bitch, squawk, grouse, beef.

crosseur nm (I) *harsh person.* (I) *bore:* (2) creep: BASSIN. (I) *boaster:* (2) bull thrower: BÉCHAMEL.

crouille nm (III péj.) *Algerian.*

croulants nm pl (III) *parents:* (1) Pop and Mom, the old folks.——adj (II) *old.*

croum (e) nm (III) *credit:* (2) on tick, on the cuff [arm].

crounir vt (III) *to kill:* (2) to do in: AFFAIRE. (III) *to die:* (2) to kick off: ARME.

crounis—**le parc des c.** (III) *cemetery:* (2) boneyard: ALLONGÉS.

croupanche nm (IIIa) *croupier (gambling casino):* (2) stick man.

croupe nf (I) *buttocks:* (2) rear, butt: ARRIÈRE-TRAIN.

croustance [ille] nf (IIIa) *food:* (2) chow: BECQUETANCE.

croustiller vi (IIIa) *to eat:* (2) to attack the chow: BECQUETER.

croûte—**gagner sa c.** (II) *to earn one's livelihood:* (2) to bring home the bacon: BIFTECK. **s'amuser comme une c. derrière une malle** (II) *to be bored (stiff).*

croûter vi (III) *to eat:* (2) to hit the chow line: BECQUETER.

croutonner vi (II) *to eat between meals:* (2) pick, nibble. **se croutonner** (III) *to eat heartily:* (2) to have a blowout: BÂFRER.

cruche nf (II) *stupid person:* (2) dumb bunny: ANDOUILLE.

cruchon nm (II) CRUCHE.

cucu—être c. (la praline) (II) *to be somewhat crazy:* (2) be a little cuckoo*: ARAIGNÉE.

cueillir vt (I) *to arrest:* (2) pinch: AGRAFER.

cuiller [ère] nf (III) *hand:* (2) mitt: AGRAFE. être argenté comme une c. de bois (IIIa) *to be without money:* (2) be flat broke: BLANC. serrer la c. (III) *to shake hands.*

cuir—carder [tanner] le c. à q'un (II) *to beat [thrash] s.o.:* (1) tan s.o.'s hide*: AMOCHER. se rôtir le c. (II) *to sunbathe, bask in the sun:* (1) soak up the sun, get a tan.

cuirasse nf (III) *the chest.*

cuire vt (I) *to feel very hot:* (1) burn up, stew. être dur à c. (II) *to put up a strong resistance:* (1) fight to the last ditch, be hard to beat, be a tough nut to crack.

cuisine—batterie de c. (III) *military ribbons and decorations:* (2) fruit salad, chest hardware.

cuisiner vt (I) *to question (trying to force a confession):* (2) sweat: CASSEROLE.

cuisse—avoir la c. hospitalière (III) *to be of easy morals:* (3) be an easy lay: BOUDIN.

cuistance nf (III) *food:* (2) chow: BECQUETANCE. (III) *the kitchen.*

cuistot nm (II) *cook, chef.*

cuit—avoir son pain c. (II) *to have a sure livelihood:* (1) be sure of a living, know where the next dollar is coming from. être c. (I) *to be vanquished [beaten]:* (2) be a sure loser, be a gone goose, have one's goose cooked, be down for the count, be done for, be kaput. être du tout c. (II) *to be a sure winner:* (2) be in the bag, be a cinch [pushover].

cuite—avoir sa c. (III) *to be drunk:* (2) soused, looped: ALLUMÉ. cuver sa c. (III, 1) to sleep off a drunk. prendre une c. (III) *to get drunk:* (2) to tie one on: ARRONDIR.

cuiter (se) vp (II) *to get drunk:* (2) get stewed*: ARRONDIR.

cul nm (I) *buttocks:* (3) ass: ARRIÈRE-TRAIN. avoir du c. (III) *to be lucky:* BOL. avoir la bouche en c. de poule (I) *to pout one's lips.* avoir le feu au c. (I) *be in a rush.* botter le c. à q'un (II) *to kick s.o. in the buttocks:* (3) boot [kick] s.o. in the ass [tail]. être à c. (I) *to be at the end of one's resources:* (2) be against the ropes, have one's back to the wall [against the ropes], be on one's uppers; (3) be on one's ass. être c. et

chemise avec q'un (II) *to be intimately associated with s.o.:* (2) to be buddy-buddy with: AMI. être entre deux selles, le c. par terre (II) *to try two ways of doing something, failing in both:* (2) fizzle out both ways. être (un) c. (III) *to be stupid:* (2) be a dumb jerk [bunny, jackass]. faire c. sec (III) *to empty the glass in one drink:* (2) drink bottoms-up, chug-a-lug. lécher le c. (III) *to curry favor:* (2) bootlick, brownnose; (3) ass lick. se manier le c. (III) *to hurry:* (2) shake a leg, wiggle one's fanny, get a move [wiggle] on, step on the gas. se gratter le c. (III) *to hesitate:* (1) hold back, sit on one's hands. tenir q'un au c. et aux chausses (II) *to trail and watch s.o. closely:* (2) be right on s.o.'s tail [ass]. tirer au c. (III) *to shirk work:* (2) goldbrick, soldier on the job, drag one's heels; (3) drag one's ass. tomber c. par-dessus tête (II) *to fall head over heels, fall topsyturvy:* (3) fall ass over heels. trou du c. (IV) *anal orifice:* ANNEAU. tirer au cul (III mil.) *to shirk duty:* (2) to goldbrick.

culbutant nm (III) *pants:* (2) britches, jeans.

culbute—faire la c. (II) *to sell something at double the purchase price:* (1) double one's money.

culbuté adj (III) *drunk:* (2) lit, boiled: ALLUMÉ.

culot nm (I) *last-born in a family, last in a class:* (2) tail-ender. avoir du c. (II) *to be impudent, be bold:* (2) have (a lot of) guts, be sassy [cheeky], have (a lot of) gall [brass, cheek].

culotte—avoir sa c. (III) *to be drunk:* (2) have a load on: ALLUMÉ. chier dans sa c. (III) *to be very frightened:* (2) to be scared stiff: BLANC. porter la c. (I) *for a wife, to dominate her husband:* (2) wear the pants* (in the family). prendre [ramasser] une c. (I) *to lose heavily in gambling:* (2) drop a bundle, be cleaned out, be taken to the cleaners. s'en moquer comme de sa première c. (II) *to hold in contempt:* (2) not give a damn [hoot] about, thumb one's nose at.

culotté adj (III) *bold, impudent:* (1) fresh; (2) cheeky, sassy, full of guts.

cul-terreux nm (I) *rustic, peasant:* (2) apple knocker: BOUEUX.

cumulard nm (II) *one who holds several offices at the same time:* (2) moonlighter.

curieux nm (II) *trial judge:* (2) the wig, the beak, Hizzoner.

cuver—c. son vin (I) *to sleep off intoxication:* (1) sleep off a drunk.

cyclo nm (III) *bicycle-mounted policeman.*

cyclope nm (IV) *penis:* ARBALÈTE. **faire pleurer le c.** (IV) *to have a sexual orgasm:* BANDER.

D—**le système D** (II) *the art of getting along by any means:* (2) finagling. **employer le s. D** (II) *to manage to get by:* (2) finagle.

dab(e) nm (III) *father:* (2) old man [boy], pop, pappy. **le Grand D.** (III) *God.*

dab (esse) nf (III) *mother:* (2) old lady [woman], mom, maw. **dabs** nm pl (III) *parents:* (1) old folks.

dabuches nm pl (III) DABS.

d'ac (abrév. de **d'accord**) (III) *agreed:* (2) you're on, it's a go, Roger.

dada nm (I) *mania, obsession, craze.* **dadas** nm pl (II) *racehorses:* (2) bangtails, gee-gees.

d'afs nm pl (IIIa) BAT' D'AF.

dalle nf (III) *throat, gullet.* **avoir la d. en pente** (III) *to be thirsty:* (1) be dry. (III) *to drink a great deal:* (2) booze: BIBERONNER. **que d.** (III) *nothing:* (2) but nothing, not a damn thing. **n'entraver que d.** (III) *to understand nothing:* (2) know from nothing, not know the score. **se rincer la d.** (III) *to take a drink:* (2) wet one's whistle*, take a swig [slug, snort], belt one down.

dame—**entrer en d.** (III) *to start a conversation:* (2) start to gab. **partir à d.** (III) *to fall down:* (2) take a flop: BILLET.

dame-pipi nf (III) *ladies' room attendant.*

danse nf (I) *reprimand:* (2) bawling-out: ABATTAGE. **d. de Saint-Guy** (I) *chorea, St. Vitus's dance.* **entrer dans la d.** (II) *to interfere, meddle:* (2) stick one's nose [two cents] in, horn [butt] in. **entrer en d.** (II) *to start up an action, get under way:* (1) get going, start the ball rolling.

danser—**d. devant le buffet** (III) *to go hungry:* (2) tighten [take a notch in] one's belt. **empêcheur de d. en rond** (II) *spoilsport:* (2) wet blanket, party-pooper. **faire d. l'anse du panier** (I) *to state a higher price than actually paid in making a purchase for s.o.:* (2) get a kickback. **faire d. q'un** (I) *to mistreat s.o.:* (2) give s.o. a hard time, make it tough [hot] for s.o.

dard nm (IV) *penis:* ARBALÈTE. **avoir du d.** (IV) *to be amorous:* (2) go for the ladies [broads], be a skirt-chaser, be a hot [heavy] lover.

dardillon nm (IV) DARD.

dare-dare adv (I) *quickly:* (1) on the double; (2) toot sweet, in two shakes.

daron nm (III) *father:* DAB.

daronne nf (III) *mother:* DABESSE.

datte—**des dattes!** (III interj.) *nothing doing!:* (2) no dice [go, soap!] **ne pas en ficher [foutre] une d.** (III) *to do nothing:* BRAS.

dé—**dés pipés** nm pl (II) *dishonest dice:* (2) loaded [phony] dice, doctors, cheaters. **lâcher les dés** (III) *to abandon an affair (or activity):* (2) call quits, say uncle, throw in the sponge [towel]. **passer les dés** (III) *to indicate a willingness to conciliate:* (2) pass the peace pipe. **tenir le dé** (I) *to lead the discussion.*

débagouler vt (II) *to pour out (insults, words):* (2) spout, let go with. —— vi (III) *to vomit, puke:* (1) heave, throw up; (2) toss one's cookies, upchuck, barf.

déballage nm (III) *getting out of bed:* (2) hitting the deck.

déballonner (se) vp (III) *to confess:* (2) to peach: ACCOUCHER.

débarbe nm (IIIa) *defense lawyer:* (2) mouthpiece.

débarbot (eur) nm (III) DÉBARBE.

débarboter vt (IIIa) *to defend the accused:* (2) go to bat for. **se débarboter** vp (III) *to manage to get by:* (2) finagle.

débarquer vi (I) *to make a start (as a novice):* (1) try one's wings. —— vt (I) *to get rid of:* (2) to dump: BALANCER.

débec(que)tant adj (II) *disgusting, nauseating:* (2) crummy, lousy, stinky, crappy.

débec(que)ter vt (II) *to disgust, nauseate:* (2) give the pukes. —— vi (II) *to vomit:* (2) to heave: DÉBAGOULER.

débine—**être dans la d.** (III) *to be miserably poor:* (2) be on the rocks [one's uppers], be down and out.

débiner vt (II) *to criticize:* (2) to knock: AQUIGER. **d. le truc** (II) *to expose the secret:* (2) spill the beans [works], give away the game, leak the secret. **se débiner** vp (II) *to go down hill (physically):* (2) become rundown, go to the dogs, hit the skids. (II) *to run away:* (2) to take it on the lam: ADJAS.

déblayer—**d. le terrain** (I) *to lay the groundwork, clear the ground.* (III) *to run away:* ADJAS.

débloquer vi (II) *to talk like an insane person:* (2) talk like a nut [goof], rant and rave. (IV) *to defecate:* (3) take a crap [shit], drop a load.

déboiser—**se faire d. la colline** (II) *to get one's hair cut.*

débonder vi (IV) *to defecate:* DÉBLOQUER.

déboucler vt (III) *to open, push in (a door, etc.).*

débourrer vi (IV) *to defecate:* DÉBLOQUER. **d. dans son froc** (IV) *to be terribly frightened:* (2) to have the willies: BLANCS.

debout—mettre d. (I) *to set up (an enterprise, etc.):* (1) set afoot, get under way. **une histoire à dormir d.** (II) *a silly story:* (2) a goofy tale. **une histoire qui ne tient pas d.** (II) *an unlikely story:* (2) a story that doesn't hold water. (II) *a preposterous scheme:* (2) a crackpot idea.

déboutonner (se) vp (I) *to express one's deepest emotions:* (1) open up one's heart, unload (what's on one's mind). **manger à ventre déboutonné** (I) *to eat without restraint:* (2) stuff oneself, eat until ready to bust. **rire à ventre déboutonné** (I) *laugh heartily:* (1) split one's sides laughing; (2) get a bellyache laughing, bust a gut laughing.

débrider vt (III) *to open, break down (a door).* **sans d.** (I) *without interruption:* (1) at one stretch, without a break.

débringué adj (III) *slovenly, messy:* (2) crummy, lousy, crappy.

débrouillard (e) nmf (I) *person who manages to get out of difficulties:* (2) finagler, one who knows his onions, smart [slick] customer [operator], hipster, sharpie, wheeler-dealer.

débrouiller (se) vp (I) *to manage to get out of difficult situations:* (1) get by; (2) make out, get out from under, wangle out, finagle.

décambuter vi (IIIa) *to exit, go out:* (2) beat it out of. (III) *to run away:* (2) to beat it: ADJAS.

décamper vi (I) *to run off:* (2) to beat it: ADJAS.

décaniller vi (III) *to run away, take to one's legs:* (2) to cut out: ADJAS.

décarcasser (se) vp (II) *to exert excessive effort:* (1) go all out, work like a slave; (2) knock oneself out (working).

décarpillage nm (IIIa) *undressing (woman):* (2) stripping, shedding. (IIIa) *distribution of stolen goods:* (2) split, divvy, slice, whack, cut.

décarpiller vt (IIIa) *to distribute the shares of the booty:* (2) split, divvy [whack, cut] up.

décarrade nf (III) *exit.*

décarrer vi (III) *to go out, make an exit:* (1) to barge [bounce] out. (III) *to run away:* (2) take off: ADJAS.

décati adj (I) *faded, wilted.*

déchanter vi (I) *to drop one's pretentions:* (1) change one's tune*, come down a peg.

déchard nm (III) *poor, homeless person:* (2) tramp, bum, hobo, vag, down-and-outer.

décharger vi (IV) *to ejaculate (sexual orgasm):* BRILLER.

dèche nf (II) *poverty, misery.* (II) *expenses:* (1) expense money. **battre [être dans] la d.** (II) *to be poverty-stricken:* (2) to be on one's uppers: DÉBINE. **tomber dans la d.** (II) *to become poverty-stricken:* DÉBINE.

décher vt (III) *to spend:* (2) blow (in), dish [shell] out, drop, part with.

décheur [euse] nmf (III) *spendthrift:* (2) heavy spender.

déchirer—la d. (III) *to die:* (2) to shuffle off: ARME.

décocter vi (IV) *to defecate:* DÉBLOQUER.

décoction nf (III) *beating, thrashing:* (2) pasting: AVOINE.

décoller vi (III) *to lose weight:* (1) thin down. **ne pas d.** (III) *to annoy by one's persistence:* (2) hang on [stick] like a leech [barnacle]. **se d.** (III) *to decline in health:* (1) go downhill, go to pieces, come apart at the seams, be on the skids.

déconner vi (IV) *to talk foolishly:* (2) talk like a dope [jerk], run off at the mouth.

décrasser vi (IIIa) *to eat:* BECQUETER.

décrocher vt (I) *to get, obtain:* (2) lay hands on, pick up. vi (III) *to eat:* BECQUETER. **d. les tableaux** (II) *to wipe [or blow] one's nose.*

décuiter (se) vp (III) *to sober up (after a spree).*

dedans—être d. (III) *to be in prison:* (2) to be in stir: BALLON. (III) *to lose on points in a card game:* (1) be a low scorer. **ficher [flanquer, fourrer, foutre, filer, jeter, mettre] q'un d.** (III) *to put s.o. in prison:* (2) to put in the cooler: BALLON. **mettre en d.** (III) *to rob (a place):* (2) knock [tip] over, heist, pull a heist on. **mettre une porte [lourde] en d.** (III) *to break down a door:* (2) crash a door. **rentrer d. q'un** (III) *to beat s.o. up:* (2) sail into s.o.: AMOCHER.

def (fe) nm (III) *cap.*

défarguer vt (III) *to clear of guilt:* (2) put in the clear, get off the hook. **se d. de q'ch.** (III) *to rid oneself of s.t.:* (2) get rid of: BALANCER.

défausser—se défausser de q'ch. (III) *to rid oneself of s.t.:* (2) to ditch: BALANCER. (II) *to dispose of one's weak cards (in bridge, etc.):* (1) slough off.

défendre (se) vp (III) *to earn a living by doubtful means:* (2) finagle, pull shady deals. (IV) *to be a prostitute:* (2) hustle, hook.

(I) *to manage somehow (in general):* (1) get by, hold up one's end, keep one's head above water.

défense nf (III) *shady means of earning a living:* (2) small-time racket. **avoir de la d.** (III) *to know how to get along:* (2) know one's way around, know how to get by.

défi—**relever un d.** (I) *to accept a challenge.*

défiler (se) vp (II) *to escape, run away:* (2) to pull up stakes: ADJAS.

défonceuse nf (IV) *penis:* ARBALÈTE. **être amputé de la d.** (IV) *to lack virility, be impotent.*

défourailler vi (III) *to draw a weapon (revolver, dagger):* (2) pull [flash] iron. **d. dedans** (III) *to pull the trigger:* (2) blast away.

défrimer vt (III) *to stare into s.o.'s face:* (2) face s.o. down.

défringuer (se) vp (III) *to undress:* (2) strip, peel, climb [pile] out of one's clothes [duds].

défriser vt (II) *to disappoint:* (1) let down.

défrusquer (se) vp (III) *to undress:* DÉFRINGUER.

dégaine nf (I) *awkward gait or position.*

dégainer vt (II) *to draw a weapon:* (2) pull a gun.

dégauchir vt (III) *to find, get hold of:* (1) spot; (2) lay hands on, put one's mitts on.

dégelée nf (III) *beating:* (2) walloping: AVOINE.

dégingandé adj (I) *gawky.*

déglinguer vt (II) *to take apart, dismantle:* (2) bust up.

dégobiller vi (III) *to vomit:* DÉBAGOULER.

dégoiser vi (II) *to talk volubly:* (2) talk a blue streak, shoot off one's mouth, spout off.

dégommer vt (I) *to remove from a job:* (2) to sack: BALAI.

dégonflade nf (II) *back-down (from fear):* (2) renege.

dégonflard [e] nmf (III) *coward:* (2) yellow-belly: CANEUR. —— adj (III) *cowardly:* CHIASSEUX.

dégonflé adj (II) DÉGONFLARD.

dégonfler (se) vp (II) *to surrender, give up:* (1) back down; (2) turn chicken, chicken out, renege, welch (out). (III) *to confess:* (2) spill one's guts: ACCOUCHER.

dégonfleur [euse] nmf (II) DÉGONFLARD.

dégorger vi (IV) *to have a sexual orgasm:* BRILLER.

dégot(t)er vt (I) *to shoot down:* (2) blast, gun down, plug, pump lead into, throw a slug into. (II) *to surpass:* (2) take the lead over, get the edge on, have the jump on, put it all over. (II) *to supplant:* (2) take over from, kick downstairs. (II) *to notice, perceive:* (2) spot, get a gander of, glom. (II) *to discover:* (1) hit upon, spot.

dégoulinante nf (III) *clock.*

dégouliner vi (II) *trickle, drip.*

dégourrer vt (IIIa) *to disgust:* (2) turn one's stomach. (III) *to belittle:* (2) knock, run down, pan, roast: AQUIGER.

dégrainer vt (III) *to corrupt (morals).* (III) *to criticize:* (2) roast, run down: AQUIGER. (III) *to win over (by subterfuge):* (2) con, sucker in. —— vi (III) *to stop working:* (2) knock off, call it quits (for the day).

dégréner vt (III) DÉGRAINER.

dégringoler vt (I) *to fall down, tumble down:* (2) flop down, go kerplunk. (III) *to rush down.* (IIIa) *to steal and hide quickly:* (2) snatch and stash away. (IIIa) *to borrow:* (2) make a touch.

dégriser vt (I) *to disillusion.*

dégrouiller (se) vp (II) *to hurry:* (2) step on it, get a move [wiggle] on, shake a leg, get moving, wiggle one's fanny.

dégueulasse adj (III) *disgusting, repugnant:* (2) crappy: CRACRA.

dégueulbif adj (IV) DÉGUEULASSE.

dégueuler vi (III) *to vomit:* DÉBAGOULER.

déhotter vi (IIIa) *to run away, take off:* (2) to scram: ADJAS. **se déhotter** vp (IIIa) *to hurry:* (2) to step on it: DÉGROUILLER.

déloquer (se) vp (III) *to undress:* DÉFRINGUER.

délourder vi (III) *to open a door.*

démancher (se) vp (III) *to make a great effort:* (2) go all out, knock oneself out, go to a lot of trouble. **se démancher le cou** (I) *to make a strenuous effort.* (II) *to stare at s.t. difficult to see.*

démanger—**gratter q'un par où il lui démange** (II) *to flatter s.o.:* (2) butter s.o. up. **la langue lui démange** (I) *he is very anxious to speak:* (2) he has an itch to speak*.

démantibuler vt (I) *to dismantle (machine):* (1) smash up, knock apart, wreck. **se démantibuler** (II) *to fall to pieces (machine), fall apart.* (II) *to work to excess:* (2) to knock oneself out: DÉMANCHER (SE).

démaquer (se) vp (IIIa) *to dissolve a marriage:* (1) separate; (2) break up house, give up house (keeping).

démarrer vi (I) *to leave (a place):* (1) take [cast] off, pull out, haul freight (out).

déménager vi (I) *to go crazy:* (2) go off one's rocker: BOULE.

démener (se) vi (I) *to exert great effort:* DÉCARCASSER.

démerdard [e] nmf (IV, 2) finagler.

démerder (se) vp (IV, 2) *to manage to get along:* (2) make out, finagle, get by, get out from under.

démerdeur [euse] nmf (IV) DÉMERDARD.

demi-jambe nm (IIIa) *50-franc note.*

demi-jetée nm (IIIa) DEMI-JAMBE.

demi-molle—être en d. (IIIa) *to be unenthusiastic [half-hearted]:* (2) not care one way or another, be able to take it or leave it.

demi-sel (III) *petty criminal:* (2) small-time hood, (cheap) punk.

démolir vt (II) *to beat severely:* (2) to knock the stuffings out of: AMOCHER. **d. le portrait de q'un** (III) *to punch s.o. in the face:* (2) smack [swat, wallop] s.o. in the puss [snoot, kisser].

démouscailler (se) vp (IIIa) *to manage to get along:* (2) wangle one's way, get out from under, get along, finagle. (IIIa) *to hurry:* (2) to shake a leg: DÉGROUILLER.

démouscailleur [euse] nmf (IIIa, 2) finagler.

démurger vi (III) *to run out in a hurry:* (2) scramble out. **se démurger** vp (III) *to run away:* (2) pack off: ADJAS.

dénip(p)er (se) vp (III) *to get undressed:* DÉFRINGUER.

dent—avoir la d. (III) *to be hungry, starved:* (2) be empty, be hungry as a bear. **avoir la d. dure** (I) *to be severely critical.* **avoir [conserver, tenir] une d. contre q'un** (I) *to hold a grudge against s.o.:* (2) have it in for s.o., hold s.t. against s.o. **avoir les dents longues** (II) *to be very ambitious:* (2) be an eager beaver, be a hard driver. **cale-dents** nm (III) *sandwich, snack.* **coup de d.** nm. (I) *criticism:* (2) panning, roasting. **déchirer à belles dents** (II) *to criticize severely:* (2) tear apart: AQUIGER. **être sur les dents** (II) *to be exhausted:* (2) to be pooped: AFFÛTÉ. **juste de quoi remplir une d. creuse** (II) *very little:* (2) hardly enough to fill a cavity*. **manger du bout des dents** (II) *to eat without appetite:* (1) pick at the food. **n'avoir pas de quoi se mettre sous la d.** (II) *to have nothing to eat:* (1) not have a bite to eat. **quand les poules auront des dents** (II) *never:* (2) when the cows fly.

dépagnoter (se) vp (III) *to get out of bed:*

(2) roll [climb, turn, tumble] out of bed, rise and shine, hit the deck.

dépatouiller (se) vp (IIIa) *to manage to get out of difficulties:* (2) get out from under: DÉBROUILLER (SE).

dépiauter vt (I) *to skin (an animal).* (IIIa) *to find, discover:* (2) to spot: DÉGAUCHIR.

dépieuter (se) vp (III) *to get out of bed:* DÉPAGNOTER.

déplaquer vt (IIIa) *to find, discover, expose:* (1) spot: DÉGAUCHIR.

déplanquer vt (III) *to take out of hiding:* (1) dig up. —— vi (III) *to come out of hiding:* (1) come out into the open. (IIIa) *to come out of prison:* (2) get out of stir.

déplumé nm (I) *bald-headed person:* (2) baldy. —— adj (I) *bald-headed:* (2) baldy. **avoir le melon d.** (II) *to be bald:* (2) be as bald as a billiard ball.

déplumer (se) vp (I) *to lose one's hair, become bald.* (III) *to get out of bed:* DÉPAGNOTER.

dépoivrer vi (III) *to sober up.*

déponner vi (IIIa) *to discourage, depress:* (2) take the starch out of, give the blues.

der (abrév. de **dernier**) adj (III) *last, final.* **la d. des d.** (III) *the recent [last] war:* (2) the war to end all wars (ironical).

dérailler vi (I) *to talk nonsense:* (2) talk like a nut, rant and rave, talk in circles. (I) *to go crazy:* (2) go off one's trolley*: BOULE.

derche nm (III) *buttocks:* (2) fanny: ARRIÈRE-TRAIN. **faux d.** nm (III) *deceitful person:* (2) phony, snake, double-crosser. **avoir le feu au d.** (III) *to be in a great hurry:* (2) to be in a hell of a rush.

dérive—aller à la d. (I) *to wander aimlessly, drift, flounder around.*

derjo adv (III) *backwards, behind.*

dernier—le d. des cons (III) *complete fool:* (2) utter idiot, complete dope, hopeless jerk; (3) absolute asshole: ANDOUILLE.

dérober (se) vp (III) *to go on a spree:* (2) to go on a tear: BAMBOCHER.

dérondir (se) vp (IIIa) *to sober up.*

dérouillade nf (III) *beating:* (2) walloping: AVOINE.

dérouillée nf (III) DÉROUILLADE.

dérouiller vt (III) *to beat severely:* (2) clobber: AMOCHER. —— vi (III) *to make the first sale (or have the first client) of the day:* (2) break the ice.

dérouler vi (III) *to go from bar to bar or night club to night club:* (2) make the rounds*, hit the high spots, do the town.

derrière—se manier le d. (III) *to hurry:* (2) wiggle one's fanny*: DÉGROUILLER.

descendre vt (III) *to kill:* (2) bump off: AFFAIRE.

désentifler (se) vp (IIIa) *to separate (man and wife), get divorced:* (2) break up, call it quits.

désert (abrév. de **déserteur**) nm (III) *deserter, renegade.*

désharnacher vt (IIIa) *to undress:* (2) peel, strip.

désossé (e) nmf (I) *very thin person:* (2) bean pole, bag of bones, skeleton.

dessalé adj (III, 2) in the know, hip: AF-FRANCHI.

dessaler vt (II) *to teach the facts of life:* (2) wise up, put in the know, tip off, put hip [wise]. **se dessaler** vp (III) *to learn the facts of life:* (2) get hip [wise], put two and two together.

dessaper vt (III) *to undress:* DÉSHARNACHER.

dessouder vt (III) *to kill:* (2) knock off: AFFAIRE. —— vi (III) *to die:* (2) kick off: ARME.

dessous—connaître le d. des cartes (I) *to know the secrets of an intrigue:* (2) have the inside dope. **d.-de-table** nm (I) *secret bribe or refund:* (2) under-the-table commission, payoff, kickback, payola. **le d. du panier** (I) *the poorest of a lot:* (2) from the bottom of the barrel. **tomber dans le troisième d.** (I) *to sink to the lowest level:* (2) reach [touch] bottom, hit the bottom of the ladder.

dessus—avoir le d. (I) *to have the advantage, have the upper hand:* (2) be in the driver's seat, hold the reins. **être au d. de ses affaires** (I) *to prosper in one's business:* (2) be [run] in the black. **le d. du panier** (I) *the best of its kind:* (1) top-drawer, top-notch, cream of the crop.

dételer vi (III) *to stop doing something:* (2) knock off (work), call it quits, get out of harness. (III) *to leave one's wife:* (2) walk out on the old lady, get rid of the noose, get unhitched*, break up.

détrancher vt (III) *change direction, steer away:* (1) pull off course. **se détrancher** vp (III) *to turn one's head (to look):* (2) take a gander back.

détrêper vi (IIIa) *to get rid of unlikely purchasers (at outdoor stand):* (2) ditch the pikers.

deuil nm (III) *danger, risk.* **ongles en d.** nm pl (I) *dirty fingernails.* **porter le d.** (III) *to lodge a complaint (with police):* (2)

squawk [beef] to the cops. **il y a du d.** (III) *it's risky, it's something to worry about:* (2) it's no snap [cinch]. (III) *there is danger from the police:* (2) the heat is on.

deux—en moins de d. (III) *very quickly:* (1) in a jiffy; (2) in two shakes*, in no time (at all). **tiens, mes d.!** (IV, 2) nothing doing!, nuts to you!

dévider vi (IIIa) *to talk, gossip:* (2) bat the breeze: BAVETTE.

diablement adj (I) *extremely:* (2) gosh-awfully, damnably: BIGREMENT.

diam (abrév. de **diamant**) (III) *diamond:* (2) ice.

dictionnaire—d. vivant nm (I) *person with wide knowledge:* (2) walking encyclopedia*.

digue-digue nm (III) *epilepsy:* (2) the fits. **batteur de d.-d.** (III) *faker who simulates epileptic fits to collect alms.* **tomber en d.-d.** (III) *to faint:* (2) conk [black, blank, pass] out.

dinde nf (I) *stupid woman:* (2) dumb Dora: BÉCASSE.

dindon nf (I) *stupid man:* (2) boob: AN-DOUILLE. **le d. de la farce** (I) *victim of a joke:* (1) butt; (2) sucker, patsy, pigeon, fall-guy, goat, boob.

dindonner vt (Ia) *to fool:* (2) make a sucker of: BATEAU.

dîne nf (III) *food:* (2) chow: BECQUETANCE.

dîner—d. par coeur (II) *to go without eating, go hungry.* **il me semble que j'ai dîné quand je le vois** (III, 2) the sight of him turns my stomach, I want to puke whenever I see him.

dingo nm (III) *crazy person:* (2) nut, crackpot. —— adj (III) *crazy:* (2) batty: ARAIGNÉE.

dingue nm adj (III) DINGO. (IIIa) *burglar's jimmy.* **taper le d.** (III) *to pretend insanity (for sickness benefits, army discharge):* (2) act like a nut, pull the crazy act.

dinguer vi (IIIa) *wander around aimlessly:* (2) bum around, vag it. **envoyer d.** (II) *to discharge (an employee):* (2) send packing, kick out: BALAI.

dire—d. ses quatre vérités (I) *to express all one's feelings:* (1) empty one's heart. **d. à qu'un ses (quatre) vérités** (I) *to criticize s.o.:* (1) to tell s.o. a thing or two: AQUIGER.

direlot nm (II) *director:* (2) chief, boss man, top man.

disque—changer de d. (II) *to change the subject of the conversation:* (2) change the [put on another] record*.

distribution nf (III) *beating:* (2) shellacking: AVOINE.

dix ronds nm (III) *50 centimes.*

doches nm pl (IIIa) *dice:* BOBS. —— nf pl (IV) *menses:* AFFAIRES.

dodo—aller au d. (I) *to go to sleep (children's talk):* (1) go nighty-night [beddy-bye]. **faire d.** *to sleep.*

doigt—avoir de l'esprit jusqu'au bout des doigts (I) *to be very spirited:* (2) full of pep: ALLANT. **avoir sur les doigts** (I) *to be punished:* (2) get one's face slapped, get slapped down, get bawled out. **donner sur les doigts** (I) *to reprimand, punish:* (2) slap down*, tell off, bawl out, call down. **être à deux doigts de** (I) *to be about to, be on the verge of:* (1) be within a hair's breadth of. **faire q'ch. les d. dans le nez** (III) *to do s.t. without difficulty:* (2) find it a snap [cinch], do it with one hand tied behind one's back*. **mener au d. et à l'oeil** (I) *to keep a close watch on s.t.:* (2) keep one's eye on the ball. **mettre le d. dessus** (I) *to find out, guess:* (1) put one's finger on; (2) spot the secret. **mon petit d. me l'a dit** (I, 1) a little birdie told me*. **montrer du d.** (I) *to ridicule s.o. in public:* (1) point the finger at s.o.; (2) show s.o. up. **'ne rien faire de ses dix doigts** (I) *to be idle:* (1) not turn a hand, not do a stitch of work. **savoir sur le bout du d.** (I) *to know well:* (1) have at one's fingertips*. **s'en mordre les doigts** (I) *to be sorry about.* **se mettre [fourrer] le d. dans l'oeil** (II) *to be sadly mistaken:* (2) be all wet, be way off base, be off the beam, be out in left field. be all screwed up.

dolluche nm (III) *dollar:* (2) buck, skin, bill.

domino nm (III) *tooth:* CASSANTE. **la boîte à dominos** (III) *coffin:* (2) wooden overcoat, pine kimono.

dondon nf (I) *plump woman:* (1) roly-poly, fattie; (2) fat mamma [babe], baby elephant.

donner vt (III) *to denounce (to the police):* (2) squeal on, finger, put the finger on, blow the whistle on. **d. à pleins tubes [à tout berzingue]** (III) *to go at full speed:* (2) give it the gas, highball [barrel] along: BOMBER. **d. dedans** (III) *to believe a lie, fall into the trap:* COUPER. **d. dans le panneau** (III) *to fall into the trap:* COUPER. **d. des pieds** (III) *to have stinking feet.* **d. un coup de lattes** (III) *to kick, boot.* (III) *to try to borrow:* (2) mooch, sponge, make a touch, put the bee [arm] on. **d. la couleur** (IIIa) *to warn:* (2) tip off, put wise, give the high sign. **d. le coup de pouce** (III) *to*

strangle: (2) mug. **s'en donner** (III) *to buy for oneself:* (2) blow [treat] oneself to. **se la donner** (IIIa) *to distrust:* (1) take with a grain of salt: (2) smell a rat, smell something fishy.

donneur [euse] nmf (III) *police informer,* (2) stoolie: BORDILLE.

doré—l'avoir d. (III) *to be lucky:* (2) have it made, be in clover, get all the (good) breaks.

dorme nf (III) *sleep:* (2) shut-eye, snooze. **aller à la d.** (III) *to go to bed:* (2) to hit the sack: BÂCHER.

dort-en-chiant (IV) *slow-moving person:* (2) slowpoke.

doryphore nm (IIIa) *German soldier (WW II):* (2) Jerry: ALBOCHE.

dos—avoir bon d. (II) *to be able to tolerate criticism, teasing, etc.:* (2) be able to take it, be a good sport. **avoir le d. au feu, le ventre à table** (I) *to live a life of ease:* (2) live the life of Riley, live like a lord, take it real easy. **avoir q'un (q'ch.) sur son d.** (I) *to be responsible for s.o. (s.t.):* (1) be saddled with s.o. (s.t.). **casser du sucre sur le d. de q'un** (I) *to criticize s.o.:* (2) pick on s.o.: AQUIGER. **d. vert** nm (III) *pimp:* (2) fancy man. **en avoir plein le d.** (II) *to have had enough:* (2) be fed up with: ANDOSSES. **être sur le d. de q'un** (II) *to harass s.o.:* (2) be on s.o.'s neck [back, tail, ass], ride s.o. **faire froid dans le d.** (I) *to frighten:* (2) give the shivers, [heebie-jeebies], scare stiff. **faire la bête à deux d.** (IV) *to have intercourse:* (2) have a party; (3) screw. **faire le gros d.** (II) *to act important:* (2) act the big shot*, put on the dog. **jeter q'un (q'ch.) derrière son d.** (I) *to stop worrying about s.o. (s.t.):* (2) say to hell with, forget about. **les avoir sur le d.** (III) *to be chased by the police:* (2) have the cops [bulls] on one's tail, have the cops breathing down one's neck, be hot. **sur le d.** (II) *to be poverty-stricken:* (2) money on clothes. **n'avoir pas une chemise sur le d.** (II) *to be poverty-stricken;* (2) not have a penny to one's name, be flat broke. **plier le d.** (I) *to submit, surrender:* (1) give in [up], knuckle under, say uncle, back down, fold up. **prendre tout sur son d.** (I) *to accept full responsibility:* (1) shoulder the blame; (2) take the rap. **renvoyer d. à d.** (I) *to show partiality to neither party (in a dispute):* (1) show no favoritism, play no favorites. **se laisser manger la laine sur le d.** (II) *to allow oneself to be exploited:* (1) let oneself be fleeced*; (2) let oneself be gypped [rooked, taken]. **scier le d. à q'un** (II) *to pester, annoy s.o.:* ASSOMMER. **tomber**

sur le d. et se casser le nez (II) *to be un-lucky:* (2) get all the bad breaks. **tourner le d. à q'un** (I) *to run away from s.o.:* (2) leave s.o. flat.

dossière nf (III) *buttocks:* ARRIÈRE-TRAIN. (IV) *anus:* ANNEAU. (III) *luck:* BOL. **remuer la d.** (III) *to hurry:* (2) to wiggle one's fanny: DÉGROUILLER.

doublage nf (III) *deceitful action:* (2) double-cross(ing), two-timing.

doublard nm (III mil.) *sergeant-major:* (2) top kick [sarge].

double—mener q'un en d. (III) *to swindle, deceive s.o.:* (2) play s.o. for a sucker: ARNAQUER.

double-six nm pl (IIIa) *the molar teeth (six upper and six lower).* **rendre le d.** (III) *to demonstrate superiority over s.o.:* (2) put it all over, make s.o. look sick, show s.o. up.

doubler vt (III) *to betray a trust:* (2) double-cross. (II) *to be unfaithful (to spouse):* (2) two-time, step out on.

douce—en douce adv (III) *quietly, dis-creetly, confidentially:* (2) on the q.t. **se la couler d.** (III) *to live quietly and com-fortably:* (2) take things easy, live the life of Riley, be on easy street, have it made.

doucher vt (III) *to reprimand:* (2) bawl out, put on the carpet, read the riot act to, give hell. (III) *to swindle:* (2) take over, gyp: ARNAQUER.

doudounes nf pl (III) *well-rounded female breasts (or buttocks).*

douillard [e] nmf (III) *rich person:* (2) plute, moneybags, Mr. Gotrocks, rich bas-tard [bitch]. **douillards** nm pl (III) *hair.*

douille nf (IIIa) *money:* (2) dough: ARTICHE.

douiller vt (III) *to pay:* (2) fork out: ABOULER.

douilles nf pl (III) *hair.*

doul [os] nm (IIIa) *hat:* (2) lid: BADA. **porter le d.** (IIIa) *to be suspected of inform-ing to police:* BADA.

douloureuse nf (I) *bill:* (2) tab, damages, bad news.

dragée nf (III) *bullet:* (2) pill: BASTOS. **tenir la d. haute à q'un** (I) *to make s.o. pay dearly for s.t.:* (2) make s.o. pay through the nose, make s.o. pay bitterly, make s.o. sit up and beg.

draguer vt (III) *to search (through a place), set up a dragnet.* —— vi (III) *to roam or wander around:* (2) bum around.

drap—être dans de beaux draps (I) *to be in an annoying situation:* (2) be in a tough

spot, be in hot water, be in a pickle. **se mettre dans les draps** (III) *to go to bed:* (2) get between the sheets: BÂCHER. **tailler en plein d.** (I) *to act freely:* (1) do as one pleases, be one's own boss.

drapeau—être sous les drapeaux (I) *to be in military service:* (1) serve one's army time. **mettre son d. dans sa poche** (I) *to hide one's opinion:* (1) keep one's mouth shut; (2) keep one's lip buttoned up. **planter un d.** (II) *to fail to pay one's debts (to a merchant):* (2) stand up (the merchant).

draupère nm (IIIa) *policeman:* (2) bull: ARGOUSIN.

driver vt (III) *to drive (an auto).* (III) *to manage (a business):* (1) run, boss.

drogué (e) nmf (III) *narcotics addict:* (2) dope fiend, junkie, hophead, snowbird.

droguer vi (I) *to wait a long time:* (2) cool one's heels. **se droguer** vp (III) *to get drunk:* (2) to get boiled: ARRONDIR (s').

drop(p)er vi (III) *to hurry, run:* (2) shake a leg: DÉGROUILLER.

duce nm (IIIa) *signal:* (2) high-sign, tip-off. **envoyer le d.** (III) *to warn:* (2) tip off: AFFRANCHIR.

ducon(nard) nm (IV) *stupid person:* (2) nitwit: ANDOUILLE.

duconneau nm (IV) DUCONNARD.

dur nm (III) *railway train.* (III) *whiskey.* (III) *member of the underworld:* (2) tough guy [customer, egg, cookie]. **les durs** nm pl (III) *hard labor prison sentence:* (2) rock-pile, chain gang. **brûler le d.** (III) *to steal a ride on a train.* **coucher sur le d.** (I) *to sleep on the bare ground:* (2) bunk out. **être dans son d.** (I) *to work hard:* BOSSER. **être d. à la desserre** [à la détente, à les lâcher] (II) *to be miserly:* (2) be tight-fisted, penny-pinching, a tightwad. **être d. à cuir** (I) *to be a fighter:* (2) be a tough customer. **être d. d'oreille(s)** (II) *to be deaf, hard of hearing.* **l'avoir d.** (IV) *to have an erection:* (3) have a hard on: BANDER. **l'avoir d. pour** (IV) *to desire sexually:* BANDER.

duraille adj (III) *difficult:* (2) tough. (III) *miserly;* (2) tight-fisted, penny-pinching.

durillon adj (III) DURAILLE.

eau—avoir l'e. à la bouche (I) *to water at the mouth (at the thought or sight of food, etc.).* **c'est comme si l'on buvait un verre d'e.** (I) *it's very easy, very pleasant:* (1) it's easy to take; (2) it's no sweat. **c'est l'e. de boudin** (I) *it's a failure:* (2) it's a flop [fizzle, washout]. **c'est l'e. et le feu** (I) *they are complete opposites (things or peo-*

ple): (1) they're like cat and dog [oil and water]. **coup d'épée dans l'e.** (I) *an unsuccessful attempt:* (1) a shot in the dark. **e. bénite de cour** (I) *empty promises:* (2) hot air, blarney, banana oil. **e. dans le gaz** (III) *mechanical difficulty:* (2) bug: ACCROC. **e. de bidet** (III) *inferior merchandise:* (2) junk, crap. **e. de vaisselle** (I) bad soup; (2) dishwater*, slop, hogwash. **être à l'e.** (II) *to fall through:* (2) to fizzle out, flop. **être dans les eaux de q'un** (I) *to be an intimate friend (or associate) of s.o.:* (2) be one of his boys. **être dans les eaux grasses** (I) *to be rich:* (2) loaded: AS. (I) *to have a good job:* (2) have it soft, ride the gravy train, be in velvet, be on easy street. **être heureux comme un poisson dans l'e.** (I) *to feel very much at ease, be in one's element:* (1) feel right at home. **être tout en e.** (I) *to perspire profusely:* (1) be all a-sweat. **laisser couler l'e.** (I) *to wait patiently.* **mettre de l'e. dans son vin** (I) *to moderate one's actions:* (1) ease off, take it easy, slack up. **nager entre deux eaux** (I) *to serve in two opposing parties:* (1) straddle the fence, play both sides against the middle. **ne pas pouvoir trouver l'e. à la rivière** (I) *to be unable to acquire the simplest things.* **pêcher en e. trouble** (I) *to take advantage of a confused situation:* (1) fish in troubled waters*. **revenir sur l'e.** (I) to *reappear [come up again] for discussion:* (1) show up again. **se fondre en e.** (I) *to shed copious tears:* (2) turn on the waterworks, open the floodgates. **se ressembler comme deux gouttes d'e.** (I) *to bear a close resemblance:* (1) be alike as two peas in a pod*; (2) be the spitting image of each other. **se noyer dans un verre d'e.** (I) *to fail due to trivial obstacles:* (1) be floored by a mere nothing. **suer sang et e.** (I) *to exert great effort:* (2) sweat blood* [bullets]. (I) *to be very anxious:* (2) sweat bullets, be all a-sweat. **tempête dans un verre d'e.** (I) *much ado about nothing:* (1) tempest in a teapot*.

eau-à-ressort nf (II) *charged water:* (2) fizz water, bubble water.

ébouzer vt (IIIa) *to beat severely:* (2) plaster, shellac: AMOCHER.

échafauder vt (I) *to make, put together:* (1) cook up, hatch, slap together.

échalas nm (I) *tall, thin person:* (2) bean pole, broomstick, Slim Jim.

échalotes nf pl (III) *the ovaries.*

échasses nf pl (III) *legs:* (2) shafts, pins, gams.

échauder vt (I) *to overcharge:* (2) skin, gyp, take for a ride, rook; (3) screw.

échelle—faire la courte é. à q'un (I) *to give s.o. assistance:* (1) lend s.o. a helping hand, give s.o. a hand up. **monter à l'é.** (I) *to take a joke seriously:* (2) bite, be taken in, fall, swallow the bait (hook, line and sinker).

échine—avoir l'é. souple (I) *to be servile:* (1) be a bootlicker; (2) be a brown-noser.

échouer vi (I) *to fail:* (2) flop, fizzle [wash] out. (I) *to fail (in) an examination:* (1) flunk; (2) wash out. (III) *to finish up in:* (1) wind up in, land in.

éclairer vi (II) *to pay:* (2) fork over: ABOULER. (III) *to place one's bet:* (2) ante up, lay it on the line, show one's money.

écluse—ouvrir les écluses (III) *to weep:* (2) turn on the waterworks*, bawl.

écluser vt (III) *to drink:* (2) belt [slug] down.

école—être à bonne é. (I) *to associate with capable people:* (2) play in the big league. **faire l'é. buissonnière** (I) *to stay away from school:* (1) play hookey. **faire une é.** (I) *to make a foul (in sports).* (I) *to make a silly mistake:* (2) pull a boner: BOULETTE. **sentir l'é.** (I) *to have awkward manners:* (1) act like a schoolboy*; (2) be a clumsy ox.

éconocroques nf pl (III) *savings.*

écoper vt (II) *to get, receive:* (1) catch.

écorcher vt (I) *to overcharge:* (2) to gyp [rook, skin, clip].

écosser—en é. (III) *to spend a lot of money:* (2) throw [piss] away one's dough, shell out the money. (IIIa) *to be a prostitute:* (2) hustle, hook. (III) *to earn considerable money:* (2) clean up, make a killing, pull in big money [dough]. **ne pas en é. une** (III) *to do nothing:* (2) louse around, twiddle one's thumbs: BRAS RETOURNÉS.

écot—payer son é. (I) *to pay one's share, make one's contribution:* (1) chip in: APPOINT.

écoutille nf (III) *ear.*

écrabouiller vt (II) *to crush, smash:* (1) crush to a pulp, make mincemeat out of.

écrase! (III imp.) *stop it!:* (2) dry up! knock it off! come off it!

écrase-merdes nm (IV) *shoes (esp. big and clumsy):* (2) clodhoppers, tugboats, canal boats.

écraser vi (III) *to back down (on a threat, etc.):* (1) pull in one's horns, back water.

vt (I) *to defeat, crush (an adversary):* (2) to trim, shellac, knock [beat] the stuffings out of, lick, run circles around. **é. le coup** (III) *to give up, admit defeat:* (2) call (it) quits, throw in the sponge [towel], say uncle. **en é.** (II) *to sleep:* (1) snooze; (2) grab some shut-eye. **en é. une** (IV) *to pass flatus:* (3) fart.

écrivailler vi (I) *to write literature of little merit:* (2) scribble.

écrivaillon nm (I) *author of inferior literature:* (2) scribbler, hack writer, writer of trash.

écumoire nf (II) *poor goalie at soccer game.* **faire l'é.** (IIIa) *to be shot, be riddled:* (2) be plugged, be shot full of holes.

éducation—é. anglaise (IIIa) *whipping.*

effacer vt (I) *to kill:* (2) to rub out*: AFFAIRE. **la gomme à e. le sourire** (III) *hammer.* **se faire e.** vp (III) *to disappear:* (2) fade out of the picture, do a fade.

effeuilleuse nf (II) *stripteaser:* (2) ecdysiast.

égal—cela [ça] **m'est é.** (I) *it doesn't matter to me, it's all the same to me:* (2) it makes no diff to me, it makes me no nevermind, I don't give a damn [hoot] one way or the other.

église—aller à l'é. (III euph.) *to go to the horse races:* (2) head for the track.

égoïner vt (IIIa) *to dispose of, evict:* (2) bounce [kick] out: BALAI. (IVa) *to fornicate with:* AIGUILLER.

égout nm (III) *mouth:* (2) kisser: ACCROCHE-PIPE.

élaguer—se faire é. les tilleuls [tiffes, etc.] (III) *to get one's hair cut:* (2) get a trim.

emballage nm (III) *arrest (by police):* (2) pinch, pull [run] in, round up.

emballarès nm (III) EMBALLAGE.

emballer vt (I) *to arrest:* (2) pinch: AGRAFER. (I) *to reprimand:* (2) bawl out, call down, tell off, haul up on the carpet, give hell. (I) *to stir up interest, create enthusiasm:* (1) to carry away; (2) steam up. **s'emballer** vp (I) *to be carried away (with anger, enthusiasm, etc.):* (1) to lose one's head; (2) to go overboard, to go bats [bugs], flip, blow a fuse [gasket].

embarbouiller vt (I) *to confuse, befuddle:* (1) mix up; (2) ball up. **s'embarbouiller** vp (I) *to get confused:* (1) get all mixed up; (2) get balled [screwed] up.

embarquer vt (IIIa) *to arrest:* (2) pull in:

AGRAFER. (IIIa) *to put in prison:* (2) toss in the clink: BALLON.

embellie nf (I) *stroke of luck:* (2) lucky break. **profiter de l'e.** (I) *to take advantage of a good opportunity:* (2) grab the chance.

emberlificoter vt (II) *to inveigle, convince by flattery (and lies):* (2) soft-soap, sweet talk, give a snow job: BONIMENT.

embêtant adj (I) *annoying, irritating:* (2) griping, bugging. **e. comme la pluie** (II) *boring, irritating.*

embêtement nm (I) *source of irritation, nuisance:* (2) pain in the neck.

embêter vt (I) *to irritate, annoy, bore:* ASSOMMER. **s'embêter** vp (I) *to be irritated, annoyed:* EMBOUCANER (s')

embobiner vt (I) *to cajole, take in by flattery:* (2) to soft-soap: BONIMENT.

emboîter vt (III) *to hoax, swindle:* (2) play for a sucker, suck in: ARNAQUER.

emboucaner vt (III) *to annoy, irritate:* (2) give a pain in the neck [ass]: ASSOMMER. (III) *to make foul-smelling:* (1) stink up; (2) smell up the place. **s'emboucaner** vp (III) *to be annoyed, irritated:* (1) be peeved; (2) be bugged [griped, riled], be browned [peed, teed] off; (3) be pissed off.

embourmaner vt (IIIa) *to arrest:* (2) pinch: AGRAFER.

embrayer—e. q'un sur q'ch. (II) *to explain s.t. to s.o.:* (2) square s.o. away about s.t., put s.t. across to s.o. **e. une gonzesse** (III) *to make a sexual conquest:* (2) make (it with) a broad.

embrouilleur nm (III) *petty criminal:* (2) cheap [two-bit] punk.

éméché adj (I) *drunk:* (2) loaded, stoned: ALLUMÉ.

émécher (s') vp (II) *to get drunk:* (2) get looped, tie one on: S'ARRONDIR.

émeraudes nf pl (III) *hemorrhoids, piles.*

emmanché nm (IV péj.) *vilely insulting accusation of homosexuality:* (3) cocksucker. (IV) *male homosexual:* (2) homo, fairy, fag, pansy, fruit, nance, queen.

emmerdant (III) *irritating, annoying:* (2) griping, bugging.

emmerdement nm (III) *annoyance:* (2) pain in the neck [ass].

emmerder vt (III) *to irritate, annoy:* (2) gripe, annoy the hell out of: ASSOMMER. **s'emmerder** vp (IV) *to be annoyed, bored, irritated:* (2) be browned off, griped: S'EMBOUCANER.

emmieller vt (II euph.) EMMERDER.

emmouscaillement nm (III euph.) EM-MERDEMENT.

emmouscailler vt (III euph.) EMMERDER.

emmoutarder vt (III) *to pester, irritate:* (2) to rile: ASSOMMER.

émoustiller vt (I) *to excite to gaiety:* (1) to stir up; (2) pep up.

empaffé nm (IV péj.) EMMANCHÉ.

empaillé nm (I) *stupid person:* (2) half-wit: ANDOUILLE. —— adj (I) *stupid:* (2) scatter-brained, half-witted.

empapaouté nm (IV) EMMANCHÉ.

empaqueté nm (IV) EMMANCHÉ.

empaqueter vt (III) *to arrest:* (2) pull in: AGRAFER. (III) *to imprison:* (2) put behind bars: BALLON.

empaumer—e. q'un (I) *to perpetrate a hoax on s.o.:* (2) put one over on s.o.: ARNAQUER.

empêcheur—e. de danser en rond (I) *one who inhibits pleasure or gaiety:* (2) wet blanket, party-pooper.

empégaler vt (IIIa) *to (put in) pawn:* (2) (put in) hock.

empeigne—gueule d'e. (III) *ugly face.* **marcher sur les empeignes.** (III) *to be without money:* (2) be on one's uppers*: BLANC.

empétarder vi (IV) *to be an active homosexual.*

empiler vt (III) *to steal:* (2) swipe: ARRANGER. (III) *to swindle:* ARNAQUER. **e. des écus** (II) *to make money:* (2) to pile up the dough, to clean up. **se faire e.** (II) *to be cheated:* (2) to get rooked: BAISÉ.

empileur nm (III) *crook, swindler:* (2) con man: ARNAQUER.

emplafonner vt (III) *to beat severely:* (2) knock the stuffings out of: AMOCHER. (III) *to steal:* (2) swipe, hook: ARRANGER. (III) *to collide with, run into:* (2) smack [bang] into.

emplâtre nm (I) *dull-witted person:* AN-DOUILLE. (IIIa) *punch, blow:* (1) wallop; (2) slug: ATOUT. **marcher à l'e.** (IIIa) *to live by petty thievery.*

emplâtrer vt (III) EMPLAFONNER.

empoignade nf (I) *heated argument:* (2) set-to, flare-up, hassle.

empoisonner vt (II) *to bore, annoy:* (2) to pester: ASSOMMER.

empoisonneur (euse) nmf (II) *bad cook.*

empoivrer (s') vp (III) *to get drunk:* (2) get stoned: S'ARRONDIR.

emporter—se faire e. (III) *to get arrested:* (2) get run in: AGRAFER.

empoté adj (II) *clumsy, slow-witted:* (2) dopey, dimwitted, pokey.

emprosé nm (IVa péj.) EMMANCHÉ.

encadrer vt (I) *to collide with, ram into:* (2) to bang into. (I) *to punch, beat:* (2) clout, lambaste: AMOCHER. **ne pas pouvoir e. q'un** (III) *to detest s.o.:* (2) be unable to stand (the sight of) s.o.: BLAIRER.

encaisser vt (II) *to accept, tolerate:* (1) stand for, take. vi (II) *to receive punches:* (2) take a slugging. **ne pas pouvoir e. q'un** (III) *to detest s.o.:* BLAIRER.

encalbêcher vt (IIIa) *to punch, beat:* (2) to wallop: AMOCHER.

encarrade nf (IIIa) *entrance way.*

encarrer vi (IIIa) *to enter:* (2) blow into: ANTIFFER.

enchetarder vt (IIIa) *to imprison:* (2) toss in the clink: BALLON.

enchetiber vt (III) *to put in prison:* (2) to put behind bars: BALLON.

enchrister vt (III) *to arrest:* (2) nab: AGRA-FER. (III) *to put in jail:* (2) to put in the cooler: BALLON.

enchtiber vt (III) ENCHETIBER.

encoinstas nm (III) *burglar's jimmy:* (2) pry, iron.

encroûmé adj (III) *in debt:* (2) in the red, chalked up; (3) up to one's ass in debt.

encroûmer (s') vp (III) *to go into debt:* (2) go in the red [hole].

encroûter (s') vp (I) *to acquire old-fashioned ideas or habits:* (2) become an old fogy [dodo, stick-in-the-mud].

endosses nf pl (III) *back.* **en avoir plein les e.** (III) *to have had enough of s.t.:* (2) have one's bellyful of: ANDOSSES.

endroit—le petit e. (I) *washroom, toilet:* (1) comfort station; (2) john: CABINCES.

enfariné—avoir la bouche [la gueule, le bec] enfariné(e) (II) *to be gullible:* (2) be a sucker [an easy mark]: BOUILLE. **être e.** (II) *to be bored, annoyed:* (2) be fed up, have one's bellyful, be sick and tired of: ANDOSSES.

enfer—jouer un jeu d'e. (I) *to gamble for large stakes:* (2) bet a bundle, bet one's shirt. **rouler en train d'e.** (III) *to drive very fast:* (2) go like hell*, drive hell-bent for election: BOMBER.

enfifré nm (IV) EMMANCHÉ.

enfiler vt (II) *to put on, slip on (clothes).* (II) *to cheat, swindle:* (2) gyp: ARNAQUER.

e. des perles (II) *waste one's time with trivialities:* (1) fritter away one's time; (2) diddle [piddle] around, twiddle one's thumbs. **s'enfiler q'ch.** (III) *to buy oneself s.t.:* (2) treat [blow] oneself to s.t. **se faire e.** (III) *to allow oneself to be cheated or swindled:* (2) be a sucker [goat], be taken [gypped, rooked, hooked].

enflé nm (I) *imbecile, stupid person:* (2) dope: ANDOUILLE.

enflure nf (III) ENFLÉ.

enfoiré nm (IV) EMMANCHÉ.

enfoncé adj (III) *cheated, swindled:* (2) gypped, rooked, clipped, screwed.

enfoncer vt (III) *to put the blame on an accomplice:* (2) finger, call the turn on, smear, rap, sell out [down the river].

enfouiller vt (III) *to pocket.*

enfouraillé—**être e.** (III) *to carry a concealed weapon:* (2) pack a rod [gat], carry iron, be heeled.

enfourailler (s') vp (III) *to arm oneself:* (2) get heeled.

engailler [ayer] vt (IIIa) *to cheat, swindle:* (2) con: ARNAQUER.

enganter vt (I) *to win over with flattery:* (2) sell a bill of goods, soft-soap, take in, con.

engerber vt (III) *to arrest:* (2) pinch, collar: AGRAFER.

englandé nm (IV) EMMANCHÉ.

englander vt (IV) *to cheat:* (I) fleece; (2) gyp, rook; (3) screw, give the shaft, give a (royal) screwing: ARNAQUER.

engouler vt (II) *to gulp down.*

engourdir vt (III) *to steal:* (2) swipe, hook: ARRANGER.

engrainer vt (III) *to employ:* (2) sign up, put on the payroll. (III) *to involve in:* (2) drag [suck, con] into. (II) *to start, to get going:* (1) to get under way; (2) to get the ball rolling, to get the show on the road.

engrener vt (III) ENGRAINER.

engueulade nf (II) *reprimand, insult:* (2) bawling-out, dressing-down: ABATTAGE.

engueulement nm (IIa) ENGUEULADE.

engueuler vt (II) *to reprimand:* (2) bawl [cuss] out, give hell [a bad time], call [dress] down, rake over the coals, chew one's ass out, give the dickens [devil, deuce], roast, tell where to head off, tell a thing or two, wade into. (III) *to insult:* (2) call names. **e. q'un comme du poisson pourri** (III) *to insult or reprimand severely.*

engueuser vt (II) *to deceive with flattery:* (1) bamboozle; (2) sell a bill of goods, con, soft-soap, take in.

enguirlander vt (I) ENGUEUSER. (II) ENGUEULER.

enjamber vt (IV) *to have intercourse with:* (3) screw: AIGUILLER.

enjambeur nm (IV) *highly sexed male:* (2) heavy lover; (3) cocksman: BANDEUR.

ennième adj (II, 2) umpteenth.

enquiller vt (III) *to gather [scrape] together:* (2) round up. —— vi (III) *to enter:* (2) barge into: ANTIFFER. **se faire e.** (III) *to get involved in:* (1) get dragged into, get mixed [tangled] up with: (2) get conned into.

enquiquiner vt (II) *to bore:* (2) give a (swift) pain: ASSOMMER. **s'enquiquiner** (II) *to be bored with, tired of:* (2) fed up (to the hilt), bored stiff: ANDOSSES.

enroupiller (s') vp (IIIa) *to fall asleep:* (2) conk out.

ensuquer vt (IIIa) *to tire out, weary:* (2) snow under, beat down.

enticher (s') vp (I) *to take a fancy to:* (1) lose one's head over; (2) fall for, go ape over.

entiffer vi (III) *to enter:* ANTIFFER.

entifler vi (III) ENTIFFER.

entôler vt (IIIa) *to arrest:* (2) take in: AGRAFER. (III) *to fleece, to rob:* (2) to take for a ride: ARNAQUER.

entonnoir nm (II) *throat, gullet.*

entortiller vt (I) *to win over with flattery;* (1) bamboozle; (2) take in, make a sucker of, con.

entourer vt (IIIa) *to cheat, swindle:* (2) to gyp: ARNAQUER.

entourlouper vt (II) ENTOURER.

entourloupette nf (II) *underhanded affair:* (2) shady deal, double-cross, dirty trick, stab in the back.

entraîneuse nf (I) *dance hall "hostess":* (2) B-girl.

entraver vt (III) *to understand:* (1) catch on; (2) dig, get, savvy, capish, vershtay.

entrée (d') adv (III) *forcefully, without hesitation:* D'AUTOR.

entrêper vt (IIIa) *to attract a crowd (outdoor salesman):* (2) draw [pull] the suckers.

entuber vt (IIIa) *to rob, steal:* (2) swipe: ARRANGER. (III) *to eat:* (2) gobble down: BÂFRER.

envapé adj (III) *under the influence of nar-*

cotics: (2) charged, flying high, hopped-up: CAMÉ. (III) *in a desperate situation:* (2) on the ropes: ABOIS.

envaper vt (IIIa) *to annoy, bore:* (2) to give a pain in the neck: ASSOMMER.

envelopper vt (III) *to steal:* (2) pinch: ARRANGER.

envers—les avoir à l'e. (III) *to do nothing, be lazy:* (1) twiddle one's thumbs: BRAS.

enviandé nm (IV) EMMANCHÉ.

envoyer—e. en l'air (III) *to kill:* (2) bump off: AFFAIRE. **e. q'un chez les têtes en os** (IIIa) *to kill.* **les e.** (III) *to spend, pay:* (2) fork out, hand over: ABOULER. **s'envoyer** vp (III) *to buy for oneself:* (2) blow [treat] oneself to. (III) *to drink:* (2) belt [slug] down, take a swig of. **s'envoyer une gonzesse** (IV) *to have intercourse with a woman:* AIGUILLER.

épais—en avoir é. (III) *to have had enough of:* (2) be fed up with: ANDOSSES.

épastrouillant adj (II) *astonishing, marvelous:* (1) grand, great, tremendous.

épastrouiller vt (II) *to astonish:* (2) flabbergast: ABASOURDIR.

épatant adj (I) ÉPASTROUILLANT.

épate—c'est de l'é. (II) *it's only to make an impression:* (1) it's just to show off; (2) it's a lot of flash. **faire de l'é.** (II) *to put on airs:* (2) show off, put on the dog: CHICHIS.

épater vt (I) ÉPASTROUILLER.

épaules—rouler les é. (III) *to swagger, show off one's strength:* (2) show one's muscle: BISCOTTOS.

épée nf (II) *straightforward and courageous man:* (2) right guy, square shooter. (III) *expert:* (1) ace; (2) bomb. **un coup d'é. dans l'eau** (I) *an unsuccessful effort:* (2) flop, fizzle, washout. **mettre l'é. dans les reins** (I) *to prod, urge on:* (2) needle, goose.

épines—être sur des é. (I) *to be uneasy:* (1) be on pins and needles*, on tenterhooks.

épingle—être tiré à quatre épingles (I) *to be dressed elegantly:* (2) wear one's Sunday best, be all spruced [duded] out. **monter q'ch. en é.** (I) *to show s.t. off:* (1) bring s.t. out into the open. **tirer son é. du jeu** (I) *to get out of a difficult situation:* (1) to wiggle out of a tough spot.

épingler vt (III) *to catch, arrest:* (2) collar, nab. AGRAFER.

éponge nf (III) *lung.* **avoir les éponges mitées** (III) *to have tuberculosis of the*

lungs: (2) have T.B., be a lunger. **boire comme une é.** (I) *to drink excessively:* (2) soak [lap] it up: BIBERONNER. **passer l'é. sur q'ch.** (I) *to pardon, forgive (for s.t.):* (1) wipe the slate clean, whitewash. **jeter l'é.** (II) *to give up, withdraw from the fight:* (2) throw in the towel [sponge*], call (it) quits, say uncle, knuckle under.

éponger vt (III) *to relieve of everything:* (2) strip, clean out, take to the cleaners. (IV) *to have a sexual orgasm:* BRILLER.

époustouflant adj (II) ÉPASTROUILLANT.

époustoufler vt (II) ÉPASTROUILLER.

épouvantail nm (I) *ugly person:* (1) scarecrow.

épuré—être é. (III) *to be executed:* (2) get the chair [rope, gas chamber], burn (electrocution), swing (gallows).

équipe nf (I) *gang:* (2) mob.

équiper (s') vp (IIIa) *to form a team, band together:* (1) team up; (2) gang up.

éreintant adj (I) *difficult, fatiguing:* (1) backbreaking*, tough.

éreinté adj (I) *fatigued, tired:* (2) poopedout, bushed: AFFÛTÉ.

éreintement nm (I) *severe criticism, reprimand:* (2) tongue-lashing: ABATTAGE.

éreinter vt (I) *to tire out:* (2) run ragged, beat down, poop out. (I) *to criticize severely:* (2) roast: AQUIGER. (III) *to spoil, ruin:* (2) louse [foul] up: AMOCHER.

esballonner (s') vp (IIIa) *to escape from prison:* (2) break [crash] out, go over the wall [hill].

esbigner (s') vp (II) *to run away:* (2) scram: ADJAS. (II) *to die:* (2) kick off: ARME.

esbroufe—faire de l'e. (II) *to put on airs:* (2) put on the dog: CHICHIS. (II) *to boast:* (2) throw the bull: ALLER FORT. **voleur à l'e.** (II) *pickpocket:* (2) dip, fingers, leatherman, wire.

esbroufer vi (II) FAIRE DE L'ESBROUFE.

esbroufeur [euse] nmf (II) *boaster:* (2) hot-air artist: BÉCHAMEL. (2) *hustler.*

esbrousser (s') vp (II) *to escape, run away:* (2) pull up stakes, make a break: ADJAS.

escagassant adj (III) *difficult:* (2) tough going.

escagasser vt (II) *to punch, beat severely:* (1) clout; (2) sock: AMOCHER.

escan(n)er vt (IIIa) *to cheat:* (2) gyp: ARNAQUER. (IIIa) *to steal:* (2) cop, swipe: ARRANGER.

esgourde nf (III) *ear.*

esgourder vi (III) *to listen:* (2) give a listen, lend an ear.

espingo (uin) nm (III) *Spaniard:* (2) Spik.

esquintant adj (II) *tiring, difficult:* (2) tough.

esquinter vt (I) ÉREINTER.

estamper vt (II) *to overcharge:* (2) skin: ÉCHAUDER.

estampeur [euse] nmf (II) *swindler, sharper:* (2) gyp artist: ARNAQUEUR.

estomac—avoir un e. d'autruche (I) *to be able to digest anything:* (2) have a cast-iron stomach, be able to eat nails. **faire q'ch. à l'e.** (II) *to do something boldly:* (2) show a lot of guts.

estom(e) (abrév. de **estomac**) nm (III) *stomach:* (2) breadbasket: BIDE. **avoir de l'e.** (III) *to have courage:* (2) have guts*: BIDE. **avoir q'un à l'e.** (III) *to cheat s.o. boldly:* (2) make a sucker out of s.o.: ARNAQUER. **avoir l'e. dans les talons** (III) *to be very hungry:* (2) be hungry as a bear.

estomaquer vt (I) *to be disagreeably surprised, astonished:* (2) be floored: ABASOURDIR.

estourbir vt (III) *to kill:* (2) bump off: AFFAIRE. (IIIa) *to steal:* (2) pinch: ARRANGER.

étagère—é. à mégot (III) *ear.*

étaler vt (I) *to throw to the ground:* (2) lay out, floor, flatten. **en é.** (II) *to act ostentatiously:* (1) show off; (2) put on a show [front, act], make a big splash, act like a big shot. **é son jeu** (1) *to reveal one's intentions:* (1) put one's cards on the table*, show one's hand. **s'étaler** vp (I) *to stretch oneself out:* (2) flop down.

étape—brûler l'é. (I) *to skip a station (train).* (II) *to climb the social ladder.* **brûler les étapes** (II) *to attain a quick success.*

état—être (se mettre) dans tous ses états (I) *to be very upset:* (2) be (all) in a stew [dither], be hot under the collar, be up in the air. **être dans un bel é.** (I) *to be in fine condition (sarcastically):* (2) be in a hell of a shape. **en faire une affaire d'é.** (I) *to exaggerate an unimportant matter:* (2) make a big production [deal] over something, raise a stink [howl] about, kick up a fuss over.

étau nm (IV) *vulva:* BARBU.

étiquette nf (III) *ear.*

étirer (s') vp (I) *stretch one's legs:* (1) take a stretch.

étoffe—avoir l'é. (I) *to be capable:* (2) have the stuff*, have what it takes, be on the ball.

étoile—coucher à la belle é. (I) *to sleep in the open air:* (2) bunk out.

étouffer vt (III) *to rob (cleverly):* (2) swipe: ARRANGER. (II) *to drink at one gulp:* (2) drink bottoms up, drink chug-a-lug. **é de rire** (I) *to laugh until breathless:* (2) split one's sides laughing, laugh fit to kill. **é. le coup** (III) *to make peace, stop fighting, come to terms:* (2) call it quits, smoke the peace pipe.

étourdir vt (III) *to steal:* (2) cop, pinch: ARRANGER.

être—en être (III) *to belong to the police force:* (2) be fuzz, be a cop. (IV) *be a homosexual:* (2) be one of the "girls," be a pansy. **y être** (III) *to be in the know:* (2) be hip, be with it, know what's doing [cooking].

étriller vt (I) *to beat, mistreat:* (2) sock, paste: AMOCHER. (I) *to overcharge:* (2) skin, rook, gyp, clip.

eustache nm (Ia) *knife, dagger:* (2) shiv, sticker.

excracher vt (IIIa) *criticize, denigrate:* (2) run down, pan, roast: AQUIGER.

exo (abrév. de **exonéré**) nm (II) *complimentary theatre ticket:* (1) pass; (2) Annie Oakley.

expliquer (s') vp (II) *to come to blows:* (2) to lock horns: ACCROCHER. (III) *to turn to prostitution:* (2) hustle, hook.

fabriqué adj (III) *swindled, duped:* (2) conned, gypped, hooked, rooked, taken [sucked] in. (III) *arrested:* (2) collared, pinched, nabbed, pulled in, picked up.

fabriquer vt (II) *to make:* (2) cook up. (III) *to cheat, swindle:* (2) gyp: ARNAQUER. (III) *to rob, to steal:* (2) swipe, snitch: ARRANGER. (III) *to arrest:* AGRAFER. (III) *to succeed in seducing:* (2) to make.

façade nf (I) *false front:* (2) phony front, blind, cover-up.

fada adj (I) *simple-minded:* (2) dopey, nit-witted: ANDOUILLE.

fade nm (III) *share of booty:* (2) cut, piece, divvy. **aller au f.** (III) *to spend a lot:* (2) shovel out the dough. **prendre son f.** (IV) *to have a sexual orgasm:* (3) come: BRILLER.

fadé adj (III) *drunk:* (2) stewed, stoned: ALLUMÉ. (III) *overcome by injury (or wounds):* (2) done in: AFFÛTÉ.

fader (III) *to divide the booty:* (2) to cut the take, divvy up. (III) *weary, tire out:* (2) wear to a frazzle, do in.

faf(fe)s nm pl (III) *identification papers:* (2) I.D. card. (III) *bank notes:* (2) bills, lettuce, long green, folding money. **taper aux f.** (III) *to check identification papers.*

fafiots nm pl (III) FAFFES.

fagot nm (II) *former convict:* (2) ex-con. (III) *homosexual:* EMMANCHÉ. **fait comme un f.** (I) *poorly built (body), badly made (thing).* **habillé comme un f.** (I) *badly dressed:* (1) sloppy; (2) dressed like a snob. **sentir le f.** (I) *to be suspected of heresy (alluding to burning at the stake).* **vin de derrière les fagots** (I) *excellent wine reserved for special use.*

fagotage nm (I) *careless workmanship:* (2) sloppy [botched up] job.

fagoté adj (I) *badly dressed:* (2) dressed like a slob. (I) *badly made:* (2) slapped together.

fagoter (se) vp (I) *to dress badly:* (2) to dress like a slob.

faïence—se regarder en chiens de f. (II) *to glare at one another:* (1) to give each other a cold stare; (2) to give each other the fish eye.

faignant nm (II) *lazy person, do-nothing:* (2) lazy good-for-nothing.

faire vt (II) *to arrest:* (2) pinch: AGRAFER. **f. suisse** (II) *to drink in solitude.* **la f. à q'un** (II) *to swindle s.o.:* (2) take s.o. over [in]: ARNAQUER. **rien à f.!** (II) *nothing doing!:* (2) no dice!, no soap!, no go!, no deal! **s'en faire** (II) *to stew, worry, fret:* BILE.

faisan nm (II) *cheat, swindler:* (2) gypster, gyp artist, con man: ARNAQUEUR.

faisander vt (III) *to swindle, cheat:* (2) to con: ARNAQUER. **se faire f.** (III) *to get arrested:* (2) to get pulled in: AGRAFER.

faisandier nm (III) FAISAN.

faiseur nm (IIIa) FAISAN.

fait—être f. (III) *to be arrested:* (2) be nabbed: AGRAFER.

falzard nm (III) *pants:* (2) britches, jeans. **déchirer son f.** (IV) *to pass flatus:* (3) FART.

fana (abrév. de **fanatique**) nm (I) *devotee:* (1) fan.

fanal nm (II) *stomach:* (2) gut: BIDE. **n'avoir rien dans le f.** (II) *to be hungry:* (1) be empty [starved]. **se garnir le f.** (III) *to eat:* (2) fill one's belly: BECQUETER.

fanfan nm (I) *little child:* (1) little darling.

faramineux [euse] adj (II) *marvelous, wonderful:* (1) great: ÉPASTROUILLANT.

farce—être le dindon de la f. (I) *to be the victim of a joke or swindle:* (2) be the goat [sucker, fall guy, patsy, boob, mark].

farci adj (III) *drunk:* (2) loaded: ALLUMÉ.

farcir vt (III) *to cheat, dupe:* (2) con, gyp: ARNAQUER. (III) *to shoot:* (2) plug, let daylight through, fill with lead, put holes through. **se farcir** (III) *to serve a prison sentence:* (2) do time. **se farcir q'ch.** (III) *to treat oneself to s.t.:* (2) blow oneself to s.t. **se farcir q'un** (III) *to tolerate an undesirable person:* (1) stand for [stomach] s.o. **se farcir une gonzesse** (IV) *to have intercourse:* (3) screw a broad: AIGUILLER.

fard—piquer un f. (II) *to blush:* (1) turn red.

fardage nm (III) *swindle, involving display of quality merchandise and substituting inferior goods when a sale is made.*

farfouiller vi, vt (I) *to rummage, search:* (2) shake down, nose through.

farfouillette nf (II) *pocket:* (2) kick: FOUILLE.

farfouilleur [euse] nmf (I) *person who loves to rummage around, scavenger.*

fargue nf (IIIa) *criminal charge (accusation):* (2) beef, rap, slap.

farguer vt (IIIa) *to present strong evidence against:* (2) call the turn on, put the finger on. **se farguer** (III) *to arm oneself:* (2) get heeled [loaded], carry iron.

fargueur nm (IIIa) *accuser:* (2) fink, beefer, finger man.

faridon nf (III) *spree:* (2) bat, bender: BAMBOCHE. **être de la f.** (III) *to be without money:* (2) be broke [flat]: BLANC. **faire la f.** (III) *to go on a spree:* (2) go on a bender: BAMBOCHER.

farine—être de la même f. (I) *to be of the same kind:* (1) be birds of a feather: ACABIT.

faubert nm (IIIa) *tongue.*

faubourg nf (III) *buttocks (woman's)* (2) fanny: ARRIÈRE-TRAIN.

fauche nf (III) *robbery:* (2) caper, touch: AFFAIRE.

fauché adj (II) *without money:* (2) broke: BLANC. **f. comme les blés** (II) *penniless:* (2) stone broke: BLANC.

faucher vt (III) *to steal:* (2) to pinch: ARRANGER. (II) *to guillotine.*

faucheur nm (III) *crook, thief:* (2) grifter, gunsel, gonef.

faucheuse nf (IIIa) *the guillotine.* **la Grande F.** (I) *death.*

fausse-poule nf (IIIa) *fake policeman:* (2) phony cop.

fauteuil—arriver dans un f. (II) *to win (or succeed) without effort:* (2) win in a walk, win hands down. **être dans un f. doré** (II) *to have an easy, lucrative position:* (2) be on easy street, have a (soft) snap, ride the gravy train. **passer le poteau dans un f.** (III) ARRIVER DANS UN F.

faux-col nm (II) *head (on a glass of beer).*

faux-jeton nm (II) *hypocrite, two-faced person:* (2) double-crosser, phony. (II) *untrustworthy person:* (2) louse: BORDILLE.

faux-merlan nm (III) *petty criminal:* (2) cheap [two-bit] crook.

faux-nénés nm (III) *artificial breasts:* (1) falsies.

faux-poids nm (III) *woman below legal age (age of consent), minor:* (2) jail-bait.

faux-poulet nm (III) FAUSSE-POULE.

favouille nf (III) *pocket:* (2) kick, poke, keister.

fayot nm (II) *dried bean.* nm (II) *industrious worker:* (2) eager beaver. **faire f.** (III) *to re-enlist:* (2) take [sign up for] a second hitch.

fée blanche nf (II) *cocaine:* (2) snow: BIGORNETTE.

fée brune nf (II) *opium:* (2) hops, tea.

feignant nm (II) FAIGNANT.

feignasse nm (II péj.) FAIGNANT.

feignasser vi (III) *to laze around:* (2) piddle around: BRAS.

feinter vt (II) *to deceive, swindle:* (2) pull a fast one on: ARNAQUER.

fêlé adj (I) *slightly deranged mentally:* (2) cracked: ARAIGNÉE. **avoir le cerveau [coco] f.** (I) FÊLURE.

fêlure—avoir une f. (I) *to be slightly deranged mentally:* (1) be touched in the head*; (2) be cracked, be a little whacky (in the head), be a crackpot.

femmelle nf (I) *effeminate man, mollycoddle:* (2) sissy, pantywaist, weak sister.

fendard nm (III) *pants, trousers.* (2) jeans, britches.

fendre vt (II) *to spend (freely):* (2) dish [fork] out. **se fendre de** (II) *to stand treat for.*

fente nf (IV) *vulva:* BARBU.

ferme-la! (II imp.) *keep quiet!:* (2) shut up, shut your trap [yap], dry up.

ferraille nf (II) *small coins:* (2) small change. chicken feed. (III) *handcuffs:* (2) cuffs, bracelets, irons, nippers.

ferré—être f. sur q'ch. (I) *to know s.t. perfectly:* (1) know s.t. inside out; (2) be a wiz at: CALÉ.

fesse—n'y aller que d'une f. (III) *to do something halfway:* (3) do a half-ass job*. **pain de fesses** (IV) *money earned by prostitution.* **avoir chaud aux fesses** (III) *to be frightened:* BLANCS. **se manier les fesses** [III] *to hurry:* (2) shake a leg, get a wiggle on: DÉGROUILLER. **serrer les fesses** (III) *to be frightened:* (2) have the shakes: BLANCS.

feu nm (III) *pistol, revolver:* (2) rod, gat, roscoe, heater **avoir le f. au derrière** (I) *to be in a hurry:* (1) be in a rush. (III) *to be ardent:* (3) have hot pants: BANDER. **avoir le f. au jupon [cul, pantalon]** (III) BANDER. **aller au f.** (II) *to go to war.* **coup de f.** (I) *work to be done urgently:* (2) rush job. **faire long f.** (I) *to fail:* (2) flop, fizzle out. **mettre le f. aux poudres** (I) *to touch off the explosion* (fig.): (2) start the fireworks. **péter le f.** (III) *to be full of energy:* (2) be full of pep, be a live wire: ALLANT.

feuille—nf (III) *ear.* **f. de vigne** nf (I) *fig-leaf (on a nude statue, etc.):* (2) G-string. **être dur [constipé] de la f.** (III) *to be deaf:* (2) be deaf as a doorknob [post]. **voir les feuilles à l'envers** (III) *to make love in the bushes:* (3) have a roll in the grass [hay].

fias nm (III) *buttocks:* (2) rear end, ass: ARRIÈRE-TRAIN. nm (III péj.) *man, fellow:* (2) heel, louse, stinker, bastard, jerk; (3) horse's ass.

ficelé adj (I) *dressed:* (1) togged out.

ficelle nf (I) *shrewd, clever person:* (2) sharpie, slick customer. (III mil.) *officer's chevrons:* (1) bar, stripe, hash mark. **connaître les ficelles** (III) *to know how to get along:* (2) know the ropes*, know one's way around, be in the know. **tirer les ficelles** (II) *to direct surreptitiously or from a distance:* (2) pull wires [the strings*]. **être f.** (I) *to be a conniver:* (2) to be a slick customer [smooth operator].

fichaise nf (II) *worthless object:* (2) junk, crap: BROC. (II) *foolish talk:* (1) poppycock; (2) hooey, baloney, blarney, crap, applesauce, bull; (3) bullshit.

fiche—faire f. (II) *to discharge (from a job):* (2) fire, bounce, give walking papers: BALAI. **f. de consolation** (I) *prize to the loser:* (1) booby prize.

ficher vt (I) *to put, throw, toss, pitch.* **f. dedans** (II) *to deceive, cheat:* (2) gyp, take over: ARNAQUER. (II) *to put in jail:* (2) toss in the clink: BALLON. **f. des coups à q'un**

(II) *to beat s.o. up:* (2) give s.o. a shellacking: AMOCHER. **f. le camp** (II) *to run away:* (2) take it on the lam: ADJAS. **f. q'un à la porte** (I) *to throw s.o. out, discharge s.o.:* (2) give s.o. the gate [bounce]: BALAI. **je t'en fiche!** (II) *nothing of the sort!:* (2) you're all wet. **ne pas en f. un clou [coup]** (I) *to do nothing:* (2) not do a damn thing: BRAS. **on t'en fichera!** (I) *the more you get, the more you want.* **se ficher de** (I) *to scorn, laugh at:* (2) say the hell with, not give a damn [hoot] about*. **se ficher du tiers comme du quart** (II) *not worry about the future.*

fichtrement adv (II) *very:* (2) damnably, gosh-awful, helluva.

fichu adj (I) *poor (quality):* (2) lousy, crappy, crummy. (II) *mean, nasty:* (2) bitchy. (II) *lost.* **être f. comme l'as de pique [comme quatre sous]** (II) *to be dressed poorly:* (2) dressed like a slob. (II) *to be poorly built:* (2) be all fouled [loused, screwed] up. **être f. de** (II) *to be capable of:* (1) be up to, have what it takes to. **être mal f.** (II) *to be badly put together:* (1) to be slapped together. (II) *to be ill:* (2) be under the weather: AFFÛTÉ.

fier-à-bras nm (II) *braggart:* (2) show-off: BÉCHAMEL.

fiérot[e] nm f (I) *person of false pride:* (2) stuffed shirt: BÉCHAMEL.—adj. (I) *unduly proud.*

fifre—que f. (III) *nothing:* (2) not a damn thing, but nothing. **f. à grelots** nm (IV) *penis:* ARBALÈTE.

fifti nf (II) *half.* **fifti-fifti** (III) *equal shares:* (2) fifty-fifty, halvies.

figaro nm (1) *hairdresser, barber.* **faire f.** (III) *to receive no tip (waiter):* (2) draw a blank.

figer (se) vp (I) *to be cold:* (2) have the shivers.

fignard nm (IV) *anus:* ANNEAU.

fignedé nm (IV) *anus:* ANNEAU.

figue nf (IV) *vulva:* BARBU. **faire la f. à q'un** (I) *to show scorn of s.o.:* (2) thumb one's nose at s.o.* **mi [moitié] figue-mi [moitié] raisin** (I) *half of one, half of another:* (1) fifty-fifty.

figure—nf (II) *stupid person:* (2) dope: ANDOUILLE. **faire triste f.** (I) *to act in a shameful manner, make a bad impression:* (2) act like a dog [jerk]. **f. comme le cul d'un pauvre homme** (II) *coarse, red face.* **se payer la f. de q'un** (II) *to ridicule, hoax s.o.:* (2) razz. s.o.: BATEAU.

fil—avoir un f. à la patte (II) *to have a previous engagement:* (2) be tied up*. **coup de f.** (I) *telephone call:* (1) phone call, ring, buzz. **n'avoir pas inventé le f. à couper le beurre** (I) *not to be too clever or shrewd:* (2) be no great brain. **n'avoir plus de f. sur la bobine** (II) *to be bald.*

filer vt (I) *to hand over, give:* (2) fork over. (I) *to follow:* (2) shadow, tail, dog.—vi (I) *to run off:* (2) beat it, scram: ADJAS. **f. des jours d'or et de soie** (I) *to live peacefully and happily:* (2) live the life of Riley, live on easy street. **f. doux** (I) *to concede, back down:* (2) call it quits, throw in the sponge, [towel], say uncle. **f. le coup de sabre** (IV) *to have intercourse:* ARBALÈTE. **f. son noeud** (I) *to escape, run away:* (2) scram, beat it: ADJAS. **f. son câble** (I) *to die:* (2) *kick off:* ARME.

fileur—f. de gagnant (IIIa) *runner-up (in race).*

filez! (I imp.) *go away!:* (2) beat it! scram!

fillette nf (II) *half bottle.*

filoche—faire la [prendre en] f. (II) *to trail after:* (2) tail, put a tail on.

filocher vt (II) *to trail:* FILOCHE. (III) *to run quickly:* (2) make tracks.

filon nm (I) *sinecure, easy job:* (1) soft job; (2) good setup, easy racket. **avoir du f.** (II) *to be lucky:* (2) get the breaks, hit a gold mine. **trouver un bon f.** (I) *to find a remunerative and easy job:* (2) strike oil [pay-dirt], hit a gold mine*, get on the gravy train.

fiole nf (III) *face:* (2) mug, kisser: BALLE. **se payer la f. de q'un** (III) *to swindle, hoax s.o.:* (2) to gyp: ARNAQUER.

fion nm (IV) *anus:* ANNEAU. **avoir du f.** (III) *to be lucky:* (2) get the breaks. **avoir le f. pour q'ch.** (III) *to be adept at s.t.:* (2) be a wiz at s.t., be just the man for s.t. **donner le coup de f.** (III) *to round s.t. out:* (1) put the finishing touches to: (2) slick s.t. up.

fiotte nf (IV) EMMANCHÉ.

fissa adv (III) *quickly, in a hurry:* (2) P.D.Q. (pretty damn quick), presto. **faire f.** (III) *to hurry:* (2) shake a leg, step on it, step on the gas, get a move [wiggle] on.

fiston nm (II) *son.*

fistule—avoir de la f. (IV) *to be lucky:* (2) get the breaks; (3) have shit-ass luck.

fixé—être f. (I) *to be determined (as to what one wants), to have made up one's mind, to have no doubts.*

flac—en avoir **f.** (IIIa) *to be weary of:* (1) be sick and tired of; (2) have had one's fill [bellyful] of, be fed up (to the hilt), with: ANDOSSES.

fla-fla—faire des **fla-flas** (II) *to put on airs:* (2) put on the dog: CHICHIS.

flag—être pris en **f.** (IIIa) *to be caught in the act, be caught red-handed:* (2) be caught with the goods, be caught with one's pants down.

flambant adj (II) *rich:* (2) loaded: AS. (II) *excellent quality:* (1) topnotch. **f. neuf** (I) *brand new.*

flambard adj (II) FLAMBANT.——nf. (II) *lamp, lighting device of any kind.* **faire le f.** (I) *to show off, boast:* (2) act like a big shot, throw the bull.

flambe nf (IIIa) *any gambling game.*

flambé—être **f.** (III) *to be ruined:* (2) be sunk, be a gone goose, lose one's shirt, be cleaned out, be kaput, be done for.

flambeau nm (III) *business, business deal.* (III) *glib speech:* (2) blarney, soft soap: BARATIN. (III) *job.* **avoir du f.** (III) *to be lucky:* (2) get the breaks. **c'est du même f.** (III) *it's one and the same, it makes no difference:* (2) no matter how you slice it, it's all baloney.

flamber vi (III) *to gamble, play cards.*

flambeur nm (III) *gambler, card player.*

flan—à la **f.** (II) *poorly made:* (2) slapped together. **au f.** (III) *on the spur of the moment:* AUTOR (D'). **c'est du f.!** (II) *it's not true!:* (2) that's a lot of hooey [crap, baloney]. être [rester] **comme deux ronds de f.** (II) *to be astonished:* (1) flabbergasted, floored: ABASOURDIR. **faire du f.** (III) *to lie, try to deceive:* (2) throw a line (of baloney).

flanc—être sur le **f.** (I) *to be sick in bed:* (1) be laid up, be flat on one's back*. **se battre les flancs** (I) *to expend one's efforts without result:* (1) bat one's head against a stone wall; (2) knock oneself out for nothing. **tirer au f.** (III mil.) *to malinger:* (2) goldbrick. (III) *to shirk one's debts or obligations:* (2) welch, renege.

flanche nm (IIIa) FLAMBEAU.

flancher vi (II) *to back down, surrender:* (2) call it quits, throw in the towel [sponge]. (III) *to gamble (cards, dice) surreptitiously:* (2) play under cover. (II) *to break down (motor):* (2) to conk out.

flancheur nm (IIIa) FLAMBEUR.

flanelle—avoir les jambes en **f.** (III) *to be tired:* (2) be bushed: AFFÛTÉ. **faire f.** (II)

to do nothing: (2) twiddle one's thumbs: BRAS. **être enveloppé [s'envelopper] de f.** (II) *to be a delicate person:* (2) be a softie [pantywaist]: CREVÉ.

flanquer vt (I) *to throw, toss:* (2) to chuck: BALANCER. (I) *to give, hand over:* (2) fork over.

flanquette—à la bonne **f.** (II) *quietly, peacefully:* (2) piano-piano.

flasquer vi (IVa) *to defecate:* CASQUER.

flaupée nf (III) *large quantity:* (2) oodles, loads: CHARIBOTÉE. (III) *beating:* (2) shellacking: AVOINE. (III) *a crowd:* (2) a mob.

flèche nm (IIIa) *sou, centime.* nf (III) *gang:* (2) mob. **être sans un f.** (II) *to be penniless:* (2) be flat (broke): BLANC. **faire f. de tout bois** (I) *to try any means to succeed, leave no stone unturned:* (2) go the limit. **monter en f.** (I) *to rise rapidly:* (2) zoom. **ne savoir de quel bois faire f.** (I) *to be at the end of one's rope:* (2) be against the ropes, reach the end of the line.

flécher (se) vp (IIIa) *to work together, team up:* (2) gang up.

flème nf (II) FLEMME.

flémer vt (II) FLEMMER.

flemmard [e] nmf (II) *lazy, indolent person:* (2) lazy good-for-nothing, lazybones. —adj (II) *lazy.*

flemmarder vi (II) *to laze around, do nothing:* (2) louse [diddle, bat, bum] around: BRAS.

flemme nf (II) *laziness.* **avoir la f.** (II) *to be lazy, unwilling to work:* (3) have lead in one's ass. **battre [tirer] sa f.** (II) *to laze around:* (2) to louse around: BRAS.

flemmer vt (IIa) *to laze around:* (2) to diddle around: BRAS.

fleur nf (III) *virginity, maidenhead:* (3) cherry. (III) *commission, rebate:* (2) cut, kickback. **à f. de peau** (I) *casually, superficially:* (2) with a lick and a promise. **être f.** (II) *to have no money:* (2) be broke: BLANC. **faire une f. à q'un** (II) *to do s.o. a favor:* (2) give s.o. a break. (II) *to give s.o. a present.* **la f. des pois** (I) *the cream of the crop:* (2) top-notch, top-drawer. **s'envoyer des fleurs** (II) *to boast:* (2) to pat oneself on the back.

fleurette—conter **f.** (I) *to make flowery declarations of love:* (2) hand out a smooth line, dish out the applesauce.

flic nm (II) *policeman:* (2) cop, bull: ARGOUSIN.

flicaille nf (III péj.) *police (as a group):* (2) fuzz, cops: ARGOUSIN.

flicard nm (III) FLIC.

flingot nm (II) *firearm:* (2) heater: ARTICLE.

flingoter vt (IIIa) FLINGUER.

flingue nm (II) FLINGOT.

flingué adj (IIIa) *without money:* (2) broke: BLANC. (III) *killed, shot:* (2) bumped [knocked] off, plugged, filled with lead.

flinguer vt (III) *to shoot:* (2) plug, fill with lead, put holes through, let daylight through.

flopée nf (III) FLAUPÉE.

flottant nm (III) *pants:* (2) britches, jeans.

flotte nf (II) *large amount:* (2) oodles (of): CHARIBOTÉE. (III) *water (river, sea, etc.):* (2) drink. (II) *rain.*

flotter vi (III) *to rain heavily:* (2) rain buckets [pitchforks, cats and dogs].

flotteurs nm (III) *female breasts:* (2) tits, boobies: AVANT-SCÈNES.

flous[z]e nf (IIIa) *money:* (2) dough: ARTICHE.

flousse nf (IV) *flatus:* (3) fart.

flubard nm (III) *leg:* (2) shaft, pin. (III) *coward:* (2) yellow-belly, chicken. **avoir les flubards** (III) *to be frightened, afraid:* (2) chicken out: BLANCS.

fluber (IIIa) *to be afraid:* BLANCS.

flubes—avoir les f. (IIIa) BLANCS.

flûtes nf pl (I) *long, thin legs:* (1) pipe-stems, bean poles, matchsticks. **ajuster ses f.** (I) *to come to an agreement (before an undertaking):* (1) lay the ground rules. **être du bois dont on fait les f.** (I) *to be easily swayed:* (1) be wishy-washy [a namby-pamby]. **jouer [se tirer] des f.** (III) *to run off:* (2) beat it, make tracks: ADJAS.

focard adj (III) *crazy:* (2) nuts, batty: ARAIGNÉE.

foie—avoir les foies (blancs) (III) *to be cowardly:* (2) be yellow [chicken-livered]: CHIASSEUX.

foin—avoir du f. dans les bottes (I) *to be rich:* be loaded: AS. **être bête à manger du f.** (I) *to be stupid, dull-witted:* (2) be as dumb as an ox; (2) be a dummox [lunkhead]: ANDOUILLE. **faire des foins** (I) *to make a profit:* (2) make some gravy: AFFURE. **faire du f.** (III) *to make a racket:* (2) raise a rumpus, kick up a storm. (III) *create a scene:* (2) make [raise] a stink.

foirade nf (III) *diarrhea:* (2) runs, trots, G.I.'s.

foire nf (II) *spree:* (2) bender, toot: BAMBOCHE. (II) *any noisy, confused situation:*

(1) shindy, shindig. **acheter à la f. d'empoigne** (I) *to steal:* (2) swipe, pinch, hook. **avoir la f.** (III) *to have diarrhea:* (2) have the runs [trots, G.I.'s]. (III) *to be afraid:* BLANCS. **faire la f.** (II) *to go on a spree:* (2) to go on a toot: BAMBOCHER.

foirer vi (II) *to have diarrhea:* FOIRE. (III) *to be scared:* BLANCS. (II) *to fail:* (2) fizzle out: BOUDIN. (III) *to go on a spree:* (2) go on a toot: BAMBOCHER.

foireur nm (III) *coward:* CHIASSEUX. (III) *person who lives extravagantly, rounder:* (2) high [fast] liver, man about town.

foireux [euse] nmf (II) *coward:* CHIASSEUX. —— adj (II) *cowardly:* CHIASSEUX.

foiron (IVa) *anus:* ANNEAU.

follingue adj (III) *crazy:* (2) batty, loony: ARAIGNÉE.

foncer vi (I) *to speed along:* (2) barrel along: BOMBER. (I) *to plunge [dive] into, go headlong into.* (II) *to pay:* (2) fork over, kick in: ABOULER.

fondu adj (II) *crazy, mentally deranged:* (2) batty: ARAIGNÉE.

forgeron—tablier de f. (IIIa) *mons veneris, pubic hair:* BARBU.

formid' (abrév. de **formidable**) (II) *great! terrific!*

formidable adj (I) *remarkable, unusual, exceptional:* (1) terrific.

fortiche nm (III) *strong man:* (2) Tarzan: BATTANT.

fortifs (abrév. de **fortifications**) nm pl (III) *the old bulwarks of Paris, once the stamping grounds of criminal elements.*

fosse—avoir un pied dans la f. (I) *to have one foot in the grave:* (2) be on one's last legs. **creuser sa f.** (I) *to endanger one's life by excesses:* (1) dig one's own grave*.

fossé—sauter le f. (I) *to get married:* (2) get hitched, tie the knot, middle-aisle it, take the leap*. (I) *to take a risk:* (2) stick one's neck out, lead with one's chin.

fossile nm (I) *person with antiquated ideas:* (1) old fossil*, [fogy, dodo]; (2) has-been.

fouet—faire claquer son f. (I) *to enforce one's authority:* (1) crack the whip*; (2) show who is boss, throw one's weight around, show one's muscle.

Fouettard—botter le Père F. (II) *to kick in the buttocks:* (2) boot in the rear; (3) kick [boot] in the ass.

fouetter vi (III) *to stink.* **avoir d'autres chats à f.** (I) *to have more serious worries.* **il n'y a pas là de quoi f. un chat** (I) *it's* *nothing to get excited [upset] about:* (1) it's nothing to stew about; (3) don't get your bowels in an uproar.

fouille nf (III) *pocket:* (2) kick, poke. **c'est dans la f.** (III) *it's certain:* (2) it's in the bag*; it's a winner [cinch, sure thing], it's cinched. **f. percée** nf (III) *spendthrift:* (2) easy man with the dough. **vaisselle de f.** (III) *small coins:* (2) chicken feed. **mettre q'un dans sa f.** (III) *to make an ally of s.o., to convince s.o.:* (2) get around s.o., get s.o. in one's camp.

fouiller—se f. de q'ch. (III) *to do without s.t.:* BALLON. **tu peux te f.** (III, 2) you can whistle for it.

fouillette nf (III) FOUILLE.

fouillouse nf (IIIa) FOUILLE.

fouinard [e] nm f (II) *shrewd, clever person:* (1) sly fox; (2) slick customer, shrewdie. (II) *inquisitive person, busybody:* (1) snoop(er); (2) nosy guy. —— adj. (I) *shrewd, clever:* (2) slick, sharp. —— (I) *inquisitive:* (1) snoopy, nosy.

fouinasser vi (III) FOUINER.

fouiner vi (II) *to rummage around:* (1) nose around. (II) *to meddle in other people's affairs:* (2) stick one's nose [two cents] in. (II) *to give in, back down:* CAGNER; (III) *to slink off.*

fouler—se fouler la rate (I) *to make a great effort, to work hard:* (1) go to a lot of trouble; (2) knock oneself out. **se la fouler** (II): SE F. LA RATE. **ne pas se fouler** (II) *to take it easy.*

foultitude nf (I) *large quantity:* (2) loads of: CHARIBOTÉE.

four nm (II) *failure:* (2) flop*, fizzle, frost, bust, turkey, washout. **ce n'est pas pour lui que chauffe le f.** (I) *it's not meant for him:* (2) it's not his baby. **faire (un) f. (noir)** (II) *to fail:* (2) fizzle out, flop: BOUDIN. (II) *to fail (theat.):* (2) lay an egg, fall flat, fizzle. **on ne peut pas être au f. et au moulin** (I) *you can't do two things at the same time.*

fourailler vt (IV) *to have intercourse:* (3) screw: AIGUILLER.

fourbi nm (III) *soldier's kit.* (III) *any object in general:* (2) thingumajig, whatchacall it, gadget. **connaître le f.** (III) *to know how to manage:* (1) know one's way around; (2) be hip, know how to get out from under. **tout le f.** (III) *the whole works:* (2) the whole shooting match, the whole kit and caboodle, lock, stock and barrel. **quel fourbi!** (II) *what a mess!*

fourche nf (IIIa) *pickpocket:* (2) dip, fingers, cannon, wire, leather man.

fourchette nf (III mil.) *bayonet.* (IIIa) *pickpocket:* FOURCHE. **avoir la f.** (II) *in cards, to have one card immediately lower and one immediately higher than the opponent:* (1) straddle the opponent. **avoir une bonne f.** (I) *to have a big appetite:* (2) wave a mean fork, shovel it in. **coup de f.** (III) *poke in the eye (with the ends of fingers).* **f. du Père Adam** (I) *fingers.* **marquer à la f.** (I) *to mark up more points (in the game) than were made:* (2) hike [phony up] the score. **une belle f.** (I) *a hearty eater.*

fourgue nm (III) *receiver of stolen goods:* (2) fence, buyer, receiver, stop.

fourguer vi (III) *so sell (or buy) stolen goods:* (2) fence.

fourmi nf (I) *industrious and thrifty person.* **avoir des fourmis dans les jambes** (I) *to have pins and needles in one's legs.*

fourneau nm (III) *stupid person:* (2) blockhead: ANDOUILLE.

fourreau nm (II) *pants:* (2) britches, jeans. **coucher dans son f.** (I) *to sleep with one's clothes on.* **chier [foirer] dans son f.** (IV) *to be afraid:* BLANCS.

fourrer vt (I) *to shove in, poke in.* (IV) *to have intercourse:* AIGUILLER. **f. le nez dedans** (I) *to meddle, interfere:* (1) poke one's nose in*; (2) put one's two cents in. **ne savoir où se f.** (I) *to want to hide for shame:* (2) to feel like digging a hole and crawling in. **se fourrer dans un coup fumant** (II) *to get into a dangerous situation:* (2) get into a hot spot [hot water]. **se fourrer le doigt dans l'oeil** (I) *to be mistaken:* (2) be all wet, be out in left field, be (way) off base.

foutaise nf (II) FICHAISE.

foutre nm (IV) *semen.* **foutre!** (IV, 2) damn it! vt (III) *conveys the same meanings as "ficher" but vulgarly.* **faire f.** (III) *to discharge (from employ), eject (from a place):* (2) can, send packing: BALAI. **va te faire f.!** (IV) *go to hell!:* (2) go jump in the lake; (3) go screw (yourself). **je m'en fous!** (III) *I don't care!:* (2) I don't give a damn [hoot]!, to hell with it! **f. moi la paix!** (III) *leave me alone!;* (2) get off my back!, stop bugging me! **je t'en f.** (I) *you're mistaken:* (2) you're all wet, you're way off the beam. **qu'est-ce-que tu f.?** (III) *what are you doing?:* (2) what're you cooking up?

foutu—être f. (III) *to be ruined:* (2) sunk, done for, kaput, a gone goose, up the creek. **être bien f.** (III) *to be well made [constructed].* **être mal f.** (III) *to be poorly* *made:* (2) slapped [knocked] together. (III) *to be ill:* (2) be under the weather: AFFÛTÉ.

fracasser vt (III) *to burglarize, rob:* (2) knock [tip] over, heist, pull a heist on.

fracasseur nm (III) *burglar, house burglar:* (2) second-story man.

fraîche nf (III) *money:* (2) dough, mazuma: ARTICHE. **à la fraîche** (II) *early in the morning:* (1) bright and early.

frais—arrêter les f. (III) *to give in, surrender:* (2) throw in the sponge: CAGNER. **être f. comme l'oeil [une rose, un gardon]** (I) *to be fresh as a daisy*.* **faire ses f.** (I) *to cover one's expenses (business):* (2) break [come out] even, make the nut. **mettre aux f.** (II) *to put in prison:* (2) put in the clink: BALLON. **aux f. de la princesse** (II) *at government or company expense.*

fraise nf (III) *head, face:* (2) mug: BALLE. **aller aux fraises** vi (III) *to use too much make-up:* (2) smear on the paint. (III) *to wear one's pants too short:* (2) wear high-water pants. **amener sa f.** (II) *to arrive:* (2) blow in: ABOULER (s'). **ramener sa f.** (III) *to join a conversation without invitation:* (2) put in one's two cents. **sucrer les fraises** (II) *to have trembling hands:* (2) have the shakes, roll pills.

framboise nf (IV) *the clitoris.*

français—entendre le f. (I) *to recognize a threat, grasp a suggestion:* (2) get the point [message], catch on. **parler f.** (I) *to express oneself clearly.* **parler f. comme une vache espagnole** (I) *to speak French poorly:* (2) murder the French language.

franco adj (III) *loyal, dependable:* (2) square- [straight-] shooting. (III) *easy:* (2) a snap [cinch]. —— adv (III) *without fear or hesitation:* (2) right off the bat.

frangin nm (III) *brother.* (III) *fellow:* (1) chap; (2) guy, gee, geezer, gink: GARS.

frangine nf (III) *sister:* (1) sis. (III) *girl, woman:* (2) babe, chick, broad, tomato. (III) *nun.*

franquette—à la bonne f. (I) *simply, without fuss or ceremony.*

franquiste nm (IIIa) *receiver of stolen goods:* (2) fence: FARGUE.

fransquillon nm (III) *Frenchman:* (2) frog, Frenchie.

frappe nf (III) *criminal:* (2) hood, gunsel, mobster.

frappé adj (II) *crazy:* (2) batty, whacky: ARAIGNÉE.

frapper vt (IIIa) *to rob:* (2) heist, knock [tip] over.

fredaine nf (I) *frolic, prank.* **faire des fredaines** (II) *to sow one's wild oats.*

frein—ronger son f. (I) *to swallow one's pride, hold one's tongue:* (2) take it standing up.

frelot nm (III) FRANGIN.

frelotte nf (III) FRANGINE.

freluquet nm (I) *silly, conceited young man.* nm (I péj.) *short man:* (2) shrimp, shortie. **s'habiller comme un f.** (II) *to dress elegantly:* (2) dress like a dude.

frère—faux f. (I) *traitor:* (2) double-crosser. **f. trois-points** (II) *freemason.* **petit-f.** (III hum.) *penis:* (2) jigger: ARBALÈTE.

fressure—boîte-à-fressures (IIIa) *mouth:* (2) kisser; ACCROCHE-PIPE.

fric nm (II) *money:* (2) dough, moola: ARTICHE. **être au f.** (II) *to be rich:* (2) be in the dough: AS.

fricassée nf (I) *beating, thrashing:* (2) going-over, walloping: AVOINE. **f. de museaux** (II) *hugs and kisses:* (2) smooches.

fric-frac nm (II) *robbery:* (2) heist, job. **faire du f.-f.** (II) *to burglarize, rob:* (2) knock [tip] over, heist.

frichti nm (II mil.) *food:* (2) chow, grub, eats.

fricot nm (II) *beef stew.* (III mil.) *food:* FRICHTI.

fricotage nm (II) *illicit dealings:* (1) shady [underhand] deal. (II) *political graft.*

fricoter vi (IIa) *to engage in shady deals:* (2) finagle, run a racket, make a fast buck. vt (II) *to spend (money) freely:* (2) dish out, run through, piddle away. vi (III) *to flirt:* (2) play around. (III mil.) *to try to get an easy assignment:* (2) buck for a desk job. **f. les comptes** (II) *to falsify the accounts:* (2) doctor [phony up] the books.

frictionnée nf (III) *thrashing, beating:* (2) shellacking: AVOINE.

fridolin nm (III) *German:* (2) Jerry: ALBOCHE.

fri-fri—cache-f.-f. (IIIa) *very brief lady's undergarment:* (2) G-string.

frigo nm (II) *deep-frozen meat.* (II) *refrigerator.* —— adj (II) *cold.* **en avoir f.** (III) *to have had enough of:* (2) be fed up with, have had one's bellyful of: ANDOSSES. **être f.** (III) *to be cold:* (2) have the shivers.

frimant nm (III) *stage or screen extra:* (2) walk-on.

frime nf (I) *insincere act to create an impression:* (1) (false) front, act; (2) phony front, put-on, hokum. (I) *thing of little im-*

portance, trifle. (I) *face, or facial expression:* (2) mug, map: BALLE. **en f.** (II) *face to face, eye to eye:* (2) square in the kisser. **être de la f.** (II) *to be false, trivial only for show:* (1) be a (false) front; (2) be phony, be a lot of hokum [bunk, baloney]. **faire une f.** (II) *to be a stage extra:* (2) be a walk-on, have a walk-on part. **laisser en f.** (II) *to abandon, leave:* (2) walk out on, dump. **rester en f.** (II) *to be abandoned, left all alone:* (1) left high and dry. **tomber en f. avec q'un** (II) *to come face to face with s.o.:* (1) run square [smack] into s.o.

frimer vt (II) *to look at:* (2) take a gander at, get a load of: ALLUMER. (II) *to see (in sense of discover):* (1) spot; (2) lay eyes on. (II) *to pretend:* (2) put on an act [a show]. (III) *to point a gun at:* (2) pull a rod on.

frimousse nf (I) *face:* (2) map: BALLE.

fringale nf (I) *sudden pang of hunger.*

fringuer vt (III) *to dress, put clothes on:* (1) drape; (2) doll up. **se fringuer** vp (III) *to get dressed:* (2) put on one's duds.

fringues nf pl (III) *clothes:* (2) duds.

fringueur nm (III) *clothing dealer, haberdasher.*

fripe nf (II) *food:* (2) chow: BECQUETANCE. **faire la f.** (II) *to cook, prepare a meal:* (2) stir [rustle] up some chow [grub].

fripes nf pl (II) *second-hand clothes:* (2) hand-me-downs.

fripouillard nm (II) *criminal:* (2) hood, gunsel, grifter, mobster. (II) *despicable, low character:* (2) heel, bad actor, louse: BORDILLE.

fripouille nf (II) FRIPOUILLARD.

friquet nm (IIIa) *spy or informer in prison:* (2) stoolie, canary, belcher, fink, warden's man.

frire—avoir de quoi f. (II) *to be well off:* (2) be in the gravy, be on easy street: AS. **il n'y a rien à f.** (I) *there's nothing to eat.* (I) *there's no profit to be made:* (2) there's no gravy [velvet]. **poêle à f.** nf (III mil.) *machine gun:* (2) chopper, typewriter, chatterbox, burp gun.

frisco nm adj (III) FRIGO.

frisé nm (IIIa) *Nazi occupation troops:* ALBOCHE.

frisquet— il fait f. (II) *it's cool (weather):* (1) it's nippy.

frit adj (II) *ruined (financially):* (2) cleaned [washed] out: FLAMBÉ.

frite nf (III) *face:* (2) mug: BALLE. **frites** nf pl (I) *French fried potatoes:* (2) French fries. **avoir la f.** (III) *to be in top form, in the pink:* (2) be hot, be in top shape [form]. **en être comme deux sous [ronds] de frites** (II) *to be astonished, taken aback:* (2) flabbergasted: ABASOURDIR.

frizou nm (III) *German:* (2) Fritz: ALBOCHE.

froc nm (II) *pants:* (2) britches, jeans. **chier [foirer] dans son f.** (IV) *to be frightened:* (2) be scared stiff: BLANCS. **déchirer son f.** (IV) *to pass flatus:* (3) fart, let one go. **jeter son f. aux orties** (II) *to renounce monastic orders:* (1) quit the cloth. (II) *to throw off any restraints:* (1) break loose.

frocaille nf (II) *monks (as a group).*

frocard nm (II) *monk.*

froid—battre f. à q'un (I) *to give s.o. a cool reception:* (2) give s.o. the cold shoulder. **cela ne fait ni chaud ni f.** (I) *it makes no difference one way or the other:* (1) it's neither yes nor no. **être en f. avec q'un** (I) *to be on cool terms with s.o.* **n'avoir pas f. aux yeux** (I) *to be determined, energetic:* (2) be a live wire, be full of pep: ALLANT. **souffler le chaud et le f.** (I) *to speak (or act) in contradictory fashion:* (1) say one thing, and mean another.

fromage nm (I) *sinecure, easy job:* (1) plum; (2) snap, cinch, cushy job. **en faire tout un f.** (II) *to exaggerate the importance of an insignificant situation:* (2) raise a (big) stink, [kick up a fuss] about nothing. **se retirer dans un f.** (I) *to live in luxury without worrying about others:* (1) feather one's own nest.

frome [frometon, fromgi] nm (III) *cheese.*

frotte nf (III) *scabies:* (1) seven-year itch. (III) *(wooden or safety) match.*

frotée nf (II) *beating, thrashing:* (2) walloping: AVOINE.

frotter vt (I) *to beat:* (2) wallop, sock: AMOCHER.—vi (III) *to flirt:* (2) be on the make. (IIIa) *to dance in lascivious contact:* (3) rub it in on the floor. (IV) *to have intercourse:* (3) screw: AIGUILLER. **se frotter** vp (III) *to come to blows:* (2) trade punches: ACCROCHER. (III) *to dance.* **ne pas s'y frotter** (II) *to avoid s.o. one mistrusts:* (1) steer clear of, keep out of the way of. **se frotter à q'un** (II) *to attack or provoke s.o.:* (2) lay into s.o., give s.o. the business.

frottin—faire un f. (III) *to play a game of billiards.*

froussard [e] nmf (II) *coward:* (2) yellow bastard, chicken, yellow-belly.

frousse—avoir la f. (II) *to be afraid:* (2)

lose one's guts: BLANCS. **donner [ficher] la f.** (II) *to frighten:* (1) scare stiff; (2) give the willies, throw a scare into.

fruit—**sentir son f.** (I) *to show one's origins in act or appearance.*

frusquer vt (II) *to dress:* (1) tog out; (2) doll up. **se frusquer** vp (II) *to dress:* (2) get togged out, put on one's duds.

frusques nf pl (II) *clothes:* (1) duds, togs.

frusquiner vt (III) FRUSQUER.

fuchsias—**avoir les f.** (IIIa) *to be afraid:* BLANCS.

fumé adj (II) *caught:* (2) nabbed, hooked, collared, pinched: BAISÉ. (II) *ruined (financially):* (2) sunk: FLAMBÉ.

fumée—**balancer la f.** (III) *to shoot:* (2) throw [toss] lead, blast, turn on the heat. (IV) *to have an orgasm:* (3) shoot one's load: BRILLER.

fumer vi (I) *to be exasperated [angry], fume:* (2) be sore [mad] as blazes: CRAN.

fumeron nm (I) *heavy smoker:* (1) chain-smoker.

fumerons nm pl (III) *legs:* BÂTONS.

fumier nm (III péj.) *despicable person:* (2) louse, heel: BORDILLE.

fumiste nm (I) *liar:* (2) bag of wind, bull-thrower, hot-air artist; (3) bull-shitter.

fumisterie nf (I) *hoax, fakery:* (1) spoof; (2) gag. (I) *insincere remark:* (2) hot air, baloney, banana oil, applesauce.

fusain—**avoir les fusains** (IIIa) *to be frightened:* (2) have the jitters: BLANCS.

fusée—**lâcher une f.** (IIIa) *to vomit, puke:* (1) throw up: DÉBAGOULER.

fusil nm (II) *stomach:* (2) breadbasket: BIDE. **changer son f. d'épaule** (I) *to switch over (job, politics, opinion, etc.).* **coup de f.** (I) *large bill (in restaurant, hotel, etc.):* (2) stiff bill. **se garnir le f.** (III) *to eat:* BECQUETER.

fusiller vt (I) *to overwhelm with repeated remarks (good or bad):* (2) swamp, snow under. (II) *to ruin, botch up:* (2) louse [bitch] up: AMOCHER. **se faire f.** (III) *to lose at gambling:* (2) get cleaned out [taken to the cleaners], lose one's shirt, drop one's wad [roll].

futal nm (IIIa) *pants, trousers:* (2) jeans, britches.

gâche nf (III) *job.* **bonne g.** (III) *good job:* (2) soft [cushy] job, gravy train.

gâcher—**g. le métier** (I) *to work for low wages.*

gadin nm (IIIa) *head:* (2) nut: BALLE. **ramasser un g.** (III) *to fall:* (2) flop, take a flop [header, spill], go kerplunk. **y aller du g.** (IIIa) *to risk capital punishment (guillotine) in a criminal venture:* (2) stick one's neck out, risk the chair.

gaffe nf (I) *blunder:* (2) goof, boner: BOULETTE. **tenir q'un à longueur de g.** (I) *to keep s.o. from becoming too friendly:* (1) keep s.o. at arm's length*. **avaler sa g.** (I) *to die:* (2) kick off: ARME.

gaffe nm (III) *prison guard:* (2) screw, herder. (III) *sentry (during a criminal affair):* (1) lookout; (2) jigger-man, point. **faire g.** (III) *to watch out:* (1) be on the lookout, keep an eye peeled, keep on one's toes. **faire le g.** (III) *to be the sentry:* (1) be the lookout; (2) be the jigger-man, be on point. **fais g.!** (III) *watch out, danger!:* (2) cheese it!, zex!

gaffer vt (III) *to look at, watch:* (2) get a load of, keep an eye on: ALLUMER. —— vi (I) *to make a blunder:* (2) pull a boner: BOULETTE. (III) *to act as sentry:* GAFFE.

gaffeur nm (III) *sentry:* GAFFE.

gaffeur[euse] nmf (I) *blunderer:* (2) goofer.

gafouiller vt (III) GAFFER.

gaga nm (I) *senile person:* (2) old dodo: BIRBE. —— adj (I) *in second childhood:* (2) dotty.

gagne nf (II) *pay, salary.* **jour de la g.** (II) *payday.* **acheter à la g.** (I) *to buy on credit:* (2) buy on tick [the cuff], buy "a dollar down, a dollar when you get me."

gai adj (I) *slightly intoxicated:* (2) half-lit [stewed, loaded]: ALLUMÉ.

gail[le] nm (III) *race horse:* (2) nag, bang-tail, gee-gee, pony, hayburner.

galapiat nm (II) *good-for-nothing:* (2) no-good, bum, low-life.

gale nf (I) *despicable person:* (2) heel, skunk, louse: BORDILLE. **méchant comme la g.** (I) *very bad:* (2) as bad as they make them.

galéjer vi (I) *to stretch the truth:* (1) tell a tall [fish] story, pull s.o.'s leg.

galère nf (I) *harsh, difficult job or situation:* (2) salt mines, rock pile, sweatshop.

galerie—**amuser [jouer pour] la g.** (I) *to do something to impress the onlookers:* (1) play to the gallery*; (2) make a grandstand play.

galetas nm (I) *miserable living quarters:* (2) dive, hole-in-the-wall, rattrap, dump.

galette nm (II) *money:* (2) dough, cabbage: ARTICHE. **avoir la grosse g.** (III) *to be rich:* (2) be loaded: AS. **épouser la grosse g.** (III) *to marry a wealthy person:* (1) marry money: (2) marry into the dough, marry a bankroll.

galoche nf (I) *shoe.* (IV) *kiss:* (1) smack; (2) smooch. **riper ses galoches** (III) *to leave, run away:* (2) take off, make tracks: ADJAS. **rouler une g.** (III) *to kiss on the mouth:* (2) plant one on the kisser.

galon—prendre du g. (II) *to improve one's status, advance:* (1) get up in the world, climb the ladder.

galonnard nm (II mil.) *officer:* (2) brass.

galop—au triple g. (I) *at full [top] speed:* BARRE.

galoupe nf (II) *blunder, error:* (3) boner: BOULETTE.

galtouse nf (III) *money:* (2) dough: ARTICHE. (III mil.) *mess kit.*

galuche nf (II) *Gauloise (cheap French cigarette):* (2) butt, gasper, coffin nail, weed.

galure nm (II) *hat:* (2) lid: BADA. **porter le g.** (III) *to be suspected of informing:* BADA.

galurin nm (II) *galure.*

gambarde nf (III) *old auto:* (2) crate, heap: BERLINGOT.

gamberger vi (III) *to understand:* (1) catch on; (2) dig, savvy, get the drift [message], read, connect. (III) *to think, reflect:* (2) chew over, use one's gray matter, use the old bean [thinker].

gambettes nf pl (III) *legs:* (2) pins: BÂTONS. **jouer des g.** (III) *to run away:* (2) beat it: ADJAS. **tricoter des g.** (III) *to dance:* (2) cut a rug.

gambille nf (III) *dance, dance hall.*

gambiller vi (III) *to dance:* (2) cut a rug.

gambilles nf pl (III) *legs:* (2) gams: BÂTONS.

gamelle—manger à la g. (I) *to eat simply:* (2) eat out of the can. **ramasser une g.** (II) *to fall:* (2) take a flop: BILLET.

ganache nf (I) *stupid person:* (2) blockhead, dumbbell: ANDOUILLE. (I) *stupid old man:* (2) old dodo: BIRBE. (III) *equine jaw.* —— adj (I) *stupid:* (2) nitwitted, dopy, thickheaded.

gant nm (II) *tip, commission (for sales, service, etc.):* (2) kickback. **aller comme un g.** (I) *to be perfectly suitable:* (1) fit like a glove*; (2) be just what the doctor ordered. **avoir les gants de** (I) *to get the profit from:* (2) get the velvet [gravy, cream]. **jeter le g. à q'un** (I) *to defy [dare] s.o.* **relever le g.** (I) *to accept the challenge [dare].* **s'en donner des gants** (I) *to take the credit for s.t.:* (1) pat oneself on the back.

ganter vi (I) *to please, satisfy:* (2) suit to a T: BOTTER.

gapette nf (II) *cap (headgear):* (2) bean pod, beanie.

garce nf (III péj.) *woman of loose morals:* (2) floozy, tart, bitch: BOUDIN.

garçon—enterrer sa vie de g. (I) *to have a bachelor party before getting married:* (2) have one's last fling. **g. manqué** (I) *girl with masculine manners and tastes, tomboy.*

gare—à la g.! (I) *go away!:* (2) beat it!, scram!, take off!, vamoose!

gargamelle nf (II) *throat, windpipe.*

gargane nm (IIIa) GARGAMELLE.

gargariser (se) vp (II) *to drink:* (2) guzzle down, take a slug: BIBERONNER.

gargote nf (I) *cheap restaurant:* (2) beanery, flash house, greasy spoon, one-arm joint.

gargouille nf (III) *woman of loose morals:* (2) floozy: BOUDIN.

gargoulette nf (IIIa) *mouth:* (2) kisser: ACCROCHE-PIPE. (III) *neck, throat.*

gargue nf (IIIa) GARGOULETTE.

garno (s) nm (III) *furnished room or apartment.* (III) *uniformed policeman:* (2) harness bull, flatfoot.

garous(s)e nf (III) *railway station.*

gars nm (I) *man:* (1) fellow, chap; (2) guy, lug, geezer, gee, gazabo, gink, joker, bugger. **un bon g.** (I) *a good man:* (1) a brick, a good fellow [chap]; (2) a good egg [joe].

gaspard nm (III) *rat.*

gâteau nm (II) *profit:* (2) gravy, velvet. **c'est du g.** (III) *it's easy:* (2) it's easy as pie*, it's a snap [cinch], it's like taking candy from a baby: ART. **maman (ou papa) g.** (I) *overindulgent mother (or father).* **papa g.** (II) *man who showers his mistress with gifts:* (2) sugar-daddy. **partager le g.** (I) *to divide the profits:* (1) cut up the melon; (2) split the take, divvy up.

gau nm (III) *louse:* (2) cootie.

gauche—jusqu'à la g. (I) *to the very end:* (1) to the bitter end; (2) to the end of the line. **mariage de la main g.** (I) *common-law marriage, marriage without benefit of clergy.* **mettre à g.** (II) *to save:* (1) put aside for a rainy day; (2) sock [squirrel, hole, stash] away. **passer l'arme à g.** (I) *to die:* (2) kick the bucket: ARME.

gaufre nf (II) *platter, mess-kit.* **être la g.** (I) *to be the victim (of a joke, swindle, etc.):* (2) be the goat [sucker, fall guy, boob, patsy]. **moule à gaufres** (II) *pock-marked face.* **ramasser une g.** (III) *to fall:* (2) take a flop [header]: BILLET. **se sucrer la g.** (III) *to powder one's face.*

gaule nf (IV) *penis:* (2) pecker: ARBALÈTE. **avoir la g.** (IV) *to have an erection:* BANDER.

gauler vt (IIIa) *to arrest:* (2) pinch: AGRAFER.

gave nf (IIa) *throat, windpipe, gullet.*

gavion nm (IIIa) GAVE.

gaz—éteindre son g. (II) *to die:* (2) kick off: ARME. **donner plein [mettre les] g.** (II) *to drive [or run] fast:* (2) step on the gas: BOMBER.

gazer vi (III) *to go full speed:* (2) go full blast: BOMBER. (III) *to run smoothly (motor, any activity):* (2) hit on all sixes, perk along. (III) *to smoke heavily:* (2) smoke like a chimney [fiend]. **ça gaze** (II) *things are going along nicely:* (2) everything's o.k., things are perking along, everything's hunky-dory.

gazon nm (III) *hair, wig.*

gazouiller vi (III) *to stink.*

geignard [e] nmf (II) *complainer:* (2) bitcher, griper, beefer, crab, bellyacher.

geindre vi (I) *to complain needlessly:* (2) bitch, beef, crab, bellyache, grouse.

gelé adj (II) *drunk:* (2) stiff, loaded: ALLUMÉ.

genou—avoir la tête comme un g. (I) *to be bald:* (2) be bald as a billiard ball. **être sur les genoux** (II) *to be tired out:* (2) be pooped [bushed]: AFFÛTÉ. **faire du g.** (I) *to rub a woman's knees flirtatiously under the table:* (2) play kneesies [footsy].

gerbe nf (IIIa) *year (in prison).*

gerbement nm (IIIa) *prison sentence:* (2) rap, hitch, jolt, trick, stretch, time.

gerber vt (IIIa) *to serve a prison sentence (followed by the length of time):* (2) do a (length of time) stretch [bit, hitch, rap].

gerce nf (IIIa) GARCE.

gésier nm (III) *stomach:* (2) gut, gizzard: BIDE.

gicler vi (IIIa) *to run off:* (2) beat it: ADJAS. **g. des mirettes** (IIIa) *to cry, weep:* (2) turn on the waterworks, to bawl.

gigal nm (IIIa) *plumber.*

gigler (se) vp (IIIa) *to run off:* (2) make tracks: ADJAS.

gigo (III) *yes:* (2) yeah, yup.

gigolo nm (II) *jack (in cards):* (2) jake, J-boy.

gigolpince nm (III) *gigolo:* (2) fancy man.

gigot nm (II) *thigh, leg:* BÂTON.

gigoter vi (II) *to move one's legs restlessly.* (III) *to dance:* (2) cut a rug.

gigue nf (II) *gigot.* **grande g.** (II) *tall, thin girl:* (2) bean pole.

giries—faire des g. (IIa) *to put on airs:* (2) put on the dog: CHICHIS.

girofle adj (III) *good-looking:* (2) easy on the eyes: BADOUR.

giroflée à cinq feuilles nf (II) *slap in the face.*

girond adj (III) *girofle.* —— nm (IV) *homosexual:* EMMANCHÉ.

girouette nf (I) *one who often changes his mind.*

gisquette nf (III) *woman:* (2) babe, broad, tomato, gal, skirt, frail.

givré adj (III) *drunk:* (2) soused, loaded: ALLUMÉ. (III) *crazy:* (2) nuts, batty: ARAIGNÉE.

glaise nf (III) *the Earth:* (1) the globe.

glaiseux [euse] nmf (III) *rustic, peasant:* (2) hick: BOUEUX.

gland nm (III) *stupid person:* (2) dope: ANDOUILLE. (IV) *head of the penis.*

glander vi (III) *to wander around (idly and aimlessly):* (2) louse [bum] around.

glandilleux [euse] adj (III) *difficult, risky, dangerous:* (2) tough, chancy.

glass nm (II) *drinking glass.* (II) *a drink:* (2) shot, slug.

glaude nf (III) *pocket:* (2) poke, kick.

glaviot nm (III) *sputum:* (2) spit. (III) *medal.*

glavioter vi (III) *to expectorate:* (1) spit.

glisse—faire de la g. (IIIa) *to withhold part of the loot:* (2) hold out.

glisser—la [se laisser] g. (III) *to die:* (2) kick off: ARME. **laisser g. q'un** (II) *to discharge s.o., let s.o. go:* (2) drop s.o.; give s.o. the air [gate, bounce]: BALAI.

gloire—travailler pour la g. (I) *to work for little (or no) pay:* (1) work for the glory of it*; (2) work for peanuts [prunes, beans].

glu—avoir de la g. aux doigts (I) *to be clumsy:* (2) be butter-fingered, have two left hands. (I) *to embezzle funds:* (2) have sticky fingers*. **collant comme la g.** (I) *annoying, boring:* (2) bugging: BARBANT.

gluant [e] nmf (II) *pest, bore:* (2) drip: BASSIN. (III) *soap.*

gn(i)af nm (II) *shoe repairer, cobbler.*

gniard nm (III péj.) *person, man:* (2) guy: GARS.

gniasse nm (III) GNIARD.

gniaule nf (III) *whiskey:* (2) booze, hootch, red-eye, panther piss, Missouri mule.

gnière nm (III) GNIARD.

gn(i)ole nf (I) *stupid person:* (2) dope: ANDOUILLE.

gn(i)olle nf (III) GNIAULE.

gn(i)on nm (III) *punch, blow:* (1) wallop; (2) slug, sock, swat: ATOUT.

gnognote nf (II) *something without value:* (2) junk, crap: BROC.

gnouf nm (III) *prison cell at police station:* (2) clink, cooler: BALLON. (III mil.) *guardhouse:* (2) clink, jug, cooler.

go—tout de go (II) *immediately, unrestrainedly:* (2) right off the bat, from the word go*.

gobi nm (IIIa péj.) *Negro:* (2) nigger, coon: BOUGNOULE.

gobe-mouches nm invar. (I) *stupidly credulous person:* (2) easy mark, sucker, fish, patsy, pigeon, goat, boob, chump.

gober vt (I) *to believe without question:* (1) swallow, gobble up; (2) bite on, fall for, swallow hook, line, and sinker. (II) *to love:* (2) go for in a big way, fall for: AMOUR. **ne pas pouvoir g.** (II) *to dislike, detest:* (1) be unable to take: BLAIRER. **se gober** vp (II) *to be self-satisfied:* (2) have a big [swelled] head, be chesty.

gobette nf (II) *small glass of wine (esp. prisoner's ration):* (2) slug, shot, swallow.

gobichonner vi (I) *to enjoy oneself:* (2) live it up, have a gay [hot] time, have a ball [blowout].

godailler vi (II) *to feast:* (2) have a (real) blowout. (IV) *to have an erection:* BANDER.

godant adj (IV) *sexually exciting:* (2) hot: BANDANT.

godasses nf pl (III) *shoes:* (2) clodhoppers, barkers, canal boats.

godelet nm (II) *drinking glass.*

goder vi (IV) *to have an erection:* BANDER. **g. pour q'un** (IV) *to desire s.o. sexually:* BANDER.

godet nm (II) *small glass of wine:* (2) shot, slug, nip. **avoir du g.** (III) *to have luck:* (1) be in luck; (2) get the breaks.

godichard [e] nmf (II) *slow-witted person:* (2) goof ball, dope: ANDOUILLE. (II) *clumsy person:* (2) clumsy ox.

godiche nmf adj (I) GODICHARD.

godichon [onne] nmf, adj (I) GODICHARD.

godille—à la g. (III) *foolishly, stupidly:* (1) without rhyme or reason; (2) like a dope [nut]. (III) *of little value or importance:* (2) crap, junk.

godiller vt (IV) *to fornicate:* (3) screw: AIGUILLER.

godilleur [euse] nmf (IV) *sexually active person:* BANDEUR.

godillots nm pl (II) GODASSES.

gogo nm (I) *gullible person:* (2) patsy, sucker, sap, easy mark, boob. **à g.** adv (I) *abundantly, as much as desired:* (1) to one's heart's content; (2) oodles [loads] of.

goguenards nf pl (III) GOGUES.

goguenots nf pl (III) GOGUES.

gogues nf pl (III) *toilet:* (2) john: CABINCES. **envoyer au g.** (III) *to discharge, send away:* (2) send packing: BALAI.

goguette—être en g. (I) *to be a little drunk:* (2) half loaded: ALLUMÉ.

goinfrer (se) vp (I) *to eat gluttonously:* (2) wolf down [pack away] the chow, stuff oneself, eat like a pig. **se g. q'un** (III) *to tolerate s.o.:* (2) manage to swallow [take] s.o.

gomme—à la g. (II) *wrong:* (2) screwy, all wet, off the beam, full of prunes. **la g. à effacer le sourire** (III) *blackjack:* (2) sap. (III) *hammer.* **mettre la g.** (III) *to boast, exaggerate:* (2) lay it on thick: ALLER FORT. (III) *to drive quickly:* (2) give it the gun, step on the gas: BOMBER. (III) *to spend money freely:* (2) throw one's dough around; (3) piss away one's dough, blow one's bankroll.

gommeux [euse] nmf (II) *member of high society:* (2) upper-cruster. (I) *dandy, fop;* (2) dude. —— adj (II) *affectedly elegant, foppish.*

gonc[z]e nm (III) *fellow, person:* (1) chap; (2) guy: GARS.

gondolant adj (II) *very funny, side-splitting:* (1) too funny for words, roaringly funny.

gondoler (se) vp (II) *to laugh uproariously:* (1) laugh one's head off, laugh oneself sick; (2) be in stitches, have a belly-laugh.

gond—sortir de ses gonds (I) *to be very angry:* (2) blow one's stack: CRAN.

gonflé adj (II) *brave, courageous:* (I) spunky; (2) full of guts, game, nervy. (II) *rich:* (2) loaded: AS.

gonzesse nf (III) *woman (in general):* (2) babe, broad: BERGÈRE. (1) *kept woman.*

gorgeon nm (II) *drinking glass.* (II) *drink (of wine):* (2) shot, slug, short snort. (III) *money set aside to buy wine.*

Gorgonzola—avoir les dents plombées au G. (III) *to have bad breath:* (1) to have halitosis.

gosier—avoir le **g. ferré** (I) *to be able to digest anything:* (2) have a cast-iron stomach*. avoir une **éponge dans le g.** (I) *to drink heavily:* (2) soak [lap] it up: BIBE-RONNER. s'humecter le **g.** (III) *to take a drink:* (2) wet one's whistle*: AMYGDALES.

gosse nmf (I) *young boy or girl:* (2) kid, little shaver, young squirt.

gosseline nf (II) *young girl.*

got nm (III) GAU.

goualante nf (III) *song, ditty:* (2) pop tune, number.

goualer vi (III) *to sing:* (2) chirp, warble. (IIIa) *to confess:* (2) sing*, belch: ACCOUCHER.

goualeur [euse] nmf (III) *singer, vocalist:* (2) canary, chirper, tonsil artist.

gouape nf (II) *worthless person who keeps bad company:* (1) rounder; (2) bum, low-life.

gouge—n'avoir pas une **g.** (IIIa) *to be without money:* (2) be broke: BLANC.

gougnotte nf (IV) *Lesbian:* (2) dyke, Lesbie, lady-lover.

gouine nf (II) *woman of loose morals:* (2) floozy, tart: BOUDIN. (IV) *Lesbian:* GOUG-NOTTE.

gouiner (se) vp (IV) *to submit to Lesbian activities.*

goulée nf (II) *big mouthful.*

goulette nf (II) GOULÉE.

goulot nm (II) mouth: (2) kisser: ACCROCHE-PIPE. repousser du **g.** (III) *to have bad breath:* (2) to have halitosis.

goum nm (III) *blackjack:* (2) sap.

goupiller vt (III) *to arrange, put together (in general):* (2) hatch; (2) cook [hash, rig] up, slap [knock] together.

goupillon nm (I péj.) *the Clerical Party (political).*

gourance—avoir des **gourances** (III) *to doubt, be suspicious:* (2) be leary, smell a rat.

gourbi nm (III) *room or apartment:* (2) pad, kip, hole-in-the-wall. (III) *shack, shanty.* faire **g.** (IIIa) *to live in makeshift quarters with other destitutes:* (2) hit the jungle.

gourde nf (II) *stupid person:* (2) pumpkin head, dope: ANDOUILLE. —— adj (II) *stupid:* (2) dopey, dim-witted, blockheaded.

gourdichon nm (III) GOURDE.

gourdin nm (IV) *penis:* ARBALÈTE. avoir le **g.** (IVa) *to have an erection:* BANDER.

gourer vt (II) *to deceive, hoax:* (2) put one over on, pull a fast one: ARNAQUER, BATEAU. se **gourer** vp (III) *to be wrong:* (2) be off

the beam [all wet, out in left field], be all screwed up. se **gourer de** (III) *to distrust, be suspicious of:* (2) be leary of.

gourgandiner vt (Ia) *to chase after women:* (2) chase the skirts [broads].

gourme—jeter sa **g.** (I) *to sow one's wild oats.*

gouspin nm (II) *guttersnipe, young delinquent:* (2) young punk.

gousse nf (IV) *Lesbian:* GOUGNOTTE.

goussepain nm (II) GOUSPIN.

gousset—avoir le **g. bien garni** (I) *to be rich:* (2) be well heeled: AS. avoir le **g. vide** (I) *to be without money:* (2) be flat: BLANC.

goût—faire passer le **g. du pain à q'un** (II) *to kill s.o.:* (2) bump s.o. off: AFFAIRE.

goutte nf (I) *drink of whiskey:* (2) shot, slug. boire la **g.** (IIa) *almost to drown.* boire une **g.** (I) *to take a drink of whiskey:* (2) take a shot [slug], belt one down.

grabuge nf (I) *argument, quarrel, commotion:* (1) rumpus; (2) hassle, set-to.

grade—en prendre pour son **g.** (I) *to be severely reprimanded:* (2) get a calling-down: ABATTAGE.

graffin nm (II) *rag-picker:* (2) scrounger.

grafigner vt (II) *to scratch.* (III) *to collect junk, pick rags:* (2) scrounge.

graille nf (IIIa) *food:* (2) chow, grub, eats. aller à la **g.** (IIIa): *to eat:* (2) put on the feed bag: BECQUETER.

graillon nm (III) *thick sputum:* (2) gob of spit.

graillonner vi (II) *to hawk up thick sputum.* (III péj.) *to cook:* (2) rustle up some grub.

grain—avoir son **g.** (I) *to be somewhat drunk:* (2) be half-loaded [stewed]: ALLUMÉ. avoir un **g.** (I) *to be crazy:* (2) be loony [batty]: ARAIGNÉE. veiller au **g.** (I) *to be on one's guard (against danger):* (1) keep one's eyes peeled, keep a sharp lookout.

graine nf (III) *food:* (2) grub, chow. casser la **g.** (III) *to eat (esp. lightly):* (1) have a snack, have a bite to eat; (2) have a bit of chow. **g. de con** (IV) *stupid person:* (2) blockhead: ANDOUILLE. prendre de la **g.** (II) *to profit from the example of s.t. (or s.o.).* fille montée en **g.** (I) *woman beyond usual marriageable age, old maid.* mauvaise **g.** (I) *person of bad character:* (2) low-life, stinker, heel, louse. monter en **g.** (I) *to grow older, put on years:* (2) run to seed, become seedy.

grainer vi (II) *to eat:* (2) put on the feed bag: BECQUETER.

graisse nf (IIIa) *money:* (2) dough: ARTICHE.

faire de la g. (IIIa) *to boast:* (2) throw the bull: ALLER FORT. **amène ta g.** (III) *come here:* (2) drag your carcass [fat ass] over here.

graisser vi (IIIa) *to boast:* (2) to throw the bull: ALLER FORT. **g. la patte à q'un** (I) *to bribe s.o.:* (1) grease s.o.'s palm*; (2) grease [fix, smear] s.o.; put the fix on s.o., get to s.o. **g. le marteau** (I) *to bribe the porter:* (2) fix [grease] the doorman. **g. ses bottes** (I) *to get ready to leave:* (2) get set to take off. (I) *to get ready to die:* (1) get one's affairs in order; (2) get set for the last act.

grand couteau nm (III) *eminent, capable surgeon.*

grand format nm (II) *10-franc note.*

grand manitou nm (II) *director, chief:* (1) the boss (man); (2) the big chief*, the high muck-a-muck. (III) *important person:* (2) big shot, bigwig, high brass.

Grand Mec nm (III) *God.*

grand ressort nm (II) *the heart:* (2) ticker, pump.

grande tasse nf (II) *the ocean:* (2) the big ditch, the (big) drink, the briny.

Grande Taule nf (II) *police headquarters:* (2) H.Q.

grappiller vi (I) *to make some illegal profit:* (2) make [pick up] a fast buck.

grappin nm (III) *hand:* (2) mitt, duke, flipper, meathook. **jeter [mettre] le g. sur q'un** (I) *to gain control of s.o. (physically or spiritually):* (1) get the upper hand over s.o.; (2) show s.o. who's boss. **poser [mettre] le g. sur** (III) *to arrest:* (2) pinch, pull in: AGRAFER.

grappiner vt (IIIa) *to steal:* (2) snitch, swipe: ARRANGER.

gras nm (III) *profit:* (2) gravy, velvet. **faire g.** (I) *to eat meat.* **g. à lard** adj (I) *very obese:* (1) fat as a pig. **g. du bide** adj (III) *very obese (esp. around the waist):* (2) tubby, beer-bellied. **il y a g.** (II) *there's a good profit to be made:* (2) it's good for a bundle, there's plenty of gravy [velvet]. **parler g.** (I) *to talk obscenely:* (1) use dirty language.

grasse nf (III) *blunder, error:* (2) boner: BOULETTE. **faire la g. matinée** (I) *to sleep late into the morning:* (2) stay in the sack. **se la faire g.** (III) *to live (or spend money) extravagantly:* (2) live the life of Riley, spend money like it was going out of style.

gratin (le) nm (I) *high society, the Four Hundred:* (1) the upper crust.

gratouille nf (II) *scabies:* (1) the (seven-year) itch.

grattante nf (IIIa) *hand:* (2) mitt: GRAPPIN.

gratte nf (I) *illegal profits, graft:* (2) payola, kickback, rake-off, cut. (II) *scabies:* GRATOUILLE.

gratte-papier nm (I) *office clerk:* (2) pencil pusher, ink-slinger.

gratter vi (II) *to work hard:* (1) keep one's nose to the grindstone: (2) plug, hammer away, sweat. —— vt (II) *to overtake, get ahead of:* (1) take the lead over; (2) get the jump on. **g. du pied** (I) *to exhibit passion (love):* (2) act the heavy lover. **g. le papier** (I) *to make a small (illegal) profit, accept graft:* (2) take a kickback [rake-off]. **se gratter** vp (II) *to hesitate or think (before acting):* (1) scratch one's head; (2) give it a think. **se gratter de q'ch.** (II) *to do without s.o., be deprived of s.o.:* (2) whistle for s.t. **tu peux te g.!** (III) *nothing doing!:* (2) go jump in the lake! not on your life!

grattiche nf (II) GRATOUILLE.

grattoir nm (II) *razor.*

grattouse nf (III) GRATOUILLE.

gravos [se] nmf (III) *obese person:* (1) fatty; (2) fat pig, tub of lard, greaseball. —— adj (III) *obese, fat:* (2) tubby.

greffier nm (II) *cat, pussycat.* (IV) *female genitals:* BARBU.

grelot nm (II) *telephone, phone.* **attacher le g.** (I) *to take the initiative in a dangerous affair:* (1) play the hero. **avoir les grelots** (III) *to be afraid:* (2) have the jitters: BLANCS. **faire sonner son g.** (I) *to attract attention to oneself:* (2) blow [toot] one's own horn*. **mettre une sourdine à son g.** (I) *to quiet down, moderate:* (1) ease [slack] off; (2) pipe down, take it easy.

greluche nf (III) *woman:* (2) babe, broad: BERGÈRE.

grenouille nf (II) *cash-box, till.* (II) *organization funds, kitty.* nf (III péj.) *woman of easy morals:* (2) floozy: BOUDIN. **g. de bénitier** (I) *excessively pious person.* **faire sauter [manger] la g.** (II) *embezzle organization funds:* (1) rob the kitty, tap the till: (2) run off with the dough. **homme à la g.** (I) *weatherman (radio, TV).*

gribouillage nf (I) *poor writing, scribble:* (2) hen scratches. (I) *poor painting:* (1) daub.

gribouiller vi (I) *to write poorly, scribble.* (I) *to paint badly.*

grib[v]elle nf (IIIa) *cap (headgear).*

griffe nm (II) *hand:* (2) mitt: AGRAFE. **la Griffe** (III) *the Army.* **marcher à g.** (III) *to walk:* (2) hoof it, take the shoeleather express, ride shank's mare.

griffer vt (I) *to take, seize:* (1) grab hold of, snag; (2) latch on to, put one's hooks on.

griffeton nm (III) *soldier:* (2) G.I., dough-face.

grifton nm (III) GRIFFETON.

grignoter vt (I) *to get, earn:* (1) come by; (2) catch on to.

gril—être sur le g. (I) *to be impatient, anxious:* (1) be on pins and needles*; (2) have ants in one's pants.

grillante nf (IIIa) *cigarette:* (2) butt, ciggy, coffin nail, weed.

griller vt (II) *to smoke (tobacco).* (III) *to criticize:* (2) run down: AQUIGER. (III) *to get ahead of, overtake:* (1) take the lead over; (2) get the jump on. (IIIa) *to denounce (an accomplice):* (2) squeal [rat] on, put the finger on, finger, call the turn on. **en g. une** (III) *to smoke a cigarette:* (2) grab a smoke [puff].

grilleur [euse] nmf (III) *denouncer:* (2) rat, fink, squealer, stoolie.

grillot nm (IIIa) *opportunist.*

grimace—avoir droit à la soupe, à la g. (II) *to listen to wife's nagging at dinner:* (2) get a calling-down with the soup.

grimbiche nf (IIIa) *young woman:* (2) broad, babe: BERGÈRE.

grimpant nm (III) *pants:* (2) britches, jeans. **déchirer son g.** (IV) *to pass flatus:* (3) leave a fart. **porter le g.** (III) *to rule in the household:* (2) wear the pants in the family*, rule the roost.

grimper vt (IV) *to have intercourse with:* (3) screw: AIGUILLER. **faire g. q'un (à l'arbre)** (III) *to hoax or swindle s.o.:* (2) to con s.o., play s.o. for a sucker: ARNAQUER, BATEAU.

grinche nm (IIIa) *criminal, thief:* (1) gangster; (2) mobster, hood, gunsel, goniff.

gringue nm (IIIa) *bread.* **faire du g.** (III) *to flirt:* (2) give the eye: APPEL.

gringuer vi (III) *to flirt:* APPEL.

grippe—prendre q'un en g. (I) *to take a dislike to s.o.:* (1) turn against s.o.; (2) turn sour on s.o., get down on s.o.

gris adj (I) *half-drunk:* (2) half-stewed: ALLUMÉ. **en voir de grises** (II) *to be depressed, bored:* (2) be down in the mouth, have the blues, be bored stiff [to death], be sick and tired.

grisbi nm (III) *money:* (2) dough, cabbage: ARTICHE.

grisol adj (IIIa) *expensive, costly, dear.*

grive nf (III) *the army.* **faire sa g.** (III) *to serve in the army:* (1) put in one's time (in service). **saoul comme une g.** (III) *to be very drunk:* (2) be loaded to the gills, blotto: ALLUMÉ.

griveton nm (III) GRIFFETON.

grolles nf pl (III) *shoes:* (2) clodhoppers. **avoir les g.** (III) *to be afraid:* (2) be scared stiff: BLANCS. **traîner ses g.** (III) *to wander around aimlessly:* (2) loaf [louse, bum] around.

gros bonnet nm (II) *important person:* (2) V.I.P., big shot [wheel, bug], high muck-a-muck.

gros cul nm (III mil.) *cheap tobacco:* (2) stinkweed, cabbage, punk.

gros lolos nm pl (IV) *big breasts:* (2) big boobies.

gros papa nm (IIIa) *1000- or 5000-franc note.*

gros rouge nm (III) *red wine:* (2) vino, red ink.

grosse légume nf (II) *important person:* (2) big wheel: GROS BONNET.

grosse panse nf (II) *protuberant abdomen:* (2) beer belly: BEDAINE.

grossium nm (III) *important businessman:* (2) big wheel [cheese, shot], bigwig.

grouiller vi (I) *to move, budge.* **se grouiller** vp (II) *to hurry:* (2) get a move [wiggle] on, shake a leg, step on it, wiggle one's fanny, step on the gas.

grouillot nm (III) *apprentice.* (2) rookie.

groumer vi (III) *to complain:* (2) bitch, gripe: BOUGONNER.

grouper vt (IIIa) *to arrest:* (2) pinch: AGRAFER.

groupin nm (IIIa) *work, job.*

grue nf (III) *lewd woman:* (2) floozy, chippy: BOUDIN. **faire la g.** (III) *to stare in the air.* (III) *to be a prostitute:* (2) hustle, hook, peddle flesh. **faire le pied de g.** (I) *to wait in the same place for a long time:* (2) put down roots, cool one's heels.

guêpe nf (I) *shrew, nagging woman:* (2) pain in the neck [ass], bitch. (I) *annoyingly persistent man:* (2) pain in the neck [ass]: BASSIN.

gueulard [e] nmf (II) *boaster, braggart:* (2) loud [big] mouth*, blowhard, windbag, hot-air artist; (3) bull-shitter, bullshit artist. (III) *hearty eater:* (2) chow hound.

gueule nf (II) *mouth:* (2) mug, kisser: ACCROCHE-PIPE. (II) *face:* (2) map, mug: BALLE. **casser la g. à q'un** (II) *to beat s.o.*

up: (2) sock [wallop] s.o. in the puss, push s.o.'s face in. **avoir la g. enfarinée** (I) *to be very optimistic, hopeful:* (1) look on the sunny side, be a young hopeful. **avoir la g. pavée** (I) *have a good digestion:* (2) have a cast-iron stomach, be able to eat nails. **donner un coup de g.** (II) *to shout:* (1) let out a yell, holler. **emporter la g.** (II) *to burn the throat (strong drink, spiced food):* (1) take one's breath away; (2) burn a hole in the stomach. **être fort en g.** (I) *to talk too much:* (2) shoot off one's mouth [trap, yap], blow off at the mouth, sound off. (I) *to use coarse language:* (2) talk dirty. **faire la [une] g.** (II) *to make a grimace (of disagreement or dissatisfaction):* (2) make a sour face [puss]. **faire sa g.** (II) *to show one's disdain:* (1) turn up one's nose; (2) act snooty. **fermer sa g.** (II) *to keep silent:* (1) shut up; (2) shut one's trap [yap], keep mum, button up one's lip. **fine g.** nf (I) *gourmet.* **grande [grosse] g.** (II) *talkative person:* (2) windbag, hot-air artist. **g.-cassée** nf (II) *W.W. I veteran with facial wounds.* **rentrer dans la g. à q'un** (III) CASSER LA GUEULE. **se ficher la g. en bas [par terre]** (III) *to fall on one's face:* (2) take a header. **se ficher [foutre] sur la g.** (III) *to punch one another in the face:* (2) sock one another in the puss. **se payer la g. de q'un** (III) *to make fun of s.o.:* (2) razz [rib] s.o.: BATEAU.

gueulement—pousser des gueulements (III) *to raise a rumpus:* (2) kick up a fuss: BEUGLER.

gueuler vt (II) *to shout:* (1) holler, yell; (2) sound off. **g. au charron** (II) *to protest vigorously:* (1) kick; (2) squawk: BEUGLER.

gueuleton nm (II) *feast, lavish meal:* (1) blow-out; (2) big spread.

gueuletonner vi (I) *to have a lavish dinner:* (1) have a blowout; (2) pack [stow] away a big feast.

guibolles nf pl (IIIa) *legs:* (2) pins: BÂTONS. **avoir les g. en flanelle** (IIIa) *to be very tired:* (2) be weak in the knees: AFFÛTÉ. **jouer des g.** (III) *to run off:* (2) beat it: ADJAS. **tenir la guibolle de q'un** (III) *to hold s.o. back with petty talk:* (2) bend s.o.'s ear.

guichet—le petit g. (IVa) *anus:* ANNEAU.

guide—mener sa vie à grandes guides (I) *to live beyond one's means.*

guignard nm (I) *unlucky person, persistent loser:* (2) jinxed player.

guigne nf (II) *persistent bad luck (esp. gambling):* (2) jinx. **porter la g.** (III) *to bring bad luck:* (2) be a jinx [hoodoo].

guignole nf (IV) *penis:* ARBALÈTE.

guignols nm pl (III) *the police:* (2) the cops [fuzz]: ARGOUSIN.

guignon nm (I) GUIGNE.

guilledou—courir le g. (I) *to frequent unsavory places:* (2) hang out in the dives.

guimauve nf (II) *bad poetry, mediocre song.*

guimbarde nf (II) *old auto:* (2) old jalopy: BERLINGOT. (III péj.) *old woman, hag:* (2) old bag [crow].

guinche nf (IIIa) *dance, dance hall:* (2) dance palace.

guincher vi (III) *to dance:* (2) cut a rug.

guindal nm (III) *drinking glass.*

guise [au] nm (IV) *penis:* ARBALÈTE. **filer le coup de g.** (IV) *to have sexual relations:* (3) grab a lay: ARBALÈTE.

guiser vt (IV) *to fornicate:* (3) screw: AIGUILLER.

guitare nf (III) *an entire ham.* (IIIa) *bidet.* **avoir une belle g.** (III) *to have shapely hips (female):* (2) be well stacked.

guitoune nf (III) *room, apartment:* (2) pad, kip.

gy (III) GIGO. **faire g.** (III) *to be on the lookout:* (2) keep one's eyes peeled.

haleine—de courte h. (I) *of short duration, short term.* **de longue h.** (I) *of long duration, long term:* (1) long-winded, long-drawn-out.

hallebarde—il pleut [tombe] des hallebardes (I, 1) *it's raining cats and dogs [pitchforks, buckets].*

Hambourgeois nm (IIIa) *plainclothes policeman:* (2) dick, gumshoe, eye.

hameçon—mordre à l'h. (I) *to fall into the trap:* (1) bite, take the bait, get sucked in, get conned.

hareng nm (III) *pimp, procurer.* (IIIa) *inferior racehorse:* (2) plater, nag, dog. **h.-saur** nm (IIIa péj.) *German:* (2) Kraut, Jerry, Fritz, Heinie. **peau d'h.** (III) *worthless goods:* (2) junk, crap: BROC. (III) *worthless person:* (2) no-good, bum: BORDILLE.

harengère nf (I) *quarrelsome, insulting woman:* (1) fishwife*.

haricot nm (III) *head:* (2) noodle: BALLE. **avoir les jambes en haricots verts** (II) *to have thin legs:* (2) have legs like toothpicks [bean poles]. **c'est la fin des haricots** (III) *that's the last straw:* (1) that beats all, that tops everything; (2) that takes the cake. **courir sur le h. de q'un** (III) *to pester, bore s.o.:* (2) give s.o. a pain ~ the neck: ASSOM-

MER. **des haricots** (III) *nothing:* (2) peanuts, prunes, beans. **haricots verts (les)** (III) *the Germans:* (2) the Krauts [Jerries, Heinies].

harnacher vt (III) *to dress:* (2) tog out. **s(e)' harnacher** vp (III) *to get dressed:* (2) put on one's duds.

harnais nm pl (III) *clothes:* (2) duds, togs.

harponner vt (I) *to seize, arrest:* (2) collar: AGRAFER.

hauteur—être à la h. (II) *to be capable in one's work:* (2) to have the know-how, be up on one's job, be up to snuff.

herbe—couper l'h. sous les pieds de q'un (I) *to take s.o.'s job away:* (2) cut s.o. out of a job. (I) *to disrupt s.o.'s plans:* (1) to throw a monkey wrench in the works; (2) to put a crimp in s.o.'s style. **manger son blé en h.** (I) *to spend one's money before getting it:* (2) blow in one's pay before payday. **mauvaise h.** (I) *disreputable character:* (2) bum, lowlife, no-good, louse.

heure—chercher midi à quatorze h. (I) *to create unnecessary difficulties, brew a tempest in a teapot:* (2) kick up a storm about nothing. **l'h. H.** (I) *the time for attack (or any decisive action):* (1) zero hour. **le quart d'h. de Rabelais** (I) *the time to settle the bill:* (1) time to pay [cough] up. (I) **un mauvais quart d'h.** (1) *a difficult time:* (2) a tough [rough] time.

hic nm (I) *difficulty, snag:* (1) hitch, catch.

hidalgo nm (II péj.) *Spaniard:* (2) Spik.

hier—n'être pas né d'hier (I) *to have experience:* (1) not born yesterday*; (2) know what's doing [cooking, going on].

hirondelle nf (III) *bicycle policeman:* (2) cycle cop. **h. d'hiver** nf (I) *chestnut vendor (on Paris streets).*

histoire—avoir ses histoires (III) *to menstruate:* AFFAIRES. **faire des histoires** (I) *to raise a fuss:* (2) make a stink, blow up a storm. **h. à dormir debout** (II) *an unlikely story:* (1) fish [cock and bull] story.

hivio nm (III) *winter.*

homme—h. de barre nm (III) *partner, accomplice:* (2) buddy, side-kick. **h. de paille** nm (I) *figurehead:* (1) straw man, dummy; (2) front man. (I) *weakling:* (1) pantywaist, sissy.

homme-tronc nm *T.V. announcer.* (II) *one who has lost all his extremities:* (2) basket case.

horizontale nf (IIIa) *immoral woman:* (2) round heels; (3) easy lay: BOUDIN.

hosto nm (III) *hospital.*

hotte nf (III) *old auto:* (2) crate: BERLINGOT. (III) *taxi:* (1) cab. **en avoir plein sa h.** (III) *to be tired:* (2) be pooped: AFFÛTÉ.

hotu nm (III péj.) *disreputable person:* (2) heel: BORDILLE.

hublots nm pl (IIIa) *eyes:* (2) peepers, blinkers, glims.

huée nf (I) *boo!* (2) Bronx cheer, razzberry.

huile—h. de bras [coude] (II) *great physical effort:* (2) elbow grease*. **faire tache d'h.** (I) *to make slow, almost unnoticeable progress:* (1) go at a snail's pace. **les huiles** nf pl (II) *important personages:* (2) big wheels [shots], bigwigs.

huître nf (III) *sputum:* (2) spit. (III) *stupid person:* (2) dope: ANDOUILLE.

huppé adj (I) *wealthy:* (2) loaded: AS. (I) *of high society:* (2) upper crust.

hure nf (II) *head:* (2) nut: BALLE. (II) *face:* (2) map: BALLE.

hurf adj (III) *handsome, elegant:* (2) snazzy: BADOUR.

hussard—les hussards de la veuve (III) *the executioner and his assistants.*

illico adv (II) *right away:* (2) presto, P.D.Q. (pretty damn quick), toot sweet, in a jiffy.

ils—ils ne sont pas là (IIIa) *I have no money:* (2) I'm broke [flat, strapped]: BLANC.

imbuvable adj (I fig.) *intolerable:* (2) hard to take [stomach, swallow].

impair nm (I) *social blunder:* (2) boo-boo, blooper, goof: BOULETTE.

impec (abrév. de **impeccable**) adj (III) *perfect, flawless:* (1) first-class [of the first water], number-one, A-1.

imper (abrév. de **imperméable**) nm (III) *mackintosh, raincoat.*

incendier vt (II) *to annoy, insult:* (1) pick on; (2) pick to pieces. (II) *to reprimand, argue with:* (2) bawl out, give the devil to, raise hell with, put on the carpet.

incrédule—être i. comme Thomas (I) *to be hard to convince, be a doubting Thomas*:* (2) be from Missouri.

index—être mis à l'i. (I) *to be pointed out as dangerous, be excluded from a place or activity:* (1) be blacklisted*.

indic (abrév. de **indicateur**) nm (III) *police informer:* (2) stoolie, stool pigeon, finger (man), fink.

industrie—**chevalier d'i.** (I) *one who manages to get by with any expedient:* (2) finagler, slick operator, feather merchant, sharper.

insecte nm (I) *despicable person:* (2) louse, heel, stinker: BORDILLE.

installer—**en installer** (III) *to boast, show off:* (2) act like a big shot, put on a big front [act], throw the bull: ALLER FORT.

insti (abrév. de **instituteur**) nm (II) *schoolteacher:* (2) school prof.

instrument nm (IV) *penis:* ARBALÈTE.

inter (abrév. de **intermédiaire**) nm (IIIa) *one who directs clients to gambling places or disorderly houses:* (2) steerer, come-on.

Ivan nm (III) *Russian:* (2) Russky, Red.

ivoire—**taquiner l'i.** (I) *to play the piano:* (2) tickle the ivories*.

jabot nm (II) *stomach:* (2) gut: BIDE. **se remplir le j.** (II) *to eat copiously:* (1) stuff oneself; (2) fill one's gut*. **to pack [stow]** it away. **faire j.** (II) *to put on airs:* (2) to put on the dog: CHICHIS.

jaboter vi (II) *to talk incessantly, chatter:* (1) jabber; (2) yackety-yack, beat one's gums, chin, run off at the mouth.

jaboteur [euse] nmf (II) *chatterbox:* (2) windbag, blabbermouth, babblemouth.

jacasser vi (I) *to talk a lot:* JABOTER.

jacasseur [euse] nmf (I) JABOTEUR.

jack nm (IIIa) *taxi meter:* (2) clock.

Jacques nm (I) *fool, imbecile:* (2) dope, lunkhead: ANDOUILLE. (IIIa) *burglar's jimmy.* **faire le J.** (I) *to act stupidly:* (2) act like a dope [nitwit, goof, chump].

jactage [ance] nm (III) *chatter, idle talk:* (2) yackety-yack, chin music, gab, hot air.

jacter vi (III) *to talk:* (2) gab, chew the fat, spout off, shoot the bull. vi (III) *to relate, tell.*

jaffe nf (III) *food:* (2) chow: BECQUETANCE.

jaffer vi (III) *to eat:* (2) put on the feed bag, stow [pack] away a meal, hit the chow line.

jaja nm (III) *wine:* (2) vino, red ink.

jalmince adj (III) *jealous.*

jambe nf (IIIa) *100 francs.* **avoir les jambes de laine** (II) *to be exhausted:* (2) be bushed [pooped]: AFFÛTÉ. **avoir les jambes coupées** (II) *to be astonished:* (2) be floored: ABASOURDIR. **avoir les jambes en osier** (III) *to have weak legs:* (1) be weak in the knees; (2) have rubber legs. **cela me fera une belle j.** (II) *a lot of good that will do me!*

courir à toutes jambes (I) *to run full speed:* (2) tear along, go full blast. **donner des jambes** (I) *to increase speed:* (2) step on it, give it the gas. **faire j. de bois** (IIIa) *to leave without paying:* (2) skip out, beat the bill.* (I) *to drink excessively:* (2) hit the bottle: BIBERONNER. **faire une partie de jambes en l'air** (IV) *to have intercourse:* ARBALÈTE. **jouer des jambes** (II) *to run away:* (2) take a powder: ADJAS. **la jambe!** (III) *stop the foolishness!:* (2) come off it! stop bugging me! **lever la j.** (IV) *to be of easy morals (female):* (2) be a pushover, be an easy lay [make], have round heels. **par-dessous la j.** (II) *with skepticism:* (1) with a grain of salt. (II) *casually, without much interest:* (1) offhandedly. **prendre ses jambes à son cou** (I) *to run away:* (2) scram: ADJAS. **s'en aller sur une j.** (II) *to take only one drink.* **se dérouiller les jambes** (II) *to take a short walk (after a period of inactivity):* (1) stretch one's legs. **tenir la j. de q'un** (II) *to pester s.o.:* (2) gripe s.o.: ASSOMMER. **tirer dans les jambes de q'un** (II) *to oppose s.o. after having made an agreement:* (1) make an about-face, renege.

jambon nm (II) *guitar.* (II) *the thigh.* **gratter [racler] son j.** (III) *to play the guitar.*

jambonneau nm (II) JAMBON.

jambonner vt (III) *to pester, annoy:* (2) bug: ASSOMMER.

Janot nm (Ia) *stupid fellow:* (2) dumbbell: ANDOUILLE.

japonais nm pl (III) *money:* (2) dough, cabbage: ARTICHE.

jaquette—**avoir la j.** (III) *to be lucky (in gambling):* (2) get the breaks, have a lucky streak; (3) have shit-ass luck. **être de la j.** (IV) *to be a homosexual:* EMMANCHÉ. **tirer par la j.** (III) *to be annoyingly insistent:* (1) stick like a leech, plague, buttonhole. (III) *to overcome with flattery:* (2) snow under, sell a bill of goods, soft-soap.

jardin—**cultiver son j.** (I) *to live quietly without paying attention to outside affairs:* (1) mind one's own business; (2) stick to one's own knitting. **s'occuper de q'ch. comme des choux de son j.** (I) *to handle s.t. as though one owned it, act as if it was one's own.* **jeter des pierres dans le j. de q'un** (I) *to criticize s.o.:* (2) knock s.o., run s.o. down: AQUIGER. **côté j.** (III théât.) *actor's right.*

jardiner vt (III) *to criticize:* (2) knock: AQUIGER. (III) *to tease:* (2) kid, poke fun at, rib: BATEAU.

jars nm (III) *argot, slang:* (1) lingo, **dé-vider le j.** (III) *to speak slang:* (2) sling the lingo.

jaser vi (III) *to pray.*

jaseur nm (III) *priest:* (2) Holy Joe, sky pilot.

jaspillage nm (III) *chatter, gossip:* (2) chin-music, gabfest, bull session.

jaspiller vi (III) *to speak, discuss:* (2) gab, chin, gas, jaw, bat [shoot] the breeze, shoot the bull [baloney]. **j. bigorne** (III) *to speak slang:* (2) sling the lingo.

jaspilleur [euse] nmf (III) *chatterer:* (1) chatterbox; (2) hot-air artist, windbag, bag of wind.

jaspinage nm (III) JASPILLAGE.

jaspiner vi (III) JASPILLER.

jaspineur [euse] nmf (III) JASPILLEUR.

jaune nm (II péj.) *strikebreaker:* (2) scab, goon, fink. **porter le [être peint en] j.** (II) *to be cuckolded:* (2) be two-timed.

jaunet(te) nmf (IIIa) *20-franc gold piece (old francs).* (III) *20 centimes (new francs).*

java nm (III) *beating:* (2) shellacking: AVOINE. (IIIa) *spree:* (2) bender, toot: BAMBOCHE. **partir en j.** (IIIa) *to go on a spree:* (2) go on a toot: BAMBOCHER.

javanais nm (II) *lingo in which syllables "av" or "va" are interspersed in the words to make them unintelligible to the uninitiated (analogous to pig Latin).*

jean-fesse nm (II) *vulgar, boorish individual:* (2) lowbrow, bohunk, roughneck.

jean-foutre nm (III) *vulgar form of "jean-fesse."*

jésuite nm (I péj.) *hypocrite, narrow-minded person.*

jetée nf (III) *100 francs.*

jeter—**j. de la poudre aux yeux** (I) *to make a display with fake jewelry:* (2) flash phony rocks. **j. du jus** (II) *to make a good impression:* (2) put on a good show, go over big, make a big splash. **j. les yeux sur q'un** (I) *to select s.o. for an important assignment:* (2) give the nod to s.o. **j. un coup d'oeil** (I) *to look at:* (2) give the once-over: ALLUMER. **j. le jus** (IV) *to have a sexual orgasm:* BRILLER. **s'en j. un (derrière la cravate)** (III) *to take a drink:* (2) belt [slug] one down, take a shot [slug].

jeton nm (III) *blow:* (2) wallop: ATOUT. **avoir les jetons** (III) *to be frightened:* (2) be scared stiff: BLANCS. **prendre un j.** (III) *to watch a pornographic exhibition.* **vieux j.** nm (I) *old man:* (2) old-timer: BIRBE.

jettard nm (III) *prison:* (2) stir: BALLON.

jeu—**tirer son épingle du j.** (I) *to get out of a predicament:* (2) wiggle out of a tough spot.

jeudi—**la semaine des quatre jeudis** (I) *never:* (2) when Hell freezes over, in a month of Sundays*, in a blue moon.

jeunot nm (II) *young man:* (2) (young) punk.

job nm (I) *stupid person:* (2) dumb jerk: ANDOUILLE. (III) *job.* **monter le j. à q'un** (II) *to deceive, swindle s.o.:* (2) put one over on s.o., pull a fast one on s.o.: BATEAU. **se monter le j.** (II) *to delude oneself:* (1) fool oneself. **être le j. de q'un** (II) *to be just suited to s.o.'s ability:* (2) be right down s.o.'s alley.

jobard nm (I) *stupid person:* (2) dope: ANDOUILLE. (I) *credulous person:* (2) sap, sucker, easy mark, patsy, goat, boob.

jobarder vt (I) *to make a fool of, swindle, deceive:* (2) make a sucker of, play for a sucker: BATEAU.

jobastre nm (II) *stupid person:* (2) sap: ANDOUILLE.

jockey nm (IIIa) *one who entices players in a gambling house:* (2) shill, plant, come-on. (III) *professional test driver at automobile factory.*

joice adj (III) *happy, gay.*

joint—**trouver le j.** (I) *to find the best way of managing a situation:* (1) find the right combination*; (2) figure out the angles.

jojo adj (III) *pretty, good-looking:* (2) nifty, neat, classy: BADOUR. **affreux j.** (II) *boisterous child:* (2) noisy brat.

jonc nm (III) *gold.* **paner le j. de q'un** (II) *to pester, annoy s.o.:* (2) bug [gripe] s.o.: ASSOMMER.

joncaille nf (III) *gold.* (III) *jewels:* (2) junk, ice.

jongler—**faire j. q'un** (II) *to fail to give a promised share:* (2) screw [gyp] s.o. out of his cut.

jornaille nf (III) *day, daytime.*

jornanche nf (III) JORNAILLE.

jorne (une) nf (III) *a day.*

jouailler vi (I) *to play a musical instrument poorly.*

joue—**mettre en j.** (I) *to aim (weapon):* (2) zero in. (II) *to hold up:* (2) stick up, knock [tip] over. **se garnir [caler] les joues** (III) *to eat:* (2) stow away a meal: BECQUETER.

jouer—j. de chaque côté [à cheval] (III) *to bet across the board; bet win, place, and show.* **j. des jambes** (I) *to run away:* (2) scram, beat it: ADJAS. **j. gros jeu** (I) *to bet heavily:* (2) bet a bundle [wad]. **j. rip** (III) *to run away:* (2) take off, scram: ADJAS. **les j.** (III) JOUER RIP.

jouge—en moins de j. (IIIa) *very quickly:* (1) in no time at all, in a flash; (2) in a jiffy, in two shakes.

jouir vi (IV) *to have a sexual orgasm:* BANDER.

jour—ça ne voit pas le j. (III) *it's stolen merchandise:* (3) it's hot goods.

journaille nf (III) JORNAILLE.

journanche nf (III) JORNAILLE.

joyeuses nm pl (IV) *testicles:* (3) balls: BALLOCHES.

joyeux nm (IIIa mil.) *African Corps soldier.*

jugeote nf (I) *good judgment, common sense:* (1) horse sense.

jugulaire-jugulaire (II) *business before pleasure.*

Jules nm (II) *boy friend.* (III) *pimp.* (III) *chamber pot:* (3) piss pot. (IIIa) *German:* (2) Jerry: ALBOCHE. **se faire appeler J.** (II) *to be reprimanded:* (2) get bawled out, get raked [taken] over the coals, get called up on the carpet, get a going over, get put on the grill.

Julie nf (III) *girl, woman:* (2) babe, broad: BERGÈRE.

Julot nm (III) JULES.

jument—j. de brasseur nf (II) *stout, robust woman:* (2) Mack truck, big [truck] horse*, baby elephant.

jupé adj (IIIa) *drunk:* (2) stewed: ALLUMÉ.

jupon nm (II) *woman:* (2) skirt*, broad: BERGÈRE. **courir le j.** (II) *to chase after women:* (1) be a skirt-chaser* [Don Juan, ladies' man]; (2) chase the broads, alley-cat around.

juponné adj (III) JUPÉ.

jus nm (III) *coffee:* (2) mud, jake, jamoke, java. (III) *water:* BOUILLON. (II) *electric current:* (2) juice. **avoir du j.** (II) *to be stylish, elegant:* (2) have class*, make a good show. **jeter du j.** (II) *to make a good impression:* JETER. **j. de bâton** (II) *blow:* (2) wallop: ATOUT. **j. de chapeau [chaussette, chique]** (II) *bad coffee:* (2) mud. **j. de coude** (II) *energetic effort:* (2) elbow grease*. **j. de la treille** (II) *wine:* (1) juice of the grape*. **j. de réglisse** (III) *Negro:* (2) coon: BOUGNOULE.

jusq'auboutiste nm (I) *one who never surrenders (physically or in principle):* (1) bitter-ender*.

jute nf (IV) *semen.*

juter vi (IV) *to ejaculate:* BANDER.

juteux nm (III mil.) *adjutant:* (2) top kick.
—— adj. (II) *elegant, excellent:* (2) top-notch, classy, snazzy, nifty: BADOUR.

Kangourou nm (II) *Australian:* (2) Aussie.

kasbah nm (III) *house, apartment, room:* (2) pad, dive, kip, joint.

kébour nm (III mil.) *service cap, képi.*

kebrol nm (III mil.) KÉBOUR.

kif—c'est kif-kif [du kif] (I) *it's exactly the same:* (1) it's six of one and a half-dozen of the other; (2) no matter how you slice it, it's all baloney.

kiki nm (II) *neck, windpipe.* **serrer le k.** (III) *to strangle, throttle:* (2) mug. (IV) *child's penis.*

kil nm (III) *liter of wine.*

kilbus nm (III) KIL.

Kirsch nm (III) *the water (lake, sea, etc.):* (2) the drink.

klébard nm (III) CLÉBARD.

knock-out adj invar. (II) *astounded, overcome:* (2) floored, flabbergasted: ABASOURDIR.

kroume nf (III) *credit (at store, etc.):* (2) on tick.

là—être un peu là (II) *to be brave:* (2) have guts: BIDE. (II) *to be strong:* (2) be hefty, be a Tarzan. (II) *to be capable:* (1) know one's business; (2) be on the ball, know one's stuff [the answers].

lac—être dans le l. (II) *to be in a difficult situation:* (2) be behind the eight ball: BOUILLABAISSE. (II) *to be a failure (enterprise):* (2) to be a flop [frost, fizzle, washout].

lâcher—l. la rampe (II) *to die:* (2) kick the bucket: ARME. **l. l'écluse** (IV) *to urinate:* (3) take a leak [piss], piss. **l. le paquet** (III) *to confess:* (2) sing, spill one's guts: ACCOUCHER. **l. les pédales [dés]** (III) *to give up:* (2) call it quits, throw in one's hand: DÉS. **l. une perle [perlouse]** (IV) *to break wind:* (3) fart, let one go. **l. tout dans son froc** (IV) *to be very frightened:* (3) shit in one's pants. **les l.** (II) *to pay up, hand over (money):* (2) shell out: ABOULER.

lacsé nm (IIIa bouch.) *1000 francs.*

lacson nm (IIIa) *package, bundle.*

ladé adv (IIIa bouch.) *there:* (1) over yonder. (IIIa) *here.*

ladrerie nf (I) *miserliness.*

laga adv (IIIa) LADÉ.

laine—**avoir des jambes de l.** (II) *to be very tired:* (2) be out on one's legs: AFFÛTÉ. **se laisser manger [tondre] la l. sur le dos** (I) *to let oneself be swindled:* (I) let oneself be fleeced*: (2) be an easy mark [sucker, patsy].

lait—**vache à l.** (I) *something (or someone) providing constant profits:* (1) gold mine. **boire du l.** (I) *to have great satisfaction:* (2) be tickled pink. **monter comme une soupe au l.** (I) *to be quick-tempered:* (2) fly off the handle [blow one's stack] easily. **avoir le l. qui sort du nez** (II) *to be young and inexperienced:* (2) to be wet behind the ears*, be a simple Simon, be a young punk [snot].

laïus—**piquer un l.** (II) *to make a speech:* (2) to sound off, speak one's piece.

lambiner vi (I) *to waste time:* (2) to diddle [poke, futz] around, piddle along.

lamdé nf (IIIa bouch.) *woman:* (2) babe: BERGÈRE.

lame nf (II) *knife:* (2) shiv, sticker.

lamer vt (IIIa) *to stab:* (2) shiv.

lamfé nf (IIIa) LAMDÉ.

laminoir—**passer au l.** (II) *to subject to harsh treatment:* (1) put through the wringer*; (2) give a hard time, sweat.

lamper vt (I) *to drink:* (2) slug [belt] down, take a swig, guzzle: BIBERONNER.

lampion nm (III) *eye:* (2) peeper, blinker, glim.

lampiste nm (II) *innocent victim who pays for misdoings of someone else (at present often used to indicate one who suffers from injustice of the Government):* (2) fall guy, patsy, sucker, goat.

lance nf (III) *water (in general).* (III) *rain.* (IV) *urine:* (3) piss. **jeter de la l.** (IV) *to urinate:* (1) pass [make] water; (2) pee; (3) piss, take a leak. **chaude-lance** nf (IV) *gonorrhea:* (3) clap.

lance-parfum nm (III) *machine gun:* (2) chopper, typewriter, chatterbox, burp gun.

lance-pierre—**les lâcher avec un l.-p.** (II) *to be miserly:* (2) be tight-fisted [a penny-pincher].

lancequiner vi (III) *to rain.* (IV) *to urinate:* LANCE. **l. à pleins tubes** (III) *to rain heavily:* (2) rain pitchforks [cats and dogs], come down in buckets.

langouse nf (III) *tongue.*

langue—**avaler sa l.** (III) *to die:* (2) kick off: ARME. **avoir la l. bien pendue [affilée]** (I) *to be a voluble talker:* (1) be a chatterbox, have the gift of gab. **avoir la l. trop longue** (I) *to be unable to keep a secret:* (1) have a loose tongue*. **avoir un boeuf sur la l.** (II) *to keep a secret:* (2) keep mum, keep one's lip buttoned up. **délier la l. à q'un** (I) *to make s.o. talk:* (1) loosen s.o.'s tongue*; (2) get s.o. to spout off. **donner sa l. au chat** (I) *to give up (trying to guess).* **faire tirer la l. à q'un** (I) *to make s.o. wait a long time:* (2) make s.o. cool his heels. **se mordre la l.** (I) *to stop short of saying something foolish:* (1) bite [hold] one's tongue*. **tirer la l.** (I) *to wait a long time:* (2) cool one's heels. (I) *to be in want:* (2) have one's tongue hanging out*, be in a tough spot.

lansquiner vi (III) LANCEQUINER.

lanterne nf (II) *window.* (II) *eye:* (2) peeper. (III) *stomach:* (2) gut: BIDE. (III) *old prostitute:* (2) old floozy [bag]. **éclairer la l. de q'un** (II) *to inform s.o.:* (1) set s.o. straight; (2) give s.o. the straight dope, put hip, wise up, tip off, square away. **éclairer sa l.** (I) *to make oneself understood, clarify the situation:* (1) clear things up. **envoyer à la l.** (IIa) *to send to the gallows:* (2) string up.

lape nm (III) *nothing:* (2) not a damn thing. **avoir l.** (III) *to have nothing.* **être bon à l.** (III) *to be worthless:* (2) to be not worth a damn [a hoot in hell].

lapin—**chaud l.** (III) *amorous male:* (2) hot guy [lover], Casanova; (3) guy with hot pants [nuts], pussy chaser, gash hound. **fameux l.** (II) *shrewd, clever man:* (2) smooth [slick] customer, sharpie, shrewdie. (I) *bon vivant:* (1) playboy. **poser un l. à q'un** (III) *fail to keep an engagement:* (2) break [bust] a date, stand s.o. up. (III) *to fail to keep a promise:* (1) go back on one's word; (2) weasel out (of a promise).

lapine nf (II) *woman with many children.* **chaude l.** (III) *highly sexed woman:* (2) hot babe [broad], nympho. **mère l.** (I) *very conscientious mother:* (1) mother hen.

lapinisme nm (II) *the "population explosion."*

lapuche nm (III) LAPE.

larantqué adj (IIIa bouch.) *forty.*

larbin nm (III) *valet, butler.* (III) *jack (in cards):* (2) Jake, J-boy. (II) *menial servant:* (2) scut boy.

lard—**avoir mangé le l.** (I) *to be the guilty one.* **faire du l.** (II) *to put on weight:* (2) take on blubber*. (II) *to relax:* (2) take it easy, twiddle one's thumbs.

lardoire nf (I) *dagger, knife (as weapon):* (2) shiv, sticker.

lardon nm (II) *child:* (2) kid, brat, little stinker.

lardosse nm (IIIa bouch.) *overcoat:* (1) topper; (2) benny.

lardu nm (IIIa) *police station.* (IIIa) *police sergeant.*

lardus nm pl (IIIa) *police:* (2) the cops, fuzz.

large—gagner [prendre] le l. (I) *to run away:* (2) make tracks: ADJAS.

largonji nm (IIIa bouch.) *butcher's slang (a form of slang, analogous to schoolboy's pig Latin. In one form the first consonant is replaced by an l., then transposed to the end of the word, where it is followed by such endings as "em, é, i, oque, uche, ard," etc.; thus "jargon" becomes "largonji," "femme" becomes "lamfé," etc.; other complicated alterations are used with the intent of confusing the outsider. Although this jargon is limited in its use, a few words have become popular and are translated in this lexicon).*

larguer vt (III) *to get rid of:* (1) chuck: BALANCER. (III) *to abandon, desert:* (2) run out on, give the air. (III) *to set free, let loose:* (1) let go. **l. les voiles** (II) *to run away:* (1) take off: ADJAS.

larigot—à tire-larigot adj (I) *much:* (2) lots of: CHARIBOTÉE.

larme nf (I) *a small quantity (of wine, etc.):* (1) a wee bit; (2) a teeny bit, a smidgen.

larmes de crocodile (I) *crocodile tears.*

larmichette nf (III) LARME.

larton nm (IIIa) *bread.*

lasa(g)ne nf (IIIa) *punch, blow:* ATOUT. (III) *letter.*

lascar nm (III) *bold, brave man:* (2) tough guy [customer]. (I) *person (in general):* (2) guy, joker, gee, geezer: GARS.

latter vt (III) *to kick, boot in the rear:* (3) to kick in the ass.

lattes nm pl (III) *shoes:* (2) clodhoppers. **marcher à côté de ses l.** (III) *to have no money:* (2) be on one's uppers*: BLANC. **traîner les l.** (III) *to be poverty-stricken:* (2) to be down-and-out: DÉBINE. **traîne-l.** (II) *destitute person, wretch:* (2) down-and-outer, poor slob.

lattoches nm pl (III) LATTES.

laubé adj (IIIa bouch.) *good-looking, handsome:* (2) keen: BADOUR.

lauchem adj (IIIa bouch.) *hot.*

lavage nf (III) *sale of personal belongings to raise money.*

lavasse nf (II) *any watered-down or bad drink (coffee, soup, wine, etc.):* (2) dishwater, hogwash.

lavedu nm (IIIa) *stupid person:* (2) lunkhead: ANDOUILLE.

laver vt (II) *to sell (stolen goods or one's own belongings) to raise money:* (1) peddle. **l. la tête à q'un** (II) *to reprimand s.o.:* (2) bawl s.o. out, give s.o. hell, take s.o. over the hurdles, give s.o. a calling- [dressing-] down.

lavette nf (III) *tongue:* (2) clapper. (III) *weakling:* (2) softy, sissy, weak sister, pantywaist, namby-pamby.

lazagne nf (IIIa) LASAGNE.

lazaro nm (IIIa) *jail, prison (for women):* (2) cooler: BALLON.

lazingue nm (IIIa) *wallet:* (2) poke.

lèche nf (I) *very thin slice, sliver (bread, etc.).* **faire de la [passer une] l. à q'un** (II) *to flatter s.o., toady to s.o.:* (1) lick s.o.'s boots; (2) soft-soap [butter up] s.o.; (3) brownnose s.o., kiss s.o.'s ass.

lèche-bottes nm (I) *bootlicker:* (2) applepolisher, brown-noser; (3) ass-licker.

lèche-carreaux nm (II) *window shopping.*

lèche-cul nm (IV) LÈCHE-BOTTES.

lèche-mottes nm (III) LÈCHE-BOTTES.

lèche-train nm (III) LÈCHE-BOTTES.

lèche-vitrines nm (II) LÈCHE-CARREAUX.

lécher—s'en lécher les babines [doigts] (III) *to relish one's food:* (2) lick one's chops, smack one's lips. **l. les vitrines** (II) *to go window-shopping.*

légionnaire nm (IIIa) *liter of red wine.*

légitime nf (III) *wife:* (2) the missus: BARONNE.

légume—grosse l. (II) *important person, superior officer:* (2) big shot, high brass, V.I.P. (very important person), bigwig. **être dans les légumes** (II) *to be with important people:* (1) travel in high circles; (2) mix with the big shots.

légumes nm pl (IV) *male genitals.* **perdre ses l.** (IV) *to start menstruating:* (2) fall off the roof: AFFAIRES.

lerche adj (IIIa) *many.*

lessivé adj (III) *tired:* (2) wrung out*, bushed: AFFÛTÉ. (III) *financially ruined:* (2) cleaned [wiped] out*, taken to the cleaners.

lessiver vt (III) *to sell:* BAZARDER. (III) *to defeat an opponent quickly:* (2) walk all over, run away with, clean up on*. (III) *to dispose of:* (1) chuck: BALANCER. (III) *to obtain a* *person's money (either by robbery, in gambling, or by a swindle):* (2) clean out, take to the cleaners. (III) *to finish:* (1) put the finishing touches to, clean up.

lest nm (Ia) *food:* (2) chow, grub.

lester (se) vp (I) *to eat a nourishing meal:* (2) stoke up.

lettre—passer comme une l. à la poste (I) *to be easily swallowed and digested:* (1) go down easy, easy to take. **les cinq lettres** (III) *euphemism for "merde":* (1) the four-letter word.

leu-leu—à la queue l.-l. (I) *single file, Indian file.*

levage—faire un l. (IIIa) *for a prostitute to acquire a client:* (2) make a pickup.

levé—au pied l. (I) *on the spur of the moment:* (2) right off the bat.

lever vt (III) *to steal:* (2) lift, swipe: AR-RANGER. **l. le pied** (I) *to sneak off:* (2) take a powder, pull out on the q.t. **l. le coude** (I) *to drink heavily:* (2) bend the elbow*: BIBE-RONNER. **l. la jambe** (III) *to be of easy morals:* (2) be an easy lay, have round heels, be a pushover.

levure—se faire la [pratiquer une] l. (II) *to run away:* (2) make a break: ADJAS.

lézard—faire le [prendre un bain de] l. (I) *to sunbathe, bask in the sun:* (1) soak up the sun.

lézarder vi (I) LÉZARD.

lichailler vi (IIIa) *to drink:* (2) take a slug: BIBERONNER.

licher vi (III) LICHAILLER.

licheur nm (III) *heavy drinker:* (2) souse: BIBARD.

lidré (IIIa bouch.) *ten.* (IIIa) *ten-card:* (2) ten-spot.

lièvre nm (III) *woman of loose morals:* (2) floozy: BOUDIN.

ligne—avoir (de) la l. (I) *to have a slender figure.*

ligoter vt (IIIa) *to read.*

limace nf (III) *shirt.* (IIIa péj.) *woman:* (2) broad, babe: BERGÈRE.

limande nf (I) *very thin person:* (2) rail, bean pole. (IIIa) LIMACE.

lime nf (III) *shirt.*

limer vi (IV) *to have intercourse:* AIGUILLER.

limier nm (I) *policeman:* (1) cop: ARGOUSIN.

limonade—tomber dans la l. (III) *to fall into the water:* (2) tumble [flop] into the drink.

limouse nf (III) LIMACE.

linge—avoir du l. (II) *to have good clothes, have a good wardrobe.*

lingé adj (III) *dressed:* (2) togged out.

linger vt (III) *to dress:* (2) tog out.

lingue nm (III) *knife, dagger:* (2) shiv.

lipper vi (II) *to eat:* (2) put on the feed bag: BECQUETER. (II) *to drink:* (2) take a slug [swig], belt down.

liquette nf (III) *shirt.*

liquider vt (I) *to get rid of:* BALANCER. (III) *to kill:* (2) bump off: AFFAIRE.

lisbroquer vi (IV) *to urinate:* LANCEQUINER.

lissépem nm (IIIa bouch.) *urine:* (2) pee; (3) piss.

livre nf (III) *100 francs.*

lobé adj (III bouch.) *good-looking:* (2) nifty, snazzy: BADOUR.

locdu adj (IIIa) *crazy:* (2) nutty: ARAIGNÉE.

loche nm (IIIa) *taxicab driver:* (1) cabbie.

loilpé (à) adj (III bouch.) *naked:* (2) in the raw, in one's birthday clothes, naked as a jaybird.

loilpuche (à) LOILPÉ.

loinqué—au l. (III) *far-off.*

lolos nm pl (IV) *female breasts:* (2) tits: AVANT-SCÈNES.

longe nf (IIIa) *a year.*

longues—les avoir l. (III) *to be hungry.*

lopaille nf (IV péj.) *homosexual:* (2) fairy: EMMANCHÉ.

lope nf (IV) LOPAILLE.

lopette nf (IV) LOPAILLE.

loqué adj (III) *dressed:* (2) togged out…

loquedu nm (III péj. bouch.) *mean, unpleasant person:* (2) louse, stinker, heel, mug, dog, rat, skunk, bastard.

loquer (se) vp (III) *to dress:* (2) put on one's duds.

loques nf pl (III) *clothes:* (2) duds, rig.

lot—un beau petit l. (III) *a good-looking girl:* (2) quite a dish, a nifty babe, a swell number. **décrocher [gagner] le gros l.** (I) *to win the grand prize, be successful:* (2) hit the jackpot, make a killing [big hit].

loubé nm (III bouch.) *a little bit, a small piece:* (2) a smidgen.

loucedé—en l. (IIIa bouch.) *quietly, on the sly:* (2) on the q.t.

louche nf (II) *hand:* (2) mitt, fin, duke. **filer la l.** (III) *to help:* (1) lend a hand*. **serrer la l.** (II) to shake hands. —— adj (I) *of doubtful honesty:* (1) shady, crooked; (2)

phony. **en première l.** (III) *at first hand:* (2) straight from the horse's mouth.

louchébem nm (III bouch.) *butcher.*

loucher vi (IIIa) *to look:* (2) take a gander: BIGLER. **loucher sur q'ch.** (II) *to hanker after s.t.:* (2) have one's eye on s.t.*, have a yen for s.t.

loucherbème nm (III bouch.) *butcher's slang:* LARGONJI.

louf adj (II) *crazy:* (2) batty: ARAIGNÉE.

loufiat nm (II) *café waiter.*

loufoque adj (II) LOUF. **histoire l.** (III) *witty but pointless joke:* (2) shaggy-dog story.

louftingue adj (II) LOUF.

louise nf (IV) *flatus:* (3) fart.

loup—**avoir vu le l.** (III) *to be no longer a virgin:* (2) have lost one's cherry.

louper vt (II) *to spoil, botch:* (2) bollix up: AMOCHER. (II) *to miss (a train, an opportunity):* (2) muff. (III) *to do nothing:* (2) louse [piddle] around. (II) *to fail an examination:* (1) flunk.

loupiot nm (II) *young child:* (1) kid; (2) little stinker [brat].

loupiotte nf (II) *electric light.*

lourd nm (III) *peasant:* (2) rube: BOUEUX. (III) *stupid person:* (2) nitwit: ANDOUILLE.

lourde nf (III) *door.* **boucler la l.** (III) *to shut the door.*

lourder vi (III) *to shut the door.* (III) *to discharge (employee):* (2) give the gate: BALAI.

lourdière nf (III) *concierge, doorman.*

lourdingue adj (III) *stupid:* (1) thick-headed, dim-witted, dopey, blockheaded.

lucarne nm (IIIa) *eye:* (2) peeper, blinker.

luisant nm (IIIa) *day.*

luisante nf (IIIa) *the moon.*

lune nf (III) *buttocks:* (2) fanny: ARRIÈRE-TRAIN. **être dans la l.** (I) *to daydream:* (1) have one's head in the clouds*. **faire voir [montrer] la l. à q'un** (I) *to try to convince s.o. of an unlikely thing:* (2) sell s.o. a bill of goods. **vouloir prendre la l. avec les dents** (I) *to want the impossible:* (1) go on a wild-goose chase, chase moonbeams.

lurette—**il y a belle l.** (I) *it's been a long time:* (2) it's been a dog's [coon's] age.

maboul adj (II) *crazy:* (2) whacky: ARAIGNÉE.

mac (abrév. de **maquereau**) nm (III) *pimp.*

macache! (II) *no!* (2) nothing doing!, not on your life!

macadam—**faire le m.** (IIIa) *to work as a prostitute:* (2) hustle, hook. **piquer [tailler]**

un **m.** (III) *to simulate an accident for fraudulent insurance claims:* (2) take a phony fall, take a dive.

macadamiste nm (IIIa) *one who fakes an accident for insurance purposes.*

macaron nm (III) *steering wheel (auto):* (1) wheel.

macaroni nm (III péj.) *Italian:* (2) dago, wop, Guinea.

mac(c)habée nm (II) *corpse:* (2) stiff.

machin nm (II) *something whose name doesn't come to mind at the moment:* (2) whatchacallit, gadget, doohickey, what's-its-name, thingumajig.

machine—**m. à confetti** (III) *ticket punch or perforator.*

machinette nf (I) *work (or thing) of little importance:* (1) a little nothing. (IIIa) *pickpocket:* (2) dip, fingers, leather man, wire.

mâchuré adj (IIIa) *drunk:* (2) blotto: ALLUMÉ.

mâchurer (se) vp (IIIa) *to get drunk:* (2) get looped: ARRONDIR(s').

madame-pipi nf (III) *toilet attendant.*

magaze nm (III) *store.*

magner (se) vp (II) *to hurry:* (2) shake a leg, get a wiggle on: DÉGROUILLER.

magnes—**faire des m.** (III) *to put on airs:* (2) put on the dog: BEAU.

magot nm (I) *money in reserve, nest egg:* (2) sock. **épouser un m.** (II) *to marry a wealthy woman:* (2) marry a bankroll*, marry into dough.

mahous(se) adj (II) *enormous, large:* (2) whopping (big), king-sized, superduper.

maigre—**être m. comme une lame de rasoir [un cent de clous]** (II) *to be very thin:* (2) as skinny as a rail [bean pole].

maigrichon adj (II) *thin:* (2) skinny.

maigrot adj (II) MAIGRICHON.

mailloche adj (III) *strong, big:* (2) hefty: COSTAUD.

main—**avec les mains dans les poches** (II) *easily, without effort:* (2) hands down*, without even trying, with one hand tied behind one's back. **avoir de la m.** (I) *to be capable, handy:* (2) be on the ball, have the goods, know one's onions [stuff]. **avoir la m. heureuse** (I) *to be lucky, successful:* (2) be a lucky cuss. **avoir la m. large** (I) *to be generous, open-hearted:* (2) be a good sport. **avoir la m. malheureuse** (I) *to be unlucky:* (2) be jinxed. **avoir un poil à [dans] la m.** (II) *to be lazy:* (2) be a lazybones: BRAS. **de longue m.** (I) *for a long time, since long* *ago:* (2) for a dog's age, since Hector was a pup. **en venir aux mains** (I) *to come to blows:* (2) start swinging: ACCROCHER. **être comme les deux doigts de la m.** (I) *to be close friends:* (2) be pals: AMI. **faire m. basse sur q'ch.** (I) *to steal s.t.:* (1) lay hands on: (2) swipe: ARRANGER. **mariage de la m. gauche** (II) *to live together without being married.* **mettre la dernière m.** (I) *to finish, put the finishing touches to:* (1) polish off. **mettre la m. à la pâte** (I) *to do the work oneself:* (2) pitch in, get one's feet wet. **ne pas y aller de m. morte** (I) *to beat severely:* (2) wallop: AMOCHER. (I) *to do with full force:* (1) go at it hammer and tongs; (2) give it the works. **passer la m.** (I) *to give in:* (2) call it quits, throw in the sponge: CAGNER. **passer la m. dans le dos à** (II) *to flatter:* (1) butter up: BARATINER. **prêter la m.** (I) *to lend a helping hand:* (1) put a shoulder to the wheel; (2) give a boost. **se faire la m.** (II) *to try one's hand at something (for practice):* (2) take a crack at. **tenir de première m.** (I) *to have at first hand:* (2) have it straight from the horse's mouth.

maison adj (II) *very good, first-class:* (1) top-notch; (2) superduper, the real McCoy. **m. de passe** (III) *disorderly house:* (2) cathouse, crib, call joint. **la m. bourreman [cogne-dur, poulet, poulaga, poulardin]** (III) *the police:* (2) the fuzz: ARGOUSIN. **la m. tire-boutons** (IV) *Lesbians:* (2) dykes. **la m. arrangemane [tire-pognon, tire-pèze], la m. j'␣t'␣arnaque** (II) *dishonest business establishment:* (2) gyp [clip] joint.

malabar nm (II) *strong man:* (2) iron man, strong-arm guy, powerhouse, Tarzan. —— adj (II) *strong:* (2) hefty: COSTAUD.

malfrappe nm (III) *criminal, gangster:* (2) hood, gunsel, mobster.

malfrat nm (III) MALFRAPPE.

malle—**faire sa [la] m.** (II) *to leave without notice:* (2) pack up and beat it*, walk out, scram out, pack off. (II) *to run away:* (2) take it on the lam: ADJAS.

mallouser vi (IIIa) FAIRE SA MALLE.

manche nm (II) *clumsy person:* (2) clumsy ox. **avoir le m.** (IV)) *to have an erection:* BANDER. **tomber sur un m.** (III) *to meet an unexpected obstacle:* (1) hit [run into] a snag. **c'est une autre paire de manches** (I) *that's another story:* (1) that's a horse of a different color, that's something else again. **être dans la m. de q'un** (II) *to be in s.o.'s favor:* (2) be aces with s.o. **faire la m.** (III) *to beg:* (2) panhandle, mooch, make a touch. (III) *to take up a collection:* (2) pass the hat.

se moucher sur la m. (I) *to be naive, inexperienced:* (1) be an innocent lamb; (2) be still wet behind the ears, be a Simple Simon, be a young snot [punk].

mandale nf (III) *slap, smack.*

mandarin nm (II) *intellectual:* (2) highbrow, egghead, double-dome.

mandrin nm (IVa) *penis:* ARBALÈTE.

manette nf (IIIa) *ear:* flapper, lug. **perdre les manettes** (III) *to get confused, upset, mixed up:* (2) get balled [bollixed] up, get rattled.

mangeaille nf (I) *food:* (2) chow, eats, grub, vittles.

mange-merde nm (IV) *miser, skinflint:* (2) tightwad, penny-pincher, cheapskate.

mange-punaises nm (II) *despicable person:* (2) louse, heel, stinker, rat, bastard, skunk.

manger—**en m.** (III) *to confess:* (2) sing, squawk: ACCOUCHER. **m. le morceau** (III) EN MANGER. **m. les pissenlits par les racines** (III) *to be dead and buried:* (2) push up the daisies*, be six feet under, be planted. **se m. le pif** (III) *to fight, come to blows:* (2) start slugging: ACCROCHER.

mange-tout nm (IIIa) *German:* (2) Jerry: ALBOCHE.

manier—**se m. le cul [le derrière, les fesses, le popotin, le train]** (III) *to hurry:* (2) wiggle one's fanny*, get a move on: DÉGROUILLER.

manigance nf (I) *intrigue, secret deal:* (2) undercover deal.

manigancer vi (I) *to plot, carry on an intrigue:* (2) hatch [cook up] a deal, pull wires.

manitou nm (III) *important person:* (2) big shot [boy], bigwig, V.I.P. (very important person). **le grand M.** (III) *God.*

manouche nm (III) *gypsy.*

manque—**à la manque** (II) *of inferior quality:* (2) lousy, crappy, junky. **être dans le m.** (IIIa) *to suffer from lack of narcotics:* (2) to need a fix. **jouer le m.** (III) *in dice, to bet against the thrower.* **m. de pot** (III) *lack of luck:* (2) no breaks, bad breaks.

manquer—**la m. belle** (I) *to have a narrow escape:* (2) escape by the skin of one's teeth, have a narrow squeak. **m. d'air** (II) *to be embarrassed:* (2) have a red face.

mansarde—**yoyoter de la m.** (III) *to be crazy:* (2) have a screw loose: ARAIGNÉE.

maousse adj (III) MAHOUSSE.

mappemondes nf pl (III) *female breasts:* (2) globes: AVANT-SCÈNES.

maquer (se) vp (III) *to get married:* (2) get hitched, tie the knot. (III) *to live together without marrying:* (2) shack up.

maquereau nm (II) *pimp.*

maquiller vt (I) *to change the appearance of stolen objects:* (2) doctor [phony] up. **m. les brêmes** (III) *to mark the cards.* **m. les faffes** (III) *to counterfeit identification papers.* **se maquiller** vp (IIIa) *to inflict injury upon oneself to collect insurance or be discharged from military service.*

marca nm (III) *market.*

marche—je m.! (III) *I'll go along!:* (2) count me in! I'm with you.

marcher vi (II) *to go along with, agree:* (2) give the nod, give the O.K. (II) *to accept (an offer):* (2) be for it. **ne pas m.** (II) *to reject an offer, refuse to join in:* (1) turn down. **faire m. q'un** (I) *to tease s.o.:* (2) to pull s.o.'s leg: BATEAU.

marcheur—vieux m. (II) *old man:* (2) old buzzard [goat, buck, rooster].

marcotin nm (III) *a month.*

mare—la grande m. (II) *the ocean:* (2) the big pond [ditch, drink]. **la m. aux harengs** (III) LA GRANDE MARE.

margoulette nf (II) *mouth:* (2) kisser: AC-CROCHE-PIPE. **se casser la m.** (II) *to fall down:* (2) take a flop, come a cropper, fall flat on one's kisser.

margoulin nm (II) *small storekeeper.* (II) *bungling worker, botcher:* (1) sloppy worker.

marguerite nf (III) *heliocopter:* (2) whirly-bird, chopper, eggbeater, coffee grinder.

mariage—m. à la colle [de la main gauche, à la Mairie du 21ème, derrière l'église] (III) *living together without legal marriage:* (2) shack-up.

marida nm (III) *marriage.*——adj (III) *married:* (2) hitched.

Marie-salope nf (II) *slovenly woman:* (2) slob, sloppy dame.

marle nm (III) *pimp.* (III) *shrewd person:* (2) hip [sharp] guy, smart customer. —— adj (III) *shrewd:* (2) hip, wised-up, sharp, smooth.

marlou(pin) nm (III) MARLE.

marmaille nm (I) *group of children:* (2) gang of kids.

marmelade—être dans la m. (III) *to be in a difficult situation:* (2) be in a tough spot: BOUILLABAISSE. **avoir sa figure en m.** (I) *to have one's face badly injured:* (2) have one's mug banged [buggered] up.

marmite nf (III mil.) *large-caliber shell.* **faire bouillir [aller] la m.** (I) *to earn a living:* (2) bring home the bacon. **pied de m.** (II) *big nose:* (2) schnozzola: BAIGNEUR.

marmiter vt (III mil.) *to bombard:* (2) plaster. **se faire m.** (IIIa) *to get punished for breaking prison rules:* (2) get slapped.

marmot—croquer le m. (I) *to wait a long time (and impatiently):* (1) cool one's heels; (2) sweat it out, chomp at the bit.

marner vi (III) *to work hard:* (1) plug, grind, keep one's nose to the grindstone.

maroquin nm (I) *attaché case, dispatch case.*

marotte nf (I) *obsession, mania, hobby.* **avoir une m. pour q'ch.** (I) *to be obsessed about s.t.:* (2) be crazy [nuts, goofy] about, be hipped over, be a bug about.

marquouse nf (IIIa) MARQUÉ.

marquouser vt (III) *to put a mark on.*

marquat nm (III) MARCA.

marqué [et] nm (III) *month.*

marquise nf (IIIa) *madame of a brothel.*

marrant adj (II) *comical, funny:* (2) too funny for words: BIDONNANT.

marre—en avoir m. (II) *to have had enough of s.t.:* (2) have one's bellyful of: ANDOSSES.

marrer (se) vp (III) *to laugh heartily:* (2) get a belly-laugh, bust a gut laughing.

marron nm (II) *face:* (2) mug: BALLE. (III) *blow:* (2) slug: ATOUT. —— adj. (I) *un-licensed (doctor, etc.):* (2) phony. **être m.** (III) *to be the victim (of a swindle, etc.):* (2) be the sucker [goat, fall-guy, patsy], get gypped [taken, hooked, rooked, clipped, bilked]. **être m. sur le tas** (III) *to be caught red-handed:* (1) caught with the goods; (2) caught with one's pants down. **se faire faire m.** (III) *to get arrested:* (2) get nabbed [pinched]: AGRAFER.

marronner vt (I) *to mumble, mutter:* (2) grouse. (I) *to shout (with anger), storm:* (2) blow [kick] up a storm, raise the roof.

marsouin nm (III) *Marine:* (2) leatherneck. (IV) *penis:* ARBALÈTE.

marteau adj (II) *crazy:* (2) batty, whacky: ARAIGNÉE.

Martigue nm (III) *person from Marseilles.*

masquard [e] nmf (IIIa) *unlucky person:* (2) jinxed [hoodooed] guy.

masque nf (IIIa) *bad luck:* (2) hoodoo, jinx.

masser vi (II) MARNER.

mastard adj (III) *big, strong:* (2) beefy, hefty.

mastéguer vi (IIIa) *to eat:* (2) put on the feed bag: BECQUETER.

mastic nm (II) *thick soup or sauce.* (III) *mixed-up situation, mess:* (2) holy [helluva] mess, goof-up. **cherrer dans le m.** (III) *to boast, exaggerate:* (2) throw the bull: ALLER FORT. **s'endormir sur le m.** (II) *to do a half-hearted job:* (2) fall asleep on the job, do a half-ass job, goof off.

mastoc adj (I) *heavy, coarse, thick:* (2) hefty.

mastroquet nm (II) *wine merchant, bar-keeper.*

m'as-tu-vu [matuvu] nm (I) *ostentatious person:* (1) showoff; (2) grandstander.

mat' (abrév. de **matinée**) *morning, a.m.*

matador nm (I) *person capable or important in his field:* (2) hot rock, big shot, big-time operator. (II, 2) *bouncer (night club, etc.).*

mataf [v] e nm (III) *sailor:* (2) gob.

matelas nm (III) *wallet filled with money:* (2) wad [roll] of dough.

mateluche nm (IIIa) MATELAS.

mater vt (III) *to look at, spy on:* (2) take a gander at: BIGLER.

matérielle nf (I) *money for living expenses:* (1) the wherewithal; (2) what it takes, the goods*.

matière grise nf (II) *the mind, the brain:* (1) gray matter; (2) thinker, think box. **faire travailler sa m. grise** (II) *to think, reflect:* (1) to use one's thinker, to give it a think, use the old bean.

matinée—faire la grasse m. (I) *to sleep late:* (2) stay in the sack.

maton nm (III) *prison guard:* (2) screw, herder.

matouser vt (IIIa) MATER.

matraque nf (I) *club, billy (police):* (2) slugger, slug stick. **avoir la m.** (III) *to hold the winning card (such as the joker, trumps, etc.):* (1) hold the top card(s). **mettre la m.** (III) *to play the winning card (or cards).* (III) *to use forceful tactics:* (2) put on the screws, strong-arm, high-pressure.

matraquer vt (I) *to club (on the head):* (2) conk.

matuches nm pl (IIIa) *loaded dice:* (2) doctors, cheaters, artillery.

mauresque nf (III) *orgeat-pastis drink (anise-almond-flavored).*

maxi (abrév. de **maximum**) (II) *maximum (prison sentence, speed, etc.).*

mec nm (III) *person:* (2) guy: GARS. (III) *pimp.* **m. de la rousse** (IIIa) *policeman:* (2) cop: ARGOUSIN.

mécanique—rouler les mécaniques (III) *to swagger, show off one's strength:* BIS-COTTOS.

mécano nm (II) *mechanic:* (2) grease monkey.

mèche—être de m. avec q'un (II) *to be s.o.'s accomplice, work hand in glove with s.o.:* (2) be in cahoots with, play ball with. **éventer la m.** (II) *to expose a secret or plot:* (2) crack wide open, tumble to. **il n'y a pas m.** (2) *there's no way (of doing it), it's impossible:* (2) there's no out, no can do. **vendre la m.** (II) *to reveal a secret:* (2) spill the beans* [works], give the show away.

mécolle (III) *me:* (2) yours truly.

médaille—recevoir une m. en chocolat (II) *to get symbolic recognition:* (2) to get a wooden medal*.

médicale—sortir en m. (III) *to receive a discharge for medical reasons, get a medical discharge (army, prison, etc.).*

méduche nm (IIIa) *medal, honorary decoration:* (2) chest hardware, fruit salad.

mégot nm (II) *cigar or cigarette stub:* (2) butt, snipe, dinch.

mégotter vi (III) *to live like a miser:* (1) live from hand to mouth, pinch pennies.

mégotteur [euse] nmf (III) *person unwilling to spend money:* (2) penny-pincher, piker, cheapskate, tightwad.

mélasse nf (II) *misery, state of poverty.* **être dans la m.** *to be poverty-stricken:* (2) be on the rocks [on one's uppers], be scraping the bottom. **tomber dans la m.** (II) *to become poverty-stricken:* (2) go broke, get cleaned out, hit bottom.

mêlécass nm (II) *brandy-cassis.* **voix de m.** (II) *hoarse voice (suggesting chronic alcoholism):* (2) whiskey tenor.

méli-mélo nm (I) *hodgepodge, mishmash.*

mélo (abrév. de **mélodrame**): (I) *melodrama:* (2) tear-jerker.

melon nm (II) *stupid person:* (2) nitwit: ANDOUILLE. (II) *derby hat:* (2) kelly. (III) *head:* (2) nut: BALLE. **avoir le m. déplumé** (III) *to be bald:* (2) be bald as a billiard ball.

mendès nm (II) *milk:* (2) cow-juice, moo-juice.

mendiche nm (III) *beggar:* (2) panhandler, moocher, touch artist, sponger.

mendigot nm (II) MENDICHE.

mendigoter vt (II) *to beg:* (2) panhandle, mooch.

mener—m. q'un en bateau [barque, double] (II) *to swindle, dupe or fool s.o.:* (2) take s.o. for a ride: BATEAU. m. en belle (III) *to kill (a criminal accomplice, traitor, etc.):* (2) take for a ride*, bump off: AFFAIRE.

mengave nf (IIIa) *begging:* (2) panhandling, mooching.

méninge—se creuser les méninges (II) *to rack one's brains:* (2) use the old bean [thinker], put on one's thinking cap, use the old gray matter.

mental (abrév. de **mentalité**) nf (II) *mind:* (2) think tank, upper story.

menteuse nf (III) *tongue:* (2) clapper.

mentir—m. comme un arracheur de dents (II) *to lie brashly:* (2) lie like a fisherman.

merde nf (IV) *feces:* (2) crap; (3) shit. être dans la m. (IV) *to be in bad circumstances:* (3) be up shit creek*: BOUILLABAISSE. il y a de la m. au bout du bâton (IV) *it's a shameful situation:* (3) it's a shitty deal [set-up]*. m. alors! (III) *damn it!*

merdeux [euse] nmf (IV) *child:* (2) little stinker.

merdoyer vi (IV) *to talk [act] confusedly, babble:* (2) talk [act] like a dope [goof].

merlan nm (II) *hairdresser.* avoir des yeux de m. frit (II) *to have a cold stare:* (2) to be fishy-eyed.

merle blanc nm (I) *person or thing impossible to find (or non-existent):* (2) as scarce as hen's teeth.

métallo nm (II) *metalworker.*

météo (abrév. de **météorologiste**) n (II) *weatherman.*

métèque nm (I péj.) *foreigner (esp. colored):* (2) furriner.

mettre—en mettre (III) *to exert oneself to the utmost:* (2) go all out. en m. à gauche (III) *to save, put aside for a rainy day:* (2) sock [squirrel] away. les m. (III) *to run away:* (2) cut out, take it on the lam: ADJAS. m. en l'air (III) *to kill:* (2) bump off: AFFAIRE. (III) *to rob:* (2) knock over, heist, pull a job on. m. q'un dans le bain (III) *to involve s.o., get s.o. mixed up in:* (2) hook [wangle] s.o. into. m. les bâtons [bouts, cannes, voiles] (III) LES METTRE. m. en boîte [caisse] (III) *to ridicule, poke fun at:* (2) rib, pan: BATEAU. m. les chaussettes à la fenêtre (III) *a woman's indication of lack of sexual satisfaction from her bed partner.* m. dedans (III) *to swindle, hoax:* (2) gyp, screw: ARNAQUER. m. le paquet (III) *to risk all one's means, exert maximum effort:* (2) go all out, shoot the works, bet one's bundle

[wad]. m. q'un au pas (III) *to make s.o. obey:* (2) push s.o. into line, let s.o. know who's boss. m. en pièces détachées (III) *to demolish, destroy:* (1) knock to pieces* [smithereens]. m. dans sa poche (III) *to gain possession of (a person as well as a thing):* (1) take over (lock, stock and barrel), sew up. m. toute la gomme (III) *to go full speed:* (2) highball, drive wide open: BOMBER. m. les pouces (III) *to give in, surrender:* (2) chicken out, throw in the towel [sponge], holler uncle, call it quits. se faire m. (IV) *to have intercourse:* (3) get laid: ARBALÈTE. se m. la ceinture [tringle] (III) *to be deprived of, do without (food or love):* (2) be hard up for, have one's tongue hanging out for. se m. en carante (III) *to come face to face with s.o.:* (2) square off with. se m. dans les draps (III) *to go to bed:* (2) hit the hay: BÂCHER. se m. à poil (III) *to take all one's clothes off:* (1) strip (to the buff); (2) get peeled. se m. en quarante (III) *to become angry:* (2) blow one's stack, hit the ceiling: BOULE. se m. avec q'un (III) *to live with s.o.:* (2) shack up with. se m. à table (III) *to confess (to police):* (2) sing, belch: ACCOUCHER.

meules nf pl (III) *buttocks (esp. female):* (2) fanny: ARRIÈRE-TRAIN.

mézigo [gue] (III) MÉCOLLE.

miché nm (III) *prostitute's paying guest:* (2) trick, meal ticket, john.

miches nf pl (III) MEULES. avoir les m. à zéro [qui font bravo] (III) *to be badly frightened:* (2) shake in one's boots: BLANCS. pincer les m. (IV) *to caress a woman's buttocks:* (2) goose, feel up. serrer les m. (III) *to be badly frightened:* BLANCS.

micheton nm (III) MICHÉ.

micmac nm (I) *secret intrigue, plot.*

micro (abrév. de **microphone**) nf (I) *microphone:* (2) mike.

midi—marquer m. (IV) *to have an erection:* BANDER.

mie—m. de pain mécanique (III) *louse:* (2) walking dandruff.

miel—être du m. (II) *to be very easy:* (2) be a snap [cinch]: ART. (I) *to be pleasant to listen to:* (2) to be easy on the ears.

mignard [e] nmf (I) *little child:* CHIARD.
—— adj (I) *small, tiny:* (2) teenie, teensy.

mignonnettes nf pl (III) *photographs slyly sold to tourists in Paris as obscene "French pictures," but actually proving to be ordinary scenic postcards.*

mignoter vt (I) *to handle gently, fondle.*

mijoter—m. un complot (I) *to intrigue:* (1) hatch [cook up] a plot*.

Milieu nm (III) *the French underworld:* (2) gangland.

mille—**mettre [taper] dans le m.** (I) *to succeed:* (2) hit the bull's eye*, make a (big) hit [killing], click, go over big.

mille-feuilles nm (IV) *female genitals:* (3) pussy: BAQUET. **être du m.** (III) MIEL—ÊTRE DU.

mince—**m. alors!** (I interj.) *astonishing!:* (2) gee whiz! holy smokes! no kidding!

mine—**faire grise m.** (I) *to receive coolly:* (2) give the cold shoulder*.

minet nm (I) *kitten.* (IV) *vulva:* (3) pussy: BAQUET.

minette nf (I) *female kitten.* (III) *vulva:* BAQUET. **balançoire à m.** (III) *sanitary napkin:* (3) the rag, cotton pony.

minoye nf (III) *midnight.*

mioche nmf (II) *little child:* CHIARD.

mirette nf (III) *eye:* (2) blinker, peeper, glim.

mirifique adj (I) *excellent, wonderful:* (1) dandy, great: (2) corking, jim-dandy, swell.

miro adj (III) *myopic, nearsighted.*

miron nm (IIIa) *cat.*

mironton nm (III) *person:* (1) chap; (2) guy, gee: GARS. **un drôle de m.** (III) *a peculiar person:* (2) a queer egg, funny guy [duck].

mise-en-l'air nf (III) *armed robbery, holdup:* (2) stickup, heist.

miser vt (I) *to place [lay] a bet:* (2) put down, put on the line. (IV) *to have intercourse with:* AIGUILLER.

misérable nm (III) *500-franc note with portrait of Victor Hugo (old francs).* (III) *5-franc note (new francs).*

mistigri nm (I) *cat.*

miston nm (IIIa) MICHÉ.

mistonne nm (III) *woman:* (2) babe, broad, BERGÈRE.

mistouflard nm (III) *pauper:* (2) down-and-outer.

mistoufle—**être dans la m.** (III) *to be poverty-stricken:* (2) be on the rocks: DÉBINE.

mitan nm (III) *middle, center.* (III) MILIEU.

mitard nm (III) *extra punishment cell in prison:* (2) solitary, coffin, cave. **faire du m.** (IIIa) *to go into seclusion:* (2) hole up.

mitardé—**être m.** (IIIa) *to be put into solitary confinement.*

mité (IIIa) MITARDÉ.

mitraille nf (II) *small coins, small change, coppers:* (2) chicken feed, peanuts.

moche adj (II) *ugly, of poor quality:* (2) lousy, crummy, punk, crappy.

mochetée nf (III) *ugly woman:* (2) scarecrow, old bag [hen].

mocheton adj (III) MOCHE.

moeurs (les) nm pl (III) *the vice-squad.*

moineau nm (III) MIRONTON.

mois—**tous les trente-six du m.** (II) *never:* (2) in a blue moon, in a month of Sundays, when hell freezes over.

moisir vi (I) *to stay a long time.*

moitié nf (II) *one's wife:* (2) one's better half: BARONNE:

molard nm (III) *thick sputum:* (2) gob of spit, oyster.

molarder vi (III) *to expectorate, spit.*

molleton nm (III) *calf of leg.*

mollo-mollo adv (III) *easily, quietly, gently.*

molltegomme nm (III) MOLLETON.

môme nmf (II) *child:* (2) kid: CHIARD. (III) *woman:* (2) broad: BERGÈRE.

momignard [e] nmf (III) *child:* CHIARD.

monacos nm pl (IIIa) *money:* (2) dough: ARTICHE.

monde—**il y a [elle a] du m. au balcon** (III) *she's very bosomy:* (2) she's well stacked, boy! is she built! **c'est vieux comme le m.** (I) *it's an old story:* (I) it's ancient history; (2) it's got hair on it, it's hairy.

monnaie—**payer en m. de singe** (I) *to pay only with promises.*

mon oeil! (II interj.) *no!, never!:* (2) not on your life!, nothing doing!, my foot!, my eye!

Monsieur Duchenoque nm (III) *stupid person:* (2) dope, shnook: ANDOUILLE.

Monsieur Dupont-Durand nm (II) *Mr. Average Person:* (2) Joe Doakes, John Q. Public.

Monsieur Homais (II) *one who is always making excuses:* (2) Alibi Ike.

Monsieur Moi-je-suis-contre (II) *one always in opposition:* (2) aginner, no-man.

Monsieur Tout-le-Monde nm (II) *the average citizen:* (1) the man in the street*, Mr. Average Citizen, John Doe.

monté adj (II) *slightly drunk:* (2) half-lit: ALLUMÉ. **collet m.** nm (I) *pretentious person:* (2) stuffed shirt: BÉCHAMEL. **coup m.** nm

(I) *prearranged affair:* (2) put-up job, frame-up. **être bien m.** (IV) *to be well developed sexually (male):* (2) be well hung.

monte-en-l'air nm (III) *robber, thief, hold-up man.*

monter vt (III) *to prepare a criminal affair:* (2) set up a caper [job, heist]. **faire m. à l'échelle** (III) *to make angry:* (2) rub the wrong way, get up s.o.'s dander, get s.o.'s nanny [goat]. **m. un bateau à q'un** (III) *to play a joke on s.o.:* (2) pull s.o.'s leg, take s.o. for a ride: BATEAU.

montgolfières nm pl (IV) *testicles:* BALLOCHES.

montrouze nm (IIIa) *watch:* (2) ticker.

morbac nm (III) *louse, crab louse:* (2) cootie, walking dandruff.

morceau—casser [manger] le m. (II) *to confess:* (2) squeal, sing: ACCOUCHER. **emporter le m.** (II) *to act or speak excitedly:* (1) get carried away: (2) act (or sound) all steamed up, blow off steam. **gober le m.** (II) *to fall into a trap, be hoodwinked:* (2) take the bait, be a sucker, be conned, bite.

mordre—m. dans le truc (III) *to be duped, deceived:* (2) be conned, be a sucker, take the bait, bite. **mordez!** (III imp.) *look!:* (2) get a load of that!, take a gander!, pipe that!

mordu nm (II) *enthusiast:* (1) bug, fan. **être m. pour q'un** (II) *to be deeply in love with s.o.:* (2) to go for s.o. in a big way: AMOUR. (II) **être m. pour q'ch.** (II) *to have a deep interest in s.t., be an enthusiastic amateur of:* (2) to have the bug, be bugs over s.t.

morfale [ou] nm adj (III) *glutton:* (2) chow hound.

morfaler (se) vp (III) *to eat:* BECQUETER.

morfic nm (III) MORBAC.

morfiler vi (III) *to eat:* (2) hit the chow-line: BECQUETER.

morganer vi (IIIa) *to eat:* BECQUETER.

morlingue nm (III) *wallet:* (2) poke, kick. **avoir des oursins dans le m.** (III) *to be stingy:* (2) tight-fisted, Scotch, penny-pinching. **être constipé du m.** (III) *to be stingy.*

mornifle nf (III) *money:* (2) dough, cabbage: ARTICHE (III) *blow:* (2) slug: ATOUT.

mornifleur nm (IIIa) *counterfeiter.*

morphiller vi (IIIa) MORFILER.

morpion nm (III) *annoying child:* (2) stinker, brat. (III) *louse:* (2) walking [mechanized] dandruff.

morue nf (III péj.) *woman:* (2) floozy, broad: BOUDIN. **avoir été baptisé avec une**

queue de m. (II) *to drink excessively (alcohol):* (2) to lap it up: BIBERONNER.

morve—boîte à m. (IIIa) *nose:* (2) beak: BLAIR.

morveux [euse] nmf (I) *inexperienced young person:* (2) young snot* [punk].

motard nm (I) *motorcyclist, motorcycle policeman.*

motte nf (IV) *anus:* ANNEAU. **faire la m.** (III) *to divide half and half:* (2) split down the middle, divvy up.

mou—bourrer le m. à q'un (III) *fill s.o. with lies:* (2) give s.o. a load of bull, hand s.o. a line.

mouchard nm (II) *speed regulator on truck.* (II) *police spy:* (2) stoolie, stool pigeon, fink, finger-man. (III) *peephole in prison cell door.*

moucharder vi (I) *to inform to the police (or any authority):* (2) sell down the river, squeal [rat] on, sell out on, put the finger on, blow the whistle on.

mouche nf (I) *police spy:* MOUCHARD. **faire la m. du coche** (I) *to act as though very busy and hardworking, be a busybody:* (2) put on a show [an act]. **quelle m. le pique?** (II) *what's bothering him?:* (2) what's bugging [eating] him? **tuer les mouches à quinze pas** (III) *to have bad breath:* (2) have halitosis.

moucher vt (II) *to beat, injure:* (2) bugger up: AMOCHER.

moucheron nm (II) *child:* (2) kid: CHIARD.

moufflet nm (III) MOUCHERON.

mouffter vi (III) *to refrain from complaining or protesting:* (2) keep mum, keep one's lip buttoned, clam up.

mouillé adj (III) *drunk:* (2) soused: ALLUMÉ.

mouiller vi (III) *to have an intense desire for s.t.:* (2) drool over s.t.*, want s.t. in the worst way. (IV) *to be sexually aroused:* BANDER.—**se mouiller** vp (III) *to take a big risk (in business, gambling or criminal activity):* (2) plunge, stick one's neck out.

mouillette nf (IIIa) *tongue:* (2) clapper. **aller à la m.** (IIIa) SE MOUILLER.

mouise—être dans la m. (III) *to be destitute:* (2) be on the rocks: DÉBINE.

moujingue nm (III) *child:* (2) brat: CHIARD.

moukère nf (IIIa péj.) *woman:* (2) broad, tomato: BERGÈRE. (III) *wife:* (2) better half: BARONNE.

moule nf (II) *stupid person:* (2) dope: ANDOUILLE. (IV) *vulva:* BARBU.

moulin nm (I) *motor (car, plane, etc.)* **m. à paroles** (I) *talkative person:* (1) chatterbox; (2) blabbermouth, hot-air artist. **avoir un m. qui tourne** (II) *to have a profitable business:* (2) to have a good thing going. **en avoir dans le m.** (II) *to be brave:* (2) have guts: BIDE.

moulinette nf (III) *machine gun:* (1) Tommy gun; (2) chopper, chatterer, typewriter, burp gun.

moumoute nf (III) *wig, toupée.*

mouniche nf (IV) *vulva:* BARBU.

mourant adj (II) MARRANT.

mouron—se faire du m. (III) *to get upset, get in a dither:* (1) stew; (3) get one's bowels in an uproar: BILE.

mouscaille nf (II) *mud.* (IV) *feces:* (2) crap. **avoir q'un à la m.** (III) *to detest s.o.:* (2) hate s.o.'s guts: BLAIRER. **être dans la m.** (III) *to be in a desperate situation:* (2) be in a tough spot: BOUILLABAISSE.

mousmée nf (IIIa) *woman of easy morals:* (2) floozy: BOUDIN.

moussante nf (II) *beer:* (2) suds.

mousse—se faire de la m. (III) MOURON.

mousser vi (II) *to be in a rage:* (2) blow one's stack: CRAN. **faire m. q'un** [q'ch.] (I) *to boast about s.o.* [*s.t.*]*:* (2) blow [build] up s.o. [s.t.].

mousseux nm (II) *soap.*

moutard nm (II) *child:* (2) kid: CHIARD.

moutarde—être dans la m. (III) *to be in difficulties:* (2) be in hot water: BOUILLABAISSE. **avoir la m. qui monte au nez** (I) *to become angry:* (2) fly off the handle: CRAN.

mouton nm (III) *police informer:* (2) stool pigeon, stoolie, fink, finger-man, ratter.

mouvement—être dans le m. (I) *to be in on the latest:* (2) be hip, know what's going on: COULE.

muffée—avoir [tenir] **la m.** (III) *to be drunk:* (2) have a snootful: ALLUMÉ. **prendre une m.** (III) *to get drunk:* (2) tie one on: ARRONDIR (s').

mufflée (III) MUFFÉE.

mufle nm (I) *disagreeable, crude person:* (2) louse, stinker, heel, crumb bun.

muguet—coucher q'un dans le m. (III) *to kill s.o.:* (2) bump s.o. off: AFFAIRE.

mur—faire le m. (II) *to escape (from prison):* (2) to go over the fence* [hill], make a break.

mûr adj (I) *drunk:* (2) stewed: ALLUMÉ. (II) *threadbare, shabby (of clothes).*

mûre nf (III) *punch:* (2) wallop: ATOUT.

museau nm (II) *face:* (2) mug: BALLE.

musicien [ne] nmf (II) *flatterer:* (2) soft-soaper: BONIMENTEUR. (II) *boaster, bragger:* (2) bull-thrower: BÉCHAMEL.

musique—connaître la m. (II) *to know the facts, know what's going on:* (2) know the score*: COULE. **faire de la m.** (II) *to blackmail:* (2) put the screws on. (II) *to flatter:* (2) soft-soap: BARATINER. (II) *to create a disturbance:* (1) raise a rumpus; (2) kick up a storm, raise hell, raise the roof. **réglé comme du papier à m.** (I) *shipshape, in perfect order:* (2) in apple-pie order, right up to snuff.

nager—savoir n. (II) *to know how to get along:* (2) know how to get out from under, know the score, be hip.

naissance—avaler son bulletin [extrait] **de n.** (II) *to die:* (2) kick the bucket: ARME.

nana nf (III) *attractive girl:* (2) peach, beaut, knockout, slick chick, dream, looker, wow. (III) *woman of loose morals:* (2) floozy, tomato: BOUDIN.

naphtalinard nm (III) *retired army officer recalled to active duty:* (2) retread.

naphtaline nf (IIIa) *cocaine:* (2) snow: BIGORNETTE.

naphte nm (IIIa) NAPHTALINE.

narquin nm (IIIa) ARQUIN.

nase nm (III) *nose:* (2) sniffer: BLAIR.— adj (IIIa) *syphilitic:* (2) dosed-up, syphed-up.

natchaver (se) vp (IIIa) *to run away:* (2) beat it, scram: ADJAS.

nature adj (I) *undiluted, straight:* (2) as is. (I) *sincere, straightforward, without affectation:* (1) down-to-earth, straight-shooting, on the level.

naturliche adv (II) *of course, naturally:* (2) natch.

nave nm (III) *stupid person:* (2) lunkhead: ANDOUILLE. (III) *victim of a swindle:* (2) sucker, patsy, fall guy, (easy) mark, boob, goat.

navet nm (I) *bad painting, poorly done piece of work in general:* (2) botch job, turkey, piece of junk. (IV) *penis:* ARBALÈTE.

naze nm (III) NASE.

nazebroque nm (III) NASE.

nèfles—des n. (II) *nothing:* (2) not a damn thing.

nègre nm (I) *ghost writer.*

négresse nf (III) *louse, cootie.*

neige nf (III) *cocaine:* (2) snow, coke: BIGORNETTE.

néné nm (III) *breast:* (2) tit: AVANT-SCÈNES. **faux-nénés** (III) *artificial breasts:* (1) falsies.

nénesse nf (III péj.) *woman:* (2) tomato, broad: BERGÈRE.

nénette nf (III) *woman:* (2) babe: BERGÈRE. (II) *head:* (2) noodle: BALLE. **ne pas se casser la n.** (II) *to idle around, take it easy:* (2) twiddle one's thumbs, louse [diddle, futz] around.

nerf—ne pas avoir un n. (dans la fouille) (IIIa) *to have no money:* (2) not have a penny to one's name: BLANC. **taper sur les nerfs** (I) *to annoy:* (1) get on one's nerves*; (2) bug: ASSOMMER.

nettoyer vt (II) *to ruin (financially):* (2) take to the cleaners, clean out*, strip clean.

neuille nf (IIIa) *night.*

nez—à vue de n. (I) *approximately, more or less:* (1) at a rough guess. **avoir le n. long** (I) *to look disgruntled or unhappy:* (1) make a long face*. **avoir le n. piqué [salé]** (II) *to be drunk:* (2) have a snootful*: ALLUMÉ. **avoir q'un dans le n.** (I) *to hate s.o.:* (2) be unable to stand the sight of s.o.: BLAIRER. **en avoir dans le n.** (II) *to be drunk:* ALLUMÉ. **mener q'un par le bout du n.** (I) *to lead s.o. around by the nose.* **n. de poivrot** (III) *red nose:* (2) beet. **nez gras** (III péj.) *Hebrew:* (2) hebe, yìd, kike. **rire au n. de q'un** (I) *to laugh in s.o.'s face:* (2) give s.o. the horse laugh [the merry ha-ha]. **se bouffer le n.** (I) *to quarrel:* (1) have a spat. **se casser le n.** (II) to find no one home. (II) *to make a mistake:* (2) pull a boner: BOULETTE. **se piquer [salir] le n.** (II) *to get drunk:* (2) get a snootful: ARRONDIR (s'). **n. à piquer les gaufrettes** nm (II) *long, pointed nose:* (2) eagle beak. **faire q'ch. avec les doigts dans le n.** (III) *to do s.t. easily:* (2) to do s.t. with one hand tied behind one's back*, to do s.t. in a breeze.

nib (II) *nothing, no, none:* (2) but nothing, not a damn thing. **n. de pèze [fric, braise, etc.]** (III) *no money:* (2) no dough [cabbage, etc.].

nicher (se) vp (I) *to hide:* (2) hole up.

nichon nm (III) *breast:* (2) tit: AVANT-SCÈNES.

nickel adj (III) *neat, clean, spic-and-span.*

nicodème nm (I) *stupid person:* (2) nitwit: ANDOUILLE.

nière nm (IIIa) *woman:* (2) broad: BERGÈRE. (III) *person:* (2) guy: GARS.

nifler vt (IIIa) *to annoy, bore:* (2) give a pain in the neck: ASSOMMER.

nigaud [e] nmf (I) *stupid person:* (2) dope: ANDOUILLE.

nigaudème nm (I) NICODÈME.

nigaudinos nm (I) NIGAUD.

niguedouille nf (III) NICODÈME.

Niort—aller à [battre à] N. (III) *to deny, refuse to confess:* (2) keep mum, keep one's lip buttoned, not spill.

nipper (se) vp (II) *to dress:* (2) put on one's duds, get togged up.

nippes nm (II) *clothes:* (2) duds.

niston [ne] nmf (III) *child:* (2) kid: CHIARD.

nitouche—Sainte Nitouche nf (I) *hypocrite:* (2) holier-than-thou.

nobler vt (III) *to know, be acquainted with.* **se nobler** vp (III) *to be called (name):* (2) one's moniker [handle, tag].

noce—faire la n. (I) *to go on a spree:* (2) go on a bender: BAMBOCHER. **ne pas être à la n.** (I) *to be in a difficult situation:* (2) be in a pickle: BOUILLABAISSE.

nocer vi (I) FAIRE LA NOCE.

noceur [euse] nmf (I) *high-living person:* (2) high-liver, [stepper], hell-bender.

noeud—nm (II) *foolish person:* (2) nut: ANDOUILLE. (IV) *penis:* ARBALÈTE. **filer son n.** (I) *to run away:* (2) take off: ADJAS. (I) *to die:* (2) go west: ARME. **à la mord-moi-le-n.** adv (III) *hit-or-miss, helter-skelter:* (2) any-which-way.

noïe nf (III) NEUILLE.

noille nf (III) NEUILLE.

noir nm (II) *black market.* (III) *opium:* (2) hops, gow—adj (II) *drunk:* (2) blotto: ALLUMÉ. **avoir le [broyer du] n.** (II) *to be depressed:* (2) have the blues: BOURDON. **lâcher le n.** (IV) *to pass flatus:* (3) fart.

noircicot adj (III) *drunk:* (2) stinko: ALLUMÉ.

noircir (se) vp (III) *to get drunk:* (2) get loaded: ARRONDIR (s').

noix—nf (III) *stupid person:* (2) nut*: ANDOUILLE.—nf pl (IV) *testicles:* BALLOCHES. **à la n.** (III) *pointless, stupid, silly:* (2) nutty*, goofy, dopey, **casser les n. à q'un** (III) *to annoy, bore:* (2) give a pain in the neck: ASSOMMER. **faire q'ch. à la n. (de coco)** (III) *to bungle s.t.:* (2) louse [bollix] up: AMOCHER.

nord—perdre le n. (I) *to get all confused:* (2) get all bollixed up: CARTE.

noszigues (III) *we, us:* (2) us guys.

nouba—faire la n. (IIIa) *to celebrate, have a spree:* (2) go on a bender: BAMBOCHER.

nougat nm (III) *easy, profitable job:* (2) soft snap, gravy train. être du [un vrai] n. (III) *to be a sure success:* (2) be a sure-fire winner, be a cinch (bet), be sure as shootin'.

nougatine (III) NOUGAT.

nougats nm pl (III) *feet:* (2) dogs, barkers, purps.

nouille nf (II) *stupid, slow-witted person:* (2) dope: ANDOUILLE.

nourrisson nm (III) *one who uses up profits of a venture without helping in it:* (2) a mouth to feed.

nouvelle—vous m'en direz des nouvelles (I) *you'll come back and tell me how much you enjoyed it.*

nu—être n. comme un ver (I) *to be stark naked:* (2) be naked as a jaybird, be in the raw [altogether], be in one's birthday clothes, be peeled.

nuit—n. blanche (I) *sleepless night.*

numéro—nm (I) *eccentric person:* (2) oddball, screwball, queer duck, kook. gros n. (II) *disorderly house:* (2) joint, crib, cathouse. n. cent (II) *toilet:* (2) john: CABINCES. connaître le n. de q'un (II) *to know a person's value or capabilities:* (1) have s.o.'s number*. faire son n. (I fig.) *put on his regular act (fig.):* (2) go into his dance.

occase nf (II) *bargain:* (2) good buy [deal]. louper [rater] l'o. (II) *to miss an opportunity:* (2) to flub the chance, to miss the boat, to miss out on a good deal.

oeil—à l'o. (I) *without payment, free:* (2) on the house. avoir le compas dans l'o. (I) *to be able to measure at a glance.* avoir l'o. américain (II) *to be very observant, have a sharp eye:* (1) be eagle-eyed, have an eye like an eagle. avoir q'un à l'o. (I) *to keep watch on s.o.:* (1) keep an eye on s.o. faire de l'o. (I) *to look at s.o. flirtatiously:* (2) give s.o. the wink: APPEL. l'avoir dans l'o. (III) *to be cheated or deceived:* (2) get gypped: (3) get screwed: BAGOUSE. mon o.! (II) *nothing doing!:* (2) my eye*! baloney! o. au beurre noir nm (II) *blackened eye:* (2) shiner, blinker. o. de bronze nm (IV) *anus:* ANNEAU. s'en battre l'o. (II) *to disregard s.o. or s.t.:* (2) not give a hoot [damn] about. se mettre le doigt dans l'o. (I) *to be mistaken:* (2) be all wet, be out in left field. se rincer l'o. (II) *to look at s.t. pleasing:* (2) get an eyeful, give the once-over. taper à [dans] l'o. (II) *to please, satisfy:* (2) hit the right spot: BOTTER.

tourner de l'o. (II) *to faint, pass out.* (II) *to die:* (2) kick the bucket: ARME.

oeuf—casser son o. (III) *to have a miscarriage.* être aux oeufs (III) *to be excellent:* (2) be top notch. être plein comme un o. (III) *to be drunk:* (2) be loaded to the gills: ALLUMÉ. l'avoir dans l'o. (III) *to be cheated:* (2) get screwed: BAGOUSE. le mettre dans l'o. à q'un (III) *to cheat s.o.:* (2) gyp s.o.: ARNAQUER. oeufs sur le plat (III) *small, flat breasts.*

officiel—être de l'o. (III) *to be authentic:* (2) be the real McCoy, be on the up and up.

oie nf (I) *dull-witted person:* (2) dumbbell: ANDOUILLE.

oignard nm (IV) *anus:* ANNEAU.

oigne nm (IV) OIGNARD.

oignon nm (IV) OIGNARD. (II) *watch:* (2) turnip. (III) *luck.* aux petits oignons adj (II) *careful, complete, meticulous.* —— adv (II) *rudely, harshly.* ce n'est pas de mes oignons (II) *it's not my affair, it's none of my business.* mêle-toi de tes oignons! (II) *mind your own business:* (2) keep your nose out! s'occuper de ses oignons (II) *to mind one's own business:* (2) keep one's nose out.

oiseau—un drôle d'o. (II) *an eccentric or humorous individual:* (2) a funny guy, card, joker. o. de nuit (II) *person who prefers to work at night:* (2) night owl. (III) *bicycle-mounted policeman.*

ombre—être à l'o. (I) *to be in jail:* (2) be in the clink [cooler]: BALLON. il y a une o. au tableau (I) *there's something wrong with the situation:* (1) there's something rotten in Denmark; (2) there's a nigger in the woodpile, there's a catch somewhere. mettre à l'o. (I) *to put in jail:* (2) toss in the clink: BALLON.

onduler—o. de la toiture (III) *to be mentally unbalanced:* (2) be batty: ARAIGNÉE.

onze—prendre le train o. (II) *to walk:* (2) hoof [leg] it, ride shank's mare.

opérer vt (IIIa) *to rob, cheat:* (2) take over: ARNAQUER.

or—être cousu d'o. (I) *to be very rich:* (2) be loaded: AS. l'avoir en o. (I) *to be lucky:* (2) get the breaks. rouler sur o. (I) *to be very rich:* (2) roll in gold*: AS.

ordure nm (IV) *extreme insult:* (3) shitheel, cock-sucker.

oreille—avoir la puce à l'o. (II) *to mistrust, suspect:* (2) be leery of. être tout oreilles (I) *to listen attentively:* (1) to be all ears*.

orphelin nm (III) *cigarette stub:* (2) butt, snipe, dinch.

os—tomber sur un o. (II) *to meet an unexpected difficulty, strike a snag.* **pisser son o.** (IV) *to abort.* **un paquet d'o.** (I) *a very thin person:* (1) a bag of bones*, a walking skeleton. **chez les têtes en o.** (III) *cemetery:* (2) boneyard, marble orchard.

oseille nf (III) *money:* (2) dough: ARTICHE.

osier nm (III) *money:* ARTICHE.

osselet—courir sur les osselets (III) *to keep under close surveillance:* (1) be on the heels of; (2) keep a tail on, be on the tail of.

osto nm (IIIa) *hospital.*

ouatère nm (French pronunciation of water) (II) *toilet:* (2) can: CABINCES.

oui—être béni o.-o. (III) *to agree:* (2) be a yes-man, sit in the amen corner.

ourdé adj (III) *drunk:* (2) stewed: ALLUMÉ.

ours nm pl (IIIa) *menses, monthlies:* (2) the curse: AFFAIRES.

outil nm (III) *weapon (gun or knife):* ARTICLE. *penis:* (2) tool: ARBALÈTE.

outiller vt (IIIa) *to stab.*

ouvrir (l') vi (III) *to confess:* (2) sing: ACCOUCHER. (III) *to talk:* (2) open up. **o. les écluses** (III) *to weep bitterly:* (2) open up the waterworks*.

pac [que] son nm (III) PACQSIF.

pacqsif nm (III) *package, bundle.* **mettre le p.** (IIIa) *to work hard:* (2) put on the pressure, hammer away, go to it, go all out, knock oneself out.

paddock nm (III) *bed:* (2) sack, feathers, hay.

paddocker (se) vp (III) *to go to bed:* (2) hit the hay: BÂCHER.

paf nm (IV) *penis:* ARBALÈTE. ——— adj (III) *drunk:* (2) stewed, plastered: ALLUMÉ. **tomber sur un p.** (IV) *to meet an unexpected obstacle:* (1) hit a snag: BEC.

paffer (se) vp (III) *to get drunk:* (2) get a load on: ARRONDIR (s').

pagaille nf (I) *disorder, mess.* **en p.** (I) *in disorder:* (1) all messed [loused, bollixed] up. **une p. de** (II) *a large quantity of:* (2) oodles of: CHARIBOTÉE.

pagaye nf (I) PAGAILLE.

page nm (III) *bed:* (2) sack: PADDOCK. **décaniller du p.** (III) *to get out of bed:* (2) hit the deck, rise and shine. **se filer [mettre] au p.** (III) *to go to bed:* (2) hit the hay: BÂCHER. **être à la p.** (I) *to be up-to-date:*

(2) know the latest dope, be hip, be in the know, be in on the latest, be on one's toes, be wised-up. **mettre q'un à la p.** (II) *to inform s.o. of latest events, bring s.o. up to date:* (2) wise s.o. up: AFFRANCHIR. **se tenir à la p.** (II) *to keep up-to-date:* (2) keep on one's toes, keep up to snuff, keep up on the latest.

pageot nm (III) *bed:* (2) sack: PADDOCK.

pager (se) vp (III) *to go to bed:* (2) hit the hay: BÂCHER.

pagnot nm (III) PAGEOT.

pagnoter (se) vp (III) SE PAGER.

paillasse nf (II) *stomach, belly:* (2) gut: BIDE.

paillasson nm (IV) *woman of loose morals:* (2) pushover: BOUDIN.

paille nf (III) *much, many:* (2) loads of: CHARIBOTÉE. (III) *a long time, ages:* (2) a helluva long time. **ce n'est pas une p.** (III) *that's no small amount:* (2) that ain't hay*, that's no peanuts, that's nothing to sneeze at. **être sur la p.** (I) *to be destitute:* (2) be on the rocks: DÉBINE. **feu de p.** (I) *easily lost interest or enthusiasm:* (1) flash in the pan*.

paillon—faire des paillons (III) *to philander, be unfaithful to one's spouse:* (2) two-time, step out on.

pain nm (III) *punch, blow:* (2) sock: ATOUT. **avoir du p. sur la planche** (I) *to have work in progress:* (2) to have a job on hand. **perdre le goût du p.** (I) *to die:* (2) to kick off: ARME. **p. de fesses** nm (IV) *prostitute's earnings.*

paire—dîner à la p. (II) *to leave without paying for the meal.* **se faire la p.** (III) *to run away:* (2) take it on the lam: ADJAS.

paître—envoyer q'un p. (I) *to discharge s.o., send s.o. away:* (2) give s.o. the gate: BALAI.

paix—ficher [foutre] la p. à q'un (III) *to leave s.o. alone, stop annoying s.o.:* (2) get off s.o.'s neck [tail], stop bugging s.o.

pajot nm (III) PAGEOT.

palass nm (IIIa) *idle talk:* (2) gab, yak-yak: BARATIN. **faire du p.** (IIIa) *to flatter:* (2) butter-up, soft-soap: BARATINER.

palasser vi (III) *to talk volubly and idly, chat:* (2) chew the fat, yackety-yack, gab, bat the breeze, chin, run off at the mouth.

palasseur nm (III) *chatterer:* (2) windbag, bag of wind, blabbermouth, hot-air artist.

pâle adj (III mil.) *ill, sick:* (2) off one's feed: AFFÛTÉ.

paletot nm (III) *coffin:* (2) wooden overcoat [kimono]. **p. de sapin** nm (III) *coffin.*

prendre mesure d'un p. de sapin (III) *to die:* (2) put on a wooden kimono: ARME.
prendre tout sur le p. (III) *to accept the blame (esp. for a crime):* (2) take the rap.
tomber sur le p. de q'un (III) *to assault s.o.:* (2) lace into s.o., let s.o. have it, start swinging at s.o., jump all over s.o.

palette nf (III) *hand:* (2) mitt: AGRAFE.

palmé—**les avoir palmées** (III) *to do nothing, be lazy:* (2) louse around: BRAS.

palper vt (II) *to receive, get (money):* (1) lay hands on, get hold of.

palpitant nm (III) *heart:* (2) ticker, pump.

paltoquet nm (I) *crude, stupid person:* (2) dumb cluck, palooka, stupid jerk.

paluche nm (III) *hand:* (2) mitt: AGRAFE.

panache—**prendre son p.** (IIIa) *to get drunk:* (2) get loaded: ARRONDIR (s').

panade—**être dans la p.** (II) *to be in poverty:* (2) be on one's uppers: DÉBINE.

panais nm (IVa) *penis:* ARBALÈTE.

Panam(e) nm (III) *Paris:* (2) Paree.

Panamiste nm (IIIa) *Parisian.*

panard nm (III) *foot:* (2) hoof, dog, pup.
prendre son p. (IV) *to have an orgasm:* BANDER.

pandore nm (II) *policeman:* (2) cop: ARGOUSIN.

panet nm (IV) *penis:* ARBALÈTE. **tremper son p.** (IV) *to have intercourse:* ARBALÈTE.

panier nm (III) *buttocks (female):* (2) fanny: ARRIÈRE-TRAIN. **faire danser l'anse du p.** (I) *to pad an expense account:* (2) to get a kickback [rake-off]. **le dessus du p.** (I) *the best:* (1) cream of the crop, top-drawer, top-notch. **p. à salade** nm (III) *police wagon:* (2) paddy wagon, Black Maria. **p. percé** nm (II) *spendthrift:* (2) easy guy with the dough.

panne—**avoir une [être en, tomber en] p.** (I) *to have a breakdown (vehicle, motor, etc.):* (2) conk [poop] out, be stuck. **être dans la p.** (II) PANADE. **laisser q'un en p.** (II) *to abandon s.o.:* (2) leave s.o. in the lurch, leave s.o. stuck, run out on s.o.

panné adj (II) *without money:* (2) broke, flat: BLANC.

panneau—**donner [tomber] dans le p.** (I) *to let oneself be swindled or hoaxed:* (2) be a sucker, bite, let oneself be conned [gypped, rooked, hooked, taken].

panosse nf (IIIa) *stupid person:* (2) nitwit: ANDOUILLE.

panouille nf (IIIa) PANOSSE.

panse nf (I) *stomach:* (2) gut: BIDE. **grosse p.** (II) *protuberant abdomen:* (2) bay window: BEDAINE.

pante nm (IIIa) *stupid person:* (2) chump: ANDOUILLE. (III) *victim of a swindle:* (2) patsy, chump, sucker, fall guy, mark, goat, boob.

Pantin (III) *Paris:* (2) Paree.

Pantinois (III) *Parisian.*

pantouflard nm (I) *home-loving man:* (1) homebody, stay-at-home, home guy.

Pantruchard (III) *Parisian.*

Pantruche (III) *Paris:* (2) Paree.

papa—**à la p.** adv (II) *easily, quietly, slowly:* (2) slow and easy.——nm (III) *5-franc note.* **les quatre papas** (III) *the four kings (in cards):* (2) K-boys, old men.

papaout nm (IV) *male homosexual:* (2) fairy: EMMANCHÉ.

papeau nm (II) *hat:* (2) lid: BADA.

papelard nm (III) *paper (in general), newspaper.* (III) *identification papers.* (III) *playing card.* (III) *1000-franc note.* (III) *stocks and bonds.*

papier nm (III) PAPELARD. **être dans les (petits) papiers de q'un** (II) *to be s.o.'s favorite:* (2) be aces with s.o., be s.o.'s fair-haired boy.

papillon—**p. d'amour** (III) *crab lice:* (2) walking dandruff.

papognes nf pl (III) *hands:* (2) mitts: AGRAFE.

papoter vi (I) *to chatter idly:* (2) shoot the breeze: BAVARDER.

paquecif nm (III) PACSIF.

Pâques—**renvoyer à P. ou à la Trinité** (I) *to postpone indefinitely:* (2) put off till the cows come home [till hell freezes over].

paqueson nm (III) PACSIF.

paquet—**donner son p. à q'un** (I) *to discharge s.o.:* (2) give s.o. the gate: BALAI. **faire son p.** (I) *to run away:* (2) pack off: ADJAS. **lâcher le p.** (III) *to confess:* (2) spill: ACCOUCHER. **mettre le p.** (II) *to put out one's maximum effort:* (2) go all out: PACQSIF. **recevoir son p.** (I) *to be reprimanded:* (2) get bawled out, get a calling-[dressing-]down, be brought up on the carpet, be told off (in no uncertain terms). **risquer le p.** (I) *to take a big risk:* (2) bet one's bankroll, go for broke, bet all or nothing, stick one's neck out.

parade—**défiler la p.** (III) *to die:* (2) kick off: ARME.

paradis nm (II) *top balcony (theat.):* (2) peanut gallery, nigger heaven.

parapluie nf (III) *cover-up for illegal activities:* (2) cover, front, alibi. **la maison p.** nf (III) *the police:* (2) the fuzz: ARGOUSIN.

pardingue nm (IIIa) *overcoat:* (1) topper; (2) benny.

pardosse nf (III) PARDINGUE.

paré—**être p.** (III) *to be rich:* (2) be loaded: AS.

pare-brise nm invar. (III) *eyeglasses:* (2) cheaters, specs.

pare-flotte nm invar. (III) PARE-LANCE.

pare-lance nm invar. (III) *umbrella:* (2) bumbershoot.

parfum—**mettre au p.** (III) *to warn, inform:* (2) wise up, put wise: AFFRANCHIR.

parfumer vt (III) PARFUM.

Parigot nm (II) *Parisian.*

paroissien nm (I) *fellow, person (in general):* (2) guy: GARS. **un drôle de p.** (II) *a queer individual:* (2) a kook, a funny guy: PIAF.

paroli—**faire p.** (I) *to double one's bet when winning:* (2) play double or nothing.

parrain nm (IIIa) *witness (at trial).*

partant—**être p.** (III) *to share in, take part in:* (1) go along.

parterre—**prendre un (billet de) p.** (II) *to fall:* (2) take a flop, go kerplunk, come a cropper.

parti adj (III) *drunk:* (2) looped: ALLUMÉ.

particulière nf (III) *sweetheart:* (2) steady, sugar, sweetie, honey.

partie—**lâcher la p.** (III) *to give up, back down:* (2) call it quits: CAGNER. **p. carrée** nf (II, 1) double date. **p. de jambes en l'air** (IV) *sexual intercourse:* (3) roll in the hay, piece of tail, lay. **p. de traversin** (III) *nap:* (1) snooze, forty winks; (2) shut-eye.

parties nf pl (II) *testicles:* BALLOCHES.

partir—**p. en java [bombe, riboule, ribouldingue]** (III) *to go on a spree:* (2) go on a bender: BAMBOCHER.

partous[z]e nf (IV) *sexual orgy (usually involving two couples).*

passe—**faire une p.** (IIIa) *to pick up a client (for a prostitute):* (2) turn a trick. **maison de p.** (I) disorderly house: BOBINARD. **p. anglaise** nf (III) *dice game:* BOBS.

passe-lacet—**être raide comme un p.-l.** (III) *to be absolutely penniless:* (2) be flat broke: BLANC.

passer—**p. à l'as** (III) *to disappear without leaving a trace, disappear into thin air:* (2) fade out of the picture. **p. à la banque** (III)

to collect one's wages: (1) see the paymaster. **p. à la châtaigne** (III) *to be beaten:* (2) get lambasted: AMOCHER. **p. au piano** (IIIa) *to be fingerprinted:* (2) get one's prints taken. **p. de la pommade** (III) *to flatter:* (2) butter up, soft-soap, snow: BARATINER. **p. la main [pogne]** (III) *to give up, make peace:* (2) call it quits: CAGNER. **p. les dés** (III) *to back down, retreat:* (2) throw in the sponge: CAGNER. **p. un suif à** (III) *to reprimand:* (2) bawl out, dress down, haul (up) on the carpet, give hell to.

pastaga nm (III) *pastis (an anise-flavored liqueur).*

pastiquette nf (IIIa) *dice, craps:* BOBS.

pastis nm (II) *disorder, mess.* **être dans le p.** *to be in a difficult situation:* (2) be in a tough spot: BOUILLABAISSE.

pastoche nf (IV) *flatus:* (3) fart.

patapouf nm (II) *fat man or child:* (2) fatso, fat stuff. **faire p.** (II) *to make a loud noise:* (2) go bang. **faire un p.** (II) *to call clumsily:* (2) (take a) flop.

patate nf (II) *potato:* (2) spud, mickey. (III péj.) *farmer, rustic:* (2) hick: BOUEUX. (III) *big nose:* (2) beak, schnozzola: BAIGNEUR. (III) *punch:* (2) wallop, slug: ATOUT. (II) *hole in sock or stocking.*

patatrop—**faire p.** (III) *to run away:* (2) make tracks: ADJAS.

pâte—**être [vivre] comme un coq en p.** (I) *to live comfortably:* (2) be in a soft spot, lead the life of Riley, have it made, be in velvet, ride the gravy train.

pâtée nf (I) *food:* (2) eats, chow, grub. (III) *beating:* (2) shellacking: AVOINE.

patelin nm (I) *birthplace:* (2) old hometown. (II) *rural area:* (2) sticks: BLED.

paternel nm (II) *father:* (2) pop, the old man.

patins nm pl (III) *feet:* (2) dogs: ARPIONS. **chercher des p.** (III) *to pick a quarrel:* (1) look for trouble, have a chip on one's shoulder. **prendre les p. de q'un** (III) *to take s.o.'s part (in argument or fight):* (1) stick up for s.o.; (2) go to bat for s.o., take the rap for s.o. **se rouler des p.** (III) *to kiss very intimately (with tongue in partner's mouth):* (2) give a French kiss; (3) change spit. **traîner ses p.** (III) *to wander around, amble along:* (2) mosey along, piddle [louse] around. **traîne-p.** nm (III) *vagabond:* (1) tramp; (2) hobo, bum, vag.

patoche nf (III) *hand (esp. big):* (2) mitt, paw: AGRAFE. (III) *foot:* ARPIONS.

patouille nf (II) *mud.*

patraque nf (I) *makeshift and inefficient*

machine: (2) lemon, crock. (I) *sickly person:* (2) crock. (III) *wrist watch.* —— adj (I) *sick:* (2) under the weather, out of sorts, off-color.

Patrice et Mario n (III) *team of two policemen making the rounds.*

patte nf (I) *hand:* (2) duke: AGRAFE. (I) *foot:* (2) dog: ARPIONS. **aller à pattes** (I) *to walk:* (2) hoof [leg] it, ride shank's mare. **coup de p.** nm (II) *insulting remark:* (2) dirty crack [dig], low blow. **faire des pattes d'araignée** (III) *to tickle.* **graisser la p.** (I) *to bribe:* (2) grease (the palm), pay under the table, pay off. **jouer des pattes** (III) *to run off:* (2) scram, beat it: ADJAS. **marcher à quatre pattes** (I) to walk on all fours. **pattes de mouche** (I) *scribbled handwriting:* (2) hen scratches*. **pattes de lapin** (I) *short sideburns.* **pattes d'oie** (I) *facial wrinkles:* (1) crow's feet*. **se tirer des pattes** (III) *to run away:* (2) take off: ADJAS. **s'il me tombe sous la p.!** (I) *if I ever get a hold of him!:* (2) if I get my mitts on him! **tirer** [**traîner**] **les pattes** (III) *to move slowly:* (1) drag one's heels*; (2) mosey along, drag one's rear end [butt].

patuche nf (IIIa) *peddler's permit.*

pâturons nm pl (III) *feet:* (2) dogs: ARPIONS. **jouer des p.** (III) *to escape, run off:* (2) take it on the lam: ADJAS.

paulard nm (IVa) *penis:* ARBALÈTE. **gros p.** (IV) *penis.*

paumard(e) nmf (IIIa) *loser.*

paumé nm (III péj.) *degraded person (through drink, drugs, poverty, etc.):* (2) poor slob [fish], down-and-outer, bum, Skid Rower. —— adj (III) *ruined, penniless (due to gambling, bad luck):* (2) down-and-out, flat broke, on the rocks, cleaned out.

paumée nf (III) *girl:* (2) babe: BERGÈRE.

paumer vt (III) *to lose (money in gambling):* (2) drop, be taken for (a certain quantity of money). (III) *to steal:* (2) swipe: ARRANGER. (III) *to arrest:* (2) haul in: AGRAFER. (III) *to slap:* (2) swat, sock. **p. ses plumes** (III) *to lose one's hair.* **se faire p.** (III) *to be arrested:* (2) get picked up: BAISÉ. **se paumer** vp (III) *to get lost, lose one's way:* (2) go up the wrong alley.

pavé—**battre le p.** (I) *to wander around:* (2) mosey [bum, louse] around. **être sur le p.** (I) *to be homeless and penniless:* (2) be out in the streets*, be up against it, be on the rocks. (II) *to be unemployed:* (2) be on the beach. **tenir le haut du p.** (I) *to be on the highest level (socially, financially, etc.):* (1) be on top of the heap* [the ladder].

pavoiser vi (III) *to show off, strut:* (2) put on the dog: BEAU. (III) *to advertise:* (2) ballyhoo, talk up. (III) *to exhibit a black eye:* (2) show [sport] a shiner.

p.d. (abrév. de **pédéraste**) nm (IV) *male homosexual:* (2) pansy: EMMANCHÉ.

peau—**n'avoir que la p.** (III) *to have [get] nothing:* (2) get peanuts, not get a damn thing. **avoir la p. de q'un** (III) *to kill s.o.:* (2) get s.o.'s hide*: AFFAIRE. **avoir q'un dans la p.** (III) *to love s.o. deeply:* (2) have s.o. under one's skin*: BÉGUIN. **faire p. neuve** (I) *to change (opinions, habits, etc.):* (1) turn over a new leaf. **la peau!** (I) *I doubt it!:* (2) nuts!, sez you! **p. de balle (et balai de crin)** (III) *nothing:* (2) not a damn thing. **p. d'hareng** (III) *useless, good-for-nothing:* (2) not worth a damn [hoot]. **p. de saucisson** (III) *merchandise of poor quality (esp. leather goods):* (2) junk, crap, Woolworth's best. **p. de vache** (III) *cruel, heartless, disagreeable person:* (2) mean guy [bastard]. **pour la p.** (III) *for nothing, uselessly:* (2) for peanuts [beans], for the hell of it.

peau-d'âne nf (I) *diploma:* (1) sheepskin.

peaux-rouges nm pl (IIIa) *gangsters, criminals:* (2) hoods, toughs, gunsels, mobsters.

pébroc [**oque**] nf (III) *umbrella.* **la maison p.** (III) *the police:* (2) the cops, the fuzz, the Law.

pêche—**aller à la p.** (III) *to be out of work:* (2) be on the beach. **balancer** [**filer**] **une p.** (III) *to punch:* (2) sock, take a swing at, haul off and sock. **poser une p.** (IV) *to defecate:* (3) take a crap: CAQUER.

pêchecaille nf (IIIa) *fishing.*

pécole nf (III) *any undefinable illness:* (2) the crud [pip, epizootic], what's going around. (III) *female schoolteacher:* (2) schoolmarm.

pécore nmf (I) *stupid or silly woman:* (2) silly goose, scatterbrain, lamebrain, dumb Dora. (III) *peasant, farmer:* (2) hick: BOUEUX.

pédale—**la pédale** (IV) *the homosexual world:* (2) pansy [fairy] land. —— nf (III péj.) *untrustworthy person:* (2) rat, louse; (3) prick: BORDILLE. **être de la p.** (IV) *to be a homosexual:* (2) be a pansy: EMMANCHÉ. **perdre les pédales** (III) *to get confused [mixed up], lose control of oneself:* (2) get all balled up: BOULE.

pédé nm (III) P.D.

pédéro nm (III) P.D.

pédigrée nm (III) *police record:* (2) pedigree. (III) *reputation (esp. criminal):* (2) rep.

pédoque nm (III) P.D.

ped[t]zouille nf (II) *rustic, farmer:* (2) rube: BOUEUX.

pégale nm (IIIa) *pawnshop:* (2) hock shop.

pégriot nm (IIIa) *petty thief:* (2) punk crook.

peigne nm (IIIa) *jimmy (burglar's tool):* (2) iron. **passer au p. fin** (II) *to examine very carefully:* (2) go through with a fine-tooth comb*, give a thorough going-over.

peigne-cul nm (III) *stingy, nasty person:* (2) cheap skate, cheap punk, tightwad.

peigner vt (II) *to beat up, thrash:* (2) lambaste, wallop: AMOCHER. **se peigner** vp (II) *to come to blows, fight:* (2) trade punches, slug it out: AMOCHER.

peignée nf (II) *beating:* (2) walloping: AVOINE.

peinard—aller en (père) p. (III) *to leave quietly:* (1) slip away, sneak off; (2) ooze out. **être p.** (III) *to be easygoing:* (2) play it cool, take it easy. **faire q'ch. en p.** (III) *to do s.t. quietly (without fuss):* (2) go easy with [on] s.t., do s.t. slow and easy.

peinture—ne pouvoir voir q'un en p. (III) *to detest s.o.:* (2) to be unable to stand the sight of s.o.: BLAIRER.

pékin nm (III mil.) *civilian.* **en p.** (III) *in civilian clothes:* (2) in civvies.

pelle—ramasser une p. (II) *to fall:* (2) flop: BILLET. (II fig.) *to fail:* (2) fizzle out: BOUDIN. **remuer l'argent à la p.** (I) *to be very rich:* (2) swim in money: AS. **en prendre plus avec son nez qu'avec une p.** (II) *to have a big nose:* (2) have a real beak [schnozzle]. (II) *to stink.*

péllos(s) nm (III) *money:* (2) dough: ARTICHE. **n'avoir pas un p.** (III) *to have no money:* (2) not have a red cent: BLANC.

pelotage nm (III) *caressing (a woman):* (2) necking, petting. (II) *flattery:* (2) soft-soap, blarney, applesauce, baloney, snow job.

pelote—avoir les nerfs en p. (I) *to be very nervous:* (2) be tied up in a knot, have the jitters, be in a lather [stew]. **envoyer q'un aux pelotes** (III) *to send s.o. off:* (2) send s.o. packing, boot s.o. out: BALAI. **faire sa p.** (I) *make a lot of money:* (2) make a bundle, rake in the dough, make one's pile*.

peloter vt (II) *to caress (a woman):* (2) pet, neck with, feel [love] up. (I) *to flatter:* (2) butter up: BARATINER.

peloteur nm (II) *flatterer:* (2) soft-soaper: BARATINEUR. (II) *man who paws women:* (2) guy with roaming hands.

pelure nf (II) *clothing:* (2) duds, togs. (II) *overcoat:* (2) benny.

pénard (III) PEINARD.

pendard nm (I) *worthless person, good-for-nothing:* (2) no-good louse, heel, stinker, bum: BORDILLE.

pente—avoir la dalle [le gosier] en p. (II) *to be a heavy drinker:* (2) be a boozer: BIBARD.

pépée nf (III) *woman (in general):* (2) broad: BERGÈRE. (III) *prostitute:* (2) hustler, hooker, call girl, streetwalker, flesh-peddler. (III) *woman of loose morals:* (2) floozy: BOUDIN.

pépère nm (I) *father:* (1) dad; (2) pop. —— adj (I) *agreeable, satisfactory, comfortable, calm, cozy, etc.* **à la p.** (II) *quietly, peacefully:* DOUCE (EN).

pépettes nf pl (II) *money:* (2) dough: ARTICHE.

pépie—avoir la p. (II) *to be thirsty:* (2) be dry.

pépin nm (III) *umbrella.* **avoir avalé le p.** (III) *to be pregnant:* (1) be in a family way; (2) be knocked up. **avoir le p. pour q'un** (II) *to be in love with s.o.:* (2) have a yen for s.o.: BÉGUIN. **avoir un p.** (II) *to encounter difficulties, strike a snag:* (2) run into a hitch.

péquenot nm (II) *farmer, peasant:* (2) rube: BOUEUX.

péquin nm (III mil.) PÉKIN.

percale nf (III) *tobacco.*

perche nf (I) *tall, thin person:* (2) gawky guy: ASPERGE. **tendre la p. à q'un** (I) *to lend a helping hand:* (2) give a hand up, give a boost.

percher vi (I) *to live (inhabit):* (2) hang out at.

perdre—p. la boussole [le nord, la boule, les pédales] (III) *to lose one's self-control, become all confused:* (2) go haywire, go off the deep end, get balled [bollixed] up.

perdreaux (les) nm pl (III) *the police:* (2) the fuzz: ARGOUSIN.

Père Fouettard nm (III) *buttocks:* (2) fanny: ARRIÈRE-TRAIN. **botter le P.F.** (III) *to kick in the buttocks:* (2) boot in the rear: BOTTER. **l'avoir dans le P.F.** (IV) *to be cheated, swindled:* (2) get gypped: BAGOUSE.

perle—lâcher la p. (III) *to die:* (2) kick the bucket: ARME. **lâcher une p.** (IV) *to pass flatus:* (3) (leave a) fart.

perlot nm (III) *tobacco.*

perlouse (III) PERLE. (III) *pearl.*

perme (abrév. de **permission**) nf (III mil.) *furlough:* (2) leave. **sans p.** (III) *without permission:* (2) A.W.O.L.

Pernaga nm (III) *Pernod.*

Perniflard nm (III) *Pernod.*

perpète (à) (abrév. de **perpétuité**) *lifetime prison sentence:* (2) life, the book.

perquise (abrév. de **perquisition**) nm (IIIa) *police search of house or person:* (2) frisking, shakedown, once-over, going-over.

perroquet nm (II) *mint-pastis drink.*

perruche nf (I) *talkative woman, chatterbox.* (IIIa) *prostitute:* (2) hustler, hooker.

pescale nm (III) *fish.* (III) *pimp.*

pèse-brioches nm inv (III) *bathroom scales.*

pet—**chercher du p.** (III) *to look for trouble, pick a quarrel:* (1) be on the warpath; (2) itch for a fight. **il y a du p.** (II) *there's trouble brewing:* (2) things are getting hot. **faire du p.** (II) *to make a lot of noise:* (1) raise a rumpus; (2) kick up a storm, raise the roof, put up a howl. (II) *to lodge a complaint with the police:* (2) go [squawk] to the cops, put in a beef (with the cops), make a rap. **faire le p.** (III) *to act as lookout:* (2) lay [keep] jiggers, be on point, lay zex. **flurer le p.** (IIIa) CHERCHER DU P. **porter le p.** (III) FAIRE DU P. **ne pas valoir un p. de lapin** (II) *to be worthless:* (2) not be worth a damn [hoot]; (3) not worth a fart in hell.*

pétarader vi (III) *to storm [rage] with anger:* (2) be mad as blazes, see red, be boiling [hopping] mad, be all steamed up: CRAN.

pétard nm (I) *scandal, malicious gossip:* (2) dirt, muck. (II) *noise, racket:* (1) rumpus, hullabaloo, ruckus. (III) *buttock:* (2) can, fanny: ARRIÈRE-TRAIN. (III) *revolver:* (2) rod: ARTICLE. **être en p.** (III) *to be angry:* (2) be steamed up: CRAN. **se mettre en p.** (III) *to become angry:* (2) fly off the handle, blow one's stack, get boiling mad, see red. **porter le [aller au] p.** (III) *to complain to the police:* (2) squawk to the cops, put in a beef [squawk].

pétarder vi (III) *to make a lot of noise:* PET. (III) *to complain:* (2) squawk, beef, bitch, gripe, bellyache.

pétardier [ère] nmf (III) *quarrelsome person:* (1) rumpus raiser.

pétasse nf (IV) *immoral woman:* (2) floozy: BOUDIN. **avoir la p.** (III) *to be afraid:* (2) be chicken: BLANCS.

pétée—**filer une p.** (IV) *to have a sexual orgasm:* BANDER. (IV) *to have intercourse:* ARBALÈTE.

péter vi (III) *to be angry:* (2) be mad: CRAN. (III) *to complain:* (2) squawk, bitch, bellyache, beef, gripe. (III) *to shout:* (2)

put up a howl [squawk], holler. **envoyer p.** (IV) *to discharge:* (2) give the bounce: BALAI. **la p.** (IV) *to be hungry.* **p. dans la main** (II) *to fail to keep a promise:* (1) go back [renege] on one's word. (IV) *to fail:* (2) flop, fizzle out: BOUDIN. (IV) *to lose value suddenly:* (2) hit the skids, nosedive, do a tailspin. **p. dans le mastic** (IV) *to stop working:* (1) lay down on the job. **p. dans la soie** (IV) *to show off:* (2) put on the dog: BEAU. **p. le feu** (II) *to be energetic:* (2) be a live wire, have plenty of zip: ALLANT. **p. plus haut que son cul** (IV) *to act beyond one's station (in life):* (2) act like a big shot [wheel]. (II) *to try to do things beyond one's capabilities, overextend oneself:* (1) bite off more than one can chew.

pètesec nm (II) *disciplinarian (employer, teacher, etc.), martinet:* (2) whip-cracker.

péteuse nf (IV) *motorcycle:* (2) putt-putt.

péteux [euse] nmf (IV) *coward:* (2) quitter: CANEUR.

petit—**p. blanc** (II) *glass of white wine.* **p. frère** (IV) *penis:* ARBALÈTE. **p. noir** (II) *coffee:* (2) mud, jake, mocha, jamoke. **p. salé** (III) *newborn child.*

petite nf (IIIa) *pocket:* (2) kick, poke. **mettre en p.** (IIIa) *to hide (loot):* (2) stash (away), put on ice. (IIIa) *to save:* (2) sock [stash, hole, squirrel] away. **prendre une p.** (IIIa) *to take heroin.*

pétochard [e] nmf (II) *coward:* (2) yellow-belly: CANEUR.

pétoche—**avoir la p.** (II) *to be afraid:* (2) have the jitters: BLANCS.

pétoire nf (III) *motorcycle:* (2) putt-putt. (II) *gun or pistol:* (2) heater: CALIBRE.

peton nm (II) *foot:* (2) dog, hoof: ARPIONS.

pétouille (II) PÉTOCHE.

pétoulet nm (IIIa) *buttocks:* (2) rear end: ARRIÈRE-TRAIN.

pétrin—**être dans le p.** (I) *to be in a difficult situation:* (2) be in a tough spot: BOUILLABAISSE.

pétrolette nf (II) PÉTOIRE.

pétrousquin nm (IIIa) *rustic, peasant:* (2) hick: BOUEUX. (IIIa) *buttocks:* (2) fanny: ARRIÈRE-TRAIN.

pétrus nm (III) *buttocks:* ARRIÈRE-TRAIN.

pèze nm (III) *money:* (2) dough: ARTICHE. **avoir du [être au] p.** (III) *to be rich:* (2) be in the dough: AS. **fusiller son p.** (III) *to spend one's money:* (2) blow in one's dough; (3) piss away one's dough.

pharmaco nm (III) *druggist, pharmacist:* (2) pill-roller.

phonard nm (IIIa) *telephone:* (1) phone.

phonarde nf (IIIa) *telephone operator:* (2) hello-girl.

piaf nm (II) *sparrow.* (II) *bird (in general).* **crâne de p.** (III) *unintelligent person:* (2) bird-brain*, dimwit, lamebrain: ANDOUILLE. **un drôle de p.** (III) *queer person:* (2) queer bird [duck, egg], funny guy, card, pistol, kook, a character.

piano adj (I) *quietly, peacefully.* **p. à bretelle** (II) *accordion:* (2) squeeze box. **touches de p.** (III) *teeth:* (2) choppers, ivories, crockery. **vendre son p.** (II) *to be in financial straits:* (2) be down to one's last cent, be up against it, be scraping bottom.

piaule nf (III) *room, digs:* (2) pad, kip.

piauler vi (I) *to screech, shout:* (2) holler.

pic—à p. adv (I) *just in time:* (1) in the nick of time. (I) *right on time:* (2) on the dot [nose, button].

picaillons nm pl (III) *money:* (2) cabbage, dough: ARTICHE.

pichpin—être du p. (II) *to be a sure winner (or success):* (2) be in the bag, be a breeze, be a cinch (to win), be a sure bet.

pichtegorme nm (III) *red wine:* (2) vino, red ink.

picoler vi (II) *to drink (alcoholic beverage):* (2) booze, hit the bottle: BIBERONNER.

picoleur [**euse**] nmf (II) *drinker:* (2) boozehound: BIBARD.

picrate nm (III) *cheap wine:* (2) vino, ink.

pictance nf (III) *beverage (alcoholic).*

pictancher vi (IIIa) PICOLER.

picter vi (III) PICOLER.

pictonner vi (IIIa) PICOLER.

pied nm (II) *imbecile, stupid person:* (2) nitwit, dope: ANDOUILLE. (III) *share of loot:* (2) cut, divvy. **aller au p.** (III) *to distribute loot:* (2) divvy up, make the cut. **au p. levé** (I) *on the spur of the moment:* (2) right off the bat. **avoir les pieds dans le dos** [**les reins**] (II) *to have the police on one's trail:* (2) have them breathing down one's neck, have them on one's tail. **avoir son p.** (III) *to get one's share (loot, profits, etc.):* (2) get one's cut [divvy] (of the take), get in on the take. **avoir les pieds nickelés** (II) *to refuse to work or move:* (2) have lead in one's rear [ass]: BRAS. **casser les pieds à q'un** (III) *to bore, annoy:* (2) give s.o. a pain in the neck: ASSOMMER. **donner le coup de p. à q'un** (II) *to try to make a loan:* (2) put the touch on s.o.: BOTTE. **en avoir son p. de q'ch.** (III) *to have had enough of s.t.:* (2) be fed up with

s.t.: ANDOSSES. **faire le p. de grue** (III) *to be kept waiting:* (2) cool one's heels. **faire du p.** (II) *to rub knees with a woman under the table:* (2) play footsies [kneesies]. **faire les pieds à q'un** (III) *to teach s.o. a lesson:* (2) show s.o. what's what, wise s.o. up. **lâcher p.** (I) *to give in, back down:* (2) chicken out: CAGNER. (I) *to run away:* (2) make tracks: ADJAS. **lécher les pieds** (II) *to toady:* (2) brown-nose: BOTTE. **mettre les pieds dans le plat** (II) *to interfere:* (2) stick one's nose [two cents] in, butt in. **p. de cochon** (II) *a mean deed:* (2) a dirty [mean, stinking, lousy] stunt. **prendre son p.** (IV) *to have an orgasm:* BANDER. **sécher sur p.** (I) *to be kept waiting:* (1) cool one's heels. **se lever du p. gauche** (I) *to get out of bed on the wrong side*.* **s'en aller les pieds devant** (II) *to die:* (2) go out feet first*: ARME. **se tirer les pieds** (II) *to run away:* (2) take off: ADJAS. **tirer le p.-de-biche** (III) *to peddle from door to door:* (2) ring doorbells. **vivre sur un grand p.** (I) *to live lavishly:* (2) live it up, live high on the hog. **p.-de-figuier** nm (III péj.) *Arab.*

piège nm (III) *bookmaker (betting):* (2) bookie. **p. à poux** (III) *beard:* (2) beaver.

piéger vi (IIIa) *to take bets:* (2) make book.

pierre nf (II) *precious stone, diamond:* (2) rock, ice.

pierreuse nf (III) *woman of loose morals, slut:* (2) floozy: BOUDIN.

pierrot nm (II) *a person:* (2) guy, gink: GARS. (II) *stupid person:* (2) dope: ANDOUILLE. **faire le p.** (I) *to play the fool:* (2) act like a dope [stupid jerk, jackass].

pieu nm (II) *bed:* (2) sack, feathers, hay. **se mettre au p.** (III) *to go to bed:* (2) sack up: BÂCHER (SE).

pieuter (**se**) vp (III) SE METTRE AU PIEU.

pieuvre nf (I) *endlessly demanding person:* (1) leech, bloodsucker; (2) sponger, grifter. **faire la p.** (I) *to make demands:* (2) sponge on, put the bee [arm] on, mooch.

pif nm (II) *nose:* (2) beak: BAIGNEUR. **avoir le p. piqué** [**salé**] (III) *to be drunk:* (2) have a snootful*: ALLUMÉ. **avoir q'un dans le p.** (III) *to detest s.o.:* (2) have it in for s.o., be unable to go [take, stand the sight of] s.o., have s.o. on one's stink list, hate s.o. like poison, be sour on s.o. **en avoir un coup dans le p.** (III) *to be drunk:* (2) have a snootful: ALLUMÉ. **s'arrondir** [**se piquer, se salir**] **le p.** (III) *to get drunk:* (2) to get a snootful*: ARRONDIR (s'). **se manger le p.** (III) *to quarrel, bicker:* (1) spat.

piffard nm (IIIa) PIF.

piffer vt (III) *to smell, sniff.* **ne (pouvoir) pas p. q'un** (III) *to detest, s.o.:* PIF.

piffomètre—mesurer au p. (IIIa) *to estimate measurement at a glance:* (1) make a quick guess; (2) make a guesstimate.

piffrer vi (II) *to eat gluttonously:* (2) stuff oneself: BÂFRER.

pige nf (III) *year.* **faire la p. à q'un** (II) *to surpass s.o.:* (2) go s.o. one better, show s.o. up, put it all over s.o. (III) *to outdistance s.o.:* (1) show s.o. one's heels, make s.o. eat one's dust.

pigeon nm (III) *victim of a swindle:* (2) sucker, patsy, fall guy, (easy) mark, goat, boob, fish. **prendre q'un pour un p.** (III) *to think s.o. easy to swindle:* (2) take [figure] s.o. for a sucker [easy mark, patsy].

pigeonner vt (III) *to swindle or dupe:* (2) make a sucker out of: ARNAQUER.

piger vt (II) *to understand:* (2) dig, catch on, wise up to, be hip to. (II) *to catch, get hold of:* (2) latch on to: AGRAFER. (II) *to look at:* (2) take a gander at: ALLUMER.

pile nf (I) *beating, thrashing:* (2) shellacking: AVOINE. (I) *defeat in sports:* (1) beating; (2) shellacking, pasting. (IIIa) *100 francs.* **arriver [tomber] p.** (II) *to arrive just at the right time:* (2) blow in on the dot, be Johnny-on-the-spot. **s'arrêter p.** (I) *to come to a sudden stop:* (2) stop on a dime, slam on one's brakes.

piloches nf pl (IIIa) *teeth:* (2) choppers: CROCS.

pilon nm (I) *wooden leg:* (1) pegleg. (III) *beggar, tramp:* (2) bum, moocher, panhandler.

pilonner vi (III) *to beg:* (2) mooch, panhandle.

pilonneur nm (III) *beggar:* PILON.

pilule—avaler la p. (I) *to believe a lie:* (2) bite, swallow the line. (I) *to accept a difficult or distasteful task:* (1) face the music. **dorer la p.** (I) *to disguise a disagreeable fact, sugar the pill*.*

piment nm (IIa) *nose:* (2) bugle: BAIGNEUR.

pinard nm (II) *wine:* (2) vino, red ink.

pince nf (III) *hand:* (2) mitt: AGRAFE. **être chaud de la p.** (IV) *to be an amorous person:* (3) have hot pants: ARTICLE. **serrer la p. à q'un** (III) *to shake hands with s.o.* nf pl (III) *feet:* (2) dogs: ARPIONS. (III) *handcuffs:* (2) nippers: BRACELETS. **aller à p.** (III) *to walk:* (2) hoof [leg] it.

pincé—être p. pour q'un (II) *to be in love with s.o.:* (1) have a crush on s.o.: AMOUR.

pinceaux nm pl (III) *feet:* (2) dogs: ARPIONS.

affûter des p. (III) *to walk:* (2) hoof [leg] it, ride shank's mare.

pince-fesses nm (II) *public reception, cocktail party:* (2) shindig, shindy.

pincer vt (I) *to arrest:* (2) pinch*: AGRAFER. **en p. pour** (II) *to be in love with:* (2) have a yen for: AMOUR.

pincette—nf (III) *leg:* (2) shaft: BÂTON. **ne pas être à prendre avec des pincettes** (I) *to be very dirty (or disagreeable):* (2) not to be touched with a ten-foot pole*.

pine nm (IV) *penis:* ARBALÈTE.

piné adj (III) *good, successful.*

piner vt (IV) *to fornicate:* AIGUILLER.

pingler vt (IIIa) *to arrest:* (2) collar: AGRAFER.

pingots nm pl (II) PINGOUINS.

pingouins nm pl (II) *feet:* (2) dogs: ARPIONS.

pinter vi (II) *to drink excessively (alcohol):* (2) booze: BIBERONNER.

piocher vi (I) *to work or study hard:* (1) plug, grind away, keep one's nose to the grindstone.—vt (I) *to study something intensely:* (2) bone up on, plug [grind] away at.

piocheur [euse] nmf (I) *hard worker:* (2) plugger.

pion nm (I) *monitor (in school).* **être p.** (III) *to be drunk:* (2) be plastered: ALLUMÉ. **n'avoir pas le plus petit p.** (III) *to have absolutely no money:* (2) be flat broke: BLANC.

pioncer vi (II) *to sleep:* (2) snooze (away), saw wood, pound the pillow, put in sack time.

pionnard adj (III) *drunk:* (2) looped: ALLUMÉ.

pionnarder (se) vp (III) *to get drunk:* (2) get stewed: ARRONDIR (s').

pionner (se) vp (III) PIONNARDER (SE).

pipe nf (III) *cigarette:* (2) butt, weed, gasper, cancer stick, coffin nail. **casser sa p.** (II) *to die:* (2) kick the bucket: ARME. **filer une p. à** (IIIa) *to beat up:* (2) knock the stuffings out of: AMOCHER. **se fendre la p.** (III) *to laugh heartily:* (2) bust a gut laughing, laugh oneself sick, laugh fit to kill, have a belly-laugh.

pipé—être p. sur le tas (III) *to be caught red-handed:* (2) caught with the goods [with one's pants down, dead to rights].

pipelet [te] nmf (II) *concierge, doorman.*

piper—vt (III) *to arrest:* (2) nab: AGRAFER. **ne pas p. q'un** (III) *to dislike s.o.:* (2) be

unable to stand [take] s.o.: BLAIRER. **ne pas
p.** (III) *to remain silent:* (2) keep mum:
BOÎTE. **p. les cartes** (I) *to mark the cards:*
(2) ginny the books [pasteboards]. **p. les
dés** (I) *to load the dice.*

pipette nf (III) *pipe.* **ne pas valoir p.** (III)
to be worth nothing: (2) not be worth a
damn [hoot].

pipo nm (III scol.) *polytechnical school:*
(2) polytech. (III) *polytechnical student.*

piqué adj (II) *eccentric, slightly crazy:* (2)
touched in the head, nutty, batty, screwy,
kookie: ARAIGNÉE.

piquer vt (III) *to steal:* (2) swipe: ARRANGER.
(III) *to arrest:* (2) pinch: AGRAFER. (III) *to
stab, knife:* (2) plant a shiv in. (IV) *to have
intercourse:* AIGUILLER. **p. au truc** (III) *to
try:* (2) take a stab [make a try] at, give a
try. **p. dans le tas** (III) *pick at random:* (2)
pick out of the hat. **p. du pèze [pognon]**
(III) *to win money gambling:* (2) pick up
some dough. **p. le coup de bambou** (III)
to go crazy: (2) go off one's rocker [trolley,
nut], go bats [nuts, daffy], go off the deep
end. **p. le dix** (III) *to become tired:* (2)
poop [fag] out, get bushed. (IIIa) *to pace
back and forth in prison cell.* **p. les cartes**
(III) *to mark the cards.* **p. un clope** (III)
to pick up a cigarette stub: (2) snatch a
butt, grab a snipe. **p. une crise** (III) *to
become angry:* (2) blow one's stack: CRAN.
p. un départ (III) *to run off:* (2) take off
in a hurry: ADJAS. **p. un macadam** (III)
simulate an accident to collect insurance:
(2) fake a fall. **p. un fard [soleil]** (I) *to
blush, turn red.* **p. un laius** (I) *to make a
speech:* (I) spout [sound] off. **p. un morlingue** (III) *to steal a wallet:* (2) snatch
leather. **p. une sèche** (III) *to beg a cigarette:* (2) mooch [sponge] a butt. **se piquer
le nez** (II) *to get drunk:* (2) get stewed:
ARRONDIR (s'). **p. un ticket [ticson]** (III)
to malinger: (2) to ride the sickbook, goldbrick. **quel mouche le pique?** *what's upset-
ing him?:* (2) what's biting* [bugging,
eating] him?

piquette—ramasser une p. (III) *to be defeated:* (2) get trimmed [shellacked], take
a licking [shellacking].

piqueur nf (III) *pickpocket:* (2) dip, fingers,
wire, leather-man. **p. de tronc** nm (III)
church-box robber.

piquotte nf (III) *pin, tie clasp.*

piquouse nf (III) *injection:* (1) needle; (2)
shot.

pissenlit—manger les pissenlits par la

racine (II) *to be buried:* (2) push up the
daisies*, be six feet under, be planted.

pisser—envoyer p. (IV) *to discharge:* (2)
give the bounce: BALAI. **p. de l'oeil** (IV)
to cry: (2) to bowl, turn on the waterworks.
p. dans son froc (IV) *to laugh uproariously:*
(2) bust a gut laughing; (3) piss in one's
pants laughing*. **c'est moi qui pisse contre
le mur** (III) *I'm boss here:* (I) I wear the
pants around here.

pisseuse nf (IV péj.) *young girl.*

pisteur nm (II) *person who entices clients
to a hotel, gambling house, etc.:* (2) come-
on guy, shill, puller-in, sidewalk man. (II)
lady-chaser. (II) *police spy:* (2) tail.

pistolet nm (I) *urinal for male patients:* (2)
duck.

piston nm (II) *backstairs influence or protection in business, politics, etc.:* (2) drag,
pull, stand-in: BRAS. (III scol.) *student at
Ecole Centrale.*

pistonner vt (I) *to annoy, upset:* (2) bug,
get under s.o.'s skin, give a pain in the neck:
ASSOMMER. (I) *to use political influence:* (1)
pull strings; (2) use drag [pull].

pitaine nm (III mil.) *captain.*

piton nm (II) *nose (esp. big):* (2) schnozzola: BAIGNEUR.

pive nm (III) *wine:* (2) vino.

piver vt (III) *to drink (wine):* (2) swig,
guzzle, lap up.

P.J. (abrév. de la **Police Judiciaire**) nf
(III) *the police department:* (2) the Law,
the cops, the fuzz.

placarde nf (III) *hiding place:* (1) hide-out;
(2) cover, hole. (III) *job (esp. easy):* (2)
cushy [snap, cinch] job, gravy train. (IIIa)
location in public places for street vendors:
(2) pitch, stand.

placarder vt (IIIa) *to hide:* (2) stash (away),
plant, hole up, bury.

placer (se) vp (III) *to take up living with
a woman:* (2) shack up.

plafond nm (II) *head:* (2) noodle: BALLE.
avoir une araignée dans le p. (I) *to be
crazy:* (2) have bats in the belfry*: ARAIGNÉE.
avoir le p. bas (II) *to be stupid:* (2) be
a dope [nitwit]: ANDOUILLE.

plafonnard nm (III) *head:* (2) noodle:
BALLE.

plan—être [rester] en p. (II) *to be un-
decided, left up in the air.* **laisser en p.** (II)
*to abandon, leave in the lurch, leave
stranded:* (2) dump, walk out on, ditch:
PLAQUER. **il n'y a pas p.** (III) *no possibility!:*
(2) no go!, no soap!, no dice!

planche—s'habiller de quatre planches (I) *to die:* (2) put on a wooden overcoat: ARME.

plancher—débarrasser le p. (II) *to leave, go away:* (2) take off, beat it, scram: ADJAS. le p. des vaches (I) *the ground:* (1) the cold, hard ground.

planque nf (III) *hiding place:* (1) hide-out; (2) hole, cover. (III) *police surveillance:* (2) stakeout, tail. (III) *house or room:* (2) pad, kip, dive, joint. (III) *savings:* (2) sock. (III) *job (esp. easy):* (2) cushy [soft] job, snap, cinch, gravy train. être en p. (III) *to be watching a suspect (police):* (2) be on stakeout, be on tail.

planquer vt (III) *to hide (something):* (2) stash, hole away, plant. (III) *to save:* (2) sock [squirrel, stash] away. se planquer vp (III) *to go into hiding:* (1) hide out; (2) hole up, get under cover, lay low.

planquouse nf (III) PLANQUE.

planquouser vt (III) PLANQUER.

planter—p. un drapeau (III) *to leave without paying one's bills:* (2) skip [run] out. (IIIa) *to stab to death:* (2) stick a knife in the ribs.

plaquer vt (II) *abandon, leave, jilt:* (2) ditch, dump, give the gate, run [skip, walk] out on, break off with, do a fade on.

plaquouser vi (IIIa) *to leave, go away:* (2) to take off, scram, beat it: ADJAS.

plastron nm (II) *thorax, chest.*

plastronner vi (I) *to show off, put on airs:* (2) to put on the dog: BEAU.

plastronneur nm (I) *boaster, one who puts on airs:* (1) show-off: BÉCHAMEL.

plat—faire du p. (III) *to flatter:* (2) to play up to, soft-soap: BARATINER. (III) *to try to win a girl's favors with flattery:* (2) hand out a line. faire (tout) un p. de q'ch. (II) *to make a fuss about s.t.:* (2) make a big deal [production] over s.t., raise a stink about, kick up a fuss over.

platine nf (IIIa) *tongue:* (2) clapper. avoir une p. (IIIa) *to be a chatterbox:* (2) have the gift of gab, be vaccinated with a phonograph needle.

plâtre—battre q'un comme p. (I) *to beat up s.o.:* (2) plaster s.o.*: AMOCHER. essuyer les plâtres (I) *to be the first occupant of a new house:* (1) move in before the paint is dry. être [plein] au p. (II) *to be rich:* (2) loaded: AS.

plein—battre son p. (I) *to be at the height of activity, be in full swing*:* (2) be hopping [jumping], be going like blazes. en avoir p.

les bottes [le dos, les andosses] (III) *to have had enough of s.t.:* (2) be fed up with s.t.: ANDOSSES. être p. (comme un boudin) [une bourrique, une huître, un oeuf, un polonais, une salope, une vache] (III) *to be drunk:* (2) be loaded: ALLUMÉ. être p. au plâtre [aux as] (III) *to be rich:* (2) be in the dough: AS. tout p. de (I) *a lot of:* (2) loads of: CHARIBOTÉE.

pleuvoir—p. des hallebardes [comme vache qui pisse] (III) *to rain heavily:* (2) rain pitchforks [cats and dogs, buckets].

plombard nm (II) *plumber.*

plombe nf (III) *hour (passage of time and time of day).*

plombé adj (IV) *infected with venereal disease:* (3) dosed [clapped] up.

plomber vt (IV) *to infect with venereal disease:* (3) dose [clap] up. (III) *to shoot:* (2) drill, fill with lead, plug, put holes through, let daylight through.

plouk (plouc) nm (II) *stupid or silly person:* (2) scatterbrain, lame-brain. (II) *farmer, peasant:* (2) hick: BOUEUX.

plumard nm (II) *bed:* (2) feathers*, hay, sack. être au p. (III) *to be in bed:* (2) be in the sack [hay, feathers].

plumarder (se) vp (III) *to go to bed:* (2) hit the feathers*: BÂCHER (SE).

plume nf (III) PLUMARD. (IIIa) *burglar's jimmy.* passer à la p. (III) *to beat up:* (2) wallop: AMOCHER.

plumer (se) vp (III) PLUMARDER (SE).

plumes nf pl (III) *bed:* PLUMARD. (III) *hair.* être aux p. (III) *to be in bed:* PLUMARD. laisser des p. (III) *to lose money (esp. gambling):* (2) drop one's dough [a bundle], get cleaned out, lose one's shirt, get taken to the cleaners. paumer ses p. (III) *to lose one's hair.* voler dans les p. (III) *to attack an adversary (without hesitation):* (1) tear [wade, sail] into; (2) light into.

plumet—avoir son p. (II) *to be tipsy, be slightly drunk:* (2) be half lit, have half a load on: ALLUMÉ.

pocharder (se) vp (II) *to get drunk:* (2) tie one on: ARRONDIR (S').

poche—être dans la p. (III) *to be a sure success or winner:* (2) be in the bag [a sure thing, a (dead) cinch, on ice, a cinch bet, sure-fire winner]. mettre q'un dans sa p. (II) *to convince s.o., make an ally of s.o.:* (2) get around s.o., get s.o. in one's camp [on one's side]. y aller de sa p. (I) *to foot the bill.* connaître comme sa p. (I) to know like the palm of one's hand: (I) to know inside out.

pocheté [e] nmf (II) *stupid person:* (2) lunkhead: ANDOUILLE. **un p. de** (II) *a lot:* (2) oodles of: CHARIBOTÉE.

pochette-surprise nf (1) *surprise package:* (1) grab-bag.

poêle—tenir la queue de la p. (I) *to be in command:* (1) be the boss; (2) sit in the driver's seat.

pogne nf (III) *hand:* (2) mitt: AGRAFE. **avoir les pognes retournées** (III) *to be lazy:* BRAS. **être à la p. de q'un** (II) *to be at s.o.'s mercy:* (1) be had by the throat; (3) be had by the balls. **passer la p.** (III) *to give in, surrender:* (2) call it quits: CAGNER. **prendre la p.** (III) *to take the initiative:* (2) carry the ball.

pognon nm (III) *money:* (2) dough: ARTICHE. **être au p.** (III) *to be rich:* (2) be in the dough: AS.

poids—avoir du p. (II) *to be elderly, be on in years:* BOUTEILLE. (II) *to have experience (in a certain field):* (2) carry weight*, know one's business. **faux p.** (III) *female of minor age:* (2) jail-bait. **prendre du p.** (III) *to get old:* (2) take [put] on years. **un homme de p.** (II) *an older man, a man of years.* (III) *an important underworld figure:* (2) big shot [wheel, cheese, gun].

poignet—ne pas se fouler le p. (III) *to take it easy:* (2) louse [diddle] around, not strain one's back*, raise no sweat.

poil—à poil (II) *naked:* (2) in one's birthday suit, in the altogether, naked as a jaybird. **au (quart de) p.** (II) *precisely, perfectly:* (1) to a T; (2) right on the button [nose]. **avoir un p. dans la main** (II) *to be lazy:* (2) have no get-up-and-go, be a lazybones, have no ambish [push, drive], be born tired. **être de mauvais p.** (II) *to be in bad humor:* (1) be grouchy; (2) be sour [on the sour side]. **faire le p. à q'un.** *to quiet s.o. down, pacify s.o.:* (1) smooth s.o.'s feathers*. **tomber sur le p. de q'un** (II) *to attack s.o., lash into s.o.:* (1) lace into s.o.; (2) let s.o. have it, lambaste s.o. **un brave [homme] à trois poils** (I) *a very brave man:* (2) a guy with real guts.

poilant adj (III) *funny, humorous:* (2) a howl, a scream, too funny for words, a laugh-getter.

poiler (se) vp (III) *to laugh heartily:* (1) have a good laugh; (2) laugh fit to kill, bust a gut laughing, have a belly-laugh.

Poincaré—en cachette de P. (IIa) *in secret, on the sly:* (2) on the q.t.

point nm (IIIa) *franc.*

pointe—avoir sa p. (III) *to be drunk:* (2) be lit: ALLUMÉ. **être chaud de la p.** (IV) *to be an amorous male:* (2) be a heavy lover; (3) have hot pants [nuts]: BANDEUR. **être de la p.** (IV) *to be a homosexual:* EMMANCHÉ.

pointer vt (I) *to check in (at one's job):* (1) sign in, punch the clock. (IV) *to have intercourse:* AIGUILLER. **se faire p.** (IIIa) *to get arrested:* (2) get nabbed: AGRAFER. **se pointer** (III) *to arrive:* (1) check in; (2) blow in.

poire nf (II) *face:* (2) mug: BALLE. (II) *head:* (2) nut: BALLE. (II) *stupid person:* (2) dope: ANDOUILLE. (III) *dupe, victim (of a swindle):* (2) sucker: PIGEON. **faire sa p.** (I) *to put on airs:* (2) put on the dog: BEAU. **garder une p. pour la soif** (I) *to put s.t. away in reserve:* (1) put s.t. aside for a rainy day. **se payer la p. de q'un** (III) *to swindle s.o.:* (2) take s.o. over: ARNAQUER. (III) *to play a joke on s.o.:* (2) pull a fast one on s.o.: BATEAU.

poireau nm (IV) *penis:* ARBALÈTE. **faire le p.** (III) *to wait a long time:* (2) cool one's heels, hang around.

poireauter vt (III) FAIRE LE POIREAU.

poirer vt (III) *to arrest:* (2) pinch: AGRAFER. (III) *to take (by stealth):* (2) swipe: ARRANGER.

poiscaille nm (III) *fish.* (IIIa) *pimp.*

poiscal nm (II) POISCAILLE.

poissard nm (III) *unlucky person:* (2) unlucky [jinxed] guy, guy down on his luck.

poisse nm (IIIa) *pimp.* (IIIa) *gangster:* (2) hood, mobster, gunsel.—nf (III) *policeman:* (2) bull: ARGOUSIN. (III) *bad luck.* (2) jinx. **avoir la p.** (III) *to be unlucky:* (2) be down on one's luck, be jinxed. [hoodooed].

poisser vt (IIIa) POIRER.

poisson—changer son p. d'eau. (III) *to urinate:* (I) to pee: (2) to take [spring] a leak; (III) to (take a) piss.

poivrade—en avoir une p. (III) *to be drunk:* (2) have a load on: ALLUMÉ.

poivré adj (III) *drunk:* (2) looped: ALLUMÉ. **p.-et-sel** (I) *gray:* (2) pepper-and-salt*.

poivrer (se) vp (III) *to get drunk:* (2) get plastered: ARRONDIR (s'). **poivrer** vt (IV) *to infect with venereal disease:* (3) to give a dose, dose up.

poivrot (te) nmf (II) *drunkard:* (2) booze hound: BIBARD.

polard nm (IV) *penis:* ARBALÈTE.

polichinelle—avoir un p. dans le tiroir (III) *to be pregnant:* (1) be in a family way; (2) be anticipating, have one in the oven*; (3) be knocked up. **un secret de p.** (I) *an open secret.*

polka nf (IIIa) *woman:* (2) babe: BERGÈRE. **jouer la p. des mandibules** (IIIa) *to eat:* (2) pack away a meal, hit the chow.

Polonais—boire comme un P. (IĮI) *to drink heavily:* (2) drink like a fish*: BIBE-RONNER.

pommade—être dans la p. (II) *to be in a difficult situation:* (2) be in a jam: BOUILLA-BAISSE. (II) *to be in desperate straits:* (2) be on the rocks: DÉBINE. **passer de la p. à q'un** (II) *to flatter s.o.:* (2) butter s.o. up: BARATINER.

pommadeur nm (II) *flatterer, boot-licker:* (2) brownnoser: BARATINEUR.

pommadin nm (II) *hairdresser.* (II) *fussy, elegant man:* (1) dude, sport.

pomme nf (III) POIRE (all meanings). **aux pommes** (III) *well-groomed:* (1) nicely turned out. **haut comme trois pommes** (III) *very short:* (2) knee-high to a grasshopper. **jeter des pommes cuites** (III) *to jeer:* (2) razz, give the razzberry [Bronx cheer]. **tomber dans les pommes** (I) *to faint:* (1) pass out; (2) conk out. **sucer la p.** (III) *to kiss.*

pompe—à toute p. (III) *at full speed:* (2) at full blast: BARRE. **donner un coup de p.** (III) *to try to get a loan:* (2) make a touch: BOTTE. **recevoir le coup de p.** (III) *to be tired (after strenuous effort):* (2) be pooped out: AFFÛTÉ.

pompé adj (III) *tired, worn-out:* (2) bushed: AFFÛTÉ.

pompelard nm (III) *fireman:* (2) smoke eater, Smokey Stover.

pomper vi (II) *to drink heavily:* (2) booze: BIBERONNER.

pompette—être p. (II) *to be a little drunk:* be half lit: ALLUMÉ.

pompier—fumer comme un p. (II) *to smoke constantly (tobacco):* (2) smoke like a chimney. —— adj (I) *bombastic (literary or oratorical style).*

pompon—avoir son p. (II) ÊTRE POMPETTE.

ponette nf (IIIa) *gangster's girl friend:* (2) gun moll.

pont—couper [donner] dans le p. (I) *to let oneself be hoaxed or swindled:* (2) bite, be a sucker [fall guy, patsy], let oneself be rooked [bilked, gypped]. **faire le p.** (IIa) *to cut cards dishonestly:* (2) stack the cards.

(II) *to stay away from work the day(s) between two holidays.*

ponte nm (II) *important personage:* (2) big wheel [shot, gun, wig], high muck-a-muck, top brass, V.I.P. (II) *intellectual:* (2) egghead, ivory dome, double dome.

popofs nm pl (II) *Russians:* (2) Russkies, Reds.

popote nf (I) *kitchen.* (I) *cooking (in general).* (I mil.) *mess hall.* **aller à la p.** (I) *to eat:* (2) hit the chow line. **être p.** (I) *to be a homebody.* **faire la p.** (I) *to cook.* **faire la tournée des popotes** (II) *to make a tour of field installations (military, government, etc.).*

popotin nm (III) *buttocks:* (2) fanny: ARRIÈRE-TRAIN. **remuer [se magner] le p.** (III) *to hurry:* (2) get a wiggle on: GROUILLER (SE).

populo nm (II) *the common people, the rabble:* (1) hoi polloi. (II) *crowd (of people):* (2) the mob.

porcif nm (III) *portion, part of, piece of.*

porté—être p. sur l'article [le truc] (III) *to be amorous:* (2) be a heavy lover [a Casanova, a Don Juan]; (3) be a gash hound, have hot pants.

porte-biffetons nm (III) *wallet:* (2) poke.

porte-fafiots nm (III) *wallet.*

porte-flingue nm (III) *bodyguard:* (2) gorilla.

porte-lasagne nm (III) *wallet.*

porte-mornifle nm (III) *wallet.*

porte-pipe nm (III) *mouth:* (2) kisser: ACCROCHE-PIPE. **en avoir un coup dans le p.-p.** (III) *to be drunk:* (2) have a load on: ALLUMÉ.

porter—p. le bada [chapeau] (III) *to be wrongly accused:* (2) take a bum [phony] rap: BADA. **p. les patins** (III) *to shoulder the responsibility (for another person's misdeeds):* (2) take the rap. (III) *to take s.o.'s part (in argument or fight):* (1) stick up for s.o.; (2) go to bat for s.o.

porte-viande nm (IIIa) *stretcher (first-aid).*

portrait nm (II) *face:* (2) map: BALLE. **rentrer dans le p.** (III) *to attack, beat:* (1) lace into; (2) bash in the face: AMOCHER.

portugaises nf (III) *ears:* (2) flappers, tabs. **avoir les p. ensablées** (III) *to be deaf:* (2) be deaf as a post [doorknob].

poser—p. devant [pour] la galerie (II) *to show off, play to the gallery*:* (2) put on an act [the dog, the Ritz]. **p. sa chique** (III) *to die:* (2) kick the bucket: ARME. *to stop* *talking:* (2) clam up: BOUCLER (LA). **p. un kilo** [**une pêche, une prune**] (IV)*to defecate:* CAQUER. **p. un lapin à q'un** (II) *to fail to keep an appointment (or promise) with s.o.:* (2) stand s.o. up, give s.o. a stand-up.

poseur [**euse**] nmf (I) *affected person:* (1) show-off: BÉCHAMEL.

posséder vt (II) *to swindle or hoax:* (2) pull a fast one on: ARNAQUER. (II) *to ridicule, laugh at:* (2) razz, thumb one's nose at, give the Bronx cheer.

poste—courir la p. (I) *to run quickly:* (2) hightail it: BOMBER. **passer comme une lettre à la p.** (II) *to be easily done:* (2) be a cinch [snap]: ART.

postérieur nm (I) *buttocks:* (2) rear end: ARRIÈRE-TRAIN.

postiche nf (I) *flattery, glib talk:* (2) applesauce: BARATIN. (I) *sales talk (esp. street vendor):* (2) pitch, spiel, plug, ballyhoo. —— adj (I) *false, artificial:* (2) phony, doctored-up.

posticheur nm (III) *barker:* (2) spieler, ballyhooer, pitchman.

pot nm (IV) *anus:* ANNEAU. **avoir du p.** (III) *to be lucky:* (2) get the breaks. **chier dans le p.** (IV) *to boast, exaggerate:* (2) throw the bull: ALLER FORT. **découvrir le p. aux roses** (I) *to solve the mystery, discover the secret.* **manger à la fortune du p.** (I) *to take potluck*. **manque de p.** (III) *bad luck:* (2) tough luck. **mettre la poule au p.** (I) *to live comfortably:* (2) be on easy street, live the life of Riley, have it made. **payer les pots cassés** (I) *to pay the piper*. **s'envoyer un p.** (III) *to buy oneself a drink:* (2) blow oneself to a drink. **sourd comme un p.** (I) *deaf as a post, stone-deaf:* (2) deaf as a door-knob. **tourner autour du p.** (I) *beat about the bush*: (1) go all around Robin Hood's barn.

potache nm (III) *high-school student.*

potage—envoyer le p. (IIIa) *to kill:* (2) bump off: AFFAIRE. **être dans le p.** (III) *to be depressed:* (2) have the blues, be down in the dumps [mouth]. (IIIa) *to faint:* (2) pass [conk] out.

potard nm (II) *pharmacist, druggist:* (2) pill-roller.

potasser vi, vt (III) PIOCHER.

pot-de-colle nm (II) *tenacious, annoying person:* (2) pain in the neck; (3) pain in the ass: BASSIN.

pote nm (III) *close friend:* (1) chum, buddy: (2) pal, sidekick.

poteau nm (II) *unshapely leg:* (2) piano leg. (III) *friend:* POTE. **avoir son p.** (III) *to be drunk:* (2) be looped: ALLUMÉ.

potée nf (I) *large quantity:* (2) a potful: CHARIBOTÉE.

potence—gibier de p. (I) *one who deserves to be hanged:* (1) gallows bird.

potin nm (II) *noise:* (1) ruckus, rumpus, hullabaloo. (I) *gossip, rumor, slander:* (2) dirt, muck.

potiner vi (I) *to gossip, slander:* (2) spread [spill, shovel, dish out] the dirt.

pouce—donner [**filer**] **le coup de p.** (I) *to strangle, throttle, choke.* (I) *to give short weight by holding finger on scales:* (2) to weigh one's thumb, jiggle the scales. (I) *to put the finishing touches.* **et le p.** (I) *and much more yet:* (2) and then some, and that ain't all, and that ain't the half of it. **jouer du p.** (I) *to count money.* **manger sur le p.** (I) *to eat quickly without stopping to sit down:* (1) eat on the run. **mettre les pouces** (I) *to give up, surrender:* (2) knuckle under*: CAGNER. **ne pas se fouler les pouces** (I) *to be lazy, idle around:* (2) drag one's heels, louse [lazy, bum, diddle] around, twiddle one's thumbs: BRAS. **serrer les pouces à q'un** (I) *to force s.o. to speak or confess:* (2) put the screws to s.o.*, grill s.o., bear down on s.o., give s.o. a working-over. **tourner ses pouces** (I) *to idle around:* (2) twiddle one's thumbs*: BRAS.

poucettes nf (II) *handcuffs:* (2) bracelets, irons, nippers, cuffs.

poudre—jeter de la p. aux yeux de q'un (I) *to make s.o. believe a lie:* (2) sell a bill of goods, hand out a convincing line. **prendre la p. d'escampette** (I) *to run away, escape:* (2) take a (runout) powder*: ADJAS. **n'avoir pas inventé la p.** (II) *to be unintelligent, be mentally dull:* (1) be dim-witted; (2) be slow on the uptake [pickup].

poudrette nf (IIIa) *cocaine:* (2) snow: BIGORNETTE.

pouf—faire un p. (I) *to leave without paying the bill:* (2) run out, skip.

pouffant adj (I) *laughable, funny:* (2) good for a laugh, rib-tickling.

pouffiasse nf (III) *low-class prostitute:* (2) cheap hooker [hustler]. (III péj.) *immoral woman:* (2) floozy, bag: BOUDIN.

pouic—que p. (III) *nothing:* (2) not a damn thing, but nothing.

poulaga nm (III) *policeman:* (2) cop: ARGOUSIN. **la maison p.** (III) *the police:* (2) the cops, the fuzz, the Law.

poulailler nm (II) *top balcony:* (2) peanut gallery, nigger heaven.

poulardin nm (III) POULAGA.

poulbot nm (II) *street urchin:* (1) guttersnipe.

poule nf (III) *woman of easy morals:* (2) floozy: BOUDIN. (III) *woman (in general):* (2) babe, broad: BERGÈRE. (III) *the police:* (2) the fuzz, the cops, the Law.

poulet nm (III) *policeman:* (2) bull: ARGOUSIN.

poulette nf (II) *girl:* (2) babe, skirt: BERGÈRE.

pouliche nf (III) POULETTE.

poulman—la maison p. (III) POULAGA.

poupée nf (I) *bandaged finger.* (I) *pretty girl or young woman:* (1) doll; (2) peach, looker, beaut.

pour—c'est du p. (III) *it's not true:* (2) it's a lot of baloney [hot air, crap, bull]. (III) *it's false:* (2) it's phony [junk, crap].

pourcif nm (III) *tip.*

pourliche nf (III) *tip.*

poursoif nm (III) *tip.*

pousse—à la va-comme-je-te-p. (I) *helter-skelter:* (2) any which way.

pousse-cailloux nm invar. (I) *infantry soldier:* (2) footslogger, dogface, doughfoot.

pousser—p. une goualante (II) *to sing a song:* (2) belt out a tune*. **p. la romance** (II) *to sing a romantic song or ballad:* (2) belt out a torch song.

poussière—des poussières (III) *the small change in excess of a given round sum (e.g., 1000 francs et des p.):* (2) the chicken feed.

poussin nm (III mil.) *first-year air cadet:* (2) fledgling.

praline nf (IIIa) *bullet:* (2) pill. (III) *punch:* (2) wallop: ATOUT. (IV) *clitoris.*

première—de première bourre (III) *first-class, top-notch:* (1) A-number one, top-drawer; (2) the tops.

presser—p. q'un comme un citron [jusqu' à la moelle] (I) *to put pressure on s.o.:* (1) to put the screws to s.o., to high-pressure s.o.

prévôt nm (IIIa) *police informer:* (2) stoolie, stool pigeon, fink.

prise nf (IIIa) *a dose of narcotics:* (2) a fix, a snort, a charge. **p. de col** (II) *a lie, fib.*

priseur nm (IIIa) *nose:* (2) schnozzle: BAIGNEUR.

prix—p. de Diane nm (III) *a pretty girl:* (2) a looker, a wow, a beaut.

probloc nm (III) *proprietor:* (2) boss man, owner of the joint.

prof nm (I) *professor:* (2) prof.

profonde nf (III) *pocket:* (2) kick, poke.

promenade nf (II) *an easy job:* (2) a walkover*, cinch, snap, pipe, no sweat. **p. de santé** (III) *an easy job.*

proprio nm (II) PROBLOC.

prose nm (IV) *anus:* ANNEAU.

prosinard nm (IV) PROSE.

prune nf (III) *punch, blow:* (2) wallop: ATOUT. (III) *police summons (traffic violation, etc.):* (2) ticket. (IIIa) *bullet:* (2) pill. **coller une p.** (III) *to give a police summons:* (2) slap a ticket on. (III) *to beat up:* (2) rough up: AMOCHER. **pour des prunes** (II) *for nothing:* (2) for peanuts*, for the love of it, for a thanks, for beans.

pruneau nm (II mil.) *bullet:* (2) pill. (II) *black eye:* (2) blinker, shiner.

pruneaux nm pl (IV) *testicles:* BALLOCHES.

P 38 nm (III) *revolver:* (2) gat, iron: ARTICLE.

puce—secouer les puces de q'un (I) *to give s.o. a harsh reprimand:* (2) give s.o. a dressing-down [calling-down, bawling out], give s.o. hell, tell s.o. off, tell s.o. where to head off, call s.o. up on the carpet, bawl [lay] s.o. out, let s.o. have it with both barrels. **chercher des puces** (I) *to examine minutely:* (2) go over with a fine-tooth comb. **se secouer les puces** (II) *to stretch oneself:* (1) take a stretch; (2) get the kinks out.

pucier nm (II) *bed:* (2) sack, hay, feathers, fleabag*.

punaise nf (IV) *immoral woman:* (2) floozy: BOUDIN. **plat comme une p.** (II) *very flat:* (2) flat as a pancake.

purée nf (IIIa) *burst of shots, volley of bullets.* (II) *poor person:* (2) poor slob [sucker]. **balancer la p.** (IV) *to have a sexual orgasm:* (3) come, shoot one's load. (III) *to fire a gun:* (2) sling [throw] lead. **être dans la p.** (II) *to be poverty-stricken:* (2) be on the rocks [on one's uppers], be hard up, be up against it, be down and out.

purge—filer une p. (III) *to beat up:* (2) slug: AMOCHER.

purotin nm (III) *poor person:* (2) poor slob [sucker, fish], down-and-outer.

quarantaine—mettre q'un en q. (I) *to avoid meeting s.o.:* (2) steer clear of, give the absent treatment to. **être en q.** (I) *to be in disgrace:* (2) to be in the doghouse.

quarante nm (IIIa) *street vendor's folding table:* (2) pitchman's stand. **se mettre en q.**

(III) *to become angry:* (2) blow one's stack: CRAN. **s'en moquer comme de l'an q.** (I) *not worry, or care, about s.t.:* (2) not give a damn [hoot] about s.t., thumb one's nose at s.t., say "to hell with it."

quart nm (III) *police station, precinct station.* (III) *police sergeant:* (2) the sarge. **faire le q.** (IIIa) *for a prostitute, to seek clients on the street:* (2) hustle, hook. **le q. d'heure de Rabelais** (I) *a difficult moment, a trying time:* (2) a rough couple of minutes.

quart-de-brie nm (III) *nose (esp. big):* (2) schnozzola: BAIGNEUR.

quatre—**se mettre en q.** (I) *to exert maximum effort:* (2) go all out: DÉCARCASSER (SE). **être tiré à q. épingles** (I) *to be meticulously and elegantly dressed:* (2) be all slicked [dolled] up, wear one's Sunday best [one's best bib and tucker]. **entre quat'(re)z'yeux** (II) *between us:* (2) between you, me and the lamppost. **le q. heure** (I) *afternoon snack.*

quat'(re)z'yeux (II) QUATRE.

quenelles nf (IIIa) *legs:* (2) pins: BÂTONS.

quenottes nf pl (II) *teeth:* (2) choppers: CROC.

quenottier nm (II) *dentist.*

quéquette nf (IV) *penis:* ARBALÈTE.

quès—**c'est du q.** (III) *it's the same:* (1) it's six of one, half dozen of another; (2) no matter how you slice it, it's all baloney.

question—**passer à la q.** (II) *to interrogate:* (1) to put on the grill: CASSEROLE.

que t'chi (IIIa) *nothing:* (2) not a damn thing, but nothing.

queue nf (IV) *penis:* ARBALÈTE. **à la q. leu-leu** (I) *single file, Indian file.* **faire des queues** (III) *to be unfaithful to one's mate:* (2) two-time, step out on. **faire la q.** (I) *to form a line, line up.* **finir en q. de poisson** [rat] (I) *for a project to come to nothing:* (1) go up in smoke; (2) fizzle out: BOUDIN. **laisser un q.** (I) *to make a part payment on a bill.* **s'en aller la q. basse** (I) *to go off with one's tail between one's legs*.*

queue-de-pie nm (I) *full-dress suit:* (2) swallowtail*.

quiller vt (IIIa) *to cheat, swindle:* (2) gyp: ARNAQUER.

quilles nf (II) *legs:* (2) shafts: BÂTONS. **jouer des q.** (III) *to run away:* (2) take it on the lam: ADJAS. **recevoir q'un comme un chien dans un jeu de q.** (II) *to receive s.o. coldly:* (2) give s.o. the cold shoulder.

quimper vt (IIIa) *to fall:* (2) flop, take a header. (IIIa) *to cheat, swindle:* (2) gyp:

ARNAQUER. **laisser q.** (III) *to abandon:* (2) leave out in the cold, give the gate, ditch.

quine—**en avoir q.** (III) *to have had enough of s.t.:* (2) be fed up with s.t.: ANDOSSES.

quinquets nm pl (III) *eyes:* (2) blinkers, peepers. **allumer ses q.** (IIIa) *to open one's eyes.* **ouvrir ses q.** (IIIa) *to watch, look out:* (2) keep one's eyes peeled.

quiqui nm (III) *throat:* KIKI.

quitte—**jouer q. ou double** (I) *to play double or nothing, play winner-take-all.*

rabe nm (III) RABIOT.

rabibocher vt (II) *to repair, mend, patch up:* (1) doctor up. (II) *to reconciliate, make peace:* RAMBINER (SE).

rabiot nm (II) *leftovers (food, etc.).* (II) *extras (profit, etc.):* (2) gravy, velvet. **faire du r.** (III mil.) *to put in extra time in army service (as punishment):* (2) do bad time. (II) *to work overtime.* **avoir du r.** (II) *to have earned or received more than expected:* (2) be ahead of the game: RABIOTER.

rabioter vt (II) *to make an extra profit, receive more than expected:* (2) grab [pull in] some gravy [velvet], make an extra buck, be ahead of the game.

râble nm (I) *back.* **en avoir plein le r.** (II) *to have had enough of s.t.:* (2) be fed up with: ANDOSSES.

râbler vt (IIIa) *to attack:* (1) jump on, sail [light] into.

rabouin [e] nmf (III) *gypsy.*

raccourcir vt (III) *to behead, guillotine.*

raccroc—**faire le r.** (IIIa) *to accost men in the street (of prostitutes):* (2) hook, hustle, peddle flesh.

raccrocher vt (I) *to grab hold of, seize, grasp:* (1) latch onto, snatch. (II) RACCROC.

raclée nf (II) *beating, thrashing:* (2) going-over: AVOINE. **filer une r.** (II) *to beat up, punch:* (2) shellac: AMOCHER.

racler (se) vp (III) *to shave:* (2) scrape off the whiskers.

raclette nf (III) *police car checking police on duty:* (2) prowl car, squad car. **un coup de r.** (III) *police roundup of suspected criminals.*

racleur nm (III) *barber, hairdresser.* (II) *mediocre violinist.*

racloir nm (III) *razor.*

raclure—**r. de pelle à merde** (IV péj.) *gravely insulting term:* (3) shitheel, cocksucker, son of a bitch.

racoler vt (I) RACCROC.

rade nm (III) *bar (saloon or café):* (2) the mahogany. **faire le r.** (IIIa) RACCROC. **laisser en r.** (III) *to abandon, desert:* (2) walk out on, give the gate: PLAQUER. **tomber en r.** (III) *to have a breakdown (mechanical):* (2) conk [peter] out.

radeuse nf (III) *prostitute:* (2) hustler, hooker, flesh peddler, call girl.

radin nm (II) *miser:* (2) tightwad, cheap skate, penny-pincher, piker. —— adj (II) *stingy:* (2) penny-pinching, tightfisted, Scotch.

radiner vi (II) *to go:* (2) take off, beat it, lam out, scram. (II) *to arrive:* (2) blow in, show [pop, turn] up. (II) *to enter:* (2) bust [blow, pop] in.

radis nm pl (III) *toes.* **des r.** (III) *nothing:* (2) not a damn thing. **n'avoir pas un r.** (II) *to be penniless:* (2) not have a red cent*: BLANC. **r. noir** (III) *priest:* (2) sky pilot, Holy Joe.

raffoler—r. de q'ch. (I) *to be passionately fond of s.t.:* (2) be nuts [wild] about s.t., go for s.t. in a big way, be a bug on s.t.

raffut nm (II) *noise, racket:* (1) hullabaloo, ruckus, rumpus.

rafistoler vt (I) *to repair crudely:* (2) do a patched-up job, slap together, give a lick and a promise.

ragot nm (I) *gossip, slander:* (2) dirt, tongue-wagging, muck.

ragougnasse nf (II) *bad food:* (2) garbage, slum, lousy eats.

ragoût—boîte à r. (IIIa) *stomach:* (2) breadbasket: BIDE.

raide adj (III) RAIDARD. (II) *hard to believe:* (2) hard to swallow. (II) *drunk:* (2) boiled, stiff*: ALLUMÉ. —— nm (III) *10-franc note.* (III) *whiskey (esp. of poor quality):* (2) booze, rotgut, redeye.

raidard adj (III) *penniless:* (2) flat broke: BLANC.

raidir—se faire r. (IIIa) *to lose heavily in gambling:* (2) get cleaned [wiped] out, lose one's shirt, get taken to the cleaners.

raie nf (IV) *anus:* ANNEAU.

raisiné nm (III) *blood.* **avoir q'un dans le r.** (III) *to be deeply in love with s.o.:* (2) have s.o. under one's skin: AMOUR.

râler vi (II) *to complain, protest:* (1) grouse; (2) bitch, gripe, sound off, bellyache.

râleur [euse] nmf (II) *complainer:* (2) bitcher, griper, sorehead, blowhard, bellyacher.

rallèger vi (III) *to arrive:* (2) to blow in: RADINER.

rallonge nf (III) *knife, dagger, switchblade*:* (2) shiv, sticker. (II) *raise in pay:* (2) boost [hike] in pay. (II) *an additional amount of money:* (2) extras.

rallonger vt (IIIa) *to stab:* (2) stick a knife into. (III) *to raise salaries:* (2) give a hike [boost] in pay.

ramasser vt (II) *to abuse physically or verbally:* (2) let have it, give it to. **r. un gadin [une pelle]** (III) *to fall:* (2) (take a) flop, take a header, come a cropper. **se ramasser** vp (II) *to get up after a fall, pick oneself up*:* (2) get back on one's pins. **se faire r.** (III) *to get arrested:* (2) get pinched [nabbed, picked up, collared]: ABAISÉ. **r. une veste** (II) *to be defeated at an election:* (1) get voted down; (2) get trimmed [shellacked], take a licking.

rambin—faire du r. (III) *to try to win a woman's favors:* (2) make a play for, hand out a line to, sweet-talk. **marcher au r.** (IIIa) *to make excuses for a blunder:* (1) try to smooth things over; (2) try to get out from under, try to talk oneself out of.

rambiner—r. le coup [l'affaire] (III) *to come to a peaceful agreement:* (1) smoke the peace pipe, smooth things over, see eye to eye; (2) shake [kiss] and make up. **se rambiner** vp (IIIa) *to come to a peaceful agreement.*

rambour nm (III) *appointment, rendezvous:* (1) date.

ramdam nm (III) *noise, racket:* (1) rumpus, hullabaloo, ruckus. **faire du r.** (III) *to make a noise:* (1) make a rumpus; (2) kick [blow] up a storm, raise Cain [the roof].

rame—avoir la r. (III) *to be lazy, unwilling to work:* (2) have lead in one's pants [ass]. **ne pas en ficher [foutre] une r.** (III) *to laze around, twiddle one's thumbs:* (2) louse [diddle] around: BRAS.

ramener—la r. (III) *to complain, protest:* (1) grouse; (2) bitch, beef, gripe, bellyache. **r. sa fraise** (III) LA RAMENER.

ramier nm (III) *lazy person:* (2) lazybones, lazy good-for-nothing, lazy bastard.

ramoner vt (I) *to reprimand, scold:* (2) bawl out, call up on the carpet, tell off, give a tongue-lashing [calling down]. (IV) *to have intercourse:* AIGUILLER. **se ramoner la cheminée** (III) *to wipe one's nose.*

rampe—lâcher la r. (II) *to die:* (1) give up the ghost: ARME.

ramponneau nm (II) *punch, blow:* (2) slug: ATOUT.

rancard nm (III) *information:* (2) (inside) dope. (III) *appointment:* (1) date.

rancarder vt (III) *to give information:* (2) tip off, put hip [wise], put in the know, bring up to date. **se rancarder** vp (III) *to get information:* (2) get the latest (dope), get wised up, catch up to date.

rancart—mettre [filer, flanquer, jeter, balancer] au r. (I) *to discard as of no value:* (1) junk; (2) throw on the junk [ash] pile [heap].

rangé—être r. (du côté) des voitures (II) *to reform (of criminals):* (2) go straight, stay clean, keep one's nose clean.

rangemane nm (IIIa) *swindler, cheat:* (2) gypster, grifter, con man, bunco man.

rangemaner vt (IIIa) *to steal:* (2) swipe: ARRANGER. (III) *to wound, beat up:* (2) knock the stuffings out of: AMOCHER.

ranger vt (IIIa) RANGEMANER.

ranquiller vi (IIIa) *to enter:* (2) blow [barge, pop] in.

raout nm (II) *noisy and confused party:* (2) shindy, shindig, blowout, brawl, wingding.

rape nf (IIIa) *back.*

raper nm (III) *bicycle rider.*

rapetasser vt (I) *to repair crudely, patch up:* (2) slap [knock] together: RAFISTOLER.

rapiat nm (II) *miser, skinflint:* (2) tightwad, penny-pincher, piker.

rapido adv (III) *quickly:* (2) on the double, p.d.q. (pretty damn quick), toot sweet, in two shakes.

rapière nf (II) *knife, dagger:* (2) shiv, sticker.

rapiérer vt (II) *to stab.*

rappliquer vi (II) RADINER.

raquer vt (III) *to pay:* (2) fork over: ABOULER.

raquettes nf pl (III) *feet:* (2) dogs: ARPIONS.

raquin nm (IIIa péj.) *woman of loose morals:* (2) floozy: BOUDIN.

ras—en avoir r. (IIIa) *to have had enough of, be weary of:* (2) be fed up with: ANDOSSES.

rase nm (III) *priest:* (2) Holy Joe, sky pilot.

raser vt (II) *to pester, annoy:* (2) bug: ASSOMMER.

raseur [euse] nmf (II) *pest, bore:* (2) pain in the neck: BASSIN.

rasibe nm (IIIa) *razor.*

rasif nm (IIIa) *razor.*

rasoir nm (II) *pest, bore:* (2) creep: BASSIN. (II) *something annoying:* (2) pain in the neck.—adj (II) *boring, annoying, tiresome:* (2) bugging: BARBANT.

rata nm (II) *food:* (2) chow, grub, eats.

ratatiner vt (IIIa) *to kill:* (2) rub out: AFFAIRE. (IIIa) *to destroy, reduce to smithereens.*

ratatouille nf (II) *coarse stew:* (2) slumgullion, mulligan stew. (III) *beating:* (2) pasting: AVOINE. **filer une r.** (III) *to beat up:* (2) knock the daylights out of: AMOCHER.

rate—se dilater la r. (I) *to laugh.* **ne pas se fouler la r.** (I) *to do little work:* (2) raise no sweat, soldier on the job, goldbrick: BRAS.

râteau nm (III) *comb.*

ratiboiser vt (I) *to take everything:* (2) clean out, take the whole works. (I) *to kill:* (2) bump off: AFFAIRE. (I) *to ruin, destroy:* (1) botch up: AMOCHER. (III) *to win all the stakes (dice, etc.):* (2) clean up, pull [rake] in the pot.

ratiche nf (III) *tooth:* CROC. (IIIa) *knife:* (2) shiv. (II) *priest:* (2) Holy Joe, sky pilot.

ratichon nm (II) *priest:* (2) Holy Joe, sky pilot.

ratisser vt (III) RATIBOISER.

raton nm (III péj.) *Arab.*

raugmenter vt (II) *to raise (esp. prices or costs), boost:* (1) hike (up), kick up.

rayon—en connaître un r. (II) *to be experienced and capable:* (2) know the ropes, have been around, know what gives. **en mettre [filer] un r.** (II) *to work or move quickly:* (2) shake a leg, step on it, wiggle one's fanny, go all out. **ça n'est pas de mon r.** (II) *it's not in my line:* (2) it's not up my alley.

rayonner vi (IVa) *to have a sexual orgasm:* BANDER.

raz-de-marée nm (I) *overwhelming political victory:* (1) landslide*.

rebecca—faire du r. (III) *to object, rebel:* (2) kick, squawk, put up a squawk [kick, howl, holler], yell bloody murder.

rebecqueter (se) vp (III) *to get better, return to normal (health, finances, etc.):* (1) get back on one's feet*; (2) make a comeback, pull oneself together.

rebecteur nm (II) *doctor:* (2) doc.

rebichoter vt (IIIa) *to recognize (identify):* (2) peg, get a make on, spot.

rebiffe nf (II) *objection, refusal:* (2) kick, squawk, beef. **aller à [faire de] la r.** (II) *to object, rebel:* REBECCA. (IIIa) *to seek revenge:* (2) get even, settle [even] the score.

rebiffer vt (II) *to start again, get back to (work, etc.):* (2) take another crack at, get going [rolling] again. (I) *to object:* (2) squawk: REBECCA. **r. au truc** (III) *to get back to work:* (1) get back on the job: (2) get back in harness [to the salt mines]. **se rebiffer** vp (II) *to object:* REBECCA.

rebondir—envoyer r. (III) *to discharge, send away:* (2) give the bounce*: BALAI.

récal (abrév. de **récalcitrant**) adj (II) *recalcitrant, ornery, rebellious:* (2) hard to crack.

recalé nm (I) *one who fails an examination:* (1) flunker.

recaler vt (I) *to fail in an examination:* (1) flunk. **se recaler** vp (II) *to regain one's health:* (1) get back on one's feet; (2) make a comeback.

recharger vt (II) *to refill glasses for another round of drinks:* (2) set 'em up again.

réchauffé nm (I) *rehash:* (2) old stuff.—adj (I) *rehashed.* **c'est du r.** (I) *it's a rehash.*

recoller vt (II) *to put back together.* **se recoller** vp (III) *to live together again (after separation):* (2) take up housekeeping again.

recon(n)obler vt (III) *to recognize:* (2) spot, make.

recta adv (II) *exactly:* (2) on the dot [button, nail]. (I) *punctually:* (2) on the dot [button].

rectifiée nf (IIIa) *factory-made cigarette.*

rectifier vt (IIIa) *to kill:* (2) knock off: AFFAIRE. (IIIa) *to cheat, swindle:* ARNAQUER. **r. le portrait de q'un** (III) *to beat s.o. up:* (2) smash s.o.'s face in*: AMOCHER.

redingue nm (II) *man's topcoat:* (1) topper.

redouiller vt (III) *to pay again:* (2) kick in [fork over] again: ABOULER.

redresse—à la r. (II) *intelligent, clever:* (2) in the know, hip, on one's toes. (II) *bold, courageous:* (2) full of moxie [guts]: BIDE.

redresser vt (I) *to punish, reprimand:* (2) give a dressing-down, call up on the carpet, tell off (in no uncertain terms). (IIIa) *to recognize:* (2) spot, make. (IIIa) *to look at:* (2) give the once-over: BIGLER. (IV) *to have an erection:* BANDER.

refaire vt (II) *to cheat, swindle:* (2) gyp: ARNAQUER. (II) *to steal:* (2) swipe, hook: ARRANGER. **se refaire** vp (I) *to get back on one's feet (physically, financially, etc.):* (1) make a comeback.

refil (e)—aller [passer] au r. (II) *to return, give back.* (II) *to give back (esp. money) under pressure:* (2) kick in, cough up. (III) *to vomit:* (1) puke; (2) upchuck, toss one's cookies.

refiler vt (I) *to give, hand over:* (2) kick in, fork over, cough up. **r. q'ch. à q'un** (I) *to palm s.t. off on s.o.* **r. un tubard** (III) *to give a tip (on the races, etc.):* (2) slip the inside dope.

refroidi nm (III) *corpse:* (2) stiff, goner. **la boîte aux refroidis** nf (III) *the morgue:* (2) the icebox, the cooler. **le jardin [parc] des refroidis** (III) *cemetery:* (2) boneyard, bone [marble] orchard.

refroidir vt (III) *to kill:* (2) bump off: AFFAIRE.

régaler vi (I) *to pay for the drinks:* (2) stand treat, blow. **se régaler** vp (I) *to enjoy oneself:* (2) have a big time.

réglo adj (II) *correct, proper, right, as it should be:* (2) dead right. **un mec [type] r.** (III) *one who follows the rules:* (2) a right guy [gee], a square shooter.

regriffer vt (IIIa) *to take back.*

régulier adj (II) RÉGLO.

régulière nf (III) *one's wife (or mistress):* BARONNE.

reins—avoir les r. solides (I) *to be rich:* (2) be well heeled: AS. **être chaud des r.** (III) *to be passionate:* (2) be a hot lover; (3) have hot pants [nuts], be a gash-hound. **les avoir dans les r.** (III) *to have the police on one's trail:* (2) have the cops on one's tail. **se casser les r.** (II) *to work very hard:* (2) break one's back on the job*, work one's (fool) head off, work like a dog.

relance—aller à la r. (IIIa) *to hunt up one's adversary to settle matters:* (2) go gunning. **faire une r.** (III) *to do something a second time:* (2) take another crack at.

relancer vt (I) *to borrow:* (2) mooch, sponge. **r. q'un** (I) *to follow after s.o. insistently:* (2) to be on s.o.'s tail [neck].

relarguer vt (IIIa) *to release, set free:* (1) unleash.

reléguée nf (IIIa) *lifetime prison sentence:* (2) life.

relingé adj (II) *dressed in new clothes:* (2) sporting a new rig.

relourder vt (III) *to reclose (door).*

reluire vi (IV) *to have a sexual orgasm:* BANDER. **passer la brosse à r.** (III) *to flatter, toady to:* (1) bootlick; (2) brownnose, butter-up, apple-polish.

reluquer vt (I) *to look at, ogle:* (2) give the once-over: BIGLER.

remaquiller vi (IIIa) *to start over, take up again:* REBIFFER.

rembiner vt (III) *to advise, inform:* (2) put wise: AFFRANCHIR.

rembour nm (III) RAMBOUR. **aller au r.** (III) *to give back under pressure:* REFIL.

remède nm (IIIa) *revolver:* (2) gat: ARTICLE. **r. de bonne femme** (III) *old wives' remedy.*

remiser vt (I) *to put back in place.*

remoucher vt (IIIa) *to look at:* (2) give the eye: BIGLER.

rempiler vi (III mil.) *to re-enlist:* (2) sign up for another hitch.

remplir (se) vp (II) *to eat one's fill:* (2) fill up*, fill one's belly, get a bellyful. (III) *to save:* (2) sock [squirrel, stack, stash] away. **se r. le buffet** (III) *to have a feast:* (1) have a blowout.

remplumer (se) vp (I) *to get back on one's feet (physically or financially):* (2) make a comeback.

renâcler vi (II) *to grumble, complain:* (1) grouse; (2) gripe, bitch: BOUGONNER. **r. à la besogne** (I) *to shirk one's duty:* (2) soldier on the job, goldbrick.

renard nm (II) *strikebreaker:* (2) scab, fink, goon. (I) *untrustworthy person:* (2) double-dealer [crosser]. **piquer un** [aller au] **r.** (IIa) *to vomit, puke:* (2) upchuck, toss one's cookies. **tirer au r.** (II) *to shirk one's duties:* (2) goldbrick, soldier [lay down] on the job.

renarder vt (IIIa) *to vomit:* RENARD.

renaud—**être à r.** (II) *to be angry:* (2) be boiling [hopping] mad, see red: CRAN. **être en r. contre q'un** (II) *to be angry with s.o.:* (2) be sore at s.o., have it in for s.o.

renaude—**faire de la r.** (III) *to make a racket:* (1) raise a rumpus [hullabaloo], kick up a storm, raise the roof. (III) *to complain:* (2) bitch, gripe, bellyache: BOUGONNER.

renauder vi (II) *to complain:* RENAUDE.

renaudeur [euse] nmf (II) *complainer:* (2) bitcher, griper, bellyacher, beefer.

rencard nm (III) RANCARD.

rencarder vt (III) *to inform:* (2) put wise: AFFRANCHIR.

rencart nm (III) RANCARD.

rendre—**ne pas r.** (III) *not to fall (for a swindle):* (2) not bite, not be a sucker [patsy, boob].

renfouiller vt (III) *to put back in one's pocket.*

rengaine nf (I) *hackneyed story (or phrase):* (1) same old story; (2) ancient history, old wheeze.

rengracier vi (IIIa) *to back down, retreat:* (2) call (it) quits: CAGNER. (III) *to keep quiet:* (2) keep mum, put on the damper, button up one's lip.

reniflant nm (IIIa) *nose:* (2) beak: BAIGNEUR.

renifle—**la r.** (III) *the police:* (2) the fuzz: ARGOUSIN.

renifler vt (II) *to smell:* (2) get a whiff of. **r. le coup** (III) *to smell danger, smell a rat.*

reniflette nf (IIIa) *cocaine:* (2) nose candy: BIGORNETTE.

renquiller vi (III) *to enter:* (2) barge [pop, blow, drop] in. (III mil.) *to re-enlist:* (2) sign up for another hitch.

rente nf (IIIa) RANCARD.

rentre—**faire du r. dedans** (III) *to try to win a girl's favors:* (2) make a big play for, hand out a (hot) line.

rentrer—**r. dedans** (III) *to attack and beat s.o. up:* (2) tie into: AMOCHER.

renversant adj (I) *remarkable, stunning:* (2) superduper, the tops, keen, (real) cool.

renversée—**faire une r.** (III) *to turn around abruptly (vehicle).* (III) *to give up, make an about-turn (about-face):* (2) back water: CAGNER. **partir en r.** (IIIa) *to go on a spree:* (2) go on a toot: BAMBOCHER.

repapilloter vt (IIIa) *to make peace after an argument:* (2) to shake hands, to kiss and make up. **se repapilloter** vp (IIIa) *to settle one's differences, make peace:* (1) smoke the peace pipe: RAMBINER (SE).

repassage nm (III) *theft among thieves:* (2) double cross.

repasser vt (III) *to rob (a person):* (2) knock over: ARRANGER. (III) *to steal (a thing):* (2) swipe: ARRANGER. (IIIa) *to withhold loot from an accomplice:* (2) hold out on, double-cross. (IIIa) *to kill:* (2) bump off: AFFAIRE. **se faire r.** (III) *to be cheated:* (2) get gypped [conned, screwed, taken (over), taken for a ride]. (III) *to be robbed:* (2) get knocked over.

repaumer vt (II) *to take back:* (1) snatch [grab] back. (III) *to lose again.*

repêcher vt (I) *to help out of a difficult situation:* (1) fish out*; (2) get out of hot water, [a tough spot, a mess].

repiger vt (III) *to recatch, rearrest, get hold of again:* (2) nab [latch on to] again.

repiquer vt (III) REBIFFER.

repoisser vt (IIIa) REPIGER.

repousser vi (II) *to stink.* **r. du goulot** (II) *to have bad breath:* (2) have halitosis.

requinquer vt (I) *to dress in new clothes:* (2) doll [spruce] up, put on a new rig. (I) *to improve the appearance (of a place), renovate:* (2) spruce [doll] up. **se requinquer** vp (I) *to put on new clothes:* (2) put on a new rig, spruce up. (I) *to get better:* REBECQUETER (SE).

respirante nf (III) *mouth:* (2) kisser: ACCROCHE-PIPE.

respirer—dur à r. adj. (III) *unbelievable:* (2) hard to swallow*.

respirette nf (IIIa) *cocaine:* (2) snow: BIGNORNETTE.

resquiller vi (II) *to gain admission without paying (theat., etc.):* (2) crash the gate, freeload. (II) *to cheat:* (2) pull a fast one, put something over.

resquilleur [euse] nmf (II) *cheater:* (II) *one who gets in without paying:* (2) gatecrasher, free-loader.

ressaut—aller à r. (III) *to become angry, fly into a rage:* (2) flip one's lid: CRAN. **foutre à r.** (IIIa) *to push to the limit, do excessively:* (2) go all out, pull out all the stops.

ressauter vi (III) *to fly into a rage:* (2) blow one's stack: CRAN.

ressent—aller au r. (IIIa) *to make a complaint or accusation:* (2) press charges, put up a kick [beef], squawk to the cops.

ressentir—s'en r. pour (III) *to be madly in love with, desire sexually:* (2) be hot for: BANDER.

ressif—aller au r. (IIIa) *to be angry:* (2) see red: CRAN.

restau (abrév. de **restaurant**) nm (II) *restaurant.*

rester—r. en carafe [plan, frime rideau] (III) *to have a breakdown (car, etc.):* (1) be stuck, be out of whack. (III) *to be stranded (literally or figuratively):* (2) be up the creek.

resucée nf (II) *repetition of something, repeat:* (2) another go at, another round of. (II) *second-hand clothes:* (2) hand-me-down.

retailler vi (IIIa) *to be afraid, to recoil (from a danger), pull back:* (2) chicken out, go chicken, turn yellow.

rétamé adj (III) *drunk:* (2) plastered: ALLUMÉ. (III) *very tired:* (2) pooped: AFFÛTÉ.

rétamer—se faire r. (III) *to get drunk:* (2) get stoned: ARRONDIR (S').

retape—faire la r. (III) *to accost clients in the streets (of a prostitute):* (2) hook, hustle. (III) *to search for customers, look for votes, etc.*

retaper vt (I) REQUINQUER. **se retaper** vp (I) REQUINQUER (SE).

retapissage—passer au r. (IIIa) *to be accused by a witness (to the crime):* (2) be fingered.

retapisser vt (IIIa) *to recognize, identify:* (2) spot, put the finger on, peg, make.

retard—être en r. de q'ch. (III) *to have done without s.t. for a long time:* (2) be behind in s.t., have a lot of s.t. to make up for.

retoquer vi (IIIa) *to fail (an examination):* (2) flunk.

retourne—les avoir à la r. (II) *to be lazy:* (2) have no push: BRAS. **savoir de quoi il r.** (I) *to know what's going on:* (2) know what's what, know which side is up, know the score, be hip, know what's cooking.

retourner vt (I) *to upset (mentally):* (1) bowl over*; (2) floor, knock for a loop: ABASOURDIR. (I) *to upset, knock down:* (1) bowl over; (2) throw for a loop, floor. **r. dans les brancards [au tapin]** (III) *to go back to work:* (2) get back in harness, go back to the (salt) mines, go back to the old grind. **avoir les bras [les avoir] retournés** (II) *to be lazy, do no work:* BRAS.

rétro—faire un r. (I) *to put reverse English on the ball (billiards).*

retrousser—n'en avoir rien à r. (III) *to have nothing to gain (from an offer or proposal), be indifferent (about a proposal):* (2) be able to take it or leave it.

revoyure—à la r. (II) *good-bye:* (2) I'll be seeing you, see you later.

revue—être de la r. (II) *to have failed (in a venture), made no profit:* (2) have missed the boat [fizzled out, flopped].

rhabiller—se faire r. (III) *to be cheated, robbed, swindled:* (2) be gypped: BAGOUSE.

ribote nf (II) *excessive eating and drinking:* (1) blowout; (2) binge, bender, bat, toot. **être en r.** (II) *to be drunk:* (2) be looped: ALLUMÉ. **faire (une) r.** (II) *to go on a spree:* (2) tie one on: BAMBOCHER.

riboter vt (II) FAIRE RIBOTE.

ribouis nm (II) *shoe (esp. cheap):* (2) clodhopper, canal boat.

ribouldingue nf (III) *spree:* (2) bat, bender: BAMBOCHE. **faire la r.** (III) *to go on a spree:* (2) go on a toot: BAMBOCHER.

ribouldinguer vt (III) FAIRE LA RIBOULDINGUE.

riboule—**partir en r.** (III) FAIRE LA RI-BOULDINGUE.

ribouler—**r. des calots** [**quinquets**] (III) *to stare with astonishment:* (2) look flabbergasted, do a double-take.

riboustin nm (IIIa) *revolver:* (2) gat, heater: ARTICLE.

Ricain (abrév. de **Américain**) nm (III) *American:* (2) Yank.

ridaire adj (III) *handsome, good-looking:* (2) snazzy: BADOUR. nm (III) *movie:* (2) flicker.

rideau—**être** [**rester, tomber**] **en r.** (III) *to have a breakdown (auto, etc.):* (2) be stuck. **faire r.** (III) *to be deprived of, fail to get what one expected:* (2) be left out in the cold. **passer q'un au r.** (III) *to deprive s.o. of his share of the profit:* (2) leave s.o. out in the cold, do [gyp, screw] s.o. out of his cut. **rideau!** (III) *that's enough!:* (2) cut it!

rider nm (III) *man's suit.*——adj (III) RIDAIRE.

rif nm (III) *argument, squabble:* (2) hassle, run-in, set-to. (III) *fight between opposing gangs:* (2) rumble, bop. (III) *fire, blaze.* **filer le r.** (III) *to set fire, start a blaze:* (2) touch off the fireworks.

rifauder vt (IIIa) *to start a fire, burn:* (2) touch off (the fire).

riffe—**de r.** adv (III) *violently, by force:* (2) slam-bang, strong-arm.

rififi nm (III) *fight, brawl:* (2) rumble: BADABOUM.

riflard nm (II) *umbrella.*

rifle nm (III) RIF.

riflette nf (II) *the war (esp. the firing line).*

riflo (I) adj (IIIa) *handsome, stylish, good-looking:* (2) snazzy: BADOUR.

rigolade nf (II) *something humorous, joke:* (2) howl, gag, wisecrack, riot, scream, big laugh, laugh getter, rib-tickler. (II) *easy job:* (2) joke, pushover, cinch, snap, breeze. (II) *something stupid, ridiculous or unbelievable:* (2) hokum, baloney, bull, bunk; (3) horse [bull] shit.

rigolard nm (II) *one who likes to joke, comic:* (2) wisecracker, cutup, gagster, smart alec.——adj (II) *funny, humorous:* (2) a scream, good for a laugh, rib-tickling.

rigoler vi (II) *to joke:* (2) kid around, wisecrack, josh, spoof, crack wise. (II) *to laugh, have fun:* (1) have a laugh: BIDONNER.

rigoleur [**euse**] nmf (II) RIGOLARD.

rigolo nm, adj (II) RIGOLARD. nm (III) *revolver:* (2) gat, heater: ARTICLE.

rigouillard adj (IIIa) RIGOLARD.

rigoustin nm (IIIa) *revolver:* RIGOLO.

rikiki nm (II) *short person:* (1) little runt, pipsqueak; (2) shrimp, bantie, shorty, half-pint, peanut. (II) *the little finger:* (1) pinkie. —adj. (I) *small, short.* (II) *any alcoholic beverage:* (2) booze.

rincé adj (II) *drunk:* (2) stewed: ALLUMÉ. (II) *tired, exhausted:* (2) bushed, done in: AFFÛTÉ. (II) *to have lost all one's money (gambling, swindle, etc.):* (2) be cleaned out, be taken to the cleaners, lose one's shirt.

rince-cochon nm (III) *white wine, lemon and seltzer used to relieve hangover:* (2) hair of the dog. (III) *drink of club soda after an alcoholic drink, chaser.*

rincée nf (II) *beating:* (2) pasting: AVOINE.

rincer vt (II) *to fleece:* (2) take to the cleaners, clean up on, take for a bundle [the works], take over the hurdles. (III) *to drink:* (2) guzzle, tank up: BIBERONNER. (II) *to treat to a drink:* (2) blow to a drink. **se faire r.** (II) *to be cheated of all one's money, be fleeced:* (2) be taken to the cleaners, be cleaned out. (II) *to be treated to a drink:* (2) get blown [staked] to a drink. (II) *to get drenched (in the rain):* (1) get soaked, get dripping [sopping] wet. **se rincer le cornet** [**les amygdales, la dalle**] (III) *to take a drink:* (2) wet one's whistle*: BIBERONNER. **se rincer l'oeil** (II) *to enjoy a pleasant sight (esp. of a woman's charms):* (1) feast one's eyes*; (2) get an eyeful [a load of], grab a look.

rip—**jouer r.** (III) *to run off:* (2) beat it, scram: ADJAS.

ripaille—**faire r.** (I) *to have a feast:* (1) have a blowout.

ripailler vi (I) FAIRE RIPAILLE.

ripatonner vi (IIa) *to walk:* (2) hoof [leg] it, ride the shoeleather express, ride shank's mare, ankle along.

ripatons nm pl (II) *feet:* (2) dogs, hoofs, barkers, pups. **se tirer des r.** (III) *to run away:* (2) take it on the lam: ADJAS.

riper vi (III) JOUER RIP. **r. ses galoches** (III) JOUER RIP.

riquiqui (II) RIKIKI.

risquer—**r. le paquet** (III) *to bet heavily:* (2) bet one's bundle*, go for broke, bet one's bottom dollar, shoot the works.

rital nm (III péj.) *Italian:* (2) Eytie, Guinea, wop.

roberts nm pl (IV) *female breasts:* (2) boobies: AVANT-SCÈNES. **r. de chez Michelin** (III) *artificial breasts:* (1) falsies.

robinet—ouvrir le **r.** (III) *to weep bitterly:* (2) turn on the waterworks, bawl.

rogne—chercher des **rognes** (II) *to look for an argument, pick up a quarrel:* (1) look for trouble, pick a fight. **être en r.** (II) *to be angry:* (2) be mad as blazes: CRAN. **se mettre en r.** (II) *to get angry:* (2) blow one's stack: CRAN.

rogner (IIa) *to be in bad humor:* (2) be browned [pissed] off, be bitchy. (II) *to be angry:* (2) be sore: CRAN.

rognonner vi (II) *to grumble:* (1) grouse; (2) gripe, bitch: BOUGONNER.

rognons nm pl (IVa) *testicles:* BALLOCHES.

rogomme nf (IIIa) *alcoholic beverage:* (2) booze, rotgut.

roi—travailler pour le **r.** de Prusse (I) *to work for little pay:* (2) work for peanuts [beans, chicken-feed].

roman—**r.** à treize sous [de concierge] (I) *cheap fiction, dime novel.*

romani [o] nm (III) *gypsy.*

rombière nf (I péj.) *woman (esp. unattractive or old):* (2) bag, tomato, bimbo, old hen [bitch]. (III péj.) *wife:* BARONNE.

ronchonner vi (I) *to grumble, complain:* (2) gripe, bitch: BOUGONNER.

ronchonneur [euse] nmf (I) *complainer:* (1) crab, grouch, crank; (2) bitcher, griper, bellyacher.

rond nm (IV) *anus:* ANNEAU. **ça ne tourne pas r.** (II) *that doesn't seem to be right:* (2) that doesn't figure [add up]. **être r.** (II) *to be drunk:* (2) be stewed: ALLUMÉ. **ne pas avoir un r.** (III) *to have no money:* (2) not have a red cent: BLANC. **être** [**rester**] **comme deux ronds de flan** (II) *to be surprised, astonished:* (1) be floored: ABASOURDIR.

rond-de-cuir nm (II) *office worker (esp. government):* (2) pencil-pusher, chair-warmer.

rondelle nf (IV) *anus:* ANNEAU. **se magner la r.** (III) *to hurry:* (2) wiggle one's fanny: DÉGROUILLER (SE).

rondibé nm (IVa) *anus:* ANNEAU.

rondin nm (IV) *fecal matter:* (3) crap, turd, shit. **poser un r.** (IV) *to defecate:* CAQUER.

rondins nm pl (IV) *female breasts:* (3) tits: AVANT-SCÈNES.

rondir (se) vp (III) *to get drunk:* (2) tie on a load: ARRONDIR (s').

rondouillard [e] nmf (II) *short, stout person:* (2) fatso, fat stuff: BOUBOULE——adj (I) *stout:* (2) well-upholstered [-padded].

ronflette nf (III) *nap:* (1) snooze; (2) forty winks, shut-eye. **faire** [**piquer**] **une r.** (III) *to take a nap:* (2) grab [cop] a snooze, grab (off) forty winks [some shut-eye].

ronfleur nm (IIIa) *telephone.* **envoyer le r.** (IIIa) *to warn, tip off:* (2) give the high sign: AFFRANCHIR.

rongeur nm (III) *taxi meter:* (2) the clock.

rosbif nm (III péj.) *Englishman:* (2) Limey.

rossard [e] nmf (II) *horse (esp. mediocre):* (2) plug, nag, plater. (II) *a mean, despicable person:* (2) louse: BORDILLE. (II) *lazy person:* (2) lazybones [slob], lazy good-for-nothing. —— adj (II) *disagreeable, nasty:* (2) lousy, crummy, crappy.

rosse nf (I) ROSSARD.

rossée nf (I) *beating:* (2) walloping: AVOINE.

rosser vi (I) *to beat, thrash:* (2) knock the stuffings out of: AMOCHER.

rosserie nf (I) *treacherous, deceitful action:* (2) dirty [crummy, lousy] trick, a fast one, double cross.

rossignol nm (I) *pass key.* (II) *anything false or of little value:* (2) junk, crap, phony goods.

rot nm (III) *belch:* (2) burp.

roter vi (III) *to belch:* (2) burp. (III) *to be angry:* (2) be burned up: CRAN. (II) *to be disagreeably surprised, be taken aback:* (2) be floored, be thrown [knocked] for a loop, get it in the neck. (II) *to be upset, annoyed:* (2) be burned up [browned off], be in a sweat. **en roter** (III) *to be badly upset:* (2) be sore as hell about, be in a sweat over.

roteuse nf (III) *bottle of champagne:* (2) burp [giggle] water.

rôti—être **r.** (III) *to be in a dangerous situation:* (2) be in a tough [hot] spot, be in a jam [pickle, bind]. **s'endormir sur le r.** (I) *to neglect one's work:* (2) fall asleep [lay down] on the job*.

rotin—ne pas avoir un **r.** *to have no money:* (2) be broke: BLANC.

rôtir vt (II) *to criticize:* (1) roast*: AQUIGER. **se r. le cuir** (III) *to take a sunbath:* (1) get a tan; (2) soak up the sun.

rotoplos nm pl (IV) *female breasts:* (2) knockers: AVANT-SCÈNES.

rotules—être sur les **r.** (III) *to be exhausted:* (2) be pooped: AFFÛTÉ.

roubignolles nf pl (IV) *testicles:* BALLOCHES.

roublard [e] nmf (II) *shrewd, clever person who manages to get out of difficulties:* (2) sharpie, slick customer: DÉBROUILLARD—— adj (II) *shrewd:* (1) slick; (2) hip, sharp (as a razor).

rouflaquette nf (IIa) *spit curl.*

rouge—mettre le r. (IIa) *to speed up an action:* (2) turn on the steam, step on the gas, get on the ball. **voir r.** (II) *to be angry:* (1) see red*; (2) be hopping mad: CRAN.

rougeaud adj (I) *red-faced, flushed.*

rouille nf (III) *bottle (esp. champagne).* (III) *champagne:* (2) giggle water.

roulant adj (II) *funny, comical:* (2) side-splitting. nm (III) *traveling salesman:* (1) drummer. (IIIa) *taxi.*

rouleau—changer de [le] r. (III) *to change the topic of conversation:* (2) change the record*, put on a new record. **être au bout de son r.** (I) *to be at the end of one's rope:* (2) be up against it: ABOIS.

rouleaux—nm pl (IV) *testicles:* BALLOCHES. **casser les r. à q'un** (IV) *to annoy, pester s.t.:* (2) give s.o. a pain in the neck; (3) be a real ball-breaker*: ASSOMMER.

roulée nf (I) *beating:* (2) shellacking: AVOINE. **bien r.** (III) *well-built (female):* (2) well-stacked: ACADÉMIE.

rouler vt (II) *to rob, cheat, swindle:* (2) gyp, con: ARNAQUER.—vi (II) *to talk freely:* (2) shoot off one's mouth, sound [spout] off. **r. les mécaniques** (III) *to swagger around:* (2) show off one's muscle: BISCOTTOS. **r. sa bosse** (II) *to wander around, travel here and there:* (2) beat [bum] around. **r. un patin** (III) *to kiss intimately:* (2) give a French kiss. **se rouler** (II) *to enjoy oneself:* (2) have a big time: BIDONNER (SE). **se r. les pouces [se les r.]** (II) *to do nothing:* (2) louse around: BRAS. **il n'y a pas de quoi se r. dans la crotte** (II) *it's no laughing matter:* (1) it's nothing to joke about. **ça roule** (III) *things are getting along well:* (2) everything's o.k., things are clicking (along).

roulettes nm pl (III) *bicycle policemen:* (2) cycle cops. **aller comme sur des r.** (III) *to run smoothly:* (2) perk smoothly, hit on all sixes, cook on the front burner. **vaches à r.** (III) *bicycle policemen.*

roulotte nf (III) *truck.* **vol à la r.** (IIIa) *theft from parked cars or trucks.*

roulottier nm (III) *thief who steals from parked cars or trucks.*

roulure nf (III péj.) *immoral woman, low-class prostitute:* (2) cheap floozy: BOUDIN.

rouper vt (IIIa) *to rob, fleece:* (2) clean out, take over: ARNAQUER.

roupes nf pl (IV) *testicles:* BALLOCHES.

roupettes nf pl (IV) ROUPES.

roupie nf (II) *ugly person:* (1) scarecrow; (2) homely mug.—adj (II) *ugly.*

roupiller vi (II) *to sleep:* (1) take a snooze; (2) pound the pillow, get some shut-eye, saw wood.

roupillon nm (II) *nap:* (1) snooze; (2) shut-eye, forty winks. **piquer un r.** (II) *to take a nap:* (2) grab some shut-eye [a snooze], take forty winks.

roupillonner vi (IIIa) ROUPILLER.

rouquemoute nf (III) *red wine:* (2) red ink. (II) *redheaded person:* (1) carrottop, brick top.—adj (II) *redheaded.*

rouquin nm (II) ROUQUEMOUTE.

rouscailler vi (I) *to complain, protest:* (2) bitch, gripe: BOUGONNER.

rouscailleur [euse] nmf (I) *chronic complainer:* (1) crabber, crank; (2) bitcher, griper, squawker, bellyacher, grouser, beefer.

rouspétance nf (I) *objection, complaint:* (2) bitch, gripe, squawk, beef. **faire de la r.** (II) *to complain:* (2) beef: BOUGONNER.

rouspéter vi (I) *to object, protest:* (2) squawk: BOUGONNER.

rouspéteur [euse] nmf (II) ROUSCAILLEUR.

rousse nf (III) *the police:* (2) the fuzz: ARGOUSIN. **faire de la r.** (III) *to protest, complain:* (2) put up a beef: BOUGONNER.

rousser vi (III) FAIRE DE LA ROUSSE.

roussin nm (III) *policeman:* (1) cop: AR-GOUSIN.

rousti adj (IIIa) *ruined, penniless:* (2) flat broke: BLANC.

roustir vt (II) *to bungle, spoil:* (2) louse up: AMOCHER. (III) *to rob, swindle:* (2) gyp, play for a sucker: ARNAQUER. (III) *to steal:* (2) swipe: ARRANGER.

roustons nm pl (IV) *testicles:* BALLOCHES.

ruban nm (III) *road, highway, sidewalk.* **faire le r.** (IIIa) *to walk the streets looking for clients (of a prostitute):* (2) hook, hustle.

rudement adj (I) *very:* (2) awfully, damnably, cussedly.

rupin nm (II) *rich person:* (2) moneybags, plute, Mr. Gotrocks.——adj (II) *wealthy:* (2) in the dough [chips], well-heeled, flush, loaded: AS.

rupinos nm adj (III) RUPIN.

Ruskoff nm (III) *Russian:* (2) Russky, Bolshie, Ivan.

sable—être sur le s. (III) *to be unemployed:* (2) be laid off, be on the beach*.

sabler vt (I) *to drink down at one gulp:*

(2) to drink bottoms-up, chug-a-lug, swig down.

sabord—donner un coup de s. (III) *to look at, scrutinize:* (2) give the once-over: BIGLER.

sabot nm (II) *anything of poor quality:* (2) a piece of junk [crap]. **avoir du foin dans les sabots** (II) *to be rich (esp. a peasant):* (2) be loaded: AS. **casser le s.** (IV) *to deflorate:* (3) take the cherry. **dormir comme un s.** (II) *to sleep soundly:* (1) sleep like a log*. **travailler comme un s.** (II) *to do a bad job, botch:* (2) louse up: AMOCHER.

saboter vt (I) *to do a slipshod job:* (2) goof up: AMOCHER.

saboteur nm (I) *bungler, botcher:* BOU-SILLEUR.

sabre nm (IV) *penis:* ARBALÈTE. **donner un coup de s.** (IV) *to fornicate:* ARBALÈTE.

sabrer vt (II) SABOTER. (IV) *to fornicate:* ARBALÈTE.

sabreur nm (II) SABOTEUR.

sac nm (III) *1000 francs:* (2) a grand. (II) *stomach:* (2) gut: BIDE. **s. à bites** (IV) *immoral woman:* (2) bag: BITCH. **s. à viande** [**bidoche**] nm (III mil.) *sleeping bag:* (3) fart sack. **avoir le s.** (II) *to be rich:* (2) have a bundle, be in the chips: AS. **avoir son s.** (III) *to be drunk:* (2) be loaded: ALLUMÉ. **en avoir plein le s.** (I) *to be weary of s.t.:* (2) have a bellyful of s.t.: ANDOSSES. **être dans le s.** (I) *to be completed:* (2) be in the bag, be cleaned up. (II) *to be a certain success (or winner):* (2) be in the bag*, be a sure [cinch] bet. **vider son s.** (I) *to confess:* (2) spill, sing: ACCOUCHER. (II) *to speak one's mind:* (2) to say one's piece, get a load of one's mind. **donner [rendre] son s.** (II) *to quit one's job:* (2) turn in one's time*, walk out on the job [boss].

saccagne nf (IIIa) *dagger, knife:* (2) shiv, sticker.

saccagner vt (IIIa) *to stab.*

saccaille nf (IIIa) SACCAGNE.

sacquage nm (II) *discharge (from employment):* (2) sack, bounce, gate.

sacquer vt (II) *to dismiss or discharge (from a job), send away:* (2) give the sack*: BALAI. **se sacquer** vp (III) *to go to bed:* (2) hit the sack*: BÂCHER (SE).

Saint-Crépin nm (I) *the personal belongings of a poor person:* (2) whole kit and caboodle. **prendre la voiture de S.-C** (III) *to walk:* (2) hoof [leg] it, take shank's mare, ride the shoeleather express*.

Sainte-Nitouche nf (I) *hypocrite:* (2) holier-than-thou, phony.

Saint-Frusquin nm (III) *one's personal belongings:* (2) whole kit and caboodle, one's junk.

Saint-Glinglin—à la S.-G. (III) *a date that never comes, never:* (2) when hell freezes over, when the cows come home.

Saint-Jean—à la S.-J. (I) *naked:* (2) in the altogether, in one's birthday clothes. **faire S.-J.** (IIIa) *to warn, tip off:* (1) give the high sign: AFFRANCHIR.

Saint-Lago nm (III) *Saint-Lazare.*

Saint-Martin—du même S.-M. (III) *the same thing:* (1) six of one, half a dozen of the other; (2) no matter how you slice it, it's all baloney.

Saint-Siège nf (III) *toilet:* (2) john: CA-BINCES.

salade nf (I) *mess, disorder:* (1) hash-up. (III) *sales talk:* (2) pitch, come-on. (III) *insult:* (2) dirty dig. **faire brin de s.** (IIIa) *to leave without paying:* (2) skip out, take a powder. **faire des salades** (III) *to talk glibly:* (2) soft-soap: BARATIN. **faire toute une s.** (II) *to create a scene:* (2) kick up a fuss, raise a stink. **panier à s.** (II) *police wagon:* (2) paddy wagon, Black Maria. **vendre sa s.** (II) *to work at one's job:* (2) peddle one's papers*.

salamalecs—faire des s. (I) *to greet with exaggerated politeness:* (1) kowtow to.

salaud nm (II) *unclean person:* (2) dirty slob, crummy guy, crumb bun. (II) *mean, untrustworthy person:* (2) louse: BORDILLE.

salé nm (III) *child:* (1) little shaver, squirt; (2) little stinker, punk. —— adj (I) *harsh, severe:* (1) tough. (II) *expensive, high-priced.*

saleté nf (I) *mean action:* (2) lousy stunt [trick]. (III) *smut, obscenity:* (2) dirt*.

saligaud nm (II) SALAUD.

salingue nm (III) SALAUD. —— adj (III) *dirty:* (2) scummy, crummy, crappy.

salir—la s. (III) *to exaggerate:* (2) lay it on thick: ALLER FORT. **se salir le nez** (II) *to get drunk:* (2) get a snootful: ARRONDIR (s').

salopard nm (II) SALAUD. **s. en casquette** (II) *workingman:* (2) working stiff.

salope nf (III) *slattern, slovenly woman:* (2) slob.

saloper vt (II) *to botch up, bungle:* (2) bugger up: AMOCHER.

saloperie nf (II) SALETÉ. **faire une s. à** (III) *to act meanly or deceitfully toward:* (2) play a dirty trick on*, pull a fast one on; do dirt to.

sana (abrév. de **sanatorium**) nm (I, 2) san.

sang—**attraper le coup de s.** (III) *to become very angry:* (2) blow one's stack: CRAN. **avoir du s. dans les veines** (I) *to be energetic:* (2) have a lot of pep: ALLANT. (I) *to be courageous:* (2) have guts: BIDE. **avoir du s. de navet** (I) *to lack courage:* (2) have no guts, be chicken [yellow], have a yellow streak. **se faire du bon s.** (I) *to be content, satisfied:* (2) have no kick coming. **se faire du mauvais s.** (I) *to be upset, worry, fret:* (1) stew; (2) work up a sweat [tizzy], get one's bowels in an uproar.

sanglier nm (III péj.) *priest:* (2) Holy Joe, sky pilot.

sangui adj (IIIa) *drunk:* (2) stewed: ALLUMÉ.

sanguiner (se) vp (IIIa) *to get drunk:* (2) tie one on: ARRONDIR (s').

sans—**être sans le sou** (II) *to be penniless:* (2) be broke: BLANC.

sans-châsses adj (IIIa) *blind.*

santé—**en avoir une s.** (II) *to be impudent:* (1) have gall [cheek]; (2) be fresh [sassy, snotty], have a lot of brass [guts, crust]. **quelle s.!** interj (II) *what courage!:* (2) what guts [spunk]! (II) *what impudence!:* (1) what cheek [gall, crust]!

sapé adj (III) *dressed:* (2) rigged [togged] out.

sape(ment) nm (IIIa) *prison sentence:* (2) rap, jolt, hitch, stretch.

saper vt (III) *to dress:* (2) tog out. **se saper** vp (III) *to get dressed:* (2) put on one's duds.

sapes nm pl (III) *clothes:* (2) duds, threads, rig, getup.

sapin—**sentir le s.** (II) *to have one foot in the grave:* (2) smell the undertaker. **costard [palelot] de s.** (III) *coffin:* (2) wooden overcoat [pajama].

saquer vt (III) SACQUER.

sardine nm (III mil.) *sergeant's chevron:* (2) hash mark, stripe.

sataner vt (IIIa) *to beat up brutally:* (2) knock the stuffings out of: AMOCHER.

satonner vt (IIIa) SATANER.

sauce—**balancer [envoyer] la s.** (III) *to shoot:* (2) throw lead, bang off, pour [turn on] the heat. (IV) *to ejaculate:* BANDER. **mettre la s.** (III) *to increase speed:* (2) give it the juice* [gas], step on the gas.

saucée nf (II) *heavy rain, downpour.* **recevoir une s.** (III) *to get drenched:* (1) get soaked to the skin, get sopping wet. (I) *severe reprimand:* (2) bawling-out: ABATTAGE.

saucer vt (I) *to drench, soak.* (I) *to reprimand:* (2) call down: ENGUEULER.

sauciflard nm (III) *sausage:* (2) wienie, wiener.

saucisse nf (III) *stupid person:* (2) lunkhead: ANDOUILLE. **rouler des saucisses** (IV) *to kiss intimately:* (2) give a French kiss.

saucisson nm (IIIa) *clumsy, awkward person:* (2) clumsy ox. (IIIa péj.) *homely or lewd woman:* (2) pig, tomato: BOUDIN. **peau de s.** (III) *cheap, trashy imitation:* (2) crap, junk, phony goods. **avoir des lunettes en peau de s.** (II) *to have poor vision.*

sauret nm (III) *pimp.*

saut—**faire le grand s.** (I) *to die:* (2) kick off: ARME.

sauter vt (III) *to arrest:* (2) pinch: AGRAFER. (IV) *to have intercourse with:* (2) jump*: AIGUILLER. **la s.** (III) *to be starving.*

sauterelle nf (II) *tall girl:* (2) bean pole.

sauteuse nf (IIIa) *flea.*

savate nf (I) *clumsy man:* (2) clumsy ox. **traîner la s.** (I) *to be in poverty:* (2) be down and out, be on the rocks [one's uppers]: DÉBINE.

savater vt (IIIa) *to bungle, botch:* (2) butcher: AMOCHER.

savon nm (I) *severe reprimand:* (2) dressing-down: ABATTAGE. **passer un s. à** (I) *to reprimand:* (2) bawl out: ENGUEULER.

savonnage nm (I) SAVON.

savonner vt (I) *to reprimand:* (2) bawl out: ENGUEULER.

sbire nm (I péj.) *policeman:* (1) cop: ARGOUSIN.

schbeb adj (IIIa) *handsome, good-looking:* (2) neat: BADOUR.

schlass adj (III) *drunk:* (2) looped: ALLUMÉ. nm (III) *knife, dagger:* (2) shiv.

schlinguer vi (III) *to stink.*

schliputer vi (IIIa) *to stink.*

schloff—**aller au s.** (II) *to go to bed:* (2) hit the hay: BÂCHER (SE). **faire s.** (II) *to sleep:* (2) snooze, saw wood, pound the pillow.

schnaps nm (I) *whiskey:* (2) booze.

schnick nm (IIa) *cheap whiskey:* (2) booze, rotgut, red-eye.

schpile nm (III) *any gambling game.* **avoir du s.** (II) *to be loose:* (2) have a lot of play. **avoir beau s.** (III) *to be in a favorable position:* (1) be in a good spot; (2) have a winner.

schpiler vi (IIIa) *to gamble.*

schpileur nm (IIIa) *gambler.*

schproume nm (III) *malicious gossip:* (2) dirt.

schtard nm (IIIa) *prison:* (2) clink: BALLON.

schtibe nm (IIIa) *prison:* (2) can: BALLON.

schtilibem nm (IIIa) *prison:* (2) can: BALLON.

schton nm (IIIa) *punch:* (2) slug: ATOUT.

schtouille nf (IIIa) *gonorrhea:* (2) clap.

sciant adj (II) *annoying, boring:* (2) griping, bugging.

scie nf (I) *something repeated* ad nauseam: (2) old saw*, old wheeze. (I) *annoying person, bore:* (2) pain in the neck: BASSIN.

scier vt (III) *to discharge:* (2) give the gate: BALAI. (III) *to get rid of, abandon:* (2) dump: BALANCER. **s. le dos à q'un** (II) *to bore s.o. exceedingly:* (2) bore s.o. stiff: ASSOMMER.

scionner vt (IIIa) *to beat:* (2) lambaste: AMOCHER.

scoumoune nf (IIIa) *persistent bad luck:* (2) jinx, hoodoo.

scribe nm (II) SCRIBOUILLARD.

scribouillard nm (II) *office worker:* (2) pencil pusher.

scribouiller vt (II) *to write badly, scribble.*

seaux—pleuvoir à s. (I) *to rain heavily:* (2) come down in buckets*, rain pitchforks [cats and dogs, kittens].

sec—boire s. (I) *to take one's drink straight.* **être à s.** (I) *to have no money:* (2) be broke: BLANC.

sèche nf (II) *cigarette:* (2) butt: CIBICHE. **piquer une s.** (III scol.) *to get zero in an examination:* (2) pull [rate] a goose egg, zero out, draw a blank.

sècher vt (II) *to stay away from (school, one's work, etc.), play hooky:* (1) cut school, take time off (from work). (IIIa) *to kill:* (2) bump off: AFFAIRE. (III scol.) *to be unable to answer a question:* (1) be stumped [up a stump]. (III) *to drink all of (a bottle, glass, etc.):* (2) kill, knock [polish] off. **s. sur le fil** (III) *to wait in vain:* (2) get a stand-up. **s. sur pied** (I) *to be extremely bored:* (2) be bored stiff.

sécot adj (II) *thin, skinny.*

secouée nf (II) *punishment, beating, reprimand:* ABATTAGE. **une s. de** (II) *a large quantity:* (2) loads of: CHARIBOTÉE. **ne pas en foutre une s.** (III) *to do nothing:* (2) twiddle one's thumbs: BRAS.

secouer vt (IIIa) *to rob:* (2) lift: ARRANGER. **s. les puces à** (II) *to beat, punish:* (2) paste: AMOCHER. **se secouer les puces** (II) *to stretch*

oneself: (1) to take a stretch; (2) to get out the kinks.

secousse—donner une s. (II) *to work hard:* (2) plug, grind. **ne pas en ficher une s.** (II) *to do nothing:* (2) twiddle one's thumbs, piddle [louse] around: BRAS.

sel—y mettre son grain de s. (II) *to put in one's share, contribute:* (1) chip in; (2) kick in, cough up.

sellette—mettre [tenir] q'un sur la s. (I) *to put s.o. through harsh questioning:* (1) grill s.o., put s.o. on the carpet*; (2) sweat s.o..

semer vt (II) *to get rid of:* (2) dump: BALANCER.

sensas adj (abrév. de **sensationnel**) (III) *sensational:* (2) super (duper), (real) cool.

sens unique—un coup de s. u. (III) *a glass of red wine:* (2) a shot of vino.

serbillon nm (IIIa) *signal:* (2) tip-off, high-sign. **envoyer le s.** (IIIa) *to warn, inform:* (2) give the high-sign: AFFRANCHIR.

sergot nm (IIIa) *policeman:* (1) cop: AR-GOUSIN.

serin nm (I) *stupid person:* (2) dope: ANDOUILLE.

seriner vt (I) *to teach by continuous repetition:* (2) hammer in, drill.

seringue nf (III) *gun:* (2) gat: ARTICLE. (III) *machine gun:* (2) chopper, typewriter. **chanter comme une s.** (III) *to sing off key.*

seringuée—en filer une s. (IV) *to have intercourse with:* AIGUILLER. (III) *to shoot at, to fire a machine gun.*

seringuer vt (IIIa) *to shoot:* (2) plug, fill with lead, put holes through, pump lead into, let daylight through.

serre—faire le s. (III) *to give the signal:* (2) give the high sign [tip-off]. (III) *to act as lookout:* GAFFE.

serré (I) *miserly:* (2) tight (fisted), penny-pinching. **jouer s.** (II) *to play one's cards carefully:* (2) play them close to the chest, play cagy.

serrer vt (III) *to strangle, choke.* (IIIa) *to put in prison:* (2) toss in the clink: BALLON. **s. la vis à qu'un** (II) *to treat s.o. harshly:* (2) put the screws on (to) s.o., give s.o. the works. **s. la pince à q'un** (II) *to shake hands with s.o.* **s. les fesses** (III) *to be afraid:* BLANCS. **s. les pouces à q'un** (I) *to try to force s.o. to confess or talk:* (2) put the screws on (to)*, sweat, grill. **se faire s.** (III) *to get arrested:* (2) get pinched [collared, nabbed, hauled in]: BAISÉ.

serviette—coup de s. (III) *police raid:* (1) roundup.

servietter vt (IIIa) *to arrest:* (2) pinch: AGRAFER.

seulabre adj (III) *alone.*

sézigue pron (III) *he, him.*

siamoises nf pl (III) *eyeglasses:* (2) cheaters, specs, peepers.

sibiche nf (III) CIBICHE.

sidérer vt (I) *to astonish, surprise:* (2) flabbergast: ABASOURDIR.

Sidi nm (III péj.) *Arab.*

sifflard nm (III) *sausage:* (2) wienie, wiener.

siffler vt (II) *to drink (esp. at one gulp):* (2) slug [belt] down, take a swig [snort, slug].

sifflet nm (III) *neck, throat.* **couper le s. à q'un** (I) *to silence s.o.:* (2) cut s.o. short, shut s.o. up. **se rincer le s.** (III) *to take a drink:* (2) wet one's whistle*, take a swig [slug, snort], belt one down. **serrer le s. à q'un** (III) *to strangle s.o.*

sigler vi (III) CIGLER.

sigue nm (IIIa) *20-franc piece.*

silencieux nm (III) *revolver:* (2) rod: ARTICLE.

singe nm (II) *the boss, director:* (2) the boss man. (III mil.) *canned beef:* (2) canned willie.

sinoque adj (III) *crazy:* (2) batty: ARAIGNÉE.

siphonné adj (III) SINOQUE.

sirop—**avoir un coup de s.** (III) *to be drunk:* be plastered: ALLUMÉ. **être dans le s.** (III) *to be in difficulties:* (2) be in a jam: BOUILLABAISSE. **ne pas valoir un coup de s.** (III) *to be worthless:* (2) not worth a damn [hoot]. **sortir du s.** (III) *to sober up.*

siroter vt (I) *to sip.* (II) *to drink (esp. heavily):* (2) hit the bottle: BIBERONNER.

smala(h) nf (I) *the entire family:* (2) the whole gang.

social nm (IIIa) *friend:* (2) pal, buddy, sidekick, pardner.

soeur nf (IV) *male homosexual:* (2) pansy: EMMANCHÉ.

soif—**avoir s. de serpent** (I) *to be very thirsty:* (2) be bone dry, spit cotton.

soiffard [e] nmf (II) *heavy drinker:* (2) boozer: BIBARD.

soiffer vi (II) SIFFLER.

soiffeur [euse] nmf (II) SOIFFARD.

soigné adj (II) *outstanding:* (2) top-notch, first-class, dandy, cool.

soin-soin adj (II) SOIGNÉ.

soleil—**avoir un coup de s.** (II) *to be drunk:* (2) be plastered: ALLUMÉ. **ça craint le s.**

(III) *it's stolen goods:* (2) it's hot (stuff). **piquer un s.** (I) *to blush:* (2) turn red.

sonné adj (II) *stunned (by a blow):* (2) knocked silly [for a loop]. (II) *crazy:* (2) goofy: ARAIGNÉE.

sonner vt (III) *to beat:* (2) shellac: AMOCHER. **s. les cloches à q'un** (II) *to reprimand s.o. severely:* (2) bawl s.o. out: ENGUEULER.

sonnette—**avoir la s.** (III) *to be crazy:* (2) be cracked: ARAIGNÉE.

sorgue nf (IIIa) *night, evening.*

sou—**être près de ses sous** (II) *to be stingy:* (2) be tight (fisted) [a penny-pincher, a tightwad].

soua-soua adj (III) SOIGNÉ.

soudure nf (IIIa) *money:* (2) cabbage: ARTICHE. **envoyer la s.** (III) *to pay:* (2) fork over: ABOULER.

soufflant nm (III) *revolver:* (2) heater: ARTICLE.

souffrante nf (III) *match.*

soûl—**en avoir tout son s.** (I) *to have as much as one wants:* (1) to have one's fill.

soulager—**soulager q'un de q'ch.** (II) *to steal s.t. from s.o.:* (1) relieve s.o. of s.t.*; (2) swipe s.t. from s.o.: ARRANGER.

soûlard [e] nmf (I) *alcoholic, drunkard:* (2) rumhound: BIBARD. —— adj (I) *drunk:* (2) stewed: ALLUMÉ.

soûlaud nm (II) SOÛLARD.

soûler (se) vp (I) *to get drunk:* (2) get plastered: ARRONDIR (s').

soulier—**donner [filer] un coup de s.** (III) *to ask for a loan:* (2) put the touch on: BOTTE.

soûlographe nm (IIa) SOÛLARD.

soulographie nf (II) *spree, alcoholic debauch:* (2) bat, bender: BAMBOCHE.

soûlot nm (II) SOÛLARD.

soupçon nm (I) *minute quantity, pinch:* (2) smidgen, teeny bit.

soupe nf (I mil.) *food:* (2) chow. **s'emporter [se monter] comme une s. au lait** (I) *to be hot-tempered:* (2) be quick on the trigger, fly off the handle easily. **tremper une s. à q'un** (III) *to beat s.o.:* (2) give s.o. a shellacking: AMOCHER.

soupé—**avoir s. de q'ch.** (II) *to have had enough of s.t.:* (2) be fed up with s.t.: ANDOSSES.

sourdine nf (I) *silencer (on firearm).* **en s.** adv (II) *on the quiet, secretly:* (2) on the q.t.

sourdingue adj (III) *deaf.*

souris nf (II) *wife:* (2) better half: BARONNE. (II péj.) *woman:* (2) babe: BERGÈRE.

sous-fifre nm (I) *someone in a secondary position, second-fiddle*:* (2) second-stringer.

sous-off. (abrév. de **sous-officier**) nm (II mil.) *non-commissioned officer:* (2) non-com., N.C.O.

strasse nf (IIIa) *room, apartment:* (2) pad, kip, dump.

stups (abrév. de **stupéfiants**) nm pl (II) *narcotics:* (2) junk, dope.

sucer vi (II) *to drink excessively:* (2) booze: BIBERONNER.

suçon nm (I) *mark made on skin by sucking:* (2) hickey. (II) *one who lives on another's earnings:* (2) sucker, sponger, moocher.

sucre—être du s. (II) *to be easy to accomplish, certain to succeed:* (2) be a cinch: ART. **casser du s.** (III) *to fall on one's buttocks:* (2) fall [flop] on one's can [fanny, butt, ass, prat], take a prat-fall.

sucrer vt (III) *to arrest:* (2) pinch: AGRAFER. **s. les fraises** (III) *to have trembling hands, be old and feeble.* **se sucrer** vp (III) *to take the lion's share:* (2) take off the cream, take good care of number one.

suée nf (II) *extreme fear:* (2) jitters.

suer vi (I) *to work hard:* (2) plug away, work up a sweat*. **faire s. q'un** (II) *to bore or annoy s.o. no end:* (2) bore s.o. stiff, give s.o. a pain in the neck: ASSOMMER.

suif nm (III) *reprimand:* (2) calling-down: ABATTAGE. **chercher du s.** (III) *to look for an argument, pick a quarrel:* (2) look for trouble. **être en s.** (III) *to be angry:* (2) see red: CRAN. **faire du s.** (III) *to make a fuss:* (2) kick up a rumpus [row], raise the roof. **donner un s.** (III) *to reprimand:* (2) bawl out: ENGUEULER. **se faire du s.** (III) *to get upset, fret:* (1) stew: BILE.

Suisse—faire [boire en] S. (II) *to drink by oneself.*

sulfateuse nf (III) *machine gun:* (2) chopper, chatterbox.

surin nm (IIIa) *knife, dagger:* (2) shiv, sticker.

suriner vt (IIIa) *to stab.*

système—système D (II) *shifting for oneself:* (2) finagling. **courir [taper] sur le s. à q'un** (II) *to annoy, bore s.o.:* (2) give s.o. a pain in the neck: ASSOMMER.

tabac—être du même t. (III) *to be the same thing:* (1) six of one, half a dozen of the other. **passer à t.** (III) *to beat severely:* (2) lambaste: AMOCHER. (III) *to give the third degree:* (2) sweat, work over, give a working-[going-] over.

tabassée nf (III) *beating:* (2) pasting: AVOINE.

tabasser vt (III) *to beat, thrash:* (2) give a pasting: AMOCHER.

table—se mettre à t. (III) *to confess (to the police):* (2) sing: ACCOUCHER.

tableau—vieux t. (II péj.) *old woman (esp. one trying to look young):* (2) old hag [crow]. **décrocher les tableaux** (II) *to blow one's nose.*

tabourets nm pl (III) *teeth:* (2) choppers, ivories, crockery.

tacot nm (II) *old automobile:* (2) old jalopy: BERLINGOT.

taf nm (III) *job, work.* (III) *share of loot:* (2) divvy, cut. (III) *fear.* **avoir le t.** (III) *to be afraid:* (2) have the jitters: BLANCS.

taffe nf (III) TAF.

taffer vi (III) *to be afraid:* TAF.

taffeur [euse] nmf (III) *coward:* (2) yellow-belly: CANEUR.

taille—faire sa t. (IIIa) *to earn a day's wages:* (2) pull in a day's pay.

tailler—t. des bavettes (II) *to talk, gossip:* (2) chew the fat: BAVETTE. **se tailler** vp (III) *to run off:* (2) scram, take it on the lam: ADJAS.

talbin nm (III) *bank note, greenback:* (1) bill. (III) *work, job.*

talmouse nf (IIIa) *punch:* (1) wallop: AVOINE.

taloche nf (I) *slap, punch:* ATOUT.

tambouille nf (III mil.) *food:* (2) chow: BECQUETANCE. (III) *cooking.*

tampon—coup de t. (II) *punch:* (2) slug: ATOUT. **coups de tampon** (II) *fight:* (1) set-to: BADABOUM.

tamponner vt (III) *to beat up:* (2) lambaste: AMOCHER.

tam-tam—faire du t.-t. (I) *to advertise, make publicity:* (1) beat the drums*; (1) ballyhoo. (II) *to make noise:* (1) make a hullaballoo [ruckus, rumpus]; (2) raise the roof.

tangente nf (II scol.) *monitor at examination.* **prendre [s'échapper par] la t.** (I) *to manage to get out of a scrape:* (1) get out from under; (2) wiggle out of a tough spot, find an out.

tango—filer un t. (IIIa) *to beat up:* (2) knock the stuffings out of: AMOCHER.

tannant adj (II) *annoying, boring:* (2) bugging, griping, pesty.

tanner vt (II) *to annoy, pester, bore:* (2) gripe: ASSOMMER. vt (II) *to beat, thrash:* (1) wallop: AMOCHER. **t. le cuir à q'un** (II) *to thrash s.o.:* (2) tan s.o.'s hide*: AMOCHER.

tante nf (III) *male homosexual:* (2) fairy: EMMANCHÉ. **chez ma t.** (II) *pawnshop:* (2) hock shop.

tantinet nm (I) *a small quantity:* (1) a teeny bit; (2) a smidgen.

tantinette nf (III) TANTE.

tantouse nf (III) TANTE.

tapage nm (II) *loan:* (2) touch.

tapanard nm (IV) *buttocks:* (2) fanny: ARRIÈRE-TRAIN.

tapant nm (IIIa) *cheese.*

tape nf (II) *theatrical failure:* (2) turkey: FOUR. **ramasser une t.** (III) *to fail to succeed:* (2) fizzle out: BOUDIN.

tapé adj (II) *crazy:* (2) loony: ARAIGNÉE. (I) *aged, old.*

tape-à-l'oeil adj (I) *striking (in appearance), colorful:* (2) eye-catching*.

tapée nf (II) *a large number:* (2) loads of: CHARIBOTÉE.

taper vt (I) *to typewrite.* vi (III) *to stink:* (2) hum. **t. dans l'oeil à** (III) *to please, satisfy:* (2) suit to a T: BOTTER. **t. de l'oeil** (II) *to sleep:* (2) grab some shut-eye, (take a) snooze, pound the pillow, count sheep, saw wood. **t. q'un** (I) *to borrow from:* (1) tap s.o., sponge on s.o.; (2) put the bee [bite, arm, touch] on s.o., mooch from s.o., free-load on s.o. **t. sur q'un** (I) *to criticize s.o.:* (2) knock s.o.: AQUIGER. (I) *to consume in large quantities:* (1) eat up; (2) go for in a big way. **se taper** vp (II) *to treat oneself to:* (2) blow oneself to, set oneself up to. **s'en taper de** .(III) *to scorn, laugh at:* (2) not give a damn about, say to hell with. **se taper de q'ch.** (III) *to do without s.t., be deprived of s.t.:* (2) whistle for. **se taper la cloche** (II) *to eat a hearty meal:* (1) have a blow-out: BÂFRER. **se taper la tête [gueule]** (II) *to get drunk:* (2) get looped: ARRONDIR (s'). **t. sur les nerfs [le système]** (I) SYSTÈME.

tapette nf (II) *tongue:* (2) clapper. (IV) *male homosexual:* (2) pansy: EMMANCHÉ. **avoir une fière t.** (II) *to be talkative, a chatterbox:* (1) have a loose tongue*, be a blabbermouth [bag of wind, hot-air artist, loudmouth], be gabby [lippy], be full of wind [hot air.]

tapeur [euse] nmf (I) *frequent borrower:* (1) sponger; (2) moocher, panhandler, free-loader. (I) *mediocre pianist.*

tapin nm (III) *work, job.* (III) *prostitute:* (2) hustler, hooker, call girl. **aller au t.** (III) *to go to work.* **faire le t.** (III) *to walk the streets (of a prostitute):* (2) hustle, hook.

tapiner v.i. (III) *to cruise the streets looking for a woman:* (2) to look for a pickup. (III) *to walk the streets (of a prostitute):* (2) to hustle, hook.

tapineuse nf (III) *prostitute:* TAPIN.

tapis nm (III) *bar, café, gathering-place in general:* (2) joint, hangout. **amuser le t.** (I) *to entertain the company or bystanders, amuse the crowd.* **être sur le t.** (I) *to be up for inspection or questioning:* (1) be on the carpet*; (2) get a going-over. **mettre sur le t.** (I) *to bring up on the carpet*.

tapisser vt (IIIa) *to identify (by police methods):* (2) get a make on. **se tapisser** vp (IIIa) *to be identified.*

tapisserie—faire t. (I) *to attend a dance without joining in:* (1) be a wallflower*; (2) sit on the sidelines.

taquet nm (III) *punch, severe blow:* (1) wallop: ATOUT.

tarabuster vt (I) *to annoy, plague:* (2) give a pain in the neck: ASSOMMER.

taraudée nf (I) *beating, thrashing:* (2) pasting: AVOINE.

tarauder vt (II) *to beat:* (2) lambaste: AMOCHER. (II) *to annoy, bother:* (2) bug: ASSOMMER.

tarbouif nm (III) *nose:* (2) schnozzle: BAIGNEUR.

tarderie nm (III péj.) *ugly person:* (2) scarecrow, mess.

targette nf (III) *shoe:* (2) clodhopper. **donner [filer] un coup de t. à** (III) *to borrow from:* (2) put the touch on: BOTTE.

tarin nm (III) *nose:* (2) beak: BAIGNEUR. **avoir q'un dans le t.** (III) *to detest s.o.:* (2) be unable to stand the sight of s.o.: BLAIRER. **avoir le t. piqué [salé]** (III) *to be drunk:* (2) have a snootful: ALLUMÉ. **en avoir un coup dans le t.** (III) *to be drunk.* **se casser le t.** (III) *to find no one home:* (1) find the house dark. **se piquer [saler] le t.** (III) *to get drunk:* (2) tie one on: ARRONDIR (s').

tarte nf (II) *slap, punch:* (1) wallop: ATOUT. —adj (II) *stupid:* (1) dumb: BÊTA. (II) *ugly, homely:* BIGORNÉ. **avoir de la t.** (IIIa) *to hold all the aces.* **ce n'est pas de la t.** (III) *it's not easy:* (2) it's no pushover [cinch, breeze, snap], it ain't so easy.

tarter vt (II) *to punch, slap:* (1) wallop, slug; (2) (haul off and) sock: AMOCHER.

tartignole adj (III) *ugly:* (2) no prize package: BIGORNÉ.

tartine nf (I) *tirade:* (1) long-winded speech (or article). (II) *shoe.* **en faire une t.** (III) *to exaggerate:* (2) throw the bull: ALLER FORT.

tartiner vi (I) *to ramble in speech or writing:* (2) drag it out.

tartir vi (IV) *to defecate:* CAQUER. **envoyer t.** (IV) *to discharge, send away:* (2) give the gate [bounce], send packing, tell to go to hell: BALAI.

tartisses nf pl (IVa) *toilet:* (3) crapper: CABINCES.

tartissoire nf (IVa) TARTISSES.

tartouillard adj (IV) TARTIGNOLE.

tartouse adj (III) TARTIGNOLE.

tas nm (I) *a large quantity:* (1) heap, pile, load: CHARIBOTÉE. (II) *place of work:* (1) job. **être sur le t.** (II) *to be at work:* (2) be on the job. **être fait [marron] sur le t.** (III) *to be caught in the act:* (2) to be caught on the job [with the goods, dead to rights, with one's pants down]. **faire le t.** (III) *to streetwalk:* (2) hook, hustle. **grève sur le t.** (III) sit-down strike. **prendre sur le t.** (II) *to catch red-handed:* (2) to catch with the goods [dead to rights]. **sécher sur le t.** (III) *to wait in vain:* (2) to cool one's heels. **taper dans le t.** (II) *to pick at random:* (2) to grab what comes first.

tasse—**boire [prendre] une t.** (I) *almost to drown.* **la grande t.** (I) *the ocean:* (2) the big pond [drink], the briny. **la t.** nf (IV) *street urinal.*

tasseau nm (III) *nose:* (2) beak: BAIGNEUR.

tata nf (III) *male homosexual:* (2) fairy: EMMANCHÉ.

tatanes nf pl (III) *shoes:* (2) clodhoppers.

tâter—**t. du truc** (III) *to make an attempt at:* (1) make a try [stab] at; (2) take a crack at. **va te faire t.** (IV) *go away:* (2) beat it, scram, lay off.

tatillon nmf (I) *finicky, pedantic person:* (1) fusspot, fussbudget.

tatouille nf (II) *beating, thrashing:* (2) pasting: AVOINE. **filer [flanquer] une t.** (III) *to beat up:* (2) give a shellacking: AMOCHER.

taule nf (III) *room, house:* (2) pad, kip. (III) *prison:* (2) clink: BALLON. (III) *disorderly house:* (2) crib, call-joint, cathouse. (III) *workshop (with poor working conditions and pay), sweatshop:* (2) hellhole. **être en t.** (III) *to be in prison:* (2) be behind bars: BALLON.

taulier [ère] nmf (III) *proprietor of a lodging house, bar, disorderly house, etc.:* (1) boss.

tchao (III) *goodbye:* (2) see you later.

técolle (III) *you.*

teigne nf (II) *mean person:* (2) louse: BORDILLE.

teigneux (se) nmf (II) *nasty individual:* (1) nasty [mean] customer; (2) louse, stinker.

teinté adj (II) *drunk:* (2) stewed: ALLUMÉ.

télémuche nf (III) *telephone:* (1) phone.

téléphone arabe nm (IIIa) *clandestine communication in illegal political activities, grapevine.*

tel quel—**acheter [accepter] q'ch. t. q.** (I) *to buy s.t. without regard to its condition:* (2) buy s.t. as is.

tempérament—**acheter à t.** (I) *to buy on the installment plan [on time].*

température—**prendre la t.** (II) *to check the situation, investigate how matters stand:* (2) get the lowdown [dope], get the lay of the land.

templier—**boire comme un t.** (III) *to drink heavily:* (2) drink like a fish: BIBERONNER.

tendeur nm (IV) *highly sexed man:* (2) wolf; (3) gash-hound, cocksman: BANDEUR.

tenir—**en t. pour q'un** (II) *to yearn for s.o., be deeply in love with s.o.:* (2) have a yen for s.o.: AMOUR. **t. la jactance** (IIIa) *to lead the conversation:* (2) hold the floor. **t. le crachoir** *to talk incessantly, jabber:* (2) yackety-yack, beat one's gums, gas, jaw, blow off, run [spout] off at the mouth, talk one's head off, talk a blue streak.

terrible adj (I) *extraordinary:* (1) terrific.

terrine nf (III) *head:* (2) noodle: BALLE. (III) *mouth:* (2) kisser: ACCROCHE-PIPE.

têtard nm (III) *child:* (2) kid: CHIARD. (III) *victim:* (2) patsy, fall guy, mark, sucker, goat. **faire t.** (III) *to deceive, swindle, cheat:* (2) make a sucker out of: ARNAQUER, BATEAU.

tétasses nf (IV) *breasts (esp. big and pendulous):* (3) tits: AVANT-SCÈNES.

tête—**casser [rompre] la t. à** (I) *to annoy, pester:* (2) bug: ASSOMMER. **en avoir par-dessus la t.** (I) *to have had enough of:* (2) be fed up with: ANDOSSES. **faire la t.** (I) *to sulk, pout:* (1) make a face*, grouch; (2) grouse, bellyache, have [be] a sourpuss. **faire une t.** (I) *to be enraged:* (2) be boiling mad: CRAN. **laver [lessiver, savonner] la t. à** (I) *to reprimand severely:* (2) bawl out: ENGUEULER. **se casser la t.** (I) *to buckle down, put one's nose to the grind-*

stone: (1) get down to brass tacks. **se payer la t. de q'un** (I) *to pull a hoax on s.o.:* (2) pull a fast one on s.o.: BATEAU. **se taper la t.** (III) *to eat:* (2) put on the feed bag: BECQUETER. **t. à claques [gifles]** nf (II) *unpleasant face:* (2) homely mug, sourpuss. **t. carrée** nf (I) *stubborn person:* (2) pighead. (I péj.) *German:* (2) squarehead*: ALBOCHE. **t. de noeud** (III) *stupid person:* (2) dope: ANDOUILLE. **t. de veau** (III) *bald head:* (2) billiard ball.

téter vt, vi (II) *to drink excessively, guzzle:* (2) lap it up: BIBERONNER.

tétère nf (IIIa) *head:* (2) nut: BALLE.

téton nm (II) *female breast:* (3) tit: AVANT-SCÈNES.

texte—faire du t. (III) *to improvise (theat.):* (2) to fake it, make up one's own lines, play it by ear, ad lib.

tézique pron (III) *you.*

thé—marcher au t. (IIIa) *to be a heavy drinker:* (2) be a boozer: BIBERONNER. (III) *to smoke marijuana:* (2) kick the gong around, hit the tea*, bang a reefer.

théâtre—faire du t. (II) *to create a scene:* (2) put on a show*: CINÉMA.

thème—faire t. (IIIa) *to remain silent, hold one's tongue:* (1) keep mum; (2) clam up, button up one's lip, shut one's trap [yap]. (III) *to stop working:* (1) knock off; (2) call it quits.

thunard nm (IIIa) *5-franc piece.*

thunarder vi (IIIa) *to play for small stakes:* (2) play for pennies [peanuts].

thune nf (IIIa) THUNARD. **être sans [n'avoir pas] une t.** (IIIa) *to be penniless:* (2) not have a red cent: BLANC.

thunette nf (IIIa) THUNARD.

ticket nm (III) *1000-franc note:* (2) a grand. **faire un t.** (IIIa) *to secure a client (said of prostitutes):* (2) make a pickup [touch]. **avoir un t. avec** (III) *to win a girl's favors:* (2) to make it with.

tic(k)son nm (III) TICKET. **piquer un t.** (2) *to malinger, pretend illness to collect insurance:* (2) ride the sick book.

tic-tac nm (IIIa) *revolver:* (2) rod: ARTICLE.

tierce nf (IIIa) *criminal gang:* (2) mob. (III) *an organized group, gang.*

tif(f)ier nm (IIIa) *hairdresser.*

tifs nm pl (II) *hair:* **se faire des t.** (III) *to fret, get upset:* (1) stew: BILE.

tiges nf pl (III) *bicycle police.* **avoir des t. de paquerette** (IIIa) *to have thin legs, be spindlelegged:* (2) have legs like toothpicks.

tignasse nf (III) TIFS.

timbale—décrocher la t. (I) *to win first prize:* (1) hit the jackpot; (2) get the brass ring*.

timbre nm (II) *head:* (2) nut: BALLE. **avoir le t. fêlé** (II) *to be mentally deranged:* (2) be a crackpot*: ARAIGNÉE. **en avoir pris un coup sur le t.** (II) *to be mentally deranged.*

timbré adj (I) *slightly crazy:* (2) whacky, batty: ARAIGNÉE.

tinée—avoir des tinées de (II) *to have large quantities of:* (2) have oodles of: CHARIBOTÉE.

tinette nf (III) *old automobile:* (2) jalopy: BERLINGOT. (III) *toilet:* (2) john: CABINCES.

tintche nf (IIIa) *money:* (2) cabbage: ARTICHE.

tintin—faire t. (III) *to do without:* (1) go whistle for.

tintouin nm (II) *worry, anxiety.* **avoir du t.** (II) *to fret, worry:* (2) stew: BILE. **donner du t.** (II) *to give trouble.*

tir—allonger le t. (II) *to raise the price:* (1) hike up the price; (2) hike up the bite, raise the ante*.

tirage nm (I) *difficulty, hitch, snag.*

tire nf (III) *automobile:* (2) buggy: BAGNOLE. (III) *taxicab.* (III) *pickpocket:* (2) dip, leather man, wire. **vol à la t.** (III) *picking pockets:* (2) lifting leather. **t.-gomme [jus, moelle]** nm (II) *handkerchief:* (1) hankie; (3) snot rag.

tirelire nm (I) *piggy bank.* (II) *head:* (2) nut: BALLE. *mouth:* (2) kisser: ACCROCHE-PIPE. (II) *face:* (2) mug: BALLE. **bouche de t.** (III) *large mouth:* (2) satchel mouth.

tirer vt (III) *to steal:* (2) swipe: ARRANGER. **se tirer** vp (II) *to run off:* (2) beat it: ADJAS. **se tirer d'affaire** (I) *to get out of a scrape:* (2) get out from under, get out of a hot spot. **se tirer d'épaisseur** (III) SE TIRER D'AFFAIRE. **se tirer des pieds [ripatons, pattes]** (III) *to run off:* ADJAS. **se tirer la bourre** (III) *to fight, come to blows:* (2) trade punches, lock horns, slug it out. **t. au cul [flanc, renard]** *to shirk one's duty, malinger:* (1) soldier on the job; (2) goldbrick, goof-off. **t. un coup** (IV) *to fornicate:* ARBALÈTE.

tireur nm (III) *pickpocket:* (2) dip, wire, leather man.

tireur-au-cul [flanc, renard] nm (III) *duty shirker, malingerer:* (2) goldbricker(er), goof-off.

tiroir—avoir un polichinelle [moufflet] dans le t. (II) *to be pregnant:* (1) be expecting; (2) be in a family way, have one in the oven*; (3) be knocked up. **t. à poulet** (III) *stomach:* (2) breadbasket: BIDE.

tisane nf (III) *beating:* (2) walloping: AVOINE. **filer une t.** (III) *to beat:* (2) lambaste: AMOCHER.

tisaner vt (II) *to beat up:* (2) lambaste: AMOCHER.

titi nm (III) *Parisian gamin:* (1) guttersnipe.

titine nf (IIIa) *machine gun:* (2) chopper, chatterbox, Chicago typewriter, burp gun.

toc nm (I) *imitation jewelry, costume jewelry:* (2) junk [flash] jewelry.——adj invar. (III) *homely, ugly:* (2) not much to look at, nothing to write home about. (II) *mean, ill-mannered:* (2) low-down, hard-boiled, ornery. (III) *false, counterfeit:* (2) phony. (III) *poor quality:* (2) cheesy, crappy, junky, trashy. **manquer de t.** (III) *to lack assurance, be uncertain.* **marcher sous un t.** [des tocs] (IIIa) *to travel under false identity papers.*

tocante nf (II) *watch.*

tocard nm (III) *mediocre racehorse:* (2) nag, plug, plater, hayburner, mutt.——adj (III) TOC.

tocasse adj (III) TOC.

tocasson adj (III) TOC.

toiles nf pl (III) *bedsheets.* **se glisser** [mettre] **dans les t.** (II) *to go to sleep:* (2) hit the hay: BÂCHER (SE).

toiture—**onduler de la t.** (III) *to be crazy:* (2) have a screw loose: ARAIGNÉE.

tôle nf (III) TAULE.

tôlier nm (III) TAULIER.

tomate nf (IIa) *head:* (2) noodle: BALLE. (II) *imbecile:* (2) sap: ANDOUILLE. **avoir l'air t.** (II) *to have a stupid look, look like an imbecile:* (2) look like a dope [dumbbell, boob, chump, fathead]. **comme une t.** (II) *taken aback, astonished:* (2) flabbergasted, floored. **rougir comme une t.** (II) *to blush:* (I) turn red.

tomber vt (II) *to throw to the ground, overcome, vanquish:* (2) flatten, floor, lay out. (IV) *to fornicate:* (3) screw: ARBALÈTE. —vi (III) *to get arrested:* (2) get pinched: BAISÉ. **laisser t.** (II) *to abandon, leave in the lurch:* (2) dump, ditch: BALANCER. **t. dans le jus** [bouillon] (III) *to fall into the water:* (2) fall in the drink. **t. dans les pommes** [vapes] (I) *to faint:* (2) pass [conk] out, pass out cold, pass out of the picture. **t. sur le paletot** [poil] **à** (III) *to attack with blows:* (1) wallop: (2) lace into: AMOCHER. **t. sur un bec** [un manche, un coup dur] (III)

to meet an unexpected obstacle, strike a snag: (2) run into a hitch.

tombeur nm (II) *wrestler:* (2) mat artist, grunt and groaner. **t. de femmes** (II) *seducer, libertine:* (2) wolf; (3) gash-hound, pussy chaser.

tondre vt (III) *to fleece*, strip of money or property by fraud, despoil:* (2) clean out, take to the cleaners.

tondu—**être t. (à zéro)** (III) *to be without money:* (2) be cleaned out: BLANC.

tonneau—**boire comme un t.** (II) *to drink excessively:* (2) drink like a fish: BIBERONNER. **être du même t.** (II) *to be the same thing:* (2) be six of one and half a dozen of the other.

toquade nf (I) *infatuation, whim, fad:* (1) passing fancy, crush; (2) yen. (I) *obsession, mania.*

toquante nf (IIIa) TOCANTE.

toquard adj (III) TOCARD.

toqué adj (I) *half crazy:* (2) goofy, slightly batty: ARAIGNÉE. **être t. de** (I) *to be enamored of:* (1) have a crush on: AMOUR.

toquer (se) vp (I) *to become infatuated with:* (2) to fall for, have a crush on [yen for]. (I) *to get excited about:* (2) get hipped about [over], go bugs [batty] over.

torche nf (IIIa) *tongue:* (2) clapper.

torchée nf (III) *fist-fight, brawl:* (2) hassle: BADABOUM.

torcher vt (III) *to beat, punch:* (2) paste: AMOCHER. (I) *to botch (a job):* (2) give it a lick and a promise, do a slapdash [lousy] job, slap [knock] together; (3) do a half-ass job: AMOCHER. **se torcher** vp (III) *to fight:* (2) slug it out, trade punches: ACCROCHER (S').

torchon nm (II) *slattern, slovenly woman:* (2) slob. **le t. brûle** (I) *there's disagreement in the household:* (2) they're at it again. **mettre le t.** (IIIa) *to set the table for a poker game.* **se donner** [flanquer, filer] **un coup de t.** (III) *to fight:* TORCHER (SE).

tordant adj (II) *laughable, funny:* (2) side-splitting: BIDONNANT.

tord-boyaux nm inv (II) *bad whiskey:* (2) rotgut*, hootch, bug juice, Missouri mule, panther juice, varnish.

tordre (se) vp (II) *to be convulsed with laughter:* (2) have a belly-laugh: BIDONNER (SE).

torgnole nf (II) *punch, blow, slap:* (1) wallop: ATOUT.

torpille nf (III) *professional beggar:* (2)

moocher, sponger, panhandler. (II) *loan:* (2) touch. **marcher à la t.** (IIIa) *to live by begging:* (2) panhandle, mooch.

torpiller vt (III) *to borrow money:* (1) sponge; (2) mooch: BOTTE. (IV) *to have intercourse:* AIGUILLER. (II) *to criticize, run down:* (2) pan: AQUIGER.

torpilleur [**euse**] nmf (IIIa) *borrower:* (1) sponger; (2) moocher, panhandler, freeloader.

torsif adj (IIIa) TORDANT.

tortillard nm (II) *lame man:* (2) gimp, limpy, game [gimpy]-legged. (II) *slow train.*

tortore nf (III) *food:* (2) grub: BECQUETANCE.

tortorer vt (III) *to eat:* (2) put on the feed bag: BECQUETER.

toto nm (III) *head louse:* (2) cootie.

toubib nm (II) *doctor:* (2) doc, sawbones, medicine man, croaker.

touche nf (II) *look, appearance.* **il a une drôle de t.** (1) *he has a peculiar appearance:* (2) he's a queer-looking customer [duck, guy]. **faire une t.** (III) *to succeed in courting:* (2) make a pickup [broad], make a hit with a dame [broad]. **touches de piano** (III) *teeth:* (2) choppers, crockery, ivories.

touche-à-tout nm invar. (I) *busybody, meddler:* (1) nosy person, snoop. —— adj (I) *inquisitive, intrusive:* (1) snoopy, nosey.

toucher—**t. son fade** [**pied**] (IIIa) *to get one's share of the loot:* (2) get one's cut [divvy, piece].

touche-pipi—**jouer à t.-p.** (III) to masturbate.

touiller vt (II) *to mix, stir up, agitate.*

toupet—**avoir du t.** (I) *to be impudent:* (1) have (a lot of) gall [brass, cheek]; (2) be fresh [sassy, cheeky], have a lot of guts [crust].

toupie nf (II péj.) *woman:* (2) tomato, broad, babe, skirt: BERGÈRE.

tour—**la tour pointue** (III) *Paris police headquarters:* (2) Police Hq. **t. de bâton** (I) *extra, and usually illegal, profit:* (2) rake-off, kickback.

tourlouzine nf (III) *beating, thrashing:* (1) walloping: AVOINE.

tournanche nf (IIIa) TOURNÉE.

tournée nf (II) *round of drinks.* (II) *beating:* (2) lambasting: AVOINE.

tourte nf (IIa) *imbecile, idiot:* (2) dope: ANDOUILLE. —— adj (IIa) *stupid:* (2) dopey, nitwitted, thickheaded. **en rester comme une t.** (II) *to be surprised:* (2) be flabbergasted: ABASOURDIR.

tout cuit—**être du t. c.** (II) *to be a sure success or winner:* (2) to be a sure thing, be a cinch [snap], be in the bag.

toutime nm (III) *everything:* (2) the whole works: BARAQUE.

trac nm (I) *fear:* (2) jitters, shakes. **avoir le t.** (I) *to be afraid, have stage fright:* (2) have the jitters: BLANCS. **tout à t.** adv (I) *on the spur of the moment.*

tracer (**se**) vp (II) *to run away:* (2) make tracks*: ADJAS.

tracsir nm (III) TRAC.

trafanar nm (IVa) *anus:* ANNEAU.

train nm (III) *buttocks:* (2) fanny: ARRIÈRE-TRAIN. **botter le t.** (III) *to kick in the buttocks:* (2) boot [kick] in the fanny [butt, rear, tail]; (3) kick in the ass. **être dans le t.** (I) *to have the latest information, be up to date:* (2) be hip: COULE. **filer le t. à** (III) *to trail:* (2) tail, shadow. **prendre le t. onze** (II) *to go afoot:* (2) hoof it, use the shoe-leather express. **se manier le t.** (III) *to hurry:* (2) step on it: DÉGROUILLER.

traînard—**faire** [**ramasser**] **un t.** (III) *to fall:* (1) take a spill [header]; (2) take a flop, go kerplunk, come a cropper.

traînasser vt (I) *to prolong, drag out.* —— vi (I) to idle around: (2) louse [piddle, bum, diddle, futz] around.

traîne—**être à la t.** (III) *to be late.*

traînée nf (III) *low-class prostitute:* (2) cheap whore, hustler, hooker.

traîne-lattes nm invar. (II) *destitute person, wretch:* (2) down-and-outer, poor slob.

traîne-misère nm invar. (I) TRAÎNE-LATTES.

traîne-patins nm invar. (II) *vagabond, tramp:* (2) bum, hobo.

trait—**faire des traits à** (I) *to be unfaithful to, deceive:* (2) two-time, step out on.

tralala—**sans t.** (II) *without ceremony, without fuss:* (2) without putting on the dog [Ritz].

tramontane—**perdre la t.** (I) *to get confused:* (2) get goofed up: BOULE.

tranche nf (III) *head:* (2) nut: BALLE. (III) *imbecile:* (2) lunkhead: ANDOUILLE. **t. de gaille** (III) *ugly face:* (2) horseface. **en avoir une t.** (III) *to be stupid:* (2) be a nitwit: ANDOUILLE. **se payer une t.** (II) *to take the lion's share.* **se payer la t. de q'un** (II) *to make fun of s.o.:* (2) kid s.o.: BATEAU.

tranchecaille nf (IIIa mil.) *trench (WWI).*

trancher vt (IV) *to have intercourse with:* AIGUILLER.

transbahuter vt (II) *to transport, haul:* (1) tóte.

traquer vi (II) *to be afraid:* (2) be scared stiff, have the jitters: BLANCS.

traquette—avoir la t. (III) TRAQUER.

traqueur [euse] nmf (III) *cowardly person:* (2) yellow-belly: CANEUR. —— adj (III) *cowardly:* (2) yellow, chicken, yellow-bellied [-livered].

traquouse—avoir la t. (III) TRAQUER.

travail—prendre le t. à la petite semaine (II) *to shirk one's duty, do a poor job:* (2) fall asleep on the job [at the switch], do a half-ass job. **t. noir** (II) *extra work in addition to regular employment (usually not declared to employer):* (1) moonlight job.

travailler—t. du bigoudi [chapeau, chou, canotier] (III) *to be slightly insane:* (2) be off one's rocker: ARAIGNÉE. **t. du pick-up** (III) *to talk nonsense:* (2) talk in circles, shoot off one's mouth.

traversin—faire un coup de t. (III) *to take a nap:* (1) (take a) snooze, take forty winks; (2) cop a snooze, grab (off) some shut-eye [a few winks].

trav's (les) nm pl (IIIa) *hard labor in prison:* (2) the chain gang, the rock pile.

trèfle nm (III) *tobacco:* (2) cabbage, stink-weed. (III) *crowd:* (2) mob. (III) *money:* (2) dough: ARTICHE.

tremblement—tout le t. nm (II) *everything:* (2) the whole works: BARAQUE. (II) *the entire group:* (2) the whole mob [gang, crew].

tremblote—avoir la t. (II) *to be afraid:* (2) have the jitters, be scared stiff. (II) *to have chills and fever:* (1) have the shakes.

trempe nf (II) *beating:* (2) clobbering: AVOINE. être de la même t. (I) *to be of the same kind, be birds of a feather:* (1) be two of a kind; (2) be tarred with the same brush.

trempée nf (III) TREMPE.

tremper vi (I) *to involve oneself in, get mixed up in:* (2) stick one's nose into. **t. son panais** [biscuit] (IV) *to have intercourse:* ARBALÈTE.

trempette nf (II) *slice of bread (for dunking in wine, etc.).*

trente-et-un—se mettre sur son t.-e.-u. (I) *to put on one's best clothes:* (2) get dolled up, put on one's Sunday best.

trêpe nf (III) *crowd:* (2) mob.

tréteau nm (IIa) *horse:* (2) nag, hayburner, bangtail.

tricard nm (IIIa) *interdiction from a particular area:* BÂTONNÉ.

tricoter—t. des gambettes [pincettes, bâtons] (II) *to run fast:* (2) hightail it, run lickety-split, run hell bent for election, run like a bat out of hell [a house on fire], run like hell, make tracks. (II) *to run away:* (2) to lam out: ADJAS. (III) *to dance:* (2) cut a rug.

tric-trac nm (III) *transaction or action of doubtful honesty:* (1) shady deal, wheeling and dealing.

trifouillée nf (III) *beating:* (2) clobbering: AVOINE.

trifouiller vt vi (II) *to rummage, ransack:* (2) work over, give a going-over.

Trifouillis-les-Oies nm (I) *an imaginary out-of-the-way village:* (2) Podunk.

trimard nm (IIIa) *road, highway.* (II) *vagabond, vagrant:* (1) bum, hobo, tramp; (2) vag. être sur le t. (II) *to be a vagrant:* (2) hoof [leg] it.

trimarder vi (II) *to be a vagrant:* (2) be on the bum.

trimardeur nm (II) *vagrant:* TRIMARD.

trimbalée nf (II) *a large quantity:* (2) loads of: CHARIBOTÉE.

trimbaler vt (II) TRANSBAHUTER. se trimbaler vp (II) *to go on foot:* (2) hoof [leg] it.

trimer vi (II) *to work hard:* (2) plug: BOSSER.

tringle—avoir la t. (IV) *to have an erection:* BANDER. courir sur la t. (III) *to pester, annoy:* (2) bug, gripe: ASSOMMER. être de la t. (IV) *to be sexually aroused:* BANDER. pour la t. (II) *for nothing:* (2) for peanuts [beans]. se mettre la t. (II) *to be deprived of, forego.*

tringler vt (IV) *to have intercourse:* AIGUILLER.

tringlomane—faire le t. (IVa) TRINGLER.

tripatouiller vt (II) *to handle something dishonestly:* (2) finagle with, act shady. (II) *to paw:* (2) feel up, grab [cop] a feel.

Tripatouillis-les-Oies nm (Ia) *an imaginary out-of-the-way village:* (2) Podunk.

tripes nf pl (I) *intestines:* (2) guts. jouer avec ses t. (III) *to play a role with enthusiasm (theat.):* (2) give it all one's got, put one's guts in it*. rendre t. et boyaux (III) *to puke:* (2) to toss one's cookies, to upchuck.

tripette—ne pas valoir t. (II) *to be worthless:* (2) to be not worth a damn [beans, a hoot].

tripotage nm (I) *crooked dealings, swindle:* (1) shady deal; (2) gyp, flimflam, wheeling and dealing.

tripotailler vt (II) *to feel, touch, caress:* (2) fiddle [monkey] around with, feel up.

tripotée nf (II) *beating:* (2) shellacking: AVOINE. (II) *a large quantity:* CHARIBOTÉE.

tripoter vt (I) *to handle clumsily or roughly.* (I) *to mishandle (money, stocks, etc.):* (2) monkey around with. (III) *to paw a woman:* (2) to grab [cop] a feel, feel up.

tripoteur [euse] nmf (I) *one who engages in illicit affairs, swindler:* (2) finagler, gypster, gyp-artist, wheeler and dealer, sharpie, grifter: ARNAQUEUR.

triquard nm (IIIa) TRICARD.

trique nf (II) *large club.* **avoir la t.** (IV) *to have an erection:* BANDER. **sec comme un coup de t.** (I) *very thin:* (2) skinny as a rail*.

triqué—être t. (IV) TRIQUE (AVOIR LA).

triquée nf (III) TRIPOTÉE. **filer une t.** (III) *to beat, thrash:* (2) give a pasting: AMOCHER.

trisser vt (II) *to run:* (2) hightail it, make tracks, go like hell [blazes, a bat out of hell, a house on fire]. **se trisser** vp (II) *to run away:* (2) take it on the lam: ADJAS.

trissoter (se) vp (III) TRISSER (SE).

trognon nm (II) *head:* (2) noodle: BALLE. (II) *darling:* (2) sweetie, honeybunch. **jusqu'au t.** (II) *to the very end.*

trombe—en trombe adv (II) *suddenly and unexpectedly:* (1) out of the blue [the clear blue sky]. (II) *very quickly:* (1) like a flash: BARRE.

trombine nf (II)) *head:* (2) nut: BALLE. (II) *face:* (2) map: BALLE.

trompette nf (II) *head:* (2) bean: BALLE. (II) *face:* (2) mug: BALLE. (II) *nose:* (2) beezer: BAIGNEUR. (II) *mouth:* (2) kisser: ACCROCHE-PIPE. **sans tambour ni t.** (I) *quietly, without fanfare*:* (2) on the q.t.

tronc-de-figuier nm (III péj.) *Arab.*

tronche nf (III) TRANCHE. **se payer la t. de** (III) *to play a joke on, ridicule:* (2) pull a fast one on: BATEAU. **se taper la t.** (III) *to eat:* (2) feed one's face: BECQUETER.

troncher vt (IV) TRANCHER.

trône nm (III) *toilet seat:* (2) throne*.

troquet (abrév. de **mastroquet**) nm (II) *wine merchant.* (II) *barkeeper.*

trotter (se) (II) *to run off:* (2) scram: ADJAS.

trottinet nm (IIIa) *foot:* (2) hoof: ARPIONS.

trottoir—faire le t. (II) *to walk the streets (of prostitutes):* (2) hook, hustle.

trou nm (III) *prison:* (2) clink: BALLON. **être dans le t.** (III) *to be in prison:* (2) be in stir: BALLON. **boire comme un t.** (I) *to*

drink heavily: (2) drink like a fish: BIBERONNER. **boucher un t.** (I) *to pay a debt:* (2) pony up. **faire un t. à la lune** (I) *to leave without paying:* (2) skip, jump the bill, shoot the moon*. **sortir du t.** (IIIa) *to be released from jail:* (2) be sprung, hit the street.

trouduc nm (IV péj.) *idiot:* (2) nitwit: ANDOUILLE. (IV) *anus:* ANNEAU.

troufignard nm (IV) *anus:* ANNEAU.

troufignon nm (IV) *buttocks:* (2) can: ARRIÈRE-TRAIN.

troufion nm (III mil.) *soldier of lowest rank:* (2) buck private.

trouillard [e] nmf (II) *coward:* (2) yellow-belly: CANEUR. —— adj (II) *cowardly:* (2) chicken: CHIASSEUX.

trouille—avoir la t. (II) *to be afraid:* (2) have cold feet: BLANCS.

trouilloter vi (III) *to stink.*

trousse nf (III) *buttocks:* (2) rear: ARRIÈRE-TRAIN.

troussequin nm (IIIa) TROUSSE.

truc nm (II) *a general word for "thing," including machines, occupations, objects, etc.:* (2) gizmo, gadget, thingumajig, whatchacallit, gimmick (object), racket (occupation). (I) *skill, ability:* (2) know-how. (IV) *penis:* ARBALÈTE. **avoir le t.** (I) *to have the ability:* (2) have the knack [know-how]. **avoir ses trucs** (IV) *to menstruate:* AFFAIRES. **connaître le t.** (II) *to know the secret:* (1) be wise to the secret; (2) be hip to the racket, know the gimmick. **débiner le t.** (II) *to reveal the secret:* (1) let the cat out of the bag; (2) give the show away, spill the beans. **faire le t.** (III) *to be a prostitute:* (2) hook, hustle. **les trucs du métier** (I) *the tricks of the trade*:* (2) the ins and outs of the trade. **mordre dans le t.** (II) *to be fooled:* (1) be taken in, bite, fall; (2) be a sucker. **repiquer au t.** (III) *to start over again:* (2) take another crack at, have another go at. **piger [trouver] le t.** (III) *to discover the secret:* (2) catch wise [get on] to the racket, figure out the gimmick. **un bon t.** (II) *a desirable job:* (2) a swell [damn good] spot. **un t. à la gomme** (II) *a trifling matter:* (2) nothing to get hot about, nothing to write home about.

truffe nf (II) *nose (esp. big):* (2) schnozzle: BAIGNEUR. (II) *idiot:* (2) dumb cluck: ANDOUILLE. —— adj (II) *stupid, silly:* (2) nitwitted, dumb, dopey. **se piquer la t.** (IIIa) *to get drunk:* (2) get a snootful*: ARRONDIR (s').

truffer vt (II) *to cheat, deceive:* (2) put one

over on: ARNAQUER. (III) *to shoot:* (2) plug, fill with lead, let daylight through.

trumeau—un vieux t. (III péj.) *an old or ugly woman:* (2) an old bitch [bag].

truquer vt (I) *to counterfeit, falsify:* (2) phony [doctor] up.

truqueur nm (I) *faker, trickster:* (2) finagler, gyp artist, con man.

truqueuse nf (IIIa) *prostitute:* (2) hooker, hustler.

tsoin! tsoin! (III) *first-rate, top-notch:* (2) cool: BADOUR.

tubard nm (III) *tubercular:* (2) lunger, T.B.'er. (III) *horse-race information, tip:* (2) inside dope, low-down. **refiler un t.** (III) *to give a tip on the races:* (2) give the inside dope [low-down], to put on to something hot.

tube nm (II) *the subway.* (III) *stomach:* (2) gut: BIDE. (III) *telephone:* (1) phone. **s'enfoncer q'ch. dans le t.** (III) *to eat:* (2) fill one's gut: BECQUETER. **un coup de t.** (III) *a telephone call:* (1) a phone call. **donner [rouber] à pleins tubes** (III) *to drive at full speed:* (2) barrel along: BOMBER.

tuber vt (IIIa) *to telephone:* (2) phone, give a ring. (III) *to give horse-racing information:* REFILER UN TUBARD.

tubeur nm (III) *race-track tout:* (2) tipster.

tuile nf (II) *an unexpected accident or obstacle, hitch, snag.* **quelle t.** (II) *what rotten luck!*

turbin nm (III) *work, job:* (2) rat race, grind. (III) *criminal act:* (2) heist, caper. **c'est toujours le même t.** (III) *it's the same old thing:* (2) the same old grind, the same rat-race. **faire un petit t.** (IIIa) *to commit a robbery:* (2) pull a heist, knock over a joint. **faire un t. à q'un** (III) *to commit a treacherous act on s.o.:* (2) pull a fast one on s.o., play a dirty [lousy] trick on s.o.

turbiner vi (II) *to work hard:* (2) plug away: BOSSER. —— vt (III) *to swindle, cheat:* (2) gyp: ARNAQUER.

turbineur nm (II) *hard worker:* (2) plugger. (III) *swindler:* (2) gyp artist: ARNAQUEUR.

turf nm (III) *place where prostitutes gather.* (II) *race track:* (1) turf*. (III) *prostitute:* (2) hustler, hooker, call girl. **faire le t.** (III) TAPIS (FAIRE LE).

turfeuse nf (IIIa) *prostitute:* TURF.

turlupiner vt (I) *to annoy, torment:* (2) bug: ASSOMMER.

turne nf (II) *room, apartment (esp. dirty or badly kept):* (2) pad, kip, dump. (III) *sweatshop.*

tutu nm (II) *wine.* (II) *telephone:* (2) phone.

tuyau nm (I) *confidential information on horse races:* (1) tip, pointer; (2) inside dope, low-down. **t. de poêle** nm (I) *top hat:* (1) stovepipe*. **marchand de t.** (III) *seller of horse-race information, tout:* (2) tipster, dopester.

tuyauter vi (III) *to give information:* (2) put wise [hip], tip off, give the low-down [inside dope]. **se tuyauter** vp (III) *to get information:* (2) get the low-down [the dope], get wised up [squared away].

type nm (II) *chap, fellow:* (2) guy, gee: GARS. **bon t.** (II) *good person:* (2) good [nice] guy, good egg [Joe], O.K. guy. **sale t.** (II) *disreputable person:* (2) louse, rat, stinker, heel, foul ball, rotten egg. **vieux t.** (II) *old man:* (2) old coot [geezer, duffer].

typesse nf (IIIa) *woman:* (2) babe, tomato, broad: BERGÈRE.

unité nf (IIIa) *one million old francs.*

urf adj (IIIa) *handsome, good-looking:* (2) snazzy: BADOUR.

usiner vt (III) *to work.*

vacant adj (IIIa) *without money:* (2) broke: BLANC.

vache nf (III) *policeman:* (1) cop: ARGOUSIN. (IIIa) *prostitute:* (2) hustler, hooker. (IIIa) *inferior race horse:* (2) nag, plater. —— adj (II) *mean, harsh, severe:* (1) tough, rough. **être v. avec** (II) *to be severe with:* (2) tough [rough] on, give a hard time to. **parler français comme une v. espagnole** (I) *to speak French poorly:* (2) butcher [murder] the French language. **peau de v.** (III péj.) *stubborn, heartless person:* (2) pighead*. **pleuvoir comme v. qui pisse** (III) *to rain heavily:* (2) rain buckets [cats and dogs, pitchforks]. **vaches à roulettes** (III) *bicycle-mounted policemen.*

vache-à-lait nf (I) *constant source of profit:* (2) gold mine.

vachement adj (III) *very, exceedingly:* (2) damnably, cussedly, all-fired.

vacherie nf (II) *unjust, dishonest, underhanded action:* (2) lousy trick [stunt], fast one, stab in the back, double-cross.

vadrouille nf (II) *spree:* (2) toot: BAMBOCHE. (II) *band of drunken frolickers:* (2) bunch of hell-raisers. (II) *walk, promenade (usually looking for amusement).* **partir en [faire une] v.** (II) *to go on a spree:* (2) hit the hot spots*: BAMBOCHER.

vadrouiller (II) *to take a stroll:* (2) stretch one's legs. (II) *to drift around aimlessly:* (2) loaf [bum] around.

vague nf (III) *pocket:* (2) kick, poke.

vaguer vt (IIIa) *to search through the pockets:* (2) frisk, work over.

vaisselle—v. de fouille [poche] (III) *pocket money, small change.*

valade nf (IIIa) VAGUE.

valdas nf (IIIa) *revolver bullet, slug:* (2) pill. (III) *green traffic light:* (2) the go light.

valdingue nf (III) *valise.* (III) *jack (in cards):* (2) J-boy. **faire [ramasser] une v.** (III) *to fall:* (1) take a spill: BILLET.

valise—**faire la v.** (II) *to sneak off, run away:* (2) skip out, take a powder, take it on the lam, pack up and beat it*: ADJAS.

valoche nf (IIIa) VALDINGUE.

valse—**envoyer la v.** (III) *to pay money:* (2) fork out [pony up] the dough: ABOULER. **filer une v.** (III) *to beat up:* (2) clobber: AMOCHER. **inviter à la v.** (III) *to offer to settle an argument by fighting:* (2) invite to have it out.

valser vt (III) *to pay:* (2) fork out: ABOULER.

valseur nm (IIIa) *trousers:* (2) britches, jeans. (III) *buttocks:* (2) fanny: ARRIÈRE-TRAIN.

valseuses nf pl (IV) *testicles:* BALLOCHES.

vanne nf (II) *social error, blunder:* (2) boner, goof. (III) *insulting or disparaging remark:* (2) wisecrack, dirty crack [dig], slam. (III) *humorous or sarcastic answer:* (2) smart [wise] crack, snappy comeback. (III) *unexpected stroke of bad luck:* (2) tough [lousy] break. (III) *unexpected stroke of good luck:* (2) lucky break. (III) *mean action:* (2) lousy [dirty, ratty] trick. **balancer un(e) v.** (III) *to say something mean:* (2) make a dirty crack. **faire des vannes** (III) *to boast, brag:* (2) talk big, throw a line of bull: ALLER FORT. (III) *to flatter:* (2) soft-soap: BARATINER.

vanné adj (II) *tired:* (2) bushed: AFFÛTÉ.

vanneaux nm pl (II) *articles sold at a discount or at a loss:* (1) bargain goods.

vanner vi (III) *to boast, brag:* (2) throw the bull: ALLER FORT. (IIIa) *to put on airs, show off:* (2) put on the dog [Ritz], act the big shot. (III) *to talk:* (2) spiel, gas, beat one's gums, yak-yak. —— vt (II) *to annoy, bother:* (2) bug, gripe: ASSOMMER. (IIIa) *to steal:* (2) pinch: ARRANGER.

vanneur nm (III) *boaster, braggart:* (2) bull-thrower: BÉCHAMEL.

vannot nm (IIIa) VANNE.

vanterne nf (IIIa) *window.*

vape—**être dans la v. [les vapes]** (II) *to be in a faint:* (2) be out cold [like a light] (III) *to be in difficulties:* (2) be in a tough spot: BOUILLABAISSE. (II) *to be dejected:* (2) have the blues, be down in the mouth [dumps].* **les vapes** (II) *Turkish steam baths.*

vapeur—**aller [donner] à toute v.** (I) *to go at full speed:* (2) go full steam ahead*: BOMBER.

varlot nm (IIa) *idiot:* (2) dope: ANDOUILLE. (IIa) *disagreeable person:* (2) louse: BORDILLE.

vase nf (III) *water, rain, slime, mud.* **être dans la v.** (III) *to be bored:* (2) be down in the dumps*, have the blues. **il tombe de la v.** (III) *it's raining:* (2) it's coming down (in buckets), it's raining cats and dogs.

vase nm (IIIa) *buttocks:* (2) rear end: ARRIÈRE-TRAIN. (III) *luck:* (2) good [lucky] break, the breaks. **avoir le v.** (III) *to be lucky:* (1) be in luck; (2) get the breaks.

vaseline—**passer la v. à** (III) *to toady to, curry favor with:* (2) play up to: BOTTE.

vaser vi (III) *to rain:* (2) to come down (in buckets).

vaseux [euse] adj (I) *tired, worn-out:* (2) done in: AFFÛTÉ. (I) *mentally muddled or vague:* (1) slightly mixed up; (2) somewhat goofy, touched in the head, off the beam.

vasouillard adj (III) *tired:* VASEUX. (II) *doubtful.*

va-te-laver nm (IIIa) *slap, smack:* ATOUT.

va-tout—**jouer son v.-t.** (I) *to stake one's all:* (2) shoot the works, bet one's bundle [shirt].

vautour nm (I fig.) *usurer:* (2) loan shark, Shylock. (II) *proprietor:* (2) boss man.

veau nm (II péj.) *fat woman:* (2) fat slob. (II péj.) *idiot:* (2) dumb cluck: ANDOUILLE. (III) *lewd woman:* (2) floozy: BOUDIN. (III) *mediocre race-horse:* (2) plater, nag, dog. (III) *defective automobile:* (2) old jalopy, crate, heap, lemon: BERLINGOT.

vécé nm (II) *toilet:* (2) john: CABINCES. (from the w.c. or water closet known to all English-speaking tourists).

veilleuse—**la mettre en v.** (III) *to stop talking, hush up:* (1) keep mum; (2) button up one's lip, clam up, put the lid on, shut one's trap [yap].

veinard nm (II) *lucky person:* (2) lucky stiff [guy]; (3) lucky bastard.

veine—nf (II) *good luck:* (2) lucky break. **avoir de la [être en] v.** (II) *to be lucky:* (2) get a (lucky) break, get the breaks, be hit by a horseshoe.

vélo (abrév. de **vélocipède**) nm (I) *bicycle:* (1) bike.

velours nm (III) *profit:* (2) gravy, velvet*. **c'est du v.** (II) *it's excellent, first-rate:* (2) it's tops. **faire un v.** (I) *to make a wrong liaison in French, pronouncing a mute s or z.* **jouer sur le v.** (II) *to stake only one's winnings:* (2) play in the velvet*. (III) *to be a certain winner:* (2) play a cinch (bet), have a sure thing.

vendre vt (I) *to betray:* (1) sell out*; (2) squeal [fink, rat] on, sell down the river, finger, blow the whistle on.

vendu nm (I péj.) *renegade, traitor:* (2) double-crosser, fink, quisling.

venette—avoir la v. (II) *to be afraid:* (2) have the shakes: BLANCS.

venin—filer [lâcher] son v. (IV) *to ejaculate:* BANDER.

vent—c'est du v. (II) *it's not true:* (2) it's a lot of hot air*, it's a lot of bull [baloney, crap]. **du v.** (III) *nothing.* **être dans le v.** (II) *to be in the know:* (2) be hip: COULE.

ventilateur nm (III) *helicopter:* (2) chopper: MARGUERITE.

ventre—avoir du v. (III) *to have courage, be brave:* (2) have guts: BIDE. (III) *to be impudent:* (2) have a lot of guts: CULOT. **avoir q'ch. dans le v.** (II) *to have ability, be capable:* (2) have something on the ball, have what it takes. **se brosser le v. de** (II) *to do without:* (2) whistle for. **taper sur le v. à q'un** (I) *to be familiar with s.o.:* (2) be buddy-buddy [palsy-walsy] with s.o.

ventrée nf (II) *big meal:* (1) blowout. **s'en flanquer une v.** (III) *to eat gluttonously:* (2) stuff oneself: BÂFRER.

ver—tuer le v. (II) *to take a drink (alcoholic) on arising:* (2) take an eye-opener, take the hair of the dog.

verger vt (IV) *to have intercourse, to fornicate:* ARBALÈTE.

verjot—être v. (III) *to be lucky:* (2) get the breaks.

verni—être v. (II) VERJOT.

vert—se mettre au v. (I) *to go to the country:* (2) head for the wide open spaces. **en raconter de vertes** (I) *to tell vulgar jokes.*

vessie—prendre des vessies pour des lanternes (I) *to be completely mistaken, have illusions, imagine things:* (2) be dead wrong, be all screwed up.

veste nf (I) *failure, fiasco:* (2) flop, fizzle, turkey, washout. **remporter [ramasser] une v.** (I) *to fail:* (2) fizzle out: BOUDIN. (II) *to fail (examination):* (1) flunk. (II) *to be defeated in an election:* (2) take a licking.

retourner sa v. (II) *to change one's opinion (esp. in politics):* (1) do an about-face.

Veuve (la) nf (III) *the guillotine.*

viande—ta v. (III hum.) *yourself, your body:* (2) your carcass*. **amène ta v.** (III hum.) *come here:* (2) drag your carcass over here. **place ta v.** (III hum.) *sit down:* (2) plant your carcass. **planque ta v.** (III hum.) *hide yourself:* (2) stash [bury] your carcass. **v. froide** nf (III) *corpse, cadaver:* (2) stiff, cold meat*.

vice—avoir du v. (I) *to be shrewd and conniving:* (2) be a finagler.

vicelard [e] nmf (III) *dissipated, immoral person:* (2) no-good, bad actor, low-life. (III) *shrewd, conniving person:* (2) sharpie, finagler, grifter, shrewd [slick] customer.— adj (III) *immoral, vice-ridden.* (III) *shrewd, cunning:* (1) slick; (2) sharp as a razor.

vicelot nm adj (IIIa) VICELARD.

vidé adj (II) *dismissed:* (1) fired; (2) bounced, sacked. (III) *penniless:* (2) broke: BLANC. (III) *tired:* (2) pooped: AFFÛTÉ.

vider vt (II) *to dismiss:* (1) fire; (2) give the bounce: BALAI. **v. son sac** (I) *to pour out one's feelings:* (1) empty one's soul*, (2) speak one's piece. (II) *to confess:* (2) squeal: ACCOUCHER.

videur nm (III) *person in charge of ejecting undesirable clients from a night club:* (2) bouncer.

vie—enterrer sa v. de garçon (I) *to have a last fling before marrying.* **faire la v.** (I) *to live a fast life:* (2) live it up.

vié nm (IV) *penis:* ARBALÈTE.

vieille nf (II) *mother:* (2) the old lady*. **v. branche** (II) *my friend:* (2) old pal, [buddy]. **ma v.** (I) *my old friend:* (2) old girl*.

vieux nm (II) *father:* (2) the old man*. **les v.** (II) *the parents:* (1) the old folks. **mon v.** (I) *my friend:* (2) old pal, buddy. **ne pas faire de v. os** (II) *not to live (or stay) long:* (2) not to stick [hang] around long, not make old bones*. **se faire v.** (II) *to be bored:* (2) be fed up. **v. jeu** (I) *old-fashioned, out of date:* (2) old hat, corny, square.

vif—être pris sur le v. (II) *to be caught red-handed:* (2) be caught with the goods [one's pants down], be caught dead to rights.

vigne—être dans les vignes du Seigneur (I) *to be drunk:* (2) have a load on: ALLUMÉ.

villégiature—être en v. (II) *to be in prison:* (2) be in stir: BALLON.

vinaigre—crier au v. (II) *to shout for help:* (2) yell bloody murder, holler like hell.

faire v. (II) *to hurry:* (2) step on it: DÉGROUILLER.

vingt-deux! interj (II) *(used to warn of danger from police, the boss, enemies, etc.) watch out!*

vingt ronds nm (III) *one franc.*

vioc [que] nmf (III) *old person:* (1) old-timer.—adj (III) *old.*

viocard nm adj (III) VIOC.

violon nm (IIa) *prison:* (2) clink, hoosegow: BALLON. **boîte à v.** (IIIa) *coffin.* **payer les violons** (I) *to pay the expenses:* (1) pay the piper*; (2) foot the bill. **c'est comme si on pissait dans un v.** (II) *there's no use protesting:* (2) there's no use squawking [beefing, griping, bitching], you can't fight City Hall, you might as well save your breath. **v. d'Ingres:** (I) *hobby.*

virée nf (I) *walk, stroll.* (III) *spree:* (2) TOOT: BAMBOCHE. **aller [partir] en v.** (III) *to go on a spree:* (2) go on a bender: BAMBOCHER.

virer vt (III) *to send off:* (2) send packing, tell to go to hell. (III) *to discharge:* (2) fire: BALAI. (III) *to jilt a lover:* (2) walk out on, give the gate to.

viron nm (IIIa) *stroll, short walk.*

vis nf (IIIa) *neck.* **serrer la v. à** (I) *to treat harshly:* (2) put the screws on (to), high-pressure, clamp down on, give a rough time. (III) *to strangle.*

viser vt (II) *to look at:* (2) give the once-over: BIGLER. (II) *to watch:* (1) keep an eye on, keep in one's sights.

vissé—**être mal v.** (III) *to feel badly (health, morale):* (2) be down in the mouth [under the weather, off color].

visser vt (I) SERRER LA VIS.

vit nm (IV) *penis:* ARBALÈTE.

vitesse—**en quatrième v.** (II) *at top speed, in high gear:* (2) at full blast. (III) *to run away (at top speed):* (2) lam out: ADJAS.

vitre—**casser les vitres** (I) *to create a fuss:* (1) raise a rumpus: (2) kick [blow] up a storm, raise the roof [a howl].

voile—**avoir du vent dans les voiles** (III) *to be drunk:* (2) be three sheets to the wind*: ALLUMÉ. **mettre les voiles** (III) *to leave, to run away:* (2) make tracks: ADJAS.

voiture-pie nf (II) *radio patrol car:* (2) prowl car.

vol—**v. à la pipette** (IIIa) *stealing gasoline from parked cars.* **v. à la roulotte** (III) *stealing from parked cars.* **v. à la saccagne** (IIIa) *stealing by slashing pockets.* **v. au poivrier**

[poivrot] (III) *to steal from a drunken person:* (2) roll a drunk [lush].

volaille nf (IIIa) *woman of loose morals:* (2) floozy: BOUDIN. **caltez! volaille!** (III) *go away!:* (2) beat it!, scram!

voler—**v. dans les plumes de q'un** (III) *to attack s.o. violently:* (2) fly [light] into s.o., let s.o. have it, let go at s.o.: ACCROCHER. **ne l'avoir pas volé** (I) *to have earned s.t., deserve s.t.:* (2) have gotten s.t. the hard way.

volière nf (II) *disorderly house:* (2) crib, call joint, cat house. (II) *noisy gathering of women:* (2) hen party.

voyage—**faire le grand v.** (I) *to die:* (2) answer the last roll call: ARME. **y aller de son v.** (IV) *to ejaculate:* BANDER.

voyou nm (II) *guttersnipe, street urchin:* (1) gutter rat. (II) *disreputable, dishonest person:* (1) hoodlum: (2) hood, gunsel, no-good. **jeune v.** (II) *juvenile delinquent.* **petit v.** (II) *term of endearment for young children:* (1) little rascal; (2) little stinker.

vo[s]zigue pron (III) *you.*

vrai-de-vrai nm (III) *a true member of the Paris "Milieu":* (2) a right guy, an O.K. guy (from the underworld point of view).

vrille nf (IV) *Lesbian:* (2) dyke.

walkover—**être un w.** (IIIa) *to be a sure winner:* (2) be a pushover [a sure thing, breeze, snap, cinch].

X—(I) *The Polytechnic Institute of Paris, alumni of that school.* **avoir les jambes en X** (I) *to be knock-kneed.*

yé-yé n (2,III) *teenage faddist* (argot 1964–): (2) hipster, hip chick, rock and roller, rock.

yeux—**avoir les y. plus grands que le ventre** (I) *to undertake more than one can finish:* (2) bite off more than one can chew, to have one's eyes bigger than one's stomach. **cela crève les [saute aux] y.** (II) *it's very obvious, as clear as daylight.* **entre quat(re)'z' yeux** (II) *secretly, between the two of us:* (2) between you, me and the lamppost. **n'avoir pas froid aux y.** (II) *to be very active and vigorous:* (2) be full of pep: ALLANT. **n'avoir pas les y. dans la poche** (II) *to be alert, know what's happening:* (2) know what's what, know the score, be on the ball. **faire des y. de merlan frit [de crapaud mort d'amour]** (II) *to have a blank stare:* (2) look fisheyed*. **payer les y. de la tête** (II) *to pay an excessive price:* (2) pay an arm and a leg*, pay through the nose. **sauter aux y.** (I) *to be obvious:* (1) hit one in the eye*; even a blind man could see it.

youpin nm (III péj.) *Jew:* (2) Hebe, mocky.

youvance nm (III péj.) YOUPIN.

yoyoter—y. de la mansarde (III) *to be slightly crazy:* (2) be off one's rocker: ARAIGNÉE.

Yvan nm (III péj.) *Russian:* (2) Russky, Ivan.

zanzi(bar) nm (I) *3-dice game played in bars:* (2) bar dice.

zazou nm (IIa) *shiftless, silly adolescent:* (2) dumb teen-ager. ✹

zébie—peau de z. (II) *cheap, imitation or worthless merchandise:* (2) cheap junk, crap. (II) *nothing:* (2) beans.

zèbre nm (III) *individual:* (2) guy: GARS. **courir [filer] comme un z.** (I) *to run at top speed:* (2) run full blast, make tracks: BARRE. **un drôle de z.** (III) *a peculiar person:* (2) oddball, queer duck [fish], card, kook.

zéf (abrév. de **zéphyr**) nm (II) *breeze, wind.*

zèle—faire du z. (I) *to be zealous, energetic:* (2) be an eager beaver: ALLANT.

zéph nm (III) ZÉF.

zephyr nm (II) *common laborer.*

zéro nm (I) *a nonentity, a person of little or no ability:* (1) a zero*, a nothing; (2) a no-account. **être monté à quatre zéros** (IIIa) *to have very thin legs:* (2) be mounted on broomsticks. **les avoir à z.** (III) *to be afraid:* (2) have the jitters: BLANCS. **z. pointé** (III scol.) *zero in examination:* (2) goose egg.

zieuter vt (III) *to look at, observe:* (2) take a gander at: BIGLER.

zigomar nm (III) *person, fellow:* (2) guy: GARS.

zigoteau nm (III) ZIGOMAR. **faire le z.** (II) *to play fool, to clown:* (2) to act like a dope: ZOUAVE.

zigouiller vt (III) *to kill:* (2) bump off: AFFAIRE.

zig(ue) nm (II) *fellow, person:* (2) guy: GARS. **un bon z.** (II) *a decent person:* (2) a good egg [joe], a right guy.

zinc nm (II) *saloon or café bar.* (III mil.) *airplane.* **vider le z.** (III mil.) *to bail out of a plane:* (2) hit the silk.

zinzin nm (II) *noise, racket:* (1) rumpus: BAROUF.

zizi nm (IIa) *penis:* ARBALÈTE.

zob nm (IV) *penis:* ARBALÈTE. **mon z.!** (IV) *Ï̀ disagree!:* (3) balls!, nuts to you!

zone nf (III) *hiding-place of vagrants and ragpickers in Paris:* (2) the hobo jungle, bum's hangout. **être de la z.** (III) *to be penniless:* (2) be down and out, be on the bum.

zoner (se) vp (IIIa) *to go to sleep:* (2) sack up: BÂCHER.

zouave—faire le z. (II) *to play the fool:* (2) act like a dope, put on the stupid act, horse around, cut up, cut monkeyshines.

zozo nm (IIIa) *imbecile:* (2) dope: AN-DOUILLE.

zozore nm (II) *ear:* (2) flap.

zozoter vi (II) *to lisp.*

zozotte—ma zozotte (II) *my darling:* (1) sweetie, honeybunch, sugar.

zudété nm adj (II) *member of the French party "Union Démocratique du Travail."*

zuénère nm adj (III) *member of the French party "Union de la Nouvelle République."*

zut—avoir un oeil qui dit z. à l'autre (II) *to be walleyed.*

zyeuter vt (III) ZIEUTER.

BIBLIOGRAPHY

Arnaud, Georges. *Schtilibem 41*. Julliard, Paris, 1953.

Beery, Lester V., and Van den Bark, Melvin. *The American Thesaurus of Slang* (2d ed.). T. Y. Crowell Co., New York, 1960.

Deak, Etienne, and Deak, Simone. *A Dictionary of Colorful French Slanguage and Colloquialisms*. Laffont, Paris, 1959.

Galtier-Boissière, Jean and Devaux, Pierre. *Dictionnaire Historique, Etymologique et Anecdotique de l'Argot*. Crapouillot, Paris, 1950.

Goldin, Hyman E., O'Leary, Frank, and Lipsius, Morris. *Dictionary of American Underworld Lingo*. Twayne Publishers, New York, 1950.

Graven, Jean. *L'Argot et le Tatoutage des Criminels*. Ed. de la Baconnière. Neuchâtel, Switzerland, 1962.

Gspann, Lucien. *Gallicismes et Germanismes* (2 vols.). "Memento," Paris, 1954.

Guiraud, Pierre. *L'Argot*. Presses Universitaires de France, Paris, 1963.

Lacassagne, Jean, and Devaux, Pierre. *L'Argot du "Milieu."* Ed. Albin Michel, Paris, 1948.

Larousse Modern French-English Dictionary. McGraw-Hill Book Co., New York. 1960.

Larousse Universel (2 vols.). Libraire Larousse, Paris, 1948, 1949.

LaRue, Jean. *Dictionnaire d'Argot*. Flammarion, Paris, 1948.

LeBreton, Auguste. *Langue Verte et Noirs Desseins*. Presses de la Cité, Paris, 1960.

Mencken, H. L. *The American Language* (4th ed.). Knopf, New York, 1962.

Pradez, El. *Dictionnaire des Gallicismes*. Payot, Paris, 1958.

Rat, Maurice. *Dictionnaire des Locutions Françaises*. Larousse, Paris, 1957.

Riverain, Jean. *Chroniques de l'Argot*. Victor, Paris, 1963.

Roget's International Thesaurus (3rd ed.). T. Y. Crowell Co., New York, 1962.

Sandry, Géo, and Carrère, Marcel. *Dictionnaire de l'Argot Moderne* (6th ed.). Aux Quais de Paris, Paris, 1957.

Simonin, Albert. *Le Petit Simonin Illustre*. Les Productions de Paris, Paris, 1959.

Webster's New World Dictionary of the American Language (College ed.). World Publishing Co., Cleveland and New York, 1962.

Wentworth, Harold, and Flexner, Stuart Berg. *Dictionary of American Slang*. T. Y. Crowell Co., New York, 1960.

BIBLIOGRAPHIE

Arnaud, Georges. *Schtilibem 41*. Julliard, Paris, 1953.

Beery, Lester V., et Van den Bark, Melvin. *The American Thesaurus of Slang* (2d ed.). T. Y. Crowell Co., New York, 1960.

Deak, Etienne, et Deak, Simone. *A Dictionary of Colorful French Slanguage and Colloquialisms*. Laffont, Paris, 1959.

Galtier-Boissière, Jean, et Devaux, Pierre. *Dictionnaire Historique, Etymologique et Anecdotique de l'Argot*. Crapouillot, Paris, 1950.

Goldin, Hyman E., O'Leary, Frank, et Lipsius, Morris. *Dictionary of American Underworld Lingo*. Twayne Publishers, New York, 1950.

Graven, Jean. *L'Argot et le Tatoutage des Criminels*. Ed. de la Baconnière, Neuchâtel, Suisse, 1962.

Gspann, Lucien. *Gallicismes et Germanismes* (2 vols.). "Memento," Paris, 1954.

Guiraud, Pierre. *l'Argot*. Presses Universitaires de France, Paris, 1963.

Lacassagne, Jean, et Devaux, Pierre. *L'Argot du "Milieu."* Ed. Albin Michel, Paris, 1948.

Larousse Modern French-English Dictionary. McGraw-Hill Book Co., New York, 1960.

Larousse Universel. (2 vols.). Libraire Larousse, Paris, 1948, 1949.

LaRue, Jean. *Dictionnaire d'Argot*. Flammarion, Paris, 1948.

LeBreton, Auguste. *Langue Verte et Noirs Desseins*. Presses de la Cité, Paris, 1960.

Mencken, H. L. *The American Language* (4th ed.). Knopf, New York, 1962.

Pradez, El. *Dictionnaire des Gallicismes*. Payot, Paris, 1958.

Rat, Maurice. *Dictionnaire des Locutions Françaises*. Larousse, Paris, 1957.

Riverain, Jean. *Chroniques de l'Argot*. Victor, Paris, 1963.

Roget's International Thesaurus (3d ed.). T. Y. Crowell Co., New York, 1962.

Sandry, Géo, et Carrère, Marcel. *Dictionnaire de l'Argot Moderne* (6th ed.). Aux Quais de Paris, Paris, 1957.

Simonin, Albert. *Le Petit Simonin Illustré*. Les Productions de Paris, Paris, 1959.

Webster's New World Dictionary of the American Language (College ed.). World Publishing Company, Cleveland et New York, 1962.

Wentworth, Harold, et Flexner, Stuart Berg. *Dictionary of American Slang*. T. Y. Crowell Co., New York, 1960.